P9-CEB-617

NEUE HEIMAT IN DER CHACOWILDNIS

von

Martin W. Friesen

No Longer
the Property of
Bluffton University

Published and Bound by
D. W. Friesen & Sons Ltd.

Bluffton University Library

Copyright © 1987

All rights reserved
No part of this book may be
reproduced in any form without
permission in writing from the
publisher, except by a reviewer
who may quote brief passages in a
review to be printed in news-
papers or magazines.

ISBN 0–88925–740–X

Published by
D. W. Friesen & Sons Ltd.
and
Chortitzer Komitee
Casilla de Correo 883
Asuncion, Paraguay, S.A.
Canada

First printing, 1987

Printed and bound in Canada by
Friesen Printers
a Division of D. W. Friesen
& Sons Ltd.
Altona, Manitoba R0G 0B0
Canada

Vorwort

Mit dem vorliegenden Band macht der Verfasser, Martin W. Friesen, seinen Menno Mitkolonisten ein ausserordentliches Geschenk: eine peinlich genau dokumentierte und dargestellte Geschichte der Gründung der Menno Kolonie im zentralen paraguayischen Chaco. Aber nicht nur den Menno Kolonisten erklärt und beschreibt er Hintergrund und Entstehung der oft umstrittenen Siedlung, sondern auch denen der Glaubensgenossen, die sich nicht direkt an dem Unternehmen beteiligten, wird er zum Interpret eines Volkssplitters und einer Wanderung, die, teilweise aus Mangel an Wissen, teilweise aus mangelhafter Sympathie, nur zu oft missverstanden wurde. Der Autor ist in besonderer Weise zu dieser Arbeit befähigt, indem er beide Meinungslager kennt und versteht: das seiner konservativer gesinnten Mitkolonisten und das der ''fortschrittlicher'' gesinnten Mennoniten.

Angenhm berühren muss den Leser aber nicht nur die Gründlichkeit der Forschungen des Autors (die Fülle der Unterlagen, wie in den ''Fussnoten'' verzeichnet, ist geradezu erstaunlich), sondern vor allen Dingen die Offenheit, mit der er ab und zu auch kontroverse Sachen mit Namen nennt. Dass diese Offenheit aber niemals Wunden hinterlässt, dafür sorgt der unverwüstliche Humor des Autors und die tiefe Liebe, die er seiner Gemeinschaft entgegenbringt.

Friesen beschränkt sich in diesem Werk hauptsächlich auf die Dekade 1926–1936, den Beginn der Auswanderung bis zur Gründung des ''Chortitzer Komitees'' als Verwaltungsorgan der Kolonie. Der Leser kann nur wünschen, dass dem Verfasser noch genug Zeit und Energie verblieben wäre, in zwei weiteren Bänden die Kriegs — und Nachkriegsjahre so definitiv zu behandeln, wie er das erste Jahrzehnt beschrieben hat.

Im Interesse vieler Leser in Nordamerika wäre sicherlich auch eine englische Ausgabe zu empfehlen.

Dem Verlag D. W. Friesen & Sons, Altona, Manitoba, Canada, , gebührt der Dank der ganzen Gemeinschaft für die Drucklegung dieses Buches. Der Unterzeichnete wünscht dem Werk die weiteste Verbreitung in- und ausserhalb der mennonitischen Glaubensgemeinschaft.

Im November 1986
Gerhard Ens
Redakteur,

INHALT

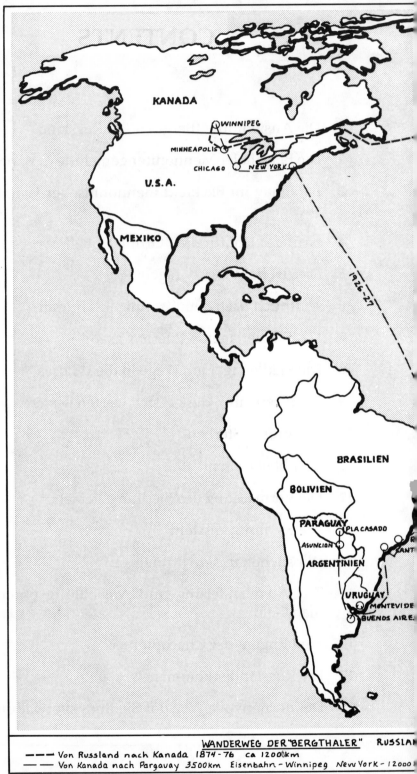

KANADA

○ WINNIPEG

MINNEAPOLIS ○

CHICAGO ○   ○ NEW YORK

U.S.A.

MEXIKO

1926-27

BRASILIEN

BOLIVIEN

PARAGUAY ○ PLA CASADO

ASUNCION ○

ARGENTINIEN

URUGUAY

○ MONTEVIDE

○ BUENOS AIRE.

R

ANT

WANDERWEG DER "BERGTHALER"   RUSSLAN

– – – Von Russland nach Kanada 1874-76 ca 12000km

––– Von Kanada nach Pargauay 3500km Eisenbahn – Winnipeg New York – 12000

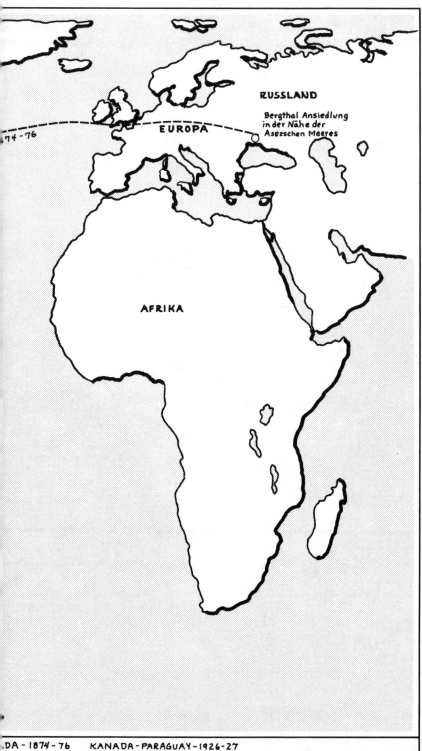

RUSSLAND

Bergthal Ansiedlung
in der Nähe der
Asozschen Meeres

EUROPA

74 - 76

AFRIKA

DA - 1874 - 76   KANADA - PARAGUAY - 1926 - 27

dampfer'- New York - B. Aires 2300 km flusseddampfer - B. Aires - Pla Casado   TOTAL ca 17800 km

KAPITEL 1

Die Ansiedlung "Bergthal" in Russland

Wenn ein Prediger bei jetziger Zeit — das heisst ein studierter — nur den Text und einige Verse anführt, übrigens kann er dann über Eisenbahn und was sonst in der Welt passiert, reden, wenn er nur nicht abliest . . .

Alt. G. Wiebe: Auswanderung — Russland/Kanada
Seite 9 — alte Ausgabe

Gründe für die Auswanderung aus Preussen nach Russland

Im Jahre 1789 wurde die erste mennonitische Ansiedlung in Russland gegründet. Die Siedler kamen aus Westpreussen, wo sie wegen der Verweigerung des Militärdienstes in wirtschaftliche Bedrängnis geraten waren. Ihnen waren, als Ackerbauleuten, scharfe Grenzen gesetzt worden. Man hatte sie auf einen endgültig abgegrenzten Raum eingeengt, so dass sie sich ackerbaulich nicht mehr ausweiten konnten. Jeglicher Landkauf für junge Leute, die sich selbständig machen wollten, war von der Regierung untersagt worden.[1] Darum waren die meisten neuen Familien landlos geblieben.

Gerade diese landlosen Mennoniten Westpreussens waren es dann, die sich als erste für eine Auswanderung entschlossen, als sie von der russischen Regierung eingeladen wurden, als Ackerbauleute, Ackerbaupioniere, in die Steppen Südrusslands zu kommen.

Sie zogen in das Schwarzmeergebiet und liessen sich in der Nähe des Dnjeprstromes an dessen Nebenfluss "Chortitza" nieder.[2] Hier legten sie fürs erste acht Dörfer an. Das mehr zentral gelegene Dorf nannten sie nach dem Namen des Flüsschens "Chortitza". Diesen Namen erhielt dann auch die Kolonie selbst: "Die Chortitzer Ansiedlung".

Diese Ansiedlung wurde dann später, als es schon mehr mennonitische Siedlungen in Russland gab, vor allem im Vergleich zu der etwas später entstandenen grossen "Molotschnaer Ansiedlung", die "alte Kolonie" genannt, und Leute, die aus dieser Ansiedlung kamen oder stammten, nannte man "Altkolonier".

Nach 40 Jahren verspürten die Chortitzer Ansiedler schon Mangel an Land. Die verfügbaren Landstücke waren mit Siedlern aufgefüllt oder wurden wenigstens von den alten Bauern voll beansprucht. Land in der Nähe war nicht mehr zu haben. Die Familiengründungen aber gingen trotz Landnot fort. So kam es zu den sogenannten Anwohnern. Diese hatten wohl das Wohnrecht im Dorf, aber keinen Anspruch auf einen eigenen Hof. Sie konnten sich eben keinen Hof anschaffen und hatten darum auch kein Stimmrecht.

Das Landlosenproblem kam also auch hier, wie schon seinerzeit in Westpreussen, wieder auf und zeitigte dann in der Folge ein unrühmliches Blatt in der Geschichte der Mennoniten Russlands, vor allem später auch in der Molotschnaer Ansiedlung.[3]

Gründung der Bergthaler Kolonie

Im Jahre 1833 benutzte die Chortitzer Siedlung eine günstige Gelegenheit und kaufte einen Landkomplex, um eine Tochtersiedlung anzulegen. Leider war das Landgut weit von der Mutterkolonie entfernt, nämlich etwa 200 Kilometer. Es lag in der Nähe des Asowschen Meeres in der Gegend der Hafenstadt Mariupol. Heute trägt diese Hafenstadt den Namen Schdanow. Hier entstand drei Jahre später die Ansiedlung "Bergthal". Bergthal ist also eine Tochtersiedlung der Chortitzer Ansiedlung und ist auch die erste mennonitische Tochtersiedlung in Russland überhaupt.

Anfangs der 1830er Jahre befand sich die Chortitzer Siedlung jedoch infolge von Missernten in einer schweren wirtschaftlichen Lage. So ging man erst 1836 an die Gründung der neuen Ansiedlung. Das Zustandekommen der jungen Ansiedlung wurde von der Mutterkolonie bewerkstelligt. Die von Hause aus landlosen Familien waren ja mittellos und bedurften der vollen Unterstützung durch die Mutterkolonie.

Die mühevolle Umsiedlung zum neuen Ort, der so weit entfernt war, bewältigten die Chortitzer Wirte mit ihren Pferdefuhrwerken durch Reihendienst.[4] Die Reise nahm drei bis vier Tage in Anspruch. Als die erste Gruppe reisefertig war, hielt die Gemeinde ein Abschiedsfest, auf welchem der Gemeindeälteste, Gerhard Dyck, eine Abschiedsrede hielt. Viele weinten, denn es bedeutete, sich jetzt von Freunden und Verwandten, auch Nahverwandten, zu trennen.[5]

Die älteren und alten Chortitzer Siedler erinnerten sich jetzt lebhaft der schweren Anfangszeit ihrer Ansiedlung und besonders der Zerwürfnisse in wirtschaftlich-sozialer wie auch in gemeindlicher Hinsicht, die damals so schwere Folgen mit sich gebracht hatten.

In Preussen hatte es zwei Gemeinderichtungen gegeben, die Flamischen und die Friesischen (Flaminger und Friesen). Die Spaltung hatte schon in Holland bestanden. Es war dort so weit gekommen, dass Ehen zwischen Personen aus beiden Richtungen verboten wurden.

Die russische Regierung, die um diese Zwistigkeiten gewusst hatte, hatte damals an die preussischen Mennoniten die Bitte gerichtet, diesen Parteigeist nicht auch noch nach Russland mitzubringen, sondern sich hier gleich als eine Gemeinde zu organisieren. Auch die Mennoniten in Holland hatten sich in einer Schrift an die preussischen Mennoniten gewandt und sie aufgefordert, diesen Parteigeist auszumerzen und sich zu vereinigen. Die Mennonitengemeinden Preussens hatten versprochen, es zu tun.

Bevor die Auswanderer die Heimat Preussen verlassen hatten, hatten die Zurückbleibenden versucht, die Gruppe auch mit Predigern auszurüsten. Eine Versammlung war zu diesem Zwecke anberaumt worden, aber zur Wahl eines Predigers war es nicht gekommen. Man hatte sich bei keinem der Brüder in der Gruppe einigen können, ihn als Prediger anzustellen. So hatte man darauf verzichten müssen. Von den Predigern, die die Gemeinde hatte, war keiner mitgezogen, denn bei diesen hatte es sich meist um Gutsbesitzer gehandelt, die als solche nicht in wirtschaftlicher Not waren, und wenn ein solcher sich auch schon entschlossen haben würde, mitzufahren, so hätte er dazu, als Landbesitzender, die Erlaubnis der Regierung haben müssen. Solche Schwierigkeiten hatte niemand auf sich nehmen wollen.

So war die Auswanderergruppe von Preussen nach Russland gemeindlich unorganisiert ausgezogen. Daraus waren dann bald grosse Schwierigkeiten erwachsen. Nach einer nach vielem Hin und Her am neuen Ort stattgefundenen Predigerwahl hatten sich ''friesisch'' Angehauchte als benachteiligt angesehen, und der alte Parteigeist war von neuem entfacht.[6]

Solches dürfte sich nicht wiederholen, sagten sich jetzt die alten, erfahrenen Chortitzer Siedler, die noch so manches Unangenehme aus jener aufgewühlten Zeit des Siedlungsanfanges in Erinnerung hatten. Sie wussten, dass ihre jungen Ansiedler auch so noch genug schwere Prüfungen zu bestehen haben würden. Was man aber vermeiden könne, wolle man vermeiden. So zogen diese jungen Siedler siedlungsmässig und gemeindlich ausgerüstet, aber von der Muttergemeinde noch weiter unterstützungsbedürftig, in die weite Steppe hinaus, einen neuen Anfang zu machen.

Leider war aber auch um diese Zeit, die der 1830er Jahre, die parteiische Färbung noch nicht ganz verschwunden. So wurden die ersten Umsiedlerfamilien — es waren etwa 30 — aus der Gruppe der ''flämisch'' Angehauchten für den Siedlungsanfang ausersehen.[7] Die flämische Richtung war in der Chortitzer Ansiedlung damals am stärksten vertreten und hatte sich somit auch als führend erwiesen.

Die Mutterkolonie gab ihren jungen Siedlern einen Prediger namens Jacob Braun mit, der schon seit 1824 im Dienste stand. Er wurde dann 1840 als Gemeindeältester der neuen Tochtergemeinde eingesetzt.[8] Die Muttergemeinde gab ihnen auch drei Familien von ihren tüchtigen Bauern mit, die den jungen, unerfahrenen Ansiedlern beratend und wegweisend zu Seite stehen sollten. Es waren dies die Familien Wilhelm Rempel, Jakob Martens und Johann Wiebe. Sie waren erfahren und auch fähig, die junge Ansiedlung zu fördern.[9] Im Zeitraum von 1836 bis 1862 wurden fünf Dörfer angelegt: Bergthal, Schönfeld, Schönthal, Heubuden und Friedrichsthal. Das zuerst angelegte Dorf war Bergthal. Den Namen für dieses Dorf entlehnten die Siedler der natureigenen Gegebenheit der Gegend, wo es angelegt war: ein langgestreckter, ziemlich hoher Hügel und daneben, im Tale, das Dorf — Bergthal. Man schrieb damals "Tal" noch mit "h".

Wie die Chortitzer Siedler ihre Siedlung nach dem Namen des ersten Dorfes benannt hatten, nämlich Chortitza, so machten es auch diese Siedler jetzt: die Siedlung erhielt den Namen des ersten Dorfes: **Bergthal**. In diesem Dorf entwickelte sich dann das Zentrum der Ansiedlung.

Obwohl die Siedlung Bergthal eine Tochterkolonie der Chortitzer Ansiedlung und von dieser gegründet worden war, wurde sie doch von Anfang an unabhängig verwaltet, nicht nur wirtschaftlich, sondern auch gemeindlich, abgesehen von notwendigen Unterstützungen, welche die "Mutter" ihrer "Tochter" zukommen liess. Die grosse Entfernung erforderte diese Selbständigkeit vom ersten Tage an.

Zuerst wurde eine Siedlungsverwaltung mit einem Oberschulzen und einem Gebietsschreiber eingerichtet. Die Siedlungsverwaltung wurde damals Gebietsamt genannt, was dem heutigen Kolonieamt gleichzusetzen ist. Die Dörfer hatten ausserdem ihre Dorfschulzen.[10] Das Gebietsamt war dem sogenannten Fürsorgekomitee unterstellt, einem Regierungsorgan, welches 1818 zur Überwachung aller durch fremdländische Einwanderung entstandenen Siedlungen eingesetzt worden war. Der volle Name dieses Amtes war: "Fürsorge–Komitee für die Kolonisten der südlichen Gebiete Russlands".[11] Der Hauptsitz der russischen Regierung jener Zeit befand sich in Petersburg, welches damals die Hauptstadt des grossen Russischen Reiches war.

Ein eigenes Waisenamt organisierte die Bergthaler Siedlung erst um 1867. Bis zu dieser Zeit blieb sie in dieser Beziehung der Muttergemeinde angeschlossen.[12] Wie die sonstigen Verbindungen mit der Mutterkolonie, bzw. Gemeinde, waren, ist nicht mehr gut festzustellen. Wahrscheinlich waren sie nicht allzu rege, schon allein der grossen Entfernung wegen. Bei den Verkehrsmitteln jener Tage brauchte eine Hin- und Rückreise viel Zeit. Viel näher als die Mutterkolonie lag für die Bergthaler die Molotschnaer Ansiedlung, die 1804 gegründet worden war. Sie lag nur etwa 60 km in südwestlicher Richtung. An ihr führte der Weg nach Chortitza vorbei.

Der vielbefahrene Marktweg der Bergthaler und der Weg zu den Regierungsbüros führte in entgegengesetzte Richtung, nach Osten und Südosten. Die sie umgebenden Nachbarn der Bergthaler waren eine Mischung aus ebenfalls aus Preussen stammenden, deutschsprachigen Siedlern, katholischen und auch lutherischen Glaubens und aus einheimischen Völkern. Von den Russen wurden die Siedler öfters bestohlen. Besonders hatten diese es auf die schönen Pferde der deutschen Siedler abgesehen.[13] Mit ihren deutschsprachigen Nachbarn verkehrten die Bergthaler nur in wirtschaftlichen oder geschäftlichen Angelegenheiten.

Beziehungen zur Molotschnaer Kolonie

Man könnte sich mit der Frage befassen, warum die Bergthaler Mennoniten nicht mit den Molotschnaer Mennonitengemeinden Gemeinschaft pflegten, da sie ja doch die nächstwohnenden Glaubensgenossen waren. Eine unmittelbare Antwort auf diese Frage würde man aber kaum finden. Man fühlt sie jedoch heraus aus den damaligen Gegebenheiten, aus den geistigen und sozialen Einstellungen der Traditionsbeharrenden einerseits und den von einer starren Tradition Abweichenden andererseits. Denn die Haltung in diesen Angelegenheiten lag in den beiden Siedlungen, Bergthal und Molotschna, sehr verschieden.

In der Molotschnaer Siedlung gab es schon zur Zeit der Gründung der Kolonie Bergthal eine Fortbildungsschule. Bald danach wurde dort auch eine allgemeine und durchgreifende Schulreform durchgeführt.[14] In dieser Kolonie hatte sich schon seit den 1820er Jahren ein bildungsbejahender und bildungsfördernder Geist gezeigt. In der Chortitzer Siedlung, der Mutterkolonie der Bergthaler, kam dieser Geist erst anfangs der 1840er Jahre zum Durchbruch, als die Bergthaler Siedler schon nicht mehr da waren. Die Bergthaler waren also Leute, die noch ''unverdorben'' waren. Sie waren noch in dem traditionellen Schulgeist im Sinne einer möglichst niedrigen Bildungsstufe erzogen und ''geschult'' worden, so wie die Väter ihn seinerzeit von Preussen nach Russland mitgebracht hatten. Der schon in den Ansiedlungsjahren schwache Schulsinn wurde in den Ansiedlungsjahren noch mehr vernachlässigt.[15] Auch als sich dann im Laufe der Zeit in den meisten mennonitischen Siedlungen Russlands eine gründliche Aufbesserung des Schulwesens durchsetzte (wenn auch oft mit viel Ach und Krach),[16] hielt Bergthal sich jeglichen Versuch der Einmischung in ihr Schulwesen vom Leibe und blieb bei dem alten Lehrplan und der gewohnten steifen Methode des Unterrichts. Die Bergthaler liessen sich von niemandem etwas dreinreden.

Sicher trug die räumliche Abgeschlossenheit viel zu diesem — von aussen gesehen — trotzigen Eigensinn und dieser Abwehrhaltung bei. Ausschlaggebend war aber doch ihre Einigkeit in der Verteidigung ihrer Sache, besonders was die Erziehung ihrer Kinder anbetraf. Bei den Versuchen anderer, auf ihre sehr mangelhafte Unterrichtsweise einen reformatorischen Einfluss auszuüben, zeigte es sich bei manchen Lehrern zwar, dass sie doch nicht so ganz sicher in der unbedingten Richtigkeit ihres Unterrichtsverfahrens waren.[17] Die Gemeindeleitung aber setzte dann alles dran, ihnen die ''Augen zu öffnen'' und alle Neuerungsversuche als die verführerischen Künste des Bösewichts hinzustellen.[18]

Das Schulwesen

Die Schulen sollten so bleiben, wie sie waren. Im Wesen und Geist der Schule sah man auch den Geist der Gemeinde. Daraus ergab sich die Losung, den Bildungsstand der Jugend möglichst niedrig zu halten, weil darin der Demutsgrad der Gemeinde und des einzelnen Gliedes erkennbar sei. Diese feste Ansicht war es, die auch die jungen Leute vor einem höheren Bildungsstreben bewahrte, und es war die feste Absicht der geistlichen Führer, sie davon zurückzuhalten. Die Methode was erfolgreich. Die ''Segnungen'' aber, die daraus erwuchsen, würden wir auch heute noch verschieden beurteilen.

Dass die Gemeinde das werde, was die Schule sei, war keine leere Redensart. Es war leider nur zu wahr, auch im Blick auf das Schulwesen der Bergthaler. Sie sahen jedoch nur, wie sich höhere Bildung ''in der Welt'' auswirkte. Man kann und muss es aber auch von einer anderen Seite beschauen: Versteiftes Schulwesen führt zu versteiftem Gemeindewesen. Das heisst mit anderen Worten, dass ein Schulwesen ohne lebendigen Unterricht in einem gewissen Sinne auch ein lebloses, erstarrtes Gemeindeleben verursacht. Wir haben zwar kein Recht, zu sagen, dass keine der führenden Bergthaler Männer die nötigen Fähigkeiten besassen, geistig beweglich und schöpferisch zu sein. Im grossen und ganzen aber herrschte eine geistige Steifheit, eine Starre, die man mit einem Anstrich von ''Demut'' versah und so für den rechten Stand des Christseins hielt.

Wilhelm Schroeder weiss zwar zu berichten, dass Johann Cornies 1843 in einem Bericht an das Fürsorgekomitee mitteilte, er werde sich persönlich dafür verwenden, die Schulen der Bergthaler mit Lehrern aus der Molotschnaer Siedlung zu besetzen. Cornies aber sei gestorben, ehe er diesen Vorsatz habe ausführen können. Mit seinem Tode (1848) sei dann auch jede Hoffnung auf eine Schulreform bei den Bergthalern geschwunden.[19] Die Frage bleibt freilich offen, was Cornies bei den Bergthalern ausgerichtet hätte. d.h., wer von den beiden den Kürzeren gezogen und eine wirksame Lehre mitbekommen hätte, Cornies oder die Bergthaler!

Es ist auch bekannt, dass zwei Jünglinge aus Bergthal überredet worden waren, die Chortitzer Zentralschule zu besuchen, um dann nach Beendigung ihres Studiums ihrer Siedlung als Lehrer zu dienen. Sie haben die Zentralschule nach vier Jahren absolviert und sind heimgekehrt, um Lehrerstellen zu beziehen. Der Gemeindeälteste hat es aber durchgesetzt, dass sie nicht angestellt wurden. Seine Begründung: "Es führt nicht zur Demut, sie als Lehrer einzusetzen."[20] Wenn wir das alles so an unserem Geistesauge vorüberziehen lassen, wird es uns verständlich, dass die benachbarte Molotschnaer Siedlung so gut wie keine Anziehungskraft auf die Bergthaler ausübte.

Das Gemeindeleben war im allgemeinen ein Ausüben vieler erstarrter Formen und Bräuche. Von dieser Grundhaltung aus aber wurden andere mennonitische Gemeinden, welche die Normen der Bergthaler Vätersitten irgendwie nicht erfüllten, als "der Welt zugewandt" beurteilt.[21]

Auch in wirtschaftlicher Hinsicht standen die Bergthaler den anderen Mennonitensiedlungen nach. Um 1870 hatte die Ansiedlung bereits viele landlose Bürger. In den 1860er Jahren war man schon einmal so weit gewesen, Land zuzukaufen. Es hatte aber nicht verwirklicht werden können. Die Kolonie hatte nun infolgedessen viele Arme. Dass dann die nun bald erfolgende geschlossene Auswanderung nach Amerika überhaupt ausgeführt werden konnte, war nur möglich durch das geeinte Vorgehen der Siedler, so wie es etwa 50 Jahre später auch ihre Nachkommen, die Chortitzer in Manitoba, bei der Auswanderung nach Südamerika machten.

Neue russische Gesetzgebung

Als um 1870 bekannt wurde, dass die russische Regierung an einem Gesetzesentwurf arbeite, die allgemeine Wehrdienstpflicht einzuführen, beunruhigte solches die gesamte mennonitische Gemeinschaft in Russland.[22]

An den gemeinsamen Konferenzen, die im Laufe der folgenden Jahre wegen der bedrohten "verbrieften Freiheit" abgehalten wurden, beteiligten sich auch die Bergthaler. Es waren nicht Konferenzen, die Wege zur Auswanderung suchten, sondern es ging auf diesen Konferenzen in der Hauptsache um Formulierungen von gemeinsamen Bittgesuchen an die zaristische Regierung in Petersburg, ja an den Zaren selbst, zur Klärung der Frage, wie die Regierung, wie der russische Zar selber bei dem Entwurf einer neuen Gesetzesvorlage das mennonitische Wehrlosigkeitsprinzip berücksichtigen würde. Auch wurde auf diesen Konferenzen mehrere Male eine mennonitische Delegation erwählt, die sich nach Petersburg begeben sollte, um die Besorgnis der Mennoniten dem Zaren persönlich ans Herze zu legen. Alles dieses machten die Bergthaler zunächst mit, ohne einen Gedanken an Auswanderung zu hegen.[23]

Diese Sache der Klärungsbittgesuche an die Regierung zog sich durch etwa drei Jahre. Vor den Zaren konnte niemand gelangen. Sie erhielten also keine klare Antwort auf ihre Fragen. Die zaristischen Behörden, mit denen sie in Berührung kamen, versuchten, die beunruhigten Mennoniten zum Abwarten zu bewegen. Sie meinten, ihr Wehrlosigkeitsprinzip würde schon irgendwie im neuen Gesetz Beachtung finden, sie müssten dem Zaren nur Vertrauen entgegenbringen.

Viele der sich bedrängt fühlenden Mennoniten meinten darin nur Verzögerungsmassnahmen zu sehen, die nur dazu dienen sollten, die Mennoniten allmählich mit dem Gedanken des Wehrdienstes vertraut zu machen und sie dann stillschweigend auch mit hineinzuziehen. Die russische Regierung wollte die Mennoniten keinesfalls loswerden, denn sie waren sehr geschätzt als tüchtiges Bauernvolk.

Während dieser Zeit der Klärungsversuche (1870–73) waren wohl schon fast alle Russlandmennoniten so weit, eine Auswanderung in Erwägung zu ziehen.[24] Etwa ein Drittel führte die Auswanderung dann auch aus. Etwa 16.000 Mennoniten zogen nach Nordamerika, davon fast 7000 nach Manitoba, Kanada, die übrigen in die Vereinigten Staaten. Die Zurückbleibenden etwa zwei Drittel fanden sich dann mit einem ''Ersatzdienst'' ab, der im Rahmen des neuen Pflichtgesetzes für allgemeinen Wehrdienst sanktioniert wurde.

Von den etwa 1280 Familien (etwa 6670 Personen),[25] die nach Manitoba auswanderten, waren etwas über 500 Familien[26 u. 27] Bergthaler. Die Gemeinde wanderte geschlossen aus, ausser etwa 34 Familien, die lieber zurückblieben und in andere Mennonitenkolonien verzogen.

Bittschriften an die Zarenregierung

Die Bergthaler zeigten sich auf jenen Konferenzen, bis sie ihren eigenen Weg zur Auswanderung einschlugen, äusserst zurückhaltend. Das Verhältnis zu den anderen war auch sonst oft ein gespanntes gewesen, wie man aus den Berichten des Bergthaler Gemeindeältesten, Gerhard Wiebe, ersieht. Sie hatten sogar aus Misstrauen gegen die anderen Gruppen unabhängig und ohne Wissen der anderen noch vor der Einsendung der gemeinsamen Petition eine eigene Bittschrift an den Zaren eingereicht. Das war anfangs 1873. Der Älteste Gerhard Wiebe schildert das Vorgehen der Bergthaler so:

> ''Jetzt fuhren wir nach Hause (von der zweitletzten Konferenz, an der sie teilgenommen hatten, MWF) und hielten unter uns Rat, was zu tun wäre; denn jene Schrift war in aller Gemeinden Namen angefertigt, und somit wäre es möglich, dass wir in ihrer Schrift auch mit festgemacht würden. Deshalb beschlossen wir, für uns Bergthaler allein eine Bittschrift an den Kaiser aufzusetzen und so schnell wie möglich hinzusenden.''[28]

Die Bittschrift der Bergthaler, die der Zar auch erhalten hatte, verursachte einige Aufregung in der Konferenz. Die Bergthaler aber waren zur Verantwortung bereit, und alles konnte wieder geglättet werden. Die Konferenz reichte dann erst Ende desselben Jahres ihre Bittschrift beim Zaren ein. Grundsätzlich enthielt diese Bittschrift dasselbe wie das der Bittschrift der Bergthaler, nur war sie stilgerechter und schwungvoller.[29] Wenn man aber den Inhalt beider Bittschriften vergleicht, stellt man unwillkürlich fest, dass das Misstrauen der Bergthaler unbegründet gewesen ist. Sie erwiesen sich in der Zusammenarbeit als allzu ängstlich.

Nach diesem Bittschriftenzwischenfall kam es dann zu einem endgültigen Bruch zwischen den Bergthalern und der Konferenz. Ich zitiere wieder den Ältesten G. Wiebe:[30]

> ''Jetzt war der Faden, welcher mit der Zeit immer morscher geworden war, aber uns dennoch allesamt etwas zusammenhielt, vollends entzweigerissen; jedoch nahm ich mir vor, in brüderlicher Liebe Abschied zu nehmen. Und so geschah es auch, wenn auch nur in Schwachheit.''

Geschlossene Auswanderung nach Kanada

Noch vor der Jahresmitte 1873 entsandten die Bergthaler zwei ihrer Brüder als Deputierte nach Amerika, um Siedlungs- und freibriefliche Möglichkeiten zu untersuchen. Es waren dies der Oberschulze Jakob Peters und der Prediger Heinrich Wiebe. Auf eigene Kosten reisend schloss sich ihnen noch ein Kornelius Buhr an.

In Amerika angekommen, schlossen sie sich neun anderen Brüdern an, die auch Ansiedlungsmöglichkeiten studieren wollten. Acht von diesen kamen auch aus Russland und einer aus Westpreussen. Sie vertraten fünf verschiedene Gemeinden, darunter auch die Hutterische. In Manitoba trennte sich die Gruppe, als sieben von ihnen, die von Manitoba genug gesehen hatten, zurück in die Vereinigten Staaten fuhren. Die übrigen fünf untersuchten dann eingehend Siedlungsmöglichkeiten in Manitoba. Drei von ihnen waren die erwähnten Bergthaler und zwei Brüder waren von der ''Kleinen Gemeinde''. Alle entschieden sich für Manitoba. Im September kehrten sie wieder zurück in ihre Heimat, nachdem sie fünf Monate auf der Reise gewesen waren. Sie empfahlen ihren Gemeinden Manitoba als Auswanderungsziel.[31]

Bald darauf wurde die Bergthaler Siedlung ganz aufgelöst. Vier Dörfer wurden an die benachbarten deutschen Kolonisten verkauft, und das fünfte Dorf kauften reiche russische Bauern.[32]

Die russische Regierung sah die Mennoniten ungern abziehen. So beeilte sie sich jetzt, klarzumachen, was die Mennoniten im Rahmen des neuen Militärgesetzes tun dürften, nämlich militärfreien Ersatzdienst. Die schon erwähnten zwei Drittel der Russlandmennoniten jener Zeit liessen dann weitere Auswanderungserwägungen fallen und gaben sich mit dem Kompromiss des Ersatzdienstes zufrieden. J. F. Harms beleuchtet etwas die Seite der Auswanderungsinteressenten:[33]

"Neben der Furcht, in Russland endlich doch gegen das Gewissen Kriegsdienste tun zu müssen, lag bei vielen der Gedanke nicht fern, dass die Regierung eine schlaue, wenn auch langsame Russifizierung der sämtlichen in Russland wohnenden Deutschen im Plan hatte. Sehr unangenehm berührte auch der in russischen Büchern und Zeitungen zutage tretende Deutschenhass. Die weit grösste Mehrheit der Mennoniten blieb aber in Russland und übernahm den ihnen zugewiesenen Forsteidienst und zu Kriegszeiten den Sanitätsdienst. Über die Auswandernden aber wurde manch liebloses Urteil gefällt. Nach den schrecklichen Erfahrungen, die unsere zurückgebliebenen Brüder und die anderen Mennoniten (gemeint sind die ausserhalb der Mennoniten-Brüdergemeinde, MWF) in den letzten zehn Jahren (1914–1924) haben durchmachen müssen, und auch gerade in der gegenwärtigen Zeit noch den Leidenskelch bis auf die Hefen trinken müssen, ist es wohl jedem klar, dass die Auswanderung Gottes Wille war, damit wir wie Joseph "voraus" — geschickt wurden, um den Zurückbleibenden besser dienen zu können."

Einer der Zurückgebliebenen schreibt noch vor Einbruch der bösen Zeit in Russland:[34]

"Die Bedeutung dieser Auswanderung wurde noch 1874 von einem Gegner derselben so erklärt: 'Das extremste Element, welches für eine von Gott erlaubte und gewollte engere Verbindung mit der russischen Gesellschaft, bei Vorbehalt der Unantastbarkeit des religiösen Gewissens, die das russische Gesetz den Mennoniten garantiert — natürlich, soweit das "religöse Gewissen" nicht Propaganda in Russland fordert! — unfähig ist und seine Gemeindegenossen auch daran hindert, geht fort. Der zu niedrige, zu enge und zu dicht geschlossene mennonitische Schafstall kommt in Bewegung und kriegt Lüftung. Die, welche nach Amerika gehen, die am meisten kulturscheuen, kommen dort in eine Kultursphäre, ehe sie es recht wissen oder wollen; wir hier kriegen durch die frische Luft neue Lebensanstösse. Die geistige Reibung, die auch zwischen dort und hier bestehen wird, wird religiöse Wärme erzeugen.'

So wurde es auch. Diese Männer kannten und wollten von Russland nichts als seinen reichlich nährenden Boden und seinen Kaiser als erhabenes Abstraktum, der ihnen nur Realität war als Geber und Hüter des "grossen Privilegiums", und dem sie natürlich den gesetzlichen "Zins, Schoss und Zoll" zu geben bereit waren, wie auch ihren ihnen gänzlich fernen und fremden Mitbürgern ein christliches Almosen im Falle einer Notlage. An eigenes Mitarbeiten in den Bedürfnissen und an Mit-leiden mit den Nöten dieses Volkes dachten sie gar nicht, noch waren sie fähig, daran zu denken."

Diese verschiedenen Bemerkungen über die Auswanderer beziehen sich nicht nur auf die Bergthaler, sondern auf alle, die in jenen Jahren von 1874 bis 1880 Russland verliessen. Die Bergthaler aber waren wohl die Konservativsten unter den rund 16.000, die eine neue Heimat suchten. Die Bergthaler machten ein Sechstel unter diesen aus.

Bergthal war die einzige mennonitische Ansiedlung in Russland, die infolge der Amerikawanderung ganz aufgelöst wurde. Diese Siedlung bestand aus fünf Dörfern: Bergthal, Schönfeld, Schönthal, Heubuden und Friedrichsthal.

Fussnoten zu Kapitel I
I. Die Ansiedlung "Bergthal" in Russland

1. H. Goerz — *Die Molotschnaer Ansiedlung* — S.7 — Historische Schriftenreihe des Echoverlags -Buch 7/1950/51.
2. D. H. Epp — *Die Chortitzer Mennoniten* — S.48 ff Versuch einer Darstellung des Entwicklungsganges derselben/1888.
3. H. Goerz — ob.zit. — S.110 ff.
4. William Schroeder - *The Bergthal Colony* — S.7 — 1973 — Winnipeg, Manitoba — Verlag: CMBC.
5. W. Schroeder — ob.zit. — S.7.
6. D. H. Epp — ob.zit. S.37 ff — Siehe auch bei Stichwörtern im Mennonit. Lexikon und Mennonite Encyclopedia, z.B. "flämisch . . ."
7. W. Schroeder — ob.zit. S.6.
8. Ders.: S.15.
9. Ders.: S.7.
10. Ders.: S.11.
11. H. J. Gerbrandt — *Adventure in Faith* — S.280 Verlag: D. W. Friesen & Sons Ltd., Altona, Manitoba/1970.
12. W. Schroeder — ob.zit. S.22 Siehe auch Gerhard Wiebe — *Ursachen und Geschichte der Auswanderung der Mennoniten aus Russland nach Amerika/1900/S.21.*
13. H. Goerz — ob.zit. S.95 ff.
14. D. H. Epp — ob.zit. S.81 ff: . . . Schulen entstanden bald, aber sie glichen anfangs in allem dem unentwickelten Kinde . . . Der unzulänglichen Einrichtung des Schullokals entsprach auch der Bildungsgrad des Lehrers. Grosse Anforderungen wurden an seine Kenntnisse nicht gestellt. Etwas Lesen und Schreiben, Rechnen mit ganzen Zahlen, das Einmaleins nach dem Schnürlein und den erziehenden Stock gewandt handhaben können, reichte aus, um als angesehener Schulmonarch fungieren zu dürfen. Was Wunder, wenn der Unterricht solcher Lehrer herzlich wenig oder gar keine Früchte zeitigte . . . Die Unterrichtssprache war das Plattdeutsche. Wenig genug werden da die Schüler durch das Lesen der hochdeutschen Büchersprache am Verständnis gewonnen haben. Die herrschende Unterrichtsmethode bestand im Vorsagen bzw. im Vormachen und im mechanischen Nachsprechen und Nachmachen. Die Fibel wurde meistens zwei bis drei Jahre geritten. Wer noch länger in den Zwangsstall wanderte, kriegte wohl auch etwas vom Schreiben, Katechismus, Bibel und Zahlen zu sehen. Einer besonders häufigen dabei mehr als mechanischen Übung erfreute sich das Einmaleins, ja dieses wurde sogar aus der trockenen Rechenstunde herausgenommen und als Schluss dem Morgen- oder Abendgebet angehängt. Wie zu allen Zeiten gab es auch damals in der Lehrerwelt solche Männer, die tiefer sahen und einen andern Geist in ihren Unterricht brachten; denselben ist es aber nicht gelungen, haben es vielleicht auch nicht angestrebt, einen umwandelnden Einfluss auf die damaligen Unterrichtszustände auszuüben.

P. M. Friesen — *Die Alt-Evangelische Mennonitische Brüderschaft in Russland* — 1789 bis 1910 — im Rahmen der mennonitischen Geschichte — Halbstadt, Taurien-Verlagsgesellschaft "Raduga" 1911 — Teil I — S.69 — g: "Gelehrsamkeit war den holländischen Mennoniten so eigen, wie den Preussisch-Polnischen und Russländischen durchweg fremd war".

15. H. Goerz — ob.zit. — S.95: "Die Geistlichkeit wurde in diesem ihrem gleichgültigen Verhalten der Bildung gegenüber auch von der grossen Masse der Bevölkerung unterstützt. Manch einen Bauern konnte man sagen hören: 'Mein Sohn braucht nicht mehr zu wissen als ich weiss'. Als sich dann Cornies in den 1840er Jahren energisch an die Reform des Schulwesens machte, nahmen es ihm besonders die Geistlichen sehr übel. Ein Ältester soll damals mit trauriger Stimme gesagt haben: 'Uns wird auch alles aus der Hand genommen'.

16. G. Wiebe — ob.zit. — .18 — Ält. Wiebe beschreibt hier den Versuch eines Herrn Baron von Korff, der die Bergthalschen Schulen besuchte [und Unterrichtsstoff mitgebracht hatte, wie ihn die Bergthaler nicht hatten]. Wiebe nennt es "kleine Bilderbücher"; es heisst da unter anderem:
"Gleich darauf (nämlich nach dem Besuch, wo der Ält. Wiebe nicht mit dabei gewesen war) kommt unser Schulzenamt zu mir und erzählt mir die Sache . . . und lobten den Mann und die Sache sehr. Da sah ich, dass das Gift schon ihre Herzen berührt hatte . . ."
Was andere Leute bereits anfingen, als Verbesserung anzusehen, nannte der Älteste Gift. So zerschlug sich das bereits Einsichtsvolle wieder an der Warnung des Gemeindeältesten, und alle wollten wieder, was der Gemeindeleiter wollte, was er als das Richtige proklamierte.

17. Derselbe — S.18.
18. W. Schroeder — ob.zit. S.16.
19. Derselbe — S.17.
20. G. Wiebe — ob.zit. S.9 ff.
21. D. H. Epp — ob.zit. S.100.
22. G. Wiebe — ob.zit. S.21.
23. P. M. Friesen — ob.zit. S.498.
24. F. H. Epp — *Mennonites in Canada* — 1786-1920 — S.201.
25. *Beglaubigungschreiben* der Bergthaler Delegation, datiert 20 Februar 1873 (Das Original in Archiv der Kol. Menno): Bevölkerung Bergthals: 252 Familien — 2859 Personen (1497 männl. und 1362 weibl. Geschlechts).
    E. K. Francis — *In Search of Utopia* — The Mennonites in Manitoba — 1955 — D. W. Friesen & Sons Ltd., Altona, Manitoba — S.69.
    Francis schreibt von 540 Familien der Bergthal-Ansiedlung, von welchen 34 Familien in Russland zurückblieben als die Kolonie zufolgen der Auswanderung 1874/76 aufgelöst wurde. 53 Familien — heisst es weiter — siedelten in Mountain Lake (Minnesota, USA) an. Es schlossen sich den Bergthalern an — nach Francis Bericht — aus andern Kolonien, um auszuwandern, 15 Familien aus der Chortitzer Siedlung und 9 Familien aus Puchtin.
    Ält. Wiebe schreibt (S.43), dass 28 Familien sie in Manitoba verlassen haben und seien nach Minnesota abgewandert, ohne vorher ihre Sachen, für die sie verpflichtet waren, geregelt zu haben.
    Es ist anzunehmen, dass Francis und Wiebe ein und dieselbe Abwanderung von Bergthalern aus Manitoba nach Minnesota im Auge haben. Es ist nicht bekannt, dass Bergthaler aus Russland nach USA gingen, sondern nur nach Manitoba.
26. G. Wiebe — ob.zit. — S.25.
27. Abschrift der Bergthaler Bittschrift im Archiv der Kol. Menno; Bittschrift der Konferenz siehe D. H. Epp — ob.zit. — S.113.

28. G. Wiebe — ob.zit. — S.26.
29. Leonard Sudermann — *Eine Deputationsreise von Russland nach Amerika* — Mennonit. Verlagshandlung, Elkhard, Indiana, USA — 1897 — S.27.
    G. Wiebe — ob.zit. S.26 ff.
30. D. H. Epp — ob.zit. — S.95.
31. J. F. Harms — *Geschichte der Mennoniten–Brüdergemeinde* Herausgegeben im Auftrage des Jubiläumskomitees, Mennonite Brethern Publishing House, Hillsboro, Kansas — um 1924/25 — S.58 ff.
32. P. M. Friesen — ob.zit. S.498.
33. J. F. Harms — ob.zit.
34. P. M. Friesen — ob.zit.

KAPITEL 2

Die Bergthaler Mennonitengemeinde in Kanada

Wieder stehen die Heimatsucher in einer Wildnis (Manitoba) wie ihre Vorväter vor vielen Jahren bei Chortitza und Bergthal in Russland und sind gezwungen, sich ein drittes Mal (Chortitza, Bergthal, Manitoba) aus dem Nichts eine Heimat zu schaffen . . .

Dr. W. Quiring in Russlanddeutsche suchen eine Heimat

Auswanderungsgruppen und Reiserouten

Das Ziel von ungefähr 7000 in jener Zeit aus Russland auswandernden Mennoniten war Manitoba. Die meisten von ihnen kamen hier in der Zeit von 1874 bis 1876 an. In kleineren Gruppen kamen dann noch bis etwa 1880 welche nach. Nach Prof. H. L. Sawatzky sieht das zahlenmässige Gesamtbild der damaligen mennonitischen Einwanderungen aus Russland nach Manitoba in abgerundeten Zahlen wie folgt aus: Bergthaler etwa 3000 Personen, Fürstenländer etwa 1100, aus der Chortitzer Ansiedlung, die sich den Fürstenländern angeschlossen hatten, etwa 2100 und die "Kleine Gemeinde" mit etwa 800 Personen. Insgesamt ergibt das rund 7000 Personen.[1]

Die ersten Auswanderer waren die Bergthaler und die "Kleine Gemeinde". Die sogenannte "Kleine Gemeinde" war 1814 durch den Prediger Klaas Reimer in der Molotschnaer Ansiedlung gegründet worden. Mit etwa 18–20 Familien, die mit dem Gemeindeleben in der Molotschna nicht zufrieden gewesen waren, hatte Reimer den Anfang gemacht. Diese Gemeinde, die wegen der strengen Lebensführung nur wenig Zuwachs erhielt, gab damals in ihrer Haltung und unnachgiebiger Entschlossenheit gegenüber den Fragen des Wehrdienstes, der schulischen Erziehung und gegenüber allem "weltlichen Getriebe" den Bergthalern in nichts nach. So war es eigentlich selbstverständlich, dass sie jetzt auch, wie die Bergthaler, in der Auswanderung die beste Lösung sah.

Um 1875 kamen dann noch die "Fürstenländer" dazu, auf die wir später noch zu sprechen kommen.

Der Reiseweg der Einwanderungsgruppen war nicht immer der ganz gleiche. Alle aber mussten von Ontario aus zuerst auf einem Schiff über den Oberen See in die Vereinigten Staaten fahren. Hier fuhren sie dann mit der Eisenbahn bis zum Red River und zuletzt auf einem Flussdampfer den Red River hinunter bis nach Manitoba. In der Gegend des heutigen Niverville wurden sie auf der gegenüberliegenden Seite an Land gesetzt.

Es war eine Wildnis! –

Keine Wege! — Keine Eisenbahn! —

Die erste Eisenbahn in Manitoba — und das war dann diejenige durch diese Gegend — wurde erst 1879 fertiggestellt. Männer, die sich dieser Einwanderer in besonderer Weise annahmen, waren ein kanadischer Regierungsangestellter, namens William Hespeler, und ein Mennonit aus Ontario, namens Jakob Schantz.

Die Angekommenen wurden auf Ochsenkarren, den sogenannten "Red River Carts", bis zu den einige Meilen entfernten Baracken befördert, wo sie ihre erste Unterkunft fanden. Für diese Unterkunft hatte Herr Schantz gesorgt. Es war im September, als die ersten Siedler ankamen, und daher war nicht viel Zeit bis zum Anbruch des Winters geblieben. Die Siedler machten dann zuerst Dorfanlagepläne, steckten die Grundstücke ab und errichteten notdürftige Erdhütten für den Winter, die sie "Semlin" nannten. Das Wort "Semlin" kommt vom russischen Wort "Semlja", welches Erde bedeutet.

Diese Leute kannten den kalten Winter noch von Russland. Als sie aber einen Winter am neuen Ort hinter sich hatten, wussten sie zu berichten, dass der Manitobawinter doch noch ziemlich strenger sei als der südrussische. Am schwierigsten war es mit dem Vieh, welches sie noch vor Anbruch des Winters gekauft hatten.

Der erste Winter war ohne Zweifel der schwierigste. Für die folgenden Winter war schon alles besser vorbereitet worden, und man konnte somit auch den Nachkommenden besser helfen. Besonders schwierig war in der Anfangszeit die Nahrungsfrage. Es war fast nicht möglich, die notwendigsten Nahrungsmittel herbeizuschaffen. Mehrere Siedler sind damals auf dem Wege erfroren. Die Reise nach Winnipeg, dem nächsten Marktplatz, war im Winter mit ochsenbespanntem Schlitten alles andere als eine Vergnügungsfahrt. Vom Siedlungsland bis zur Stadt waren es so an 25–35 Meilen, das sind 40–50 km. Sogar im Sommer war der Weg oft sehr schlecht.

Während die ersten Siedler noch in den Baracken wohnten, die an dem Wege zur Siedlungsstätte errichtet worden waren, mussten sie dort schon 35 Grabhügel aufschütten. Innerhalb von drei Wochen waren viele alte Leute und Kinder gestorben, überfordert von den äusserst schweren Reisestrapazen. Manche wären am liebsten sofort umgekehrt, dorthin, woher sie gekommen waren. Das aber war nicht möglich.[2]

Die Bergthaler und die Familien der Kleinen Gemeinde besiedelten dann die für die Mennoniten reservierten acht "Townships" (Sprich: Taunschips) östlich des Red River. Eine Township ist ein Quadrat von 6 Meilen Seitenlänge. Sie wird sowohl im westlichen Kanada wie auch in den U.S.A. als Landquantumstandard und zum Teil als Verwaltungseinheit benutzt.

Weil die Provinzregierung Manitobas an beiden Seiten des Red River Land für die Mennoniten reserviert hatte, sprach man immer von der "Ostreserve" und der "Westreserve", womit dann jeweils das ganze reservierte Gebiet gemeint war. Das Ostreservat enthielt 184.000 acres. Das sind 73.600 Hektar bei einer Umrechnung von 2,5 acres pro Hektar.

Die Deputierten der Bergthaler und auch die der Kleinen Gemeinde hatten sich für die Ostseite des Red River entschieden, weil hier viel Bau- und Brennholz war, was auf der Westseite des Flusses nicht der Fall war. Bald aber stellte sich heraus, dass grosse Flächen der "Ostreserve" sumpfiges Gelände waren, weil sie keine Verbindung zum Fluss und also keinen Abfluss für das Schmelzwasser des Frühjahres hatten. Auch waren grosse Teile des Bodens steiniger oder nur leichter Ackerboden.

Inzwischen waren dann (1875) auch die "Fürstenländer" angekommen. Diese Fürstenländer stammten, ebenso wie die Bergthaler, ursprünglich aus der Chortitzer Ansiedlung. Als Anwohner (Landlose) hatten sie etwa um die Mitte der 1860er Jahre eine neue Tochterkolonie, nicht weit von der Mutterkolonie entfernt, gegründet. Das Land, worauf sie angesiedelt hatten, war Eigentum eines russischen Fürsten gewesen und auch geblieben. Er hatte es nicht verkaufen, sondern nur verpachten wollen. Die Siedlung hatte darum den Namen "Fürstenland" erhalten. Fürstenland war also eine "Pachtkolonie", dennoch aber sowohl als Kolonie wie auch als Gemeinde selbständig gewesen.

Als die Bergthaler im Jahre 1873 ihre Deputierten nach Amerika geschickt hatten, waren auch die Fürstenländer an dieser Erkundigungsreise interessiert gewesen. Sie hatten aber von ihren Brüdern niemanden mitgeschickt, sondern nur bestellt, die Bergthaler Deputierten möchten auch für sie Siedlungsmöglichkeiten ausfindig machen. Das hatten die Bergthaler Brüder getan. Sie hatten vorgesehen, mit den Fürstenländern zusammen die "Ostreserve" zu besiedeln. Als diese dann eintrafen, hatte man aber bereits festgestellt, dass auf dem Gebiet des Ostreservats schon genug Siedler waren. So wurden die Fürstenländer auf die Westseite des Red River — also in die "Westreserve" — verwiesen.

Das Gebiet der "Westreserve" war mehr als doppelt so gross als das der "Ostreserve". Es umfasste 17 Townships, also umgerechnet 391.000 acres oder 156.400 Hektar. Es stellte sich dann noch heraus, dass der Boden der "Westreserve" besser war als der der "Ostreserve". Er war nicht nur schwerer und somit ertragreicher sondern hatte im Frühling viel besseren Abfluss des Schmelzwassers.

Schon um das Jahr 1878 begann daher eine Umsiedlung aus der "Ostreserve" in die "Westreserve". Fast die Hälfte der Bergthaler zog hinüber auf die andere Seite des Red River. Die verbliebenen Siedler der "Ostreserve" erhielten dadurch mehr Raum. Bergthaler und Kleine Gemeinde hatten etwa 40 Dörfer gegründet. Die drei Dörfer der Kleinen Gemeinde waren sehr gross. Nun gründete auch diese Gemeinde auf der Westseite des Flusses — aber ausserhalb des reservierten Landes — noch zwei kleinere Dörfer in der Gegend des heutigen Morris.[3]

Die Entwicklung der Munizipalitäten

Die Verwaltung der Siedlungen lag zunächst in den Händen der Mennoniten allein. Die Bergthaler wie auch die Fürstenländer übertrugen ihre wirtschaftliche und ihre administrative Organisation aus Russland einfach auch auf ihre neue Heimat, Manitoba. Die Männer, die zuletzt in Russland als Oberschulzen angestellt gewesen waren, bekleideten diesen Posten nun auch wieder in Manitoba. Der Bergthaler Oberschulze war ein Jakob Peters, der 1873 auch als Abgesandter an der Suche nach Siedlungsmöglichkeiten teilgenommen hatte. Die Kleine Gemeinde hatte keinen eigenen Oberschulzen. Sie erkannte den Bergthaler Oberschulzen auch für ihre Dörfer an. Als Gemeinde blieb sie aber selbständig.[4] Der erste Oberschulze der Fürstenländer–Altkolonier Dörfer war der ehemalige Oberschulze vom Fürstenland, Isaak Müller.

Bereits anfangs der 1880er Jahre griff die Regierung Manitobas in das Verwaltungswesen der Siedlungen ein. Die Mennoniten blieben zwar auch weiter an der Verwaltung ihrer Gemeinschaft beteiligt, taten es jetzt aber nicht mehr allein. Die Verwaltung wurde mehr und mehr den Gesetzen der Provinz und der föderalen Regierung Kanadas angepasst. Aus einem Oberschulzen wurde beispielsweise ein "Reeve". Diese Eingriffe der Regierung trafen die Siedler an ihrem empfindlichsten Nerv. Wegen des staatlichen Eingriffs in den Kernbereich ihrer gewohnten Lebensordnung und in die persönliche Entscheidungsfreiheit auch in ihren Beziehungen zum Staat und zu den andersgearteten Menschen ihrer Umwelt hatten diese Leute Russland verlassen. Es war daher eine zutiefst schmerzliche Erfahrung, schon so früh auch hier wieder in den eigensten Bereichen vom Staate behelligt zu werden, wenn auch zunächst noch nicht so tiefgreifend.

Kanada hatte aber noch mehr, das von der altgewohnten Lebensweise abwich und das die Umstellungs- und Anpassungsfähigkeit mancher Siedler stark herausforderte und schwer auf die Probe stellte. Hatte man seit Jahrhunderten die gemeinschaftliche Nähe und Wärme der geschlossenen Dorfsiedlungen genossen, so merkte man nun, dass hier in Amerika im allgemeinen ganz anders gesiedelt wurde. Die Regierung war nämlich in der Zumessung der Ackerflächen sehr grosszügig gewesen. Innerhalb der Reservate durfte jeder Bauer 160 acres (64 ha) Land übernehmen, das nach drei Jahren der Bearbeitung ihm gehörte. Im Blick auf die Ackergeräte jener Zeit war das für einen einzelnen Hof ungewöhnlich viel Land.

Nach den Siedlungsgesetzen der Regierung brauchte also das Land nicht bezahlt zu werden, sondern man erwarb das Besitzrecht, wenn man drei Jahre lang auf dem Landstück geblieben war und es bearbeitet hatte. Wenn jemand noch mehr Land wollte, durfte er es für einen sehr günstigen Preis kaufen.

Solche grossen Flächen eignen sich aber nicht zu dichtem Beisammenwohnen nach gewohnter Art, es sei denn, man wohnte in Dörfern und hatte sein Ackerland weiter ausserhalb liegen. Für manche bedeutete das, grosse, täglich zu bewältigende Entfernungen, die zu jener Zeit die Bearbeitung des Landes sehr erschwerten. Als bequemere Lösung bot sich hier das amerikanische Modell der Einzelfarmen an. Diese Siedlungsform wurde von der Regierung sogar gefördert oder zumindest begünstigt.

Der Kleinen Gemeinde und auch den Bergthalern — ob auf dem Ost- oder Westreservat — war das Übergehen auf das Farmsystem kein besonderes Hindernis. Es wurde von diesen Gemeinden bald allgemein übernommen.[5] Die schon angelegten Dörfer lösten sich nach und nach auf.

Anders war es bei den Fürstenländern, die inzwischen als "Altkolonier" bezeichnet wurden. Die Form der Aufteilung und Besiedlung des Landes in weit auseinander liegenden Einzelgehöften wirkte auf sie abstossend. Für sie bedeutete dies einfach die Auflösung der Gemeinschaft. Sie blieben darum bei der geschlossenen Siedlung in Dörfern. Mit der Neuordnung der Verwaltungsangelegenheiten durch die Regierung konnten sie sich ebenfalls nicht abfinden. Sie sperrten sich gegen die Eingriffe der Regierung ab und blieben bei der aus Russland gewohnten Form. Sie waren später auch die ersten, die sich erneut nach anderen, besseren, Siedlungsplätzen umsahen, und die ersten, die auch wirklich auswanderten, und zwar schon im Jahre 1922, nach Mexiko.[6] Bis dahin aber lag noch eine lange Zeit des Miteinanderlebens in Kanada.

In Manitoba gab es also gleich beim Anfang der Siedlungen drei mennonitische Gemeinderichtungen, die mit- und nebeneinander angesiedelt hatten und nun auch in einer bis dahin nicht gekannten Nähe miteinander zu leben und auszukommen hatten. Von Russland her stammten sie eigentlich aus drei verschiedenen Kolonien und kannten sich darum bisher nur aus sicherer Entfernung. Der Älteste der Bergthaler Gemeinde war Gerhard Wiebe, der Älteste der Fürstenländer, bzw. jetzt Altkolonier oder Reinländer, Johann Wiebe. Johann Wiebe und Gerhard Wiebe waren Vetter. Der Älteste der Kleinen Gemeinde hiess Peter Toews.

Die Auswanderer aus der alten Chortitzer Ansiedlung waren einzelne Familien, die aus eigenem Entschluss ausgewandert waren. Sie waren nicht organisiert, weder als Gemeinde noch in anderen Hinsichten. Obwohl sie zahlenmässig mehr waren, schlossen sie sich jetzt den Fürstenländern an, denen sie am meisten wesensverwandt waren und die geschlossen und organisiert ausgewandert waren und so auch wieder ansiedelten. Die Fürstenländer stammten selbst ja auch aus Chortitza und hatten diese Konlonie erst wenige Jahre vor der Auswanderung verlassen, um das Pachtland des Fürsten zu besiedeln. Da dieses Pachtland zudem ganz in der Nähe der Mutterkolonie gelegen war, ist anzunehmen, dass zwischen der Siedlung Fürstenland und der Mutterkolonie Chortitza eine rege Verbindung bestanden hatte und dass diese Verbindung auch stark verwandtschaftlich geprägt war.

In Manitoba bildeten nun die Fürstenländer mit den ihnen sich angeschlossenen Familien aus Chortitza eine geschlossene Siedlungsgruppe und eine selbständige Gemeinde, die zunächst noch keinen gemeinsamen Namen hatte. Sie wählten sich dann den Namen ''Reinländer Mennonitengemeinde''. Von den anderen wurden sie jedoch einfach die ''Altkolonier'' genannt.

Aber auch die Bergthaler des Ostreservats änderten ihren Namen und nannten sich jetzt ''Chortitzer Mennonitengemeinde.''

Es ist nun gewiss interessant zu sehen, wie sich die drei (oder jetzt schon vier, weil ja die Bergthaler des Ost- und Westreservats verschiedene Namen hatten) Gruppierungen in dem neuen Land unter sich selbst und zueinander verhielten und wie sie die in Russland gepflegten Eigenarten hier weiter entwickelten, d.h. entweder festigten, modifizierten oder nach und nach aufgaben.

Gemeindeentwicklungen

Die Bergthaler Gemeinde hatte sich im Laufe der 38 Jahre in Russland, wo sie räumlich so stark isoliert gewesen war, auch geistig und geistlich ganz eigenständig entwickelt. Sie hatte sich gewissermassen eingesponnen und sich in dieser Weise als ganz unabhängige Gemeinde und Siedlung, fern von allen anderen mennonitischen Gemeinschaften, ganz in ihr spezifisches Eigenleben eingenistet. Sie hatte sich mit einem schützenden, aber auch trennenden Zaun, eigentlich einer festen Mauer aus Regelungen und Einrichtungen umgeben, einer Mauer, die in Russland nicht durchbrochen worden war.

Nun aber, in Manitoba, begann sich das Gefüge der Mauer zu lockern, ganz besonders, als einige hundert Familien aus dem Ostreservat in das Westreservat zogen und sich in der Nähe der Fürstenländer niederliessen.

Die Altkolonier (Fürstenländer und Chortitzer) bewegten sich in die entgegenesetzte Richtung. Sie sammelten sich in Manitoba zu einer neuerrichteten, eigenständigen Gemeindeordnung und beschlossen zuerst, alles, was sich in Russland schon an Unwillkommenem, Schädlichem eingeschlichen hatte, wieder hinauszutun und sich dann gegen alle neuen Einflüsse mit einer festen Mauer zu umgeben. Führend darin scheint der damalige Gemeindeälteste, Johann Wiebe, gewesen zu sein. Ältester Isaak Dyck (gestorben 1969 in Mexiko) schreibt darüber:[7]

> '' . . . und dasjenige, was der liebe Älteste, Johann Wiebe, gleich bei der ersten Bruderschaft bei ihrer Ankunft in Amerika — unter freiem Himmel — den Brüdern vorgestellt und einstimmig beraten hat bei den Immigrantenhäusern, dass sie den Schritt, den sie schon zu weit in Russland mit der Welt mitgegangen waren, nun hier in Amerika zurückgehen wollten, nämlich mit der hohen Gelehrsamkeit in den Schulen, mit dem Notengesang und überhaupt mit der grossen Gleichstellung dieser Welt. Und so ist es auch ergangen; in aller Demut und Niedrigkeit wurde angefangen mit Hütten bauen, man grub in die Erde und dann wurde noch auf der Erde gebaut. Aber ist es auch in diesem niedrigen Stande geblieben?''

Aus diesem sieht man bei den Altkoloniern die Schaltung auf Rückwärts. Seit dieser Zeit der ''Neubesinnung'' in Manitoba bildeten sie eine neue, eigenwillig orientierte mennonitische Gemeinschaft. Als solche sind sie später bekannt und besonders als Siedlungsgruppe im Hochland von Mexiko mehrfach beschrieben worden.

Es ging hier also leider nicht mehr nur darum, die vorhandenen Güter zu wahren und zu halten, sondern es wurde bewusst darauf ausgegangen, wieder Formen und Regelungen des Gemeinschaftslebens einzuführen und durchzusetzen, die man noch aus früheren Zeiten in Erinnierung hatte. Es war ein offensichliches Rückwärtsschalten, von welchem man sich aber eine segensreiche Auswirkung auf das künftige Gemeinschaftsleben und auf einen gesunden Bestand der neuen Ansiedlung versprach.

In Wirklichkeit setzte dann in der Folgezeit ein ständiges Absinken der ethischen und geistigen Werte ein, und auch das religiöse Leben erstarrte zu leblosem Formwesen. Die Rückwärtsschaltung bezog sich auch auf allerlei äusserliche Dinge, wie Kleidung und wirtschaftlichhäusliche Einrichtungen und Angelegenheiten. Es heisst dort nämlich weiter in Ältesten Isaak Dycks Niederschrift:[8]

> "Es schien so, soviel es am zeitlichen Vermögen sich anfing zu bessern (in Manitoba, MWF), soviel schien es auch aus dem Stande der Demut auszuschreiten. Was sich auch sehen liess an den vielen schönen, buntgestrichenen Häusern und den der Welt gleichgestellten Fahrzeugen. Topbuggies und auch die Automobile schienen einzudringen, englische Sprache, öffentliche Schulen (im Gegensatz zu Privatschulen, MWF)"

Um aber allen die Gelegenheit zu geben, sich aus eigenem Entschluss für die unverminderte Wiedereinführung der früher in Russland geübten Gemeindepraktiken zu entscheiden und dabei gleichzeitig die Zögernden und Lauwarmen auszuscheiden, räumte der Älteste Johann Wiebe am 5. Oktober 1880 eine besondere Bruderschaft zu diesem Zwecke ein.[9] Wer ohne Abstriche für die neugefasste Gemeindeordnung war, musste sich als Mitglied neu eintragen lassen. Nicht alle erneuerten ihre Mitgliedschaft. Diese "Lauwarmen" (wie sie genannt wurden) zogen es dann vor, sich den Bergthalern anzuschliessen. Dass die Bergthaler solche aufnahmen, machte das schon etwas gespannte Verhältnis zwischen diesen beiden Gemeinden nur noch gespannter. Über das Verhältnis der beiden Gemeinden zueinander schreibt der Bergthaler Älteste, Gerhard Wiebe; so:[10]

> "Ich muss hier noch beifügen, dass die Brüder von unserer Mutterkolonie (Chortitza, MWF) und dem Fürstenland sich damals an uns wandten, um mit uns in Gemeinschaft auszuwandern, und baten uns, dass unsere Deputierten auch für sie sollten Land auswirken und besonders noch, allwo sie ihre Glaubensfreiheit geniessen könnten, gleich wie wir. Kurz gesagt: sie wollten, wenn möglich, mit uns als Brüder und Schwestern zusammenwohnen; und wir standen auch in naher Verwandtschaft,[11] auch in geistlicher Hinsicht waren wir eins. Diesem Auftrag haben unsere Deputierten denn auch nach bestem Wissen gesucht nachzukommen; denn als sie nach Hause kamen, sagten sie, sie hätten für sie gerade so gut gesorgt, wie für uns selbst. Und das hatten sie auch; denn wir hatten damals keine eigennützigen Männer durch die Wahl getroffen.
>
> Ach wie schade ist es, dass wir nicht in dieser Einigkeit geblieben! Aber Ältester Johann Wiebe hat alles vergessen, was wir damals in Russland zusammen gesprochen haben. Jetzt habe ich alle Schuld, bin auch nicht frei davon."

Sicherlich war eine steifkonservative Ausrichtung zunächst das gemeinsame Ziel beider Gemeinden gewesen, sowohl in gemeindlichen als auch in schulischen Dingen. Denn auch der Älteste Gerhard Wiebe vertrat den Standpunkt einer äusserlich strengen Umrahmung religiöser Bräuche und des Einengens der Schulbildung auf eine möglichst niedrige Stufe, worin er die Demut sah, wie es klar aus seiner Schrift hervorgeht. Obwohl sie in ihren Einstellungen also beide nicht bemerkenswerte Änderungen vorgenommen hatten, änderte sich nun das Bild doch insofern, dass sie ihre Absichten nicht gemeinsam ausführten, um auch gemeinsam die Ziele zu erreichen. Dieses gemeinsame Streben fiel nun, wenigstens von seiten der Altkolonier, bzw. Reinländer, aus.

Der Anfang der Misshelligkeiten zwischen den beiden Gemeindeältesten war aber nicht die Aufnahme der lauwarmen Glieder der Altkolonier durch die Bergthaler, sondern wird auf einen Zwischenfall zurückgeführt, der sich auf den Gemeindegesang bezog. Dr. Walter Quiring bezeichnet ihn als einen eigenartigen Umstand, der bald nach der Einwanderung in Manitoba zu einer Verstimmung geführt haben soll.[12]

> ''Die mennonitischen Kolonisten zeichneten sich damals noch nicht durch so guten Gemeindegesang aus wie kurz vor dem Weltkriege. Die aus Deutschland mitgebrachten Singweisen wurden in Russland fast ein Jahrhundert ohne Noten und Ziffern, meist sehr langsam und schleppend mit vielen ''Schnörkeln'' gesungen; sie waren daher stark verstümmelt. In Kanada wollte der Älteste der Altkolonier, Johann Wiebe, hierin eine Verbesserung durchführen und die Lieder nach Noten und Ziffern richtigstellen, während sein Vetter, Gerhard Wiebe, in der Bergthaler Gemeinde für die Beibehaltung des altgewohnten Gesanges eintrat. Schliesslich einigten sie sich dahin, beide an der althergebrachten Singweise festzuhalten. Bald aber änderte Gerhard Wiebe seine Ansicht und entschloss sich, die Neugestaltung des Gesanges doch durchzuführen, was allerdings erst durch seinen Nachfolger, David Stoess, geschah. Da Johann Wiebe sich ein zweitesmal nicht umstellen konnte, kam es wegen dieser belanglosen Meinungsverschiedenheit zu einer Trennung und inneren Entfremdung der beiden Gemeinden, die sich von Jahr zu Jahr vertiefte. Die Altkolonier wurden von da an noch konservativer und klammerten sich in Gemeinde und Schule immer krampfhafter an das Überlieferte. Sie lehnten z.B. jeglichen Schmuck als sündhaft ab.''

Nach Tagebuchberichten eines Altkoloniers[13] haben diese das Singen nach Noten und Ziffern aber nicht erst in Manitoba anfangen wollen, sondern haben diese Singweise schon aus Russland mitgebracht. Dieses wäre erklärlich, wenn man bedenkt, dass die Chortitzer Mennonitengemeinden in Russland zu der Zeit schon manche Verbesserung übernommen hatten. Der berühmte Lehrer Heinrich Franz hatte schon 1860 als Lehrer der Zentralschule in Chortitza sein bekanntes Choralbuch mit Ziffern herausgegeben.

Die Bergthaler dagegen, die schon in Russland viele Jahre von der Chortitzer Mennonitengemeinde entfernt gelebt hatten, kannten den Gemeindegesang nur nach dem Gehör. Daher ist anzunehmen, dass der Bergthaler Gemeindeälteste, der eine hohe Meinung vom Altgewohnten hatte, diese Sangesart beibehalten wollte und daher an den Gemeindeältesten der Altkolonier herantrat, um ihn zu bitten, sich diesem anzuschliessen. Denn, wie sie es in Russland miteinander verabredet hatten, wollten sie gemeinsam vorgehen. Der Altkolonier Älteste aber war für Rückschritte leicht zu haben, wie wir wissen. Er ging also auf Gerhard Wiebes Vorschlag ein.

In Gerhard Wiebes Gemeinde vollzog sich dann aber doch aufgrund von internen Zusammenhängen und Vorgängen, die heute wohl nicht mehr ganz erhellt werden können, eine Wandlung im Gemeindegesang. Abraham A. Braun (gestorben 1976 in der Kolonie Menno) wusste mitzuteilen, dass das Choralbuch von Heinrich Franz in Manitoba zuerst in den Schulen der Bergthaler auf dem Ostreservat eingeführt worden sei. Wahrscheinlich nannten sich die ostreserver Bergthaler damals schon "Chortitzer Mennonitengemeinde". Darauf sei es dann auch von den "Vorsängern" beim Gemeindegesang in den gottesdienstlichen Versammlungen verwendet worden. Die Änderung sei jedoch damals nicht einstimmig von der Gemeinde gutgeheissen worden. Viele der Gemeindeglieder seien über diese Änderung ungehalten gewesen. Auch unter den Vorsängern seien nicht alle damit einverstanden gewesen, und einige seien, unwillig über die "weltliche" Singweise, von ihrem Vorsängerposten zurückgetreten. Das Franzsche Choralbuch, bzw. das Singen der Melodien nach Ziffern habe sich dann aber doch in dieser Gemeinde durchgesetzt.[14]

Man kann darum nicht sagen, dass der Älteste Gerhard Wiebe allein an der Änderung des Gemeindegesanges schuld gewesen ist. Gefordert wurde sie in erster Linie von den Schullehrern und dann auch von den meisten Vorsängern, welche sie dann auch durchführten. Vielleicht hat der Altkolonier Älteste gemeint, Ältester Gerhard Wiebe hätte dieses nicht annehmen und somit in der Gemeinde auch nicht erlauben dürfen. Wir können uns aber auch vorstellen, dass der Bergthaler Älteste nicht mehr die unumstössliche Vollmacht besass, wie seinerzeit in Russland, und nicht mehr unbedingt das letzte Wort zu sagen hatte, da er seinen Einfluss infolge eines sittlichen Vergehens eingebüsst hatte. Er wurde dann auch bald seines Amtes enthoben.[15]

Zwischen den Altkoloniern und Begthalern entstand aber in der Folgezeit, als zu diesem Gesangeskonflikt doch andere Unstimmigkeiten hinzukamen, eine Kluft, die nicht mehr überbrückt werden konnte. Es hat auch später keine Zusammenarbeit mehr gegeben.

Ein anderes Verhalten, wodurch die Bergthaler den Altkoloniern dann noch ein besonderes Ärgernis wurden, war das Nichtfesthalten an der von Russland gewohnten geschlossenen Siedlung in Dörfern und an den damit verbundenen Formen der wirtschaftlichen Verwaltung. Es war fester Gemeindebeschluss der Altkolonier in Manitoba, diese Ordnung beizubehalten. Aus dem Beschluss aber erwuchsen der Gemeinde bald grosse Widerwärtigkeiten. Viele ihrer Glieder fanden sich nämlich nicht damit ab und gründeten doch Farmen ausserhalb der Dörfer.

Es scheint so, dass es in erster Linie der Kern der Fürstenländer gewesen ist, der sich im Beibehalten des Althergebrachten durchsetzte, wiewohl dieser Kern nur ein Drittel der Gesamtgemeinschaft der Altkolonier ausmachte. Dagegen kann man sich auch andererseits vorstellen, dass es in der Hauptsache frühere Chortitzer waren, die nun Schwierigkeiten machten. Viele wurden wegen des eigenwilligen Vorgehens der Siedlung auf Einzelfarmen mit dem Bann belegt. Diese Ausgeschlossenen wurden dann aber von den Bergthalern aufgenommen; denn die Bergthaler sahen in dem Hinüberwechseln aus der Dorfgemeinschaft in die Farmwirtschaft keinen Anlass, ein Gemeindeglied mit dem Bann zu belegen. So suchten und fanden die von der Gemeinde her bedrängten Altkolonier Glieder bei den Bergthalern Zuflucht.

Ausser dem Überwechseln auf die Farmwirtschaft spielten dann in der Zunahme der Spannungen auch noch andere wirtschaftliche und haushälterische Einrichtungen mit, die von den Bergthalern schon übernommen worden waren und gepflegt wurden, bei den Altkoloniern aber verboten waren.

So wurden in den letzten Jahrzehnten vor der Jahrhundertwende bei hundert Altkolonier Brüder in den Bann getan. Das bedeutete, dass auch ebensoviele Familien die Altkolonier Gemeinschaft verliessen und sich der Nachbargemeinde anschlossen. Viele liessen es dann gar nicht mehr soweit kommen, sondern gingen zu den Bergthalern über, ehe sie gebannt werden konnten.[16]

Die Spannung zwischen den zwei Gemeinden wuchs allmählich zu einer unüberbrückbaren Kluft aus. Die Altkolonier untersagten schliesslich ihren Gliedern jeglicher Verkehr mit den Bergthalern. Es war eine trübe Zeit bitterster Auseinandersetzungen wegen in Wirklichkeit unwesentlicher Dinge. Die Altkolonier isolierten sich jetzt nach allen Seiten und liessen sich mit keiner anderen Gemeinde mehr ein, pflegten auch in keinerlei Angelegenheiten mehr Gemeinschaft mit anderen. Selbst in der schweren Zeit des 1. Weltkrieges, als die Gemeinden Manitobas und Saskatchewans die Fragen der Wehrfreiheit und der Schulfreiheit erneut gemeinsam besprachen und geschlossen damit vor die Regierungsbehörden traten, beteiligten sich die Altkolonier an keiner der Verhandlungen und Besprechungen. Sie hielten vielmehr ihre Beratungen abgeschlossen von allen anderen und traten auch nur von sich aus und allein mit ihren Fragen vor die obrigkeitlichen Behörden.

Dagegen ist es zwischen den Bergthalern des Ostreservats, die sich dort den Namen "Chortitzer Mennonitengemeinde" beilegten, (von welchem sich die heutige Bezeichnung: "Chortitzer Komitee" für die Kolonie Menno ableitet) und der Kleinen Gemeinde niemals zu besonderen Reibungen oder Auseinandersetzungen gekommen. Es bestand, abgesehen von einigen geringfügigen Meinungsverschiedenheiten, ein dauerndes friedliches Verhältnis.

Die ab 1877 aus dem Ostreservat in das Westreservat übersiedelnden Bergthaler schlossen sich hier zu einer eigenen Gemeinde zusammen. Einige der Ostreserver Prediger waren mitgegangen, so auch ein Johann Funk. Dieser wurde dann 1882 als Ältester der neuen Gemeinde eingesetzt. Eigener Zuwachs und das Hinüberwechseln einiger hundert Altkolonierfamilien brachten diese neue Gemeinde um etwa 1890 auf bereits etwa 500 Familien.

Man muss sich hier eine Gemeinde vorstellen, die aus Vertretern der verschiedensten Meinungen, Ansichten und Einsichten zusammengewürfelt war. Ihre Mitglieder waren Bergthaler, Fürstenländer und frühere Alt-Chortitzer, ein grosser Teil also gebannte Altkolonier. Die Gemeinde bestand daher zu einem nicht unwesentlichen Teil aus Gliedern stark nonkonformistischer Haltung; bei manchen mag sie auch nur die des sturen Eigenwillens gewesen sein.

Im Blick auf diese so vielschichtige, noch ungefestigte, Lage ist es nicht verwunderlich, dass sich in dieser Gemeinde auch eine fortschrittliche Gesinnung auf geistlicher und auch auf geistiger Ebene zu regen beginnen konnte und auch begann. Die Annahme liegt nicht fern, dass solches in erster Linie von ehemaligen Chortitzern, die durchweg eine gute, einige auch eine höhere Schulbildung, hatten, begonnen und gefördert wurde. Andere wieder meiner, es hätte nicht bei ehemaligen Chortitzer gelegen. So entstand allmählich innerhalb der Bergthaler Gemeinde des Westreservats eine zielbewusste Bewegung. Auch der Gemeindeälteste Funk stellte sich auf die reformbeflissene Seite.

Die Bewegung nahm Gestalt an. Das "heisseste Eisen" wurde dann der tatkräftige Einsatz der Gruppe zur Hebung der Schulbildung. Sie errichtete eine Fortbildungsschule und stellte 1891 einen fähigen Lehrer von auswärts an, unterstützt darin von der provinzialen Erziehungsbehörde. Dieser Lehrer war Heinrich H. Ewert aus Kansas, der noch in Preussen als ältester von 12 Geschwistern geboren war und in der dortigen Stadt Thorn seine Volks- und Mittelschulbildung erhalten hatte.[17] Im Jahre 1874 war er mit seinen Eltern und Geschwistern nach Kansas ausgewandert. Dort hatte er seine weitere Ausbildung erhalten und danach lange Jahre im Schuldienst gestanden.

Für den grössten Teil der Gemeinde war dies aber doch zu weit gegangen; etwa 440 von den ungefähr 500 Familien machten hier nicht mit. Sie machten sich einfach auf und gründeten eine neue Gemeinde, da ja der Älteste Johann Funk sich zu den Fortschrittlichen hielt. Diese Gemeinde war neu in ihrer Organisation aber nicht in ihrem Wesen. Im Gegenteil, sie wollte ja gerade das alte Wesen bewahren. Die Gemeinde wählte als ihren Ältesten den Prediger Abraham Doerksen, der im Dorfe Sommerfeld wohnte. Von daher nahm sie dann auch gleich ihre eigene Benennung, nämlich "Sommerfelder Mennonitengemeinde". Es ging diesen Leuten vor allen Dingen um die Beibehaltung des Bergthaler Schulsystems aus Russland.

Die reformgesinnte Gruppe behielt den Namen "Bergthaler Mennonitengemeinde". Es war nicht in der Absicht dieser Gruppe gewesen, eine Spaltung herbeizuführen. Sie wollte aber von einer Schulreform einfach nicht mehr lassen. Diese Gruppe von etwa 60 Familien bildete nun die Gemeinde mit dem alten Namen, doch jetzt mit dem Kennzeichen bestimmter Neuerungen, besonders auf dem Gebiet des Schulwesens. Ihr Weg war kein leichter, aber sie sah auch keinen Sinn darin, nur gewohnheitsmässig übernommener Ansichten wegen nachzugeben.[17] Diese schulische Entwicklung blieb jedoch gänzlich auf die Bergthaler des Westreservats begrenzt. Der Hauptteil der früheren Bergthaler, nämlich die ganze Gruppe auf dem Ostreservat, die man von heute her als "Chortitzer Mennonitengemeinde" sehen muss, blieb, wie wir im weiteren sehen werden, in konsequenter Beharrlichkeit bei der aus Russland mitgebrachten Form des Schulwesens, und so wurden spätere Ereignisse in dieser Sache zu einem Stein des Anstosses.[18]

In Russland hatten die Bergthaler in ständiger Alarmbereitschaft gelebt, Angriffe auf ihr Schulwesen entschieden abzuwehren. Dieses betraf sowohl ihre gewohnte Art zu unterrichten als auch den Lehrplan und das gesamte Unterrichtsmaterial. Sie hatten sich energisch und erfolgreich gegen alle Versuche irgendwelcher Neubelebung der Schulsache abgeriegelt.

Jetzt waren sie in Manitoba und, gestützt auf den Freibrief, den ihre Deputierten 1873 in Ottawa erhalten hatten, worin ihnen völlige Schulfreiheit zugebilligt worden war, waren sie wieder mit Leib und Seele dabei, ihre Schulsache im traditionellen, gemeindeorientierten Rahmen weiterzuführen. Die Kleine Gemeinde war in schulischen Angelegenheiten etwas freier und fortschrittlicher eingestellt.

Im März 1879 veranstalteten die beiden Ostreserver Gemeinden eine gemeinsame Lehrerkonferenz im Dorfe Chortitz. Etwa 36 Lehrer waren gekommen. Sie wurden nun auf ihre Fachkenntnisse hin geprüft. Ausser den mennonitischen Lehrern, die als Prüfer eingesetzt worden waren, war auch ein Vertreter der obrigkeitlichen Erziehungsbehörde erschienen. Ebenso waren die beiden Gemeindeältesten zugegen, Gerhard Wiebe von den Chortitzern und Peter Toews von der Kleinen Gemeinde.[19]

Als Reaktion auf das Ergebnis dieser Prüfung erbot sich die provinziale Erziehungsbehörde, den armen Siedlern eine finanzielle Unterstützung zur Bewältigung der Schulunkosten zukommen zu lassen. Es sollten dann aber auch fähige Lehrer angestellt werden. Diesen Widerhaken an dem sonst verlockenden Köder merkten die Chortitzer sofort. Ältester Gerhard Wiebe schildert uns diese ganze Angelegenheit folgendermassen:

> "Wir waren kaum ein paar Jahre in Amerika, als uns Geld zur Mithilfe und zum Unterhalt unserer Schulen angeboten wurde, welches uns aber sehr bedenklich war; denn wir fürchteten, unsere Schulfreiheit, die uns von der Regierung verbürgt war, dadurch zu verlieren; aber Hespeler sagte, es hätte keine Gefahr. Da wurden wir uns einig, es anzunehmen. Dann fuhren wir mit den Namen aller Schullehrer hin, und Hespeler sagte uns, wir sollten die Schullehrer in drei Klassen teilen. — Wozu?, fragten wir. Nun, sagte er, ihr denkt doch nicht, dass die Regierung ihr Geld wird solchen geben, die im Sommer Kuhhirten und im Winter Schullehrer sind. Da nahm Schreiber dieses die Papiere zusammen und sagte: Herr Hespeler, jetzt verstehen wir schon, wir werden uns an das halten, was unsere Deputierten abgemacht haben. Da drehte er die Sache rasch um und sagte, indem er eine Hand hob; "Wir werden noch durch die Finger sehen, bis ihr besser könnt." Da gaben wir die Namen der Schullehrer ab, aber seine Worte hatten solchen tiefen Eindruck auf uns gemacht, dass wir ihnen nicht viel trauten. Es dauerte auch nicht lange, da wurden wir gewahr, wohin es führte, und wir traten schleunigst zurück und nahmen kein Geld mehr an."[20]

Diese Reaktion spricht von einer geradezu instinktiven Wachsamkeit, wenn es um die Erhaltung des Schulwesens ging. Es war dieses wohl der erste Zusammenstoss des so stark ausgeprägten konservativ-mennonitischen Schulgeistes mit Vertretern der Erziehungsbehörde der Provinzialregierung Manitobas. Einige Jahrzehnte später kam es dann zu scharfen und folgenschweren Auseinandersetzungen.

Die Chortitzer Mennonitengemeinde des Ostreservats hat dann in der Folgezeit jegliche Unterstützung ihrer Schulen durch die Regierung abgelehnt, bis im Jahre 1919 das Zwangsschulgesetz von 1916 eingeführt wurde, und die staatlichen Distriktschulen auch im Gebiet der Chortitzer Mennonitengemeinde eingerichtet wurden.

Die Kleine Gemeinde jedoch, die in schulischen Dingen etwas liberaler war, nahm die finanzielle Mithilfe der Regierung an, und so kam es zwischen ihnen und den Chortitzern zu einigen Misshelligkeiten. Der Chortitzer Älteste beschreibt diese wie folgt:

> "Ach, wie gerne hätten wir gesehen, wenn die Kleine Gemeinde es auch so gemacht und uns in diesem Stück die Hand gereicht hätte,

wieviel stärker wären dann die Gemeinden; aber sie gaben vor wenn sie erst die Gefahr sehen werden, werden sie auch das Geld absagen. Aber der Schreiber glaubt, die Gefahr sei schon gross genug, da es mit blossen Augen zu sehen ist, wohin es geht. Das Geld aber hat ihre Augen so verblendet, dass sie die falsche Lehre in den Schulen nicht mehr sehen, und die Alten sterben weg und die Jungen gehen von einer Stufe zur anderen, bis das Evangelium ganz aus der Schule verdrängt wird."[21]

Aus diesen klagenden Worten des Chortitzer Ältesten ist ersichtlich, dass nach seiner Ansicht die Kleine Gemeinde in ihren Schulen schon nicht mehr bei der "reinen" Lehre geblieben war, und dass wohl das verlockende Geld schuld daran gewesen sei.

Um das nunmehr bereits verwirrende Durcheinander der verschiedenen mennonitischen Richtungen, Gemeinden oder Gruppierungen besser überschauen zu können, ist es wahrscheinlich von Nutzen, jetzt eine zusammenfassende, klärende Darstellung der Lage zu unternehmen.

Auf der Ostseite des Red River, dem Ostreservat, waren zwei Gemeinden: die grosse Gruppe der Bergthaler, die hier den Namen "Chortitzer Mennonitengemeinde" angenommen hatten, und die kleinere Gruppe der "Kleinen Gemeinde", die bei ihrem Namen blieb. Auf der Westseite bildeten die sogenannten "Altkolonier", deren offizieller Name die "Reinländer Mennonitengemeinde" war, ohne Zweifel die grösste Gruppe. Diese Gruppe bestand, von Russland her, aus den Fürstenländern und aus Familien der Chortitzer Ansiedlung, die sich den Fürstenländern frei angeschlossen hatten. Weiter gab es auf dem Westreservat die kleine Gruppe der Fortschrittlichen, die den Namen "Bergthaler" trug, und die weitaus grössere Gruppe ehemaliger Bergthaler, die sich aus Protest gegen die Schulreform um den Prediger Abraham Doerksen aus dem Dorfe Sommerfeld geschart hatte und sich seither "Sommerfelder Mennonitengemeinde" nannte. Insgesamt waren es also fünf verschiedene Gruppen bzw. Gemeinden.

Die Bergthaler Gemeinde auf dem Westreservat war, wie bereits ausgeführt, innerhalb ihres eigenen gemeindlichen Rahmens in schwere Zerwürfnisse wegen der Schulsache geraten, die eine Trennung zur Folge gehabt hatte. Die Altkolonier (bzw. Reinländer) dagegen waren der Losung: "Die Schulen sollen bleiben, wie sie sind", treu geblieben, insofern sie nicht noch einen Schritt rückwärts gegangen waren, feststellend, sie seien in Russland schon in der schulischen Bildung zu hoch hinausgelangt.

Die neue Sommerfelder Gemeinde des Westreservats zog jetzt, nachdem sie sich von der Reformgruppe losgesagt hatte, ebenfalls mit der geradezu verhängnisvollen Mahnung zu Felde: "Die Schulen sollen bleiben, wie sie sind."

Erwähnt müssten auch noch zwei Erweckungsbewegungen werden, eine in der Ostsiedlung und die andere in der Westsiedlung, die vom Standpunkt des einheitlichen Vorgangs der Manitobaer Mennoniten das Bild noch mehr trübten. Durch die erstere war die Gemeinde Gottes in Christo, die sogenannte "Holdemannsgemeinde", entstanden, und durch die letztere die Mennoniten Brüdergemeinde auf der Westsiedlung. Beide neue Richtungen waren schon durch den vollzogenen religiösen Bruch weniger geneigt, am Althergebrachten prüfungslos festzuhalten.

Schulentwicklungen

Aus diesem allem ist zu ersehen, dass die Mennonitenschaft Manitobas in ihren Bildungszielen nicht eines Sinnes war. Viele waren für eine Überarbeitung und Ausweitung des Lehrprogramms. Diese nahmen auch die englische Sprache an, ohne sich Gewissensbisse darüber zu machen. Sie konnten es, im Gegenteil, nicht mit ihrem christlichen Gewissen vereinbaren, die Landessprache nicht zu erlernen. Andere aber widersetzten sich allem diesem entschieden und zogen einen Zaun um ihr geistiges Leben. Sie schlossen sich lieber ab und verschlossen sich jeglichem Einfluss, ohne zu prüfen, ob eine Verbesserung der Schulen vielleicht doch gut und nützlich sei.

Noch vor Ausbruch des 1. Weltkrieges gab es aber doch schon eine bedeutende Anzahl mennonitischer Volksschulen in Manitoba, die sich freiwillig unter einen bestimmten Einfluss der Regierung stellten. Einen Rückschlag erlitt diese Kompromissbereitschaft aber, als um 1908 ein Dekret zur Hissung der britischen Flagge, des "Union Jack", bei allen öffentlichen Schulen erlassen wurde. Die Mennoniten sahen in der Flagge ein Kriegssymbol, das mit ihrem Grundsatz der Wehrlosigkeit nicht vereinbar sei. Sie fanden sich mit dem Wehen der Flagge über ihren Schulen nicht ab. In dieser Sache reagierten alle mennonitischen Gemeinden gleich.[22]

Ihre eigenen Schulen, auch "Privatschulen" genannt, über welche sie nach eigenen Erkenntnissen bestimmten, waren den konservativen Mennoniten ein besonderes Kleinod. Für sie waren sie bereit, grosse Opfer zu bringen, wenn sie von aussen her angefochten und in Frage gestellt wurden. Andererseits aber sah es damit oft auch recht traurig aus. Man würde meinen, die Unterhaltung dieser ihrer Schulen, die ihnen so kostbar waren, wäre vorbildlich gewesen. In Wirklichkeit gab es damit aber oft grosse Schwierigkeiten. Die Gemeinde stellte die Schulverordnungen auf und ordnete den zu unterrichtenden Stoff an. Das Dorf aber, oder der Bezirk, stellte den Lehrer an und kam auch für seine Löhnung auf. Das wurde jedoch nicht auf der Basis einer gerechten Verteilung der Lasten gemacht. Die Unterhaltungseinkünfte waren vielmehr so verteilt, dass die Hauptlast des aufzubringenden Schulgeldes auf diejenigen Familien fiel, welche die meisten Schulkinder hatten, also Familien, die ohnehin wirtschaftlich schon schwer zu kämpfen hatten. Diejenigen, die keine Schulkinder hatten, wollten dann oftmals nicht zahlen und zahlten auch nicht. Andere wieder schickten ihre Kinder nicht zur Schule, weil sie Verstimmungen mit dem Lehrer hatten, oder auch nur nicht mit ihm zufrieden waren. Es gab auch Dörfer oder Ortschaften, die durch allerlei Zwistigkeiten überhaupt nicht zum "Schulehalten" kamen. Manchmal wurden auch Lehrer eingesetzt, die nicht einmal imstande waren, auch den immerhin nur mageren Unterrichtsstoff selbst zu verarbeiten, geschweige ihn anderen zu übermitteln. Dieses alles galt sowohl für die Chortitzer auf der Ostsiedlung als auch für die Altkolonier und Sommerfelder im Westen. [23]

Die Deputierten der Bergthaler aus Russland hatten von ihrem Amerikabesuch zwei Freibriefe mit nach Hause gebracht, welche die Zusicherungen der gewünschten Privilegien enthielten, einen aus den Vereinigten Staaten und einen aus Kanada. Sie hatten der Gemeinde den kanadischen Freibrief empfohlen, und die Gemeinde hatte diese Empfehlung angenommen. Gerhard Wiebe schreibt, aus welchem Grunde:

> "Die Gemeinde wählte Kanada, weil es unter dem Schutze der Königin von England stand, und wir glaubten, unsere Wehrfreiheit könnte da länger erhalten bleiben, und auch, dass wir Kirche und Schule unter unserer Verwaltung haben könnten" [24]

Auf den kanadischen Freibrief setzte die Gemeinde das grössere Vertrauen, weil sie in der Monarchie eine stabilere Regierung auf Dauer sah und damit auch eine grössere Sicherheit für die Einhaltung der versprochenen Rechte, von welchen ihr die Befreiung vom Militärdienst und die ungehinderte Ausübung der schulischen Erziehung die wichtigsten waren. Der grösste Teil des Freibriefes enthielt nur schon früher erlassene Siedlungsbegünstigungen für ackerbautreibende Einwanderer. Auch die Freisprechung vom Militärdienst war schon früher anderen kriegsdienstverweigernden Konfessionen zugebilligt worden. Neu bei den insgesamt 15 Punkten war aber die Einräumung schulfreiheitlicher Rechte in dem Ausmass, dass die Erziehung ganz in die Hände der Einwanderer gelegt wurde.

Der Freibrief war von den Behörden der Bundesregierung in Ottawa gegeben worden, unterschrieben vom stellvertretenden Landwirtschaftsminister, einem Herrn John Lowe. [25]

Die Bergthaler waren natürlich hocherfreut über diese Zugeständnisse. Die Gemeinde zu Hause entschloss sich sofort, nachdem sie die Berichte ihrer heimgekehrten Brüder gehört hatte, nach Manitoba auszuwandern. [26] Sie wusste nichts davon, dass seit der Abreise der Deputierten von Ottawa eine, vielleicht unscheinbare, aber doch wichtige Änderung in der Zusicherungsschrift vorgenommen worden war. Diese kleine Änderung führte etwa 45 Jahre später zu folgenschweren Missverständnissen. Punkt 10 der Regierungsschrift lautete nämlich in der Ausgabe, die den Deputierten ausgehändigt worden war, wie folgt:[27]

> "Die völligste Freiheit in der Ausübung ihrer religiösen Grundsätze wird den Mennoniten ohne irgendwelche Belästigung oder Einschränkung durch das Gesetz gewährt; und dasselbe Vorrecht erstreckt sich auch auf die Erziehung ihrer Kinder in den Schulen."

Der Freibrief war am 23. Juli 1873 ausgefertigt und durch William Hespeler den Deputierten der Bergthaler und der Kleinen Gemeinde ausgehändigt worden.[28] Einige Tage später — die Deputierten werden wohl schon auf dem Ozeandampfer gewesen sein — als diese Schrift wahrscheinlich "zu den Akten" gelegt werden sollte, wurde dann, wahrscheinlich im Blick auf die Verfügungsgewalt der Provinzialregierungen, ein kleiner Zusatz gemacht. Hatte es zuerst geheissen: " . . . und dasselbe Vorrecht erstreckt sich auf die Erziehung ihrer Kinder in den Schulen", so lautete es jetzt: " . . . und dasselbe Vorrecht erstreckt sich auch auf die Erziehung ihrer Kinder in den Schulen, **wie das Gesetz es vorsieht,**" (as provided by law).[29]

Nach der ersten Formulierung ging die Bestimmung ganz allein von der Bundesregierung aus. Sie hatte danach das letzte Wort zu sagen und nicht die Provinzialregierung. Mit dem hinzugefügten Nebensatz aber wurde der Provinzialregierung das letzte Wort eingeräumt. Dieses entsprach aber der föderalen Gesetzgebung. In schulischen Angelegenheiten hatten die Provinzialregierungen Selbstbestimmungsrecht. Diesem Tatbestand war nun durch diese kleine Erweiterung Rechnung getragen worden. Also war da vorher eine Lücke gewesen. Warum aber hatte man den Mennoniten dieses nicht mitgeteilt? Warum hatte man sie in dem Glauben gelassen, die Bundesregierung habe das letzte Wort zu sagen? Den Bergthalern war dieses besonders wichtig, weil die Regierung von Kanada direkt unter der britischen Hoheit stand. Die Schulfreiheit lag bei den Bergthalern obenan und darum hatten sie auch "völligste Freiheit" (fullest privilege) für die Erziehung ihrer Kinder in den Schulen beantragt.

Es mag sein, dass man diesen Leuten nicht den Mut zur Einwanderung hatte nehmen wollen, als man merkte, wie wichtig ihnen die Schulfreiheit war. Sie hätten ja auch in die Vereinigten Staaten gehen können wo die Siedlungsmöglichkeiten angenehmer waren. Kanada und die U.S.A. wetteiferten damals miteinander in der Anwerbung von Einwanderern, die sich dem Landbau widmen wollten, wobei die U.S.A. sich ohnehin als die Mächtigeren erwiesen. Es mag auch sein, dass die Behörden in Ottawa anfänglich einfach damit gerechnet hatten, die Provinzialregierung würde in diesem Falle schon respektieren, was die Bundesregierung versprochen hatte.

Als dann 1919 die konservativen Mennoniten Manitobas hart um die Erhaltung ihrer Privatschulen rangen, schrieb ein Verfechter der mennonitischen Rechte, ein Anglokanadier, der die Einwendungen dieser besorgten Leute gegen den Schulzwang verteidigte, an den Erziehungsminister der Provinz Manitoba:

> "Den Mennoniten wird zu dieser Zeit wahrscheinlich gesagt werden, die Dominion-Regierung hatte kein Recht, Gesetze, die Erziehung angehend, für die Provinzen zu machen. Aber könnten wir als Antwort nicht die Frage stellen: Liegt in einer Abhandlung, von der Dominion-Regierung gemacht, nicht gleich der Sinn, dass die verschiedenen Provinzen sich diesen Verordnungen fügen werden?"[30]

Im Jahre 1916 verabschiedeten die Provinzen Kanadas, vor allem Manitoba und Saskatchewan, ein Schulgesetz, welches alle Privatschulen auflöste, den Religionsunterricht aus den Schulen herausnahm und nur noch Englisch als die einzige Unterrichtssprache zuliess. Veranlasst wurde diese Massnahme durch den 1. Weltkrieg, durch den gemeinsamen grossen Krieg gegen das Deutsche Reich. Als Mitglied des britischen Imperiums fühlte Kanada sich moralisch verpflichtet, seine Loyalität dem britischen König gegenüber auch in seiner inneren Gesetzgebung und seiner Haltung dem deutschen Wesen gegenüber zum Ausdruck zu bringen. Gleichzeitig wurde mit dieser einschneidenden Schulreform aber auch das Ziel verbunden, die verschiedenartigsten Einwanderungsgruppen zu einer einheitlichen, selbstbewussten kanadischen Nation zu erziehen.

Dieses neue Gesetz legte sich dann besonders schwer auf die Mennoniten, die die deutsche Sprache und zu einem Teil auch deutsche Kulturgüter seit Jahrhunderten gepflegt hatten und dieses auch weiter zu tun beabsichtigten, ohne damit politische Absichten oder Gedanken zu verbinden.

Von der Gesamtbevölkerung Manitobas war damals fast die Hälfte nichtenglischer Abstammung und gehörte auch verschiedenen Konfessionen an. Unter diesen bildeten die Mennoniten eine Minderheit. Sie fühlten sich aber am härtesten von dem neuen Schulgesetz betroffen, weil sie so zäh an der deutschen Sprache als ihrer Muttersprache festhielten. Die Ausklammerung des Religionsunterrichts und das gänzliche Auflösen der Privatschulen machte die Lage dann für viele unerträglich. Es dauerte jedoch noch drei Jahre, bis das Gesetz in Kraft trat.

Vor allem aber lag den Mennoniten jetzt die Militärdienstfrage auf dem Herzen, die durch den Krieg zu einer akuten Frage der schuldigen Pflichterfüllung dem Staate gegenüber wurde. Bei den Regierungsstellen wirkte es sich dabei verwirrend aus, dass die Mennoniten Kanadas in wenigstens vier verschiedenen Gruppen wegen der Wehrfreiheit vorsprachen.[31] Dabei beteiligten sich die Altkolonier an keiner dieser Gruppen; sie gingen wieder ihren ganz eigenen Weg. Die Chortitzer und Sommerfelder aber schlossen sich darin den sie umgebenden Gemeinschaften an.

Die Befreiung vom Militärdienst war ganz und gar Angelegenheit der Bundesregierung in Ottawa, und die mennonitischen Delegationen sprachen dort an der richtigen Stelle vor. Sie fanden auch jedesmal volle Unterstützung.

Die Abschaffung der Privatschule

Als dann etwas später die konservativen Mennoniten das auch in der Schulfrage so machten, war alles Bemühen umsonst. Jetzt erst stellten sie zu ihrem Schrecken und Leidwesen fest, dass die Lösung dieser Frage nicht bei den Bundesbehörden in Ottawa lag, wie sie immer geglaubt hatten, sondern ganz und gar bei den Provinzialbehörden.[32]

Als das neue provinziale Schulgesetz dann 1919 in Kraft trat, gerieten die konservativen Mennoniten in grosse Verwirrung und Aufregung. Ältester Martin C. Friesen schreibt, wie es sich auf die Chortitzer des Ostreservats auswirkte.

> "Als die Regierung 1919 anfing, die Distriktschulen als Zwangsschulen in unserer Gemeinde einzuführen, wo bis dahin noch nur Privatschulen waren, gab es grosse Unruhe unter den Brüdern und eine fast babylonische Verwirrung. Der eine sagte dies, der andere das, mancher konnte sich kaum zurechtfinden in dem Durcheinander. Anfänglich weigerten sich noch viele, ihre Kinder in die Regierungsschulen zu schicken. Die Uneinigkeit aber war so gross, dass sogar ein Bruder den anderen verklagte, und so mithalf, dass er schicken musste. Viele zahlten noch eine Zeitlang Geldstrafen. Auf der Westreserve wurden sogar Brüder ins Gefängnis gesteckt."[33]

Für die weitere Behandlung der mennonitischen Konfrontation mit denjenigen Gesetzesreformen der Regierung, die eine Änderung oder Aufhebung der wichtigsten Privilegien mit sich brachten, scheint es vorteilhaft zu sein, den Sammelbegriff "Altbergthaler" für alle diejenigen einzuführen, die von Russland her aus dieser Kolonie stammten und hier fest entschlossen waren, ihr Schul- und Gemeinschaftswesen im Geiste jener Ansiedlung weiterzuführen. Dazu wären die Sommerfelder (Westsiedlung), die Chortitzer (Ostsiedlung) und auch die um 1900 nach Saskatchewan abgewanderten Gruppen um Rosthern und Herbert, die dort die Gemeinden Sommerfeld und Bergthal gegründet hatten, zu zählen. Die Gruppe in der Gegend um Herbert nannte sich die Sommerfelder Gemeinde und die um Rosthern die Bergthaler Gemeinde. Nicht zu den Altbergthalern zu zählen wäre die fortschrittliche Gruppe in dem Westreservat Manitobas, die den ursprünglichen Namen "Bergthaler" beibehalten hatte, jetzt aber eher mit "Neu–Bergthaler" zu bezeichnen wäre.

Die Altkolonier und die Altbergthaler (in Manitoba und auch in Saskatchewan) fanden sich am schwersten mit dem neuen Schulgesetz ab. Die Altkolonier schickten daher schon im Jahre 1919 eine Delegation nach Südamerika zur Untersuchung von Siedlungs- und Sonderrechtsmöglichkeiten, nachdem sie in Nordamerika noch einiges in Sachen der Schulfreiheit unternommen hatten, ohne Erfolg zu haben. Die Delegation begab sich über Ottawa nach New York. In Ottawa versuchte sie es in persönlichem Gespräch noch einmal, ob vielleicht die alte Schulfreiheit doch noch zurückzuerlangen wäre. Bei diesem Gespräch, bei dem die Bundesbehörden sie wieder auf die Provinzialbehörden verwiesen, ist erneut herauszuhören, dass die Behörden in Ottawa sich in ihren Ansichten ganz hinter die Provinzialregierungen stellten.[34]

Auswanderungsversuche

Die Altkolonier Delegation besuchte in Südamerika die Länder Brasilien, Uruguay and Argentinien. Sie fand freundliche Aufnahme und erhielt auch Einladungen zur Ansiedlung als Ackerbauvolk. Aber Aussichten auf Erteilung der gewünschten Sonderrechte wurden ihr nicht gegeben. Die Altkolonier brachen dann 1922 nach Mexiko auf. Man hat später öfters über sie berichtet, sie seien ausgewandert, um die englische Sprache nicht erlernen zu müssen. Der Älteste Isaak Dyck beschreibt es aber anders.

> "Es handelt sich bei uns nicht um die Sprache, sondern wir könnten es unmöglich zugeben, unsere Kinder unter der Flagge und unter der Ausübung des Militärismus zu rechten Bürgern dieser Welt bilden zu lassen."[35]

Als 1916 das neue Schulgesetz verabschiedet worden war, hatten die Chortitzer und Sommerfelder gemeinsam mit verschiedenen anderen mennonitischen Gemeinden eine Delegation an das Erziehungsministerium in Winnipeg entsandt. Diese hatte ihre Bittschriften vorgetragen und sich mit den Herren Regierungsbeamten unterhalten, ohne jedoch irgendwelchen verändernden Einfluss auf den festgelegten Schulerlass zu machen. Es ist aus dieser gemeinsamen Aktion aber ersichtlich, dass **alle** mennonitischen Gemeinschaften besorgt waren, nicht nur die konservativen.[36]

Als dann 1919 das Gesetz wirksam wurde, versuchten es aber besonders die konservativen Gruppen, die Regierung doch noch zu überzeugen, dass sie nicht recht mit ihnen verfahre, denn die Bundesregierung habe seinerzeit das schriftlich dokumentierte Versprechen gegeben, ihnen "völligste" Schulfreiheit zu überlassen.

> "Wir können es schwer glauben, dass die Regierung in Ottawa und England es weiss, wie hart wir geplagt werden unserer Schulen wegen. Wir haben der englischen Regierung ein unbegrenztes Vertrauen entgegengebracht: Russland verlassen, um hier eine Wüste urbar zu

machen, welches nach sehr schwerer Arbeit gelungen ist. Mit einmal sind wir wie die Feinde im Lande unserer Sprache wegen, wusste doch die hohe Regierung um unsere Sprache, als wir herkamen. Sie lud uns ein und versprach uns, ohne Belästigung oder Einschränkung die Schulen zu lassen. Die Regierung sollte danach sehen, dass das grosse Vertrauen, welches wir ihr entgegengebracht haben, nicht verletzt werde."[37]

Und weiter:

"Wir sind nicht von ungefähr nur hierhergekommen, um Reichtum zu erwerben; wir haben zuerst mit Ihren von uns sehr hochgeschätzten Vorgängern einen gewissen Bund gemacht, und dieser Bund ist bei uns ein Heiligtum. Und wir bitten Sie unter Gebet zu Gott, halten auch Sie als hohe Beamte diesen Bund heilig; denn es ist nicht Sitte der englischen Regierung solches für einen Fetzen Papier zu betrachten; denn wir wünschen, dass Kanada noch lange eine liebende und wohlwollende Mutter für uns sein möchte.[38]

Die Antworten, die sie von den Behörden in Ottawa auf solche Eingaben erhielten, besagten weiter nichts, als dass man dort nichts mit ihrer Schulsache zu tun hätte. Damit müsse man sich an das provinziale Department für Erziehung wenden, das sei die richtige Stelle dafür. Das war aber auch schon versucht worden. Im Juli 1919 hatte sich ein Mann namens William Jennings O'Neill für sie (die Konservativen) beim Erziehungsministerium in Winnipeg als Fürsprecher verwendet.[39] Trotz allem jedoch merkten die Chortitzer dann anfangs Oktober 1919 zu ihrem Entsetzen, dass die staatlichen Distriktschulen, ohne dass man ihre Anträge beachtete, jetzt einfach eingerichtet wurden, auch in den Bezirken ihrer Gemeinde, wo bis dahin von der ersten Zeit der Einwanderung an noch immer nur ihre eigenen Privatschulen gewesen waren.

Ende Oktober entsandte darum die Chortitzer Gemeinde in Gemeinschaft mit der Kleinen Gemeinde vier Männer nach Winnipeg, um bei der Erziehungsbehörde vorstellig zu werden. Es waren dies die beiden Gemeindeältesten und je ein Prediger von den beiden Gemeinden. Die Herren Minister hatten sich bereit erklärt, noch einmal wieder mit den Mennoniten eine Unterredung zu haben. Das geschah am 21. Oktober.

Sie wurden von sechs hohen Beamten freundlich aufgenommen, unter ihnen der Premierminister selbst und auch der Erziehungsminister. Diese Herren waren dann aber bestürzt, als der Wortführer der Mennonitengruppe, ein Prediger der Chortitzer Gemeinde, die Herren bat, die Unterredung aus gewissen Ursachen in deutscher Sprache führen zu dürfen. Einer der Minister, der deutsch sprach, solle Dolmetscher sein. Die Mehrheit dieser Herren war zunächst über dieses Ansinnen entrüstet, am meisten der Erziehungsminister. Einer der Minister jedoch setzte sich für die Besucher ein und meinte, es müsse ihnen erlaubt werden, ihre

Anliegen in deutscher Sprache vorubringen, wenn sie es für notwendig hielten. Es wurde dann zugelassen.

Hier trat ein Sprachproblem in Erscheinung, wie es seinerzeit schon einmal eine Delegation in Russland erlebt hatte, als sie dort des Privilegiums wegen vor Behörden der zaristischen Regierung erschienen war. P. M. Friesen schildert uns diese Begebenheit wie folgt:

> "Der Minister bedauerte, dass die beiden Ältesten nach mehr als 70-jährigem Aufenthalt der Mennoniten in Russland nicht russisch sprächen, und erklärte dieses als Sünde. Prediger Epps Versicherung, dass man sich jetzt bemühe, das Versäumte nachzuholen, beantwortete er mit einem "Verspätet!"[40]

Der gleiche Vorwurf wurde nun auch dieser Delegation in Manitoba im Verlaufe des Gesprächs gemacht. Dennoch waren die Herren der Regierung willens, noch wieder eine Aussprache mit diesen Leuten zu haben, obschon die Erziehungsbehörde ihnen oft genug zu verstehen gegeben hatte, dass die Befürwortung ihrer Privatschulen im Blick auf die Forderungen des Reformgesetzes von 1916 nicht mehr denkbar sei, man also die Einrichtung von Distriktschulen ohne irgendwelche Rücksicht durchführen müsse.

Die Abgeordneten sprachen dann zuerst im Namen der Gemeinden einen Dank aus für das durch die kanadische Regierung erfahrene Gute. Dann aber legten sie dar, dass sie es nicht verstehen könnten, warum die Regierung ihr Gemeindegebiet jetzt in Distrikte aufteile, und ihnen Schulen errichte und mit Lehrern besetze, wo sie doch von Anfang an Schulen gehabt hätten. Sie baten die Herren um eine Erklärung dieses Vorgehens und erklärten sich bereit etwaige Missverständnisse zu beseitigen.

Darauf ergriff der Erziehungsminister das Wort. Zunächst machte er sie tadelnd darauf aufmerksam, dass, obwohl sie schon 46 Jahre im Lande seien, kaum einer von ihnen Englisch spreche. Es sei, führte er weiter aus, die Verantwortung und Aufgabe des Erziehungsministeriums, darauf zu achten, dass die Kinder aller Einwohner Manitobas in der englischen Sprache unterrichtet würden "up to the standard" — (in voller Erfüllung der Anforderungen, MWF). Dann bemerkte er, dass man solchen Unterricht ja auch zu Hause geben könne, oder in Privatschulen oder in den der Erziehungsbehörde unterstellten Distriktschulen. Davon aber hätten die Chortitzer Mennoniten niemals Gebrauch gemacht. Daher müsse die Erziehungsbehörde jetzt eingreifen.

Er erklärte ihnen weiter, dass es ein Fehler ihrerseits sei, die Flagge, die über den Distriktschulen wehe, als ein rein militärisches Symbol zu betrachten und ihre Kinder somit falsch zu beeinflussen. Sie müssten sich, empfahl der Minister, selbst mehr Verständnis dafür verschaffen, dann würde auch ihr Urteil über die Distriktschulen sicher nicht so ungerecht ausfallen, wie das jetzt der Fall sei. Sie würden dann dankbar sein und ihre Kinder die englische Sprache erlernen lassen.[41]

Am 30. Oktober (1919) kam dann noch wieder ein Schreiben von der Bundesregierung in Ottawa an die Chortitzer Gemeinde mit dem kurzgefassten Hinweis, sie müssten sich in Fragen der schulischen Angelegenheiten mit den Provinzialbehörden abfinden. Damit sollte ein für allemal klargestellt werden, dass sie sich weiterhin gar nicht mehr in Ottawa bemühen sollten.

Kompromissversuche

Aber sie hatten jetzt doch noch wieder einen Hoffnungsstrahl erblickt, wie sie meinten. Was hatte doch der Erziehungsminister bei der Unterredung am 21. Oktober angedeutet? Er hatte gesagt, den Unterricht in der englischen Sprache müssten die Kinder aller Einwohner jetzt haben, da sei kein Ausweichen mehr möglich. Ob man aber solches zu Hause mache oder in Privatschulen, wäre nicht das Wichtigste bei der Sache. Wichtig wäre, **dass** es endlich mal geschehe! Die Regierung sei verantwortlich für die Ausführung des Schulprogrammes, und das müsse nun erfüllt werden.

Ja, das hatten sie vom Erziehungsminister Manitobas selbst gehört. Gab es vielleicht doch noch eine Möglichkeit, die Schulen in eigenen Händen zu behalten? Es war immer noch besser, die englische Sprache anzunehmen als auszuwandern. Bis dahin glaubten diese Leute, sich mit der deutschen Sprache behaupten zu müssen, war ihnen doch solches seinerzeit gesetzlich ''ohne jegliche Behinderung'' gestattet worden. Aber dieses waren sie jetzt bereit aufzugeben. Man hatte es ihnen so entschieden gesagt, dass das Schulaufbesserungsgesetz von 1916 nationumfassend sei. Englisch lernen müssten jetzt **alle** Kinder, ganz gleich, zu welcher Konfession oder ethnischen Gruppe sie gehörten.

Im Vorstand der Chortitzer Gemeinde überlegte man nun einmal wieder, wie man mit den Forderungen der Erziehungsbehörde am vorteilhaftesten fertig werden könne. Es wurde wieder eine Bittschrift aufgestellt und den betreffenden Behörden überreicht. Es war am 13. Januar 1920, als man in der Gemeinde den Inhalt dieser Eingabe begutachtete.

In dieser Bittschrift kamen die Mennoniten noch einmal wieder auf die Bewilligung der kanadischen Regierung zu sprechen, ihre eigenen religiösen Privatschulen haben zu dürfen, und dass solches auch bis vor kurzem möglich gewesen sei. Dann legten sie auch wieder dar, dass es ihnen Gewissenssache sei, ihre Kinder in ihren eigenen (Religions) -Schulen zu unterrichten und nicht in religionslose Schulen zu schicken. Weiter gaben sie zu, dass es nicht bei allen ihren

Mitgliedern klar gewesen sei, wie es mit der Einführung der englischen Sprache gemeint gewesen sei. Sollte man dieses jedoch in Privatschulen, d.h. durch eigene Lehrer in eigenen Schulen durchführen dürfen, so läge ab sofort nichts mehr dagegen vor, solches zu tun. Man wäre bereit, die englische Sprache als Unterrichtssprache in den Schulen anzunehmen. Die Chortitzer erklärten sich also als Gemeinschaft in dieser Hinsicht mit den Forderungen der provinzialen Obrigkeit einverstanden.

Es hätte sich bei ihnen keinesfalls darum gehandelt — führten sie weiter aus — Gesetze zu umgehen oder sogar sich ihnen zu widersetzen, vielmehr hätten sie gesucht, die ihnen einmal zuerkannten Freiheiten aufrecht zu erhalten.

Dann kamen sie zum Hauptpunkt ihres Anliegens: Unter Hinweis auf die Äusserungen des Erziehungsministers erklärten sie, sie verstünden es jetzt so, dass es der Regierung nicht wichtig sei, in welcher Schulform (Privat- oder Distriktschule) das Gesetz erfüllt würde, sondern die Hauptsache sei es, dass die vom Erziehungsministerium gesetzte Bildungsnorm erreicht werde, auch wenn sie solches in ihren Gemeindeschulen mit ihren eigenen Lehrern unter Regierungsaufsicht ausführten. In 5 Punkten legten sie dann ihre Bereitschaft zur Erfüllung des Gesetzes dar mit dem einen Vorbehalt, dass die Schulen unter Gemeindeverwaltung bleiben sollten.[42]

Diese Eingabe war von etlichen Predigern unterschrieben worden, von solchen, die später auswanderten, und auch von solchen, die nicht auswanderten. Aus dieser Eingabe ersieht man, dass unsere Väter schon in Vielem nachgaben. Und das taten sie aufrichtig, denn vor einer Auswanderung fürchteten sie sich sehr. Es ist auch aus ihren anfänglichen Bittschriften herauszuhören, dass sie bleiben wollten, wie z.B. in einem Schreiben vom 7. Oktober 1919 (siehe Anmerkung 38), in dem es heisst: '' . . . denn wir wünschen, dass Kanada noch lange eine liebende und wohltuende Mutter für uns sein möchte.'' Das schloss auch die Gemeinde ein, die 1927 zu einem grossen Teil auswanderte.

Was die Chortitzer Gemeinde jetzt anbot, war ein Kompromiss, eine Annäherung also, wobei auch die Regierung ihnen ein Stück des Weges entgegenkommen sollte, um zu einer Einigung zu kommen. Die Regierung aber liess sich auf keinen Kompromiss ein. Sie wies vielmehr darauf hin, dass die Chortitzer das, wozu sie sich jetzt bereit erklärten, schon vor Jahren hätten tun sollen. Ja, sie hätten damals nicht einmal so weit zu gehen brauchen. Damals aber hätten sie von dieser Gelegenheit nicht Gebrauch gemacht. Also hätten sie selbst diesen Reibungszustand zwischen ihnen und der Regierung heraufbeschworen.

Die konservativen Mennoniten dagegen waren auch jetzt im

Grunde noch der Meinung, die Regierung mische sich unrechtmässig in ihr Schulwesen ein, das sie bisher auf Grund des Freibriefes selbst geführt und für welches sie grosse Opfer gebracht hatten, indem sie, bzw. ihre Väter, die Wildnis Südmanitobas in eine blühende Kulturlandschaft verwandelt hatten. Sie konnten es nicht verstehen, dass die Regierung so ohne jegliche Rücksicht mit ihnen verfuhr, wo sie doch erfüllt hatten, was seinerzeit durch ihre Vertreter versprochen worden war. Wenn sie, die Chortitzer, jetzt so ein weitgehendes Angebot machten, war das nach ihrer Ansicht ein Entgegenkommen ihrerseits, und die Regierung brauche nur mitzugehen.

Nach etwa einem Monat erhielten sie die Antwort auf ihre Eingabe. Die Antwort wurde vom Erziehungsminister selbst schriftlich gegeben. Er begrüsste darin zunächst die Annäherungs- erklärung der Chortitzer, ihre Bereitwilligkeit, in der Durchführung des provinzialen Schulprogramms mitzuwirken, erklärte dann aber unmissverständlich, dass die bereits begonnene Errichtung von Dis- triktschulen im Gebiet der Chortitzer Mennoniten notwendig sei, und dass man damit fortfahren werde, bis die ganze Gemeinderegion mit den neuen Schulen versehen sei.

Gerade dieses aber wollten die Chortitzer nicht, auch jetzt noch nicht. Mit allen ihren Versprechungen, die sie zuletzt gemacht hatten, hatten sie die Absicht und das Ziel verbunden, die Erlaubnis zu erhalten, ihre Privatschulen wie bisher zu behalten und auch selbst die Lehrer anzustellen. Der Minister aber liess sich darauf gar nicht ein. Er erwähnte noch, dass in einigen Bezirken des Chortitzer Gemeinde- gebietes schon gute Fortschritte mit den Regierungsschulen erzielt worden seien, und das ermutige, mit der Angelegenheit fortzu- fahren.[43] Der Minister liess dann weiter durchblicken, man sei gewillt, die Wünsche der Mennoniten insofern zu berücksichtigen, dass man sie ihre eigenen Lehrkräfte anstellen lassen wolle, sofern diese die angemessenen Voraussetzungen besässen. Solches könne man aber jetzt noch nicht tun, weil solche mennonitischen Lehrer noch nicht ausreichend vorhanden seien. So werde man einige Jahre mit auswär- tigen Lehrern überbrücken müssen. Dieses — so führte der Minister weiter aus — würde für die Kinder sogar von grossem Nutzen sein.

Gerade darin aber gingen die Ansichten der Altbergthaler und die des Erziehungsministeriums sich wie Tag und Nacht auseinander. Diese Mennoniten sahen eine ganz ernsthafte Bedrohung ihrer Glaubensgrundsätze in solchem Vorgehen, insbesondere für die folgenden Generationen. Das Abgeben der Schule bedeutete Abgeben der Kinder, und Abgeben der Kinder in die Hände fremder Erzieher bedeutete Aufgeben der Glaubensgemeinschaft. Mit anderen die Verantwortung der Erziehung ihrer Kinder zu teilen, war für sie etwas Undenkbares. Und diese ihre Haltung in der Erziehungsfrage allgemein und besonders in der Schulbildung befähigte sie dann, Opfer zu bringen, die uns heute in Staunen versetzen.

Dass die obrigkeitliche Schulbehörde sich nicht auf die Bitte der Chortitzer Leute einliess, ist einerseits sicher auch darin zu suchen, dass sie keine Möglichkeit sah, mit den damaligen mennonitischen Lehrern den staatlich geforderten Unterrichtsstoff auch nur annähernd zu bewältigen. Andererseits spielte aber auch der Vorsatz der Regierung, durchzuführen, was begonnen worden war, eine bestimmende Rolle. Die national betonte Vereinheitlichung aller Volkssplitter, die nach und nach ins Land gewandert waren, sollte jetzt mit allen Mitteln durchgeführt werden. Die ablehnende Haltung dieser konservativen Mennoniten und das niedrige Bildungsniveau ihrer Schulen bewirkten ausserdem bei den Erziehungsbehörden eine besonders steife Haltung ihnen gegenüber. Es war die feste Absicht der Regierung, auch diese Schulen auf eine angemessene Bildungs-höhe zu bringen.

Die Altkolonier waren in besonderem Masse hartnäckig und liessen sich erst gar nicht so weit mit den Behörden ein wie die Altbergthaler, obwohl auch diese zu einem grossen Teil ein erhöhtes Bildungsniveau nicht nur für überflüssig, sondern auch noch für schädlich hielten.

Wie die Altkolonier selbst ihre Schulen, wie sie bis dahin betrieben worden waren, bewerteten, sehen wir an folgenden Berichten:

> ''Unsere Kinder werden in unseren Schulen ausgebildet in den drei Hauptfächern des Lernens: Lesen, Schreiben, Rechnen. Sie sind gut ausgebildet, so dass sie imstande sind, verständig zu lesen, und sie können sowohl religiöse wie weltliche Schriften lesen, sowie klar und deutlich schreiben, und so rechnen, dass sie ihre geschäftlichen Berechnungen machen und ihre eigenen Geschäftsbücher korrekt führen können. Kurz gesagt, sie erhalten in unseren Schulen gerade die Ausbildung, welche von ihnen verlangt wird in dem ländlichen Leben, das wir führen.''[44]

Aber auch die Chortitzer Gemeinde lebte in der Vorstellung, ihre Schulen befänden sich im Rahmen der notwendigen Anforderungen.

> ''Diese Gemeinde wurde hier vor mehr als 45 Jahren gegründet infolge einer Einrichtung der kanadischen Regierung, laut welcher den Mennoniten ihre eigenen religiösen Privatschulen bewilligt wurden. Die Erziehung der Kinder ist ausschliesslich in besagten Schulen betrieben worden. Die Schulen sind genau in ihren Methoden verblieben. In diesen Schulen sind Mustererziehungen unterhalten worden, die in der Hinsicht des materiellen Wohlstandes für die Kinder im allgemeinen von grossem Wert gewesen sind, und welche auch bis vor wenigen Jahren von der Regierung dieser Provinz für annehmbar anerkannt worden sind.''[45]

Von einem Einführen der englischen Sprache aus eigenem Antrieb war aber früher keine Rede gewesen, weder bei den Altkoloniern noch bei den Altbergthalern. Bei den Altbergthalern aber war die Einstellung gegen die englische Sprache lange nicht so entschieden, so strenge, wie bei den Altkoloniern.

Als die Mennoniten Westkanadas während des 1. Weltkrieges in Ottawa in Sachen der Befreiung vom Militärdienst vorstellig wurden, waren auch die Altbergthaler in dieser Delegation vertreten, nicht aber die Altkolonier. Bei dieser Unterredung mit Behörden der Bundesregierung wurde die Befreiung vom Wehrdienst neu geregelt. Alle mennonitischen jungen Männer mussten, wie alle übrigen, ebenfalls registriert werden. Auf ihrer Ausweiskarte wurde dann vermerkt, dass sie zur Mennonitengemeinschaft gehörten. Damit wurde ihr Sonderstatus, d.h. ihre gesetzlich geregelte Befreiung vom Militärdienst anerkannt.

Gelegentlich dieser Neuregelung der Wehrdienstfrage wurde der mennonitischen Delegation auch nahegelegt, die Mennoniten täten gut daran, sich um die Einführung der englischen Sprache in ihren Privatschulen zu bemühen, denn sie hätten wegen der Sonderrechte bereits viele Feinde. Die Delegationsmitglieder versprachen, sich in ihren Gemeinden für die Einführung der englischen Sprache einzusetzen. Als sie dann zurückkehrten und ihre Berichte in den Gemeinden gaben, wurde auch alles gut aufgenommen, auch in der Chortitzer Gemeinde, die ebenfalls einen Prediger in der Delegation gehabt hatte.

In der Chortitzer Gemeinde kam es dann aber doch nicht zur Einführung der englischen Sprache in den Privatschulen. Man hielt das Versprechen des Delegaten einfach nicht. Vielmehr wurde es nun so gedreht und gedeutet, dass dieses Versprechen wohl nur eine Idee einiger Brüder in der Gemeinde sei. Man ''plauderte'' es so herum, dass die Einführung der englischen Sprache nur eine Sache des Predigers Heinrich Doerksen und der Brüder Johann S. Rempel und Johann Braun gewesen sei.[46] Also käme es gar nicht von der Regierung, denn die hatte ja das ''Privilegium'' gegeben, und danach brauchte man nicht Englisch in den Schulen zu haben. Nach Kriegsschluss machte die Regierung dann vollends Ernst mit der Schulsache. Das Bauen der neuen Schulen im Chortitzer Bezirk hatte schon 1918 angefangen.

Es waren aber auch in dieser Gemeinde solche, die die Mahnung der Regierung beachteten. Für diese neuen Schulen jedoch hatten sie noch nicht eigene Lehrer. So gingen 1919 mehrere Jünglinge der Chortitzer Gemeinde nach Gretna, um sich in dieser mennonitischen Fortbildungsschule eine bessere Schulbildung anzueignen. Im ganzen waren es sieben, darunter Heinrich F. Wiebe, ein Enkel des Ältesten Gerhard Wiebe, der die Bergthaler Gemeinde aus Russland geführt hatte. Weiter befand sich unter diesen Schülern auch ein Jakob P. Rempel, der ein Enkel des Oberschulzen der Bergthaler Auswanderung, Jakob Peters war. Die Gemeinde setzte diesen jungen Leuten kaum Widerstand entgegen. Jakob P. Rempel übernahm dann nach Absolvierung der Gretnaer Schule eine Lehrerstelle in einer Regierungsschule im Chortitzer Gebiet. Als er dann aber nach Winnipeg ging und dort das Wesley College besuchte, um seine Lehrerausbildung zu vervollständigen, kam er doch ziemlich in Verruf bei vielen Chortitzern. Das brachte ihn zu dem Entschluss, die Gemeinde zu verlassen und sich einer anderen anzuschliessen.

Die Konservativen bewerteten ihre Privatschulen bei ihren Verantwortungen vor den obrigkeitlichen Behörden sehr hoch. Andererseits aber wissen wir um den oftmals recht kümmerlichen Vorgang des gesamten Unterrichts in diesen Schulen. Was geboten wurde, war gewohnheitsmässige Weitergabe traditioneller geistiger Güter. Die Unterweisung in der Gottesfurcht zeitigte sicherlich ihre guten Früchte. Weil man aber die Geistesbildung nur sehr wenig berücksichtigte, war die Erziehung allzu einseitig.

Warum dann — so fragt man sich heute — erkühnten sie sich, den obrigkeitlichen Behörden gegenüber die Ergebnisse ihrer schulischen Erziehung so hoch einzustufen und darzustellen, wo sie doch in Wirklichkeit nach staatlichen Masstäben nicht die elementarsten Forderungen erfüllten? Man muss sich dieses von der sittlich–materiellen Verflechtung ihrer Lebenshaltung her beantworten lassen, und man wird einiges Positive herausfinden.

Das ist es auch, was sie in den Worten zum Ausdruck bringen, wenn es in einer Eingabe an die Regierung heisst: " . . . unsere Schulen sind in Hinsicht des materiellen Wohlstandes für die Kinder im allgemeinen von grossem Wert gewesen." Tugenden, wie Fleiss, Sparsamkeit, Aufrichtigkeit u.a. wurden unterstrichen. Das waren offensichtliche Merkmale, die von ihrer Umgebung ebenfalls positiv bewertet wurden. So gab es provinzialbehördliche Angestellte, die sich für diese konservativen Leute beim Erziehungsminister verwendeten.

> Diese Mennoniten im südlichen Manitoba sind ein arbeitsames Volk, leben einfach, sind fleissig und führen ein moralisches Leben mit besonders strengen religiösen Überzeugungen. In einem freien Lande wie dem unsrigen wäre es Pflicht der Regierung, duldsam zu sein. Es wäre wohl unsere schuldige Pflicht, die Bedingungen jenes Kontraktes (Freibrief von 1873, MWF), welche in gutem Glauben von Männern mit hoher Weisheit und Vorbedacht gemacht wurden, unverletzt zu erhalten. Die Mennoniten kommen zu Ihnen, Dr. Thornton (Erziehungsminister Manitobas, MWF), mit der Bitte um Erlaubnis, ihre Schulen nach ihren eigenen Methoden zu handhaben, vorausgesetzt, dass sie dieselben wirksam handhaben. Es ist nur billig, dass man diese

kühnen Pioniere beachtet, welche, allen Gefahren trotzend, aus einer Wildnis einen Garten Manitobas gemacht haben, wo sie ihre Kinder erziehen, und in Wahrheit unablässig unter aller Sorgfalt Kirchen erbauen, wo sie ihren Schöpfer nach ihrer eigenen Methode preisen. Diese Leute, sage ich, verdienen Ihre Aufmerksamkeit sowohl wie irgenwelche anderen Bürger dieses grossen Gemeinwesens (Kanada, MWF).[47]

Solche Einsätze aus dem kanadischen Volke trugen zur Ermutigung dieser Mennoniten bei, die so schwer um die Existenz ihrer Privatschulen rangen. Sie wurden dadurch gestärkt, ihren Standpunkt in der Schulsache für den richtigen zu halten, so hart sie auch angefochten wurden. Doch bei den zuständigen obrigkeitlichen Behörden machten solche Einsätze von ihren eigenen Leuten kaum einen merklichen, geschweige denn einen bestimmenden Eindruck. Sie blieben dabei, das Gesetz als unabänderlich anzusehen und durchzuführen.

Im Blick auf einen gleichgearteten Nachwuchs waren diese traditionsgegründeten Religionsschulen eine unerlässliche Voraussetzung. Religionslose Schulen zu haben war für sie gleichbedeutend damit, den Weg des Unglaubens zu betreten. Auch die Sonntagsschule als Ersatz für die Wochentage mit Religionsunterricht war für sie völlig unzulässig und ungenügend. Was nämlich an 5 Tagen in der Woche nicht getan wurde — so meinten sie — das holte man an einem Tage nicht nach. Daran ist sicherlich ein gutes Stück Wahrheit!

In Wirklichkeit aber setzte man zuviel Vertrauen in die Religionsschule, d.h. auf die Art und Weise, wie sie von den konservativen Mennoniten gestaltet wurde. Das Ausserachtlassen der pädagogisch ausgerichteten Unterrichtsmethoden zeitigte nur kümmerliche Ergebnisse eines mechanischen Drillverfahrens. Die Vernachlässigung der Pflege einer lebendigen hochdeutschen Sprache verursachte eine Verflachung des Verständnisses für das, was gelesen und gelehrt wurde. Man erklärte wohl das eine und andere, jedoch zumeist ohne Einsicht oder gezielte Vorbereitung. Und wie sollten die Lehrer solches auch tun, wo sie doch nur die gleiche Schulbildung genossen hatten, und von der Notwendigkeit methodisch–didaktischer Voraussetzungen für erfolgreichen Unterricht nichts wussten?!

Die Gemeinde setzte nicht die Lehrer ein, das machte jedes Dorf oder jeder Schulbezirk selbst. Das Dorf oder der Bezirk hatte auch für die Löhnung des Lehrers aufzukommen. Es war eigentlich eine ungeschriebene Regel, bei der Lehrereinsetzung nach den besten Kräften auszuschauen. Leider wurde es nicht immer so getan. Aber auch wenn man es tat, konnte dadurch der Mangel an der nötigen Ausbildung nicht gutgemacht werden. Auch die besten selbstgewählten Lehrer konnten der Schule nicht den notwendigen lebendigen Schwung verleihen, und eigentlich wollte man das auch gar nicht haben. Wenn es in der einen oder anderen Schule dann doch einmal lebhafter zuging, so konnte das doch nur im Rahmen des traditionsbedingten Lehrprogramms geschehen. Alles, was darüber war, war vom Übel. Man sah darin das Ausstrecken des kleinen Fingers, worauf dann natürlich auch bald die Drangabe der ganzen Hand erfolgen würde. Diese These wurde als eindringliche Warnung oft wiederholt.

Es gab hin und wieder auch Lehrer mit tieferer Einsicht und Erkenntnis. Sie fanden jedoch keine Möglichkeit, ihre Kraft zu entfalten und ihre Begabung zu nutzen. So wollte z.B. ein junger Lehrer zu Beginn des 1. Weltkrieges einen ordentlichen Sprach- und Rechtschreibunterricht einführen. Er empfand es als Notwendigkeit, die Sprache in ihrem tieferen Wesen zu studieren und dann die Kenntnisse auch an die Kinder weiterzugeben. Das Vorhaben dieses jungen Lehrers nahm jedoch bald ein klägliches Ende. Er erregte einen so starken Unwillen bei den Eltern seiner Schüler, dass er es anstehen lassen musste, wollte er überhaupt noch etwas in der Schule ausrichten.[48]

Mit der deutschen Sprache hatte es so seine eigene Bewandtnis. Nach der arglosen Auffassung dieser Leute hatte man ja die deutsche Sprache durch die Jahrhunderte unverfälscht weitergegeben, und so musste auch jetzt das, was man die Schüler in der Schule als deutsche Sprache lehrte, das wirkliche, richtige Deutsch sein. Den Beweis lieferten ja auch die alten Prediger, die noch in Russland die Schule besucht hatten, und jetzt Sonntag für Sonntag in der gleichen Aussprache predigten. Auf den Gedanken, dass es auch noch irgendwo ein deutsches Land gäbe, bei dem die Sprache, wie bei allen anderen Völkern, zu Hause wäre und fortlaufend ihre eigene Entwicklung und damit auch Veränderung erführe, sind sie wahrscheinlich nie gekommen.

In Wirklichkeit hatte sich das Deutsch dieser Leute in Aussprache und Wortschatz bereits ziemlich weit von der Litaratursprache der deutschen Heimat entfernt. Weil man in der Schule nie eine Sprachlehre und Rechtschreibung betrieben hatte, die sich an der jeweiligen Sprachlage Deutschlands orientiert hätte, hatte sich eine eigene Sprachform in Betonung, Inhalt, Anwendung und Aussprache herausgebildet, die in Deutschland selbst kaum noch verstanden worden wäre. Dennoch hielt man diese Sprache für das richtige Hochdeutsch und war bereit, grosse Opfer für ihre Erhaltung zu bringen. Wenn nun jemand eine Aufbesserung der Sprache anstrebte, so wurde das als hochmütig und eitel angesehen. Alles Neue, womit der gewöhnliche Mensch dann ja nicht mehr mitkam, war verdächtig als ein offensichtliches Abweichen von der Demut und vom Stande der Niedrigkeit. So fristete die deutsche Sprache unter diesen konservativen Mennoniten im allgemeinen ein nur kümmerliches Dasein. Was man aber nicht pflegt, zerfällt!

Nicht alle aber versprachen sich alles von dem, was man als Gemeinde so hegte und pflegte und ausübte. Da waren auch solche, die die Zukunft dieser so eigensinnig geführten Erziehung in Heim und Schule nicht im rosigen Licht sahen.

> Schon in Kanada, ehe wir es verliessen, sagte ein Prediger in einer Abschiedsrede: 'Wenn es uns nicht gelingt, unsere Erziehung in Heim und Schule zu heben, wird die Auswanderung wenig Nutzen bringen.'[49]

Das Scheitern der Kompromissversuche und neue Auswanderungsversuche

Die Ablehnung des Kompromissangebots der Chortitzer Gemeinde durch das Erziehungsministerium war für diese Leute ein direkter Schlag ins Gesicht. Bestürzt und zunächst unentschlossen überlegten sie, was nun am besten zu tun sei. Hatte man bis zu diesem Zeitpunkt den Auwanderungsgedanken möglichst weit zurückgestellt, so trat er jetzt unwillkürlich in den Vordergrund, hervorgerufen in erster Linie durch die Besorgnis um die Zukunft ihrer Kinder. Sie sahen eine überaus trübselige Zeit vor sich.

Eine Altkolonier Delegation war um diese Zeit schon von einer Untersuchungsreise nach Südamerika zurückgekehrt. Sie hatte dort nicht gefunden, was sie suchte, mämlich Sonderrechte. Als Ackerbaupioniere waren sie überall willkommen gewesen.

Diese Delegation war aber nicht in Paraguay gewesen. Sie hatte jedoch gehört, in Paraguay bestünden gute Aussichten auf einen ''Freibrief'', wie ihn diese Mennoniten wünschten. So rechneten die Chortitzer in der Ostsiedlung, die Sommerfelder in der Westsiedlung und die Altbergthaler in Saskatchewan von Anfang ihres Entschlusses zur Auswanderung an mit Paraguay. Mexiko war ihnen politisch zu unsicher, es hatte soeben sehr schwere Revolutionen hinter sich. Es geht aber nirgendwo hervor, dass sie etwas über den Chaco wussten, sondern es ging einfach um das Land Paraguay. Zunächst hatten sie auch noch einige Gebiete der Vereinigten Staaten in Betracht gezogen, hatten dort aber unbefriedigende Auskünfte erhalten.[50]

Die Altbergthaler Gemeinde in Saskatchewan, unter der Leitung ihres Ältesten, Aaron Zacharias, hatte schon Mitte 1920 eine Paraguay-Delegation bereitgestellt. Im September desselben Jahres wählten dann auch die Sommerfelder zwei Brüder, und die Chortitzer Gemeinde stellte einen Bruder für diese Delegation.

Die Altkolonier Gemeinde aus der Hague Gegend in

Saskatchewan war nicht ganz zufrieden mit dem Ergebnis der Delegation, welche die Altkolonier Gemeinden von Swift Current und Manitoba 1919 nach Südamerika gesandt hatten, ganz besonders damit nicht, dass die Gruppe Paraguay night besucht hatte. Diese Gemeinde entsandte daher im Oktober 1920 selbst eine Abordnung nach Paraguay.

Die Altbergthaler hatten vorgehabt, im September ihre Delegation nach Paraguay zu entsenden. Jetzt warteten sie aber doch erst die Rückkehr der Hague-Delegation ab, um von diesen Brüdern zu erfahren, was sie über Paraguay zu berichten hätten. Die Hague-Delegation kehrte aber erst um Weihnachten zurück. Die anderen Altkolonier hatten Südamerika schon ganz von ihrer Liste gestrichen, und die Altkolonier der Hague Gegend taten dies nun auch. Ihre Delegation empfahl den Altbergthalern Paraguay und besonders auch den Chaco durchaus nicht. Wahrscheinlich ist ihnen von irgendeiner Stelle mitgeteilt worden, ein Freibrief würde sich nur auf die Besiedlung des Chaco beziehen. Den Chaco aber hatten sie besehen, wenn auch nur den niedrigen, südlichen Teil, der von Zeit zu Zeit der Überschwemmung anheimfällt. Auch um die Zeit ihres Besuches hatte er weit und breit unter Wasser gestanden. Es waren vorher sehr schwere Regen niedergegangen.

Doch berichteten sie den Altbergthalern, dass in Paraguay Siedlungs- und auch Sonderrechtsmöglichkeiten bestünden.

In dieser Zeit, wo sie auf die Rückkehr der Hague-Delegation warteten, richteten die Chortitzer und Sommerfelder Gemeinden noch wieder eine Bittschrift an die Regierung von Manitoba. Es war ihre letzte Eingabe, ihr letzter Versuch, das Erziehungsministerium zu bewegen, ihnen ihre Privatschulen doch zu erlauben. Obzwar sie schon keine Hoffnung mehr hatten, etwas zu erreichen, wollten sie es doch noch einmal versuchen. Gleichzeitig wollten sie der Regierung mitteilen, dass sie sich zur Auswanderung entschlossen hätten, wenn die Regierung zu keinen weiteren Zugeständnissen willens sei. Es ist anzunehmen, dass man dabei dachte, dieser verzweifelte Entschluss würde die Regierung vielleicht umstimmen. Ein Teil dieser Eingabe lautet wie folgt:

>"Wenn uns der christliche Religionsunterricht in unseren Schulen gänzlich genommen wird, können wir als Mennonitengemeinden nicht bestehen; denn wir wissen, was die Schule ist, das wird die Kirche. Gehen die Einschränkungen und der Druck so weiter wie bisher, sind wir genötigt, eine neue Heimat zu suchen, wo wir unseres Glaubens leben können. Wir trennen uns schweren Herzens von Manitoba, das wir liebgewonnen haben und durch Gottes Vorsehung uns eine Zufluchtsstätte gewesen ist. Wir haben unter dem Schutz und dem Wohlwollen der Provinzialregierung unzählig viel Gutes genossen, wofür wir Gott und der Regierung höchst dankbar sind."[51]

Weiter baten sie im Namen der Gemeinde, sie nunmehr in dem schweren Vorhaben der Auswanderung nicht zu hindern und sie nicht in unnötiger Weise zu drängen, etwas gegen ihr Gewissen zu tun.

Die Regierung reagierte anscheinend überhaupt nicht auf diese Eingabe. Wahrscheinlich glaubte man es gar nicht, dass diese Mennoniten mit einer Auswanderung Ernst machen würden.[52] Sie würden sich schon noch beruhigen und dann auch mitmachen, wie viele andere oder die meisten anderen. Und wenn schliesslich ein Teil dieser engherzigen Leute abzog, dann zog er eben ab, die meisten würden schon bleiben.

Es ist denkbar, dass es sich die damaligen Regierungsparteien Manitobas und Saskatchewans in den Kopf gesetzt hatten, diesen konservativen Mennoniten ein für allemal zu zeigen, dass sie das letzte Wort hatten und nicht die Mennoniten. Viele Altkolonier und auch einige Altbergthaler wurden ins Gefängnis gesteckt und noch mehr zahlten Geldstrafen, weil sie ihre Kinder nicht in die Regierungsschulen schickten.

Als dann Tausende dieser tüchtigen Farmer ihre Scholle verliessen und auswanderten und dann eine neue Regierungspartei ans Ruder kam, schlug diese eine neue Richtung ein.

> "Personen, die in Fühlung mit den früheren Führern unter den Politikern stehen, versichern uns, dass es manchen derselben schon sehr leid tue, dass sie darauf gedrungen haben, dass der Unterricht einer zweiten Sprache verboten sein soll. Dass auch in den Schichten der Bevölkerung sich eine tolerantere Gesinnung Bahn gemacht, darf man aus der Rede des neuen Führers der Liberalen, Herrn Robsons, schliessen, der sich dahin aussprach, dass man sehr vorsichtig auf dem Gebiet der Schulerziehung sein müsse und dass Massnahmen, die scheinbar fleissige Leute aus dem Lande getrieben oder bedrückt hätten, von neuem in Erwägung gezogen werden sollten."[53]

Abschliessend muss vielleicht doch gesagt werden, dass es wohl ein zu einseitiges und somit auch nicht berechtigtes Urteil wäre, wenn man kurzerhand, wie solches oft geschehen ist, diese ausziehenden Mennoniten als nur engstirnig und nur auf ihr Recht bestehend bezeichnen und ihre Sache als eine sinnlose Handlung hinstellen würde. Sie nahmen es mit den tragenden Werten ihres Gemeinschaftslebens eben ernst und waren aufrichtig in ihren Überlegungen.

Auch die anderen Mennoniten, die nicht auswanderten, waren beunruhigt über die Art und Weise, wie die kanadische Regierung in Sachen des öffentlichen Erziehungswesens vorging. Tatsächlich waren die Mennoniten Westkanadas allgemein mit den Auswirkungen des neuen Schulgesetzes nicht zufrieden. Die deutsche Sprache war für sie alle die Trägerin und Bewahrerin ihres mennonitischen Kulturgutes, welches sie auch ihren Kindern nicht vorenthalten wollten. In dieser Sprache lasen sie ihre Bibel, hielten sie ihre sonntäglichen Gottesdienste ab und, um es noch wesenstiefer auszudrücken, verkehrten sie im Gebet mit ihrem Gott.

Im November 1922 hatte eine aus allen mennonitischen Gemeinschaften Manitobas bestehende Delegation (nur die Altkolonier waren nicht dabei) eine Aussprache mit obrigkeitlichen Behörden in Winnipeg. Auch Chortitzer und Sommerfelder, die an einer Auswanderung nicht interessiert waren, nahmen daran teil. Die mennonitischen Gruppen stimmten nicht in allen ihren Ansichten überein. In dem Willen aber zur Erhaltung der deutschen Sprache in ihren Schulen — neben der englischen — waren sie sich einig. Auch unterstrichen sie gemeinsam die Wichtigkeit der Besetzung ihrer Schulen mit eigenen mennonitischen Lehrern.

> Die Regierung erwies sich nun auch entgegenkommend, insbesondere, was die deutsche Sprache anging, obwohl eine sofortige Abänderung des bereits gesetzmässig Angefangenen nicht erwartet werden konnte.[54]

Fussnoten zu Kapitel II
Die Bergthaler Mennonitengemeinde in Kanada

1. H. L. Sawatzky — *They sought a Country* — S.9 ff
2. Über die erste Zeit der mennonit. Ansiedlung in Manitoba, siehe:
   a) *Das 60 jährige Jubiläum der mennonitischen Ostreserve* — Warteverlag, Steinbach
   b) *Gedenkfeier der Mennonitischen Einwanderung in Manitoba* — 1874-1949 — 75 Jahre — Das Festkomitee
   c) *Manitoba Mennonite Memories* — 1874-1974 J. Toews/L. Klippenstein
3. E. K. Francis — *In Search of Utopia* — S.61 ff
4. Ders. S.67
5. '' . . . und als unser Volk dahinter kam, so gefiel es einem manchen besser nach amerikanischer Art'' — nach E. K. Francis — ob.zit. S.93
6. H. L. Sawatzky — ob.zit. S.9 ff
7. Ält. Isaak M. Dueck — *Auswanderung der Reinland Mennoniten nach Mexiko* . . . S.21-22
8. Ält. I. M. Dueck — ob.zit. S.21-22
9. *Mennonite Encyclopedia* — Bd.3 D.461
10. Ält. Gerh. Wiebe — *Ursachen und Geschichte der Auswanderung der Mennoniten aus Russland nach Amerika* — S.58
11. H. J. Gerbrandt — *Adventure in Faith* — S.69: Der Älteste Johann Wiebe der Fürstenland Gruppe war ein Vetter des Ältesten Gerh. Wiebe der Bergthaler Gemeinde.
12. Walter Quiring — *Russlanddeutsche suchen eine Heimat* — S.35
13. H. Unger — *Tagebuchnotizen* — Siehe auch H. J. Gerbrandt — ob.zit. Kap. VIII — A New Dawn Breaks — S.78 ff
14. Nach Mitteilungen des Abraham A. Braun an den Verfasser.
15. G. Wiebe — ob.zit. S.44, 45 u.46 und H. J. Gerbrandt — ob.zit. — S.61
16. H. Unger — ob.zit. und: Menn. Encyclopedia — Bd.4 — unter dem Stichwort ''Old Colony Mennonites'' (Dr. C. Krahn)
17. Paul Schäfer — *Heinrich Ewert: — Lehrer, Erzieher und Prediger der Mennoniten*, H. J.

Gerbrandt — ob.zit. Chapter VIII — S.78, Paul Schäfer — *Woher? Wohin? Mennoniten!* — *Die Geschichte der Mennoniten in Kanada* — s. *3 Teil* — 11. *Lekt. S.67 ff*

18. *E. K. Francis* — ob.zit. *Chapter VII* — *The stumbling Block* — *S.161 ff*
19. *Gedenkfeier der mennonit. Einwanderung in Manitoba* — 1874-1949 — 75 Jahre — S.43
20. Ält. G. Wiebe — ob.zit. S.43
21. Ders. S.43
22. P. M. Friesen — *Alt-Evangelische Mennonitische Brüderschaft in Russland* — Teil II — S.70 f
23. Ält. Johann Funk in einer *Erklärung an Prediger seiner Gemeinde* — im Januar 1892: ''Eine grosse Gleichgültigkeit macht sich auch kund in der Erziehung der Jugend. Es ist schon dahingekommen, dass in manchen Bezirken gar keine Schulen vorhanden sind — und auf andern Stellen haben Eltern es unterlassen, ihre Kinder in die vorhandene Schule zu schicken. (Abschrift die *Erklärung* im Menno–Archiv — L. Plata)
24. Ält. G. Wiebe — ob.zit. — S.27
25. William Hespeler in einem Schreiben an Ält Peter Toews, Grunthal, Manitoba, 27. Nov. 1914 (Original im Menno–Archiv — L. Plata)
26. Ält G. Wiebe — ob.zit. — S.27
27. *Wichtige Dokumente betreffs der Wehrfreiheit der Mennoniten in Kanada* — S.2
28. Wm. Hespeler — ob.zit.
29. F. H. Epp — *Mennonites in Canada* — 1786-1920 — S.338 f
30. Wm. Jennings O'Neill an Dr. Thornton, Erziehungsminister (Manitoba), 19. Juli 1919 — Abschrift im Menno–Archiv — L. Plata
31. F. H. Epp — ob.zit. — S.366
32. To the Deputy Minister of Naval Service in Ottawa, 7. Okt. 1919 und 2. Okt. 1919 — Antworten von Ottawa 30 Okt. 1919 (Abschriften im Menno–Archiv L. Plata)
33. Ält. M. C. Friesen — Notizen (Menno–Archiv — L. Plata)
34. Ält. Isaak M. Dueck — ob.zit. — S.55
35. Ders. S.45
36. Bericht von Prediger Joh. Schroeder, Chortitz, Ostreserve, Manitoba, 20. Aug. 1929 (Abschrift im Menno–Archiv — L. Plata)
37. J. Schroeder — ob.zit. — Bittschrift im Auftrage des Chortitzer Gemeinderates an das Department of Naval Service in Ottawa, 2. Okt. 1919 (Abschrift im Menno–Archiv — L. Plata)
38. Begleitschreiben zur Bittschrift — 2. Okt. 1919 — von Joh. Schroeder (ob.zit.) vom 7. Okt. 1919 (Abschr. im Menno–Archiv — L. Plata)
39. Ein Empfehlungsschreiben des Wm. O'Neill an Dr. Thornton (Erziehungsminister/ Manitoba). O'Neill spricht für die konservativen Mennoniten in ihrem Ringen um die Erhaltung ihrer Privatschulen — Das Schreiben ist datiert: 14. Juli 1919 (Abschr. Menno–Archiv — L. Plata)
40. P. M. Friesen — ob.zit. — Teil I — S.493
41. Eine Unterredung mit der Regierung Manitoba's am 21. Okt. 1919 — Zugegen: Ält. Joh. K. Dueck von der Chortitzer Gemeinde und Ält. Jakob R. Dueck von der Kleinen Gemeinde; und je ein Prediger aus besagten Gemeinden: Heinrich Doerksen und H. Reimer (Abschr. im Menno–Archiv — L. Plata)
42. An die Regierung der Provinz Manitoba — 13. Jan. 1920. Eine Bittschrift der Chortitzer Gemeinde — Ostreserve — (Abschr. im Menno–Archiv — L. Plata)
43. Schreiben des Dr. Thornton an T. J. Murray — 17. Feb. 1920 (Abschr. im Menno–Arch. — L. Plata)
44. W. Schmiedehaus — *Ein feste Burg ist unser Gott* — S.63 (erste Auflage)
45. Die Chortitzer Mennonitengemeinde Ostreserve, Manitoba, an die Regierung Manitoba's — 13. Jan. 1920

46. Jakob P. Rempel im Brief vom 4. Okt. 1976 — an M. W. Friesen

47. Wm. J. O'Neill an Dr. Thornton — 14. Juli 1919 (siehe Fussnote 39)

48. Mitgeteilt von Ält. M. C. Friesen. Ält. Friesen war selbst der Lehrer, der auf die Einführung des Deutschunterrichts drang.

49. Aus den Notizen des Ält M. C. Friesen

50. Notizen des Bernh. Toews (Mitglied der Chaco-Expedition von 1921) 1920 (Abschr. Menno-Arch. — L. Plata)

51. Bittschrift der Sommerfelder und Chortitzer Mennonitengemeinden an die Regierung Manitoba's — 14. Oktober 1920 (Abschr. Menno-Arch. — L. Plata)

52. Professor C. B. Sissons — *Manitoba Free Press*, Winnipeg, Manitoba, 5. Nov. 1927 — und *The Christian Exponent* — 24. April 1928 — Fotokopierte Zeitungsausschnitte im Menno-Arch. — L. Plata)

53. *Der Mitarbeiter* — Gretna, Manitoba, Mai 1927 (fotokopierter Zeitschriftenausschnitt im Menno-Arch. — L. Plata)

54. Bericht von der am 27. Nov. 1922 in Winnipeg mit Regierungsmännern abgehaltene Sitzung aller mennonitischen Gemeinden Manitobas (ausser den Altkoloniern), durch eine gemeinsame Delegation vertreten (Abschr. Menno-Archiv. — L. Plata)

KAPITEL 3

Paraguay im Blickfeld mennonitischer Heimatsucher

. . . Die Mennoniten kommen zu Ihnen, Dr. Thornton, und bitten um die Erlaubnis, ihre Schulen nach ihrer eigenen Methode zu handhaben, vorausgesetzt, dass sie auch bestehen. Es ist nur recht, dass diese kühnen Pioniere, die allen Gefahren der Wildnis trotzend, aus einer Wüste den Garten Manitobas geschaffen haben, wo sie ihre Kinder erziehen, Kirchen bauen und ihren Schöpfer nach ihrer eigenen Methode preisen . . .

Wm. Jennings O'Neill in einem Schreiben an Dr. Thornton, Erziehungsminister von Manitoba Juli 1919

Bergthaler Delegation aus Saskatchewan nach Südamerika, 1919
Die Bergthaler in Saskatchewan waren die ersten, die sich auf die Suche nach neuen Siedlungsgebieten machten. Sie entsandten schon 1919 eine Delegation nach Südamerika. Die Männer dieser Delegation waren Klaas Peters, Johann Hamm und Johann Heinrichs. In einem Schreiben von Klaas Peters an Johann Braun in Grünthal, Manitoba, vom 28. Februar 1919, heisst es, dass man nach langem Hin und Her den Entschluss gefasst habe, eine Delegation nach Südamerika zu entsenden, um dort nach einem geeigneten Stück Land für eine geschlossene mennonitische Siedlung zu suchen und sich mit Regierungen wegen der Ansiedlungsbedingungen in Verbindung zu setzen. Peters schreibt, er sei von mehreren Stellen einstimmig dazu gewählt worden, diese Untersuchung durchzuführen. Er erwähnt nicht, dass noch andere mit ihm gereist seien.

Dr. Walter Quiring jedoch schreibt in ''Russlanddeutsche suchen eine Heimat'', Seite 39, dass es drei Männer gewesen seien, und zwar die drei oben genannten, die auf eigene Faust gereist seien und dann mit den Regierungen der Länder Uruguay, Brasilien und Argentinien wegen einer Einwanderung ihrer Glaubensgenossen verhandelt hätten.

Peters selbst schreibt, er sei, nachdem ihm das Reisegeld eingehändigt worden war, am 25. Januar 1919 von seinem Heimatort, Waldeck, in Saskatchewan abgereist. Weil er die anderen beiden nicht erwähnt, ist anzunehmen, dass diese beiden auf eigene Kosten gereist sind. Peters schreibt weiter, er werde wohl sieben Monate für die Reise brauchen. Die anderen beiden sind aber schon früher zurückgekehrt. Daraus kann geschlossen werden, dass sie nicht solche Verantwortung hatten, wie Peters. Was Klaas Peters dann alles versucht hat, ist nicht bekannt. Bekannt ist aber, dass er in der Erlangung eines Freibriefes keinen Erfolg gehabt hat.

Dr. Quiring schreibt, dass in der Bergthaler Gemeinde von Saskatchewan besonders der Gemeindeälteste, Aaron Zacharias, auf eine Vorbereitung zur Auswanderung gedrängt habe. Er habe schon früher dahin gewirkt, einen Aufbruch vorzubereiten, falls die Privatschulangelegenheit für sie ungünstig ausfallen sollte.

Es scheint berechtigt zu sein, anzunehmen, dass der Älteste Zacharias die Untersuchung in Südamerika für die gesamte Altbergthaler Mennonitenschaft Kanadas unternommen hat, denn für seine kleine Gemeinde allein wäre eine Auswanderung nach Südamerika nicht in Frage gekommen. In Wirklichkeit aber hegten die anderen Gemeinden um diese Zeit noch keine konkreten Auswanderungsgedanken. Man wusste noch von der Auswanderung aus Russland nach Manitoba her sehr gut, wie ungemein schwierig so ein Unternehmen sei.

Altkolonier Delegation nach Südamerika, Ende 1919

Während die Abgeordneten des Ältesten Zacharias nach Möglichkeiten für geschlossene Ackerbausiedlungen und nach Zugeständnissen und Freibriefen in Südamerika suchten, entschlossen sich auch die Altkolonier in Manitoba und Saskatchewan, eine Delegation nach Südamerika zu schicken. Diese Abordnung bestand aus sechs Männern. Sie fuhren anfangs August 1919 von Kanada los. Sie reisten über Ottawa und legten, ehe sie Kanada verliessen, ihre Angelegenheit erst selbst noch einmal an höchster Stelle vor. Ihre Hauptanliegen waren die Privatschule und die deutsche Sprache. Diese beiden Freiheiten wollten sie behalten. Sie konnten sich aber auch hier kein Gehör verschaffen und reisten dann weiter nach Südamerika.

Die Altkolonier Gemeinschaft sprach sich gegen jeden Kompromiss in Sachen des Schulwesens aus. Man wollte die englische Sprache in den Schulen nicht annehmen. Es war nicht eigentlich eine feindliche Einstellung gegen die englische Sprache als solche, es war die Befürchtung, dass als Folge der Verenglischung und Nationalisierung der Schulen der mennonitische Glaube verlorengehen werde.

Bei den Altbergthaler Gemeinden war die Stellung zur englischen Sprache nicht so radikal ablehnend. Eine beträchtliche Gruppe unter ihnen sah die englische Sprache nicht als besonderes Unterrichtshindernis, obwohl man die deutsche Sprache vorzog. Es waren dann schliesslich nicht einmal 20% der gesamten Altbergthaler Mennonitenschaft, die sich endgültig zur Auswanderung entschlossen. Über 80% zogen es vor, zu bleiben und sich mit der von der Regierung geschaffenen Schulsituation abzufinden. Auch die kleinere Gruppe entschied sich zur Auswanderung erst dann, als ihr Zugeständnis, die englische Sprache in ihre Privatschulen einzuführen (die Privatschulen aber weiter zu behalten), von der Erziehungsbehörde abgelehnt wurde.

Die Altkolonier Delegation, die 1919 nach Südamerika reiste, bestand aus den Männern Klaas Heide und Kornelius Rempel von Manitoba, Johann P. Wall und Johann Wall (beide Prediger) aus der Gemeinde bei Hague in Saskatchewan und David Rempel und Julius Wiebe (auch ein Prediger) aus der Gemeinde bei Swift Current in Saskatchewan. Während ihres Aufenthalts in Curitiba, in Brasilien, erkrankte Johann Wall an Darmverschlingung und starb trotz aller ärtzlichen Bemühungen, ihm zu helfen. Schweren Herzens trugen ihn seine Kollegen in der Fremde, fern von daheim, zu Grabe. Die Familie und die Gemeinde wurden telegraphisch von dem traurigen Ereignis benachrichtigt.[1]

Diese Delegation reiste dann weiter nach Argentinien und kehrte im November wieder zurück nach Kanada. Weder Brasilien noch Argentinien hatten sich auf die Erteilung von Sonderrechten eingelassen. Von Paraguay wussten sie zu berichten, dass es bereit sei, unter sehr günstigen Bedingungen Ackerbaukolonisten aufzunehmen. Sie selbst aber hatten sich mit Paraguay nicht in Verbindung gesetzt. Wahrscheinlich war ihnen Paraguay zu arm. David Harder, ein Altkolonier, schreibt dazu.

> "Zwar war ihnen (den Delegationsmitgliedern, MWF) aus der kleinen südamerikanischen Republik Paraguay ein Lichtschimmer entgegengeleuchtet doch wurde eine Auswanderung dorthin für unmöglich gehalten und aufgegeben. Jedoch unsere Gemeinde bei Hague hielt noch an der Hoffnung nach Südamerika zu gehen, fest und sandte noch einmal Delegaten nach Südamerika, und diesmal nach Paraguay. Aber auch sie kamen, ohne etwas ausgerichtet zu haben, zurück. So wurde auch von ihnen Südamerika aufgegeben."

Altkolonier sprechen als erste bei McRoberts vor

Im Jahre 1919 sprach eine Altkolonier Abordnung bei Herrn Samuel McRoberts in New York vor. Die Männer baten ihn, ihnen bei einer Neuansiedlung behilflich zu sein. Ob es vor ihrer Südamerikareise oder gleich nachher war, wird nicht angedeutet. Es heisst, vier

Altkolonier seien zu McRoberts gekommen und hätten ihm ihre Frage vorgelegt.[2] Was oder wer sie veranlasst hatte, gerade zu ihm zu gehen, ist unbekannt. Auch McRoberts hat später gesagt, dass ihm das nicht bekannt sei. Manche meinen, Herr Alvin Solberg, ein Landmakler aus Minneapolis, Minnesota, hätte sie auf McRoberts verwiesen. Herr Solberg war geschäftlich bei der Umsiedlung der Hutterer aus den USA nach Kanada, gleich nach dem 1. Weltkrieg, verwickelt gewesen. Dabei kann er wohl mit den Mennoniten in Berührung gekommen sein. Es könnte aber auch durch einen Universitätskollegen von McRoberts geschehen sein, der um jene Zeit kanadischer Bankier war und als solcher wahrscheinlich mit Mennoniten zu tun gehabt hat.

Wie dem auch sei, eines ist klar: Sie kamen zu ihm ins Büro und legten ihm ihren Wunsch vor. McRoberts hat ihre Bitte jedoch abgelehnt mit der Begründung, er sei kein Kolonisator. Er hat die Besucher zu einem anderen Mann geschickt, der mit solchen Dingen mehr bekannt war. Inzwischen berichtete McRoberts seiner Frau von seiner Begegnung mit Männern mennonitischen Bekenntnisses, die sich ihres Glaubens wegen in Kanada bedrängt fühlten, eine neue Heimat suchten und ihn gebeten hätten, ihnen dabei zu helfen. Es sei dann seine Frau gewesen, hat McRoberts später erzählt, die ihn dazu überredet habe, jenen Leuten zu helfen. Sie war nämlich die Tochter eines presbyterianischen Predigers und war tief religiös. Das Schicksal dieses schlichten, aber aufrichtigen mennonitischen Völkleins war ihr zu einer Herzenssache geworden.

Von der anderen Stelle in New York, wohin McRoberts sie geschickt hatte, angeblich zu einem Manne, der mehr Kenntnisse in Kolonisationssachen haben sollte, kamen sie unverrichteter Sache wieder zurück zu McRoberts. Diesmal liess er sich auf ihre Bitten ein und sagte, er werde versuchen zu tun, was er tun könne.

Entsprechend seiner Art, eine Sache, die er einmal angepackt hatte, ganz auszuführen, widmete sich McRoberts dieser mennonitischen Kolonisationsangelegenheit mit voller Hingabe. Er setzte sich mit einem Herrn namens Fred Engen zusammen und beriet sich mit ihm über die mennonitische Ansiedlungssache. Er stellte ihn auch gleich an, Möglichkeiten für eine solche Neuansiedlung ausfindig zu machen. Beide überlegten zunächst gemeinsam, wo vielleicht noch ein Land wäre, das willens wäre, den Mennoniten eine Ansiedlung in der gewünschten Art und Weise zu gewähren oder möglich zu machen. Sie liessen nacheinander Afrika, Asien und auch Südamerika durch ihre Gedanken ziehen und blieben dann bei Südamerika stehen. Sie einigten sich, es einmal mit Südamerika zu versuchen.

Wie McRoberts auf Fred Engen gekommen ist, ist unbekannt. Engen war gebürtiger Norweger mit amerikanischer Staatsangehörigkeit. Er war als Landmakler Millionär gewesen und hatte dann durch unglückliche Geschäfte seinen Reichtum verloren. Er soll auch in Saskatchewan auf einer Farm gelebt haben und dürfte daher unter den Mennoniten bekannt gewesen sein. Vielleicht haben sogar Mennoniten selbst ihn bei McRoberts eingeführt. Immerhin hielt er grosse Stücke auf die Mennoniten, die ihm als Militärdienstverweigerer gefielen und sehr beeindruckten, weil er selbst ebenfalls einer pazifistischen Bewegung angehörte. Es ist auch nicht ausgeschlossen, dass Engen mit der Umsiedlung der Hutterer aus den USA nach Kanada gleich nach dem 1. Weltkrieg zu tun gehabt hat. Auch dort war die Ablehnung des Krieges der Anlass zur Umsiedlung gewesen. Auf jeden Fall war Engen an der mennonitischen Sache interessiert. Er begab sich noch im Jahre 1919 im Auftrage von McRoberts nach Südamerika.

Fred Engen in Südamerika, 1919–1920

Es ist nicht bekannt, welche südamerikanischen Länder Engen bei seiner Ausschau nach Siedlungsmöglichkeiten besucht hat. Immerhin war er in der ersten Hälfte des Jahres 1920 in Bolivien. Anhand der Karte des ''Gran Chaco Boreal'' hatte er dann sein Auge auf die grosse, weisse unbesiedelte Fläche dieses Gebietes gerichtet und sich gefragt, was dort wohl an Ackerbaumöglichkeiten vorhanden sein könnte. Die Berichte über das grösstenteils unbekannte Innere des nördlichen Gran Chaco waren alles andere als ermutigend, besonders was die Urbewohner, die Indianer, dieser unberührten Wildnis anging. Sie waren verrufen als unversöhnliche Feinde der Weissen. Beschreibungen über die landschaftliche Beschaffenheit des zentralen paraguayischen Chaco gab es nicht. Von indianischen Überfällen aber, wenn Weisse sich in die weite Wildnis hineinwagten, wusste man mehr als genug zu berichten.

Engen hat dann von Bolivien aus in diese Wildnis vorzustossen versucht. Es ist ihm aber nicht gelungen. Warum es ihm nicht gelang, ist nicht bekannt. Er begab sich dann nach Paraguay und versuchte in Asunción eine Expedition zur Erforschung des Chacoinneren zusammenzustellen. Er legte aber ganz klar seine Absicht dar, eine freundliche Begegnung mit den Wilden, die dort tief im Innern hausten, anzubahnen und alles Mögliche zu tun, diese Absicht zu erreichen. Niemand aber gab sich für so ein gewagtes Unternehmen her. Im Gegenteil riet man Engen ernstlich, sich nicht auf solch ein Unternehmen einzulassen.

Es hätten sich vielleicht noch Leute anwerben lassen, wenn Engen eine bis an die Zähne bewaffnete und kampffähige Expedition ausgerüstet hätte. Aber davon wollte Engen nichts wissen. Er wollte, wie einmal William Penn in Nordamerika, einen aufrichtigen

Freundschaftsbund mit den Wilden schliessen. Engen fuhr dann den Rio Paraguay hinauf bis Puerto Pinasco, um dort sein Vorhaben weiter zu überlegen. Wahrscheinlich wählte er Pinasco, weil dort einige von seinen Landsleuten wohnten, die ihm sicherlich behilflich sein könnten, sein Werk zu planen und zur Ausführung zu bringen. Und so geschah es auch. Es war dann eine kluge Überlegung, Tobaindianer für die Expeditionsidee zu gewinnen, denn die waren mit den Lengua im tiefen Inneren der Buschwildnis befreundet und kannten sich auch mit der Wildnis aus.

Engen fuhr noch einmal wieder zurück nach Asunción, wahrscheinlich, um noch einige Einkäufe zu machen und sein Geld dort in einer Bank zu deponieren. Er wollte es nicht in die Wildnis mitnehmen. Mit Geld hatte ihn McRoberts gut versorgt. In Asunción berichtete er dann, dass er in die ''Grüne Hölle'' vorstossen wolle. Die Herren in der Bank wollten dann wissen, wie sie weiter über sein Geld verfügen sollten, denn er werde ja nicht mehr zurückkommen. Engen bestand aber darauf, er selbst wolle darüber verfügen. Er werde es wieder abheben, wenn er wieder zurück sei. Den Leuten in Asunción blieb weiter nichts übrig, als ihren unbelehrbaren Freund noch einmal zu warnen, verständnislos die Köpfe über ihn zu schütteln und ihm ''Aufnimmerwiedersehen'' zu sagen.[3]

Es muss im Winter, etwa Mai/Juni, des Jahres 1920 gewesen sein, als vom Ende der etwa 90 km langen Pinasco–Eisenbahn eine kleine Expedition von drei Maultierreitern aufbrach und im Westen allmählich hinter den Büschen verschwand. Sie führte mehrere schwerbeladene Packtiere mit sich. Es sollen Tobaindianer gewesen sein, die Engen begleiteten.

Vor einigen Monaten waren hier schwere Regen niedergegangen. Weite Teile des Chaco waren unter Wasser. Da Engen die Landschaft erforschen wollte, ritten sie bald etwas mehr südlich, bald etwas mehr nach Norden, aber immer die Hauptrichtung Westen einhaltend, weiter voran. Das eigentliche Ziel war der tiefere Westen, das unbekannte Hinterland, wie Engen selbst es in seinen Briefen nennt. Sie mussten dazu Wälder umkreisen und auch Lagunen mit tieferem Wasser zu umgehen versuchen. Immer wieder mussten auch weite Strecken Wasser durchwatet werden, besonders auf den grossen Palmensavannen. Oft war der Boden sumpfig, und Reittiere und Packesel konnten nur mit Aufbietung aller ihrer Kräfte vorwärtsgelangen. Eigentlich war es die meiste Zeit ein sehr mühsames Vorwärtstasten. Es ging aber trotz allem immer weiter hinein in die geheimnisumwitterte Dornbuschwildnis der ''Grünen Hölle'', wie sie von vielen genannt wurde und in welche sich nur Abenteurer unter Missachtung ihres eigenen Lebens hineinbegaben.

Um diese Zeit war es hier alles andere als trocken und heiss. Weide und Wasser für die Tiere gab es im Überfluss. Nahrung für sich selbst führten die Reiter mit sich, die Packesel waren schwer behangen. Auch gab es genug Wild, das die Begleiter sehr gut verstanden einzufangen oder zu erlegen und zuzubereiten. Ihre mitgenommene Nahrung bestand aus Galletas (Zwieback), konserviertem Büchsenfleisch, Yerba, Zucker und anderem mehr.

Für Engens Vorhaben war die von ihm gewählte Begleitung ideal. Er hätte sich keine bessere wünschen können. Wer weiss, ob die Expedition so gut gelungen wäre, wenn Engen sie mit Leuten aus Asunción unternommen hätte, wie er ursprünglich vorhatte. Die Toba waren für die Lengua–Indianer, in deren Gebiet man eindringen wollte, keine verdächtigen Leute. Das Verhältnis dieser beiden Indianerstämme zueinander war, soviel Geschichtlern bekannt ist, schon immer gut gewesen.

Wenn Reiter und Packesel dann für die Nacht ein trockenes Plätzchen gefunden hatten, was gar nicht immer so einfach war, verstanden es die Indianer, trotz der oft übermässigen Feuchtigkeit, ein Feuer zu entfachen, wozu sie sich des wunderbaren Palosantoholzes bedienten. An diesem Feuer, das die Wildnisnacht um sie her angenehm erhellte, und das eine gemütliche Stimmung in den reitenden Wildnisforschern erzeugte, brauten sie sich auch ihren Tee. Neben dem Feuer breiteten sie dann später ihre ''Mantas'' (Decken) und ''Ponchos'' (Überhänge) aus und wickelten sich für die Nachtruhe ein.

Die Unterhaltung zwischen Engen und seinen Begleitern wurde in einem gebrochenen Spanisch bewältigt. Es bestand ein vertrauliches Verhältnis zwischen den schon halb zivilisierten Indios und ihrem weissen Expeditionsleiter. Engen sah — und das war ein hervorragendes Merkmal seiner Wesensart — das Beste in seinen Begleitern, wie in den Indios überhaupt, und die Indios wieder merkten, dass sie es mit einem Menschen aus der weissen Rasse zu tun hatten, dem sie sich restlos anvertrauen durften. Das haben auch diejenigen immer wieder bestätigt, die auch später mit Engen zusammen in die Wildnis eindrangen. Engen, sagten sie, habe es verstanden, den Indianern volles Vertrauen abzugewinnen und sie sich ihm ergeben zu machen, so dass sie ihm vorbehaltlos zu Diensten standen.

Mann könnte meinen, es wäre ein Glück für die Reiterexpedition gewesen, dass sie ihre Untersuchung in einer Jahreszeit unternommen hatte, in der die Sonnenstrahlen im Chaco nicht so heiss auf die Erde fallen und alles ausdörren und erhitzen. Dafür erlebte sie jetzt aber feuchtkalte Tage, an denen der Himmel grau und verhangen war, und andauernde Nieselregen auf die ponchoumhüllten Gestalten niedergingen. Jeder Strauch und jeder Busch, den sie berührten, schüttelte dann ausserdem noch jedesmal eine zusätzliche Feuchtigkeitsspende auf sie herab. Nach zwei Wochen mühevollen Reisens gelangten sie auf ein Gelände, das sich merklich von dem bisherigen unterschied. Es war höher gelegen, hatte eine andere Grasart und war frei von Wasserstellen. Sie hatten das Gebiet erreicht, das bodenmässig schon zum Westteil des Chaco gehört, das ausserhalb des Überschwemmungsgebietes liegt.

Friedliche Begegnung mit den Nordlengua

In der letzten Nacht ihres Vordringens nach Westen hörten sie in nicht allzuweiter Ferne Hundegekläff. Sie sagten sich, dass sie nun wohl ein Lager der Nordlengua erreicht haben würden, was sie eigentlich auch schon erwartet hatten. Es war eine sternklare und frostkalte Nacht, und vom Schlafen gab es sicherlich nicht viel. So entschlossen sie sich, schon früh aufzubrechen und in Richtung des in der Nacht vernommenen Hündegebells zu reiten. In frostiger Morgendämmerung erreichten sie den Ort, von wo sie das Hundegebell gehört hatten. Es war wirklich ein Lager einer Gruppe von Nordlengua. Das Lager befand sich hart am Rande des Busches, umgeben von hohem Grase.

Jetzt kläfften die Hunde entsetzlich. Vorsichtig traten etliche indianische Männer aus den Grashütten und spähten in die Richtung, die die Hunde anzeigten. Drei Reiter tauchten auf. Einer der Reiter war ein weisser Mann. Was mochte das wohl zu bedeuten haben? Das war nicht etwas Alltägliches. Frauen und Kinder steckten ängstlich ihre Köpfe durch die grasverhangenen Spalten der elenden Hütten und zogen sie dann wieder rasch ins Innere der runden Grashütten zurück. Unsichere Gefühle mochten sich ihrer bemächtigt haben.

Etliche der mutigsten Männer schritten dann auf die Reiter zu, die in einigem Abstand ihre Tiere zum Stehen gebracht hatten. Wieder ein weisser Mann mit indianischer Begleitung! Das hatten diese Nordlengua vor nicht so langer Zeit schon einmal in der Gegend des späteren Neu–Moelln erlebt. Da waren einige Männer von den Südlengua in Begleitung eines weissen Mannes zu Pferd erschienen. Die den weissen Mann begleitenden Indios hatten damals dem weissen Manne ein sehr gutes Zeugnis gegeben. Wir können es uns heute nicht anders vorstellen, als dass der Mann der Missionar der anglikanischen Mission aus der Gegend des Río Montelindo, Herr Barb. Grubb, gewesen ist, der im Auftrag der anglikanischen Kirche aus England seit dem Ausgang des vorigen Jahrhunderts im paraguayischen Chaco, am Rio Montelindo missionarisch betätigt war.

Als die Lenguamänner dann langsam nähertraten, liess Engen durch seine Toba seinen Gruss ausrichten und sein herzliches Wohlwollen ihnen gegenüber bekunden. Er liess sie fragen, ob sie seine ''amigos'' (Freunde) sein wollten, und liess ihnen sagen, er sei ihr "amigo". Darauf sollen sie geantwortet haben, sie wollten auch seine "amigos" sein.

Es war ein eiskalter Morgen, und die Reiter waren sichtlich durchfroren. Die Lengua, die mit den Toba leicht Kontakt aufnahmen, weil sie ihre alten Freunde waren und ihre Sprachen sich stark ähnelten, beurteilten den weissen Mann dann auch gleich aus der Sicht der Toba und luden alle drei ein, in ihre Hütte einzutreten. Die Fremdlinge folgten gerne dieser Einladung. Drinnen flackerte ein angenehmes Feuer, an dem sie sich wärmen konnten. Den Tieren wurden ihre Sättel und Lasten abgenommen. Dann band man sie mit langen Lassos an Bäume oder Sträucher und liess sie weiden. Die Sachen der Reiter wurden verstaut.

Im Innern einer der grösseren Hütten, sich am angenehmen Feuer wärmend, versuchte Engen dann mit den Gastgebern Gespräche anzuknüpfen, selbstredend durch seine Begleiter, die sich mit den Lengua verständigen konnten. Bald holte Engen auch kleine Geschenke hervor und kramte Esswaren aus den Säcken. Zuallererst gab er ihnen Galletas. Die Indios bestaunten die harten Dinger, und Engen zeigte ihnen, wie sie damit fertig werden könnten, um sie zu essen. Sie verschlangen die Galletas dann begierig. Auch die Caramelos (Bonbons), die Engen ihnen überreichte, lutschten sie mit Wohlgefallen. Dann öffnete Engen Fleischkonservenbüchsen und bot ihnen davon an. Dafür aber konnten sie sich zunächst noch nicht begeistern.

Die Sonne stieg allmählich höher und durchwärmte den grünen Waldessaum und die "Tolderia" (die Gesamtheit der Indianerhütten) im hohen Büschelgrase. Engen fing dann bald an, die Lengua danach auszuforschen, wie das Land von hier aus weiter in den Westen hinein aussähe. Er bekam so viel heraus, dass es noch viele solche Savannen (Kämpe), wie diese hier, nach Westen hin gäbe. Diese Begegnung ereignete sich im Gebiet des späteren Hoffnungsfeld. Nicht von ungefähr hat Engen schon damals diesen Kamp mit dem Namen "Campo Esperanza", welcher "Hoffnungsfeld" bedeutet, belegt. In Engens Sinn sollte es Hoffnung für grosse mennonitische Ackerbausiedlungen bedeuten.

Engen hat den Lenguaindianern dann weiter klarzumachen versucht, — so berichten Indianer, die damals in dem Lager mit dabei gewesen sind — dass Leute seiner Rasse, also gute weisse Menschen, die keine Indianer oder andere Menschen töteten, vielleicht hierher kommen würden, um hier mit ihnen zu wohnen. Diese würden ihnen dann auch zu essen geben. Dann habe Engen wissen wollen, was sie selbst dazu zu sagen hätten, wenn so etwas geschehen sollte. Die Indios haben ihm geantwortet, das würde ihnen ganz recht sein, wenn solche Menschen zu ihnen kämen.

Diese Begegnung Engens mit den unerwartet freundlichen Wilden in dieser geheimnisumwitterten Buschwildnis sollte von weittragender Bedeutung werden. Die drei Wildnisreiter machten sich wieder auf und zogen fröhlich ihren Weg zurück. Besonders Herr Engen war nun wirklich für den Chaco begeistert; für die Möglichkeit einer mennonitischen Kolonisation grossen Stils. Er jubelte über die Entdeckung, die er gemacht hatte, und über den guten Kontakt, in den er mit den Ureinwohnern gekommen war. Er hatte sie gütig und freundlich gefunden und war der festen Meinung, er habe gerade das gefunden, was er und sein Auftraggeber suchten.

Etwa einen Monat nach dem Vorstoss in die berüchtigte "Grüne Hölle" tauchte Engen wieder in Asunción auf. Er war wieder da, der verwegene Mann, von dem man geglaubt hatte, dass er sich in purer Selbstverachtung in ein äusserst gefährliches Abenteuer stürzen würde, wie solches manche vor ihm schon mit dem Leben bezahlt hatten. Er aber war unversehrt an Leib und Seele wieder da. Und er wusste grosse Dinge zu berichten, nicht, wie er mit Indios gekämpft und sie alle besiegt hatte, sondern, wie er ihnen die Hand zum Friedensbündnis dargeboten und wie kindlich sie seine Hand angenommen hatten. Das erzählte er gerne. Und weiter erzählte er, dass er Siedlungsland für ausgedehnte Mennonitensiedlungen entdeckt habe, ein Landstück, ideal für die Errichtung eines Friedensstaates. Engen hegte einen Traum, der so weit ging, wie ihn die Mennoniten nicht einmal wahrhaben wollten. Denn die Bildung eines Friedensstaates lag ihnen fern. Sie wollten eine Friedensgemeinschaft sein. Mit seiner Chacobegeisterung aber schuf Engen Brücken zur Chacobesiedlung, die anders vielleicht niemals zustandegekommen wären.

Wieder zurück in Asunción, war es Engen das Wichtigste, mit seinem Chef, McRoberts, in Verbindung zu kommen. Der geschäftliche Arbeitsplan von McRoberts war Engen bekannt. Danach musste McRoberts um diese Zeit (August) eigentlich in Buenos Aires sein. Engen hatte auch die Anschrift des Hotels, in dem McRoberts immer wohnte. Er hatte also nichts Eiligeres zu tun, als ein Telegramm für McRoberts abzugeben. Das Telegramm wurde in englischer Sprache übermittelt. Er formulierte es kurz und bündig. Der Kernsatz lautete: "I found the promised land" (Ich habe das verheissene Land gefunden). Das Telegramm endete mit der Aufforderung, er, McRoberts, solle so schnell, wie möglich, nach Asunción kommen.

Jetzt geschahen Dinge, die für ein mennonitisches Kolonisationsprogramm nach der Auffassung von McRoberts nie vorgesehen, ja von ihm wohl absichtlich nicht vorgesehen gewesen waren. Denn nach Paraguay wollte McRoberts die tüchtigen mennonitischen Siedlerpioniere gar nicht bringen. Dieses kleine, arme, bescheidene

Paraguay sagte ihm nicht zu. Und doch kam es jetzt alles so, als wäre es so wohlüberlegt geplant gewesen. McRoberts war etwa Ende Juli oder anfangs August nach Buenos Aires gekommen, wie es der vorgeplante Terminkalender, den Engen in Händen hatte, besagte. Auf dem Ozeandampfer von New York nach Buenos Aires ereigneten sich scheinbar belanglose Dinge, die anfänglich nichts und später doch entscheidend mit dem mennonitischen Kolonisationsprojekt zu tun hatten. Es stellte sich erst viel später heraus, dass alles, auch das scheinbar Unwichtigste, wunderbar zusammenpasste. Es war fast wie mit einem Mosaik in dem bis zuletzt ein wichtiges Stücklein fehlt. Und wenn es dann zur Hand ist, schliesst es die Lücke in vollkommener Weise. Ähnlich traten auch hier die Einzelheiten erst nach und nach wie von selber ein und schufen zuletzt ein in sich zusammengehörendes, geschlossenes Bild der gegebenen Möglichkeiten für eine geschlossene Neusiedlung grossen Stils.

In Paraguay war um diese Zeit ein neuer Präsident ans Staatsruder gerufen worden, nämlich Dr. Manuel Gondra. Gondra weilte jedoch zur Zeit seiner Wahl in den USA und mit ihm einer der prominentesten Regierungsmänner jener Zeit, Dr. Eusebio Ayala.[4] Diese beiden paraguayischen Herren reisten nun mit dem gleichen Schiff nach Südamerika zurück, auf dem auch McRoberts war. Der Schiffskapitän, der um seine prominenten Fahrgäste wusste, führte McRoberts mit den Paraguayern zusammen. Die Fahrt von New York bis Buenos Aires dauerte fast drei Wochen. So sassen diese Herren immer wieder zusammen und plauderten. Dr. Ayala sprach fliessend englisch, und so konnten sie sich gut mit McRoberts unterhalten. McRoberts erzählte diesen Herren unter anderem auch die Sache von den heimatsuchenden Mennoniten, die er in Argentinien unterzubringen versuchen wolle. Er erzählte ihnen, was für tüchtige Ackerleute das seien, und was sie darin als Pioniere schon alles geleistet hätten. Er teilte ihnen auch allerlei aus ihrer Geschichte mit. Die Paraguayer wurden begeistert und meinten bald, das müssten Leute für ihr Land sein. Als McRoberts ihnen sagte, diese Leute bäten um gewisse Sonderrechte, die er in Argentinien zu erlangen hoffe, sollen die Paraguayer erwidert haben, sie wären bereit, noch mehr zu tun, falls Argentinien die gewünschten Sonderrechte würde erteilen wollen.

In Buenos Aires angekommen, ging McRoberts ans Land, und die Paraguayer stiegen in einen Flussdampfer um, der sie nach Asunción bringen sollte. Beim Abschiednehmen luden sie McRoberts noch ein, doch auch noch nach Asunción zu kommen. McRoberts aber sagte nicht zu, denn er hatte dort keine Geschäfte zu erledigen. In Buenos Aires erledigte er seine Geschäfte und legte dann seinen Freunden, die er in der argentinischen Regierung hatte, auch noch die Mennonitenfrage vor. Sie sagten, sie würden diese mennonitischen Acker-baupioniere gerne ins Land nehmen, aber Sonderrechte wollten sie ihnen nicht erteilen. Sie hätten das einmal bei einer Einwan-derungsgruppe getan, hätten dann aber nicht gute Erfahrungen damit gemacht.

McRoberts war also mit seiner mennonitischen Kolonisationsfrage bei der argentinischen Regierung nicht angekommen. Nun erhielt er gerade um diese Zeit das Telegramm von Fred Engen aus Asunción. Eine Einladung vom paraguayischen Staatsoberhaupt, nach Asunción zu kommen, hatte er schon, und jetzt kam noch diese anscheinend hochwichtige Einladung von Engen. Was mochte das zu bedeuten haben?

McRoberts machte sich auf und fuhr nach Asunción.

McRoberts und Engen in Asunción, 1920

Engen wartete in Asunción auf General McRoberts, der dort in den letzten Tagen des August eintraf. Die beiden hatten einander viel mitzuteilen. Engen berichtete von seiner Expedition in den Chaco.

Die Indianerfrage, die vielleicht die schwierigste Angelegenheit bei einem Vorstoss in die Wildnis des zentralen paraguayischen Chaco sein würde, hielt Engen schon jetzt für so gut wie gelöst. Die Indios seien so gutmütig und freundlich gewesen, er hätte sie sich nicht angenehmer vorstellen können. Sie hätten sich auch einer Ansiedlung von weissen Menschen in ihrem Gebiet nicht abhold gezeigt.

Es blieben dann aber immer noch zwei andere wichtige Fragen zu lösen. Erstens war es die Landfrage. Engen meinte sich sicher zu sein, dass das Gebiet, welches er für eine Kolonisation als geeignet gefunden hatte, der Casadogesellschaft gehöre. Die Frage war, ob diese Casadogesellschaft Land für Siedlungszwecke abgeben würde. Die zweite wichtige Frage war die der Sonderrechte. Was würde das paraguayische Volk dazu sagen, wenn die Mennoniten Sonderrechte erhielten.

Weil Präsident Gondra, der um diese Zeit schon etwa zwei Wochen im Amt der Staatsführung war, und Dr. Ayala schon gut mit General McRoberts bekannt waren und ihn selber eingeladen hatten, nach Asunción zu kommen, war er ihnen jetzt sehr willkommen. Dr. Ayala, der das Amt des Aussenministers bekleidete, war für den Empfang des hohen Gastes verantwortlich. Und da sie jetzt merkten, dass er gerade der Frage wegen gekommen war, die sie auf dem Ozeandampfer behandelt hatten, war der Empfang umso herzlicher. Paraguay wollte gerne Ackerbausiedler haben. Die Einwanderer die nach Südamerika kamen, waren bis jetzt zumeist in Brasilien oder in Argentinien geblieben.

Am Abend des 27. August gab es dann, von Dr. Ayala arrangiert, ein Festessen zu Ehren des hohen Gastes, zu welchem verschiedene Männer aus der paraguayischen Regierung und auch die Herren der amerikanischen Botschaft in Asunción geladen waren. McRoberts wurde selbstverständlich von seinem Beauftragten, Herrn Fred Engen, begleitet. Präsident Gondra bemühte sich dann, die soge- nannte Mennonitenfrage (''La Colonización de los Mennonitas en el Paraguay'') an den Mann zu bringen und seine Leute damit bekannt zu machen. Es wurde auch die Frage beraten, in welcher Art von Versammlung oder in welchem repräsentativen Kreise McRoberts Gelegenheit gegeben werden könnte, die Aufnahme der Mennoniten in Paraguay als Ackerbausiedler mit den gewünschten Sonderrechten zu empfehlen.

Die Verhandlungen auf einem Schiff auf dem Paraguayfluss

Der Präsident hatte eine Idee: Man würde eine Exkursion, einen Ausflug, arrangieren und dann eine Gruppe verschiedener führender und prominenter Persönlichkeiten einladen, daran teilzunehmen. Der Vorschlag wurde angenommen und verwirklicht. Man bestieg in der ''Bahía'' (im Hafen) von Asunción ein vor Anker liegendes Kriegs- schiff und befuhr damit zwei Tage lang den herrlichen Paraguaystrom. Männer aus Regierungsabteilungen, die hervorragendsten Geschäftsleute und hohe Würdenträger der katholischen Kirche Asuncións nahmen daran teil. Natürlich waren auch die unver- meidlichen Berichterstatter der Asunciónér Zeitungen dabei.

Die zentrale Figur dieses einzigartigen Ausfluges war General McRoberts, und das wichtigste Unterhaltungsthema waren **Die Men- noniten**. McRoberts berichtete in englischer Sprache. Dr. Eusebio Ayala, der die englische Sprache beherrschte, hat die Übersetzung sicherlich gut gemacht; das zeigten die Berichte, die in den nächsten Tagen in den Zeitungen Asuncións erschienen. Man findet in den Zeitungen jener Tage die Geschichte der Mennoniten in fast fehlerfreier Darstellung, eine Bestätigung dafür, dass McRoberts und Ayala ihre Aufgaben gut gemacht haben. Ayala war übrigens ein begeisterter Befürworter der mennonitischen Kolonisation in Para- guay.

Die Exkursion war ein ausgesprochener Erfolg. Als der ''schwim- mende'' Ausflug am zweiten Tag sich dem Abschluss näherte und man noch einmal Getränke herumreichte, klangen die Gläser auf das Wohl der mennonitischen Kolonisation in Paraguay. Die Mennoniten sollten kommen!

Ausser der Geschichte der Mennoniten, wie oben erwähnt, brachten die Zeitungen Asuncións auch noch kurze Abhandlungen über die Einwanderungsfrage selbst. Die Zeitung ''El Liberal'' schrieb am 30. August 1920:

"General McRoberts weilt in unserem Land und legt unserer Regierung die Frage vor, ob sie gewillt wäre, eine grosse Siedlung von tausenden von Mitgliedern einer religiösen Sekte, genannt Mennoniten, anzulegen. Sie wünschen ihre eigene Sprache zu pflegen, ihre Gewohnheiten und ihre religiösen Bräuche einzuhalten. Auch wünschen sie vom Wehrdienst befreit zu sein.

Man sagt, diese Leute seien sehr arbeitsam und sehr gewissenhaft in der Beobachtung der Ordnungen ihrer Religion. Sie sind reich. Es gedenken etwa 40 000 von ihnen nach Paraguay zu kommen. Sie bringen alles Notwendige mit sich, um eine blühende Siedlung zu entwickeln. Das Siedlungsland werden sie auf eigene Rechnung erwerben, auch sonst alles, was notwendig sein wird, Ackerbau zu betreiben.

Es wird ein Gesetzesentwurf vorgelegt werden, ein Gesetz, das ihnen die gewünschten Sonderrechte gewähren soll, worauf die Mennoniten dann ins Land kommen wollen, um hier zu wohnen.

Dieses Thema wird noch weiter behandelt werden; denn es handelt sich um eine Kolonisationsfrage, die zu verschiedenen Meinungen Veranlassung gibt.

Der Beitrag dieser bemittelten und sehr arbeitsamen Leute müsste sich sicherlich sehr positiv auf die Entwicklung unseres Volkes in gesellschaftlicher und wirtschaftlicher Beziehung auswirken.

Am nächsten Tag, dem 31. August, brachte dieselbe Zeitung wieder eine Abhandlung:

"In unserer gestrigen Ausgabe berichteten wir, dass eine grosse Anzahl von Mennoniten nach Paraguay zu kommen gedächten. Die Mennoniten sind christlichen Bekenntnisses, bekannt unter dem Namen "Wiedertäufer'. Der Begründer dieser Sekte war ein Menno Simons, ein holländischer Reformator, geboren in Witmarsum (Friesland) um 1505 und gestorben in der Nähe von Lübeck um 1561. Er fing als katholischer Priester an, trat aber bald aus der Kirche aus, schloss sich den Wiedertäufern an und verwendete sich für die reine evangelische Lehre. Er widmete sich dann mit ganzer Hingabe seinen neuen Glaubensgenossen.

Dank seiner freundlichen und überzeugenden Beredsamkeit, seines tadellosen Betragens und der lehrreichen Beispiele eines ernsthaften, frommen Lebens, machte er grosse Fortschritte im Geiste der Wiedertäufer, die ihn darum zu ihrem Führer erwählten. Sein Verdienst wurde es, die Gemeinschaft, die um jene Zeit durch Verfolgung erlahmt war, wieder neu zu beleben, und sie von den gewalttätigen Sekten, wie den Münsterischen Wiedertäufern, zu unterscheiden. Achtung vor den obrigkeitlichen Gesetzen und Unterordnung unter die bürgerlichen Autoritäten waren immer wieder Themen seiner Predigten. Er wurde verfolgt und musste oftmals im Versteck leben.

Man erzählt, dass Menno Simons von besonderer Geistesgegenwart gewesen sei. Als er einmal wieder auf Reisen war und die Polizei nach ihm suchte, kam sie auch an das Fahrzeug, auf dem auch Menno Simons unter einer Anzahl Reisender war. Die Polizisten kamen zuerst zu Menno Simons (ohne zu wissen, dass er gerade derjenige war, den sie suchten) und baten ihn, bei den Reisenden nachzusehen, ob ein Menno Simons unter ihnen sei. Er tat es. Dann wandte er sich zurück zu den Polizisten, seinen Häschern, und sagte ihnen, die Reisenden sagen, da sei kein Menno Simons. Die Polizisten waren mit der Antwort zufrieden und gingen weiter. Um nichts in der Welt hätte Menno Simons lügen wollen, nur sagte er über sich selbst nichts aus.

Er hat viele Schriften herausgegeben. Das wichtigste Werk war die Abhandlung über den Glaubensgrund (1536). Diese Abhandlung erregte bei ihrem Erscheinen grosses Aufsehen. Seine Schriften wurden im Jahre 1561 zusammengefasst und herausgegeben unter dem Titel: ''Menno Simons' vollständige Werke''.

Die Anhänger der Mennonitschen Sekte taufen nur Erwachsene. Sie lehnen jegliche Autorität über Glaubenssachen ab. Die Auslegung der Bibel ist für sie eine persönliche Angelegenheit. Sie bekleiden keine Staatsämter. Krieg halten sie für gottlos, und darum lehnen sie den Militärdienst ab.''

Die Altkolonier entscheiden sich für Mexiko

Während sich in Südamerika, in dem bescheidenen Paraguay, der mennonitischen Einwanderung wegen merkwürdige Dinge zutrugen, ereigneten sich auch Merkwürdigkeiten unter den konservativen Mennoniten Westkanadas.

Die Hauptmasse der Altkolonier Mennoniten hatte Südamerika als Kolonisationsziel von ihrer Liste gestrichen und sich für Mexiko entschieden. Und das geschah gerade zu jener Zeit, in der Engen sich in besonderer Weise für sie einsetzte, indem er die strapaziöse und kühne Untersuchung des zentralen paraguayischen Chaco durchführte, und danach mit McRoberts zusammen die Frage einer mennonitischen Kolonisation in Paraguay ins Rollen brachte. Eine kleine Altkolonier Gruppe jedoch, die Gemeinde bei Hague, in Saskatchewan, entsandte in der zweiten Hälfte des Jahres 1920 noch einmal wieder eine Delegation nach Südamerika, und diesmal auch direkt nach Paraguay, um auch den paraguayischen Chaco zu untersuchen. Sie waren mit dem Ergebnis der Altkolonier Delegation nicht zufrieden gewesen. Diese Delegation ist etwas später im Chaco gewesen als Engen. Sie bestand aus drei Männern: Abram Klassen, Jakob Friesen und Franz Dueck. Diese Männer fuhren am 9. Oktober nach Südamerika ab und kehrten um Weihnachten zurück. Es ist merkwürdig, dass sie zu keiner Verbindung, weder mit Engen noch mit General McRoberts, gekommen sind.

Engen ist um diese Zeit möglicherweise in Buenos Aires gewesen und hat dort wahrscheinlich mit den Casados wegen des Landes verhandelt. McRoberts war wieder nach Hause, nach New York, gefahren, um seinen lieben Altkoloniern, die sich ihm anvertraut hatten, die gute Botschaft aus Südamerika zu bringen, dass sich dort etwas für sie ergeben hätte. Nun wollten diese überhaupt nichts mehr von Südamerika. Sie wollten Mexiko.

Nur die kleine Gruppe von Hague, die Südamerika noch nicht

aufgegeben hatte, sandte noch wieder auf eigene Faust die obengenannte Delegation nach Paraguay. Sie stiess von Puerto Pinasco aus auch in den Chaco vor. Das Gebiet stand aber zu dieser Zeit unter Wasser. Daher kehrte die Delegation gleich um, mit der Feststellung, der Chaco sei für Ackerbausiedlungen nicht geeignet. Sie fuhr zurück, ohne irgendwelchen Kontakt mit Regierungsbehörden oder sonst jemand aufgenommen zu haben.

Warum diese Altkolonier Gemeinde von Hague eine Untersuchungskommission in den Chaco geschickt hat und wie sie überhaupt auf den paraguayischen Chaco gekommen ist, ist unbekannt. Dass die Delegation keine Begegnung mit Herrn Engen gehabt hat, geht daraus hervor, dass sie den Chaco als ganz unbrauchbar für Ackerbausiedlungen gefunden hat, in der Meinung, er bestünde nur aus niedrigem Land, das von den Sommerregen jedesmal ganz unter Wasser gesetzt werde. Hätte sie Engen getroffen, der um diese Zeit schon das Chacoinnere gesehen hatte, dann wären sie bestimmt mit einem anderen Eindruck vom Chaco nach Hause gekommen. Engen war um diese Zeit schon vom Chaco begeistert. Er meinte, eine paradiesische Gegend gefunden zu haben und das noch gerade für die Altkolonier Mennoniten.

Die Altbergthaler entschliessen sich für Auswanderung

Nun ereignete sich gerade um diese Zeit etwas, womit vorher niemand gerechnet hatte, das aber wunderbar in das von McRoberts und Engen geförderte Kolonisationsprojekt hineinpasste. Es hatte sich nämlich inzwischen auch ein Teil der Altbergthaler Gemeinden für eine Auswanderung entschieden. Diese schauten sich genau um diese Zeit nach Möglichkeiten um. Ihr letztes Angebot an die Erziehungsbehörde von Manitoba, die englische Sprache in ihre Schulen einzuführen, unter der Bedingung, sie als selbstgeleitete Privatschulen zu behalten und auch Religion zu unterrichten, war abgelehnt worden. Danach meinten viele, sie könnten in Kanada nicht bleiben.

In Buenos Aires wartete Engen darauf, dass McRoberts eine Altkolonier Delegation nach Südamerika schicken werde, um mit Engen zusammen das Chacoinnere zu besehen. Die Altkolonier aber, die sich mit McRoberts in Verbindung gesetzt hatten, wollten nun nichts mehr von Südamerika. Jetzt waren die Altbergthaler so weit, in das Boot zu steigen, das die Altkolonier abgelehnt hatten. Die Altkolonier, die mit den Altbergthalern, wie auch mit anderen Mennoniten, nichts zu tun haben wollten, hatten jetzt sozusagen einen Auswanderungsweg für andere vorbereitet.

Die Altbergthaler machten sich nun daran, eine Chacountersuchung auszuführen, und das kam so: Es ist bekannt, dass um jene

Zeit, als McRoberts aus Südamerika zurückgekehrt war, einer der Altkolonier Delegierten von 1919 nach New York reiste, wahrscheinlich, um McRoberts von ihrer Umstellung zu unterrichten, dass sie statt Südamerika nun Mexiko gewählt hätten. Um diese Zeit fuhr ein gewisser Johann Priesz, der mit den Altbergthalern eng befreundet war, ebenfalls nach New York. Priesz war in Altona, Manitoba, zu Hause. Er sollte jetzt im Interesse der Altbergthaler mit McRoberts sprechen. Es ist anzunehmen, dass dieser Besuch des Herrn Priesz in New York aufgrund der Absage der Altkolonier stattfand. Priesz fand bei McRoberts ein offenes Ohr. Und es waren jetzt die Altbergthaler, die auf Anraten von General McRoberts, anstelle der Altkolonier, eine Südamerika- bzw. Chacodelegation vorbereiteten.

Eine Delegation von Altbergthalern in den Chaco

Der Älteste Aaron Zacharias aus der Altbergthaler Gemeinde bei Rosthern, Saskatchewan, hatte Ende 1920 schon wieder eine Südamerikadelegation in Bereitschaft, und dieses Mal nach Paraguay. Er hatte, wie schon erwähnt, schon anfangs 1919 eine Abordnung nach Südamerika geschickt, die aber mit einem Kolonisationsanliegen mennonitischer Art dort, wo sie vorgesprochen, keinen Anklang gefunden hatte. Die Altkolonier Delegation von 1919 dagegen brachte in gewisser Beziehung eine gute Nachricht über Paraguay mit, obwohl sie selbst sich für jenes Land nicht interessiert hatte. Aus den Notizen von Bernhard Toews, einem späteren Mitglied der Chacodelegation von 1921, geht hervor, dass er mit einem Altkolonier Delegierten, der 1919 in Südamerika gewesen war, gesprochen hat. Dieser habe gesagt, in Paraguay seien Aussichten für Sonderrechte in Glaubenssachen. Daraufhin ist dann wahrscheinlich die Delegation der Altkolonier aus der Gegend von Hague 1920 nach Paraguay gefahren. Aber es ist nicht festzustellen, wie die Altkolonier zu diesem Wissen über Paraguay gekommen sind. Von McRoberts und Engen können sie es nicht gehabt haben, denn ihre Untersuchung geschah erst ausgangs des Jahres 1920.

Klar ist, dass man Ahnungen von sehr positiven Einstellungen der paraguayischen Regierung zu ausländischen Ackerbausiedlern hatte. Dabei kann es sich aber eigentlich nicht um den Chaco gehandelt haben, denn selbst in Paraguay hielt man die Chacowildnis für Siedlungen als nicht geeignet. Die Beschäftigung mit dem Chaco als Siedlungsort fing erst in der zweiten Hälfte des Jahres 1920 an.

Der Älteste Aaron Zacharias drängte schon auf eine Paraguaydelegation, noch ehe die Angelegenheit durch Engen und McRoberts bekannt worden war. Und er wollte, dass auch die anderen Altbergthaler Gemeinden mitmachen sollten. Aber die anderen Gemeinden in Manitoba rechneten immer noch mit einer günstigen

Beilegung der Schulfrage, auch wenn sie selbst der Regierung entgegenkommen müssten. Es war vor allem die Sommerfelder Gemeinde in dem Westreservat, die weitaus grösste aller Altbergthaler Gemeinden, die am wenigsten auswanderungs- interessiert war. Es war aber eine kleine Gruppe in dieser Gemeinde, die sich schon entschieden gegen das Privatschulverbot auflehnte. Mehrere ihrer Gemeindeglieder erhielten noch Gefängnisstrafen, weil sie sich weigerten, ihre Kinder in die von der Regierung eingerichteten Schulen zu schicken.

Und gerade diese kleine Gruppe der Sommerfelder, die in gewissen Angelegenheiten strenger vorging als die Chortitzer Gemeinde in dem Ostreservat, plante schon früher als die Chortitzer Gemeinde eine Auswanderung. Die Chortitzer Gemeinde stand Mitte des Jahres 1920 noch in vollen Verhandlungen mit der Erziehungsbehörde von Manitoba und dachte noch nicht an die Ver- wirklichung einer Auswanderung. Als dann aber alle Versuche, zu einem Kompromiss zu gelangen, scheiterten, war es gerade diese Gemeinde, die den Auswanderungsgedanken in starkem Masse aufgriff und weiter entwickelte. Aus der Sommerfelder Gemeinde, die etwa 1000 Familien zählte, entschieden sich etwas über 100 Familien für Mexiko und nur etwas über 50 für Paraguay. Von den Sommerfeldern bei Herbert, in Saskatchewan, sind damals wohl keine ausgewandert, weder nach Mexiko noch nach Paraguay.

Als die Chortitzer Gemeinde dann die Verhandlungen mit der kanadischen Regierung aufgab, war es der weitaus grösste Teil dieser Gemeinde, der sich für die Paraguaywanderung interessierte. Als die Auswanderung dann 1926 verwirklicht wurde, waren es etwa 40% der Gemeinde, die sich für die Auswanderung entschieden. Diese Gruppe aber wurde dann führend in der Verwirklichung dieser sehr kostspieligen Umsiedlung nach Paraguay.

Die Altbergthaler um Rosthern aus Saskatchewan und die Som- merfelder Gruppe aus Manitoba hatten ihre Männer für eine Paraguayexpedition schon bereit, als McRoberts mit der Botschaft aus Paraguay zurückkehrte. Die Sommerfelder Gruppe des Westreservats hatte noch im September zwei Männer gewählt, nämlich Bernhard Toews und Johann Klassen. Der Älteste Aaron Zacharias hatte seine Männer noch früher bereit. Die Chortitzer Gemeinde wählte dann erst einen Delegierten, nachdem McRoberts aus Paraguay zurückgekehrt war. Er war Peter F. Krahn.

Während nun Fred Engen im Süden, in Buenos Aires, wartete, drängte McRoberts im Norden auf die Aussendung der Delegation. Als dann diese weite Südamerikareise und die Untersuchung eines unwirtlichen, wilden Gebietes, eines ausgesprochenen Indianer- gebietes, verwirklicht werden sollte, zogen sich zwei der Delegierten zurück, und zwar derjenige der Chortitzer Gemeinde und einer von den zwei der Sommerfelder Gruppe. Die Chortitzer Gemeinde wählte dan anstelle von Peter F. Krahn Jakob Doerksen und die Sommerfelder Gruppe anstelle von Johann Klassen Isaak Funk. Die zwei Delegierten der Bergthaler Gemeinde von Rosthern, Saskatchewan, waren Jakob Neufeld und Johann Friesen. Sie waren beide Prediger.

Es nahm dann aber viel mehr Zeit in Anspruch, die Reisedokumente anzufertigen, als man es sich gedacht hatte. Auch wartete man auf die Heimkehr der Altkolonier Delegation von Hague, die nach Paraguay gereist war, und die dann erst an den Weihnachtstagen von 1920 heimkehrte. Diese Delegation berichtete dann, dass der paraguayische Chaco für Ackerbausiedlungen ganz und gar ungeeignet sei. Man fragt sich nur, warum sie dann nicht noch Ostparaguay untersucht hat, statt gleich heimzukehren. Diese Aussagen der Altkolonier von Hague und der Bericht von General McRoberts über den Chaco standen sich wie Tag und Nacht gegenüber. Die Altbergthaler glaubten dann den Berichten von McRoberts mehr und schickten sich an, nach Paraguay zu reisen.

Endlich, im Februar 1921, war es soweit: Die Reise nach Paraguay konnte beginnen. Die fünf von den Altbergthaler Gemeinden erwählten Männer übernahmen die sehr verantwortungsvolle Aufgabe, den Chaco zu untersuchen und Verhandlungen mit der Regierung Paraguays zu führen. Die zwei Männer von Saskatchewan waren Prediger, die übrigen drei Farmer, einschliesslich einem, der auch noch Privatschullehrer war.

Die Gemeinden stellten ihren fünf Delegierten dann noch einen Reiseführer und Berater zur Seite, nämlich Herrn Johann Priesz aus Altona, Manitoba, der in dieser Auswanderungs- oder Expeditionsangelegenheit schon vorher in New York mit General McRoberts Verbindung aufgenommen hatte. So bestand die Altbergthaler Delegation nach Paraguay aus sechs Männern.

Herr Priesz gehörte zu keiner der Gemeinden, hatte sich aber sein Lebtag in der Bergthaler, bzw. Sommerfelder Gemeinschaft bei Altona aufgehalten. Er stammte aus der Altkolonier Gemeinschaft, die er aus gewissen Ursachen verlassen hatte. Er hatte in Altona einen Handel mit Farmgeräten. Besonders bewandert war er in Rechtssachen. Im Volksmunde hiess er darum ''der mennonitische Rechtsanwalt''. Er nahm die Ernennung zum Expeditionsmitglied gerne an und wollte die Zeit, die er dafür hergab, nicht bezahlt haben, sondern nur die Reisekosten. Seine Zeit, die er dafür hergab, sagte er, sollten ihm die Sehenswürdigkeiten, mit denen er auf der Südamerikareise rechnete, entschädigen. Sie wurde für diese Männer wirklich zu einer grossen und erlebnisreichen Reise.

Bernhard Toews schrieb im Blick auf die Wichtigkeit der weiten und verantwortungsvollen Reise folgendes Gedicht und sang es mit seiner Familie als Gebetslied zum Abschied:
Herzallerliebster Vater mein,
ich bitt' durch Christ, dem Sohne dein:
Vor Unfall wollst behüten mich
auf dieser Reise gnädiglich.

Wollst selbst nach der Verheissung dein,
ein feur'ge Mauer um mich sein.
Behüte mich an Seel und Leib,
daheim auch Haus und Kind und Weib.

Vor'm boesen Feind und schnellen Tod,
vor Räuber, Feuer, Wassernot,
vor boesen Tieren, Sünd und Schand,
sei sich'rer Schutz durch deine Hand.

Zur Reis' und zum Vorhaben mein
sprich deinen goettlich' Segen drein,
damit ich schaffe Nutz und Rat,
und alles dienlich geh vonstatt.

Dein'n heilgen Engel send zu mir,
dass er mich sicher leit und führ;
den Teufel und all' boese Leut
von mir abhalte und vertreib.

Mein Gott, geleit mich glücklich aus,
und froehlich mich dann bring nach Haus.
Lob, Preis und Ehr will ich dafür
aus Herzensgrunde sagen dir!

Fussnoten zu Kapital III
Paraguay im Blickfeld mennonitischer Heimatsucher

1. Ausführliche Beschreibung jenes Ereignisses in *Auswanderung der Reinländer Mennonitengemeinde von Kanada nach Mexiko* — von Isaak M. Dueck.
2. John E. Bender — *Paraguay — Portrait of a Nation* — Seite 35
3. Ebenda — *Engen the Explorer*
4. Derselbe — S.36
   Dr. Adolf Schuster — *Paraguay* — Land, Volk, Geschichte, Wirtschaftsleben und Kolonisation —
   Dr. Schuster — deutscher Konsul in Paraguay — erwähnt Dr. Manuel Gondra auf SS. 210, 258 f, 349, 353, 363 f, 381 f, 384, 438, 442, 454, 456 und 593. Gondra war Staatspräsident im Jahre 1910 dann 1920 und 1921 wieder. Er war Doktor der Geschichte und der Philosophie und der allgemeinen Literatur. Aus dem Lehrstand hervorgegangen, zählte er unbestreibar zu den ernstesten Staatsmännern Paraguays. Dr. Eusebio Ayala wird auf Seite 258 f. und 446 erwähnt.
   Er war in den Jahren 1922 und 1923 Staatspräsident und 1932–1935 — während des Chacokrieges — wieder. Er war Lehrer an der Rechtsfakultät für Handelsrecht.

1908–1910 war er Aussenminister und 1919 Finanzminister, dann 1920 wieder Aussenminister. Er sprach auch englisch.

Anmerkung des Verfassers:

Die Begebenheit des kühnen Erkundigungsrittes des Herrn Fred Engen mit etlichen Toba–Indianern in die für die Weissen unbekannte Wildnis des mittleren para-guayischen Chaco (für die Toba, die mit Engen mitgingen, war die Wildnis jedoch nicht so unbekannt) ist nirgends zusammenhängend beschrieben worden. Aber aus ver-schiedenen Mitteilungen, wenn man die zusammenbringt, kann man sich ein ziemlich genaues Bild machen von dem, was geschah. Zu den Mitteilungen gehört auch John E. Benders *Paraguay — Portrait of a Nation* — S.36 f — und so anderes. Sehr wertvoll war auch die Befragung älterer und alter Indianer, die damals bei der ersten Begegnung Engen's mit den Nordlengua mit dabei gewesen sind. Die Befragung wurde in der Gegenwart des Missionars Johann M. Funk ausgeführt, der die Umgangssprache der Lengua beherrscht und es auch versteht, richtig bei ihnen anzukommen und die Fragen geeignet zu stellen im Sinne ihrer Eigenart, damit sie dann auch wirklich mitteilen, was sie mitzuteilen haben und nicht an den Lippen des Fragestellers hängenbleiben, sondern mitteilen was sie wirklich wissen.

KAPITEL 4

Grünes Licht
für die "Grüne Hölle"

Wir glauben, dass sich dieses Land (Chaco) mit seinen
verschiedenen Vorteilen und von einem milden Klima begünstigt,
gut eignen würde zur Besiedlung, wenn die erforderliche
Eisenbahnverbindung mit dem Flusshafen (am Paraguay)
hergestellt wird. Ein grosses Areal von jungfräulichem Boden wartet
hier der Kultivierung von menschlicher Hand . . .

Paraguay Chaco/Heimatland, Broschüre der Siedlungsgesellschaft
Intercontinental Co, Winnipeg, 1921

Die Chacodelegation bei General McRoberts

Verschiedene Niederschriften, die damals gemacht wurden, vor
allem das Tagebuch des Delegationsmitgliedes Bernhard Toews,
geben uns einen Einblick in jene Reise, von der in diesem Kapitel die
Rede ist.

Am Nachmittag des 11. Februar 1921 begab sich die Gruppe von
Winnipeg mit der Eisenbahn nach New York. Die zwei Delegierten
von Saskatchewan waren vorher hier angekommen. Am Vormittag
des Abreisetages, am 11. Februar 1921, hatte die Chortitzer Gemeinde
des Ostreservats ein Abschiedsfest veranstaltet, welches in der Kirche
zu Grünthal abgehalten wurde. Man war besorgt, nicht nur darum,
dass die Reise erfolgreich sein möchte, sondern auch darum, dass
diese Männer durch Gottes Schutz und Führung erhalten bleiben und
gesund und wohlbehalten zurückkehren möchten; denn sie begaben
sich ja auf eine weite Reise in eine gänzlich unbekannte Gegend. Sie
wollten in eine grosse Wildnis eindringen, die nach dem Gesetz der
Natur den wilden Indianern gehörte.

Nachdem die zwei von Saskatchewan eingetroffen waren, begab
sich die Gruppe, ausser Bernhard Toews, am Nachmittag dieses
Abschiedstages von Winnipeg mit der Eisenbahn nach New York.
Bernhard Toews wurde mehrere Tage in Winnipeg zurückgehalten,
weil seine Dokumente nicht in Ordnung waren. (Er hatte, nachdem
seine erste Frau gestorben war, kurzfristig in den U.S.A. gelebt, dort

73

wiedergeheiratet und die amerikanische Staatsangehörigkeit angenommen. Bei seiner Rückkehr nach Manitoba war durch einen Fehler oder eine Unterlassung seine kanadische Staatsangehörigkeit nicht in Ordnung gebracht worden.) So konnte er erst einige Tage später den anderen Delegierten nachreisen.

In New York angekommen, begab er sich sofort ins Büro von General McRoberts, wo er dann nicht nur die fünf anderen antraf, sondern auch noch einen sechsten; denn der Älteste Aaron Zacharias war auch nach New York gekommen. Sie unterhielten sich gut eine Stunde mit McRoberts, dem sie ja schliesslich alles zu verdanken hatten, was bisher in der Paraguaysache unternommen worden war. Danach fuhren sie zurück in das Hotel "Keller".

Für den Abend liess McRoberts die Kanadier in seine Wohnung holen, wo sie dann auch noch mit seiner Gattin und deren Schwester bekannt wurden. McRoberts erzählte ihnen unter anderem, wie er in ihr Werk hineingeraten sei. Unter anderem sagte er ihnen, seine Frau hätte ihn für die Sache der Mennoniten überredet. Frau McRoberts war auch Dichterin christlicher Lieder. Sie überreichte ihren Gästen ein Buch mit einer Liedersammlung, die von ihr verfasst worden war. Es ist heute leider nicht mehr bekannt, wo das Buch geblieben ist.

Beim Abendbrottisch musste der Delegierte Bernhard Toews neben McRoberts Platz nehmen, weil dieser Herrn Toews für sein Sorgenkind hielt. Denn er, McRoberts, hatte sich persönlich um die Klarstellung seines kanadischen Bürgerrechts bemüht, damit er seine Reisedokumente bekäme.

Toews und Doerksen waren als fast erwachsene Männer aus Russland nach Amerika gekommen und konnten auch noch etwas Russisch. McRoberts war seinerzeit durch Russland gereist und erinnerte sich noch russischer Gesänge. Etliche der Delegierten konnten noch Lieder in Russisch und sangen ihren Gastgebern dann ein Lied in Russisch vor. Auch deutsche Lieder mussten sie noch singen.

Vieles über ihre wichtige Mission, in der sie jetzt nach Südamerika reisten, um eine Wildnis zu untersuchen, wurde durchgesprochen. Es war schon Mitternacht, als McRoberts sie zurück ins Hotel fuhr. Am nächsten Tag, dem 22. Februar, machten sie eine Besichtigungsfahrt durch das riesenhafte New York mit seinen mannigfaltigen Sehenswürdigkeiten und seinen "Wolkenkratzern". Da es Washingtons Geburtstag war, waren alle öffentlichen Geschäfte geschlossen.

Ozeanreise und Aufenthalt in Buenes Aires

Am 23. Februar bestiegen die Delegierten den Dampfer "Vauben" der Lamport & Holt Schiffahrtslinie. Es war am späten Nachmittag, als sich ihr fahrbarer Palast in Bewegung setzte und in die offene See hinausdampfte. Allmählich verlor sich die ausgedehnte "Skyline" der Weltstadt New York, deren höchster Wolkenkratzer damals noch nur kaum halb so hoch war, wie es heute einige sind. Sie befanden sich schon auf hoher See, als für sie ein Telegramm von einem amerikanischen Freund einlief, der um sie besorgt war und ihnen ausdrücklich eine gute und erfolgreiche Reise wünschte. Der Absender war ein Herr Alvin Solberg, ein Landmakler aus Minneapolis im Staate Minnesota. Dieser Mann wurde später Mitglied der Siedlungsgesellschaft, als die Auswanderung nach Paraguay verwirklicht wurde.

Am zweiten Tag der Seereise gingen die Wellen infolge eines starken Windes ziemlich hoch. Das Schiff schaukelte heftig, und mehrere der Delegierten wurden seekrank. Die Seereise von New York bis Rio de Janeiro nahm etwa achtzehn Tage in Anspruch. Sie machten auf dieser Strecke keine Zwischenstation. Die Seereise war nicht langweilig. Das Leben und Treiben auf dem Schiff war rege. Auch gab es viel zu beobachten, wie den eindrucksvollen Wellengang bei windigem Wetter oder die Fische, die sich an der Oberfläche des Wassers zeigten. Besonders bestaunten sie die "fliegenden" Fische, die mit Schwung aus dem Wasser kamen und in weitem Bogen eine Strecke über dem Wasser dahinsausten. Einmal kam einer so hoch geflogen, dass er auf dem unteren Deck des Schiffes aufschlug, obwohl auch dieses untere Deck immer noch hoch war. Das Schiff selbst mutete die Männer wie ein schwimmender Palast an. Es kam ihnen wie eine kleine Stadt vor.

Die Delegierten reisten 2. Klasse. Sie durften auch die 3. Klasse betreten, nicht aber die 1. Unter den mehrere hundert zählenden Passagieren waren verschiedene Leute. Auch Wahrsagerinnen meldeten sich bei ihnen. Sie wollten Kunden haben. Ein Brasilianer war in Chikago gewesen und hatte dort Hunde der Bulldoggenrasse gekauft. Er hatte 750 Dollar für einen Hund gezahlt. Die Hunde hatte er bei sich. Ein anderer Südamerikaner, mit dem sie bekannt wurden, holte merkwürdige Trinkgeräte herbei und zeigte ihnen, wie man in Südamerika Tee trinke. Es waren die uns heute so gut bekannten Yerbateegefässe, wie Bombilla und Guampa. Und das grüne, feingestampfte Kraut war der Yerbatee. Er zeigte den staunenden Kanadiern dann, wie man sich alles dessen bediene und wie man einen südamerikanischen Tee schlürfe. Er hatte da eine Menge Yerba in dem Gefäss, schüttete etwas Wasser darauf und saugte sich das bittere Zeug durch ein etwa 8 Zoll langes Röhrchen ein. Für die Delegierten war das eine kleine Einführung zu ihrem Paraguaybesuch.

Am 6. März kreuzten sie den Äquator. Die sogenannte "Pasaje ecuatorial" wurde recht feierlich begangen, obwohl den Delegierten die Art und Weise der Ausführung solcher Festlichkeit recht fragwürdig erschien. Am Abend dieses Tages erreichten sie Pernambuco (heute Recife). Hier erfuhren sie eine Menge Neuigkeiten aus aller Welt, Ereignisse der letzten Tage, die der Schiffsfunker durch eine Funkstelle Pernambucos erfuhr und bekanntgab. Auf hoher See hatte das Schiff Funkverbindung nur mit Schiffen, die dieselbe Wasserstrasse fuhren.

Immer wieder begegneten sie Schiffen oder überholten Schiffe, die langsamer fuhren, besonders Frachtschiffe. Auch das Wetter brachte Abwechslung in das tagelange Einerlei der Seefahrt. Einmal war es stark windig mit hohem Seegang, dann war wieder absolute Windstille, so dass die unendliche See wie ein Spiegel dalag. Manchmal gab es auch heftige Gewitterregen.

Am Abend des 10. März glitten sie in die von strahlenden Lichtern gesäumte, herrliche Bucht von Rio de Janeiro. Hier hatten sie bis zum 12. März Zeit, sich diese schöne südamerikanische Hafenstadt, mit der, wie es hiess, schönsten Bucht der Welt anzusehen. Diese Gelegenheit wurde reichlich ausgekostet. Eine grossartige Aussicht über die Tropenstadt hatten sie vom steilaufragenden, 700 Meter hohen Berg Corcovado. Im botanischen Garten staunten sie über die unübersehbare Mannigfaltigkeit der tropischen Pflanzenwelt. Da war eine Pflanze, die, wenn man sie berührte, die Fiederblättchen nach oben zusammenklappte. Sie nannten diese Pflanze die ''empfindliche'' Pflanze. Es ist wahrscheinlich die ''Mimosa pudica'' gewesen. Auch im Chaco gibt es mehrere ähnliche Arten. Riesenhafte Seerosen waren da, so die ''Victoria amazonica'', die bis zu 2 Meter Durchmesser erreicht. Einer der Männer schrieb am Abend dieses Tages in sein Notizheft: ''Wenn man so viel verschiedene Pflanzen und Blumen und die grossen Steingebirge sieht und noch daran denkt, wie hier das ganze Jahr hindurch alles so zu sehen ist, dann muss man doch stillestehen und nachdenken und ausrufen: 'Herr, wie wunderbar hast du doch alles bereitet!'''

Auf den Strassen bestaunten sie die Frauen, die grosse Körbe, gefüllt mit allerlei Früchten, auf ihren Köpfen balanzierten. Eigentlich, meinten sie, müsste doch mal so ein mit Sachen gefüllter Korb herunterkippen. Aber sie wenigstens haben so etwas nicht gesehen. Ein Korb blieb auch dann noch immer in haltsicherem Gleichgewicht, wenn eine Frau es einmal für notwendig hielt, sich mit allem zusammen hinzusetzen und sich dann auch wieder zu erheben. Es sei — sagten sich die Delegierten — eine seltsame Art von Transport.

Am Nachmittag des 12. März dampfte das Schiff dann wieder aus der herrlichen Bucht von Rio de Janeiro hinaus in die offene See. Die Maschinen des Dampfers entwickelten 7000 PS. Die Delegierten durften die Maschinenräume besichtigen, und sie liessen sich über Manches Erklärungen geben. Ihr Führer ging mit ihnen auch durch ein

Gefrierzimmer, in dem Eis und Schnee an den Wänden war. Nun, darin fühlten sie sich heimischer als draussen in der tropischen Sonne.

Die nächste Haltestelle war Montevideo. Aber sie hielten nur einige Stunden, und schon gings wieder weiter, auf Buenos Aires zu. Am 17. März kamen sie in Buenos Aires an. Hier wurden sie von Fred Engen in Empfang genommen, der von nun an auch ihr Begleiter, ihr Reiseführer und dann auch der Expeditionsführer durch die Chacowildnis war. Sie bezogen Wohnung im Hotel ''Wilson''.

In Buenos Aires blieben sie bis zum 27. März. Hier begannen sie schon mit dem konkreten Planen einer Chacoexpedition. Man beriet sich mit den Casados, die in dieser Stadt ihr Hauptbüro hatten. Die Männer liessen es sich aber auch nicht entgehen, die Stadt zu besehen. Buenos Aires war damals schon eine Millionenstadt. Auf den Strassen rollten schon viele Autos. Ausserdem fuhren viele Strassenbahnen (Tramvías), aber auch viele Pferdewagen, Kutschen und andere von Tieren gezogene Fahrzeuge. Einmal ereignete sich ein Verkehrsunfall, wobei Engen und einer der Delegierten leicht verletzt wurden. Nachdem ihnen von einem Arzt Verbände angelegt worden waren, durften sie wieder zurück ins Hotel.

Obwohl die Delegierten von Argentinien sonst nichts Eigentliches wollten, interessierten sie sich doch dafür, zu sehen, wie man um Buenos Aires herum Landbau und Viehwirtschaft betrieb. Sie fuhren hinaus, solches zu sehen. Rindvieh, Pferde und Schafe sahen gut aus. Es gab von allem viel. Was sie fremd anmutete, waren die Drahtzäune. Die in die Erde gerammten Pfosten standen bis zu 4 Metern auseinander. Sie hielten die straffgespannten, glatten Drähte mit den zwischenhineingehängten Stäben, die man ''balancinas'' nannte. Die Höfe waren mehr von den Wohnungen geprägt als von den Stallungen. Die Ställe, Speicher usw. waren hier anscheinend weniger wichtig als in Kanada. Hier wurde auch Weizen angebaut.

Am 22. März beschäftigte sich die mennonitische Delegation zusammen mit Herrn Engen mit der Aufstellung einer schriftlichen Anfrage nach Landkauf von der Casadogesellschaft. Die Schrift nannte auch den Zweck des Landkaufes. Weiter befassten sie sich mit einer Eingabe an die Regierung von Paraguay in welcher der Wunsch einer mennonitischen Kolonisation in Paraguay zum Ausdruck gebracht wurde.

Für den Abend war ein Gespräch mit den Herren der Casadogesellschaft vorgesehen. Die Casados, besonders der Chef, Don José Casado, zeigten grosses Interesse an der Besiedlung des zentralen Chaco in dem Gebiet, das ihnen gehörte. Es war den Delegierten angenehm, dass Don José fliessend deutsch sprach. Er hatte mehrere Jahre in Deutschland (Berlin) und zwei Jahre in der Schweiz studiert. Er hatte jetzt schon 27 Jahre in Paraguay gewohnt und war mit dem

Chaco vertraut. Seine Kenntnisse vom Chaco bezogen sich jedoch nur auf die Flusszone. Das Hauptbüro der Casadogesellschaft war in Buenos Aires, wohin Don José öfters reiste, und wo er auch jetzt weilte.

Herr José Casado machte die Delegierten zunächst darauf aufmerksam, dass das Gebiet im Chaco, das von Herrn Engen für die Kolonisation empfohlen worden war, eine ausgesprochene Wildnis sei, unberührtes Naturland. Und das sei etwas anderes als eine besiedelte, zivilisierte Gegend. Er glaube aber, führte er weiter aus, dass man aus dieser Gegend auch ein Weizenland werde schaffen können, nur werde es geräumige Zeit erfordern, das durchzuführen. Weiter sagte er, man solle nicht unbedingt sofort auf Weizenbau losgehen, sondern zuerst einmal verschiedene andere Nahrungspflanzen anbauen, vor allem Mandioka. Auch sollte man sofort mit der Viehzucht beginnen, denn dafür sei das Land vom ersten Tag an geeignet. Versuche mit Weizenanbau könne man dann immer noch später durchführen.

Er erzählte den Delegierten, wie sein Vater den Weizenbau in Argentinien eingeführt und dafür sogar eine Auszeichnung von der argentinischen Regierung erhalten habe. Auch sprach er von sogenannten ''schwarzen Bohnen'', die im Chaco sicherlich gut gedeihen würden und aus denen man Schmieröl für Flugzeuge herstelle. Er nannte sie Tártago, was auf deutsch Rizinus bedeutet. Weiter sprach er von 60 Zoll (etwa 1400 mm) Regen im Jahr. Dass aber tiefer ins Land hinein die Regenmenge abnehme, das wusste er wohl nicht. Was man in Puerto Casado beobachtete, galt dann für das gesamte Chacogebiet. Heute wissen wir ja, dass das nicht unbedingt immer stimmt.

Der 25. März Karfreitag. Es war ein regnerischer Tag. Die Delegierten staunten über die geruhsame Atmosphäre, die sich an diesem Tag über die Stadt ausbreitete. ''Behindert der Regen so sehr den Verkehr?'' fragten sie die Leute. ''Nein'', erwiderten die, ''Karfreitag ist ein wichtiger, heiliger Tag, den wir in aller Stille zu feiern pflegen.'' Nicht einmal ein Taxi liess sich sehen. Die Hoteldiener aber sagten: ''Die sind gar nicht so religiös, die streiken.'' Die Delegierten hielten zusammen eine Karfreitagsandacht.

Am Sonnabend besuchten sie den grossen Tiergarten. Auch der hatte ihnen manches Überraschende zu bieten.

Am Ostersonntag, um 9.00 Uhr morgens, wurden sie vom Hotel abgeholt und zum Hafen gebracht. Eigentlich war es ihnen nicht ganz recht, dass sie gerade am Ostermorgen aufbrechen mussten. Da blieb ihnen ja keine Zeit, sich nach gewohnter Weise den osterbezogenen Gedanken und Betrachtungen zu widmen. Aber Reiseplan war

Reiseplan, und der beanspruchte seine Zeit dann, wenn es soweit war. Nicht jeden Tag verliess ein Flussdampfer Buenos Aires mit dem Ziel Asunción. Mit Buenos Aires waren sie nun aber fürs erste fertig.

Die Herren José Casado und Fred Engen reisten mit ihnen. Es waren für sie angenehme Reisegefährten, die über so Manches, besonders Fremdartiges und Auffallendes, ausführliche Erklärungen geben konnten, vor allem Herr Casado. Aber auch Herr Engen war jetzt schon im dritten Jahr in Südamerika.

Am Ostermontag setzten unsere Männer sich dann noch zu einem gemeinsamen Gebet und zu einer Betrachtung des Osterereignisses aus den Evangeliumsberichten zusammen. Sie betrachteten das Ostererlebnis der Emmausjünger.

In diesen Tagen der Paranáfahrt regnete es immer wieder. Am Mittwoch passierten sie die erste Tanninfabrik, wo dem Hartholz Quebracho der Gerbstoff Tannin entzogen wurde. Dieses Quebrachoholz versinke im Wasser, sagte man ihnen, denn es sei bei 30% schwerer als Wasser.

In Asunción

Am Abend des 31. März erreichten sie Asunción. Hier war im Hafen ein so grosses Menschengedränge, wie die Männer es bis dahin noch nirgends beobachtet hatten. Sie begaben sich zum Hotel "Cosmos" und bezogen hier Quartier. Im Hofpark dieses Hotels brachte an diesem Abend ein Blasorchester ein Musikprogramm. Es war eine lebhafte Darbietung. Für die Kanadier, für welche Asunción tatsächlich ein "spanisches Dorf" war, mit dem sie nach und nach dann mehr und mehr vertraut wurden, war es sehr interessant. Aber das Musikprogramm wurde dort nicht ihretwegen gebracht.

Der erste Tag des April brach in wunderbarer Stimmung über Asunción herein. Schon früh hatten die Hähne wetteifernd den nahenden Morgen angekündigt. Als dann die Sonne über die für das südliche Südamerika geschichtlich berühmte kleine Stadt heraufstieg, sangen fröhliche Vöglein in den vielen Bäumen und tagfrohe Tauben gurrten in Reihen auf den Dächern. Dies war also Asunción, diejenige Stadt, von der sie so viel erwarteten. Sie waren gespannt, wie sich alles gestalten würde. Hier wollten sie aufs wenigste eine Woche verweilen, um sich für die Wildnisexpedition vorzubereiten.

Kein sehr gedrängter, aber ein recht bunter Verkehr herrschte hier auf den kopfsteingepflasterten Strassen. Strassenbahnen, einige Autos und viele zweirädrige Fahrzeuge, von Maultieren, Pferden oder Ochsen gezogen, rollten und hoppelten durch die Strassen. Für die Kanadier war es ein fremdartiges Verkehrsgewühl. Zwischen all den hupenden oder knarrenden und klappernden Fahrzeugen, deren Zugtiere mit lauter Stimme angetrieben wurden, drängten sich dann auch noch eselreitende Frauen mit weissen Tüchern um die Köpfe und dicke Zigarren rauchend. Über den Rücken der Esel hingen nach beiden Seiten hin grosse Taschen, angefüllt mit allerlei Früchten. Hier und da am Strassenrand sahen sie dann auch die "beweglichen" Handelshäuser, die dort ihre Waren auf dem Boden ausgebreitet hatten und feilboten.

Asunción hatte um diese Zeit etwa 100 000 Einwohner. Was die Delegierten so angenehm und eindrucksvoll berührte, war die Pflanzenwelt Asuncións. Wie schön war diese Stadt in dem herrlichen Grün aller Nuancen, mit so zahlreichen und mannigfachen Ziersträuchern und Blumen. Asunción war eine "grüne Stadt", baumbestanden, freundlich und einladend. Hier schien man sich nicht zu überstürzen, alles erschien so ruhig. Man merkte es den Leuten an, dass sie damit rechneten, der nächste Tag stehe ihnen auch noch zur Verfügung. Dieses drückte man mit dem Wort "mañana" aus. Was das Wort für sie noch alles zu bedeuten haben würde, das sollten die Kanadier später, als sie als Siedler ins Land kamen, noch reichlich erfahren.

Auch die Einrichtungen der Wohnhäuser und die Einrichtungen des vor ihnen bewohnten Hotels lenkten die Aufmerksamkeit dieser Kanadier, die ja aus ganz anderen Verhältnissen und Gebräuchen kamen, auf sich. Alle Türen und auch alle Fenster standen dem fliegenden Ungeziefer ganz frei zur Verfügung. Es spazierte herein und hinaus, wie es wollte. Aber jedes ihrer Bettgestelle hatte als Vorrichtung ein sogenanntes Mückennetz, auf Spanisch "Mosquitero," das für die Nacht oder auch für die Siesta (Mittagsruhe) darüber ausgebreitet wurde. Da hinein kam kein Ungeziefer. Mücken summten hier Tag und Nacht.

Sehr zufrieden waren die Delegierten mit dem Essen, das ihnen vorgesetzt wurde. Es schmeckte ihnen ausgezeichnet, obwohl das eine und andere so fremd war, wie das tropische Wetter selbst. Das Fleisch, stellten sie fest, war nicht gargekocht, aber es schmeckte gut.

In den Tagen vom 1. bis zum 3. April schlenderten sie in der gemütlichen Stadt (denn so empfanden sie diese paraguayische Metropole) umher. Einige von ihnen, die noch eine lebhaftere Erinnerung aus Russland hatten, verglichen das bunte Durcheinander auf dem Marktplatz mit dem, was ihnen noch von dorther bekannt war. Und sie fanden Ähnlichkeiten. Immerhin war alles doch so ganz anders, als sie es aus dem Norden kannten.

Audienz beim Staatspräsidenten

Am Montagmorgen, dem 4. April, begaben sie sich zu einer Unterhaltung mit dem Senator, Dr. Eusebio Ayala, der sie eingeladen hatte. Etwa eine Stunde lang besprachen sie die Angelegenheit ihres Hierseins, und dann begab sich Dr. Ayala mit ihnen zum Staatspräsidenten, Dr. Manuel Gondra. Zunächst erfuhren die kanadischen Gäste eine herzliche Begrüssung. Dann überreichten sie dem Präsidenten mehrere Schriften, deren Inhalt Dr. Gondra dann zur Kenntnis nahm. Es waren zwei Schriften, die sie dem Präsidenten überreichten. Die erste war ein Beglaubigungsschreiben für ihre Mission. Sie enthielt auch die vier grundlegenden Anliegen. Wir lassen diese Schreiben hier in seinem vollen Wortlaut folgen:

Bevollmächtigung
der mennonitischen Delegation aus (Süd) Manitoba und Saskatchewan, Kanada

Den 1. Januar 1921

Wir, eigenhändig unterschreibenden Bischöfe und Prediger von Mennonitengemeinden Kanadas, bevollmächtigen die nachbenannten Delegaten als unsere Vertreter, sich für unsere Gemeinschaft einzusetzen, unsere Interessen zu wahren und mit ausländischen Regierungen zu verhandeln wegen einer etwaigen Ansiedlung, und zwar im Interesse der Wahrung unserer religiösen Grundsätze, in der Hauptsache folgende:
- völligen Freispruch vom Militärdienst und allen damit verbundenen Diensten,
- unser Ja und Nein anstelle eines Schwures anzunehmen,
- die Gewährung eigener Religionsschulen in unserer, der deutschen, Sprache,
- Selbstverwaltung unserer Erbschaftsangelegenheiten und Versicherungsordnung (wie Brandschaden u.a.)

Es folgen die Namen der fünf Abgeordneten und die Unterschriften von einem Gemeindeältesten und von zehn Predigern.

Das zweite Schreiben war direkt an den Präsidenten von Paraguay gerichtet. Sie hatten es wohl mit Dr. Ayala zusammen verfasst. Es lautete:

"Wir sind ein Komitee der Mennonitengemeinden aus Kanada, gekommen, Ihr Land zu besuchen. Wir ersuchen Sie um einige Privilegien, deren Aufzählung sie diesem Schreiben beigelegt finden. Wir möchten, wenn Sie unser Gesuch gesetzlich bestätigen, unserm Volk in Nordamerika solches überbringen als Zeichen der uns von Ihnen zugesagten Begünstigungen. Sollten wir jedoch nach der Untersuchung der Verhältnisse und Zustände in ihrem Lande dieselben ungeeignet finden für unsere Bedürfnisse, werden wir nach der Rückkehr aus dem Chaco Sie entsprechend informieren, und das für unser Volk günstige, verabschiedete Gesetz wird alsdann ungültig.

Sollten wir unserm Volk aber einen günstigen Bericht über Landwirtschaft und Heimgründung zusammen mit einer Urkunde verbürgter Freiheiten überbringen können, glauben und hoffen wir, werden viele unserer Leute in Paraguay einwandern, um hier unter den uns, die wir mennonitischen Glaubens sind, so gnädig gewährten Begünstigungen treue Bürger Ihres Landes werden.

Wir hoffen, Sie werden uns die erwünschten Privilegien geben können."

Nach dem Verlesen und der Besprechung obenerwähnter Schriften schritt man zur Besprechung des Begünstigungsgesuches. Die Punkte der Sonderrechtswünsche hatten die Delegierten im Konzept von zu Hause mit, hatten sie in Asunción aber noch einmal überarbeitet und vor allem ins Spanische übersetzt, was wohl auch mit den ersten beiden Schriften geschehen war. Mit Herrn Dr. Eusebio Ayala konnten sie sich in englischer Sprache unterhalten, aber dem Staatspräsidenten musste alles in Spanisch vorgelegt werden. Dass man die letzte Fassung in Asunción gemacht hat, ersieht man aus der Orts- und Datumsangabe, denn es steht da: ''Asunción, den 4. April 1921''. Der Inhalt lautet:

1. Vollständige Befreiung vom Militärdienst in Friedens- und auch in Kriegszeiten, es sei in nichtkämpfenden wie auch in kämpfenden Streitkräften.
2. Das Vorrecht, eine Aussagenbestätigung mit einem einfachen Ja oder Nein zu geben, also ohne Eidesleistung, innerhalb gerichtlicher Verordnungen wie auch ausserhalb derselben.
3. Das volle Recht, unsere religiösen Grundsätze und Bestimmungen der Kirche auszuüben, und solches ohne irgendwelche Belästigungen oder Einschränkungen.
4. Das Vorrecht, unsere auf eigene Kosten errichteten und zu unterhaltenden Privatschulen und die Erziehung unserer Kinder in unserer eigenen Sprache, welches die deutsche ist, ohne irgendwelche Einschränkungen zu haben.
5. Nachlass und zu vererbendes Eigentum unserer Leute zu verwalten und zu investieren, besonders das der Witwen und Waisen, in unserm Vertrauensamt, das wir ''Waisenamt'' nennen, nach unseren Regeln und Vorschriften, ohne irgendwelche Einschränkung.
6. Die Verwaltung unserer eigenen gegenseitigen Brandschadenversicherung.
7. Den Verkauf und Umgang mit alkoholischen Getränken zu verbieten in der Kolonie und innerhalb fünf Kilometer von der Aussengrenze unseres Eigentums, es sei denn auf Ersuchen der zuständigen mennonitischen Behörden an die Regierung, die ermächtigt ist, solche Erlaubnis zu geben.

Diese obengenannten Punkte werden für unbegrenzte Zeit gewünscht.

8. Freie Einfuhr von Hausgeräten, Maschinen, Medikamenten, Sämereien, Tieren und Geräten aller Art, was notwendig ist für die Entwicklung einer Kolonie, und zwar Begünstigungen für einen Zeitraum von zehn Jahren.
9. Wir erachten es für notwendig, um einen Freispruch von lokalem und nationalen Steuern zu ersuchen, und zwar für einen Zeitraum von zehn Jahren, gerechnet vom Datum der Ankunft der ersten Siedler auf ihrem Landeigentum in Paraguay, und auch um Freispruch von Ein- und Ausfuhrzöllen irgenwelcher Art, auch für die Zeit von zehn Jahren.

Nach solcher zehnjähriger Periode, hoffen wir, werden die Siedler in ihren Bemühungen so viel Erfolg haben, dass sie schon willig ihren Anteil der Steuerauflagen für den Unterhalt des Staates beitragen.

10. Bei dem Umsiedeln so vieler Leute wird immer ein gewisser Prozentsatz körperlich und geistig behinderter Mitglieder vorhanden sein. Solche Angehörigen der Gruppe können nicht zurückgelassen werden, weil sie einen Teil des Volksbestandes ausmachen und zu ihm gehören. Sie sollen aber der Umgebung, wo sich die Siedler niederlassen werden, nicht zur Last fallen. Natürlich wünscht man, dass in solchen (Behinderten–) Fällen die Einmischung der Einwanderungsbeamten ausbleibt. Andernfalls würden sich dadurch schwierige Zustände ergeben.

Soweit das "Memorandum", wie es vom Kongressausschuss dann bald genannt wurde, als dieser nämlich im Juli zur Behandlung der Punkte schritt oder auch "El proyecto de los Mennonitas" (Das Mennonitenprojekt). Die Unterhaltung mit dem Staatspräsidenten dauerte etwa eine Stunde. Inzwischen hatte sich draussen ein Unwetter gebildet. Ein starkes Gewitter wütete, und der Regen goss in Strömen. Aber vor dem Regierungspalast standen zwei Autos für die Delegierten bereit, die sie zum Hotel zurückbrachten.

Am Dienstag, dem 5. April, nahm ein Herr Lindgren, ein Agronom, der unweit Asuncións ein Landgut hatte, die Delegierten in einem Motorboot den Paraguayfluss hinauf zu seiner Farm, etwa 20 Kilometer entfernt. An dem Platz, wo sie ausstiegen und das Ufer erkletterten, wohnte eine paraguayische Familie in einer ärmlichen Hütte, vor deren Tür eine Frau sass, die eine Mahlzeit kochte und dabei eine dicke Zigarre rauchte. Hier standen zwei Ochsenkarretten, mit welchen die kanadischen Gäste zu Herrn Lindgrens Farm fuhren. Unterwegs wurden sie noch wieder von einem Regenschauer überrascht. Der Weg zog sich durch Apfelsinenhaine hindurch, und als einer der Delegierten sich einmal ziemlich zur Seite hinausbeugte, um beim Fahren eine Apfelsine zu pflücken, verlor er das Gleichgewicht und stürzte von dem hochrädrigen Karren hinunter, wobei er sich ziemlich verletzte.

Auf Lindgrens Farm angekommen, wurden sie hier von seinen Angehörigen in deutscher Sprache begrüsst. Die Farm bot manche Sehenswürdigkeiten der örtlichen Landwirtschaft, darunter grosse Haine von Zitrusfrüchten. Dann wurden sie zu einem Maté eingeladen, und sie hatten Gelegenheit, in der Praxis mitzumachen, was ein Südamerikaner ihnen schon auf dem Ozeandampfer in der Theorie gezeigt hatte.

Herr Lindgren, ein gebürtiger Schwede, war schon 27 Jahre in Paraguay, und er und seine Frau wussten wirklich schon etwas über paraguayischen Ackerbau mitzuteilen und ihnen Manches zu zeigen. Es war fast Abend geworden, bis alles besichtigt worden war. Nun sassen sie noch mit Herrn Lindgren zusammen bei einem Cafecito (einer Tasse Kaffee) und stellten noch wieder viele Fragen. Dann bestiegen vier von den Delegierten wieder eine Ochsenkarrette und knarrten los, asunciónwärts, jetzt über Land. Zwei bleiben bei der Familie Lindgren, der Verletzte und einer der anderen, ihm zur Gesellschaft. Der von dem Karren Gestürzte sollte noch einige Ruhe haben. Die Nacht senkte sich schon über die Gegend, als sie losfuhren. Sie kamen um 21.00 Uhr in Asunción an. Bei der überaus langsamen Ochsenfahrt hatten sie Gelegenheit, etwas das Volk am Abend zu beobachten. Leute sassen vor ihren Hütten oder machten sich im Scheine eines flackernden Feuers zu schaffen. An vielen solchen Hütten kamen sie vorbei. Freundlich grüssten die Leute zurück, wenn sie hinübergrüssten. Der Weg war vom Regen aufgeweicht und darum schlecht. Leuchtkäfer schwirrten massenhaft in der Nachtluft umher.

In Asunción weilten die Delegierten etwas länger als eine Woche. In dieser Zeit hatten sie viel gesehen und untersucht. Sie stellten fest, was es zu kaufen gab, und verglichen diese Preise mit den Preisen daheim.

In Puerto Casado

Am 9. April bestiegen die Männer wieder einen Flussdampfer, begleitet von den Herren Casado und Engen, und fuhren stromaufwärts in Richtung Puerto Casado. Zu beiden Seiten des Dampfers waren grosse Flachboote angehängt. Die Delegierten und ihre Begleiter führten verschiedene, in Asunción eingekaufte Sachen mit sich, besonders Ausrüstungsgegenstände für ihre Expedition in den Chaco, wie Feldbetten, Decken, entsprechende Fussbekleidung und anderes. Sie stellten ihre Feldbetten für die Nacht in den angehängten Flachbooten auf und schliefen unter sternübersätem Himmel.

In Concepción, das zu der Zeit etwa 10.000 Einwohner hatte, hielt der Dampfer einen halben Tag an, so dass es Gelegenheit gab, das Flusstädtchen zu besehen und auch zuzuschauen, wie und was aus- und eingeladen wurde. Überhaupt hatten sie auf dieser Flussfahrt viel Gelegenheit, Leben und Treiben der Paraguayer zu beobachten. Herr Engen und vor allen Dingen auch Herr Casado, wussten ausserdem Manches mitzuteilen. Die sechs Mennoniten waren in ihrer Beobachtungsfähigkeit nicht alle gleich stark, auch nicht darin, das Beobachtete festzuhalten und auszuwerten. Einige unter ihnen waren jedoch besonders fähig darin, alles zu sehen und nach allem zu fragen. Es gab ja auch so viel Neuartiges und Fremdartiges für sie.

Im grossen und ganzen war auf der Flussstrecke nicht besonders viel von Bewegung und Besiedelung zu sehen. An vielen Stellen war das Land niedrig, und es war zu sehen, dass es leicht überschwemmt wurde. Wo aber das Ufergelände anstieg, war dann auch meist ein ''Rancho'', eine Wohnstelle, zu sehen, bestehend aus etlichen Lehm- oder Grashütten, umgeben von einigen Zitrusbäumen, Bananenstauden und den bedeutungsvollen Mandiokapflanzen.

Unten am Ufersaum lag dann gewöhnlich ein Boot, etwas hinaufgezogen in den Sand.

Die Delegierten stellten fest, dass das Volk hier sehr bescheiden lebe. Manche kleine Hafenanlage strich an ihnen vorbei. In Puerto San Salvador sahen sie eine grosse amerikanische Fleischverarbeitungsanlage und so auch in Puerto Pinasco. Es war ein Unternehmen der "International Products Corporation" aus Chicago. Hier waren ihre Altkolonier Kollegen vor etwa einem halben Jahr an Land gegangen und dann etwa 100 Kilometer chacoeinwärts vorgedrungen. Diese hatten dann festgestellt, dass das Land für den Ackerbau untauglich sei. Doch Engen wusste etwas Positiveres zu berichten. Man müsse dann aber so 200 bis 300 Kilometer in die Wildnis vorstossen.

In Pinasco sahen sie auch eine Tanninfabrik. Im Hafen stand hier ein Schiff der Casadogesellschaft, das sie bestiegen und mit dem sie weiterfuhren.

Am 13. April, um 7.00 Uhr abends, kamen sie in Puerto Casado an. "Gott sei Dank! — schrieb einer unserer Männer in sein Tagebuch — "sind wir glücklich und gesund am Endziel unserer Reise angekommen. Jetzt wollen wir weiter ins Land vordringen." Am Ziel angelangt waren sie insofern, als dass die bisherige Art des Reisens ein Ende hatte. Jetzt aber sollte eine andere Reiseart anfangen.

In Puerto Casado bekamen sie ein Haus für sich allein, und in einem Nebenhäuschen wohnte ein Mann, der ihnen als Diener beigegeben wurde. Dieser stand dann auch pünktlich zu jeder Zeit dienstbereit zur Verfügung. Man schenkte dieser mennonitischen Delegation die höchste Beachtung.

Wie war das Hafenstädtchen Puerto Casado einmal entstanden? Im Jahre 1886 war der Vater des Herrn José Casado, welcher jetzt mit ihnen aus Buenos Aires gekommen war, an diesen Ort gekommen und hatte sich hier einen Platz ausgesucht, um eine Tanninfabrik zu errichten. 1891 hatte man dann im Kleinen mit der Tanninproduktion begonnen. Es war dieses die erste Tanninfabrik in Südamerika gewesen, wo man aus dem Quebrachoholz einen Gerbstoff, das Tannin, gewann. An der Entdeckung dieses Gerbstoffes aus dem Quebrachoholz sollen Deutsche wie auch Franzosen beteiligt gewesen sein, es lässt sich jedoch nicht mehr mit Sicherheit sagen, wer den ersten Schritt dazu getan hat. Im Jahre 1899 wurde die Fabrik in Puerto Casado schon bedeutend vergrössert. Die dazu erforderlichen Maschinen kamen aus Deutschland. Auch das Material und die Maschinen für die schmalspurige Eisenbahn, wie Schienen, Lokomotive u.a.m. wurden aus Deutschland bezogen. Die Casadogesellschaft beschäftigte hier im Jahre 1921 schon 700 bis 1200 Arbeiter, die zum grössten Teil in der Fabrik und auf dem Fabrikhof arbeiteten. Eine grosse Anzahl von ihnen arbeitete auch im Inneren des Chaco, bis 60 Kilometer entfernt, die Eisenbahnlinie entlang, die damals bis Kilometer 60 gebaut war. Seitwärts von den Schienen wurden die Quebrachostämme mit Ochsenkarretten zusammengeholt und zur Beförderung in die Fabrik ans Gleis gefahren, wo sie auf die Loren des Zuges geladen wurden. Andere Arbeiter standen in der Rindviehwirtschaft. Alles war organisiert und jede Abteilung hatte einen Aufseher. Die Viehwirtschaft bestand 1921 aus etwa 22.500 Rindern und etwas über 400 Pferden.

Die Delegierten mussten mehr als zwei Wochen auf den Beginn der Untersuchungsreise in das Chacoinnere warten, weil sich im Gebiet der ersten hundert Kilometer infolge schwerer Regengüsse grosse Wassermengen angesammelt hatten, die nur langsam zum Rio Paraguay hinabflossen, sofern Abflussmöglichkeiten vorhanden waren. Während der Zeit des Wartens hatten die Männer dann Gelegenheit, manches in Puerto Casado selbst und in der Umgebung zu besichtigen und zu studieren. Sie fuhren die 60 Kilometer lange Eisenbahn entlang und beschauten die Einrichtungen entlang der Bahn, wie Milchwirtschaft, Schweinezucht und Anpflanzungen von Zitrusfrüchten und Gemüse. Es wurden Pferde gesattelt, und gemeinsam mit den Angestellten ritten einige der Männer hinaus in die weiten Palmensavannen. Sie besuchten einzelne Viehweideeinrichtungen (Estancias) und stellten fest, wie sie aussahen und wie sie verwaltet wurden.

Hin und wieder kamen sie dabei auch mit deutschsprechenden Leuten in Berührung. Auch in Puerto Casado selbst waren mehrere Deutsche als höhere Angestellte tätig. Darunter waren Namen wie Helmut Gärtner, Karl Hettmann, Wilhelm Nagel und andere. Gärtner und Hettmann nahmen später an der Ausführung der Untersuchungsreise ins Innere des Chaco, d.h. an der mennonitischen Expedition von 1921 teil.

Bernhard Toews notierte alles bis ins Kleinste hinein. Er wollte zu Hause in allen Einzelheiten Bericht erstatten und auch Antwort geben können, wenn er gefragt werden würde. Er war gewissermassen der Schriftführer der Gruppe.

Die Gegend, in der sich die kanadischen Männer jetzt befanden, nannte man "Chaco". Und in dieser Gegend wollte Herr Engen, irgendwo tief im Innern, ein Gebiet gefunden haben, das sich, wie er meinte, ausgezeichnet für geschlossene Ackerbausiedlungen eignen würde. Engen hatte seinen Schutzbefohlenen schon viel von dem, was er im vorigen Jahr bei dem wochenlangen Ritt in das Innere dieser Wildnis erlebt und wie sich alles zugetragen hatte, mitgeteilt.

Jetzt wollten sie wieder in jene Weite vorstossen, in die unheimliche Stille der grossen Busch- und Savannenwildnis. Aber jetzt wollten sie es in einer gemütlicheren Weise tun. Jetzt würden sie mit den hochrädrigen Ochsenkarretten fahren, denn Ochsen würden das beste Zugmittel für solche unwegsame, unwirtliche Gegend sein. Sie wollten auch genug Proviant mitnehmen, dazu Betten und Bettgestelle (klappbare Feldbetten) und Zelte.

Bei dem Erkundigungsritt vor etwa einem Jahr hatten Engen und seine indianischen Begleiter wochenlang in Sätteln auf Maultierrücken verbracht und unbehagliche Nachtquartiere gehabt. Es war eine sehr mühsame Reiterexpedition gewesen, zumal weite Strecken mit Wasser bedeckt gewesen waren. Sie waren damals schon recht froh gewesen, wenn sie für die Nacht ein wasserfreies Plätzchen gefunden hatten. Die Tobaindianer waren seine Führer gewesen. Sie hatten wahrscheinlich gewusst, dass es weiter im Inneren höhergelegenes Land gab. Einen Weg dorthin hatte es nicht gegeben. Engen hatte sich nach seinem Kompass orientiert und die Indianer nach ihrem naturgegebenen Richtungssinn. Die Toba hatten gewusst, wohin es ging, und Engen hatte gewusst, was er wollte. So hatte er damals die hervorragenden Hochkämpe entdeckt.

Jetzt sollten die Mennoniten selber das Land in Augenschein nehmen und als erfahrene Landwirte ihr Urteil abgeben. Engen war geradezu überbegeistert von seiner Entdeckung. Er nannte die gefundene Gegend ein Paradies.

Casado gibt seinen Segen

Als am 30. April, die Delegierten von Puerto Casado aus in die sogenannte ''Grüne Hölle'' losfuhren, wünschte Herr Casado ihnen noch in besonderer Weise Glück zu ihrer Mission und zu ihrem wichtigen Auftrag der Wildnisuntersuchung, die sie nun ausführen wollten. Er gab ihnen in aller Herzlichkeit einen Segenswunsch mit und überreichte ihnen ein Schriftstück, worin er ihnen seine ganze Anteilnahme bekundete. Es lautete:

''Meine Herren Abgesandten der Mennoniten:
Auf Ersuchen des Generals McRoberts, den Sie alle kennen, habe ich das Vergnügen gehabt, Ihnen meine Besitzungen zu öffnen, damit Sie untersuchen und beurteilen können, ob es möglich wäre, dass sich ein Volk wie Ihres hier niederlässt, eine Ansiedlung zu gründen.

Sie sind mir von Herrn Fred Engen für einen Besuch in Puerto Casado warm empfohlen worden, und Sie werden jetzt mit ihm zusammen in das ''Hinterland'' abreisen.

Diese Expedition ist etwas Besonderes in ihrer Art, in ihrer Vorbereitung und auch in ihrer Ausführung, wenn man die gegenwärtigen aussergewöhnlichen örtlichen Verhältnisse in Betracht zieht, verbunden mit grossen Schwierigkeiten infolge der aussergewöhnlichen schweren Regenfälle und dann auch wegen gewisser Bequemlichkeiten, die notwendig sind, und die wir deshalb bei der Vorbereitung haben in Betracht ziehen müssen.

Ich hoffe, dass Ihr Aufenthalt hier, ebenso wie Ihre Reise ins Innere, den erwarteten Erfolg zeitigen wird, und dass Sie hier im Chaco Gelegenheit finden mögen für eine unbegrenzte und segenbringende Entwicklung Ihres Volkes.

Die Ihnen übertragene Mission ist eine äusserst verantwortliche und es ist unerlässlich, dass Sie bei der Ausführung nicht nur die Vorteile und Vorrechte für Ihr Volk in Betracht nehmen, sondern auch unsere Interessen dabei nicht ausser Acht lassen.

Mein verstorbener Vater war erfüllt von der Hoffnung einer aussergewöhnlichen Zukunft und einer Entwicklung dieser Ländereien und tat alles, was in seinen Kräften stand, um in diesen noch wüsten, unwirtlichen und ganz unbekannten Gegenden alle möglichen Vorbedingungen zu treffen, die notwendig waren zu ihrer Entwicklung. Und dieses Land hat auch wirklich den Beweis von dem Weitblick und der Voraussicht unseres Vaters geliefert, indem es uns seinen Kindern ermöglicht hat, schon teilweise die Früchte seiner Saat zu ernten. Und gerade deshalb ist es eine sehr ernste Sache, dass Sie bei der Beurteilung unserer Ländereien in Betracht ziehen müssen, Ihr endgültiges Urteil mit offenem und absolut unparteiischem Sinn zu fällen; und so habe ich dann auch nicht den geringsten Zweifel an dem günstigen Ausgang dieser Expedition.

Mit dieser Bemerkung will ich nicht sagen, dass dieses Land und seine Lebensbedingungen gerade Ihrem Volk zusagen müssen. Aber sollte das Gegenteil der Fall sein, so wäre dies noch lange kein Grund, dieses noch neue Land deshalb schon zu verurteilen. Wir lieben dieses Land hier und erbitten von der göttlichen Vorsehung, sie möge unsere Wünsche erfüllen, und dass sich recht viele neue, andere Leute entschliessen, der Einladung zu folgen, sich hier niederzulassen und sich ein gutes Vorwärtskommen zu schaffen.

Es ist unser Wunsch, auf diese Weise die Vorarbeiten und die Ideale unseres Vaters zu Ende zu führen und damit seinem Andenken das schönste Denkmal zu errichten.

Unsere Ländereien hier im Chaco bilden um diese Zeit den grössten sich unter einem einzigen Titel und in einer einzigen Hand befindlichen Privatbesitz auf der ganzen Erde.

Ihnen, meine Herren, sei die Möglichkeit in die Hand gegeben, durch Ihre Kulturarbeit diesen Besitz in einen Garten zu verwandeln, zur Widmung für den Begründer Ihres Glaubens, indem Sie und Ihre Nachkommen hier durch den Segen Ihrer Bemühungen wohlhabend und im Frieden und Glück leben! Und zu diesem Zweck bin ich gerne bereit, Ihnen meine ganze Hilfe und meine Kenntnisse dieser Regionen zur Verfügung zu stellen.

Ich wünsche Ihnen allen von Herzen eine glückliche Reise, und ich werde sehr erfreut sein, Ihnen bei Ihrer Rückkehr in meinem Heim den Willkommensgruss entbieten zu können, nachdem Sie den Ihnen übertragenen, gar nicht leichten Pflichten nachgekommen sind.''

So war diese Schrift von Herrn Casado in deutscher Sprache verfasst worden, und er selber las sie ihnen vor, ehe er sie ihnen überreichte.

Los in die Wildnis

Am Nachmittag dieses 30. April war es dann endlich so weit. Es sollte losgehen in die weite Wildnis, in den ''Wilden Westen''.

Zunächst fuhren sie die 60 Kilometer im Schienenauto die Eisen-
bahnstrecke entlang, die sie teils schon einige Male vorher in
Besichtigungsangelegenheiten gefahren waren. Den Ort, wo die
Eisenbahn zu Ende ging, nannte man "Veinticinco de Mayo" (Fünf-
undzwanzigster Mai). Hier stiegen sie aus. Von hier sollte es mit
Ochsenkarretten weitergehen.

Am Vormittag dieses Tages, während Casado sich mit den Männern unterhalten und ihnen die obenerwähnte Schrift gelesen und
überreicht hatte, war auf Kilometer 60 emsig die Expeditionskarawane
vorbereitet worden. Fünf hohe zweirädrige Karretten wurden mit
Sachen beladen. Dabei wurden auch Sitzplätze für die Delegierten
und auch für einige andere Mitreisende hergestellt, sofern die
Letzteren nicht im Sattel zu Pferde sassen; denn sie wollten 12
Reitpferde mitnehmen. Verstaut wurden auf den Karren verschiedene
Frucht, Gemüse- und Fleischkonserven, Nudeln, Reis, Bohnen,
Kaffee, Tee, Zucker und anderes mehr. Weiter wurden auch klappbare
Feldbetten, Decken und Mückennetze (Mosquiteros) und allerlei
anderes mehr mitgenommen. Eine Anzahl der 12 Pferde wurde gesat-
telt, die übrigen trieb man nebenher. Es wurden 32 Ochsen mitgenom-
men. Davon wurden 20 sofort eingespannt.

Ausser Engen und den sechs Mennoniten waren noch weitere elf
Männer für die Expeditionskarawane vorgesehen: Karrettenfahrer,
Ochsen- und Pferdetreiber und Reiter, die beständig die zu
befahrende Strecke abzusuchen und Buschschneisen zu schlagen hatten, wo es für nötig angesehen wurde. Unter den elf Männern waren
zwei, die deutsch sprachen. Es waren Angestellte der Casadogesellschaft, nämlich die Herren Helmut Gärtner und Karl Hettmann.
Herr Gärtner war der Karawanenführer. Er war verantwortlich für das
Wohl der gesamten Expeditionsgesellschaft und deren Vorwärtskommen und für die Erreichung des gesteckten Zieles. Herr Hettmann war
verantwortlich für die Wegbereitung, d.h., er musste die zu
befahrende Strecke im voraus untersuchen und überblicken und
zusehen, wo man am besten vorwärtskommen könnte. Er musste
dafür sorgen, dass notwendige Schneisen durch die Büsche
geschlagen würden. Herr Fred Engen aber war der Hauptverant-
wortliche, der Expeditionsleiter. Und er wusste, wohin er wollte.

Casados Peone (Arbeiter) waren um diese Zeit schon bis Laguna
Casado vorgedrungen, bis zu einem Ort, der etwa 5 Kilometer vor dem
alten (ersten) Pozo Azul (Pozo Azul–qué) lag. Diese Namen werden in
späteren Kapiteln noch näher behandelt, wenn von den Siedlerlagern
am Wege in die Wildnis die Rede ist. Man hatte noch vor dem grossen
Regen einen kleinen Camión (Lastkraftwagen) bis Laguna Casado
gebracht, welcher der geplanten Expedition gelegentlich dienen sollte.

Die Wagenspuren von früher hatte der Regen aber verwischt oder unter Wasser gesetzt, so dass man die Strecke wieder von neuem abtasten musste. Es war daher oft schwierig, vorwärtszukommen. Immer wieder versank man knietief und noch tiefer, die Ochsen oft bis zum Bauch, im Morast.

Die mennonitische Delegation, die nach der Unterhaltung mit Herrn Casado dann noch mit ihm zusammen zu Mittag gespeist hatte, fuhr dann zu dem Ort auf km 60, wo sie die hohen Karren besteigen sollte. Alles war reisefertig, als sie dort ankamen, und es konnte sofort losgehen. Die Koffer der Delegierten wurden unter dem Rinderhautdach eines Karrens verstaut, und dann stiegen oder kletterten sie selbst in die für sie ungewöhnlich hohen Wagen, deren Räder gut zwei Meter hoch waren.

In jedem Kasten dieser zweirädrigen Riesenkarren sass ganz vorne ein sogenannter "Peon" und bediente sich einer kurzen und einer langen Pike, die aus leichtem Bambusrohr angefertigt waren. Damit trieb er die zwei Paar Ochsen, die in Jochen vorgespannt waren, und lenkte damit auch, weil es eine Leine nicht gab. Mit der kurzen Pike lenkte er das ihm nächste Ochsenpaar und mit der langen Pike das weiter vorausschreitende Paar. Wenn er nach rechts wenden wollte, so pikte er auf den linksangespannten Ochsen ein und umgekehrt, wenn es nach links gehen sollte. Dabei stiessen die Treiber fremdartige Laute und Rufe aus. Aber die Ochsen verstanden ihre Treiber und legten sich ins Zeug.

Auf diese Weise setzte sich diese seltsame Expeditionskolonne knarrend in Bewegung und schleppte sich langsam, doch verhältnismässig sicher vorwärts in die schweigsame, schlummernde Busch- und Graswildnis, in die berüchtigte "Grüne Hölle."

Diese Karawane leitete eine neue Ära für den zentralen paraguayischen Chaco ein. Sie kam an diesem Sonnabendnachmittag fünf Kilometer weiter bis zu einem Ort an einer Lagune, den man "Entrada Paraguarí" nannte. Hier richtete sie sich für den Sonntag ein und fuhr erst am Montagmorgen wieder los. Es war eine lebendige Gesellschaft hellhäutiger und dunkelhäutiger Leute, die mit ganz verschiedenen Aufgaben und Verantwortungen bedacht waren. Aber alle hatten **ein Ziel**, nämlich diese Expedition glücklich auszuführen und sie zu einem erfolgreichen Ende zu bringen. Darin waren sie alle gleichgesinnt. Sonst aber war es eine heterogene, ganz verschiedenartige Gruppe, nicht nur kulturell und rassisch, sondern auch sprachlich. Ein Teil von ihnen sprach Spanisch und Guarani, andere sprachen diese beiden Sprachen und auch noch Deutsch dazu. Einer sprach Englisch und etwas Spanisch, und die Mennoniten sprachen Englisch, Hochdeutsch und Plattdeutsch. In fünf Sprachen also wechselte die Verständigung, die geistige Kommunikation hin und her.

Der erste Sonntag im Innern der Wildnis an einem geruhsamen See im Grase verlief in ruhigen Unterhaltungen und Beobachtungen der Gegend und der Natur. Die Delegierten nahmen ihre Bibeln und lasen und meditierten in aller Ruhe. Bald kamen dann auch indianische Besucher heran und betrachteten voll naiver Neugier die merkwürdige Gruppe. Ein Indianer demonstrierte die Prozedur des Inbrandsetzens einer Tabakspfeife. Jetzt waren es die mennonitischen Männer, die interessiert und staunend zuschauten, wie durch die Reibung mit Holzstäbchen ein Feuer entstehen sollte. Und es entstand. In der winzigen Höhlung eines Holzstückes fing der fransige Staub an zu glimmen. Es war kein rasches Anzünden, aber schliesslich glimmte auch der Tabak in der primitiven Hartholzpfeife genauso, wie er es beim raschen Inbrandsetzen getan hätte. Die Indianer boten auch selbstangefertigte Hängematten feil. Sie wollten sie für andere Sachen umtauschen.

Die Delegierten untersuchten auch die Umgebung und beobachteten und betrachteten die Vegetation. Unter all dem unbekannten Gewächs sahen sie dann auf einmal etwas Bekanntes. Sie stellten bei näherer Betrachtung fest, dass es tatsächlich die auch in Manitoba bekannte gelbe Erdkirsche sei. Botanische Namen für diese Pflanze sind, ausser Erdkirsche, auch noch Blasenkirsche und Judenkirsche.

Am Montag brachen sie schon früh wieder auf. Das Vorwärtskommen war wirklich schwierig. Von den acht Kilometern, die sie am Vormittag zurücklegten, war die Hälfte unter Wasser. Am Nachmittag fuhren sie nur sechs Kilometer. Am Dienstag vormittag legten sie zehn Kilometer zurück. Auf dem Mittagsrastplatz erschienen wieder Indianer. Sie boten Zuckerrohrstangen als Tauschgegenstände an. In der nächsten Nacht rasteten sie an einem Ort, den man ''Gran Cacique Commissario'' nannte.

Am Mittwoch, dem 4. Mai, fuhren sie vormittags nur vier Kilometer und am Nachmittag fünf. Der Boden war von den vielen Regenfällen sehr aufgeweicht, und es waren viele und oft tiefe Wasserstellen zu durchqueren. Am Vormittag kamen sie an den Riacho Mosquito (Mückenbach), den sie auch durchqueren mussten, weil er nicht umfahren werden konnte. Und gerade dieser Bach war die Ursache gewesen, dass sie nicht schon etliche Wochen früher aufgebrochen waren. Denn er war weit überschwemmt und somit zu tief gewesen, um durchfahren zu werden. Auch jetzt war das Wasser noch tief. Den Ochsen schlug das Wasser über dem Rücken zusammen, und die Karrettenkasten, die sonst hoch über die Erde ragten, tauchten ins

Wasser, und manche Sachen wurden durchnässt. Die Mittags- und Nachmittagssonne aber war der Karawane hold. Alles konnte wieder schön getrocknet werden.

Auch der Nachmittagsweg war überaus anstrengend. Mehrere Male versanken die Riesenräder zu einem grossen Teil im sumpfigen Boden, wo die geplagten Ochsen dann nicht nur die schwer abzuschleppenden Karren ziehen mussten, sondern auch selbst bauchtief im Morast versanken und sehr schwer zu treten hatten. Sie brauchten dann öfters eine Verschnaufpause.

Der 5. Mai, ein Donnerstag, war Himmelfahrtstag. Die Karawane ruhte an diesem Tage. Die Delegierten holten wieder ihre Bibeln hervor und vertieften sich darin. Unwillkürlich rückten ihre Gedanken in die ferne Heimat zu den lieben Angehörigen, zu der Gemeinschaft, die sicherlich oft ihrer gedachte. Bald kamen wieder Indianer ins Karawanenlager, Männer, Frauen und Kinder. Die Kinder liefen splitternackt umher, und auch die Erwachsenen waren nur spärlich bekleidet, wenn man das, was sie anhatten, überhaupt Kleider nennen wollte. Es waren eigentlich nur kümmerliche Überreste von Kleidungsstücken oder überhaupt nur Lappen. Die Delegierten verglichen diese Art der Bekleidung mit der von Adam und Eva im Paradies, als diese ihre erkannte Nacktheit zu verhüllen versucht hatten.

Am Freitagmorgen waren sie etwa eine halbe Stunde gefahren, als im etwa einen Meter tiefen Wasser eine der Karretten mit einem Rad in eine plötzliche Vertiefung im Boden geriet und das ganze Karrettengestell auf die Seite ins Wasser kippte. In diesem Fahrzeug befanden sich fünf der Delegierten. Auf dem Mittagsrastplatz fanden sich wieder Indianer ein. Diesmal boten sie Beeren vom Feigenkaktus an. Die Delegierten assen davon. Die Niederungen, die oft unter Wasser waren, hatten darum auch einen starken Graswuchs. Manchmal war das Gras bis zu einem Meter hoch.

Am 7. Mai, abends, kamen sie bis zu einem Ort, den man ''San Martín Carandaý'' nannte. Man sagte, er läge etwa 130 Kilometer vom Fluss entfernt. Hier befanden sich eine Hütte aus Palmenstämmen und auch ein Kraal.

Der 8. Mai war der zweite Sonntag dieser Wildnisfahrt. Die Karawane hielt bis 2.00 Uhr nachmittags Sonntagsruhe und fuhr dann in 2 Stunden noch fünf Kilometer.

Die paraguayischen Mitreisenden übereilten sich nicht mit dem Vorwärtskommen. Sie nahmen sich immer genügend Zeit, eine kräftige Mahlzeit vorzubereiten. Auch sorgte der Karawanenkoch für Abwechslung, wofür ihm Manches zur Verfügung stand. Das ''harte Brot'', wie unsere Männer die Galletas nannten, war für jede Mahlzeit auf dem Küchenzettel. Sonst gab es einmal Nudelbrei mit Fleisch, dann Reisbrei mit Fleisch und am dritten Tag Bohnenbrei mit Fleisch. Ab und zu gab es auch Süsskartoffeln. Das Fleisch führte man in Säcken mit. Es waren getrocknete Streifen (plattdeutsch: Fleeschstremels), die man auf Spanisch ''charqui'' nannte. Die Fleischstreifen wurden dann in kleine Stücke zerhackt und dem kochenden Brei beigefügt. Auch Konservenfleisch und ebensolche Früchte hatte man genügend mitgenommen. Beides wurde je nach Wunsch serviert. Zum Trinken gab es Tee oder Kaffee. Es gab auch etliche Male frisches Fleisch. Man schlachtete einen von den Ochsen, die man mitgenommen hatte. Dann gab es einen schmackhaften, saftigen Asado (Spiessbraten), den die Paraguayer meisterhaft herzurichten verstanden. Das übrigbleibende Fleisch wurde dann auch wieder in dünne Streifen geschnitten, an eine Leine befestigt und in die Sonne gehängt, solange die Karawane stand. Zum Weiterfahren wurden die Streifen in Säcke gesteckt.

Am Montag, dem 9. Mai, schob sich die Karawane langsam wieder weiter in die schweigsame Wildnis vor. Wehte bisher ein zumeist mässiger Wind von Norden her, so schlug er an diesem Tage um und blies nun aus dem Süden. Der Himmel bewölkte sich, und ein Nieselregen setzte ein. An diesem Tage sahen sie die erste Giftschlange. Es war eine Klapperschlange. Am nächsten Tag kamen sie an den Ort ''Laguna Casado''. Hier stand der Camión (Lastkraftwagen), der dieser Expedition in dem höhergelegenen Gebiet dienen sollte. Es ist nicht bekannt, wieviel man sich von diesem Vehikel hier in der Wildnis versprochen hat, aber viel ist nicht dabei herausgekommen. Das Gebiet war eben zu unwegsam. Reitpferde waren zweckmässiger. Immer wieder machte man im Sattel kilometerweite Untersuchungen nach verschiedenen Richtungen beiderseits des Karawanenweges.

An dem Ort ''Laguna Casado'' war ein schöner See, heute bekannt unter dem Namen Laguna General Diaz. Auch war hier ein Süsswasserbrunnen, der von Casados Peonen gegraben worden war, als sie das Auto bis hierher gebracht hatten. An diesem Platz verweilte die Karawane bis zum Donnerstag. Auch hier liessen sich wieder Indianer sehen. Unsere Männer schauten zu, wie ein Indianerjunge sich Eidechsen griff und sie in die Glut des Lagerfeuers steckte. Er liess sie ein Weilchen darin liegen, entfernte dann die Eingeweide und verzehrte den Rest mit allem Drum und Dran.

Am Mittwoch, dem 11. Mai, liessen sie die Ochsen den ganzen Tag über verschnaufen. Die Delegierten sattelten dann schon früh ihre Pferde und machten Ausritte nach Süden und nach Westen, selbstverständlich in Begleitung anderer. Auch setzten sich einige mit Engen zusammen ins Auto und stuckerten westwärts. Sie kamen an eine Stelle, die ihnen als zukünftiger Rastplatz gefiel. Wahrscheinlich ist es "Pozo Azul-qué" gewesen. Waren bis dahin noch nur wenige Mücken gewesen, auf Laguna Casado wurden sie sehr zudringlich.

Am Donnerstag schleppte sich die Karawane dann wieder weiter in den buschverhüllten Westen. Am Nachmittag ging ein Regen nieder. Als sich das Regenwetter am Spätnachmittag nach Osten verschob und die Sonne ihre Strahlen auf die Regenwolken warf, hatten die Delegierten Gelegenheit, das ihnen auch aus der Heimat vertraute Spiel der Sonne zu beobachten, nämlich die Bildung des Regenbogens. Das war doch wieder etwas das genau so aussah, wie im Norden. An diesem Tage passierten sie einige Indianerlager, in welchen reges Leben herrschte. Meckernde Ziegen, blökende Schafe und kläffende Hunde umringten das Lager.

Von Donnerstag auf Freitag setzte wieder ein Regen ein. Man hatte Zelte aufgeschlagen, aber einige der Delegierten hatten ihre Bettgestelle nicht am rechten Platz. Ihnen lief das Regenwasser auf die Decken und brachte sie wieder auf die Beine. Es war schon kurz vor Morgenanbruch. Daher zündeten sie das Lagerfeuer an und machten Wasser heiss zum Teetrinken. Sie kamen dabei nicht aus dem Staunen heraus, wenn sie das brennende Palosantoholz beobachteten, wie leicht es brannte, selbst bei nasser Witterung, und wie der Rauch dieses Holzes die Mücken vertrieb.

Am Freitag, dem 13. Mai, fuhren sie von 7.00 Uhr morgens bis 1.00 Uhr nachmittags. Die Männer Bernhard Toews und Isaak Funk liessen sich Pferde satteln und ritten die Zeit über, statt im Karrettenkasten zu sitzen. Es regnete den ganzen Tag. Es war daher sehr angenehm, als am Abend endlich die Zelte aufgeschlagen wurden, und man so schön ins Trockne schlüpfen konnte. An diesem Tage hatte man eine Strecke von Pozo Azul aus in Richtung Hoffnungsfeld zurückgelegt. Viele Kilometer war es entlang einer schmalen, sandigen, sich lang hinziehenden Grassavanne gegangen.

Am nächsten Tag passierten sie dann ein trockenes Flussbett in der Nähe von Hoffnungsfeld. In der Gegend von "Cacique Bueno" bohrten sie nach Wasser. Hier verweilte die Expedition am Pfingstsonntag, dem 15. Mai. Herr Hettmann war mit seinem Wegbauteam bis hierher vorgestossen. Er machte sich dann bald wieder auf den Weg, um wieder das vorausliegende Gelände zu überprüfen und nach den besten Fahrtmöglichkeiten Ausschau zu halten. Das Wetter hatte sich wieder aufgeklärt. So unternahmen die Delegierten noch Spaziergänge durch die Natur. An einer Stelle erblickten sie Sachen: einige Stricke, einen Tonkrug und eine Fadentasche mit verschiedenen Dingen darin. Dann gewahrten sie etwas abseits davon Menschenhaar, das aus der Erde hervorlugte. Sie untersuchten es und stellten fest, dass darunter ein Menschenschädel war. Es war also das Grab eines Indianers, der in hockender Stellung beerdigt worden war. Die herumliegenden Sachen waren sein Eigentum gewesen. Man überliesse sie ihm zum Gebrauch im Jenseits, wurden sie belehrt.

Auch hier kamen Indianer ins Lager und brachten Erdnüsse, die sie zum Tausch anboten.

Am Montag, dem 16. Mai, legte die Karrettenkolonne die Strecke von Cacique Bueno bis Hoffnungsfeld zurück. Auf dieser Strecke passierten sie Felder der Indianer. Im Kleinen waren da Mandioka, Süsskartoffeln, Bohnen und Erdnüsse angebaut. Um 12.00 Uhr mittags machten sie wieder Rast. Es war an dem Ort, den Engen bei seinem ersten Vorstoss in dieses Gebiet mit dem Namen ''Campo Esperanza'' (Hoffnungsfeld) benannt hatte. Bis hierher war Engen vor etwa zehn Monaten ganz allein als Weisser mit etlichen Tobaindianern gekommen. Hier hatte er seine Begegnung mit einer Gruppe der Nordlengua gehabt, mit welchen er Freundschaft geschlossen und welche er mit Esswaren beschenkt hatte. Damals hatte er sie gefragt, ob es weiter nach Westen noch mehr solches Land gäbe. Die Indianer hatten ihm geantwortet, es gäbe dort noch viel solches Land. Hier war schon ein anderer Boden, einer, der für Ackerbau schon geeignet zu sein schien. Engen hatte den Lengua dann gesagt, es würden vielleicht viele weisse Menschen hierher kommen und sich hier heimisch machen. Es würden gute Menschen sein, die ihnen auch zu essen geben würden. Und er hatte bei ihnen herauszufinden versucht, ob sie solches vielleicht gutheissen würden. Er hatte den Eindruck bekommen, sie würden es gutheissen. Jetzt war er mit einigen von den ''guten weissen Leuten'' hier, die nun selbst diese Gegend untersuchen sollten und wollten.

Etliche der Delegierten nahmen Axt, Hammer und Meissel und schritten in die Savanne, die von vielen Quebrachobäumen bestanden war. Sie suchten sich einen heraus, hackten etwas von der Rinde ab und meisselten folgendes Zeichen ein: ''ME — V — XXI''. Es bedeutete: ''Mennonitische Expedition — Mai — 1921''. Hier sahen sie schon viel offenes Land. Es waren grosse, höhergelegene, sehr fruchtbare Grassavannen. Die Mennoniten nannten sie kurzerhand ''Kampland''.

Am Dienstag, dem 17. Mai, fuhren sie die Strecke von Hoffnungsfeld bis zu einem Kamp in der Nähe des späteren Dorfes Weidenfeld, den Engen mit dem Namen ''Loma Belén'' benannte. Die Fahrt ging hauptsächlich durch offenes Land, das jedoch mit vielen Einzelbäumen und auch mit niedrigen, kuppelförmigen Sträuchern bestanden war. Zwischen diesen war der Boden mit hohem Büschelgras bedeckt. Die Einzelbäume des sonst offenen Landes waren hauptsächlich Urundey, Quebracho colorado, Paratodo und Ja-

carandá. An den Buschrändern erblickten sie auch häufig den merkwürdig geformten Flaschenbaum, den die Paraguayer Samuhú oder
auch "Palo borracho" (trunkener Baum) nannten.

Im Blick auf die späteren Erfahrungen der Siedler und ihre
Entäuschung muss hier gesagt werden, dass den Delegierten bei der
Untersuchung des Siedlungslandes und dessen Natur ein schwerer
Fehler unterlief. Sie sahen, dass die Ochsen, wenn sie losgelassen
wurden, sofort losfrassen, und sich dann so fressend oder grasend
durch das hohe Staudengras weiterbewegten. Keiner von ihnen kam
auf den Gedanken, das lange Gras mal selbst zu kosten. Denn in
Wirklichkeit haben die Ochsen nicht das hohe Staudengras gefressen,
sondern das dünn dazwischen verteilte Süssgras. Dass das hohe
Staudengras ein bitteres Gras war und von den Ochsen in Wirklichkeit
gar nicht gefressen wurde, hatten die Delegierten damals gar nicht
gemerkt. Vielmehr sprachen sie dann zu Hause von dem hohen
Weidegras, das auf dem Lande, welches sie sich für die Ansiedlung
erkoren hatten, weit und breit wachse. Und mit dieser Aussicht auf
eine grossartige Viehweide kamen dann 1927/28 die Siedler in dieses
Gebiet und wurden schwer enttäuscht!

Ob es auch von den anderen niemand gewusst hat, dass man es
hier mit Bittergras zu tun hatte, hat man nicht feststellen können.

Dieser Kamp, den Engen "Loma Belén" genannt hatte, was zu
deutsch "Bethlehemshügel" bedeuten würde, ist im Tagebuch der
Expedition mit "Kilometer 270" eingetragen, einer Zahl, die viel zu
hoch ist, und später reduziert werden musste. Hier meisselten unsere
Männer das zweite "ME — V — XXI" in einen Quebrachostamm ein.
Das Holzstück dieses Stammes mit dem damals eingemeisselten
Zeichen befindet sich heute im Museum von Loma Plata.

Am Mittwoch, dem 18. Mai, legte die Karawane die Strecke von
Loma Belén über Loma Plata bis zu Kilometer 216 zurück. Sie
bezeichnete diese Stelle damals mit Kilometer 300, eine Zahl, die
ebenfalls viel zu hoch ist. Hier kamen sie um 12.00 Uhr mittags an und
schlugen für mehrere Tage ein Lager auf. Hier gab es viel Wasser. Der
Ort war eine Niederung, die weithin mit Wasser bedeckt war. Am
Nachmittag des ersten Tages wurde ein Ochse geschlachtet. Das
bedeutete, dass wieder eine Menge Fleischstreifen geschnitten
werden mussten, aber auch, dass wieder mit einem schmackhaften,
saftigen Asado gerechnet werden konnte. Und den gab es auch.

Bald tauchten auch wieder Indianer auf. Diesmal brachten sie
Arbusen (Wassermelonen) mit. Die waren aber nicht ganz reif.

Donnerstag, der 19. Mai. In der Nacht hatte es wieder geregnet.
Der grösste Teil der Karawane blieb bei dem See bei km 216, während
ein anderer Teil sich aufmachte und noch weiter in den unbekannten
Westen vorstiess. Um 8.00 Uhr brach man auf. Die Saskatchewaner,

Friesen und Neufeld, blieben bei der Karawane. Diejenigen, die weiter nach Westen vorstiessen, waren Engen, Hettmann und die übrigen vier Mennoniten: Funk, Priesz, Toews und Doerksen. Sie bestiegen die für sie gesattelten Pferde und ritten davon. Bald folgten noch zwei Ochsenkarren. Um 1.00 Uhr machten sie Mittagspause. Immer noch gab es viel offenes Land mit Einzelbäumen, einzelnen Sträuchern und dem immer gleichbleibenden, hohen "Bittergras", bei dem man leider nicht merkte, dass es bitter war.

Am Spätnachmittag brachen sie wieder auf, und, nachdem sie mehrere Kilometer weiter in den Westen geritten waren, hielt Engen auf einmal sein Pferd an und sagte, jetzt sei es weit genug. Hier wollten sie umkehren, sie hätten nun genug gesehen. Etliche der Männer aber waren noch gar nicht dafür. Sie wollten noch weiter in den Westen. Sie hätten ja Wasser und Essen genug bei sich, meinten sie. Sie würden am liebsten bis zum Abend so weiterreiten, übernachten und dann am nächsten Tag noch ein wenig weiter reiten. Engen aber blieb darauf bestehen, hier umzukehren. So kehrten sie um, ritten noch etwa 8 Kilometer zurück und bereiteten sich ein Nachtlager. Bis hierher kamen auch die beiden Karretten, die ihnen gefolgt waren. Bei den Indianern war für ein Hemd ein Schaf eingetauscht worden. Dieses Schaf wurde für die Abendmahlzeit zubereitet. Man schlachtete es und briet es am Spiess. Der Asado mundete ausgezeichnet. Die Indianer hatten auch noch Schildkröten zum Tauschhandel angeboten. Die Männer aber waren mit dem Schaf zufrieden und brauchten keine anderen Leckerbissen mehr.

Der Himmel war bewölkt, und ein kühler Südwind wehte leicht über die öde Gegend.

Am Freitag, dem 20. Mai, ritten Engen, Hettmann und die vier Mennoniten um 8.00 Uhr wieder los, um noch einiges mehr in der Umgebung zu beschauen. Die Karrettenfahrer blieben mit Ochsen und Karren an der Stelle, wo alle diejenigen, die von der Hauptkarawane aus noch weiter nach Westen vorgestossen waren, die Nacht verbracht hatten. Die sechs Männer schritten dann einen längeren Indianerpfad entlang, ihre Reitpferde an den Zügeln führend. Sie stiessen dann auch auf ein Indianerlager. Die Indianer hatten hier auch einen Brunnen ihrer Art. Drei von den Indios gingen dann mit ihnen, die Gegend zu besehen. Sie kamen noch wieder auf eine breite Grassavanne. Auch hier zeigten die Indianer ihnen einen Brunnen, oder besser gesagt, eine Wasserstelle. Die Expeditionsmänner entnahmen der Zeichensprache der Indios, dass diese Wasserstelle niemals austrockne. Da sie eine gewisse Frische des Wassers festzustellen meinten, sagten sie sich, hier könne es sich um Quellwasser handeln.

Der zentrale Chaco war zu jener Zeit noch unbekannt und unerforscht, so dass ein Vorhandensein von Quellen nicht ausgeschlossen zu sein schien. Dieses blieb unklar, bis die mennonitischen Siedler 1927/28 in dieses unerforschte, unbekannte Gebiet vordrangen und bald feststellten, dass von Quellen in dieser Gegend keine Rede sein könne. Engen kannte damals noch mehr Stellen, wo er Quellwasser vermutete. Die Siedler erlebten es dann aber noch 1927, wie diese "Quellen" unter ihren Händen austrockneten.

Doch zurück zu der Delegation.

Diese befand sich jetzt in dem Gebiet, in dem 1930 die Russländer Fernheim gründen sollten, nicht weit von Trébol. Um 12.00 Uhr legten diese sechs Männer, die zu Pferd noch wieder weiter in den Westen geritten waren, eine Mittagspause ein.

Herr José Casado hatte ein Symbol aus Holz anfertigen lassen, eigens für den Zweck, um es am westlichsten Punkt, den die Expedition erreichen würde, an einen Baum zu heften. Diese Männer hatten es bei sich, und sie einigten sich, es gerade hier, wo sie jetzt waren, an einen hohen, gegabelten Urundeybaum zu heften. Es war ein Kreuz mit einer Mondsichel darüber. Dieses Symbol wurde später dort von Fernheimern entdeckt und heruntergenommen. Heute ist es in Loma Plata, im Museum, zu sehen. Die Gravierungen, die es trägt, sind heute kaum zu erkennen: "McR — CASADO — FE — ME — XX — V — XXI". Die Zeichen sind wie folgt zu verstehen: McR = McRoberts, FE = Fred Engen, ME = Mennonitische Expedition und XX — V — XXI = 20. Mai 1921.

Aber ehe sie sich dann wieder für den Ritt zurück zur Karawane aufmachten, gedachten sie noch in schwungvollen und wohl auch in bewegten Reden der bedeutungsvollen Mission, die mit dem Vordringen in diese unerforschte, grosse Wildnis, die in einem unheimlichen Schweigen dalag, verbunden war. Herr Engen pries den Mut, den die mennonitischen Delegierten gezeigt hätten, so tief in dieses weltferne Gebiet vorzustossen. Er liess verstehen, dass die Teilnehmer dieser Expedition wahrscheinlich die ersten Weissen seien, die ihren Fuss auf dieses Gebiet niedergesetzt hätten. Wenn Engen mit der Geschichte Südamerikas bzw. Paraguays gut vertraut gewesen wäre, dann hätte er noch hinzufügen müssen, dass die Spanier im 16. Jahrhundert vielleicht auch hier schon vorbeigekommen sein könnten, nämlich, als sie vom Paraguayfluss aus durch den Gran Chaco Boreal nach Westen gezogen waren, auf dem Wege zum Goldland Perú.

Engen unterstrich dann die Bedeutung des Symbols, das sie hier, hoch an einem Baum, in geheimnisumwitterter Wildnis, zurückliessen. Er sprach von dem Kreuz, dem Symbol des Christentums und, dass sie die ersten seien, die es hier jetzt aufgestellt hätten. Damit sollte gesagt werden, dass das Zeichen für den Einzug des

Christentums in diese weltvergessene Busch- und Grasöde jetzt gesetzt sei. Die Mondsichel, führte er weiter aus, bedeute, als zunehmender Mond (wiewohl sie umgekehrt über das obere Ende des Holzkreuzes gestülpt war), den Anfang des Einzugs der Zivilisation in dieses unwirtliche Naturgebiet. Dieses schlichte Symbol sollte ein Zeugnis dafür sein, dass sie — diese Expedition — als untersuchungsbeauftragte Gruppe bis hierher gekommen war. Die Männer glaubten, mit der Erkundung dieses Gebietes eine wunderbare Entdeckung gemacht zu haben. Es schien ihnen ein Gebiet zu sein, in dem es möglich sein würde, im Zeichen des Friedens auch die Entwicklung eines materiellen Wohlstandes zu erreichen.

So wurde jene Mittagsrast dort unter einem grossen Baum, an den man dieses vielsagende Symbol befestigt hatte, zu einem historischen Ereignis, einem Ereignis von weitgehender und weittragender Bedeutung. Und wenn wir heute zurückschauen auf jene Begebenheit, auf den symbolischen Akt der Aufpflanzung des Kreuzes und des zunehmenden Mondes, dann erscheint es uns beachtenswert, wer daran beteiligt war: Angefertigt war es nämlich in Puerto Casado von Menschen katholischen Glaubens, mitgenommen und angeheftet wurde es von Mitgliedern der protestantischen Konfession und von Mennoniten. Grundsätzlich gehören die Mennoniten ja zum protestantischen Lager. Sie wurden aber vor einigen Jahrhunderten von den anderen Protestanten nicht weniger verfogt als von den Katholiken. Sie wurden also von beiden nicht anerkannt. Beide sahen die Mennoniten als eine schädliche Sekte an. Jetzt aber bestand keine besondere Spannung mehr zwischen ihnen und den anderen. Man kann an diesem Ereignis feststellen, welche Gemeinsamkeit in der kulturellen Erschliessung des Chaco an den Tag trat.

Nach jener bewegten Besinnung unter dem Urundeybaum in weltverlassener Busch- und Savannenöde, machten die sechs Männer sich wieder auf und ritten zurück zu den zwei Karretten und deren Besatzung. Zusammen begaben sie sich dann zu dem übrigen Teil der Expeditionskarawane, wo auch die zwei Mennoniten schon auf ihre Kollegen warteten.

Nun waren sie wieder alle zusammen auf km 300, einem Ort, der später unter der Bezeichnung km 216 bekannt wurde. Er lag in der Nähe des späteren Mennodorfes Chortitz. An diesem Abend gab es eine besondere Mahlzeit. Man hatte sich von den Indios noch wieder Schafe eingehandelt, und nun wurde ein ''Guiso'', ein landestypisches paraguayisches Gericht, zubereitet. Es wird auf verschiedene Arten bereitet. Hier war es Reisbrei mit Schaffleisch. Im Tagebuch unserer Männer findet man, dass es sehr gut geschmeckt hat.

Am nächsten Morgen, dem 21. Mai, an einem Sonnabend, setzte

sich die ganze Karawane wieder in Bewegung, zurück zum Ausgangspunkt, zurück in die Zivilisation. Inzwischen stiess jetzt noch ein sechster Ochsenkarren, mit Proviant beladen, auf unsere Karawane. Er schloss sich gleich dem den Rückweg antretenden Zug an. Am Spätnachmittag dieses Sonnanbends kamen sie an einen Kamp, den sie schon am 18. Mai überquert hatten und den sie jetzt "Loma Plata" (Silberhügel) nannten. Hier bohrten sie 15 Fuss (etwa 4–5 Meter) tief nach Wasser, und sie fanden gutes Wasser. Hier wurde dann auch ein Nachtlager hergerichtet.

Am nächsten Tag war Sonntag. Es war der 22. Mai. Die Karawane stand hier bis 1.00 Uhr nachmittags. Die Männer Doerksen, Priesz, Funk und Engen liessen sich Pferde satteln und ritten der Karawane voraus. Am Abend waren wieder alle auf dem Rastplatz, den man "Campo Esperanza" nannte, und wo man auf der Hinreise ein ME in einen Quebrachobaum gemeisselt hatte. Hier war ihnen noch wieder eine Karrette mit Nahrungsmitteln entgegengekommen. War ihnen das eine und andere an Nahrungsmitteln schon ausgegangen, jetzt hatten sie wieder von allem genug.

Als sie am Montagmorgen wieder aufbrachen, bestand die Karawane schon aus 8 Karretten, 52 Ochsen und 20 Pferden und Maultieren. Es waren jetzt schon 30 Personen dabei.

Sie kamen an diesem Tage auch wieder an Indianerlagern vorbei, wo sie sich Erdnüsse einhandelten, die die Indianer hier geerntet hatten. Immer wieder ritten einige der Männer abseits nach Süden oder Norden aus, um die Gegend in grösserer Breite in Augenschein zu nehmen.

Mittwoch, den 25. Mai. Die Karawane gelangte auf ihrem Rückweg bis Laguna Casado. Hier benutzte man nochmals wieder den Camión und fuhr in der Gegend umher. Von Reifenpannen blieb man nicht verschont. Viel angenehmer war es, auf den Pferden auszureiten, dann gab es kaum ein Hindernis, voranzukommen. Die Dornbüsche, die so verbreitet anzutreffen waren, kamen den Männern nicht unbedingt paradiesisch vor. Von Laguna Casado bis zur Eisenbahnendstation hatten sie wieder einen schlechten Weg. Es war mitunter fast unmöglich, vorwärts zu kommen. Immer wieder versank man mit Ochsen und Karretten im Morast, wo es schwer war, wieder herauszukommen.

Am Montag, dem 30. Mai, brach man schon kurz nach Mitternacht auf und fuhr bis Mittag. Einmal wurde für ein kurzes Verschnaufen und eine kurze Erholung angehalten. Die Ochsen blieben aber im Joch. Man machte Wasser heiss und trank Tee oder Kaffee. Um die Mittagszeit kamen sie dann auf Kilometer 60, der damaligen Endstation der Eisenbahn, an.

Sie waren nun 30 Tage im Innern der grossen Wildnis gewesen. Es war ihnen kein Unfall zugestossen, und alle waren gesund geblieben. Sie waren jetzt 32 Mann, hatten 22 Pferde und 56 Ochsen mit 9 Karretten. Zwei Ochsen waren unterwegs geschlachtet worden.

Auf km 60 angekommen, schickte Engen einen Indianer nach km 50, um telephonisch melden zu lassen, dass die Expedition auf km 60 angekommen sei. Von km 50 war schon eine telephonische Verbindung mit Puerto Casado. Casado schickte dann sofort ein Schienenauto, die Expeditionsmänner von km 60 abzuholen. Die Delegierten und Engen bestiegen aber schon einen Zug, der Quebrachostämme beförderte, und trafen das Schienenauto auf km 50. Von hier rasten sie dann im Schienenauto zurück nach dem Hafenstädtchen, wo sie um 8.00 Uhr abends ankamen. Die Delegierten erhielten wieder ihr früheres Quartier. Sie hatten im weiten Innern der Chacowildnis an fünf verschiedenen Stellen Bodenproben für eine wissenschaftliche Untersuchung mitgenommen.

Während ihres Weilens in Puerto Casado, vor der Fahrt ins Innere, hatten die Männer dort etliche Quadratmeter mit kanadischem Sommerweizen, von der Sorte ''Red Fife'', besät. Sie staunten nun darüber, wie gut der Weizen während des einen Monats ihrer Chacoexpedition gediehen war. Er war schon einen Fuss (etwa 30 cm) hoch gewachsen, obwohl es in Puerto Casado in dieser Zeit nicht geregnet hatte. Das war ein Hoffnungsschimmer in wirtschaftlicher Hinsicht im Blick auf die spätere Selbstversorgung im Falle einer Kolonisation im Chaco. Diese Mennoniten waren ja ausgesprochene Weizenbauern. Im Weizenbau sahen sie auch die wirtschaftliche Stärke.

Zurück nach Asunción

Am Abend des 31. Mai bestiegen die Herren Casado und Engen und mit ihnen die sechs Delegierten einen Flussdampfer und begaben sich auf die Rückreise nach Asunción, wo sie am 3. Juni ankamen. Sie konnten es sich vorstellen, dass ihre Angehörigen und ihre Gemeinden im fernen Norden schon sehnsüchtig auf Nachrichten von ihnen warteten, um über ihr Ergehen und ihre Erfolge (oder Misserfolge) etwas zu erfahren. So machten sie es sich in Asunción zur ersten Aufgabe, den Inhalt eines Telegramms zu formulieren und es nach Winnipeg abzugeben. Es lautete:

''Gesund nach Asunción zurückgekehrt — Verhältnisse für eine Ansiedlung in jeder Beziehung entsprechend gefunden — Freiheiten werden jetzt durchgearbeitet — Mexiko und andere Niederlassungen sind, im Vergleich zu den Begünstigungen hier, nicht anziehend.''

Selbstredend löste diese Nachricht zu Hause in den Heimen der Expeditionsmitglieder und in den Gemeinden einen Jubel aus. Hatte man zu Hause schon immer wieder Nachricht erhalten, zuerst aus

New York, dann aus Rio de Janeiro, Buenos Aires und Asunción und dann schliesslich auch noch aus Puerto Casado, so war eine Zeitlang danach keine Nachricht mehr gekommen. Man wusste ja auch, dass sie sich in Puerto Casado fertiggemacht hatten, in eine grosse Wildnis zu reisen, die nur von wilden Indianern bewohnt war. Und aus dieser Wildnis gab es gar keine Möglichkeit, von sich hören zu lassen. So wusste niemand, was diesen Wildnisabenteurern dort widerfahren sein möchte.

Waren die Delegierten in der Wildnis verschollen? Auch diejenigen, die hinter dem Werk standen und ständig für das Unternehmen und für die Brüder beteten, die die verantwortungsvolle Aufgabe hatten, die Wildnis auszukundschaften, fragten sich schon allen Ernstes, was ihnen zugestossen sein möchte. Ob sie überhaupt noch lebten? Und wenn sie noch lebten, wo steckten sie jetzt wohl? Da kam nach fast fünf Wochen bangen Harrens das alpdruckbefreiende Telegramm. Ein Jubel brauste durch die Reihen der sehnsüchtig Wartenden: "Sie sind zurück bis zur Hauptstadt Paraguays, sie leben und sind gesund, und sie wissen von Erfolg zu berichten!"

Am zweiten Tag ihrer Ankunft in Asunción nahm sich ihrer ein Herr Pierson an und bewog sie, seine Farm, die 35 Kilometer ausserhalb von Asunción lag, zu besuchen. Er hatte eine Mischwirtschaft: Geflügel, Rindvieh, Feldbau und Obstanlagen. Die Männer waren beeindruckt von dem Gedeihen, das sie überall erblickten. Auch bestaunten sie eine Kakteenhecke, die als Schutzmauer oder als Zaun um einen Garten angelegt worden war. Sie sagten sich, durch dieses Dornengehege würde sich sicherlich niemand hindurchzwängen können.

Der 5. Juni war ein Sonntag. Am vergangenen Sonntag, also nur vor einer Woche waren sie noch etwa 100 Kilometer tief im Inneren der Chacowildnis gewesen, noch vierzig Kilometer von der Eisenbahn entfernt. Jetzt waren sie glücklich wieder in Asunción und schauten mit innerer Befriedigung auf den Erfolg zurück, den sie bis dahin auf ihrer Untersuchungsreise gehabt hatten. Ein angenehmer Sonntagsfrieden breitete sich über die spanisch–guaranitische, baumgrüne Stadt, und ein kühler Südostwind wehte leicht daher.

Wieder vor dem Präsidenten

Am Montagmorgen, dem 6. Juni, bereiteten sie sich dann wieder auf einen Besuch beim Staatsoberhaupt von Paraguay vor, der sie erwartete und einen Bericht über ihre Expeditionsreise entgegennehmen wollte, was schon bei ihrem ersten Vorsprechen bei ihm verabredet worden war. Dr. Eusebio Ayala begleitete sie wieder.

Der Präsident fragte sie zunächst nach ihrem Ergehen und bat dann die Expeditionsmänner, ihm ihren Bericht zu geben. Einleitend sagten sie ihm, die Expedition sei sehr glücklich verlaufen, doch seien sie froh, wieder zurück zu sein. Es wurde über alle wichtigen Einzelheiten Bericht erstattet, und auch die Indianerfrage wurde berührt. Was die Indianer betraf, erinnerten sich die Mennoniten daran, wie die kanadische Regierung in den 1870er Jahren die Indianerangelegenheit dort bewältigt hatte, ehe die Mennoniten sich in Manitoba niedergelassen hatten. Die Regierung hatte dafür gesorgt, dass die Siedler mit den Indianern nichts zu tun hatten. Und das stellten sich die Mennoniten nun auch vom Chaco vor. Der Präsident deutete den Delegierten jedoch an, dass eine Überführung der Indianer in Reservationsgebiete auch später noch immer geschehen könne, sollte es sich als notwendig erweisen. Aus seinen Ausführungen ging hervor, dass er eine Räumung des Siedlungsgebietes von Indianern vorläufig noch nicht als notwendig erkannte, weil die Indianer doch ständig ihre Wohnplätze wechselten, und im Chaco sei noch viel Bewegungsraum für diese nomadisierenden Indianerstämme. Der Präsident unterstrich die wertvolle Missionsarbeit, die schon ausgangs des vorigen Jahrhunderts von der anglikanischen Kirche im Chaco unter den Südlengua durchgeführt worden sei, wo die Indianer schon Schreiben und Lesen lernten, nicht nur in ihrer eigenen indianischen, sondern auch in der spanischen Sprache.

Die mennonitischen Delegierten betonten dann noch die Bedeutung der Eisenbahn vom Paraguayfluss zum Siedlungsgebiet. Das Gebiet, von dem man glaubte, dass es das für Ackerbau geeignetste Land sei, liege etwa 200 km vom Flusse entfernt. Sie sagten dem Präsidenten, dass im Falle einer Ansiedlung im Chaco, eine Eisenbahn unbedingt notwendig sein würde, und zwar nicht nur die bereits bestehenden 60 Kilometer, sondern bis zum Siedlungskomplex. Die mennonitische Delegation konnte es sich nicht vorstellen, dass es möglich wäre, mit den Familien und mit allem, was man mit sich führen musste, in die weglose Wildnis zu ziehen, ganz und gar von den Ochsenfuhrwerken abhängig. So, wie es jetzt sei, wären sie zwar das sicherste Transportmittel, jedoch auch nur unter grossen Anstrengungen und mühvollem Einsatz aller Kräfte, wie sie es von den Peonen, den Karrettenlenkern, erlebt hatten. Die Delegierten konnten sich eine Ansiedlung, ohne vorher eine Eisenbahn fertiggestellt zu wissen, nicht denken.

Wenn Leute später darüber gestaunt haben, was die mennonitischen Siedler sich eigentlich gedacht hätten, tief im Innern einer solchen weglosen, unwirtlichen Wildnis eine Ansiedlung zu bewältigen, so dachten sie nur dasselbe, was die Siedler damals auch gedacht hatten. Das war auch ihnen zunächst selbstverständlich, dass ein transportfähiger Weg bis zur Siedlung da sein müsste. Und sie waren schwer enttäuscht, dass sie es, als sie dann mehrere Jahre später in dieses Gebiet vorstiessen, nicht so fanden, meinten sie doch, dass

Vereinbarungen für die Erfüllung all solcher Notwendigkeiten vorher getroffen worden waren. Manche gaben daher auch auf und kehrten dem Unternehmen den Rücken.

Bei jener Unterredung mit dem Präsidenten am 6. Juni 1921, als er die Delegierten fragte, ob sie glaubten, dass viele ihrer Leute kommen würden, um sich im Chaco niederzulassen, sagten sie in ihrer Antwort unter anderem auch, dass das Zustandekommen solcher Ansiedlung in tiefer Wildnis ganz von den jeweiligen Umständen abhängen würde. Dabei dachten sie nicht zuletzt auch an die notwendige Transportmöglichkeit.

Nachdem der Präsident sich etwa eine Stunde lang mit den mennonitischen Delegierten unterhalten hatte, schloss er etwa so:

"Ich freue mich, dass Sie gekommen sind, unser Land zu besuchen und zu untersuchen, und dass es Ihnen gefällt. Im Namen der Republik von Paraguay heisse ich Sie als Siedlervolk willkommen. Wir werden Sie mit Freuden in Empfang nehmen, und es ist unser sehnlichster Wunsch, dass Sie sich in unserem Lande niederlassen, dass es Ihnen gut gehen möge, dass Sie gesegnet werden, dass Ihr Werk Erfolg habe und Sie in Frieden Ihres Glaubens leben können. Wir werden unterstützen und helfen, wo immer wir können. Ihre Sonderwünsche werde ich dem Kongress zur Genehmigung und Bestätigung übergeben, und sobald dieses fertig ist, werde ich es Ihnen telegraphisch mitteilen."

Ein Händeschütteln, ein Dank von Seiten der Delegierten, und sie verliessen den Saal. Die Audienz war beendet. Am Nachmittag kam der Agronom Lindgren noch einmal zu den Delegierten ins Hotel und teilte ihnen mit, dass seine Farm von einem schweren Frost heimgesucht worden sei. An diesem Nachmittag besichtigten sie dann noch eine Weizenmühle in Asunción.

Wieder in Buenos Aires

Am Donnerstag, dem 9. Juni, waren sie dann fertig, Asunción zu verlassen. Sie nahmen diesesmal die Eisenbahn über Encarnación und reisten so auf dem Rückweg über Land. Es ging durch den bewohnten Teil Paraguays, und sie bekamen noch viel vom Land und vom Leben und Treiben des paraguayischen Volkes zu sehen. Um 7.00 Uhr morgens setzte sich der Zug dann in Bewegung. Als sie einige Kilometer gefahren waren, hielt der Zug an, und etliche Frauen, die in Bahnnähe ihre Kühe melkten, kamen mit der Milch zum Zug gelaufen und verkauften sie in kleinen Trinkgefässen, die sie durch die Fenster der Eisenbahnwagen hineinreichten. Durch das Fenster nahmen sie auch die Zahlung entgegen. Dass diese Milch frisch war, brauchte von niemandem bezweifelt zu werden.

Als sie um 7.00 Uhr abends in Encarnación ankamen, hatten sie einen eindrucksvollen und erlebnisreichen Reisetag durch einen grossen Teil Ostparaguays hinter sich. Eine Fähre brachte die Eisenbahnwagen über den Paranafluss, und dann ging es von Posadas weiter in das Land Argentinien hinein in Richtung Buenos Aires. So erlebten sie auch noch eine Fahrt durch einen weiten Teil Argentiniens zu Land. Die Herren Casado und Engen waren auch wieder mit ihnen, und Don José wusste Vieles aus dem Gesellschafts- und Wirtschaftsleben Argentiniens, wo er aufgewachsen war, mitzuteilen. Auf den vielen Viehfarmen oder Estancias, die an ihnen vorbeizogen, sahen sie viele Shorthorn–Rinder, viele Pferde und viele Schafe. Sie passierten auch weite Sumpfgebiete, wo es keine Bewirtschaftung gab.

Am 11. Juni, um 7.00 Uhr abends, kamen sie in Buenos Aires an. Sie stiegen wieder im Hotel Wilson ab, das sie dann erst am 2. Juli endgültig wieder verliessen. In diesen drei Wochen lernten sie noch viel von Buenos Aires und seiner Umgebung kennen. Sie suchten Maschinenfabriken auf und merkten sich Preise für Maschinen und Geräte, die sie brauchen würden, falls sie nach Südamerika umsiedeln sollten. Auch besuchten sie land- und viehwirtschaftliche Aus- stellungen, fuhren zur Abwechslung mal mit der Untergrundbahn und besuchten den riesigen Friedhof. An einem Sonntag suchten sie sich deutsche, evangelisch–lutherische Gottesdienstversammlungen auf. Bernhard Toews blieb dann auch noch für die Sonntagsschule dort, während die anderen schon zurück ins Hotel schlenderten. Toews ging auch am nächsten Sonntag wieder in diese Kirche und nahm an allem teil, was dort geboten wurde, auch an einer Abendmahlsfeier. Es wurden bekannte Lieder gesungen, die ihm wohl nach so langer Abwesenheit von daheim ans Herz gingen.

Dass sie sich noch so lange in Buenos Aires aufhielten, lag zu einem grossen Teil daran, dass nur jede zweite Woche ein Pas- sagierschiff den Hafen Buenos Aires in Richtung New York verliess. Sie mussten aber auch noch verschiedenes regeln, ehe sie abreisten. Sie erwirkten sich von Buenos Aires aus auch eine Einreiseerlaubnis für einen Besuch in Mexiko. Diesen Besuch Mexikos wollten sie mit der Heimreise kombinieren. Sie hatten auch Sitzungen mit den Casados wegen des Landkaufs. Schliesslich verschob das Schiff, mit dem sie die Rückreise machen wollten, die Abfahrt für zwei Wochen, so dass sie sich die Fahrkarten für ein anderes Schiff beschaffen mussten. Sie schafften es aber doch, Buenos Aires an dem für die Abreise vorgesehenen Tag zu verlassen. Während sie noch in Buenos Aires weilten, erhielten sie aus Asunción folgendes Schreiben:

"Ihrem Wunsche nachkommend, bestätigen wir Ihre Unterredung mit der Regierung in anbetreff der beabsichtigten Ansiedlung im para- guayischen Chaco. Wir legen diesem Schreiben einen Gesetzesentwurf bei, der gemäss Ihrem Wunsche aufgestellt worden ist und jetzt dem Parlament zur Begutachtung vorgelegt werden soll. Wir hoffen, es wird zum Segen aller derer sein, die es angeht, und wünschen Ihnen eine gute Heimreise! gez. Eusebio Ayala, paraguayischer Senator."

Die Delegierten richteten dann von hier aus noch folgendes Schreiben an die Casadogesellschaft:

"Wir möchten Ihnen ergebenst unseren verbindlichsten Dank zum Ausdruck bringen für die genossene Gastfreundschaft, für die gute Aufnahme und Bewirtung und für die Beförderung und was sonst noch an uns wohlgetan worden ist, als wir auf Ihrem Gut (Puerto Casado) weilten, und auch sonst noch, was Sie für uns getan haben.

Wir freuen uns, mit Ihnen bekanntgeworden zu sein, und schätzen Ihre Gewogenheit und besonders die Zuvorkommenheit und Freundlichkeit des Herrn José Casado, die wir durch ihn genossen haben.

Wir wünschen Ihnen und allen Mitgliedern Ihres Unternehmens, mit welchen bekannt zu werden wir die Ehre hatten, und auch allen anderen, das beste Wohlergehen.

Im Blick auf die schwere Aufgabe, die wir in der Ausführung unserer Mission zu verantworten haben, wollen wir stets Ihrer Mitwirkung eingedenk sein. Und wir hoffen, uns derselben auch in Zukunft erfreuen zu dürfen.

Mit den Gefühlen innigster Dankbarkeit scheiden wir nun von Ihnen und verlassen die Gefilde Südamerikas. Auf Wiedersehen! Ihre ergebenen Freunde: Die mennonitische Delegation. (Unterschriften)."

Am 2. Juli, um 1.00 Uhr nachmittags, verliessen sie das Hotel und begaben sich zum Hafen, wo sie das Schiff "Huron" der "Munson Steamship Line" bestiegen. Fred Engen begleitete sie zum Hafen und verabschiedete sich von seinen lieben Freunden, mit denen er so Manches erlebt hatte. Um 6.00 Uhr abends setzte sich der Dampfer in Bewegung, und hinaus gings in den La Plata–Strom. Drei und einen halben Monat hatten sie in Südamerika zugebracht. Der nächste Tag war ein Sonntag. In Montévideo hielt das Schiff bis Montag. Am Mittwoch kamen sie in Santos an. Hier wurde die Nacht hindurch Kaffee geladen. Etliche der Männer machten noch einen Spaziergang in die Stadt.

Bernhard Toews hatte immer ein Thermometer bei sich, um immer wieder die Temperatur festzustellen. Auch hier in Santos mass er wieder die Temperatur. Er steckte oder hängte dazu sein Thermometer durch ein Bullauge des Schiffes hinaus und liess es an einem Bindfaden baumeln. Als er es dann hereinziehen wollte, um die Temperatur abzulesen, war es verschwunden. Das Schiff stand so nahe am Kai, dass es jemand hatte abnehmen können.

In Rio de Janeiro angekommen, begaben sich etliche von ihnen zum "Palace Hotel". Dieses Hotel hatten sie daheim als Anschrift angegeben, damit Briefe an sie geschrieben werden könnten, die sie dann auf der Rückreise entgegennehmen wollten. Sie fanden auch viele Briefe vor, die ersten, die sie von zu Hause erhielten. In New York hatten sie dann auch nochmals eine Stelle, wo sie wieder Post entgegennehmen konnten. In Buenos Aires jedoch hatten sie schon ein Telegramm erhalten, dass die Angehörigen aller Delegierten wohlauf seien.

In Rio de Janeiro stand das Schiff eine Nacht und einen Tag. Die Delegierten nutzten diese Zeit wieder aus, Sehenswürdigkeiten dieser wunderschönen Hafenstadt aufzunehmen. Sie besahen die Stadt auch vom Zuckerhut aus, auf den sie mit einer Seilbahn gelangten. Im Hafen stand gerade auch der Dampfer "Vauben", der sie nach Südamerika gebracht hatte.

Am Sonntag, dem 10. Juli, hielt eine evangelische Gruppe einen Sonntagmorgengottesdienst auf dem Schiffe ab. Auch die Delegierten beteiligten sich daran. Das geschah auch am folgenden Sonntag.

Das Wetter war während der mehr als zwei Wochen langen Seefahrt von Buenos Aires nach New York sehr verschieden. Einmal war es stark windig, dass die Wellenkronen mit Schaum bedeckt waren und das Schiff heftig schaukelte und stampfte. Das andere Mal fiel schwerer Tropenregen, worauf wieder herrlicher Sonnenschein folgte. Kaum jedoch erlebten sie einmal eine spiegelglatte See.

Kurz vor New York, jedoch noch auf hoher See, gaben die Delegierten ein Telegramm für die Gemeinden und Angehörigen daheim ab, in welchem sie mitteilten, dass sie wohlauf seien und bald in New York zu landen gedächten.

Zurück in New York

Am 24. Juli lief das Schiff dann in einen der vielen Häfen von New York ein. McRoberts hatte angeordnet, dass ihnen noch auf dem Schiff, am Pier, ihre Briefe aus der Heimat ausgehändigt werden sollten, und sie wurden ihnen nun aufs Schiff gebracht. Vor fünf Monaten waren sie von New York nach Südamerika abgereist. Wunderbar hatte der Herr sie durch die ganze Zeit beschützt und auf den verschiedenen Reisewegen behütet. Sie waren dafür sehr dankbar. Aber die Reise war noch nicht zu Ende. Sie sollte noch bis anfangs September weitergehen, da sie noch Mexiko besuchen wollten.

Der Altbergthaler Älteste aus Saskatchewan, Aaron Zacharias, der am 23. Februar am Pier in New York anwesend gewesen war, als sie nach Südamerika abdampften, war jetzt auch wieder gekommen, sie in Empfang zu hehmen. Er stand dort, wo sie ausstiegen, bereit, ihnen die Hände zu schütteln. Sie fuhren dann alle zusammen zum Hotel "Keller". Nach dem Mittagessen wurden Ereignisse und Erlebnisse ausgetauscht. Besonders viel hatten ja die aus Südamerika zurückgekehrten Männer zu berichten. Gemeinsam dankten sie noch dem lieben Gott für die wunderbare Führung bis dahin.

Am nächsten Tag, dem 25. Juli, hatte die Delegation dann eine Unterredung mit Herrn McRoberts. Sie erstattete diesem einen ausführlichen Bericht über ihre Erfahrungen und Beobachtungen in der "Grünen Hölle", die sie, abgesehen von der Überschwemmung, ohne Zwischenfälle durchkreuzt hatten.

Inzwischen hatte sich auch Herr Alvin Solberg aus Minneapolis eingefunden, der ihnen bei ihrer Abfahrt nach Südamerika noch ein Glückwunschtelegramm auf hoher See nachgesandt hatte.

Von zu Hause aus ging wieder ein Telegramm ein, dass daheim alle Angehörigen der Delegierten wohlauf seien.

Ältester Zacharias und seine beiden Delegierten, Friesen und Neufeld, fuhren noch an diesem Tage von New York aus nach Hause. Die übrigen vier Männer verbrachten den nächsten Tag mit Briefeschreiben und der Besichtigung der Weltstadt New York. Unter anderem begaben sie sich auch zum damals höchsten Gebäude New Yorks, dem "Woolworth Building", und fuhren mit dem "Lift" (Fahrstuhl) bis zum obersten Stockwerk. Das Gebäude hatte damals 58 Stockwerke.

Von New York nach Mexiko

Am 27. Juli verliessen die vier Mennoniten aus Manitoba, Johann Priesz, Jakob Doerksen, Bernhard Toews und Isaak Funk, begleitet von Herrn Solberg per Zug New York und reisten nach Mexiko. Am 30. Juli erreichten sie El Paso, eine USA-Stadt des Staates Texas, an der mexikanischen Grenze. Hier stiegen sie aus und gingen in ein Hotel. Sie mussten hier ihre Einreise nach Mexiko noch erst wieder regeln. Hier begegneten sie auch schon einigen von den Altkolonier Mennoniten, die Beziehungen mit der mexikanischen Regierung aufgenommen und auch schon Landkäufe eingeleitet hatten.

Von El Paso ging es dann nach Mexiko hinein und weiter bis Mexiko City. An mehreren Stellen sahen sie Ruinen. Es waren Zeichen der zerstörenden Auswirkungen durch die Revolution, die eine Reihe von Jahren im Lande gewütet hatte. Solche Zerstörungen hatten sie in Paraguay nicht gesehen. Die Revolution hatte hier schon sehr viele Menschenleben gefordert.

Auf ihrer Weiterfahrt hatten sie dann ein merkwürdiges Erlebnis. Als ihr Zug wieder einmal auf einer Station anhielt, stiegen Leute aus, darunter eine Frau. Die Delegierten hatten "Mantas" (Decken), die sie mit sich führten, um sich vor Kälte zu schützen. Diese aussteigende Frau ergriff dann eine dieser Decken und wollte sich damit auf und davonmachen. Unsere Männer streckten ihre Arme aus und wollten die Decke zurückziehen. Da sprang ein Mexikaner auf und sagte, sie sollten loslassen, die Decke gehöre der Frau. Sie gehörte aber einem der Männer. Das kam ihnen doch sehr frech vor. Am hellen Tage sich bestehlen lassen, das wollten sie nicht. Sie liessen die Decke aber fahren und sagten der Frau, es sei ein Geschenk für sie, sie solle sie nur nitmehmen.

Nachdem sie an verschiedenen Stellen für eine Landbesichtigung ausgestiegen und dann wieder im Auto oder auch mit der Eisenbahn weitergefahren waren, kamen sie am 18. August in Mexiko City an und nahmen hier Quartier im ''Majestic Hotel''. In Mexiko City hatten sie Durchsprachen mit Regierungsbeamten und mit Landagenten. Der Ackerbauminister lud sie sogar in sein Heim ein. So hatten sie Gelegenheit, sich ausgiebig über Mexikos Wirtschaftsleben und auch über die Wirtschaftslage zu unterhalten. Aber auch an Besichtigungen dieser Stadt liessen sie es nicht fehlen. Interessant waren ihnen auch die verschiedenartigen Museen, die grossen katholischen Kathedralen, die Stierkampfarena und so manches andere mehr. Aber auch hier, wie schon in Buenos Aires und vor allem in Rio de Janeiro, trafen sie erbärmliche Elendsviertel an.

Besuch beim Staatspräsidenten Alvaro Obregon

Am 22. August fuhr der Ackerbauminister mit den Männern zum Regierungspalast, wo sie vom mexikanischen Staatspräsidenten, Obregon, empfangen wurden. Da er zu verreisen vorhatte, nahm er sich nur 15 Minuten Zeit, um sich mit ihnen zu unterhalten. Die Delegierten hatten in Mexiko überall einen Begleiter, der mühelos deutsch und spanisch sprach, wenn sie mit Regierungsbeamten oder mit Landagenten sprachen. Nach dem Gespräch mit dem Präsidenten wurde ihnen noch der prachtvolle Regierungspalast gezeigt.

Das Gespräch mit dem Präsidenten Obregon drehte sich um das Privilegium, das die mexikanische Regierung den Altkoloniern und Sommerfeldern versprochen hatte (und das ihnen im November desselben Jahres, 1921, auch ausgehändigt worden ist). Merkwürdig dabei ist, dass sie — Altkolonier und Sommerfelder — nicht als Gesamtmennonitenschaft mit dem Sonderrechtswunsch vor die Regierung getreten sind, sondern jede Gruppe für sich allein. Die Sommerfelder sind diejenigen, die 1922 mit etwa 120 Familien aus dem Westreservat in Südmanitoba die Ansiedlung ''Santa Clara'' im Distrikt von Chihuahua gegründet haben. Die Auswanderung hat damals der Älteste Abraham Doerksen geleitet.

Das mexikanische Privilegium für die mennonitische Einwanderung ist dem Inhalte nach mehr oder weniger das gleiche, das die paraguayische Regierung den Mennoniten gab. Jedoch ist das mexikanische in einer ganz anderen Form bestätigt, bzw. autorisiert worden. Mexiko ist verwaltungsmässig in Bundesstaaten aufgeteilt. Der Oberverantwortliche für den Bundesstaat, in dem die Mennoniten sich ihr Siedlungsland ausersehen hatten, begutachtete und empfahl den Sonderwunsch der Mennoniten, aber der Präsident, als Staatsoberhaupt, bewilligte die darin beantragten Sonderrechte und autorisierte sie durch Gesetzgebung. Der Präsident von Mexiko war zu jener Zeit nicht dem Kongress gegenüber verantwortlich. In Paraguay aber legte der Staatspräsident den Sonderwunsch der Mennoniten erst dem Kongress zur Begutachtung vor. Wenn der Kongress, als die gesetzgebende Kraft, ihn bejahte, dann wurde dieses Zugeständnis oder diese Bewilligung des Antrags vom Staatsoberhaupt bestätigt, und auf diese Weise entstand ein neues Gesetz.

Am 24. August verliessen die Männer Toews, Priesz, Funk und Doerksen Mexiko City und begaben sich auf den Weg nach Hause. Am 2. September kamen sie in Manitoba an, wo sie mit Jubel empfangen wurden. Sieben Monate lang waren sie auf Reisen gewesen. Sie hatten etwa 43.000 Kilometer zurückgelegt. Das Kolonisationsgesetz für die mennonitische Einwanderung nach Paraguay war noch im Juli verabschiedet worden. Es wurde ihnen bald nach Manitoba nachgeschickt, so dass die Delegation den Freibrief zugleich mit ihren Berichten vortragen konnten.

Endlich wieder daheim

In der Heimat angekommen, gaben die Delegierten Bericht über ihre lange Untersuchungsreise und deren Ergebnisse. Wir bringen hier einen Auszug aus diesem Bericht:

"Die ersten 60 Kilometer vom Flusshafen Casado, die wir mit der Casadoeisenbahn zurücklegten, sind mehr oder weniger bewaldet, darunter findet man gutes Nutzholz, wie z.B. Quebracho und anderes. Wir sahen auf dieser Strecke gedeihliche Obstgärten und Gemüsefelder; Mandioka und Süsskartoffeln gediehen sehr gut. Wir stellten fest, dass die Ertragsfähigkeit des Bodens ausgezeichnet ist. Wir fanden schweren und auch leichten Boden. Wir sahen grosse Viehherden, einheimischer wie auch importierter Rassen.

Vom Ende der Eisenbahn in die Wildnis fuhren wir mit Ochsenkarren. Weil schwere Regen niedergegangen waren, war das Gelände bis Kilometer 160 mehr oder weniger mit Wasser bedeckt.

Wir fanden vorwiegend schweren Boden mit starkem Graswuchs, bis zu 4 Fuss hoch. Wir fuhren durch weite Palmensavannen. Es sind dann so bis 20 Palmen auf einer Fläche von etwa einem Acker (etwa 4000 m^2). Auch diese Palmensavannen sind mit Gras bewachsen. So eine Palmensavanne sieht aus wie ein angepflanzter Baumgarten, wo man dann meilenweit durch die einzelstehenden Palmen weit hindurchsehen kann. Eine Palme ist bis zu 25 Fuss (7–8 m) hoch, die Stämme sind also lange kahle Stangen mit oben einem bei leisestem Wind wundervoll raschelnden Fächerbüschel. Sie sind brauchbar für Telegraphenstangen, können auch aufgespalten und sodann die Hälften für Wandbekleidung beim Hüttenbau verwendet werden. Die Palmenhälften kann man auch aushöhlen — der innere Teil ist locker — und für Dachdeckung zu verwenden, indem die hohlen halbierten Stangen dann übereinandergekippt werden, und die auf dem Rücken liegende leitet dann das Wasser ab. Die Oberfläche so eines Daches ist dann gewellt. Im Innern des Fächerbüschelausgangs befindet sich ein nahrhaftes Mark.

Von Kilometer 160 steigt das Gelände etwas an, und ist auch nicht mehr ganz so eben, sondern etwas wellenförmig. Der rötliche Boden ist hier etwas leichter. Der Graswuchs aber ist stark, auch bis zu 4 Fuss (1–1,20 m) hoch.

Von Kilometer 255 stiessen wir öfters auf indianische Gärten, wo wir Mandioka, Süsskartoffeln, Bohnen, Kürbisse und Wassermelonen sahen.

Hin und wieder erblickten wir Baumwollstauden und Kastorölbäume (Rizinus). Man sagte uns, diese Pflanzen wüchsen einfach aus Samen, die von Eingeborenen hingeworfen worden waren, ohne kultiviert zu werden. Ein Beweis für die ausgezeichnete Gedeihfähigkeit des Bodens. Verschiedene Kulturpflanzen gedeihen, auch ohne dass man sie gepflanzt und gepflegt hat.

Die Graswiesen (Kämpe) haben eine Ausdehnung von etwa 5 bis 15 Quadratmeilen (10–30 qkm). Diese Flächen sind von Waldstreifen und Waldzungen gesäumt und zerschnitten. Der Wald besteht zumeist aus Busch und dünnem, kurzem Hartholz, darunter einige Nutzhölzer.

Vom Paraguayfluss bis etwa Kilometer 125 sind die Graswiesen hauptsächlich von Palmen bestanden, dann bis km 180 so gut wie baumlos. Bis Kilometer 320 gibt es Nutzhölzer. Manche Stellen sind auch ohne Bäume, andere Stellen wieder haben so 5 bis 35 Bäume auf einer Fläche von etwa einem Acker (0,4 ha). Zwischen den Bäumen besteht starker Graswuchs, Staudengras oder Büschelgras, bis zu 4 Fuss hoch.

Trinkwasser. Die stehenden Wasser (Tümpel, Niederungen u.a.) bestanden immer aus Süsswasser. 17 der von den Indianern gegrabenen Brunnen hatten gutes, weiches Wasser in einer Tiefe von 2 bis 5 Fuss (60 cm–1,5 m). Davon war ein Brunnen auf hohem, schrägem Gelände bei Kilometer 310, etwa 2 Fuss tief, mit etwa einem Fuss tiefem Wasser. Dieses, glauben wir, muss einer Quelle entspringen, die das ganze Jahr hindurch nicht versiegt, wie die Indianer sagten. Durch Bohrungen, die wir selbst ausführten, fanden wir bei Kilometer 80 in einer Tiefe von 5 Fuss und bei Kilometer 135 bei 16 Fuss (5m) Grundwasser. Es war etwas salzig, wir glauben aber, für das Vieh wird es brauchbar sein. Auf anderen 4 Stellen haben wir bei 5 bis 15 Fuss Tiefe süsses, weiches Wasser gefunden. Das Hinterland ist von einigen Bächen durchzogen. Wir stiessen auf vier Teiche mit süssem Wasser, das war auf Kilometer 160, 180, 300 und 323. Diese sollten, wie man uns sagte, nicht austrocknen. Wir haben keine Teiche mit salzigem Wasser angetroffen.

Das Land: Wir denken, dass sich das Land im allgemeinen für Viehzucht und Ackerbau (Getreide, Obst, Gemüse) gut eignen wird, und wir glauben, dass der Weizen und anderes Getreide zu bestimmten Jahreszeiten gut gedeihen werden. Am 29. April säten wir in Puerto Casado auf etlichen Quadratmetern kanadischen Weizen von der Sorte ''Red Fife'', und am 30. Mai, als wir aus dem Innern des Chaco zurückkehrten an den Hafen, war er bereits einen Fuss hoch gewachsen. Es hatte inzwischen nicht geregnet.

Obst: Apfelsinen, Zitronen, Bananen, Ananas gedeihen gut, so auch verschiedenes Gemüse.

Wir glauben, dieses Land mit seinen verschiedenen Vorteilen und mit einem günstigen Klima, wird sich gut für Ackerbausiedlungen eignen, sofern die notwendige Eisenbahnverbindung mit dem

Flusshafen und dem Innern wird hergestellt sein.

Ein grosses Gebiet jungfräulichen Bodens harrt hier der Kultivierung, des Schaffens und Gestaltens von menschlicher Hand.''

Fred Engen berichtet

Auch Herr Engen verfasste einen Bericht und stellte ihn zur Verfügung. Aus dem Englischen übertragen lautet er wie folgt:

''Nachdem wir die Ländereien der Uferlandschaft der Paraguayflusszone untersucht hatten, drangen wir mit der Eisenbahn bis Kilometer 62, wo diese Bahn endet, ins Chacoinnere vor. Diese Eisenbahn soll im Laufe der Zeit bis Bolivien und Argentinien verlängert werden. Am 30. April fuhren wir vom Ende der Bahn weiter ins Innere. Wir fuhren mit Ochsenkarretten. Durch Wasser und durch Schlamm zog unsere Karawane dann in den Westen. Endlich, am zehnten Tag, kamen wir auf höhergelegenes Gelände. Die durch schwere Regen unter Wasser gesetzten Niederungen hatten wir sodann hinter uns. Wir vermuteten hier den Anfang der Abdachung von den Kordilleren her.

Der Chaco ist ein grosses Gebiet mit offenen und halboffenen Landschaften, vielen Buschinseln und Waldzungen verschiedener Grösse. Während wir nach Westen strebten, machten wir Abstecher nach der rechten und nach der linken Seite für Untersuchungen. Die Landschaft wurde immer prächtiger. Wir kamen auf weite offene Flächen, hierzulande ''Campos'' genannt, die mit Einzelbäumen bestanden waren. Es waren bis zu 20 Bäumen auf einer Fläche von etwa einem Acker, darunter grosse Bäume, geeignet für den Export.

Dass das Land fruchtbar ist, erkennt man schon an dem starken Graswuchs. Das Gras ist so hoch, und die langen Halme sind so ineinander verschlungen, dass es beschwerlich ist, in dem Grase zu gehen.

An verschiedenen Stellen bohrten wir nach Wasser. Ausser an zwei Stellen, wo es etwas salzig war, fanden wir überall gutes Wasser. Wir stiessen auch auf einen fliessenden Bach und auf zahlreiche Wassertümpel. Bei einigen war anzunehmen, dass sie Quellen entsprangen.

Wo wir umkehrten, vermuteten wir, dass das Gebiet etwa 2000 bis 3000 Fuss überm Meeresspiegel liege.

Bis Kilometer 160 ist der Boden grau, von hier aber mehr rötlich. Wir stellten fest, dass die Humusschicht tief ist, bis zu 10 Fuss (etwa 3 m). Solches findet man wohl nicht noch sonstwo. Es ist anzunehmen, dass es eine sehr alte Formation ist, die sich aus einem langen Prozess faulender Vegetation gebildet hat.

Die Eisenbahn, die jetzt 62 Kilometer in den Chaco reicht, muss unbedingt bis zum Siedlungsgebiet gebaut werden. Das bedeutet, dass sie noch etwa 200 Kilometer weiter gebaut werden muss, wenn eine Ansiedlung bewältigt werden soll. Der Naturpfad ist viel zu schwierig für einen Einzug mit den Familien und all den Gütern, die man mit sich führen würde. Auch würde viel Zeit durch solche Reisen verloren gehen. Und diese Zeit ist für die Entwicklung einer Siedlung sehr wichtig. Da gibt es so viel zu tun.

Man trifft überall sehr wertvolle Quebrachobäume und auch anderes Nutzholz an. Man könnte aber mit all dem Reichtum nichts beginnen wenn keine Eisenbahn da ist, den Transport zu bestreiten und so die Naturbestände in Vermögen umzusetzen. Eine Eisenbahn muss hier gebaut werden. Sie ist erforderlich für die Beförderung der Siedler bis zum Siedlungsgebiet. Eine Eisenbahn ist das Jahr hindurch fahrbar kein Wetter beeinträchtigt sie, ob es trocken oder nass ist. Dann wird man im Chaco auch wirklich etwas anfangen können, in diesem subtropischen Garten mit dem herrlichsten Klima der Erde!

Nach der Beschreibung von einem Beauftragten der französischen Regierung, der die Gegend dieses Gebietes in der Nähe der Anden bereiste, haben wir verschiedene Angaben über das Klima. Und nach unseren Beobachtungen in diesem höhergelegenen Teil des paraguayischen Chaco, können wir nun bestätigen, was jener Mann vom westlichen Teil dieses Gebietes beschrieben hat. Wir erlebten das wonnigste Wetter. Fast die ganze Zeit unseres Weilens im Innern wehte ein mässiger Nordwind.

Unsere Expedition bestand aus zwei Einheiten. Herr Karl Hettmann versuchte schon drei Wochen vor unserem Start loszukommen und in die Wildnis vorzustossen, wurde aber durch Überschwemmungen aufgehalten. Wir haben immer wieder Indianer als Arbeiter eingesetzt bei der Wegbahnung durch Wälder und Büsche.

Wir glauben, wir sind für die Anstrengungen, die diese Untersuchungsreise mit sich gebracht hat, reichlich belohnt worden. Wir mussten Ungemütlichkeiten und schwere Arbeit auf uns nehmen. Grosse Schwierigkeiten stellten sich uns durch die Überschwemmungen in den Weg. Weite Gebiete waren unter Wasser.

Der Boden dieses Gebietes ist überaus fruchtbar, und das Klima ist angenehm bei Tag und bei Nacht.

Nach dem Bau einer Eisenbahn vom Paraguayfluss bis hinauf nach Jacuiba, Bolivien, gibt es drei Ein- und Ausgänge, drei Import- und Exportwege: durch die Eisenbahn nach Buenos Aires und dem Atlantischen Ozean, eine andere Eisenbahn zum Pazifischen Ozean und einen Wasserweg nach Buenos Aires (Paraguay- und Paranáfluss). So bestünde dann die Möglichkeit für Handelsbeziehungen mit Argentinien, Chile, Perú und Bolivien.

Ich kann mir keine Gegend vorstellen, wo so wenig Schwierigkeiten bei einer Neuansiedlung zu bewältigen wären, wie hier im paraguayischen Chaco, um sich hier eine angenehme Heimat zu gründen.

Überschwemmungen, wie wir sie hier jetzt gesehen haben, gibt es nicht oft, und zerstörend auf den Boden wirken sie sich sowieso nicht aus, weil das Gefälle so gering und auch der Pflanzenwuchs so stark ist, den Boden zu schützen.

Die mennonitischen Beobachter, die mit mir zusammen durch dieses Gebiet reisten, waren erfahrene Landbauern, und von ihren Glaubensgenossen für diese Mission erwählt, das Chacogebiet auf Ackerbaumöglichkeiten hin zu untersuchen. Sie waren fähig, solches zu tun.

Wir alle sind davon überzeugt, dass der Chaco grosse landwirtschaftliche Möglichkeiten bietet, dass er für Ackerbau geeignet ist, für Ackerbausiedler, die willig sind, mit ihren Händen auch wirklich etwas anzupacken und durchzuführen und so diese Gegend durch ihren kulturellen Einsatz zu einer gedeihlichen Entfaltung zu verhelfen. Und so wird man die verborgenen Reichtümer dieses natürlichen Gartens in unermessliche Segnungen verwandeln und ein Menno-Land daraus machen.

Ich fühle mich den sechs mennonitischen Männern zu besonderem

Dank verpflichtet, wenn ich zurückschaue, wie sie sich tapfer auf der Expeditionsreise eingesetzt haben, wie sie immer heiterer Stimmung waren, auch unter schwierigen Umständen.

Auch Herrn Hettmann möchte ich meinen herzlichen Dank aussprechen für die wertvolle Arbeit, die er mit seiner Mannschaft bei der Wegbereitung geleistet hat, und dafür, dass er so intensiv für das Vorwärtskommen der Expedition gesorgt hat.

Auch den Herren Casado einen herzlichen Dank, und allen anderen, die zum Gelingen dieser Untersuchungsreise in irgendeiner Weise beigetragen haben.''

Soweit Engens Bericht.

Wichtige Faktoren für eine geplante Siedlung

Es seien nun noch einige wichtige Faktoren, die für die Siedlung im Chaco eine besondere Bedeutung hatten, kurz behandelt.

Sowohl die mennonitischen Delegierten als auch Engen unterstrichen immer wieder die Wichtigkeit des Vorhandenseins einer Eisenbahn vom Flusshafen bis zum Siedlungsgebiet, wenn so eine Ansiedlung zustande kommen sollte. Etwa 60 Kilometer Eisenbahn waren in jenen Tagen fertig, und bis zum Jahre 1927 war sie bis auf 77 Kilometer erweitert worden. Dass dann doch über 200 Familien den ungemein schweren Weg von Kilometer 77 bis zum Siedlungsgebiet mit Ochsenwagen zurücklegen mussten, war alles andere als vorgeplante Wildnisbezwingung. Das war dann eine schwere Enttäuschung für alle Beteiligten.

Als dann die Siedler in Puerto Casado angekommen waren, war aber immer noch nicht endgültige Klarheit über den Weiterbau der Eisenbahn. Man rechnete damals immer noch damit, er könnte doch noch rasch vorangetrieben werden, wussten diese Nordländer doch, wie schnell man im Norden (in Kanada und USA) einen Eisenbahnbau vorantrieb. Nach und nach stellte sich aber heraus, dass die Eisenbahn absichtlich nicht schneller gebaut wurde. Diese verzögerte Eisenbahnangelegenheit ging den Amerikanern (der Siedlungsgesellschaft) genau so gegen den Strich wie den dadurch so schwer in Mitleidenschaft gezogenen mennonitischen Einwanderern, die dann aber — wenn auch nicht alle, so doch eine starke Mehrheit — einen Mut und eine Tapferkeit an den Tag legten, die die Welt in Staunen versetzte. Es blieb ihnen nichts übrig, als nur vorwärts zu streben und die zunächst abstossende Wildnis geradezu Zoll für Zoll zu erobern und sie der wirtschaftlichen Erschliessung zuzuführen.

Wenn die Siedler auch wussten, dass sie in ein subtropisches Gebiet einziehen wollten, wo es allerlei anderes als Eis und Schnee gab, so wussten die Berichterstatter das Volk in dieser Hinsicht zu beruhigen, denn sie sagten, es herrsche dort ein angenehmes Klima. Auch an Feuchtigkeit fehle es nicht, und der Pflanzenwuchs sei ausserordentlich gut.

Alles das stimmte für den Monat Mai, als die Expedition dort weilte. Aber zu anderen Jahreszeiten und in anderen Jahren gab es im Chaco auch noch andere klimatische Verhältnisse. Das haben die Siedler dann auch bald reichlich erfahren. Manche von ihnen nahmen die Enttäuschung dann auch einfach nicht hin, sondern verliessen Paraguay und fuhren zurück dorthin, von wo sie gekommen waren. Die Mehrheit aber fand sich damit ab und liess nicht nur das tropische Gebiet tropisch bleiben, sondern auch noch den Chaco als Chaco gelten, hatte er doch auch noch wieder ganz eigenartige Erscheinungen, und gab es doch auch noch Vieles, was so angenehm war.

Eine weitere, nicht geringe Enttäuschung war, wie schon vorher berührt, die Weidegrasfrage. Man hatte sich, entsprechend den Berichten der Delegierten, einen grossartigen Weidegraswuchs und damit vortreffliche Weideflächen für das Vieh auf den Kämpen, wo man die Dörfer anzulegen plante, vorgestellt. Nun stellte es sich heraus, dass die Riesenflächen herrlichen Grases alle aus Bittergras bestanden. Das war anfänglich schwer hinzunehmen, wirkte sich jedoch in der Folgezeit nicht so nachteilig aus, wie man zunächst annahm, dass es sich auswirken würde.

Was die Untersuchungskommission von 1921 in bezug auf die Beschaffenheit des Bodens des zentralen Chacogebietes festgestellt hatte, nämlich, dass er überaus ertragsfähig sei und eine tiefe Humusschicht habe, wurde auch von den Siedlern später bestätigt. In der Bodenbeschaffenheit war man nicht enttäuscht worden.

Ein Weiteres, worauf diese Einwanderer in Paraguay, diese Chacosiedler, grosses Gewicht legten, war die einladende, angenehme Haltung und Einstellung der paraguayischen Regierung, die sich so grosszügig um die Erfüllung gewisser Wünsche der Mennoniten bemühte, Wünsche, die diesen Leuten ganz wichtig waren, Punkte, die sie zum Aufbruch aus der alten Heimat bewogen, um eine neue zu suchen, und die sie nun in wunderbarer Weise in Paraguay fanden.

In dem Glauben, dass Paraguay ein Wort, ein Versprechen, gegeben habe, welches es auch halten werde, sind die Siedler dann bis heute ebenfalls nicht enttäuscht worden, wie auch Paraguay selbst in seinen Erwartungen der Leistungen des tapferen Siedlervolkes nicht enttäuscht worden ist.

Meinungsausdrücke in zeitgenössischen Zeitungen Paraguays

Die paraguayische Regierung hatte sich in der Begutachtung des mennonitischen Kolonisationsprojektes nicht überstürzt, sondern hatte es von allen Seiten beleuchtet und erörtert, bevor sie das dafür bestimmte Gesetz verabschiedet hatte. Wochenlang hatte man dieses Siedlungsprojekt mit seinen Bedingungen und seiner gesetzlichen

Verankerung studiert und besprochen, und immer wieder war das merkwürdige Gesetz in den Tageszeitungen Asuncións öffentlich behandelt worden. Es ist noch heute äusserst interessant, zu lesen, in welcher Weise damals zum Thema: "Mennonitenkolonisation mit Sonderrechten" Stellung genommen worden ist. Im folgenden wird daher versucht, das wesentliche der Diskussionen um dieses Thema in den drei bedeutenden Tageszeitungen Asuncións aus jener Zeit, in sachgruppierter Anordnung wiederzugeben. Die Zeitungen Diaria, El Nacional, Patria, El Liberal beschäftigten sich damit über den ganzen Monat Juli und noch bis in den Anfang des Monats August des Jahres 1921 hinein. Es kommen hier sowohl die Befürworter wie auch die Gegner einer mennonitischen Einwanderung gleicherweise zu Wort:

1. Im Blick auf die Bevölkerung und die Wirtschaft Paraguays — gesehen von den Befürwortenden:

Man müsste sich anstrengen, die Bevölkerung und die Wirtschaft Paraguays zu vermehren; denn gerade die Bevölkerung ist der entscheidende Faktor für den Fortschritt. Es ist klar, dass die meisten nationalen Probleme des Landes bevölkerungsbezogenen Charakters sind. Das Land ist zu dünn besiedelt. Der einsame "Rancho" im weiten, ungenügend bebauten Feld ist ein Symbol der Armut und auch die Ursache der Armut. Die Bevölkerungsarmut wieder verursacht allgemeine wirtschaftliche Probleme. Um den Wohlstand fördern zu können, müsste das Land dichter bevölkert werden. Die Lösung dieses Problems wird eine bessere Zeit bringen. Armut und Entvölkerung bedrohen jetzt das Land. Etwa 80% der Einwohner leiden jetzt an der Hakenwurmkrankheit, und es fehlt an Mitteln, diese Krankheit bekämpfen zu können. Es müsste wenigstens versucht werden, zu tun, was möglich ist.

Ausländer staunen über den naturgegebenen Reichtum Paraguays. Aber was tut man damit? Es fehlt an Menschen, die den Reichtum auszuwerten wissen. Und das ist auch der Zweck des mennonitischen Kolonisationsprojektes, das die Regierung jetzt auf den Tisch bringt.

2. Die Mennoniten, ein möglicher Fremdkörper im Staat — gesehen von den Gegnern:

Eine andere Gesellschaft neben der nationalen Gesellschaft führt zu zwei Klassen von Staatsbürgern. Wenn man Ausländer ins Land nehmen will, dann müssten diese sich anpassen. Man spricht von 50 000 Mennoniten, die nach Paraguay zu kommen gedenken. Sollte sich solcher Traum verwirklichen, dann werden diese Leute hier aufgrund der Sondergesetze, die man ihnen geben will, eine Sondergemeinschaft bilden, abgesondert, isoliert von der nationalen Gemeinschaft und mit dem paraguayischen Volk werden sie weiter gar nichts gemein haben, als dass sie im selben Lande wohnen, geschützt durch ihre Sprache, durch ihre Einrichtungen und ihre eigenen Autoritäten und durch eigene Gesetze. Es werden dadurch zwei Klassen von Staatsbürgern entstehen, und zwar auf einer Grundlage ungerechter Ungleichheit, die eine Klasse mit vollen staatsbürgerlichen Pflichten, die andere Klasse ausgestattet mit Sonderrechten ohne wesentliche nationale Verpflichtungen.

Die Mennoniten wollen sich nicht in das nationale Leben einfügen, und sie werden darum eine neue politische und gesellschaftliche Klasse bilden, sich innerhalb der paraguayischen Grenzen absondern, ein Eigenleben führen und allem nationalen Streben entfremdet sein und bleiben. Und warum? Weil sie dabei durch Privilegien, die den Schein eines bestimmten Berufsvorrechtes haben und die ausserdem von Generation auf Generation übetragbar sind, unterstützt und geschützt werden.

3. Im Blick auf bürgerliche Rechte und Pflichten — gesehen von den Gegnern:

Die Behandlung des mennonitischen Kolonisationsprojektes ist einseitig. Es ist einfach ein Angebot von Vorteilen, die der Staat an eine religiöse Sekte macht, und die er einladet, daraufhin ins Land zu kommen. Man bietet Vorrechte an, ohne zu bedenken, was sich daraus ergeben könnte. Dagegen liegt vonseiten der Empfänger dieser Vorteile keine schriftliche Verpflichtung über den Beitrag vor, den sie dem Staat gegenüber zu liefern haben oder liefern wollen. Es wird auch nicht die Zahl angegeben, in welcher diese Gemeinschaft einzuwandern gedenkt, falls die Angebote zusagen. Solches ist verdächtig.

Man wird durch so ein Nebeneinanderstellen zweier Volksgruppen, deren Streben verschiedene Wege geht, die wirtschaftliche Entwicklung, die Paraguay benötigt, sicherlich nicht zustande bringen. Wenn man Ausländer einlädt, ins Land zu kommen, um die brachliegenden, öden Felder zu besiedeln, so sollten diese Ausländer die Paraguayer doch wenigstens in der Hoffnung bestärken, mit ihnen gemeinsame Arbeit zu machen. Man sollte den Mennoniten einfach mitteilen, dass solche Ausnahmegesetze, die nur die Ungleichheit fördern, einfach nicht gegeben werden können.

Warum ist die paraguayische Nation so passiv und sucht nicht selbst die menschlichen Werte in einen aktiven Faktor zu verwandeln? Warum soll das Land fremde Bedürfnisse befriedigen? Warum soll das Land sich fremden Beiträgen und nicht die fremden Beiträge sich dem Lande anpassen? Man sollte von Ausländern niemals zu viel erwarten. Jeder Bürger des Staates muss mit seinen Beiträgen zum Aufbau der Nation mitwirken. Die politische Selbständigkeit muss mehr durch wirksames Schaffen als durch historische Gründe und durch Rechte stabilisiert werden.

Das Volk braucht eine von Paraguayern geleitete, national durchdrungene wirtschaftliche Organisation, die Lebenskräfte aufzeigt, die ihre Werte im Leben und Weg Amerikas sucht und findet und solches nicht von fremden Menschen erwartet.

4. Wie die Mennoniten sind — gesehen von den Gegnern:

Die Mennoniten sind einer Nation gegenüber starr und unverantwortlich. Und es wird Paraguay sicher nicht viel helfen, diese Leute anzusiedeln, sondern es wird für die Entwicklung des wirtschaftlichen Fortschritts bedeutungslos sein. Kein Land, keine Nation, ist imstande, diese Mennoniten dazu zu bewegen, dass sie sich anpassen. Sie pflegen eine übertriebene Erfüllung der zehn Gebote. Die Religion der Mennoniten ist ein Fanatismus. Die Wissensbildung, die Bildung des Geistes, verachten sie geradezu. Die Mennoniten wollen Rechte haben, aber sie wollen nicht die dazugehörigen Pflichten übernehmen.

5. Wie die Mennoniten sind — gesehen von den Befürwortenden:

Die Regierung von Paraguay sieht in der Aufnahme des mennonitischen Volkes einen wertvollen wirtschaftlichen Beitrag für Paraguay. Es ist nicht das erste Mal, dass die Leute ein neues Land besiedeln. Und wo immer sie auch hingekommen sind, sie haben keinmal einem Staate Schwierigkeiten bereitet. Noch keinmal haben sie die Tendenz gezeigt, sich als Staat im Staate zu entwickeln. Wo immer sie wohnten und wohnen, haben sie das nationale Leben ihres Gastlandes bereichert.

Die mennonitische Einwanderung wird ein Beitrag für den Aufschwung und Fortschritt des Landes sein. Es wird ein Werk sein, das zur Erstarkung der paraguayischen Nation beitragen wird. Um sich für ihre Aufnahme zu entscheiden, genügt schon allein das Wissen um die Absicht, mit welcher diese Einwanderer ins Land kommen wollen. Sie sind die friedlichsten Menschen, die es gibt.

Die Mennoniten haben oft gelitten, wenn Kriege ausbrachen. Obwohl sie von den Regierungen geachtet waren, gab es in den kriegführenden Ländern immer wieder Gruppen, die die Mennoniten belästigten, selbst wenn eine Regierung solche Misshandlung verbot. Schon drei Jahrhunderte haben sie den Beweis erbracht, dass sie arbeitsam, rechtschaffen und zuchtvoll sind. Dass die Mennoniten sich vom nationalen Wesen des Landes, in dem sie wohnen, zurückhalten, kommt eigentlich aus einer gewissen Passivität heraus. Man weiss aber auch, dass sie sich auf Stellen doch am nationalen Ergehen beteiligen. Aber niemals wollen sie eine Nation aus sich selbst bilden.

Die mennonitische Gemeinschaft ist nicht ein Rassenverband, es ist eine Religionsgemeinschaft; das ist es, was sie kennzeichnet. Keine strenge Religionsgemeinschaft nimmt stark an Mitgliedern zu, auch nicht die mennonitische. Das Christentum hat ja seine äussere Gestalt irgendwie abändern müssen (im Laufe der Zeit), um mehr Mitglieder aufnehmen zu können. Das ist tragisch, aber wahr. Warum? Damit man mehr dem Laster frönen kann und weniger den Tugenden nachstreben muss. Alle Gemeinschaften, die strenge moralische Regeln einhalten, haben weniger Anhänger. Wenn es als ein negatives Zeichen angesehen wird, dass die mennonitische Gemeinschaft nur klein ist, das Obengesagte ist die Ursache.

6. Die Mennoniten und der Militärdienst — gesehen von den Gegnern:

Die Bewilligung, mit der man sich im Senat beschäftigt, gibt jedem, der sich Mennonit nennt, die Befreiung vom Militärdienst, und so auch seinen Kindern und Kindeskindern, also in einer Folge, die kein Ende nimmt. Somit ist es ein übertragbares, unendliches Privilegium, vererbbar von den Vätern auf die Kinder: '' . . . befreit vom Dienst ohne Waffen als auch vom Dienst mit den Waffen'' heisst es im Projekt. Wenn nun diese Leute den Beweis aufbringen, dass ihr Glaube ihnen das Töten verbietet, dann schon gut; aber was hat das mit dem Dienst ohne Waffen zu tun? Das hat doch nichts zu tun mit dem Gebot: ''Du sollst nicht töten!'' Ist so etwas nicht nur ein Suchen nach einer Ausrede? In Wirklichkeit ist eine derartige Einstellung eine absolute Gleichgültigkeit gegenüber dem Schicksal des jeweiligen Vaterlandes zu nennen, d,h. des Landes, in dem sie leben, darin sie wohnen und sich ernähren. Man könnte es sogar eine staatsgefährdende Neigung nennen.

Man hat diese kriegsdienstablehnende Einstellung der Mennoniten als etwas Positives hingestellt. Warum aber hat dann die mennonitische Gemeinschaft noch nicht eine grössere Zahl von Mitgliedern gewonnen? Warum ist diese Gemeinschaft immer nur so klein geblieben? Obwohl Kanada ein protestantisches Land ist, gibt es dort kaum 50 000 Mennoniten, aber mehrere Millionen Katholiken. Die mennonitische Gemeinschaft hat sich tatsächlich nicht zu einer zahlenmässig bedeutsamen Gemeinschaft emporgearbeitet.

7. Die Mennoniten und der Militärdienst — gesehen von den Befürwortenden:

Man schätzt den Militärdienst zu hoch ein. Warum macht unser Land es nicht auch so, wie die Vereinigten Staaten? Dort hat man dem Gesetz der Wehrpflicht eine Klausel angehängt, die die Befreiung vom Wehrdienst vorsieht für solche, die aus Gewissensgründen auf der Grundlage ihres Glaubens den Militärdienst ablehnen. Die Staatsverfassung Paráguays hat ihre Quelle in der amerikanischen Verfassung. Warum sollte man nicht auch in Paraguay solche Möglichkeiten vorsehen?

Aufgrund der Verfassung müssen die nationalen Lasten aller Bürger gleich sein, und das ist auch recht so. Man darf aber die Verfassung nicht einseitig auslegen. Die Verfassung ist ein Instrument der Regierung, und man muss sie als Ganzes auslegen. Buchstäblich genommen stimmt es: Die Verfassung verpflichtet alle Bürger, ohne Ausnahmen, zur Verteidigung des Vaterlandes die Waffen zu nehmen; aber da heisst es auch noch so: Von den Staatsbürgern wird gefordert, gemeinsam für die Verteidigung zu sorgen. Und gerade diese Forderung erlaubt es uns nicht nur, sondern befiehlt es sogar, in gewisser Beziehung Unterschiede zu machen; denn nicht alle Bürger können und sollen in der direkten Verteidigung stehen. Für die Sicherheit eines Staates zu sorgen bedeutet ja nicht nur, sich zu bewaffnen. Man muss sich auch mit anderen Mitteln für das Bestehen eines Landes einsetzen, es muss auch für den Unterhalt gesorgt werden.

Man muss in Betracht ziehen, dass dieses Vorrecht der Mennoniten, vom Militärdienst befreit zu sein, durch andere Dienste ihrer Wirksamkeit ersetzt wird. Wenn England und die Vereinigten Staaten, diese Länder der Ordnung und Freiheit, die Mennoniten mit offenen Armen aufgenommen haben, warum sollte dann nicht auch Paraguay für sie offen sein? In der Staatsverfassung heisst es doch, das Land solle offen sein für alle Menschen, wo immer sie auch herkommen.

In Wirklichkeit ist ja die christliche Religion gegen den Krieg, gegen Blutvergiessen. Die Mennoniten legen ihren religiösen Massstab an die unverfälschten Werte der Lehre des Weltheilandes, sie erhalten etwas aufrecht, was man nicht zurückweisen sollte. Wann wird es noch einmal so weit kommen, dass der Krieg von der Erde verbannt sein wird? Was kostet es doch, einen Krieg zu führen, und welche verheerenden Fogen haben auch Bürgerkriege!

Wir wollen die Verfassung respektieren, aber wir wollen sie in ihrer hohen Bedeutung respektieren. Wie könnte sie eine noch herrlichere Zielsetzung haben, als alle Menschen, ungeachtet ihres Glaubens, aufzunehmen. Es sind aber nicht nur die Mennoniten, die den Krieg ablehnen, sondern auch die Quäker und andere Glaubensgemeinschaften. Wenn das, was wir den Mennoniten an Gesetzen gewähren, auch nicht unbedingt lückenlos mit dem Buchstaben der Verfassung übereinstimmt, so stimmt es aber mit dem Geiste der Verfassung überein. Und wir müssen uns diese Wahrheit merken: ''Der Buchstabe tötet, der Geist aber macht lebendig.''

Was Paraguay braucht, ist nicht militärischer, sondern wirtschaftlicher Aufbau. Und hierbei werden die Mennoniten schon ihren Mann stellen. Die Mennoniten kommen nicht nach Paraguay, Geschäfte zu machen und dann wieder zu gehen. Sie kommen, um zu bleiben und zu arbeiten.

8. Die Mennoniten, ihre Schulen und ihre Sprache — gesehen von den Gegnern:

Die Mennoniten passen sich keinem Lande an. Sind sie in Russland, sprechen sie nicht Russisch, sie haben ihre eigene Sprache; sind sie in Kanada, sprechen sie auch dort nicht Englisch, sie sprechen ihre eigene Sprache. Mit diesem mennonitischen Kolonisationsprojekt gibt man diejenigen Elemente aus der Hand, durch welche eine Nation kulturell gefestigt wird: Sprache und Schule. In der Auswirkung dieser zwei wichtigsten Faktoren wird das Wesen einer Nation am stärksten bestimmt und am sichersten gekennzeichnet.

Die Mennoniten sollen schon ihre Sprache haben, denn darin ist ihre Tradition verwurzelt, und sie ist das Ausdrucksmittel ihrer Wünsche und ihres Strebens; aber sie sollten auch willig sein, die Landessprache anzunehmen, sie zu lehren und zu lernen, wenn sie sich schon auf paraguayischem Boden heimisch machen wollen. Den Mennoniten das Recht erteilen, in ihrer eigenen Sprache zu unterrichten, kann man schon aufgrund der durch die Verfassung gestatteten Lehrfreiheit; aber was aus diesem Projekt herauszuhören ist, das ist der Vorsatz, die Landessprache aus ihren Schulen ganz herauszuhalten.

Die Mennoniten sind zurückgeblieben, und sie sind auch egoistisch. Das sieht man an ihrem Bildungsmotto: ''Wir lehren unsere Kinder nur das Lesen, Schreiben und so einiges andere mehr, aber nicht die Fächer, die den Kindern Anlass geben könnten, sich in die Politik des Staates einzumischen.'' Die Mennoniten wissen sehr gut, dass die Sprache ein Bildungselement der nationalen Identifizierung ist. Sie wollen in dieser Weise vorbeugen, ihre Kinder durch das sprachliche Band mit dem Landesvolk zu vereinigen. Das gemässigte Projekt sieht vor, dass die Mennoniten das Recht haben sollen, in der deutschen Sprache zu unterrichten. Die Landessprache aber müsste im Unterrichtsplan mit einbegriffen sein.

9. Die Mennoniten, ihre Schulen und ihre Sprache — gesehen von den Befürwortenden:

Man hat den Punkt angefochten, der den Mennoniten gestattet, in ihrer deutschen Sprache die Schulen zu führen, ohne sich zu verpflichten, auch die spanische Sprache mit hineinzunehmen. Das Projekt schliesst den Unterricht der spanischen Sprache gar nicht aus. Es steht nirgends im Projekt, dass sie die spanische Sprache nicht erlernen werden oder sollen. Es ist nur davon die Rede, dass ihnen erlaubt ist, in deutscher Sprache zu unterrichten.

Die Bedürfnisse, die sich aus ihrem Wohnen im Lande, den Notwendigkeiten der Erledigung geschäftlicher Angelegenheiten ergeben, werden sie schon von selber dahin bringen, die spanische Sprache zu erlernen. Erlernen nicht auch Paraguayer gerne die deutsche Sprache? Und wie teuer bezahlt man dafür, um sie in den Hochschulen zu erlernen! Deutsch ist die Sprache eines Volkes mit einer hochstehenden Kultur.

Wenn man es überdenkt, **wo** die Mennoniten ansiedeln wollen, nämlich in einer ausgesprochenen, weltfernen Wildnis, wer wird dann noch scheel auf diese Leute schauen, wenn sie auch nicht unbedingt in spanischer Sprache unterrichten! Und schliesslich werden sie eines Tages auch die Landessprache erlernen, und so auch ihre Nachkommen. Sie werden ja einfach nicht auskommen, ohne die Landesspracht zu verstehen.

10. Die Erbgüterverwaltung der Mennoniten (Waisenamt) — gesehen von den Gegnern:

Die Mennoniten wollen ihre eigene Erbgüterverwaltung haben. Anstatt sich unseren Gesetzen zu unterordnen, wollen sie, dass wir uns ihren Gesetzen fügen, ohne überhaupt noch vorher die Richtigkeit und Fähigkeit ihrer Regelungen bewiesen zu haben. Das heisst so viel wie, unsere Landesgesetze aufzuheben und vorrechtliche Gesetze zu schaffen. Dadurch werden unsere bürgerlichen Ordnungen zum Teil abgeändert. Der Staat will der mennonitischen Kolonisation doch grosse Opfer bringen.

11. Die Erbgüterverwaltung der Mennoniten (Waisenamt) — gesehen von den Befürwortenden:

Den Mennoniten die Verwaltung ihrer Erbgüter zu überlassen, ist kein Verstoss gegen unsere Verfassung oder gegen unsere Gesetze. Die Selbstverwaltung ihrer Erbgüter ist weiter nichts als eine Beaufsichtigung. Die Mennoniten werden schon im Rahmen der Landesgesetze bleiben, sie werden keine Übertretungen vornehmen.

Das ist ja das Ideal aller Staatsverfassungen, dem Menschen möglichst viel Freiheit in der eigenen Verwaltung seiner Güter einzuräumen so, wie es jeder selbst für gut ansieht. Das Selbstverwalten der Güter der unmündigen Erben haben die Mennoniten schon durch Jahrhunderte praktiziert, und sie haben sich darin als vorbildlich erwiesen. Die Selbstverwaltung wird getätigt durch eine Art Familien- oder Gemeinschaftsrat, der aus ihrer Mitte erwählt wird, und der aus den bedeutendsten Personen des Ortes besteht.

12. Keine Sicherstellung (Garantie) vonseiten der Mennoniten? — gesehen von den Gegnern:

Es ist kein schriftlich festgelegtes Abkommen mit den Mennoniten gemacht worden. Man weiss nicht einmal, wieviele kommen wollen. Man sagt, sie hätten Versprechen gemacht, es liegen aber schriftlich keine vor. Somit ist das Projekt ganz einseitig ausgerichtet. Es ist ein einseitiges Versprechen: Der Staat verspricht alles, die Mennoniten versprechen nichts. Das Projekt ist eine Einladung an eine religiöse Sekte, ins Land zu kommen, indem ihr eine Reihe von Vorrechten gesichert werden. Bedenkt man denn überhaupt nicht, was sich dadurch für Unnannehmlichkeiten ergeben können?

13. Keine Sicherstellung (Garantie) vonseiten der Mennoniten? — gesehen von den Befürwortenden:

Und wenn die Mennoniten auch nicht in den Schützengräben dienen werden, so werden sie aber das Land kultivieren. Und sie werden dort arbeiten, wo die Paraguayer noch nicht einmal besuchsweise gewesen sind, von einem Ansiedeln und Arbeiten schon gar nicht zu reden! Das Chacoinnere ist eine riesige Wildnis. Man sieht in seinen Randgebieten einige Einrichtungen, Fabriken, Estancias usw., aber das ist noch nicht viel. Was aber bei dem, das bisher geschafft wurde, herausgekommen ist, das ist Ausbeutung. Das Land wird ausgebeutet (durch die Tanninfabriken), und die Beute geht ins Ausland. Es ist dieses das erste Mal, dass Menschen sich für eine Ansiedlung ins Innere der grossen Wildnis begeben wollen, um dort wohnhaft zu werden. Wir brauchen keine weiteren Sicherstellungen oder Garantien. Die Absicht, mit der die Mennoniten kommen, genügt schon ganz und gar.

14. Warum Paraguay die Mennoniten haben will, und warum sie nach Paraguay kommen wollen — gesehen von den Befürwortenden:

Was die Mennoniten wünschen, ist freie Ausübung ihrer Religion. Dafür möchten sie eine rechtliche Zusage haben. Mit dem Kommen der Mennoniten wird sich das Problem des Siedlermangels und das der wirtschaftlichen Erschliessung der Chacowildnis lösen. Welche Leute wären dazu noch fähiger als die Mennoniten?! Und warum? Weil sie friedlich und arbeitsam sind.

Es ist kein Wagnis, sondern es ist ganz ungefährlich, sie ins Land zu nehmen und hier ansässig zu machen. Mit den Mennoniten wird man das Unangenehme nicht erleben, was Brasilien in Rio Grande mit den deutschen Kolonisten während des Krieges erlebt hat. Die ernsten und strengen Gewohnheiten der Mennoniten und ihre Schaffensfreudigkeit werden dem paraguayischen Volk ein Ansporn zur Arbeit sein.

Die Sonderrechte, die, buchstäblich gesehen, dafür gehalten werden könnten, dass sie von der Gesetzgebung abweichen, sich nebensächlich im Hinblick auf die grossen Vorteile, die uns die mennonitische Einwanderung bringen und verschaffen kann. Man sollte frohgemut für das Projekt stimmen und es annehmen. Die mennonitische Einwanderung ist nicht das Werk einiger Persönlichkeiten, es ist das Werk einer Gemeinschaft, der Auszug eines Volkes, das den Chaco besiedeln will. Es handelt sich um eine Gemeinschaft, die die Reinheit ihrer Lehre, ihre Gewohnheiten und Gebräuche aufrecht erhalten will. Und diese Leute wollen sich auch hier an ihre religiösen

Ordnungen halten, sie wollen gehorsame und nützliche Bürger des Staates sein.

Die in Paraguay geborenen Mennoniten werden paraguayische Staatsbürger mit mennonitischer Religion sein. Sie wollen weiter nichts, als ihre Religion bewahren. Noch keinmal haben sich die Mennoniten gegen Obrigkeiten aufgelehnt, selbst nicht einmal dann, wenn sie unterdrückt und ganz ungerecht behandelt worden sind. Es gibt zwei Sorten von Einwanderung: die spontane, durch eigenen Antrieb bewirkte (wie die mennonitische) und die gesuchte Einwanderung. Die gesuchte wird durch Geld bewirkt. Brasilien hat Italiener, Deutsche und auch Japaner ins Land kommen lassen, um sie ansässig zu machen. Paraguay kann solches nicht, weil es nicht die Mittel dazu hat. So ist diese mennonitische Einwanderung eine wunderbare Gelegenheit für Paraguay, weil sie ihres Glaubens und ihrer Gewohnheiten wegen nicht in jedes Land hineinpassen, sie hier aufzunehmen.

Die Mennoniten ziehen Paraguay vor anderen Ländern vor, weil es ein kleines Land ist und weil es gute Beziehungen zu den Nachbarländern hat. Paraguay ist den schweren internationalen Streitfragen, die zum Weltkrieg führten, ferngeblieben. Paraguay mischt sich auch heute nicht in die Streitfragen, welche die grossen Mächte gegeneinander aufbringen. Das ist es, warum die Mennoniten sich Paraguay ausersehen haben. Paraguay ist für sie ein "Eden der Natur", es bietet ihnen Frieden und auch wirtschaftliche Möglichkeiten.

Wir müssen aber auch bedenken, dass alle die Vorrechte, die Paraguay den Mennoniten geben will, bei weitem nicht die Anstrengungen und Opfer aufwiegen und ersetzen können, die den Siedlern noch bevorstehen, wenn sie das Siedlungswerk durchführen wollen, denn es bedeutet, sich von der Heimat zu trennen und an einem ganz fremden Ort, dazu in einer Wildnis, neu anzufangen. So ein einmütiger Entschluss ist für uns ja kaum vorstellbar, und nur die Mennoniten mit ihrer Willenskraft und ihrem Entsagungsgeist sind fähig und imstande, so ein Unternehmen durchzuführen.

Soweit die zusammengefassten Auszüge aus der damaligen Tagespresse Asuncións. Absichtlich übergangen sind dabei die parteipolitischen Auseinandersetzungen oder auch Schimpftiraden, die die eine und die andere Zeitung über ihren Gegner ergehen liess.

Der Freibrief aus Paraguay

Erst eine Woche waren unsere Männer von ihrer grossen Reise heimgekehrt, als auch Fred Engen schon in Winnipeg, Manitoba, ankam. Er war im Auftrag von General McRoberts mit einer Kopie des Gesetzes Nr. 514 und einer Übertragung ins Englische nach Winnipeg gekommen, wo er sich dann mit den Herren Johann Priesz, Bernhard

Toews und dem Ältesten Aaron Zacharias traf, um ihnen das wichtige Dokument einzuhändigen. Wir lassen es hier ungekürzt in deutscher Übersetzung folgen:

Das Kolonisationsgesetz
für die Mennoniten

Büro des Präsidenten   Folgenreihe B
der Republik Paraguay   Nr. 08056

Gesetz Nr. 514, mit welchem die Rechte und Vorrechte derjenigen Mitglieder der Mennonitengemeinschaft festgesetzt werden, die im Lande eintreffen.

1. Artikel

Die Mitglieder der Mennonitengemeinschaft, die als Bestandteil eines Siedlungsunternehmens im Lande eintreffen, sowie ihre Nachkommen, geniessen folgende Rechte und Vorrechte:

1. Ihre Religion und ihren Gottesdienst in voller Freiheit auszuüben ohne irgendeine Einschränkung und mit der Folgerung, an Gerichtsstelle durch einfaches Ja oder Nein Beteuerungen an Eides Statt abzugeben und in Friedens– und Kriegszeiten von der Militärdienstpflicht befreit zu sein, sowohl im Dienst mit, wie im Dienst ohne Waffen.
2. Schulen und Unterrichtsanstalten zu errichten, zu verwalten und zu erhalten, sowie ihre Religion und ihre Sprache, welche die deutsche ist, ohne irgendeine Einschränkung zu lehren und zu lernen.
3. Das Nachlassgut und insbesondere das Witwen– und Waisengut mittels der besonderen Stammguteinrichtung, genannt "Waisenamt", und gemäss den eigenen Gemeinschaftsvorschriften ohne irgendeine Art von Einschränkung zu verwalten.

2. Artikel

Innerhalb eines Umkreises von fünf Kilometern Entfernung vom Grund und Boden der Mennonitensiedlungen ist der Verkauf von geistigen und betäubenden Getränken verboten, es sei denn, dass die zuständigen Behörden der besagten Siedlungen bei der Regierung die Zulassung des Verkaufs beantragen und die Regierung ihre Einwilligung erteilt.

3. Artikel

Gleicherweise werden den Mennonitensiedlungen für die Dauer von zehn Jahren, gerechnet vom Tage der Ankunft des ersten Siedlers, folgende Befreiungen zugestanden:
1.
Freie Einfuhr von Möbeln, Maschinen, Geräten und Werkzeugen, Arzneimitteln, Sämereien, Tieren, Ersatzteilen und im allgemeinen von allen Gegenständen, die für die Einrichtung und Entwicklung der Siedlungen notwendig sind.
    2. Befreiung von jeder Art von Staats– und Gemeindesteuern.

4. Artikel

Kein bestehendes oder noch zu erlassendes Gesetz für Einwanderung oder andere Materia soll der Einreise von Mennoniten–Einwanderern in das Land aus Gründen des Lebensalters und eines körperlichen oder geistigen Gebrechens hinderlich sein.

5. Artikel

Paragraph 3 Artikel 1 soll so verstanden werden, dass er die Rechte solcher Personen nicht berührt, die in der Lage sind, ihr Hab und Gut selbst zu verwalten. Handelt es sich um Geschäftsunfähige Personen, so sollen die Richter, wenn der Tatbestand der Zugehörigkeit des Betroffenen zu den Mennonitensiedlungen ausgewiesen ist, die betreffenden Stammguteinrichtungen (Fideikommisse) als Pfleger oder Vormünder der Geschäftsunfähigen bestimmen. Diese Pfleger- und Vormundschaft richtet sich nach den Vorschriften jener Stammguteinrichtungen.

6. Artikel

Das mit der Mennonitenansiedlung beauftragte Unternehmen oder die von den Siedlern anerkannten Behörden werden angehalten, der vollziehenden Staatsgewalt bekanntzugeben:

1. Die zur Besiedlung durch die Mennoniten vorgesehenen Ländereien mit Angabe ihrer Lage, Ausdehnung und Grenzen,
2. Die die Siedlungen vertretenden physischen oder juristischen Personen,
3. Die Bezeichnungen, Vorstände und Satzungen der Stammguteinrichtungen (Fideikommisse), "Waisenamt", zwecks gesetzlicher Anerkennung der letzteren durch den Kongress.

7. Artikel

Die durch dieses Gesetz bewilligten Vorrechte und Befreiungen werden auch auf Einzelpersonen derselben Mennonitenschaft ausgedehnt, welche einzeln einwandern, immer vorausgesetzt, dass sie durch die zuständigen Behörden der genannten Gemeinschaft ihre Eigenschaft als Mennoniten und als Bestandteil des Siedlungsunternehmens nachweisen, auf welches der Artikel 6 Bezug nimmt.

8. Artikel

Dieses soll dem Exekutivbüro mitgeteilt werden. Herausgegeben im Sitzungssaal des gesetzgebenden Kongresses, am 22. Juli 1921.

Der Senatspräsident   Der Präsident der Deputiertenkammer
gez. Felix Paiva   gez. Enrique Bordenave
gez. Juan de Arevallo,   gez. Manuel Gimenez,
Sekretär   Sekretär

Asunción, den 26. Juli 1921
Als Gesetz anzuerkennen, zu erfüllen, zu veröffentlichen und in das amtliche Register einzutragen.
gez.: Gondra, José P. Guggiari, Ramos Lara Castro, Eligio Ayala, Rogelio Ibarra, Adolfo Chiriffe

Mit dem Gesetz Nr. 914, vom 25. August 1927, wurden die im Gesetz Nr. 514 gewährten Vergünstigungen auf alle in den Chaco einwandernden Kolonisten ausgedehnt, mit der Einschränkung, dass nur die Mitglieder wehrfreier Gemeinschaften vom Militärdienst befreit sein sollten. In einem späteren Erlass des damaligen Staatspräsidenten, vom 4. Mai 1932, unter der Nr. 43 561, wurden auch die Kolonisten der Ansiedlung Fernheim unter das Gesetz Nr. 514 gestellt.

Der Freibrief aus Mexiko

Auch von Mexiko hatten die Delegierten den Freibrief mitgebracht, den die mexikanische Regierung den Altkoloniern und den Sommerfeldern erteilt hatte. Die Sommerfelder hatten ihren wohl etwas später beantragt. Wir lassen hier den Antwortbrief des Gouverneurs von Chihuahua an die Vertreter der Sommerfelder, sowie den Freibrief selbst ungekürzt folgen:

Estado Libre y Gobierno
de Chihuahua, Poder Ejecutivo

An die Herren: Diedrich A. Doerksen, Abram D. Hiebert und Abraham C. Doerksen, Vertreter der Sommerfelder Mennoniten von Kanada

Meine Herren!

Mit diesem Datum gebe ich Ihnen die amtliche Antwort auf Ihren Antrag vom 26. November an die Regierung, welche wie folgt lautet:

Bezugnehmend auf Ihr Schreiben vom 26. November ist es mir angenehm, Ihnen mitteilen zu können, dass die Regierung des Staates Chihuahua, deren Vorsitz ich zu führen die Ehre habe, die Bewilligung der föderalen Regierung, die Ihnen in Verbindung mit Ihrer Ansiedlung als Landwirte erteilt worden ist, anerkennt und bekräftigt. Wir versichern Ihnen den Schutz der Autoritäten dieser Regierung und die Sympathie unseres Volkes, welches Sie grüsst und Sie als ehrbare und friedliche Ackerbauleute willkommen heisst.

Eine gleiche Bewilligung ist den Gliedern der Reinländer Mennoniten erteilt worden, wobei die endgültige Regelung über die Form der Verwaltung von Nachlässen in Sterbefällen noch offen steht, deren Anpassung aber an unsere Gesetze, welche sehr liberal sind, keine Schwierigkeiten bereiten sollte.

Ich freue mich, Ihnen erneut meine Anerkennung und Hochachtung versichern zu können.

Chihuahua, Mexiko, den 28. November 1921 gez.: J. Enriquez

Bewilligung

garantiert und erteilt an die Kolonisten der Sommerfelder Mennoniten von Kanada vom Präsidenten der Republik Mexiko, um unter dieser Garantie in diesem Lande als Ackerbauleute anzusiedeln.

An den Bischof Abraham Doerksen, Vertreter der Sommerfelder Mennonitengemeinde von Kanada

In Beantwortung Ihrer Eingabe vom 5. dieses Monats, in welcher Sie Ihren Wunsch ausdrücken, sich in unserem Lande als Ackerbausiedler niederlassen zu wollen, habe ich die Ehre, Ihnen als Antwort auf die Fragen, welche Ihre bereits erwähnte Eingabe enthält, folgendes mitzuteilen:

1. In keinem Falle sind Sie zum Militärdienst verpflichtet.
2. Sie sind in keinem Falle verpflichtet, einen Eid abzulegen.
3. Sie haben das weitgehendste Recht, Ihre religiösen Prinzipien und die Vorschriften Ihrer Kirche auszuüben, ohne dass Sie in irgendeiner Weise belästigt oder behindert werden.
4. Sie sind vollkommen autorisiert, Ihre eigenen Schulen zu gründen, mit eigenen Lehrern, wo Sie in deutscher Sprache unterrichten und ebenfalls Ihre Religion in derselben Sprache ausüben können, ohne dass Sie die Regierung in irgendeiner Weise behindern wird.
5. Was die Verwaltung Ihrer Güter und die Einrichtung einer gegenseitigen mennonitischen Feuerversicherung anbetrifft, so sind

unsere Gesetze weitgehend liberal. Sie können über Ihre Güter in derjenigen Art und Weise verfügen, wie Sie es für recht erachten. Diese Regierung wird keinen Einspruch erheben, dass die Mitglieder Ihrer Sekte unter sich wirtschaftliche Bestimmungen durchführen, die sie freiwillig anzunehmen gewillt sind.

6. Man wird Ihnen zu jeder Zeit den Schutz des Gesetzes für Ihr Eigentum und Leben erteilen, wo immer dieses erforderlich sein wird.

7. Es wird Ihnen volle Freiheit gewährt, aus dieser Republik auszuwandern, wenn Sie es für recht erachten.

Es ist der ausdrücklichste Wunsch dieser Regierung, die Ansiedlung von ordnungsliebenden, moralischen und arbeitsamen Menschen, zu welchen die Mennoniten gerechnet werden, zu unterstützen. Und es wird Sie freuen, wenn die voraufgehend aufgeführten Antworten Sie zufriedenstellen. Diese Freiheiten sind Ihnen garantiert und Sie und Ihre Nachkommen werden dieselben positiv und für immer geniessen.

Mexiko, den 30. Oktober 1921

Der Präsident der Vereinigten Staaten von Mexiko, gez.: A. Obregon

Der Ackerbau- und Wirtschaftsminister, gez.: A. J. Vallarear

Die Entscheidung: Paraguay — Mexiko

Auf den dann noch im September anberaumten Versammlungen berichteten die Delegierten über die Ergebnisse ihrer Untersuchungsreise nach Paraguay und Mexiko. Bei diesen Gelegenheiten verlasen sie auch die Freibriefe, die sie in beiden Ländern erhalten hatten. Die Leute durften dann wählen: Paraguay oder Mexiko. Die Delegierten selbst stimmten für Paraguay. Mexiko sagte ihnen aus mehreren Gründen nicht zu. Das Land litt, wie sie es ja mit eigenen Augen gesehen hatten, noch immer unter den Folgen einer langjährigen Revolution. Auf allen Eisenbahnzügen, wo immer in Mexiko sie auch reisten, waren schwerbewaffnete Soldaten eingesetzt, die wegen der vielen Überfälle, die schon auf Eisenbahnzügen verübt worden waren, mit den Zügen reisten. Auch waren noch manche Gebäude zu sehen, die als Ruinen aus den Revolutionsgefechten zurückgeblieben waren. Auch die Art und Weise der Herausgabe des sonderrechtlichen Dokuments erregte ihr Missfallen. Dr. Walter Quiring beschreibt in *Auslanddeutsche suchen eine Heimat*, Seite 57, diese Angelegenheit so:

"Gegen die Auswanderung nach Mexiko sprach nach Ansicht der Abgeordneten, ausser den dauernden politischen Unruhen, hauptsächlich der Umstand, dass der Freibrief dort lediglich vom Staatspräsidenten und vom Ackerbauminister unterschrieben war; nach der grossen Enttäuschung mit der kanadischen Regierung glaubten sie, sich auf die Unterschriften nur der beiden Staatsmänner nicht verlassen zu können, das Schriftstück sollte ordnungsgemäss vom Kongress und vom Senat bestätigt sein. Ferner sagten ihnen, den Bewohnern der Steppe, das fast überall gebirgige Land in Mexiko nicht zu, umsoweniger, als es mancherorts bewässert werden musste."

Und das war auch wirklich so. Die Regierung von Paraguay hatte den Inhalt des Freibriefes für das mennonitische Kolonisationsprojekt sehr sorgfältig durchdacht, und es war durch viele zuständige Regierungsbehörden gegangen und begutachtet worden. Auch fanden sie Paraguay politisch ruhig und somit anziehender.

Die Abstimmung:

Die Abstimmungsübersicht jener Tage sieht etwa so aus:

Datum der Versammlungen	Ort	Familien–Anmeldungen für Paraguay / für Mexiko	

1. In der Sommerfelder Gemeinde des Westreservats, Südmanitoba:

	für Paraguay	für Mexiko
13. September in der Kirche zu Sommerfeld	24	71
14. September in der Kirche zu Rudnerweide	48	31
15. September in der Kirche zu Grossweide	51	23
Ingesamt:	123	125

2. In den zwei Kirchen der Chortitzer Gemeinde des Ostreservats, Südmanitoba. Hier sind die Familien beider Kirchen nicht einzeln, sondern nur insgesamt angegeben:
   19. September in der Kirche zu Grüntal
   20. September in der Kirche zu Chortitz

	für Paraguay	für Mexiko
Zusammen:	277	3

3. Aus der Bergthaler Geminde der Rosthern/Melfort — Gegend in Saskatchewan: 40 —
4. Aus der Somerfelder Gemeinde bei Herbert (Main Centre), Saskatchewan 8 —

	für Paraguay	für Mexiko
Aus allen Gemeinden zusammen:	448	128

Das waren insgesamt 576 Familien aus der Altbergthaler Gemeinschaft die an einer Auswanderung interessiert waren. Diese vier Gemeinden der sogenannten konservativen, Altbergthaler Mennonitengemeinschaft, die noch an den in den 1870er Jahren aus Russland mitgebrachten Gemeinde- und Schulprinzipien festhielten, hatten um diese Zeit, 1921, etwa folgende Geamtzahlen getauften und nichtgetauften Personen:

Manitoba: Sommerfelder	ca.	6.500
Chortitzer	ca.	2.500
Saskatchewan: Bergthaler	ca.	1.250
Sommerfelder	ca.	250
Zusammen:	ca.	10.500

Das waren etwas über 1,500 Familien. Und von diesen meldeten sich 576 Familien für eine Auswanderung, 448 nach Paraguay and 128 nach Mexiko.

Diejenigen, die nach Mexiko wollten, wanderten dann noch 1922 unter der Leitung ihres Ältesten, Abraham Doerksen, aus. Die 3

Familien aus der Chortitzer Gemeinde schlossen sich den 125 Familien aus der Sommerfelder Gemeinde an. Diejenigen, die sich für Paraguay gemeldet hatten, mussten dann noch mit der Auswanderung warten, weil ihre Zurüstung und Ausrüstung einen viel grösseren Aufwand zu ihrer Bewerkstelligung erforderte.

Als es dann 1926 soweit war, dass die Auswanderung nach Paraguay auch Wirklichkeit wurde, waren von den 448 Familien nur noch 267, die bei ihrer Entscheidung geblieben waren. Davon waren 177 Familien aus der Chortitzer Gemeinde. Weil sie zahlenmässig ein grosses Übergewicht hatten, wurden sie zur führenden Gruppe in der Auswanderung nach Paraguay. Aus der Sommerfelder Gemeinde bei Herbert zogen überhaupt keine mit. Von den ca. 10 500 Personen der Altbergthaler Gemeinden Kanadas wanderten nur 1742 Personen nach Paraguay aus und ein noch viel kleinerer Teil nach Mexiko.

Mit der Rückkehr der mennonitischen Delegation aus Südamerika und ihrer Berichterstattung über Paraguay, vor allem über den Chaco, der so grosse Möglichkeiten für geschlossene Siedlungen bot, war dann das Tor für eine Auswanderung dorthin aufgestossen.

**Das Grüne Licht für die ''Grüne Hölle''
leuchtete auf!**

Fussnoten zu Kapitel IV
Grünes Licht für die ''Grüne Hölle''

Für die Bearbeitung dieses Kapitels waren verschiedene Dokumente zur Verfügung, die alle im Menno–Archiv in Loma Plata vorhanden sind:
- Das Tagebuch des Bernh. Toews, ein Teilnehmer der Chacoexpedition von 1921 — und verschiedene andere Niederschriften von ihm.
- Berichte und Briefe der mennonitischen Delegation von 1921.
- Verschiedene Niederschriften von Herrn Fred Engen.
- Eine Reihe Zeitungsartikel (der Asunciónér Tageszeitungen — vom August 1920 — vom Juli 1921)
  und auch das Protokoll der Kongresssitzung im Juli 1921 in Asunción, als das Chacokolonisationsprojekt erörtert und angenommen wurde.
- John E. Bender — *Paraguay — Portrait of a Nation.*
- Dr. Walter Quiring — *Russlanddeutsche suchen eine Heimat*

KAPITEL 5

Dies ist der Weg, den geht!

Deine Ohren sollen hinter dir das Wort hören: Dies ist der Weg, den geht, sonst weder zur Rechten noch zu Linken!

Der Prophet Jesaja Kap. 30,21

Die biblische Orientierung für die Auswanderung

Nach der Übersetzung Martin Luthers heisst es in Jesaja 30, 21 wie folgt:

> "Deine Ohren werden hören hinter dir her das Wort sagen also: Dies ist der Weg; den gehet, sonst weder zur Rechten noch zur Linken!"

Bekanntlich war der Teil der mennonitischen Gemeinschaft Kanadas, der sich in den 1920er Jahren zur Auswanderung anschickte, sowohl in geistlicher als auch in geistiger Hinsicht einerseits überaus konservativ und traditionsgebunden, ohne zumeist dem eigentlichen Grund für das Leben nach der Väter Weise nachzugehen, andererseits aber doch tief religiös und bibelgläubig, besonders auf verschiedene Aussagen des Alten Testaments vertrauensvoll und buchstäblich bauend.

Das Heranziehen des oben zitierten Verses aus dem Buche Jesaja als einer in diesem Falle ihnen von Gott gegebenen Weissagung ist sehr bezeichnend für ihr Ernstnehmen biblischer Aussagen.

Der Landhandel

Es hatten sich über 400 Familien für Paraguay entschieden. Das Auswanderungswerk konnte nun in Bewegung gesetzt werden. Jetzt musste man sich bemühen, das bewegliche und unbewegliche Vermögen loszuschlagen und in Paraguay neuen Besitz zu erwerben. Mitte November 1921 kam General McRoberts mit den Herren Fred Engen, Alvin Solberg und José Casado nach Manitoba. Sie kamen mit der Eisenbahn, in einem speziell für sie angehängten Eisenbahnwagen bis Altona. In Altona wurde dieser Wagen auf ein Nebengeleise geschoben und diente den Herren als Wohnung. Walter Quiring schreibt darüber:[1]

"Die Herren hielten Vorträge über den Chaco, wobei Herr Casado viel Günstiges von seinem Buschland zu berichten wusste. Er bot es den Farmern nunmehr für zwölf Dollar den Hektar an — statt für drei bis fünf Dollar vor wenigen Monaten in Buenos Aires — und versprach auch, bei der Einwanderung tatkräftig zu helfen und für die Siedler väterlich zu sorgen, wenn im Chaco aus irgendeinem Grunde einmal die Lebensmittel knapp werden sollten."

McRoberts nahm jetzt die Landhandelsbeziehungen nach beiden Seiten hin auf, in Südamerika mit den Casados und in Kanada mit den mennonitischen Farmern. Es erforderte viel Überlegung und viele Beratungen, um herauszufinden, in welcher Art und Weise man alle geschäftlichen Belange so bewältigen könne, dass sie für alle Beteiligten zufriedenstellend wären. Es war ein Unternehmen, das sich über beide amerikanischen Kontinentalhälften spannte, mit Verbindungslinien von Winnipeg über New York, Buenos Aires und Asunción bis nach Puerto Casado. Die Handelspartner waren eine mennonitische Farmergruppe im westlichen Kanada und eine Latifundienfamilie im paraguayischen Chaco, die ihren Wohnsitz in Buenos Aires hatte und einen Riesenbesitz von Ländereien unter **einem** Titel in **einer einzigen Hand** vereinigte, wie es in jener Zeit keinen zweiten in der Welt gegeben haben soll. Zwischen beiden vermittelte dann zunächst ein Millionär aus New York.

Soviel die Mennoniten auch schon hin und her gewandert waren, es hatten sich diese Wanderungen meistens latitudinal und in den nördlichen Breitengraden abgespielt. Dieses war das erste Mal, dass Mennoniten in die südliche Hemisphäre vorstiessen und die Wanderung sich über eine so lange meridionale Strecke vollzog. Sie ging über fast ein Viertel des Erdumfanges.

Langsam kamen die Räder des Umsiedlungsunternehmens über den Doppelkontinent ins Rollen. Es war, mit den heutigen Verkehrsmitteln und den heutigen Verkehrsverbindungen verglichen, ein weitläufiges und zeitraubendes Unternehmen. Eine Reise der Strecke New York — Buenos Aires nahm 18 bis 20 Tage in Anspruch. Auch die Post brauchte für die Strecke Winnipeg — Paraguay gut vier Wochen für nur eine Richtung. Schnellere Verbindung hatte man durch die Telegraphie. Telegrammsendungen waren zu jener Zeit schon etwas ganz Gewöhnliches für die Nachrichtenbeförderung. Im Vergleich jedoch zur heutigen Nachrichtenübermittlung durch die Lüfte war auch das nur sehr mühsam.

McRoberts hatte die Sorge, mit den beiden Seiten zurechtzukommen. Es handelte sich sowohl im Norden als auch im Süden um gewaltige Berechnungen und Transaktionen. Soweit jedoch der Norden vom Süden entfernt war, so verschieden waren auch die Handelspartner. Auf dem einen Ende waren es religiöse Beweggründe, die ein solches Landgeschäft veranlassten, auf dem anderen Ende waren es rein geschäftliche Absichten, die ins Gewicht fielen. Die Vermittler zwischen beiden Interessenten waren McRoberts und seine Geschäftsteilhaber. Obwohl McRoberts bei sich selbst vordergründig den glaubensbedrängten Ruf der Mennoniten reden liess, sah er doch bald ein riesiges Geschäft aus dem ganzen Siedlungsvorhaben herauskommen. Er wurde dann der Käufer und Verkäufer der Landmassen im Norden und auch im Süden.

General McRoberts, von dem es heisst, dass er, wo immer er sich etwas übernahm, seine Aufgaben ganz erledigte, ging auch bei diesem Geschäft aufs Ganze.[2] Er scheute keine Mühe, keinen Einsatz, weder seiner eigenen Person noch seines Geldes, um die Sache voranzutreiben und durchzuführen. Bei seinem und Herrn Casados Besuch in Manitoba wurden dann die beiderseitigen Verhandlungen über den Landkauf und den Landverkauf eingeleitet, und nun ging das Feilschen los.

Selbstverständlich wollten die Auswanderer so viel wie möglich Geldwert aus ihren zurückzulassenden Gütern herausholen; und McRoberts mit seinen Geschäftsteilhabern ihrerseits nicht zuviel dafür bezahlen. Ebenso stand es zwischen der McRoberts Gesellschaft und den Casados. Es ging nach allen Seiten um riesige Geschäftsunternehmen. Die Auswanderer wollten haben, was ihre Farmen wert waren, und McRoberts mit seinem Konsortium und die Casados wollten einen beträchtlichen Gewinn herausschlagen.

Im nächsten Jahr, 1921, sollten dann alle die vertraglich festgelegten Transaktionen und die sonst noch für die Umsiedlung notwendigen Aktivitäten durchgeführt werden; im übernächsten Jahr sollte die Hauptmasse der Auswanderer nach Paraguay gebracht und 1924 sollte die ganze Umsiedlung abgeschlossen werden.

Fred Engen war mit McRoberts nach New York zurückgekehrt. McRoberts schickte nun Engen wieder zurück nach Manitoba, um den Mennoniten seine Vorschläge für die Verhandlungen zu überbringen. Von der Auswanderungsgruppe fuhren die Herren Bernhard Toews, Isaak Funk und Johann Priesz nach Winnipeg, wo sie sich mit Engen zusammensetzten, die Vorschläge näher zu besehen, darüber zu beraten und, falls es erforderlich sein sollte, auch ihrerseits Vorschläge zu unterbreiten.

McRoberts schlug einen Tauschhandel vor. Er wollte alles Land der Auswanderer in Kanada übernehmen und ihnen dafür Land im Chaco geben, nicht Acker für Acker (man sprach damals immer nur von "Acker"), sondern entsprechend den jeweiligen Preisen der verschiedenen Bodenarten. Das kanadische Farmland hatte verschiedene Preise, das Land im Chaco aber hatte einen einheitlichen Preis.

Sehr günstig war es für die kanadischen Auswandererfarmer, ihre Besitztümer gemeinsam zu verkaufen. Es brauchte sich niemand alleine mit dem Verkauf seiner Farm abzumühen. Hätte jeder das selbst tun müssen, dann hätte man in allgemeinen sicherlich viel weniger herausgeschlagen, und es hätte überhaupt viel länger gedauert, die Käufer für eine so grosse Anzahl von Farmen aufzutreiben. Walter Quiring schreibt darüber:[3]

> "Die Übersiedlung aus eigenen Mitteln durchzuführen, waren die Farmer nicht imstande. Die ihnen gehörenden einige hunderttausend Acker Land konnten nur im Laufe vieler Jahre zu annehmbaren Preisen verkauft werden; bei einem gleichzeitigen Massenangebot wären die Farmer gezwungen gewesen, ihren Besitz weit unter seinem Wert abzugeben. Das sahen sie an dem Beispiel der Altkolonier, die rund 40.000 Acker ausboten und keinen Käufer finden konnten.

McRoberts bot den Mennoniten durch Engen fünf Dollar für den Acker in Bargeld an. Die Mennoniten aber baten um acht Dollar für den Acker. Engen meldete dieses telegraphisch an McRoberts und McRoberts sandte seine Antwort ebenfalls durch ein Telegramm. Sie einigten sich dann auf sieben Dollar Barzahlung für den Acker. Die Verhandlung auf diese Weise nahm mehrere Tage in Anspruch. Das letzte Telegramm der beratenden und verhandelnden Gruppe von Winnipeg nach New York lautete: "Wir wissen, dass Geldknappheit herrscht, wir wissen aber auch, dass wir sehr nötig Geld brauchen werden, die Ansiedlung zu bewältigen."

McRoberts erwiderte, er würde für die Auswanderer tun, was er tun könne. Sie sollten ihm mitteilen, wieviel sie unbedingt haben müssten. Die beratende Gruppe antwortete, sie möchten sieben Dollar pro Acker in Bargeld ausgezahlt haben. Nach einigen Tagen kam die Antwort, ihr Vorschlag sei angenommen worden.[4] So ist es dann auch ausgeführt worden, als der Handel vier bis fünf Jahre später zur Ausführung kam.

In New York verhandelten McRoberts und José Casado miteinander.[5] Herr Casado hielt sich dazu mehrere Monate in New York auf. Beide, McRoberts und Casado, waren geschäftserfahrene Männer, und beide waren daher mit Sorgfalt darauf bedacht, zu ihren schon vorhandenen Millionen durch diesen Handel weitere Millionen hinzuzufügen. Es ging ihnen dabei vielleicht so wie zwei guten Schachspielern, die schwer vorankommen, weil sie beide so gut spielen und jeder den anderen unbedingt in Schach setzen und halten will.

Die Casadogesellschaft machte durch José Casado ein Angebot, ihre gesamte Anlage im Chaco an die Amerikaner zu verkaufen. Das waren damals 1320 Legua Land, 20.000 Rinder, 500 Pferde, 75 Kilometer Eisenbahn, über 100 Eisenbahnwagen, 1800 Arbeitsochsen, ein Flussdampfer, 5 Barkassen, 2 kleinere Dampfboote, die Tanninfabrik mit allen dazugehörigen Sachen, alle Gebäude und etwa 160 Kilometer

Drahtzaun. Es kam jedoch zu keiner Einigung. Um das Land aber für die Ansiedlung wurde weiter gefeilscht. Die Amerikaner sahen für sich das beste Geschäft im Landhandel.

Ehe wir nun fortfahren, machen wir noch einen Rückblick in das Jahr 1921, in welchem die Delegation der Altbergthaler mit Engen zusammen den Chaco besichtigte und ihn für ihre Zwecke als geeignet fand, um vergleichend festzustellen, welche Vorstellungen sich die Herren McRoberts und Casado damals von der Auswanderungsbewegung und die sich für die daraus ergebenden Landhandelsgeschäfte machten, und was später daraus wurde.

Am 9. Dezember 1921 hatte McRoberts ein Memorandum für Casado geschrieben. Daraus ging hervor, dass die Mennoniten in Aussicht gestellt hätten, 100.000 Acker Land in Kanada zu verkaufen. Vollzogen in der Art eines Tauschhandels würde das dann im Chaco fast das Dreifache an Landeigentum ergeben, weil in Kanada manches Land zu einem höheren Preis verkauft wurde, während in Paraguay alles einen einheitlichen Preis hatte. In diesem Memorandum wurde auch die Eisenbahn erwähnt. Man rechnete damit — hiess es darin — der Landhandel werde die Casados bestimmt dazu anregen, den Weiterbau der Eisenbahn in die Chacowildnis so rasch wie möglich voranzutreiben. Es hiess darin weiter, dass man damit rechne, von den Casados im Chaco etwa eine Million Acker Land zu kaufen.

In bezug auf die Eisenbahn sprach man damals von 300 Kilometern. Das war ungefähr die berechnete Strecke vom Paraguayfluss bis zum gedachten Siedlungsland. Bezüglich des Landhandels sagte Casado, dass er 15 Jahre früher, als noch keine Einrichtungen gewesen waren, Land für zwei Dollar den Acker verkauft habe. Das Land sei aber in der Nähe von Verkehrsverbindungen gelegen gewesen. Jetzt, 1921, verkaufe man Land, das fernab von Verkehrsverbindungen liege, für einen Dollar den Acker. Das Land jedoch, durch welches eine Eisenbahn gehe, habe jetzt den Preis von fünf Dollar den Acker.

Regierungswechsel in Paraguay

Ermutigt und bestärkt in der Hoffnung, eine Auswanderung werde nun zustandekommen, schritten die mennonitischen Chacointeressenten ans Werk. Die Gegner der Bewegung aber setzten alles dran, die Auswanderung zu verhindern. In der zweiten Hälfte des Jahres 1921, bald nachdem die mennonitische Chacodelegation Paraguay besucht hatte, wurde in Paraguay das Staatsoberhaupt gewechselt. Auswanderungsgegner warnten nun ganz ernstlich vor einer Einwanderung in jenen südamerikanischen Staat, wo, wie sie sagten, die politischen Zustände ungemein unsicher wären.

So aber sahen es die Auswanderungswilligen nicht. Hatten sie doch ihre Vertreter in jenes Land entsandt, und die hatten alles unter–

sucht und wussten Bescheid. Der Präsidentenwechsel so bald nach ihrem Verlassen Paraguays war für sie unbedeutend. Gerade mit diesen beiden Männern aus der Regierung waren sie bekanntgeworden und hatten beobachtet, wie enge und wie einig sie zusammen arbeiteten und wie sie gemeinsam daran interessiert waren, die Mennoniten ins Land zu nehmen. Das waren Dr. Manuel Gondra und Dr. Eusebio Ayala, der eine Präsident, der andere Aussenminister.

Als diese Mennoniten jetzt erfuhren, dass Dr. Ayala der Staatschef geworden sei, empfanden sie es überhaupt nicht als einen Präsidentenwechsel. Für sie bedeutete es einfach nur einen Wechsel in der Besetzung der Regierungsposten. McRoberts setzte sich sofort telegraphisch mit den Herren in Asunción in Verbindung. Bald darauf erhielten die Auswanderermennoniten in Manitoba ein Telegramm aus Asunción:[6]

"Bin unterrichtet, Mennoniten haben beschlossen, nach Paraguay auszuwandern. Freue mich und versichere, Paraguay werde sie herzlich empfangen. Wir werden nicht nur entschieden die den Mennoniten gewährten gesetzlichen Vorrechte ausführen, sondern werden alles dransetzen, was uns möglich ist, dass es ihnen wohl ergeht. Der politische Wechsel hier hat den Frieden der Republik nicht gestört. Die Zustände im Land sind so wie zu der Zeit, als die mennonitischen Vertreter hier waren.

Gez.: Eusebio Ayala"

Dieses Telegramm war an Herrn Johann Priesz in Altona, Manitoba, gerichtet. Er erhielt es am 16. Dezember. Am 26. Dezember ging ein zweites Telegramm aus Asunción ein:

"Ich unterstütze entschieden die Regierung von Dr. Ayala und bestätige seine Versicherung, dass die Mennoniten in Paraguay willkommen sind.

Gez.: Manuel Gondra"

So war denn das Jahr 1921 im ganzen ein Jahr gespannter Erwartungen und hoffnungsvoller Stimmung für die paraguayinteressierten Mennoniten. Vor ihnen lag nun ein neuer Aufgabenbereich, den sie mit allen verfügbaren Kräften würden angreifen müssen. Eigentlich ging es über ihre Kräfte hinaus, wie viele es empfanden. Es war ihnen aber eine Glaubenssache, und so waren sie der festen Zuversicht, Gott würde das Werk führen und es zum Erfolg bringen. Was so eine Auswanderung alles mit sich bringt, war vielen von ihnen noch von der Auswanderung aus Russland nach Manitoba bekannt, die noch nicht einmal 50 Jahre zurücklag. Wenn sie die Sache nur rein natürlich oder menschlich nahmen, bangte ihnen vor dieser neuen Auswanderung.

Die Chortitzer Gemeinde in dem Ostreservat, welche die weitaus grösste der drei Auswanderungsgruppen bildete und in welcher auch die Mehrheit des Gemeindevorstandes für die Auswanderung war, hatte seit der Rückkehr der Paraguaydelegation von anfangs September bis Neujahr sechs grosse Versammlungen ("Bruderschaften", wie sie es nannten) mit den Gemeindebrüdern gehabt und dazu eine Anzahl von Sitzungen in engeren Kreisen.

Auch die Bergthaler bei Rosthern, in Saskatchewan, gingen als Gemeinde vor. Nicht aber so die Sommerfelder in dem Westreservat in Manitoba; denn hier waren es nur etwa 5%, die auswandern wollten. Der Gemeindevorstand und die Gemeinde als solche waren nicht dafür. Aber zwei Prediger schlossen sich der kleinen Gruppe an. Sie hielten ihre Beratungen dann in Heimen der Auswanderer ab. Die Kirchen standen ihnen dafür nicht offen.

In der Chortitzer Gemeinde, wo sich zu Anfang etwa 65% für die Auswanderung entschieden, wurde sofort ein Auswanderungskomitee ins Leben gerufen, das dann eine Landverkaufsliste anlegte. Man sprach einfach von "Listen", indem die Auswanderungsinteressenten ihr zu verkaufendes Land in die "Liste" eintragen liessen. Die Liste brachte es auf 100.000 Acker.

Die Gründung eines Auswanderungskomitees

Weil jetzt die drei Ortsgruppen: Chortitzer, Sommerfelder und die Bergthaler aus Saskatchewan, ein gemeinsames Auswanderungsziel ins Auge gefasst hatten und sie ursprünglich ja einmal alle zu einer Gemeinde gehört hatten, die nur wegen der Entfernung voneinander nicht mehr eins gewesen war, sagten sie sich, sie müssten nun wieder eine Einheit bilden. Der erste Schritt dazu bestand darin, dass sie ein gemeinsames Auswanderungskomitee schufen, in dem alle drei Gruppen vertreten waren. Die endgültige Bestätigung dieses Komitees erfolgte am 9. Dezember 1922. Man nannte es "Fürsorgekomitee", ein Name, der ihnen noch aus Russland bekannt war. Dort war es aber nicht eine mennonitische Organisation gewesen, sondern ein staatliches Organ zur Betreuung der deutschen Siedler in Südrussland, wozu auch die Mennoniten gehört hatten.

Dieses kanadische Fürsorgekomitee war nun eine rein mennonitische Organisation. Es war lediglich für den Zweck der Auswanderung nach Paraguay geschaffen worden und sollte die Auswanderungssache fördern und ausführen. Es sollte aber auch Vermittler zwischen den Auswanderern und der Siedlungsgesellschaft sein. Dieses Fürsorgekomitee hatte sechs Mitglieder, aus jeder Gruppe zwei.

Weitere Verhandlungen

Allmählich kam das Werk in Bewegung.

McRoberts und Casado hatten weiter verhandelt. Im Februar 1922 noch überreichte McRoberts Herrn Casado ein zweites Memorandum.[7] Seine Wiedergabe erfolgt hier etwas gekürzt:

1. Eine Korporation mit einem Kapital von 1,5 Millionen Dollar soll gebildet werden.
2. Diese Korporation macht einen Vertrag zwischen der Casadogesellschaft und den Mennoniten. In diesem Vertrag ist vorgesehen:
   a, Die Casadogesellschaft verkauft Land an die Mennoniten für 5 Dollar den Acker.
   b, Dagegen nimmt die Korporation das Land dieser Mennoniten in Kanada zu einem allgemein gültigen Preis pro Acker.
   c, Die Korporation zahlt den Mennoniten pro Acker sieben Dollar in Bargeld aus.
   d, Für das übrige Geld ihres Landverkaufes erhalten die Mennoniten als Gegenwert Land im Chaco, berechnet nach Geldeswert, nicht Acker für Acker.
3. Den Wert des kanadischen Landes nach einem Durchschnitt gerechnet, würde bedeuten, einen Vertrag für 600.000 Acker Land in Paraguay zu machen.
4. Die Korporation verpflichtet sich, den Vertrag bis zu seiner endgültigen Ausführung zu finanzieren und 600.000 Dollar an die Casadogesellschaft auszuzahlen.
5. Die Casadogesellschaft verspricht, im Verhältnis zum Fortschreiten des Kolonisationswerkes die Eisenbahn bis zum Siedlungskomplex zu bauen.
6. Der Korporation bleibt das Auswahlrecht auf zusätzliches Land, sowie die Bestimmung des Termins und der Zeit des Auswahlrechtes vorbehalten.

Zeitweiliger Stillstand der Bewegung

Als die mennonitischen Interessenten dann bereit waren, auf die Ausführung des Unternehmens loszusteuern, blies McRoberts alle Verhandlungen ab. Dazu schreibt Walter Quiring:[8]

"Die Wirtschaftskrise von 1921, von der besonders auch der kanadische Landhandel betroffen wurde, machte den Auswanderungsplänen vorläufig ein Ende. Die Land- und Weizenpreise fielen in kurzer Zeit um mehr als das Doppelte; während ein Buschel Weizen vorher bis zu 2,60 Dollar wert war, erhielten die Farmer nunmehr nur noch einen Dollar und weniger. Und eine Viertelsektion Land (160 Acker), die bis dahin mit 6000 und auch bis zu 16 000 Dollar bezahlt worden war, konnte jetzt um weniger als den halben Preis erstanden werden.

McRoberts liess den Auswanderungslustigen mitteilen, dass er sich vorerst von dem geplanten Geschäft zurückziehen und bessere Zeiten abwarten würde. Ihre Auswanderung nach Paraguay solle darum aber, soweit das an ihm liege, nicht eingestellt, sondern nur hinausgeschoben werden. McRoberts versprach, die Angelegenheit sofort wieder aufzunehmen, sobald er eine finanzielle Möglichkeit zu ihrer Durchführung gefunden haben werde.

Das war ein schwerer Schlag für die anfangs sehr starke Auswanderungsbewegung."

Dieses war keine gute Nachricht für diejenigen, die sich schon ganz darauf eingestellt hatten, bald auswandern zu können. Sie verliessen sich aber auf McRoberts Zusage, sich wieder ihrer Auswanderungssache zu widmen, sobald sich die wirtschaftliche Lage zum Besseren gewendet haben würde. Die Auswanderungswilligen hatten noch keine Farmen verkauft. Das wollten sie ja gerade durch McRoberts tun. So lag ihnen, von daher gesehen, für ein noch längeres Verweilen in Kanada nichts im Wege. Sie betätigten sich weiter als Farmer, wo und wie sie es bis dahin getan hatten. Die Auswanderungssache zog sich dann aber noch mehrere Jahre hin, ehe sie zur Ausführung kam. Was noch im Jahre 1923 hätte beginnen und mit dem Jahre 1924 hätte abgeschlossen sein sollen, begann dann erst ausgangs 1926 und schloss 1927 ab.

In jener Zeit des Wartens und des Stillstehens der Auswanderungssache wurde dann doch noch mancher Paraguayinteressierte umgestimmt und liess die Auswanderungsabsichten fallen. Die Auswanderungsgegner liessen auch nichts unversucht, den Auswanderungslustigen Angst einzuflössen. Sie bemühten sich redlich (und manchmal vielleicht auch unredlich), den Leuten den Auswanderungsgeist auszutreiben, und wirklich gelang es ihnen bei manchen. Es erschienen warnende oder auch aufklärende Artikel in Zeitschriften, die auch von den Paraguayinteressierten gelesen wurden. Hier ein solcher Artikel: [9]

> ''Informationen kommen zumeist von solchen, die selbst nur wenig über die politischen und wirtschaftlichen Verhältnisse jener südamerikanischen Länder wissen. Viele Südamerikawanderer, z.B. nach Brasilien, sind elend zugrunde gegangen. Am schlimmsten erging es aber denen, die nach Paraguay gingen. Da gibt es viel Schwierigkeiten mit den Besitztiteln. Nach einer Reihe von Jahren kommt mit einmal ein Zweiter, Stärkerer, und macht Anspruch auf den Besitz des Landes auf Grund eines älteren Zitates. Da muss der Mann, der bis dahin schon meinte, Besitzer zu sein, als armer Schlucker verlassen, muss alles stehen lassen, was er selbst schon gebaut hatte. Das Gesetz verbürgt ihm keine Entschädigung. Das ist hart und grausam. Das Leben hier in Südamerika ist überhaupt hart und grausam. Es wird hier nur derjenige den Kampf ums Dasein bestehen, der eine gesunde, rüstige Konstitution hat, seine Ellenbogen gut zu gebrauchen versteht und alles Gefühl für seine Mitmenschen abstreift. Der Wert des menschlichen Lebens ist gleich Null. Darum muss jeder bedacht sein, sich selbst zu schützen. Viele sind solchem Kampfe nicht gewachsen. In Argentinien ist es noch etwas besser.
> Wie sieht es denn eigentlich in Paraguay aus? Ein Land, so schön, dass Dichter es besingen können. Der Boden ist üppig und fruchtbar, grosser Reichtum an Holz, Rindern und anderen Landesprodukten. Bananen verfaulen am Boden, weil keine Hand sie erntet, Apfelsinen liegen massenhaft unter den Bäumen und gehen zugrunde. Ein Reichtum, der nicht gehoben werden kann, weil keine Hände zur Arbeit zu finden sind, weil der Paraguayer sehr träge ist und nicht mehr arbeitet, als er braucht, um sich vor dem Verhungern zu schützen. Dass er trotz Nichtstun nicht verhungert, dafür sorgt der ungeheure Reichtum des Landes an allen Naturprodukten.

Eine Frau ging auf den Markt, um einen Fisch zu kaufen. Ein Paraguayer begegnet ihr, der mehrere Fische hat, die er sich gefangen hatte. "Ich will dir einen Fisch abkaufen, was kostet er?" — Die Antwort war: "Ich verkaufe keinen. Wenn du einen haben willst, so fange dir einen."

Das charakterisiert die Lebensauffassung des Paraguayers. Man kann nichts verkaufen, wenn man es auch halb verschenkt. Der Paraguayer hat nämlich kein Geld. Man kann aber auch nicht kaufen.

Geht ein Ansiedler nach Paraguay und übernimmt er einen Kamp mit Viehzucht und Bananenbau, so bekommt er mehr als genug zum Leben. Er sieht aber niemals Geld, weil er für seine Produkte nichts bekommt. So lange er gute Kleider hat, die er aus Europa mitgebracht hat, geht es. Später kann er sich nichts mehr kaufen, er geht tatsächlich in Lumpen auf.

Wie Mancher wollte wieder zurück, wenn er könnte, um diesen Brutkessel mit dem ewig blauen Himmel, wo es im Sommer oft von 45 bis 50 Grad nach Celsius ist, zu entrinnen, aber er bringt nicht einmal das bisschen Reisegeld für die Schiffahrt nach Buenos Aires auf.

Ich sah in Buenos Aires einen Rückkehrer aus Paraguay, einen armen Menschen, dem die Erdflöhe tatsächlich das Fleisch von den Waden heruntergerissen hatten. Seine Beine waren mit einer Eiterkruste überzogen. Von den Insekten und dem Ungeziefer in diesen Landstrichen macht sich ein Europäer keinen Begriff. Erdflöhe, Mosquitos, Wanzen, eine grössere Abart von Ameisen und viele andere, dem Europäer auch bekannte Ungezieferarten, quälen den Ansiedler und machen ihm das Dasein auch dort unerträglich, wo ihn die Not nicht bedrängt.

Dieses diene zur allgemeinen Orientierung für Auswanderungslustige."

Obige Abhandlung stammte offensichtlich aus der Feder eines Auswanderers, der in Paraguay gewesen war, es aber wieder, enttäuscht in seinen Vorstellungen über diesen Guaraniestaat, verlassen hatte, und jetzt andere vor einer Einwanderung in dieses Land warnen wollte. Es ist nicht gesagt, dass diese warnende Abhandlung paraguayinteressierten Mennoniten galt. Sie wurde aber von Auswanderungsgegnern unter den kanadischen Mennoniten in ihren Zeitschriften veröffentlicht, um über das arme Land Paraguay aufzuklären.

Die Zeit stand nicht stille. Ununterbrochen floss sie dahin. Das Auswanderungswerk aber kam nicht einen Schritt voran. Vielen der zu Anfang begeisterten Anhängern der Paraguaywanderung schwand dann auch schon allein deshalb der Mut, bei der Sache zu bleiben. Und wenn dann auch nicht alle die Absicht, auszuwandern, einstellten, so nahmen sich doch viele vor, erst einmal abzuwarten, bis eine Ansiedlung im Chaco zustande gekommen sei und zu sehen, was dabei herauskommen würde, ehe sie selbst auch dieses Wagnis eingingen.

Aber auch diejenigen, die, von aussen gesehen, unverändert

blieben, hatten ihre Bedenken, wenn sie diese auch nicht so laut aussprachen, wie die Gegner es gerne gehört hätten. Obwohl sie nicht aufgaben, fragten auch sie sich, inwiefern Gott wirklich hinter ihrem Werk stünde. Sie wollten es ja nur ausführen, wenn der grosse Gott dahinterstünde. ''O Gott, ist das Werk von dir, so hilf zum Glück, ist's Menschenwerk, so treib's zurück'', beteten sie,[10] und das meinten sie auch so. Sie wollten nicht auswandern, wenn es gegen Gottes Wille wäre. Beachtenswert ist es, wie die leitenden Persönlichkeiten sich immer wieder darin gestärkt fühlten, es sei der Wille des Herrn, das so umfangreiche und komplizierte Paraguayprojekt durchzuführen.

Das Jahr 1924 war gekommen, und man wartete noch immer auf ein grünes Licht von General McRoberts. In diesem Jahr hätte, nach ihren früheren Vorstellungen, die Paraguaywanderung abgeschlossen sein sollen. Die über 400 Familien, die sich für den ersten Schub gemeldet hatten, hätten nun schon in Paraguay sein sollen. Jetzt aber war man noch nicht einen Schritt weiter als zu der Zeit, wo solches geplant worden war. Mit General McRoberts setzten sie sich von Zeit zu Zeit in Verbindung, um nachzufühlen, ob er noch zu seinem Versprechen stünde. Und er versicherte ihnen dann immer wieder, es sei bei ihm noch immer so, wie er es versprochen habe: Wenn die wirtschaftliche Lage sich bessere, werde er zupacken. Bernhard Toews schrieb am 1. Mai 1924 an McRoberts:[11]

> ''Die Leute werden schon sehr unruhig wegen der so langen Verzögerung der Auswanderungssache. Es erfordert viel Takt und Willenskraft, die Sachlage in ihren verschiedenen Stadien zu handhaben. Wenn die Auswanderung doch könnte ins Fahrwasser gebracht werden, es könnte ein grosser Nachschub folgen; Leute, die jetzt noch im Schweigen verharren, würden sich den Staub von ihren Füssen schütteln und mit uns den Wanderstab ergreifen. Es ist ein Warten der Dinge, die kommen sollen. Man ist gespannt, man zweifelt, man hofft, und das nun schon über zwei Jahre lang, seit der Zeit, da wir aus Paraguay zurückgekehrt sind, und doch ist immer noch nicht entschieden, was werden wird.''

Als die Mennoniten sich einmal für längere Zeit nicht gemeldet hatten, liess McRoberts von sich hören. Er hätte gehört — schrieb er — sie hätten das Paraguayprojekt aufgegeben und wollten nun alle nach Mexiko; was daran Wahres sei, wolle er wissen. Die Mennoniten teilten ihm dann mit, daran sei nichts Wahres, sie seien noch immer beim Paraguayprojekt und warteten auf seine Entscheidung.

Verfassungsversuche für das spätere Zussammenleben im Chaco

In dieser Wartezeit überlegten die führenden Persönlichkeiten, wie eine Verschmelzung der drei Gruppen: der Chortitzer, der Sommerfelder und der Bergthaler von Saskatchewan, zustandegebracht werden könnte. Aus allen Gruppen erhoben sich Stimmen, die eine

Verschmelzung befürworteten, sollte die Umsiedlung nach Paraguay verwirklicht werden können. In Paraguay würden sie wieder, wie in Russland, in einer gemeinsamen Siedlung wohnen. Warum sollten sie dann nicht auch wieder **eine** Gemeinde sein? Das Sprichwort: "Einigkeit macht stark", war diesen Leuten sehr geläufig, und sie glaubten auch daran. Sie wussten auch, dass die Paraguaywanderung und Neuansiedlung die Kraft der Einigkeit brauchen würde. Das Fürsorgekomitee, das sie schon gemeinsam eingerichtet hatten, war aber nur ein Organ der Zusammenarbeit, nicht eines des gemeindlichen Einswerdens.

Dem Fürsorgekomitee oblag die Verantwortung der finanziellen und geschäftlichen Vermittlungen zwischen den Auswanderergruppen und der Siedlungsgesellschaft. Jede Gruppe setzte sich dann zu Hause, d.h. in ihrer Gemeinschaft, mit ihren Angelegenheiten auseinander. Die zu bewältigenden Sachen waren in den verschiedenen Gruppen eben auch verschieden. Die Grösse der Gruppe bestimmte das Mass der zu bewältigenden Reglementierungen und Geschäftserledigungen. In der Chortitzer Gruppe, aus der ein grosser Teil der Gemeinde auswandern wollte, ohne Rücksicht darauf, wie wenig bemittelt die Auswanderungsfamilie war, gab es am meisten Arbeit. Man musste Wege suchen, jedem zu helfen.

Die Sommerfelder Gemeinde in dem Westreservat, Südmanitoba, hatte mit solchen Dingen nichts zu schaffen. Aus dieser Gemeinde schloss sich nur eine kleine Gruppe für die Auswanderung zusammen. Darunter war nur eine nicht bemittelte Familie. Sie wurde privat unterstützt. Die anderen waren bemittelt und hatten keine Sorgen der Armenhilfe wegen. Jeder bezahlte seine Reise und nahm noch viele Sachen und viel Geld mit. Und jeder hatte im Chaco durch den Tauschhandel genug Land erhalten. Wenn diese Gruppe sich zu einer Beratung hinsetzte, war es weniger die Frage, wie man auf den Weg käme, als vielmehr, was man am neuen Ort machen würde. Auf einer solchen Beratung wurden folgende grundsätzlichen Punkte als für die neue Ansiedlung wichtig niedergeschrieben:[12]

> "- Man soll auf der neuen Ansiedlung nicht vergessen, dass Schule und Gemeinde die Hauptursachen gewesen sind, weshalb man die Auswanderung unternommen hat.
> - Es soll auf der neuen Ansiedlung in Dörfern angesiedelt werden. Das Land soll in Flächen von zwei mal drei Meilen eingemessen werden. Auf so einer Fläche Landes sollen 24 Familien angesiedelt werden, mit 160 Acker für eine Familie. So ein Dorf, hält man dafür, ist gross genug, eine Schule zu unterhalten. Wie das Land zu verteilen ist, ist Sache der in dem Dorf Ansiedelnden. Diese Beratungsversammlung überlegt es sich so, dass an jeder Seite der Dorfstrasse 11 Höfe angelegt werden sollten, für jeden Wirt 160 Acker Land.

- Diese Versammlung ist der Ansicht, dass für jedes Dorf ein Besitztitel ausgeschrieben werden sollte.
- Diese Versammlung schlägt vor, das Schulgeld nach dem Landbesitz zu verrechnen.
- Diese Westreservergruppe beabsichtigt, sich für die Niederlassung am neuen Ort zusammenzuhalten, und dann sich zu überlegen, ob man sich den Bergthalern von Saskatchewan oder den Chortitzern von der Ostreserve anschliessen werde.
- In jedem Dorf sollten drei Männer angestellt werden, die die Angelegenheiten des Dorfes besorgen, und noch andere drei Männer anstellen, die für die ganze Ansiedlung verantwortlich sind, und die weltbezogenen Angelegenheiten erledigen.
- Gelddarlehen an die Gemeinde darf jeder machen, so viel er will, und so auch an die Gemeinde Land übergeben zum Verkaufen. Die Darlehensfrist ist nicht bestimmt. Das Darlehen ist fünf Jahre zinslos, gerechnet vom Datum der Ankunft am neuen Ort. Wer von dem Geld borgt, um Land zu kaufen, erhält es dann auch für fünf Jahre zinsfrei. Nach Ablauf der fünf Jahre muss die Angelegenheit neu beschaut werden.''

Dieser auswandernden Sommerfelder Gruppe schlossen sich 53 Familien an. Davon kehrten 13 Familien um, zurück nach Kanada. 27 Familien schlossen sich noch 1927 bedingungslos der grossen Chortitzer Gruppe an und nur 13 Familien führten dann das aus, was auf jener Versammlung beschlossen worden war, nämlich, sich zwischen den Saskatchewanern und den Chortitzern anzusiedeln, um sich dann später zu entscheiden, welcher Gemeinde man sich zuwenden würde. Gemeindlich schlossen sich diese 13 Familien dann auch noch 1928 den Chortitzern an.

Die Bergthaler Gruppe um Rosthern, Saskatchewan, stellte folgende ''Vereinbarung'', wie sie sie nannte, auf:[13]

- ''Weil wir glauben, dass ein so grosses und wichtiges Werk nicht ohne Organisation und Ordnung ausgeführt werden kann, hat diese Gemeinde folgendes beschlossen:

Teil 1:
- Jeder Besitzer paraguayischen Landes soll den zehnten Teil seiner Ackerzahl unentgeltlich an die Gemeinde abgeben.
- Das in dieser Weise zusammengebrachte Land soll für 5 Dollar den Acker an die Leute verkauft werden, die kein Land besitzen.
- Diese in die Gemeinde gegebene Zehntackerzahl soll zuerst verkauft werden. Danach steht der weitere Landhandel frei.
- Es kann auch sein, dass bemittelte Familienväter da sind, die aber nicht Land haben und daher auch nicht den Zehntacker in die Gemeinde geben können. Von solchen erwartet man, dass sie dann doch nach Vermögen die Gemeindekasse unterstützen werden.
- Der Zweck dieser Kasse, die durch die Zehntabgaben entsteht, soll es sein, unbemittelten Familien zu helfen, oder, wo es sonst nötig ist, zum allgemeinen Wohl der Gemeinde verwendet zu werden.
- Ein jeder, der sich Geld aus dieser Kasse borgt, ist verpflichtet, wieder die gleiche Summe zurückzuzahlen.

Teil 2:

- Nachdem der Zehntacker von allem in Paraguay erworbenen Land an die Gemeinde abgegeben ist, und ein jeder so viel, wie er für sich brauchen wird, abgemessen hat, soll der Rest durch die Gemeinschaft verkauft werden. Es darf niemand sein Land an einen Fremden verkaufen. Jeder Familienvater aber hat das Recht, von seinem Landeigentum an seine Kinder abzugeben, soviel er kann und will. Sind die Kinder aber noch nicht mündig, so hat der Vater für das an die Kinder abzugebende Land die Verantwortung, was Steuer oder andere Dinge betrifft, und zwar so lange, bis die Kinder selbständig sind und das Land zur Bearbeitung übernehmen.
- Von diesem Land, das an die Kinder übertragen wird, soll der Zehntacker schon abgegeben sein, und so wird von diesem Land schon kein Zehntacker gefordert.
- Land, das noch ausser dem Zehntacker geblieben ist, wenn schon alle ihren Teil zur Bewirtschaftung ergriffen haben, soll für 5 Dollar den Acker verkauft werden. Das gilt, solange das Land steuerfrei oder auch von sonstigen Unkosten frei ist.
- Der Preis von 5 Dollar den Acker hat nur Gültigkeit für die erste Auswanderungsgruppe.
- Die Zahlungen, die durch den Landverkauf einkassiert werden, sollen dann prozentweise an die rechtmässigen (Land) Eigentümer ausgezahlt werden.
- Die Zahlungstermine und der Zinsfuss sollen am neuen Ort bestimmt werden, unabhängig von den Verhältnissen, wie sie dort am neuen Siedlungsort sein werden.
- Hat jemand Land mit befristeter Abzahlung gekauft und es stellt sich später im Falle von Nichtzahlung heraus, dass absichtlich nicht gezahlt worden ist, so wird das Land weiterverkauft.
- In allen Fällen steht das Land gegen den zu zahlenden Betrag.
- Unter keinen Umständen darf das Land mit Hypotheken ausserhalb der Gemeinde belastet werden.
- Jeder rechtmässige Landeigentümer soll von der Gemeinde einen Besitztitel erhalten, der innerhalb dieser Gemeinde die volle Anerkennung und die Rechte eines registrierten Titels haben soll.
- Sollten später noch ausser dieser jetzigen Gruppe Siedler nachkommen, die unter den ersten Siedlern anzusiedeln wünschen, so soll der Landpreis für diese Siedler erhöht werden, damit sie auch etwas für das allgemeine Wohl der Gemeinde beitragen, indem der Preisunterschied in die Kasse gezahlt wird.
- Aus der Gemeindekasse sollen auch die Angestellten bezahlt werden, die von allen land- und geldbezogenen Bewegungen eine klare Buchführung bewerkstelligen.
- Es soll in der neuen Ansiedlung in Dörfern angesiedelt werden. Jedes Dorf soll zwei mal drei Meilen (etwa 3×4,5 km) gross sein und das Recht haben, selbst über seine Einrichtung der Landeinteilung zu bestimmen, jedoch in einer geregelten und gehörigen Ordnung.
- Obige Beschlüsse unterliegen der Bestimmung der Gemeinschaft. Sollte der eine oder andere dieser Beschlüsse undurchführbar sein, so ist die Gemeinschaft zu entsprechenden Veränderungen berechtigt.''

Die grösste der auswanderungswilligen Gruppen war die Chortitzer Gruppe. Hier stand zu Beginn der Bewegung der Gemeindevorstand zu gut 90% hinter der Auswanderungssache. Das war auch in der kleinen Bergthaler Gemeinde in Saskatchewan der Fall, wo dann eine Gruppe als organisierte Gemeinde den alten Ort verliess.

Die Beschlüsse einer Beratung der Chortitzer Gruppe vom 25. März 1922, wegen der Auswanderung, die zunächst der Bruderschaft als Vorschläge vorgelegt worden waren, wurden von dieser auch angenommen und dann vom Gemeindeältesten, den Predigern und Diakonen, den beiden Waisenvorstehern, den Mitgliedern des Fürsorgekomitees, den Mitgliedern des innergemeindlichen Ausschusses und dem Teilnehmer der Chacoexpedition von 1921 unterschrieben:[14]

1. Der Bruderschaft wurde folgendes Verrechnungsschema für die Auswanderung vorgelegt: Die Gemeinde übernimmt Land in Chaco gegen kanadisches Land, das die Auswanderer hier besitzen, und wofür sie einen Teil in Bargeld ausbezahlt erhalten. Wenn jeder die Anzahlung, die er in Bargeld erhält, an die Gemeinde leiht, könnte das Schema etwa so aussehen:

a	Jemand hat 610 Acker Land, zu 32 Dollar den Acker, das sind:		$19.520
	Seine Reisekosten sind:	$ 1.400	
	Seine Schulden sind:	$ 1.000	
	200 Acker Land im Chaco zu $5, — den Acker:	$ 1.000	
	So erhält er ein Guthaben in der Gemeinde von	$16.120	
		$19.520	$19.520
b	Jemand hat 160 Acker Land zu $33, — den Acker:		$ 5.280
	Seine Reisekosten sind:	$ 1.900	
	Er hat Schulden:	$ 2.380	
	200 Acker Land im Chaco zu $5, — den Acker	$ 1.000	
	Seine Rechnung geht auf:	$ 5.280	$ 5.280
c	Jemand hat 160 Acker Land zu $12, — den Acker:		$ 1.920
	Seine Reisekosten sind:	$ 438	
	Seine Schulden sind:	$ 2.300	
	Er bleibt schuldig an die Gemeinde:		$ 818
		$ 2.738	$ 2.738

2. Wenn jemand dann im Chaco viel mehr Land hat, als er für sich benötigt, und es in 10 Jahren noch nicht verkauft sein sollte und es wird dann besteuert und es gibt Verluste, indem das Land billiger wird, so beteiligt sich die ganze Gemeinde daran, indem ein jeder

nach Vermögen dazu beiträgt; so soll es auch gemacht werden mit dem Geldguthaben, dem Darlehen an die Gemeinde.

3. Wenn die Gemeinde Land verkauft und hält dann dadurch Geld über, so soll das Geld prozentsatzweise an die Gläubiger ausgezahlt werden, d.h. je nach dem sie Geld in der Gemeindekasse haben. Wenn Schulden bezahlt werden, soll es auch in der nämlichen Weise zurückgezahlt werden.

4. Verkauft jemand sein kanadisches Land für Bargeld, so soll er dafür so viel an die Gemeinde leihen, wie die Zahlung in Bargeld durch die Siedlungsgesellschaft, wie die anderen sie erhalten, ausmachen würde. So trägt er dann auch seinen Anleiheteil bei, wie die anderen, die ihr Land im Rahmen des Tauschhandels verkaufen.

5. Will jemand von seinem Land im Chaco seinen Kindern überlassen, muss er solches bei den Vorstehern melden, damit von seinem Darlehensguthaben soviel abgenommen wird, wie das an die Kinder abgegebene Land, mit $5, — den Acker, ausmachen würde.

6. Das Land soll in Siedlungsflächen von etwa 3 mal 3 Meilen eingeschnitten werden. Später kann es auch in kleineren Parzellen vermessen werden. Es soll aber immer so gemacht werden, dass die Fläche gross genug ist, ein Dorf anzulegen. Auch darf eine Hof– oder Bauernstelle nicht mehr als 200 Acker (80 ha) enthalten.

7. Beschlossen, die Anleihen zu machen zur Unterstützung der Unbemittelten.

8. Die Darlehensguthaben in der Gemeinde sollen fünf Jahre lang nicht verzinst werden, und so sollen die Schulden fünf Jahre lang nicht mit Zinsen berechnet werden. Sollten es die Verhältnisse erfordern, noch länger nicht Zinsen zu berechnen, so ist solches Sache der Gemeinde, darüber zu bestimmen.

Kurz darauf wurde einiges an den obigen Punkten geändert. Der erste Punkt, in dem vorgeschlagen wird, die Zahlungen in Bargeld, die der Auswandernde für sein Land erhält, ganz als Darlehen an die Gemeinde zu übergeben, erkannte man als zu hoch angeschnitten und als undurchführbar. Der Vorschlag wurde nun geändert, so dass es jetzt hiess: "Jeder mache sein Darlehen an die Gemeinde freiwillig nach seinem Geldvermögen." Damit war Punkt 7 mit dem ersten Punkt verschmolzen, und Punkt 4 liess man überhaupt fallen.

Einigungsversuche der drei Gemeinden

Bei all den Überlegungen, wie die Auswanderungssache am besten zu bewältigen sei, schaltete man dann auch noch die gemeindlichen Belange ein und diskutierte die gemeindebezogenen Angelegenheiten, besonders ihre Dreiteiligkeit.

Die grosse Gruppe der Chortitzer machte sich darin weniger Gedanken, wollte sie doch als organisierte und starke Gemeinde auswandern und sich so auch am neuen Ort niederlassen. Doch waren auch ihre leitenden Personen immer zu Aussprachen und Beratungen in Sachen einer Vereinigung mit den kleineren Gruppen bereit.

Führend aber in dieser Vereinigungsbestrebung war der Älteste der Bergthaler Gruppe, Aaron Zacharias. Er arbeitete daher mit seiner Gruppe sogenannte "Richtlinien" oder "Gemeinderegeln" aus, die später für die durch Vereinigung entstandene grosse Gemeinde massgebend sein sollten.

Am 17. Januar 1923 fand eine Predigerkonferenz im Hause des Ältesten Zacharias statt. Auf dieser Predigerkonferenz waren auch noch andere Brüder aus der Gemeinde zugegen, weiter auch Bernhard Toews, der an der Chacoexpedition teilgenommen hatte, und von der Chortitzer Gemeinde der Älteste Johann Dueck und der Prediger Johann Sawatzky. Man verhandelte hier über den Zusammenschluss der Gemeinden, sowie auch über die Gemeinderegeln für die Ansiedlung in Paraguay. Die Bergthaler Gruppe führte darüber Protokoll. Es gab folgende Punkte:[15]

1. Es wird darüber gesprochen, ob es möglich wäre, falls eine Übersiedlung nach Paraguay zustande kommen sollte, die drei daran beteiligten Gemeinden zu **einer** Gemeinde zusammenzuschliessen auf solche Vereinigung sind wir, die wir hier versammelt sind, uns alle einig.
2. Schule und Gemeinde sollen von der Gemeinschaft als Hauptgrund für die Ansiedlung in Paraguay anerkannt werden. Dieses soll auch für die weitere Beratung leitend sein.
3. Auf der neuen Ansiedlung soll man nur in Dörfern ansiedeln.
4. Die Flächeninhalte der Dorfanlagen sollen 3 mal 3 Meilen sein, 5760 Acker enthaltend, mit 190 Acker für einen Bauern (Hofstelle). Dann bleiben noch 60 Acker für Schulgebäude und Lehrerwohnung, und, wo es nötig ist, auch für eine Kirche.
5. Besitztitel soll es geben für die Dorfanlagefläche von drei mal drei Meilen.
6. Ohne Bewilligung des Lehrdienstes sollen aus anderen Gemeinden keine Glieder in unseren Paraguay–Landhandel aufgenommen werden.
7. Geburten sollen so bald wie möglich bei dem Lehrdienst eingetragen werden.
8. In den Schulen sollen nur die Melodien aus dem 1. Teil unseres Choralbuches gesungen werden, weil dieses die Kirchenmelodien sind.
9. Brautleute sollen eine öffentliche Verlobung feiern vor dem Aufgebot in der Kirche.
10. Die Brautleute sollen an zwei Sonntagen vor der Hochzeit in den kirchlichen Versammlungen aufgeboten werden.
11. An den Feiertagen sollen Hochzeiten nicht stattfinden.
12. Man hält es für notwendig, einen Gemeindevorsteher anzustellen.

13. Auch müssen Waisenvorsteher, Brandältester, Brand– und Dorf-schulzen (nach alter Methode) eingesetzt werden.
14. Eine Wahl für Gemeindeältesten soll abgehalten werden. Es soll **einer** von den beiden Ältesten, die nach Paraguay auswandern wollen (also Chortitzer und Bergthaler/Saskatchewan), gewählt werden. Sie soll aber nur erst dann vollzogen werden, wenn der Landhandel fertig ist; auf der neuen Ansiedlung in Paraguay sollte nur **ein** Ältester sein, und die Gemeinde am neuen Ort soll dann so benannt werden, wie die Gemeinde heisst, dessen Ältester dann gewählt worden ist. Dann soll auch ein neuer Waisenvorsteher gewählt werden.
15. Die Gemeindezucht soll evangelisch angewandt werden.
16. Wenn Gemeindeglieder nicht zum heiligen Abendmahl kommen, sollen sie ernstlich vermahnt werden.
17. Ein obrigkeitliches Amt zu bekleiden ist laut unserem Glaubensbekenntnis gänzlich verboten, weil die Obrigkeit das Schwert trägt.
18. Die Kleidung soll einfach und reinlich sein und nach Gottes Wort Kopf und Leib bedecken (gedacht ist hier an die Frau).
19. Auto und Telephon sind schädlich in der Gemeinde und aus dem Grunde auch verboten.
20. Das Tragen eines Schnurrbartes ist verboten und so auch irgend-eine andere Bartverschneidung.
21. Es sollen Darlehen in der Gemeinde aufgenommen werden, die dann bei der Auswanderung in nötigen Fällen verwendet werden sollen.

Mit solchem Reglementierungskonzept in der Tasche fuhren die Vertreter der Sommerfelder und Chortitzer Gruppen von der Sitzung in Saskatchewan nach Hause. Das Reglement war nicht auf dieser Sitzung entworfen worden. Das hatten die Bergthaler von Saskatchewan schon unter sich entworfen. Es wurde auf dieser Sitzung vorgelegt und von den Brüdern, die aus Manitoba zugegen waren, nicht beanstandet. Dieses ersieht man daraus, dass der Älteste Zacharias einige Wochen später ermutigt nach Manitoba reiste, um dort auf den grossen Versammlungen der Chortitzer zugegen zu sein, denen man das Reglement vorlegen wollte. Wahrscheinlich hat er damit gerechnet, man würde auf den Gemeindeversammlungen oder ''Bruderschaften'' (wie man sie nannte), die dort an zwei Stellen stattfinden sollten, auch so zu allem ''ja'' sagen, wie es die Vertreter auf der Sitzung in Saskatchewan getan hatten. Es ist nicht ohne weiteres anzunehmen, dass die Vertreter der Chortitzer auf der Sitzung in Saskatchewan wirklich aus innerer Überzeugung zu allen Punkten ''ja'' gesagt haben. Aber sie hatten auch nicht Stellung dagegen genommen und somit den Eindruck erweckt, sie seien alle dafür.

Der Entwurf der ''21 Punkte'' wurde dann in der Chortitzer Kirche vor einer grossen Brüderversammlung gelesen und erörtert, und man hörte sich die Ansichten der Brüder darüber an. Manche der Sachen sah man auch in der Chortitzer Gemeinde genauso. Aber es waren auch solche Punkte darin, die ganz und gar dem Empfinden der Chortitzer widersprachen, Punkte, von welchen man einfach nichts wissen wollte. Und was schon gar nicht verstanden wurde, war, dass eine kleine Gemeindegruppe sich unterwand, einer grossen und starken Gruppe mit Vorschriften zu kommen. Die Bruderschaft erklärte ganz offen, dass man nicht gewillt sei, sich von einer kleinen Gruppe grosse Vorschriften machen und Gesetzlichkeiten aufbürden zu lassen.

Man lehnte also das gesamte Reglement schroff ab und besonders einige Punkte, die so ganz offensichtlich gegen die Bräuche der Chortitzer verstiessen, wie z.B. die Verpönung des Telephons und des Autos und das Verbot des Singens von Melodien aus dem 2. Teil des Franzschen Choralbuches, Zumutungen, die sie unter keinen Umständen zu akzeptieren bereit waren. Als grosse Auswanderungsgruppe sahen die Chortitzer sich auch nicht genötigt, sich wegen einer gemeindlichen Vereinigung auf solche Reglementierung einzulassen. Sie waren gross und stark genug, selbst auszuwandern. Gerne hätten sie sich mit den Saskatchewanern zusammengetan, aber nicht unter deren Bevormundung. Die Chortitzer erblickten in der vorgeplanten Gemeinderegelung ein allzustarkes Selbstbewusstsein jener kleinen Gruppe.

Von diesem Tage an sank der Vereinigungsgedanke unter den Chortitzern auf Grad Null.

Der Älteste jener kleinen Saskatchewaner Gruppe, der auf der Chortitzer Versammlung in Manitoba zugegen gewesen war, fuhr schwer enttäuscht nach Hause. Sein Chortitzer Kollege, der auf der Sitzung in Saskatchewan nichts **gegen** die ''Gemeinderegeln'' gesagt hatte, hatte sich jetzt auch nicht **für** sie verwendet. Ältester Zacharias schrieb dann einen langen Brief an den Ältesten Dueck, aus welchem hervorgeht, dass er die Gesinnung der Chortitzer für sehr menschlich halte. Es ist aus dem Schreiben nicht herauszuhören, dass er — Ältester Zacharias — für Kompromisse bereit gewesen wäre.[16]

> ''Angegriffen von der Enttäuschung trat ich meine Heimreise an, aber doch nicht ohne Hoffnung für unser Werk des Zusammenschlusses. Habe ich in Euren Versammlungen geschwiegen, dann deshalb, weil ich mein Vertrauen gerne auf den Herrn setze. Ich will trotz der etwas harten Zurückweisung nicht davon ablassen, zu Gott zu flehen, dass es ihm doch belieben möchte, alle die harten, harten Herzen zu erweichen.''

In der Chortitzer Gemeinde waren aber doch etliche Brüder, die sich für die ''Kirchliche Ordnung'', wie sie die von den Saskatchewanern gegebenen Regeln nannten, interessierten. Diese ermutigten den Ältesten Zacharias in seinem Bestreben, einen gemeindlichen Zusammenschluss mit geregelter Umgrenzung zustande zu bringen. Es waren vier Familien, die sich dann, als aus dem Zusammenschluss nichts wurde, den Bergthalern aus Saskatchewan anschlossen, als die Auswanderung nach Paraguay zustande kam. Sie gingen dann in der ganzen Auswanderungssache mit ihren persönlichen Angelegenheiten über zu den Saskatchewanern, weil die Chortitzer es nicht anders wollten. Man liess es sie merken, dass, wenn sie es mit jenen halten wollten, sie es auch **ganz** tun sollten. Einer aus diesen vier Familien schrieb an den Ältesten Zacharias unter anderem: [17]

> "Dass ich bei Euch Zuflucht nehme, ist nicht im Sinne persönlicher Vorteile. Sie wissen ja aus den Unterhaltungen, die wir gehabt haben und auch aus den Briefen, die ich geschrieben habe: Es geht mir um die kirchlichen Ordnungen. Lange habe ich gehofft, Ihre Anstrengungen für einen Gemeindezusammenschluss würden noch mal Erfolg haben, aber nichts davon,. Ich weiss auch, was Sie uns gesagt haben: wir sollten uns an unsere Leiter halten; ich weiss aber auch, dass Sie gesagt haben, zuletzt würden Sie doch danach fragen, wer es mit Euch halte, und der solle es dann auch mit Euch halten."

Der Sommerfelder Gruppe hatte der Älteste Zacharias jene Gemeinderegeln schon vor der Chortitzer Versammlung vorgelegt. Es ist nicht bekannt wie diese Gruppe darauf reagiert hat. Wahrscheinlich aber nicht so ablehnend. Auf jeden Fall waren dort solche, die darin ganz mitgingen. In Paraguay siedelte dann ein kleiner Teil der kleinen Sommerfelder Gruppe zwischen den Saskatchewanern und den Chortitzern an. Dieser schloss sich dann gemeindlich aber doch bald den Chortitzern an.

Die Saskatchewaner gründeten in der Mennoansiedlung dann das Dorf "Bergthal". Der Älteste Aaron Zacharias starb noch 1927 auf dem Wege zur Siedlung hin. Die Gemeinde "Bergthal" hatte dann 1928, zur Zeit der Gründung des Dorfes, nur noch einen Prediger und einen Diakon. Der Diakon kehrte aber schon 1929 zurück nach Kanada. Diese Gemeinde ist dann in Menno nach und nach ganz eingegangen. Von den 17 Familien, die das Dorf anlegten, gingen noch einige zurück nach Kanada. Sieben Familien gründeten ein neues Dorf, das Dorf Neu-anlage, und gingen zu den Chortitzern über.

So sehr auch diese drei Gruppen glaubten, dass sie im Grunde gleichgesinnt seien, weil sie ja alle vom "Stamme" der Bergthaler aus Russland seien, so hatten sie sich als verschiedene Ortsgemeinden in Manitoba und in Saskatchewan doch schon weiter auseinandergelebt, als sie es selbst wahr haben wollten. Eine absolute Vereinigung, wie es die örtlichen Bedingtheiten einer neuen Ansiedlung nicht nur wieder möglich, sondern sogar notwendig machten, war nicht mehr so einfach.

Man hatte noch nicht unbedingt vor, auf der neuen Ansiedlung eine Fernsprechleitung einzurichten, aber eines Tages würde es vielleicht doch soweit sein. Man hatte auch nicht vor, dort Autos zu fahren, man wusste aber, dass in der Gegend, wo man ansiedeln wollte, schon ein Auto für den Dienst der Ansiedlung bereitstand. Und welche Melodien gesungen werden sollten, wollte man sich nicht schon vorher vorschreiben lassen.

In den vorgeschlagenen Gemeinderegeln war auch vorgesehen, dass Brautleute vor dem Aufgebot eine Verlobungsfeier haben sollten, auf der gesungen und eine kurze Vermahnung gegeben werden sollte. In der Chortitzer Gemeinde wurde alles zwischen den Verlobten und den Eltern der Braut besprochen, dass ein Aufgebotswunsch vorliege, der dann am nächsten Sonntagmorgen im Gottesdienst erfüllt wurde. Damit war der Brautstand öffentlich bekannt und genehmigt. Der Brauch, wie ihn die Saskatchewaner empfahlen, gefiel aber einigen in der Chortitzer Gemeinde, und nach einer Reihe von Jahren, als die Chortitzer Gemeinde im Chaco sich schon auf ''Mennonitengemeinde von Menno'' umbenannt hatte, trat der Gemeindevorstand mit dem Vorschlag an die Gemeinde, es mit der Einführung in den Brautstand auch so zu machen, nämlich vor dem Aufgebot eine Feier zu veranstalten. Man stiess anfänglich auf harten Widerstand, aber nach und nach kam es dann doch zustande.

In den Hauptsachen doch eins

Im grossen und ganzen waren sich aber diese Russland–Bergthaler die nun in Kanada in verschiedenen, weit voneinander gelegenen Orten bestimmte Eigenarten entwickelt hatten, in den Grundzügen ihrer Glaubensprinzipien auch damals noch einig. In den vielen kleinen, äusseren Gewohnheiten jedoch hatten sie alle verschiedene Formen entwickelt, und daran scheiterten dann die Einigungsversuche, weil jede ihre Art für die bessere hielt und sie den anderen aufzwingen wollte. Auf geistliche Belebung wurde von manchen, wenn überhaupt, viel weniger Gewicht gelegt als auf äussere Formen und Gebräuche.

Das Prinzip der Wehrlosigkeit im Sinne von Kriegsdienstablehnung wurde sehr stark betont und so auch das Erhalten der Privatschulen, die mit Religionsunterricht unter einem Begriff standen. Vertiefungen aber in Glaubenssachen pflegte man im allgemeinen nicht. Es gab auch keine zwischengemeindlichen Konferenzen, wo man sich über den Gemeindebegriff und die Gestaltung des Glaubenslebens in erbaulicher und aufbauender Weise gegenseitige, anregende und ausgleichwirkende Impulse hätte geben können. Gemeinsame Beratungen aller Ortsgemeinden gab es dann, wenn äussere Not dazu trieb, wie es z.B. während des Ersten Weltkrieges und etliche Male danach geschah, als man in Militärdienstbeziehungen und Privatschulsachen unsicher wurde, oder auch ganz konkret von Seiten der Provinzialregierung herausgefordert wurde.

Wie segensreich hätte sich doch ein bedingungsloser Zusammenschluss auswirken können! Und manches Problem der Ansiedlung hätte gemeinsam leichter gelöst werden können. Die Ansiedlung wollte man ja sowieso in einem Stück anlegen. Die geographische Einheit war somit gegeben; in geistig–geistlicher Hinsicht aber blieb jede Gruppe hartnäckig auf dem Ihren bestehen und schuf dadurch grosse Unannehmlichkeiten in Verbindung mit dem Siedlungswerk.

Erstaunlich ist daher die Tatsache, dass alle diese verschiedenen Auswanderungstypen bei aller Unnachgiebigkeit in Fragen, Ansichten und Gewohnheiten der praktischen Lebensführung, unbeirrt, fest und einmütig an der Notwendigkeit der Auswanderung und am gemeinsamen Auswanderungsziel festhielten. Sie liessen sich in keiner Beziehung davon abbringen, sondern blieben felsenfest bei dem einmal gefassten Ziel, das sie als göttlichen Befehl erkannten: ''Dies ist der Weg, den gehet, sonst weder zur Rechten noch zur Linken!''

Fussnoten zu Kapitel V
Dies ist der Weg, den geht!

1. Dr. W. Quiring — *Russlanddeutsche suchen eine Heimat* — S.58
2. John E. Bender — *Paraguay — Portrait of a Nation* — The Menno Colony — S.35
3. Dr. W. Quiring — ob.zit. S.59
4. *Notizen* des Chacodelegierten (Chacoexpedition — 1921) — Bernh. Toews *Memorandum for Casado* — Dez. 9/21
5. *Verhandlungen* zwischen McRoberts und Casado
   a) Casado — im Waldorf Astoria Hotel in New York — an McRoberts — 1. Nov. 1921
   b) Casado — im Waldorf Ast. Hotel — an McRoberts — Dez. 15/1921
   c) McRoberts an Casado — im Wald. Ast. Hotel in N. York — 13. Dez. 1921
6. Dr. W. Quiring — ob.zit. S.57
7. *Memorandum for Casado* 17. Feb. 1922
8. Dr. W. Quiring — ob.zit. S.58
9. Artikel in *Mennonitische Rundschau* — 25. März 1925 — eingesandt von G. F. W. (wahrscheinl. Gerh. F. Wiebe, ein starker Auswanderungsgegner in der Chortitzer Gemeinde).
   Es heisst am Anfang der Abhandlung: Auszüge aus einem Artikel: *Argentinien und Paraguay.* Der Artikel wahrscheinlich in einer deutschsprachigen Zeitschrift in B. Aires erschienen.
10. Brief des Delegaten B. Toews an den Ält. M. C. Friesen/10. Aug. 1923
11. Derselbe an Ält. Friesen bzw. an McRoberts — Mai 1924

12. Eine Beratung im Hause des Delegaten B. Toews. Es wird darüber beraten, wie man es auf der neuen Ansiedlung im Chaco machen müsste.

13. Nach einer Niederschrift der Saskatchewan–Bergthaler Gemeinde.

14. Abschrift des Ält. M. C. Friesen

15. Von der (Sask.) Bergthaler Gemeinde so protokolliert.

16. Ein seitenlanger Brief des Ält. A. Zacharias (Sask.) an den Ält. Joh. Dueck der Chortitzer Gemeinde in Manitoba. Ält. Zacharias zitiert in diesem Schreiben 2. Kor. 1:1–22 und führt dann aus, wie er sich enttäuscht fühle, wolle aber das Bestreben für einen Zusammenschluss nicht aufgeben, sondern noch weiter in der Hoffnung des Zustandekommens leben.

17. Schreiben eines Chortitzer Gemeindegliedes an den Ält. Zacharias — 6. Juni 1926

KAPITEL 6

Aufbruch nach dem "sonnigen" Süden

Es ist ein wichtiges Unternehmen. Wir brauchen Gottes Hilfe, wir brauchen seine Gnade. "Ohne mich" sagt Jesus "könnt ihr nichts tun".

Ält. M. C. Friesen auf dem Abschiedsfest für die erste Gruppe, die Kanada nach Paraguay verliess — November 1926

Wiederaufnahme der Geschäftsverhandlungen

Um die Zeit von 1924 bis 1925 dämmerten wieder Hoffnung für die wirtschaftlichen Verhältnisse auf, und General McRoberts hielt sein Versprechen, dass er den Auswanderungsbereiten immer wieder gegeben hatte: Sobald sich wieder bessere Zeiten in wirtschaftlicher Beziehung zeigen würden, würde er auch wieder bereit sein, das Landhandelsgeschäft aufzunehmen und weiterzuführen. McRoberts schlug nun vor, dass eine kleine Gruppe von Farmern ihre Besitztümer veräussern und sich dann aufmachen und nach Paraguay gehen sollte. Diese kleine Gruppe sollte gewissermassen als Vorhut dienen. Die Verhandlungen zogen sich dann monatelang hin. Zunächst aber kam man keinen Schritt weiter.

Die Mennoniten waren keine geschulten Geschäftsleute, wie es die Amerikaner waren, mit denen sie es zu tun hatten. Sie waren aber tüchtige Bauern. Sie verstanden zu rechnen und machten ihre Berechnungen und merkten es sehr gut, wann das Geschäftslicht für sie "grün" und wann es "rot" war. So wurden die ersten von McRoberts vorgeschlagenen Verhandlungspläne als unannehmbar abgelehnt. Man blieb aber weiter bei unentwegtem Verhandeln.

Eine "Vorhut" wird abgelehnt

Als das Jahr 1925 sich zu seinem Ende neigte, begannen die Verhandlungen endlich festere Formen anzunehmen. Am 19. November hatten General McRoberts und seine amerikanischen Geschäftskollegen eigens für das Umsiedlungswerk von Kanada nach

Paraguay die "Intercontinental Company Limited" gegründet. Für den 23. November war Fred Engen nach Winnipeg gekommen, wohin er die mennonitischen Auswanderungsleiter eingeladen hatte, um sich dort mit ihnen zu treffen. Er teilte ihnen hier unter anderem folgendes mit:[1]

> "Es wird ganz von eurem Bemühen abhängen, ob das so wichtige und verantwortungsvolle Unternehmen der Auswanderung nach Südamerika gelingen wird. Es ist wichtig, eine geordnete Grundlage für das Werk zu schaffen. Man muss vorsichtig, bedacht und mit viel Überlegung an das Werk gehen. Es kann schwere Folgen nach sich ziehen, wenn man Fehler macht. Das Unternehmen ist gross, und es ist auch schwer. Aber es ist nicht so schwer, dass es nicht bewältigt werden könnte.
>
> In Puerto Casado müssen bestimmte Vorkehrungen getroffen werden, ehe die Siedlermassen dort eintreffen. Ich fahre am 5. Dezember dorthin los. Dann will ich zusammen mit Herrn Casado die Unterbringung der Siedler planen. Wir wollen dort Baracken errichten und auch Zelte bereitstellen. Ihr dürft dann von uns die Zelte kaufen. Wir wollen einen Gemüsegarten anlegen, damit die durchreisenden Siedler Nahrung zur Verfügung haben. Die Herrn Johann Priesz, Bernhard Toews, Isaak Funk und Jakob Doerksen, die 1921 mit mir zusammen im Chaco waren und auch jetzt hier zugegen sind, werden sich gewiss noch erinnern, dass es dort die Mandioka gibt, von der man — wie man uns mitteilte — vierzig verschiedene Mahlzeiten bereiten kann.
>
> Wenn wir dort dann soweit mit den Vorbereitungen fertig sind, Einwanderer aufnehmen zu können, werde ich sofort Nachricht hierher schicken. Wir schlagen vor, dass ihr dann zuerst sechs Familien hinschickt, die uns weiter mit Rat und Tat zur Seite stehen sollen, um weitere Vorkehrungen treffen zu können, wie sie euren Bedürfnissen entsprechen."

Die Siedlungsgesellschaft schlug also vor, zuerst einmal eine kleine Gruppe von 6 oder auch von 12 Familien (im letzteren Falle sollten es dann je vier Familien aus jeder der drei Ortsgemeinden sein) nach Puerto Casado zu entsenden. Diese sollten dort bei den Einrichtungen helfen und auch den Grundstein für die Ansiedlung überhaupt legen und den Anfang machen. Diese 6 oder 12 Familien sollten aber ihre kanadischen Güter verkaufen. Die anderen sollten dann noch etwas warten, um zu sehen, was sich aus diesem Siedlungsversuch ergeben würde. Die Siedlungsgesellschaft wollte sich für alles verantwortlich halten und die vorausgeschickten Familien zurückbringen, falls diese feststellen sollten, es sei nicht ratsam, dort eine Ansiedlung im Grossen anzufangen. Doch rechnete man in Wirklichkeit nicht mit solchem Fehlschlag, hatte man doch schon Land und Verhältnisse eingehend untersucht und gute Resultate verzeichnet.

Die Mennoniten lehnten aber diesen Vorschlag ab. Nach ihrer

Meinung wäre die Auswanderung dann schon von Anfang an auf verlorenem Posten. Es würde dann schon keine grosse Auswanderung mehr nach Südamerika zustandekommen. Die 6 oder 12 Familien würden wahrscheinlich zurückkehren, weil es dort nicht ihren Wünschen entsprechen würde. Sie wollten eine gemeinsame Auswanderung oder keine. Eine Auswanderung auf Probe lehnten sie kategorisch ab. Sie wussten noch zu gut von der Auswanderung aus Russland nach Manitoba, wieviele da enttäuscht gewesen waren. Sie hatten es sich nicht so schwierig vorgestellt und wären dann allzugerne umgekehrt, hätte sich ihnen die Möglichkeit dazu geboten. Wie leicht wäre es nun für die 6 oder 12 Familien möglich, zu behaupten, Paraguay sei für solche Ansiedlung nicht geeignet. Sie würden dann alle zurückkommen, und die Auswanderung wäre annulliert.

Daher blieben sie dabei: auswandern und aufs Ganze gehen oder überhaupt nicht auswandern. Das Auswanderungswerk wurde dadurch auch nicht weiter aufgehalten, wenn die Mennoniten sich auf so einen Vorschlag nicht einliessen. Sie unternahmen die Umsiedlung dann jedoch ganz auf ihre eigene Verantwortung. Dieses Wagnis war ihr Wagnis. Andererseits aber zeigt das Angebot der Siedlungsgesellschaft doch, dass es ihr nicht nur um das Geschäft ging. Es zeugt von einer humanitären Einstellung, und General McRoberts stand an der Spitze dieses Anerbietens.

Im Dezember des Jahres 1925 kamen die Amerikaner Alfred A. Rogers und Alvin Solberg, beide Mitarbeiter von McRoberts, nach Manitoba. Rogers war McRoberts rechte Hand, und Solberg war ein Landmakler aus Minneapolis, Minnesota, der nicht vor langer Zeit den Hutterischen bei ihrer Umsiedlung aus den U.S.A. nach Kanada behilflich gewesen war. Diese beiden Männer wohnten verschiedenen Versammlungen der Chortitzer in dem Ostreservat und der Sommerfelder in dem Westreservat bei. Sie verweilten bis nach Neujahr des Jahres 1926 in Manitoba.

Auf diesen Versammlungen berichtete Rogers im Auftrage von McRoberts über das Südamerikaprojekt. Auf einer dieser Versammlungen war ein Sommerfelder Prediger zugegen, der nicht auswandern wollte. Der sprach dann auch zu den Versammelten. Er machte auf das Wagnis eines solchen Unternehmens aufmerksam und ermahnte die Leute, es sich doch gut zu überlegen, auf was sie sich da einliessen. So eine Umsiedlung — schloss er seine Rede — würde noch mancherlei Unannehmlichkeiten mit sich bringen.

Aus der Sommerfelder Gemeinde wollten dann 84 Familien auswandern. Darunter waren 6 Familien, die nicht imstande waren, die Umsiedlungskosten aus eigenen Mitteln zu bestreiten. Bald aber stellten 31 dieser Familien, darunter 5 der Unbemittelten, die Auswanderung ein, so dass schliesslich noch 53 Familien von der Sommerfelder Gruppe für das Paraguayprojekt blieben.

Ferner berichtete Rogers, es sei jetzt ein Weg zur finanziellen Bewältigung des grossen Unternehmens gefunden worden. McRoberts und noch ein Millionär, ein Herr Robinette aus Philadelphia, Pennsylvanien, hätten den Grund dazu gelegt. Rogers sagte unter anderem:[2]

"Die Verhandlungen für das Südamerikaprojekt sind jetzt, wie auch General McRoberts selbst euch mitgeteilt hat, ins Fahrwasser gekommen. Man rechnet mit etwa 100 000 Ackern kanadischen Landes. Käufer dafür sind gefunden worden. Wir möchten nun, dass ihr Mennoniten die Gelegenheit des Verkaufs von 100 000 Ackern Land wahrnehmt. Eure Gemeinschaft hat mit dieser Sache angefangen. Sie hat das Chacoland untersuchen lassen und dann schon so lange auf einen erfolgreichen Ausgang der Dinge gewartet, daher soll sie auch an erster Stelle bei der Auswahl des Landes im Chaco für die Ansiedlung stehen, dort, wo die Untersuchungen bereits durchgeführt wurden.

Sollte eure Gemeinschaft die benötigten 100 000 Acker Land nicht aufbringen können, dann wollen wir den Rest von den Duchoborzen nehmen, die auch Lust zeigen, in den Chaco überzusiedeln. Auf unsere Anfrage habt ihr uns geantwortet, dass eure Gemeinschaft nichts dagegen habe, zusammen mit den Duchoborzen in demselben Gebiet anzusiedeln. Die Duchoborzen werden aber eine von eurer Ansiedlung getrennte, unabhängige Kolonie gründen.

Ihr habt bei uns um eine Versicherung angehalten, damit ihr nicht inmitten der Umsiedlung und Ansiedlung stecken bleibt, weil die Geldmittel nicht weiter reichen. Ihr seht Schwierigkeiten, das Werk auszuführen, wenn vielleicht schon eine Anzahl Siedler auf der neuen Ansiedlung sind, und die noch kommen wollen und sollen, nicht können, weil die Mittel erschöpft sind. Ihr wollt eine Siedlung gründen, die auch stark genug ist, sich zu behaupten und die auch zahlenmässig zu rechtfertigen ist. Das ist auch der Grund, weshalb wir an 100 000 Acker kanadischen Landes denken, einen Landkomplex, der uns auch befähigt, euren Wünschen und Ansprüchen gerecht zu werden und euch dadurch eine Zusicherung zu geben, dass wir das angefangene Werk auch zu Ende führen werden.

Wir haben uns mit kanadischen Eisenbahngesellschaften in Verbindung gesetzt. Sie sagten uns, sie machten keine Herabsetzung der Fahrpreise für Kanadier, die das Land verlassen wollten. Wir sagten ihnen, wir würden uns dann an amerikanische Gesellschaften wenden. Darauf haben sie sich dann aber doch erboten, den Fahrpreis zu ermässigen.[3] Wir rechnen damit, in der ersten Hälfte des Jahres 1926 100 Familien nach Paraguay zu bringen. Sobald wir die Nachricht von Herrn Engen erhalten haben, dass dort für den Empfang alles fertig ist, fangen wir damit an. Engen sorgt dafür, dass 100 Familien untergebracht werden können. Sind diese 100 Familien dann auf die Siedlung gebracht, sollen weitere 100 Familien folgen. So wollen wir versuchen, jede zweite Woche 100 Familien auf den Weg zu bringen, bis wir 500 Familien in

Paraguay haben. Dann sehen wir, was sich weiter machen lässt. Dieses sind so unsere Überlegungen.

Wir haben jetzt zwei Männer in Südamerika: John C. Marsh und Fred Engen. Der eine kümmert sich um die finanziellen Belange, und der andere hat die Verantwortung für den Empfang und die Aufnahme der Einwanderer. Unsere Gesellschaft, die Intercontinental Company, hat in Winnipeg ein Büro eröffnet. Da arbeiten, planen, verhandeln und überlegen wir, und dieses Büro ist zu jeder Zeit für euch offen. Wir werden jetzt unsere Arbeiter überall dorthin schicken, wo es Verhandlungen mit Farmern gibt. Auch zu den Duchoborzen werden wir jetzt gehen.

Wir glauben, dass es jetzt soweit ist, die Auswanderung durchführen zu können, und wir hoffen, eure Gemeinschaft wird jetzt auch mitarbeiten. Wir wollen so viel Land wie eben möglich von Eurer Gemeinschaft haben. Das Geld liegt bereit. Wir werden euch für jeden Acker sieben Dollar Bargeld auszahlen. Jetzt sind wir soweit, wie ihr es schon vor einer Reihe von Jahren haben wolltet. Jetzt gehts weiter. Jeden Tag geben wir schon viel Geld für die ganze Bewegung aus, denn wir haben schon zwei Männer in Südamerika, die dort die Sache vorantreiben. Wir rechnen mit eurem guten Vertrauen in unsere Bemühungen um die Auswanderungssache, der wir uns jetzt mit volleingesetzten Kräften widmen.''

Die öffentliche Presse äussert sich

Diese Mennoniten nun hielten sich für die ''Stillen im Lande'', und als solche wollten sie auch ohne viel Aufhebens das Land verlassen. Ihre Einstellung war, so wenig wie eben möglich mit Aussenstehenden und Andersdenkenden über ihre Angelegenheit zu diskutieren; denn niemand konnte die Zustände, die ihnen hier nicht zusagten, abändern. Sie wollten sich möglichst schweigend aufmachen und abziehen.

Aber so ganz unbemerkt liess sich das grosse Unternehmen doch nicht abwickeln. Auch Uneingeweihte merkten bald, was gespielt wurde. Kaum hatten die wirtschaftlichen Verhältnisse sich gebessert und McRoberts sich erneut ins Auswanderungsgeschäft eingelassen, erschien auch schon eine Abhandlung in einer Zeitung. Niemand wusste, woher der Schreiber den Stoff dafür genommen haben könnte. Auch die Amerikaner, die sich mit der Auswanderung befassten, staunten darüber. Es stand dort folgendes zu lesen:[4]

''Die wirklichen Pazifisten

Die unterbrochenen Verhandlungen zwischen mennonitischen Führern und der Regierung von Paraguay sind wieder aufgenommen worden. Er soll eine Ansiedlung von etwa sechstausend Familien in jener südamerikanischen Republik angelegt werden. Die Bitte, die die Mennoniten gestellt haben, und die die paraguayische Regierung ihnen erfüllt, ist es wert, beachtet zu werden, wenn man bedenkt, wie sich heute sogar führende Kirchen in den Vereinigten Staaten gegen den Krieg als Selbstverteidigung auflehnen. In den Konzessionen der Regierung von Paraguay an die Mennoniten heisst es nämlich:

'Vollständige Religionsfreiheit; Befreiung vom Kriegsdienst; das Recht eines Selbstverwaltungssystems im Einklang mit ihren Prinzipien; Verbot des Handels mit alkoholischen Getränken im Rahmen der Ansiedlung; das Recht, sich der deutschen Sprache in

Schulen und Kirchen zu bedienen; zehn Freijahre von allen Besteuerungen.'

Ihrer besonderen Sitten und Gebräuche halber und ihres Glaubens wegen aus Russland vertrieben, fanden sie eine Zuflucht in Kanada. Dann aber kam der Weltkrieg, in den auch Kanada verwickelt wurde; und da merkte das kanadische Volk, dass ihre fremden Nachbarn wohl ''in Kanada, aber nicht von Kanada'' waren. Sie weigerten sich, auch nur **eine** Hand zur Verteidigung des Landes zu erheben. Da wurde das kanadische Volk diesen Mennoniten abgeneigt. Lange Eisenbahnzüge kanadischer Auswanderer kamen nach Ende des Weltkrieges durch die Vereinigten Staaten auf dem Wege nach Mexiko. Dort gründeten die Mennoniten, die in Kanada allen Landbesitz verkauft hatten und sich den kanadischen Staub von den Füssen schüttelten, eine neue Ansiedlung.

Die Ansiedlung in Mexiko aber brachte nicht den erwünschten Erfolg. Jetzt bietet sich Paraguay an, diese Leute aufzunehmen. Jetzt ziehen sie dorthin. Es sind Menschen, die an persönlichen Besitz nicht gebunden sind, und denen es ihr Glaube verbietet, zum Schwert zu greifen. Selbst wenn es um die Selbstverteidigung geht, dürfen sie es nicht. So wandern diese Leute von Deutschland nach Russland, von Russland nach Kanada, von Kanada nach Mexiko und nach Paraguay. Sie suchen vergeblich nach dem Land, das ihnen Frieden zusichert. Es sind Menschen ohne Heimat. Und die Ursache dazu ist, weil sie sich weigern, Gelegenheiten wahrzunehmen, das Land, in dem sie wohnen, zu lieben, indem sie es verteidigen.''

Man stellt heute fest, dass der Schreiber jener Abhandlung die Dinge zum Teil richtig erfasst hat, zum Teil aber auch nicht richtig. Denn die Zahl 6000 (Familien) war übertrieben. Und dass die Ansiedlung in Mexiko, die um jene Zeit erst ein paar Jahre alt war, als Misserfolg angesehen worden sein soll, stimmt nicht. Die paraguay-interessierten Mennoniten aber wollten sowieso nicht nach Mexiko. Die Mennoniten liebten auch ihren persönlichen Besitz und auch das Land, in dem sie wohnten, jedoch nicht in dem Masse, um dafür Blut zu vergiessen. Schweren Herzens rissen sie sich von Kanada los, als sie nach Südamerika abzogen. Sie hatten Kanada als ihre Heimat liebgewonnen. Dieses ''Nicht-an-persönlichen-Besitz-gebunden-sein'' wird sich wahrscheinlich auf die Hutterer beziehen, die kurz vorher in den Vereinigten Staaten von sich hatten reden machen.

Gegner in der eigenen Mitte

Selbst die Auswanderungsinteressenten und die Auswanderungsgegner in der gleichen Gemeinde hatten keinen engen, vertraulichen Kontakt. Die Gegner versuchten nach Kräften die Südamerikawanderung aufzuhalten und sie oftmals, wo es anging, als unüberlegtes, waghalsiges Experiment zu stempeln und anzuschwärzen. Daher blieben die Auswanderungslustigen so viel wie möglich mit ihren Überlegungen, ihrem Pläneschmieden und ihren Verhandlungen im eigenen Kreise. Als die Bewegung nach der

Wirtschaftsflaue dann wieder neuen Auftrieb erhielt, schrieb einer der Auswanderungsgegner aus der Chortitzer Gemeinde:[5]

"Über die Auswanderung nach Paraguay lässt sich noch nichts Bestimmtes sagen. Unsere Gemeinde gedenkt etwa zur Hälfte auszuwandern. Da die Auswanderungsfrage schon seit fünf Jahren aufs Tapet gebracht und schon viel darüber debattiert worden ist, lässt es sich denken, dass solches der Einigkeit in der Gemeinde nicht zuträglich gewesen ist.

Eine Anzahl der Auswanderungsinteressenten hat sich die Sache in diesen fünf Jahren doch schon so überlegt, dass es besser ist, die Hände davon zu lassen. Diese wollen nicht mehr mitmachen, da sie schon zu oft von den Landagenten zum Narren gemacht worden sind.

Im vergangenen Sommer schien sich die Auswanderung schon im Sande verlaufen zu haben, dann aber im Herbst wurde die Arbeit wieder energisch von den Landagenten aufgenommen. Jetzt hiess es, sie hätten Käufer für das Land, und man müsste sich wieder von neuem anmelden, wer nach Südamerika wolle. So sind jetzt in der Ostreserve 6 Prediger und etwa 200 Familien, die sich fertig machen. Von der Sommerfelder Gemeinde sollen es 104 Familien sein, aus der Gemeinde bei Herbert (Saskatchewan) 8 Familien und aus der Umgebung von Rosthern 32 Familien, die nach Paraguay wollen. Anfang dieses Jahres hiess es, Mitte Februar oder Anfang März sollten die ersten Auswanderer abreisen. Jetzt heisst es, sie sollen Mitte April abreisen.

Eine Frau Garibaldi aus Italien wollte schon alles Land der Auswanderer durch die Landagenten der Intercontinental Company kaufen und mit Leuten aus Italien besiedeln. Weil ihr aber das Land zu teuer ist, hat sie sich von dem Handel zurückgezogen; die Agenten verlangen für die guten Farmen 60 bis 70 Dollar den Acker. Es gefiel uns auch gar nicht, die Italiener als Nachbarn zu bekommen. Jetzt heisst es, dass russländische Mennoniten in die Farmen der Auswanderer gesetzt werden sollen. Das gefällt uns schon. Besseres können wir uns auch nicht wünschen.

Wir haben in unserer (Chortitzer) Gemeinde noch etwa ein halbes Dutzend Privatschulen, mit je etwa 12 bis 13 Kindern. Auch haben etliche der Regierungsschulen noch am Sonnabend Deutsch- und auch Religionsunterricht. Die Regierungsschulen wurden vor kurzem von unseren Predigern H. Doerksen und Peter K. Toews besucht. Die Prediger der Auswanderungsgruppe gehen nicht in die Regierungsschulen."

Derselbe Schreiber schrieb etwas später:[6]

"Der Handel wegen der Auswanderung nach Paraguay ist wieder für eine bestimmte Zeit hinausgeschoben worden. Wie es heisst, kommen auch die Verhandlungen mit der "Mennonite Board of Colonization", die die Russländer ansiedeln will, noch wieder nicht zustanden. Wie nicht anders zu erwarten, ist den Russländern das Land zu teuer. Daran scheitert der Handel immer wieder, dass die Agenten keine Käufer für die Farmen der Auswanderer bekommen.

Was sich aber weiter hinter den Kulissen abspielt, und ob dieses, wie oben erwähnt, der wahre Grund der Verzögerung ist, entzieht sich unserer Beobachtung. Man ist hauptsächlich auf mutmassliche Feststellungen angewiesen."

In Wirklichkeit verliefen die Verhandlungen nicht so unsicher, wie jener Schreiber es darstellt, aber langsam ging es. Und es stimmt schon, dass die Nichtauswanderer nicht im Bilde waren. Sie bemühten sich auch nicht so sehr darum, die Wirklichkeit zu erfahren, als vielmehr darum, der Bewegung hinderlich zu sein. Das geschah vielleicht gar nicht unbedingt immer mit böser Absicht, sondern oft wohl eher in dem Gefühl, etwas Nützliches vollbracht zu haben, wenn man Leute von diesem wahnwitzigen Vorhaben abbrachte. Mitunter wäre ihnen das sogar fast in grösserem Masse gelungen.

Die mennonitischen Farmer verhandelten nicht einzeln mit der Siedlungsgesellschaft über den Verkauf ihrer Farmen. Das tat das mennonitische Fürsorgekomitee, das eigens für die Abwicklung der Auswanderungsgeschäfte gebildet worden war. Jeder Farmer musste aber ein sogenanntes ''Verkaufsangebot'' unterschreiben, welches dem Fürsorgekomitee die rechtliche Grundlage gab, sein Land an die Siedlungsgesellschaft zu verkaufen. Diese Unterschrift hatte also nur eine interne Bedeutung. Das Fürsorgekomitee war dadurch aber berechtigt, den Kaufvertrag mit der Siedlungsgesellschaft für alle zu unterzeichnen.

Noch ehe nun das Fürsorgekomitee den Vertrag mit der Siedlungsgesellschaft, der ''Intercontinental Company'', unterschrieben und also auch noch kein Geld entgegengenommen hatte, kam ein Gerücht im Umlauf, das in düsteren Farben ausmalte, was die ''Agenten'' (Damit sind immer die Angestellten der Siedlungsgesellschaft gemeint) nun alles auszurichten imstande wären, weil man ihnen die Unterschriften der Farmer auf ihr Land gegeben hätte. Die Agenten — hiess es — könnten jetzt, wenn sie wollten, das Land gegen Anleihen verpfänden, welche die Amerikaner dann irgendwo und irgendwie zu ihrem Vorteil investieren würden, und so weiter. Das Gerücht schien tatsächlich einen so begründeten Hintergrund zu haben, dass viele es mit der Angst zu tun kriegten. Bald kamen die Leute in Scharen und wollten die von ihnen unterschriebenen Papiere zurückhaben. Die mennonitischen Auswanderungsangestellten konnten dann schliesslich doch so viele Beweise auf den Tisch legen, die da zeigten, wie halt- und sinnlos solches Gerede sei. Die meisten liessen darauf die ''Verkaufsangebote'' dann weiter gelten.

Die Verhandlungen gehen weiter

''Hinter den Kulissen'', wie es die Chortitzer Auswanderungsgegner ausdrückten, spielte sich indessen gar nichts Ungewisses oder Zweifelhaftes ab. Man steuerte auf ein ganz bestimmtes Ziel zu. Die Agenten feilschten wohl, aber nicht als solche, die ängstlich darauf bedacht sein müssten, ihre Ware an den Mann zu bringen. Sie versuchten selbstverständlich die für sie besten Preise herauszuschlagen. Die Möglichkeit, mit den Landpreisen herunterzugehen, stand ihnen ja immer noch offen. Tausende russländischer Mennoniten kamen um jene Zeit nach Kanada, und die wollte man ansiedeln. Das waren viel mehr Leute, als Kanada verliessen.

Von der Casadogesellschaft hatte die Intercontinental Company 100 Legua Land im Chaco zu 3,13 Dollar den Hektar gekauft. Das waren etwa 1,25 Dollar für den Acker. Bei solchem Handel war es für die Amerikaner selbstverständlich, dass die Casadogesellschaft dann auch den Eisenbahnbau vorantreiben würde. Die Amerikaner zahlten die Termine für das Chacoland in einem Verhältnis zum Fortschritt des Eisenbahnbaues. Zu den Verhandlungen zwischen der Intercontinental Company und den Auswanderern schreibt Walter Quiring:[7]

"Zusammen mit dem Fürsorgekomitee machte die Intercontinental Company jetzt eine zweite, endgültige Aufnahme des von ihr zu übernehmenden Landes und auch des beweglichen Vermögens. Nach dieser Aufnahme verkauften die Auswanderer 43 998 Acker (etwa 18 000 ha) für 902.900, — Dollar, von denen ihnen 309.717, — Dollar in bar ausgezahlt wurden. Für den Rest von 593.183, — Dollar und für 96.155, — Dollar, die dem Ostreservat von der I.C. für das bewegliche Vermögen gutgeschrieben wurden, insgesamt für 689.602, — Dollar, mussten die Kolonisten Land im Chaco übernehmen, und zwar 137 920 Acker (etwa 55 000 ha).

Auch für den Gegenwert des gesamten beweglichen Vermögens sollten die Auswanderer Land im Chaco übernehmen, doch ging ein Teil der Farmer auf diese Bedingung nicht ein, sondern zog es vor, Hausrat, Vieh u.a. auf Versteigerungen zu verkaufen, um Bargeld in die Hand zu bekommen. Das aber durchkreuzte die Pläne der I.C., die Vieh, Maschinen usw. für ihre Käufer brauchte. Darum bot sie diesem Teil der Verkäufer (sie schätzte das zurückgehaltene Vermögen auf rd. 55.000, — Dollar) für sein bewegliches Gut Bargeld an, wenn er bereit sei, es etwas niedriger einzuschätzen, als das die anderen Farmer, die kein Bargeld erhielten, getan hatten.

Unabhängig von der I.C. wurde darauf auf dem Ostreservat beschlossen, diese 55.000 Dollar auf alle Auswanderer im Verhältnis zu ihrem beweglichen Vermögen zu verteilen, so dass schliesslich alle Auswanderer der Ostreserve ein Drittel in bar ausgezahlt erhielten, und zwar hatte die Chortitzer Gemeinde im ganzen beweglichen Vermögen abgegeben: für 143.233 Dollar, von denen 47.078 Dollar bar ausgezahlt wurden, und für 96.155 Dollar übernahmen die Farmer Land im Chaco.

Die Auswanderer des Wetreservats dagegen verkauften ihr bewegliches Vermögen auf Versteigerungen, was dort bei der geringen Beteiligung an der Auswanderung zu angemessenen Preisen möglich war; nur zuletzt wurden auch dort Hausrat u.a. in einigen Fällen von I.C. übernommen.

Endlich, am 23. Juni 1926, konnte vom Fürsorgekomitee der Vertrag mit der I.C. unterzeichnet werden; mit den einzelnen Auswanderern hatte das Komitee schon vorher Verträge abgeschlossen. Die I.C. zahlte bei der National Trust Company in Winnipeg auf den Namen des Fürsorgekomitees die genannte Summe in bar für Land und bewegliches

Vermögen ein und hinterlegte ausserdem eine auf die Auswanderer lautende Übereignungsurkunde auf Land im Chaco.''

Als die Verhandlungen nun um die Jahreswende 1925/26 zum zweitenmal aufgenommen wurden, rechnete man damit, dass die Überführung der ersten Gruppe nach Paraguay noch in der ersten Hälfte des Jahres 1926 stattfinden würde. Alle diese Verhandlungen nahmen aber viel mehr Zeit in Anspruch, als man es sich gedacht hatte, so dass mit der Abfahrt der ersten Gruppe erst im November begonnen werden konnte. Auch spielten die Vorbereitungen in Puerto Casado eine kleine Rolle in der Verzögerung.

Die Auswanderung wird Wirklichkeit

Endlich war dann alles startbereit! Es konnte losgehen. Aus dem regen Gesprächsstoff der langen Jahre wurde nun ernste Wirklichkeit. Jetzt hiess es: ''Lieb Heimatland, ade!''

Der 24. November 1926 war für die Abfahrt der ersten Gruppe bestimmt worden. Diese Gruppe bestand aus 51 Familien, 34 aus der Chortitzer Gemeinde des Ostreservats und 17 Familien aus der Sommerfelder Gemeinde des Westreservats. Es waren 309 Personen, darunter drei Prediger, und zwar Abram E. Giesbrecht und Johann W. Sawatzky aus der Chortitzer Gemeinde und Jakob Bergen von den Sommerfeldern.

Am letzten Sonntag vor der Abfahrt dieser ersten Gruppe, am 21. November, feierte man in der Chortitzer Kirche, im Dorfe Chortitz, ein Abschiedsfest. Es waren viele zu diesem denkwürdigen Feste gekommen. Der Abschied legte sich schwer auf die Gemüter vieler, sowohl der Bleibenden als auch der Scheidenden. Zuerst hatte der Prediger A. E. Giesbrecht, der zur abreisenden Gruppe gehörte, das Wort. Er sprach anhand von Hosea 10,12: ''Darum säet euch Gerechtigkeit und erntet Liebe; pflüget ein Neues, weil es Zeit ist, den Herrn zu suchen, bis dass er komme und lasse regnen über euch Gerechtigkeit.'' Seine weiteren Ausführungen sind nicht festgehalten worden.

Als zweiter Redner sprach der noch zurückbleibende Älteste Martin C. Friesen. Das Blättchen, auf dem er sich das Konzept seiner Rede entworfen hatte, ist noch erhalten, Dort heisst es:

''1. Ermahnung. Es ist ein wichtiges Unternehmen (diese Auswanderung). Wir brauchen Gottes Gnade und Hilfe. ''Ohne mich könnt ihr nichts tun.''

2. Die Welt liegt im Argen; darum wachet. Habt acht auf eure Kinder. Vergesset nicht den Herrn.

3. Wenn der Herr euch glücklich und gesund an den Bestimmungsort bringt, vergesst nicht zu danken.

4. An die mitziehenden Prediger: 'So habt nun acht auf euch selbst und auf die Herde'. An die anderen: 'Gehorchet euren Lehrern und folget ihnen.'

5. Schluss. Ich möchte euch die Worte Josephs mitgeben: 'Zanket nicht

auf dem Wege'. Nein, zanket nicht, sondern übet euch in der Liebe untereinander.' Soviel an euch ist, habt mit allen Menschen Frieden.'
Segensspruch für die Reise: Psalm 121''

Der Abreisetag war ein Mittwoch. Die Auswanderer bestiegen die Eisenbahn auf zwei Stationen der Canadian Pacific Railways (CPR), nämlich Niverville und Carey, und auf einer der Canadian National Railways (CNR) in Altona. Auf den ersten beiden Stationen stiegen die Mitglieder der Chortitzer Gruppe ein, auf der letzteren die der Sommerfelder Gruppe. An allen drei Stellen versammelte sich eine Menge abschiednehmender Leute, nicht nur solche mennonitischen Glaubens, sondern auch verschiedene Leute anderer Herkunft aus der Nachbarschaft. Bis Crookston, Minnesota, reisten die Sommerfelder und Chortitzer in getrennten Zügen. Ab Crookston wurden sie dann zu einer Gruppe vereinigt.

An den Bahnstationen erschienen auch Zeitungsleute, schnüffelten dort herum und versuchten dann später das Ereignis möglichst sensationell zu gestalten. Dabei mussten sie dann ja etwas übertreiben, was sie aber gut schafften. In der ''Manitoba Free Press'' von Winnipeg war am nächsten Tag zu lesen:

''Mehr als 300 Mennoniten bestiegen gestern Eisenbahnzüge in Altona, Niverville und Carey, um nach Südamerika auszuwandern. Das Bild, das sie boten, unterschied sich kaum von dem, welches man sah, als sie vor 50 Jahren von Europa hierher kamen: Bärtige Männer in altmodischer Tracht, Frauen und Mädchen in langen, weiten und wallenden Röcken und farbigen Kopftüchern, die eine und andere vielleicht auch mit einem blumenverzierten Strohhut. Sie sahen aus, als wären sie Fremdlinge in dem kalten Winter dieses westlichen Kanadas. Sprach man die Männer an, so antworteten sie in einem gebrochenen Englisch. Einige der Kinder aber konnten die Sprache ihres Geburtslandes sprechen. Sie waren gezwungen worden, einige Jahre die englisch geführte Schule zu besuchen. Unter den Frauen aber war kaum eine, mit der man sich auch nur über einfache Dinge in Englisch unterhalten konnte.

Jetzt lassen sie alle ihre Habe zurück, ihre Heime, ihre Felder und ihre Gärten, die schon so lange ihr Eigentum in Manitoba gewesen sind. Einiges von ihren Gütern, wie Haushaltsgeräte, haben sie in Bündel verschnürt oder in Kisten verpackt und nehmen es mit als persönliches Eigentum.

Die CPR hat sechs Eisenbahnwagen für diese Personen und einen für die Fracht zur Verfügung gestellt. Eine Gesellschaft aus New York vermittelt den Landhandel. Sie kauft hier die Farmen der Auswanderer auf und verkauft sie weiter an neue Einwanderer, an Mennoniten, die aus Russland hereinkommen und begeistert sind für Kanada.

Es heisst, dass noch mehr von den Unzufriedenen aus dieser mennonitischen Gemeinschaft nach Südamerika auswandern werden, wenn diese Gruppe in Südamerika Erfolg haben wird.''

Der Zeitungsschreiber, der über solchen Exodus sicherlich nicht sehr erbaut war und infolgedessen auch nicht das geringste Verständnis dafür aufbrachte, hat, von einzelnen Personen ausgehend, Dinge verallgemeinert und auch Scheidende und Zurückbleibende verwechselt, was auch nicht verwunderlich ist, da er sie ja nicht alle kannte, wenn auch einige. So war z.B. nicht ein Mann in der Gruppe, weder in Niverville noch in Carey, der einen Bart trug. In Altona mag es einer gewesen sein. Von den Russlandmennoniten waren aber auch einige zugegen, die Bärte und Schnurrbärte trugen. Die meisten der Männer trugen auch keine besonders altmodische Kleidung, sondern waren gekleidet, wie es in Manitoba allgemein üblich war. Frauen und Mädchen waren nicht gleich in ihren Trachten, sondern auch mehr verschieden gekleidet. Aber es stimmt schon, dass manche von ihnen, wenn überhaupt, nur ein gebrochenes Englisch sprachen. Eine der mennonitischen Zeitschriften Manitobas brachte folgendes:[8]

"Viele Mennoniten verlassen Kanada. Russlanddeutsche Mennoniten übernehmen dann die Farmen der Auswanderer. Hoffentlich kommt dadurch auch ein regeres geistliches Leben in die Gemeinde. (Gedacht ist hier an die Chortitzer Gemeinde in dem Ostreservat, wo die meisten auszogen. MWF) Ausser dreien, gehen alle Prediger mit nach Südamerika. Der eine von den drei Zurückbleibenden aber krankt auch an der Auswanderungslust. Dann bleiben uns noch zwei für den Dienst. Man spricht von einer Neuwahl.

Viele dieser scheidenden Leute, die Kanada jetzt verlassen und nach Südamerika gehen, scheinen, wenn man sie so von aussen beurteilt heiter und guten Mutes zu sein. Doch viele greift es sehr an. Es ist ja auch keine einfache Sache, dieses Abschiednehmen von lieben Nachbarn, von Freunden und Verwandten, in vielen Fällen von leiblichen Brüdern und Schwestern, von Vater und Mutter. Es ist denkbar, dass sie ergriffen sind und ihr Innerstes tief aufgewühlt ist. Man wird tief gerührt, es geht einem einfach zu Herzen, wenn man es so von der Seite miterlebt, wie viele der Scheidenden sich fast in Tränen und Schluchzen auflösen, wo sie sich jetzt von allem trennen, das ihnen bisher lieb und teuer gewesen ist. Auch ihre wirtschaftlichen Einrichtungen, mit denen sie von Kindheit an aufs engste verbunden und verwachsen waren, müssen sie stehen und liegen lassen und alles ganz zurücklassen.

Hoffentlich führt solches zu tieferem Nachdenken über das eigene Leben und zu ernsterem Nachsinnen über das Woher und Wohin des menschlichen Lebens; denn mancher pflegte das Leben auch allzusehr auf die leichte Schulter zu nehmen."

Die Zusammenstellung einer so grossen Gruppe für die Überführung nach Südamerika war eigentlich nicht im Sinne der Siedlungsgesellschaft und auch nicht im Sinne Casados. Beide waren der Meinung, dass das Hereinkommen der Nordländer in diese tropische Gegend vorteilhafter zu einer Zeit gewesen wäre, wenn es in Kanada zum Sommer und in Paraguay zum Winter überwechselt. Auch hatte die Siedlungsgesellschaft sowieso eine kleine, siedlungsvorbereitende Gruppe, die in Paraguay erst einmal einen Siedlungsversuch unternommen hätte, bevorzugt. Dass solches alles nicht geschah, lag in dem anhaltenden Drängen der Auswanderer begründet, die nach so langem Warten keine Zeit mehr verlieren wollten, jetzt, wo doch schon alle Verhandlungen erledigt waren. Man hatte sich von den Farmen losgemacht und wollte nun auch möglichst schnell an den neuen Ort gelangen.

In Casado ist man nicht vorbereitet

Alfred A. Rogers, der sich in Winnipeg aufhielt, hatte, noch ehe die erste Gruppe abfuhr, folgendes Schreiben, vom 27. September 1926, aus Asunción erhalten, welches zeigt, wie wenig der Abfahrtstermin der ersten Gruppe, sowie auch die Grösse dieser Gruppe mit der Empfangsbereitschaft in Casado abgestimmt gewesen zu sein scheinen. Der so lange aufgestaute Auswanderungsdrang liess sich anscheinend aber nicht mehr aufhalten; in Casado aber erwartete man sie noch nicht, zumindest nicht so viele: [9]

> ''Ich habe den Casados mitgeteilt, dass die ersten Gruppen mennonitischer Siedler wohl noch im Dezember in Puerto Casado eintreffen werden. Das kam den Casados unüberlegt vor. Sie sprachen davon, General McRoberts zu benachrichtigen, dass dieses ein schwerer Fehler sei. Ich versuchte den Herren Casado zu erklären, dass es notwendig sei, die Leute jetzt herüberzubringen. Ich verstehe aber auch, was die Casados meinen. Der Dezember ist hier der allerschlimmste Monat für solche Einwanderer aus dem kalten Norden. Im Dezember wird es schon sehr heiss im Chaco. Und diese Hitze nimmt dann zu bis Februar. Dann erst wird es wieder etwas angenehmer. Der Winter war in diesem Jahr sehr milde, daher befürchtet man einen besonders heissen Sommer. Ich weiss dann eigentlich nicht so recht, was ich tun soll; denn ich weiss, dass es so ist, wie die Herren Casado sagen. Ich weiss aber auch, dass es an der Zeit ist, diese Mennoniten umzusiedeln. Wenn wir fürs erste eine kleine Gruppe herschicken könnten, wäre das bestimmt besser.''

Die Auswanderer brauchten drei Tage, um mit der Eisenbahn von Manitoba über die U.S.A. — Grossstädte Minneapolis und Chicago bis nach New York zu kommen. Hier bestiegen sie den Überseedampfer ''Vasari'' der ''Lamport & Holt Steamship Lines''. Die Ozeanreise von New York nach Buenos Aires fand die Gruppe sehr schön. In Buenos Aires angekommen, schickte die mennonitische Leitung der Gruppe ein Telegramm folgenden Inhalts an das Hauptbüro der Schiffahrtgesellschaft in New York:

> ''Die Mennonitengruppe möchte hiermit ihren herzlichen Dank zum Ausdruck bringen. Die Bedienung auf Ihrem Schiff ''Vasari'' war ausgezeichnet. Auch war dass Wetter sehr schön. Das Hervorragendste an dieser Ozeanreise war die freundschaftliche Bedienung, das unentwegte Achthaben auf das Wohlbefinden der Gruppe. Die Schiffahrt wurde für einen jeden zu einem unvergesslichen Erlebnis. Es war eine

Lust, zu merken, wie die Bedienung bis ins Kleinste hinein beachtet und ausgeführt wurde. Die Schiffsgesellschaft hat damit einen Standard gesetzt für den weiteren Dienst an den Gruppen, die jetzt noch folgen sollen. Also, wir hoffen, diese guten Beziehungen bleiben so weiter bestehen."

Auch an die Gemeinden in Manitoba schickte man von mehreren Stellen aus, wo das Schiff anhielt, Telegramme ab, zuletzt auch von Puerto Casado. Von hier aus wurde über die glückliche Ankunft am Bestimmungsort berichtet.

Die Schiffsreise von Buenos Aires bis Puerto Casado wies einen anderen "Standard" auf als diejenige von New York nach Buenos Aires. Sie liess viel zu wünschen übrig. Gewiss, man war dankbar für die glückliche Reise, aber sonst fand man an der Flusschiffahrt nicht viel Lobenswertes. Ein Junge hatte das Unglück, sich den Arm zu brechen. Er wurde dann in Asunción zu einem Arzt in Behandlung gebracht. Die ganze Flussfahrt ging über eine Strecke von 2300 Kilometern. Sie war anstrengend wegen der tropischen Sommerhitze, die sich schwer auf die Gemüter legte, zumal die Reisenden nicht nur in Kabinen, sondern auch in verschiedenen Fracträumen untergebracht waren. Man durfte zwar auch nach Belieben ins Freie und aufs Deck gehen und tat das auch, aber das Deck war dann meist stark besetzt und überdies von der Tropensonne erhitzt. Weiter waren es das Essen und das warme Wasser, welche sich nicht sehr bekömmlich auf die Reisenden auswirkten. Ausserdem war die Unsauberkeit der Baños (Toiletten) bedrückend.

Alles in allem erwarb sich also die Flusschiffahrtsgesellschaft bei diesen Leuten keinen Ruhm. Viele bekamen leichten Durchfall, manche auch schweren, so dass sie sich nur schwer auf den Beinen halten konnten. Einige Kinder erholten sich nicht mehr und starben in den nächsten Tagen in Puerto Casado. Hier griff die Krankheit dann noch schwerer um sich, und es starben bald viele Kinder. Ende Dezember des Jahres 1926 war in einer Zeitschrift zu lesen:[10]

> Während ich dieses schreibe, zieht ein Flussdampfer den Paraná zum Paraguayfluss hinauf. An beiden Seiten sieht man die hohen, steilen und stark bewaldeten Ufer des argentinischen Chaco, und aus dem Urwald erschallt dann und wann das Fauchen eines Jaguars. Hin und wieder sieht man einen Indio aus dem Busch hervortreten, der dann das vorbeigleitende Schiff betrachtet. Über all diesem wölbt sich ein azurblauer Himmel. Ab und zu wird die Stille des Uferwaldes von einem Lärm unterbrochen; sonst herrscht feierliche Stille und friedliche Ruhe. Die Passagiere dieses Schiffes, das den Namen "Apipe" führt, sind Auswanderer aus Kanada, die sich auf der Reise zum "Land der Verheissung" befinden, nach Paraguay, das etwa 2700 Kilometer von Buenos Aires flussaufwärts liegt.
> Es kann sein, dass die Geschichte diesem Zug, dieser Wanderung, die gleiche Bedeutung beimessen wird, wie einst der Wanderung der

Pilgerväter, die auf der "Mayflower" von England nach Amerika fuhren; denn die 309 Passagiere der "Apipe" bilden die Vorhut einer grossen mennonitischen Wanderung nach Paraguay. Seit jener Zeit, als die englischen Pilger sich in Delft (Niederlande) auf die Mayflower begaben, um fremden Ufern zuzusteuern, wo sie Gott gemäss den Geboten ihres Herzens dienen könnten, hat es keine so für ein Ideal begeisterte Wanderung gegeben, wie diese jetzt nach Paraguay.

Weitere 400 Mennoniten werden in dieser Woche an Bord der "Western World", von New York kommend, in Buenos Aires erwartet, und gegen Ende April sollen schon 2000 dieser Leute in Paraguay sein. Weitere Gruppen sollen dann folgen, so rasch die Beförderung möglich ist. Man rechnet damit, dass innerhalb einiger Jahre die Ansiedlung über 100 000 Einwohner zählen wird.

Diese Einwanderung in Paraguay ist aber von viel grösserer Bedeutung, als man nach den oben angeführten Ziffern anzunehmen geneigt ist; denn sie wird von den Anhängern von etwa 42 kriegsgegnerischen Sekten über der ganzen Welt beobachtet, von welchen sich schon eine Reihe entschlossen hat, ebenfalls nach Paraguay zu gehen.

Was ist es denn also, das die Leute in allen Ecken der Welt veranlasst, ihre Heimat, ihre Heimstätten, aufzugeben und sich eine neue Heimat in Paraguay zu gründen? Was treibt denn diese Leute, die auch ihre heimatliche Scholle lieben, sie zu verlassen und sich auf eine sechswöchige Reise zu begeben, auf der Suche nach einem Ideal, und dann ihr Augenmerk auf ein Land zu richten, auf den paraguayischen Chaco, ein Gebiet, das noch nie zuvor von weissen Menschen erforscht wurde?

400 Jahre schon haben diese Mennoniten die Erdoberfläche abgetastet nach einem Verbleib in friedlicher Weise, fern vom Treiben der Welt. Sie meinten jedesmal wieder, so einen Platz gefunden zu haben; dann mischte man sich wieder in ihre Lebensführung ein und zwang sie zu weltlichen Geschäften, ganz besonders auch, dass sie an den Kriegen teilnehmen sollten. Die Mennoniten aber sind Pazifisten. Sie sind Nichtkämpfer und Kriegsdienstverweigerer. Kriegsführung ist für sie klipp und klar unchristlich. Dieses ist ein hervorragender Grundsatz ihres Glaubens.

Die Auswanderung dieser Leute ist also durch den Weltkrieg veranlasst. Sie wurden von verschiedenen Regierungen zum Waffentragen gezwungen. Jetzt kommt ihnen die weitsichtige Regierung von Paraguay entgegen und bietet ihnen Befreiung vom Militärdienst an, eine Vergünstigung, wonach sie schon 400 Jahre die entferntesten Reiche der Welt abgesucht haben.

In den Vereinigten Staaten gibt es etwa 175 000 und in Kanada etwa 25 000 Mennoniten. Andere hunderttausende sind über die ganze Welt zerstreut. Schwere Verfolgungen erlitten die Mennoniten auch in Kanada, gerade dort, wo sie die blühendsten Farmen und Heimstätten aufgebaut hatten. Sie sandten dann Kundschafter aus, nach einem Plätzchen zu suchen, wo sie ungestört und in Frieden leben könnten. Einer ihrer Kundschafter, ein Herr Fred Engen, befasste sich in besonderer Weise mit der Suche nach so einem Plätzchen. Zwei Jahre nach dem Weltkrieg kam er nach Paraguay, nachdem er in Bolivien die politischen Zustände ungünstig gefunden hatte, um Eigentumsrechte zu erlangen. Er entdeckte dann den paraguayischen Chaco, den Gran Chaco Boreal, ein Gebiet, das ihm vorkam wie ein Paradies.

So kam dann eine Verhandlung mit der Regierung von Paraguay zustande. Es wurden Konzessionen und Genehmigungen erteilt, wie sie noch nie vorher einem Einzelnen oder einer Gruppe von Einwanderern in einem fremden Land in so willkommener Weise gegeben worden waren. Diese grosszügigen Zusicherungen und die so günstigen Berichte über das ihnen zuerkannte Land, entfachten bei den Glaubensgenossen in Kanada eine solche Begeisterung, dass sie Paraguay fortan als das ''Land der Verheissung'' für alle Kriegsdienstverweigerer der Erde ansahen.

Diese Ansiedlung im paraguayischen Chaco ähnelt in vielen Hinsichten der Ansiedlung der Pilgerväter in Nordamerika. Jedoch landeten die Pilgerväter an öden Gestaden; diese jetzigen Pilger aber ziehen in ein Land, wo buchstäblich Milch und Honig fliesst, und wo die sie bewillkommnenden Einwohner für sie kämpfen, anstatt sie zu bekämpfen. Ja, sie beschützen die Ansiedler vor möglichen Überfällen von den Indianern. In Paraguay finden sie ein Land, in dem drei von den vier Grundbedingungen des Wohlstandes im Überfluss vorhanden sind: 1. Einen sehr fruchtbaren Boden, 2. einen weiten Raum, sich niederzulassen, und 3. genug Wasser. Das vierte Element, die menschliche Arbeitskraft, bringen sie selbst mit.

Die Möglichkeit, solches ausführen zu können, hat ihr Josua, der Herr Fred Engen, geschafft. Er hat auch dafür gesorgt, dass der paraguayische Staatspräsident, Ayala, die auf dem Dampfer ''Apipe'' in Asunción ankommende Gruppe von Siedlerpilgern in ihrer deutschen Sprache begrüsst hat. Der ihnen zugestandene Freibrief räumt ihnen tatsächlich das Recht ein, einen Staat im Staate zu bilden. Man gewährt ihnen Freispruch von allem Militärdienst und von der Eidesleistung und gibt ihnen das Recht, ihre eigenen Schulen und Kirchen zu unterhalten, weiter auch das Recht, ihre Gemeinden selbst zu verwalten. Die mennonitischen Ältesten haben gesagt, sie hätten gefunden, was sie schon 400 Jahre gesucht hätten.''

Als Erwiderung auf den obigen Artikel erschien dann folgende kurze Abhandlung im ''Hillsboro Vorwärts'' in Kansas:[11]

''Die Beschreibung ist übertrieben. So rosig, wie sie da gegeben werden, sind die Möglichkeiten in Paraguay gar nicht. Und auch die Einwanderung dort hat noch in keinem Falle so ein Ausmass angenommen, wie es in dem Artikel angegeben wird. Es bestehen überhaupt keine Aussichten für so eine Masseneinwanderung, wie sie da geschildert wird. Dagegen ist bekannt, dass schon Leute wieder nach Kanada zurückgefahren sind. Nun ja, das ist ja noch immer so gewesen, wenn man wo neu angefangen hat. Aber solche Erwartungen, wie der Schreiber sie in dem Artikel stellt, sind auch im besten Falle zu hoch gegriffen.''

Die Siedlungsgesellschaft rechnete nun damit, dass diese erste Gruppe gerade zu Weihnachten in Puerto Casado ankommen würde. Herr Alfred A. Rogers schrieb daher wegen dieser Angelegenheit folgenden Brief an seine Kollegen in den U.S.A.:

''Weihnachten ist für die Mennoniten ein heiliger Tag. Und diese Mennoniten, die jetzt als die erste Gruppe nach Südamerika gehen, ebenso aber auch andere Gruppen, die womöglich über Weihnachten auf der Reise sein werden, würden es sicherlich hoch einschätzen, wenn wir dieses beachteten und uns bemühten, ihnen eine Weihnachtsfreude zu bereiten.

Es wäre daher zu empfehlen, wenn die Gruppe in Puerto Casado angekommen ist, ihr dort einen Weihnachtsbaum aufzustellen, und zwar in recht deutscher Art, mit Kerzen und anderen Ausschmückungen. Dann sollte man Süssigkeiten und Nüsse unter die Kinder verteilen. Sicherlich wird Fred Engen schon irgendwie an etwas denken; aber ich schlage vor, an Engen darüber zu schreiben und ihn zu bevollmächtigen, dass er dafür Geld ausgeben darf.

Vielleicht ist dieses wichtiger, als wir denken. Denn dies ist derjenige Tag im Jahr, wo das deutsche Volk so eine Festlichkeit begeht, und das besonders in gottesdienstlichen Riten. Wir sollten es daher von unserer Seite aus nicht unbeachtet lassen, sollten es vielmehr unterstützen und dafür sorgen, dass es den Leuten möglich sei, am neuen Ort Weihnachten feierlich zu begehen. Das wird sicherlich auch uns selbst, als der Siedlungsgesellschaft, zugute kommen.''

Die Herrn der Siedlungsgesellschaft hatten sich bis dahin sicherlich weniger Einsicht in das geistlich–religiöse Leben und Treiben der Mennoniten, mit denen sie es zu tun hatten, als in ihre wirtschaftlichen und geschäftlichen Interessen und Ansichten verschafft, sonst hätten sie es besser gewusst, das gerade diese Mennoniten im allgemein gar wenig oder nichts vom Weihnachtsbaum hielten, obwohl er ihnen gar nicht fremd war. Manche ihrer Kinder hatten ja schon immer wieder in den von der Regierung eingesetzten Schulen unterm Weihnachtsbaum ihre Weihnachtswünsche rezitiert, aber sie selbst pflegten den Brauch des Weihnachtsbaumes nicht, und wenn, dann nur in ganz einzelnen Fällen. Sie hielten diesen Brauch für eine Abgötterei.[12] Er war nicht unbedingt verboten, aber es war ein ungeschriebenes Gesetz, den Kult mit dem Weihnachtsbaum nicht zu pflegen.

Über die Reise selbst dieser ersten Gruppe hat Walter Quiring unter anderem folgendes zu sagen:[13]

''Die Reise verläuft für die meisten ohne Zwischenfälle. Der Familie Peter Braun wird ein Söhnchen geboren, und am 3. Dezember stirbt das dreijährige Mädel der Familie Johann R. Doerksen und muss ins Wasser versenkt werden. Immer wärmer wird es, je weiter sie in den Süden fahren. Das Wetter ist während der Fahrt fast immer still und angenehm warm, und nur wenige Auswanderer werden seekrank. Zwei Tage liegt die ''Vasari'' im Hafen von Rio de Janeiro, und die Auswanderer dürfen nacheinander in kleinen Gruppen an Land gehen. Sie hätten Gelegenheit diese schönste Hafenstadt der Welt kennenzulernen, wenn es nicht gerade diese Tage hindurch so regnerisch gewesen wäre.

In Montevideo ist man von ihrer Ankunft unterrichtet, und kaum hat das Schiff angelegt, als eine Anzahl Zeitungsschreiber an Bord drängt und die Führer der Gruppe, Isaak Fehr und Peter Krahn, mit Fragen zu bestürmen beginnt: 'Warum verlasst ihr Eure wohlbestellten

Farmen in Kanada? Warum geht ihr ausgerechnet in die weltentlegene Chacowüste? Dort habt ihr ja weder Trinkwasser noch Bauholz, sondern nur Hitze und Sand, und müsst früher oder später doch weiterwandern. Warum bleibt ihr nicht lieber in Uruguay, in der Nähe des Ozeans und bester Verkehrswege?!'

Aber diese schweigsamen Mennoniten sind so leicht nicht zu beeinflussen, sie bleiben einsilbig und verschlossen, und die jüdischen Landagenten bemühen sich vergebens, sie zu überreden, in Uruguay zu bleiben. Alle Rechte auf Schule und Wehrfreiheit, so versichern jene, würde man ihnen auch gerne zugestehen und Regierungsland in Fülle unentgeltlich zur Verfügung stellen. Doch sie predigen tauben Ohren und müssen auf das verlockende Geschäft verzichten.

In der Mündung des mächtigen La Plata fegt der ''Vasari'' ein wilder Weststurm entgegen, aber sie sind nun nicht mehr weit entfernt vom schützenden Hafen und kurz vor dem Ziel ihrer Seereise. Argentinische Ärzte kommen noch während der Fahrt an Bord, untersuchen und impfen die Fahrgäste und stellen fest, dass niemand von ihnen an einer ansteckenden Krankheit leidet. Am 23. Dezember morgens erreichen sie Buenos Aires. An Land zu gehen, wird ihnen hier aber nicht gestattet, und so sehen sie nur einen kleinen Ausschnitt aus dem geschäftigen Leben der Hauptstadt Argentiniens.

Am 24. kommt die ''Apipe'', ein kleiner Flussdampfer der Mihanovich Linie bei der Vasari längsseits, um Auswanderer und Gepäck zu übernehmen. Aber welch ein Gegensatz zu der Vasari! Dort war es geräumig, hell und freundlich, und auf der ''Apipe'' sind ihre Wohnräume eng und schmutzigfeucht. In den Nächten können die Leute wegen der dumpfen Hitze und der vielen Mücken nicht schlafen, und für die meisten ist diese sechstägige Flussfahrt weit anstrengender als die lange Reise über den Ozean. Infolge der zwar fleischreichen, aber an Gemüse armen Kost und des ungewohnten Wassers erkranken bald viele an schweren Darmstörungen.

Stille geht an Bord der heilige Abend vorüber; niemand von den Farmern vermisst einen Christbaum. Nach Ansicht dieser Menschen ist es Sünde und Götzendienst, den Geburtstag Christi unter einem geschmückten Baum zu feiern. Fred Engen, der sie von Buenos Aires begleitet, hat für die Kinder Äpfel mitgenommen, die er am ersten Weihnachtstag verteilt. Da mit der Gruppe drei Prediger reisen, halten sie auch an den drei Festtagen Gottesdienst ab.''

Im Dezember dieses Jahres kamen dann noch zwei weitere Gruppen über Buenos Aires nach Paraguay. Im folgenden Jahre, 1927, folgten anfangs des Jahres nochmals zwei Gruppen, so dass bis zum Monat Mai dieses Jahres insgesamt bereits fünf Auswanderungsgruppen in Puerto Casado angekommen waren. Mit den letzten zwei Gruppen, die noch kommen sollten, wurde dann noch fast vier Monate lang gewartet, so lange nämlich, bis vom Lager Casado aus der Abzug eines Teils der Siedler weiter ins Innere des Landes, um im Lager Raum für Neuankömmlinge zu schaffen, schon mehr im Gange war.

In der zweitletzten Gruppe, die im August 1927 Kanada verliess, waren auch der Gemeindeälteste Martin C. Friesen und der Prediger Diedrich Wiebe mit ihren Familien. Die Gruppe verliess Manitoba am 23. August. Am 21. August, einem Sonntag, hatte in der Chortitzer Kirche unter grosser Beteiligung ein Abschiedsfest stattgefunden. Die Kirche hatte die Abschiedsteilnehmer gar nicht fassen können. Ausser den Chortitzern und Sommerfeldern waren auch noch andere erschienen. Über dieses Abschiedsfest ist in der Winnipeger Zeitschrift "Der Nortwesten", von Ende September 1927, zu lesen:

> "Am Dienstag, dem 23. August, geht wieder eine Gruppe Auswanderer ab nach Paraguay. Unter ihnen ist wieder eine Anzahl unserer älteren Pioniere. Weil in dieser Gruppe auch der liebe Kirchenälteste, Ohm Martin Friesen, sowie der Prediger D. D. Wiebe mitgehen, fand am Sonntag, dem 21. August, in der Chortitzer Kirche ein grosses Abschiedsfest statt, wo wichtige Worte der Ermahnung an alle Anwesenden gerichtet wurden. Es wurden folgende Lieder gesungen: "Willkommen, liebste Freunde, hier" — "Als Lot und Abrah'm schieden" — "Die Gnade sei mit allen." Ältester Friesen hielt die Festansprache, dann sprach der Älteste David Doerksen aus Herbert, Saskatchewan, und zuletzt der Prediger D. D. Wiebe und der neugewählte Prediger P. F. Wiebe. Jemand hatte noch einen Reim eigens für dieses Fest geschrieben, der vom Vorsänger J. Rempel vorgesprochen und von der Versammlung gesungen wurde.
>
> Obwohl es etwas regnerisch war, waren doch noch etwa 200 Autos herangefahren und etwa 100 Pferdefuhrwerke."

Aus den Notizen des Ältesten Martin C. Friesen geht hervor, dass er hier über Jeremia 51,6 gesprochen hat, wo es heisst: "Fliehet aus Babel, damit ein jeglicher seine Seele errette, dass ihr nicht untergeht in ihrer Missetat, denn dies ist eine Zeit der Rache des Herrn, der ein Vergelter ist und will ihnen bezahlen."

Die erste Etappe der mennonitischen Einwanderung nach Paraguay wurde also in sieben Gruppen durchgeführt. Für die Überfahrt von New York nach Buenos Aires wurden zwei amerikanische Dampfshiffahrtsgesellschaften in Dienst genommen: die "Lamport & Holt Line" mit den Schiffen "Vasari", "Vesters", "Vandyck" und "Voltaire"; und die "Munson Line" mit den Schiffen "Western World", "Pan–American" und "Southern Cross".

Von Buenos Aires bis Puerto Casado reiste die 1. Gruppe mit dem Flussdampfer "Apipe". Die 2. Gruppe reiste in zwei Flussdampfern bis Puerto Casado, nämlich mit den Dampfern "Guarani" und "Alto Paraná." Die 3. Gruppe fuhr von Buenos Aires bis Asunción mit dem Dampfer "Washington" und von Asunción bis Puerto Casado mit dem Schiff "Alto Paraná." Die 4. und die 5. Gruppe fuhren wieder mit der "Apipe" von Buenos Aires durch bis Puerto Casado. Die 6. Gruppe fuhr von Buenos Aires bis Asunción mit dem Dampfer "Guarani" und von Asunción bis Puerto Casado mit dem Dampfer

"Cuyaba". Die 7. Gruppe schliesslich reiste wieder mit der "Apipe" von Buenos Aires bis Asunción und dann weiter bis Puerto Casado mit der "Alto Paraná".

Auf die Gemeinden verteilt sieht das Auswanderungsbild wie folgt aus: Von der Chortitzer Gemeinde waren es 177 Familien mit 1191 Personen, wovon etliche auf dem Schiff starben. Von der Sommerfelder Gemeinde waren es 53 Familien mit 346 Personen. Von den Bergthalern aus Saskatchewan waren es 36 Familien mit 226 Personen, von denen auch etliche auf der Reise starben. So waren es insgesamt 266 Familien mit 1763 Personen, die in diesen sieben Gruppen nach Paraguay auswanderten. Etliche davon aber starben auf der Reise.

Abgesehen von Einzelfällen kamen alle Gruppen glücklich ans Ziel. In Einzelfällen aber gab es schwere Erlebnisse, wie z.B. das Sterben etlicher Kinder, die dann in die Tiefe der grossen See versenkt wurden, was sich schwer auf die Gemüter der Eltern legte, die ihr liebes Kindchen in den Wellen des Meeres versinken sahen. In einem anderen Falle war es die Frau und Mutter, die schwer erkrankte und in Buenos Aires an Land ins Hospital gebracht wurde. Dort starb sie und wurde auf einem der Friedhöfe der Stadt beerdigt. Ein anderer schwerer Fall war derjenige, wo eine Frau mit den Kindern wegen einer ansteckenden Krankheit in Buenos Aires zurückgehalten wurden. Der Mann musste mit der Gruppe nach Paraguay weiterreisen. Erst nach einem Monat banger und trübseliger Zeit auf beiden Seiten kam die Frau mit den Kindern nach Puerto Casado nach. Nachfolgend erzählen wir diese ganze Geschichte:[14]

Der Ozeandampfer "Western World" der MUNSON Schiffahrtslinie hatte noch nur eben im Hafen von Buenos Aires angelegt, als auch schon ein Krankenwagen herangefahren war, um eine kranke Familie der mennonitischen Auswanderer vom Schiff abzuholen, und sie ins staatliche Krankenhaus zu überführen. Die Geschichte hatte wie folgt begonnen:

Auf dem Schiff, das kurz vor Weihnachten New York verlassen hatte, befanden sich 35 mennonitische Auswandererfamilien aus Kanada, davon 31 Familien aus der Provinz Saskatchewan. Nach vier Tagen Seefahrt erkrankte die Familie Abram P. Penner. Der Arzt stellte Scharlach, eine ansteckende Krankheit, fest. Die Eltern mit ihren drei Kindern wurden daraufhin streng abgesondert. Die weiteren vierzehn Tage der Seereise von New York bis Buenos Aires waren für diese Familie das bedrückende Erlebnis eines schaukelnden Gefängnisses. Es war eine bedingungslose Einkerkerung. Sie durften das Zimmer in keinem Falle verlassen. Auch durfte ausser dem Arzt und dem Krankenpfleger niemand zu ihnen hineingehen. Etliche Male erlaubte man auch dem Leiter der Gruppe, dem Ältesten Aaron Zacharias, für ein paar Minuten ins Zimmer zu schauen und Trostworte zu sprechen.

Am 3. Januar, zwischen Santos und Montevideo, war die zwei-jährige Margaretha gestorben. Die Leiche war aus dem Zimmer geholt worden, und die Eltern hatten sie auch nicht mehr wiedergesehen. Sie ist dann dort in die Tiefe des Atlantik versenkt worden. Im staatlichen Krankenhaus in Buenos Aires wurden wieder alle untersucht und die Diagnose des Schiffsarztes wurde bestätigt. Der Familienvater jedoch wurde freigesprochen. Penners hatten schon damit gerechnet, dass sie bis zur Genesung in Buenos Aires würden bleiben müssen und waren daher froh, dass der Schiffsarzt sie alle für krank erklärt hatte; denn dadurch ergab sich die Möglichkeit, dass alle zusammenblieben.

In Buenos Aires aber änderte sich die Sache. Als man mit der Untersuchung im Staatshospital fertig war, nahm sich eine Krankenschwester der Familie für die weitere Einquartierung an. Die Kinder, fünf und sieben Jahre alt, waren zum Alleinegehen noch zu krank und wurden daher von den Eltern getragen. Die Kranken-schwester griff dann nach dem Kind, das Penner im Arm hatte. Er sträubte sich, es abzulassen, aber die Pflegerin nahm es doch. Penner schritt dann hinterher, denn er wollte ja auch da bleiben, wo seine Familie blieb. Die Krankenschwester wandte sich aber um und sprach auf ihn ein. Penner verstand das Spanische nicht, aber die energischen Handbewegungen sagten ihm schon alles, was er nicht wissen wollte, nämlich, dass er zurückbleiben solle.

Penner war zunächst bestürzt, folgte dann aber doch noch weiter den anderen. Die Zurückweisung kam dann aber noch entschiedener. "Du leewi Tiet", durchfuhr es dem besorgten Mann, "waut saul etj dann noch?!" (Du liebe Zeit, was soll ich dann noch?!) Da erschien der englischsprechende Begleiter, der noch etwas beim Arzt zurückgeblieben war. Penner fragte ihn ganz bedrückt: "What shall I do now?!" (Was soll ich jetzt machen?) — "Zurück zum Schiff", war die Antwort. — "Die wollen mich da auch nicht haben, und ich will auch bei meiner Familie bleiben!", erwiderte der gequälte Gatte und Vater. Er wurde aber zum Krankenwagen mitgenommen, der dann zum Schiff raste, das sie vor etwa einer Stunde verlassen hatten. Das Ehepaar Penner hatte nicht einmal voneinander Abschied nehmen können. Die Frau hatte sich in ihrer Betrübnis aber noch einmal umgewandt und seufzend ausgerufen: "Wo saul ditt bloss noch aulis woari!?" (Wie wird noch alles werden?!), und damit verschwanden Frau und Kinder um die Ecke des Korridors.

Im Hafen angekommen, begab sich der Begleitmann sofort aufs Schiff, während Penner von einem Wachmann aufgehalten wurde, mit dem er in ein Sprachscharmützel geriet, weil sie sich nicht verstän-digen konnten. Bald aber erschien der Begleiter wieder, rief dem Wachmann etwas zu, und der Weg für Penner war frei. Er sollte dann auf dem Schiff wieder ins Isolierzimmer, weil aber kein Schlüssel da war, um es aufschliessen zu können, musste er in ein anderes, kleines, Zimmer. Hier sollte er warten, bis der Arzt kommen würde. Er wartete und wartete, aber es kam kein Arzt. So trat er hinaus und stiess auf einen Matrosen, der ihn dann zum Zimmer des Arztes führte. Nach längerem Klopfen erschien dieser endlich in seinen Nachtkleidern. Was denn Penner wieder wolle, rief er erstaunt aus, und fügte hinzu, er hätte doch sollen im Krankenhaus bleiben. ''Die nehmen mich dort nicht an'', erwiderte Penner. Darauf schimpfte der Arzt los, fing dann aber an zu lachen und sagte, so würden sie ihn halt auf dem Schiff behalten. Der Arzt brachte ihn dann selbst in das Isolierzimmer.

Inzwischen war es Nacht geworden. Auch im Innern des geplagten Gatten und Familienvaters schien es Nacht geworden zu sein. Er war jetzt allein in dem Zimmer, das für ihn nur bedrückende Erinnerungen wachrief. Es war ihm, als käme er jetzt erst so richtig zur Besinnung über das, was alles passiert war, besonders an diesem letzten Tage. Seine Seele bäumte sich auf. Er warf sich auf den Boden, haderte einfach mit Gott und rief aus, warum Gott solches zulasse, und ob er, Penner, denn ein so grosser Sünder sei? Aber während er so rang in Hadern und Zagen, kam mit einmal eine Erleichterung und Stärkung über ihn, und es war ihm, als ziehe eine düstere Wolke ab. Er lag noch auf seinen Knien und rief aus: ''Gott, du himmlischer Vater, du bist ja der einzige, der noch helfen kann, wo keiner mehr helfen kann, weder die Gelehrten noch die Ungelehrten. Du kannst helfen. Wir sind aus der Gesellschaft ausgeschlossen, aber du kannst helfen. Auf dich, Herr, will ich vertrauen!'' Dann streckte er sich aufs Bett und schlief ein.

Am nächsten Morgen meldete sich der Arzt, gab ihm seine Kleider und sagte zu Penner, er solle in seinem Sprechzimmer erscheinen. Dort erklärte er ihm, wie die Dinge stünden und versuchte ihn über den Stand seiner Familie zu beruhigen. Nur eines — sagte der Arzt — könne er nicht verstehen, nämlich, warum Penner mit seiner Familie nach Paraguay wolle. Nach diesem schlechten Paraguay würde er nie und nimmer gehen, sprach er und lachte los. Es war ein holländischer Arzt, und er sprach deutsch. Dann holte er ein Buch über Paraguay hervor, mit Abbildungen auch von Puerto Casado, und versuchte Penner klarzumachen, in was für ein armes Land er sich mit seiner Familie begeben wolle. Penner wollte dann schliesslich mal erfahren, was er selber jetzt weiter machen solle. Auf dem Schiff hingehen, wohin er wolle, war die Antwort des Arztes.

Penner suchte sich dann zuallererst seine Eltern auf, die auch in der Gruppe waren. Seine Mutter war eine leidgeprüfte Frau. An Rheumatismus leidend, musste sie ganz bedient werden. Sie war soviel verkrüppelt, dass sie nicht mehr gehen konnte. Penner hatte in diesen zwei Wochen, wo so viel Schweres auf ihn eingedrungen war, noch nicht mit seinen Eltern gesprochen. Seine Mutter würde sicherlich für ihn noch wieder ein Trostwort haben. Nun traf er die Mutter aber schwer krank an. Sie sollte ins Krankenhaus überführt werden. Penner konnte noch etwas mit ihr sprechen, dann wurde sie mit demselben Wagen abgefahren, der auch seine Familie vorher abgeholt hatte. Der Vater fuhr mit. Nach einer Stunde kehrte der Vater zurück und teilte mit stockender Stimme mit, dass Mutter gestorben sei.

Dann fuhren vier Personen aus der Gruppe zur Beerdigung der Frau Penner. Sie hatte ein Alter von 61 Jahren erreicht. Die Beerdigung fand auf dem grossen Friedhof von Buenos Aires statt. Es mussten 163 Dollar dafür bezahlt werden. Ehe die Gruppe Buenos Aires verliess, kamen noch zwei Herren zu Penner und sprachen mit ihm über das Zurückbleiben seiner Familie. Sie versicherten ihm, sie befände sich in guten Händen, würde jedoch noch mehrere Wochen dort bleiben müssen. Penner war den Herren sehr dankbar für die ihm erwiesene Aufmerksamkeit. Und doch schied er schweren Herzens von Buenos Aires.

Die Behandlung und Verpflegung der durchreisenden, erkrankten Familie war kostenlos. Auch Penner selbst, als gesunder Mann, hätte auf eigene Kosten in Buenos Aires bleiben dürfen, bis seine Familie gesund war. Er konnte aber das teure Aufenthaltsgeld nicht zahlen, weil er arm war. In Puerto Casado wartete er dann noch etwa vier Wochen in oftmals banger Hoffnung auf seine Familie, die dann eines Tages wirklich gesund und froh ankam. Aus der nächsten Gruppe, der dritten, wurde dann auch wieder eine Familie wegen Scharlach in Buenos Aires zurückgehalten.[15]

Fussnoten zu Kapitel VI
Aufbruch nach dem sonnigen Süden

1. Aus Engens Ansprache auf einer Versammlung am 25. November 1925 in Winnipeg — niedergeschrieben von dem Fürsorgekomiteemitglied M. C. Friesen.
2. *Memorandum to the Members of the Sommerfeld Mennonite Church* — ein Bericht von Mr. Alfred A. Rogers im Hause des Diedrich D. Wiebe in Chortitz, Ostreservat — Manitoba — am 16. Dez. 1925, gegeben vor 19, hauptsächlich leitenden Männern aus den Auswanderungsgruppen.
3. Die Auswanderer reisten auf der Eisenbahn über St. Paul/Minneapolis, Chicago, bis New York. Von N. York bis B. Aires auf Überseedampfern der ''Lamport & Holt Steamship Line'' und der ''Munson Steamship Line''. Die amerikanischen Eisenbahngesellschaften ''Great Northern Railroads'', ''Burlington Railroads'' und ''Erie Railroads'' — gaben die günstigsten Preise. So reiste man durch die USA von der kanadischen Grenzstation Emerson nach New York, anstatt durch das östliche Kanada nach einem kanadischen Hafen am Atlantik.
4. *St. Paul Dispatch* — 24. Mai 1924 — St. Paul, Minnesota.
5. *Der Mitarbeiter* — Gretna, Manitoba, März 1926 — Der Schreiber ist wahrscheinlich ein Gerhard Wiebe. Er war Korrespondent dieses Blattes. Er war auch Student an

der Mennonitischen Bildungsanstalt in Gretna gewesen, obwohl er Mitglied der Chortitzer Gemeinde war, die gegen höhere Bildung war.

6. *Der Mitarbeiter* — April 1926. Dieses Blatt wurde herausgegeben von Prof. H. H. Ewert, langjähriger Prinzipal der Mennonitschen Bildungsanstalt in Gretna — Mennonite Collegiate Institut, abgekürzt MCI, gegründet 1889 von einer Gruppe fortschrittlich gesinnter Mitglieder der Bergthaler Gemeinde, die 1874–76 aus Russland in Manitoba einwanderte.

7. W. Quiring — *Russlanddeutsche suchen eine Heimat* — S.63 f.

8. *Der Mitarbeiter* — Januar 1927 — ein Bericht vom Monat November 1926.

9. Brief eines Angestellten der Siedlungsgesellschaft (Intercontinental Company — in Paraguay die "Corporación Paraguaya) geschrieben in Asunción, 27. Sept. 1926 — an A. A. Rogers, Winnipeg.

10. Bericht aus Buenos Aires von John W. White — im *American Weekly* Dezember 1926

11. *Hillsboro Vorwärts* — Hillsboro, Kansas, USA — 11. Jan. 1929

12. G. Wiebe — *Ursachen u. Geschichte der Auswanderung der Mennoniten aus Russland nach Amerika* — S.55:

"... Wir wollen als Beispiel den Weihnachtsbaum nehmen, was wird durch denselben nicht schon für Abgötterei getrieben, u. ich möchte den Leser wohl fragen, ob er von solchen Dingen auch irgendwo in der heiligen Schrift finden kann. Ich weiss sonst keine Stelle als diese: 'Ihr sollt euch kein Bildnis noch irgend ein Gleichnis machen . . . ' Die ersten Christengemeinden haben solches nie unter sich gehabt, auch unsere ersten Mennonitengemeinden nicht; denn es ist noch nicht lange her, als dieser Same zu uns Mennoniten übertragen wurde, und zuerst in die Bildungsanstalten. Aber diese Wurzel, wovon dieser Same entsprungen ist, haben wir zum ersten im Papsttum zu suchen, allwo alle Bilder und Abgötterei entstanden sind. Und diese Wurzel fing an sich zu verzweigen, und diese Zweige wurden zuerst in die hohe Schulen und Universitäten getragen. Von dort gingen sie immer weiter, bis sie zuletzt auch zu uns herübergekommen sind . . . "

13. Dr. W. Quiring — *Russlanddeutsche suchen eine Heimat* — S.67 ff.

14. Niedergeschrieben nach einer Mitteilung des betreffenden Ehepaares Penner.

15. M. W. Friesen — *Kanadische Mennoniten bezwingen eine Wildnis* — S.84 f.

KAPITEL 7

Das Siedlerlager in Puerto Casado

Das Land ist noch nicht vermessen, und keiner weiss, wann es
geschehen wird. Einige sagen, wir werden vier Monate in Puerto
Casado verweilen müssen, andere wieder sagen, wir werden
vielleicht ein ganzes Jahr warten müssen. Wenn das so ist, dann
weiss ich nicht, was noch passieren wird . . .

G. D. Klassen, Brief aus Pto. Casado nach Manitoba Januar 1927

Ankunft der ersten Einwanderer

Um Mitternacht vom 30. auf den 31. Dezember 1926 kam die erste
Gruppe kanadischer Mennoniten in Puerto Casado an.

An einem schmalen, in den Flusshafen hineinragenden Hafenkai
machte der Dampfer ''Apipe'' fest. Die Anlegestelle bestand aus
schweren Bohlen, die auf groben Quebrachopfeilern ruhten. Sie
befand sich in der Nähe der auch bei Nacht arbeitenden Tanninfabrik,
wo es zischte und brauste. Die schwarzen Silhouetten der hohen
Fabrikschlote ragten steil in den sternklaren Nachthimmel empor.
Lichter spiegelten sich im Flusswasser, dessen Wellenbewegungen sie
zu einem weitverbreiteten, stetigen Blinken vervielfachten.

Einige der Passagiere waren wach und hielten sich auf dem Ver-
deck auf, um die Ankunft am Zielhafen ihrer langen Reise zu erleben.[1]
Lässig plätscherten die Wellen des mächtigen Stromes an das sandige,
steile Ufer. Einförmig summten die lästigen Mücken, und seltsame
Vogelschreie hallten über die nächtliche Breite des träge dahin-
wallenden Stromes.

Wie fremdländisch doch eine Tropennacht auf die Nordländer
wirkte!

Als sich dann im Osten der neue Tag ankündigte und die Morgendämmerung rasch heraufstieg, so rasch, wie man es vom Norden her
nicht kannte, entfaltete sich bald ein reges Leben auf dem Deck der
''Apipe''. Gross und klein drängte sich zu den Ausgängen und zur
Abstiegstreppe, Gepäck mit sich schleppend. Man war in Puerto Casado angekommen, dem Ort, von dem man schon so viel gesprochen

und von dem man sich aus den verschiedenartigsten Vorstellungen auch schon ein Bild gemacht hatte. Zwei Männer dieser ersten Gruppe, Jakob Doerksen und Isaak Funk, waren schon im Jahr 1921 hier gewesen. Sie hatten damals zu der mennonitischen Chacoexpedition gehört.

Begrüssung

Zur Begrüssung der Angekommen waren nur der deutschsprechende Arzt des Ortes, Herr Walter, und dessen Frau erschienen. Von den sonstigen örtlichen Bewohnern war, ausser den Hafenarbeitern, niemand bei der Ankunft und Begrüssung dieses ersten Einwanderungstransports dabei. Abgesehen von dem lebhaften Treiben in der Tanninfabrik schien noch alles zu schlafen. War die Ankunft der ersten Gruppe Chacosiedler denn nicht ein wichtiges Ereignis? Oder war dieses Ereignis so wenig bekannt?

Die Bevölkerung von Pto. Casado wusste sehr gut, was man in diesen Tagen zu erwarten hatte, denn die Bewohner dieses Hafenstädtchens hatten in den letzten Wochen anstrengend arbeiten müssen, das Siedlerlager herzurichten. Man war damit noch lange nicht fertig, doch war mit der Buschrodung begonnen worden, denn der Platz, wo das Lager errichtet werden sollte, war Wald. Auch andere Vorkehrungen für die Aufnahme der Einwanderer waren schon getroffen worden, wie beispielsweise die Einrichtung der Wasserleitung vom Fluss zum Lager. Auch mit einem Barackenbau hatte man schon begonnen. Man war aber mit allem noch nicht fertig, als die Nachricht einging, dass nächstens die erste Gruppe ankommen würde. Casado hatte vorgeschlagen, die Siedler sollten etwa März oder April kommen, um nicht so unvermittelt in die Troppenhitze hineinzugeraten. Jetzt hiess es mit einmal doch: Sie kommen! Man liess nun in dem Fabrikstädtchen alles stehen und liegen, und alle Arbeitskräfte wurden auf dem Platz zum Bau der Baracken für die Einwanderer eingesetzt. Selbst die Tanninfabrik wurde tagelang stillgelegt.[2]

Die Bewohner von Pto. Casado wussten also gut Bescheid, was vor sich ging. Aber was gingen diese Leute sie weiter an! Später, als Dr. Walter die Leute schon begrüsst und in Ampfang genommen hatte, kam auch Don José Casado noch, um nach ihnen zu schauen.

Jawohl, die offizielle und wirkliche Begrüssung der Einwanderer war schon im Hafen von Asunción gemacht worden. Man wusste, dass sie in Paraguay angekommen waren. Eine nochmalige Begrüssung im grossen Stil war ja nicht notwendig. Dass man um diese Zeit schon in amerikanischen Zeitungen Schlagzeilen ihretwegen machte — denn ihre Ankunft in Asunción war telegraphisch übermittelt worden — das wussten diese weitgereisten Siedlerpilger damals nicht.

In einem Schreiben der amerikanischen Siedlungsgesellschaft liest man folgendes über die Lagereinrichtung im Hafenstädtchen Casado:[3]

Der Lagerplatz für die Mennoniten liegt anschliessend an das Gelände der Tanninfabrik und zieht sich mehrere Kilometer die Eisenbahnlinie entlang in den Westen. Er ist einige hundert Meter vom Fluss entfernt. Der Platz ist geräumig, es müssen aber noch Strassen und Abwässerungsgräben angelegt werden.[4]

Herrn Casado scheint die Jahreszeit für die Ankunft dieser Nordländer sehr unpassend zu sein. Er meint, man hätte sie für den Anfang des paraguayischen Winters kommen lassen müssen. Die Wasserversorgungseinrichtung für Fabrik und Städtchen ist nicht hinreichend, auch noch das Siedlerlager zu bedienen. Daher wird das Siedlerlager direkt vom Fluss her mit Wasser versorgt werden. Die Siedler werden dann durch eigene Wasserleitung genug Wasser für sich haben und auch noch Gemüsegärten bewässern können.[5]

Die Casadogesellschaft wird sich jetzt sehr bemühen müssen, alles fertig zu machen, denn man hat nicht damit gerechnet, dass die Siedler jetzt schon kommen würden. Die Lagereinrichtung müssen wir als Siedlungsgesellschaft bezahlen. Für die Wasserversorgung haben wir eine 14-PS-Dampfmaschine eingestellt und 2 Türme mit je einem 20.000-Liter Wasserbehälter errichtet. 2800 Meter Wasserleitung sind schon gelegt worden. Weiter sind 670 Wellblechtafeln für die Dächer von 5 Baracken verwendet worden. Für dieses alles haben wir 11.000 Dollar gezahlt. Dann haben wir noch 1000 Dollar für 4000 Palmen, und für Gemüsesamen und andere Kleinigkeiten noch 600 Dollar ausgegeben. Im ganzen kostet uns die Lagereinrichtung 23.500 Dollar.

Herr Engen sagt, die Preise für die Arbeitsleistung seien sehr hoch. Und das Geld, das Herr Casado an die Arbeiter zahlt, fliesst wieder zurück in seine Kasse, denn alles, was die Bewohner des Städtchens benötigen, können und dürfen sie nur in den Casadogeschäften kaufen.

Es werden auf dem Lagerplatz auch Palmenhütten errichtet. Aus halbierten Palmen werden die Wände errichtet, indem man sie senkrecht nebeneinander aufstellt. Andere halbierte und ausserdem noch ausgehöhlte Palmen werden für die Dächer benutzt. Man legt die Palmen abwechselnd mit der hohlen Seite nach oben und nach unten, dass die Seiten ineinandergreifen und das Wasser beim Regen schön abfliesst. An diesen Palmenbuden sollen die Siedler auch lernen, wie man sich in der Wildnis leicht und billig einen Unterschlupf herstellen kann.

Das Siedlerlager wird nicht, wie die Mennoniten wünschten, elektrische Beleuchtung haben. Die Stromerzeugung des Städtchens ist nicht stark genug, auch noch das Lager zu bedienen.[6] Man könnte bei dem Wasserpumpwerk einen Dynamo für 500 Birnen betreiben. Das wären dann noch 400 Dollar Einrichtungskosten mehr. Der Motorbetrieb würde dabei nicht mehr kosten. Das Brennholz für die Kesselheizung stellt Casado kostenlos zur Verfügung.

So wie das Lager jetzt geplant ist, sollte es 2000 Personen aufnehmen können. Herr Engen meint, die Siedler werden hier wohl 6 Monate verweilen müssen, weil das Siedlungsland noch nicht vermessen worden ist. Das muss zuerst geschehen. Dann müssen auch noch die Siedlungsorte ausgesucht werden, ehe man Frauen und Kinder mit in die Wildnis nimmt.

Der Lagerplatz ist so angelegt, dass er leicht erweitert werden kann, falls auch noch die Duchoborzen oder andere Einwanderersekten kommen sollten.

Erste Eindrücke

Die Lagerwohnungen wurden damals nach dem englischen Sprachgebrauch die "Camps" genannt. Frauen und Kinder wurden vom Hafen aus mit der Eisenbahn bis gegenüber den Baracken gefahren. Diese waren etwa einen Kilometer entfernt vom Hafen die Bahn entlang und lagen etwa 100 Meter von der Bahnlinie seitwärts. Männer und Knaben legten die Strecke vom Hafen zu den Baracken zu Fuss zurück. Sie kamen an hunderten von Quebrachoholzstapeln vorbei, die hier für die Verarbeitung zur Tanningewinnung bereitlagen. Sie waren mit der Eisenbahn herangefahren worden, die für diesen Zweck etwa 77 Kilometer in die Wildnis, in Richtung des mennonitischen Siedlungslandes, hineingebaut worden war.

Am Rande des Fabrikgeländes tauchten Reihen von elenden Indianerhütten auf, hergestellt aus halbverfaulten Brettern und rostigen Blechstücken oder auch verhangen mit grobem Tuch als notdürftigem Schutz gegen die Unbill des Wetters. Verdreckte Menschen lagen, hockten oder standen zwischen diesen Hütten herum, alle in zerlumpten, erbärmlichen, abgetragenen Kleidern, wenn sie überhaupt noch Kleider zu nennen waren. Eine räudige Meute halbverhungerter Hunde warf sich den vorbeiziehenden Fremdlingen mit entsetzlichem Gekläff entgegen. Überall vor den armseligen, windschiefen Buden flackerten Feuerchen, die einen penetranten Rauchgeruch von brennendem Palosantoholz verbreiteten.

Dieses waren also die "Indians", über die man sich schon so viele Gedanken, um nicht zu sagen Sorgen, gemacht hatte?! Herr Engen jedoch beruhigte seine Schutzbefohlenen und versicherte ihnen, es bestehe keine Ursache, diese Indianer zu fürchten. Es seien gutmütige friedliche Menschen. Man müsse nur ihr Vertrauen gewinnen und sie als liebe Mitmenschen behandeln. Herr Engen sprach aus eigener Erfahrung.

Bei den Baracken angekommen, wurden die 51 Familien dieses ersten Transports auf die Immigrantenwohnungen verteilt. Fünf der Baracken waren als Familienwohnungen gedacht und eine als Küche. Mit 10 Familien war eine Baracke aber überfüllt. So machte sich eine Anzahl der Familien sofort daran, ihre mitgebrachten Zelte aufzustellen. In der als Küche gedachten Baracke waren 5 Kochherde eingebaut. Auf dem Hof stand ausserdem eine Reihe von kuppelförmigen, in paraguayischem Stil gebauten Backöfen. Viele der Siedler hatten sich Herdplatten mitgebracht, die sie nun auch sofort in

Gebrauch nahmen. Man legte sie über eine eigens dafür ausgehobene Erdrinne, machte Feuer darunter und kochte.

So war man jetzt wenigstens am vorläufigen Ziel der langen, weiten Reise. Dass die schwierigste Strecke noch vor ihnen lag, davon hatten die jetzt schon reisemüden Wanderer kaum eine Ahnung. Bis so weit war die Reise zum grössten Teil gut gegangen. Ermüdend war sie zwar auf dem Flussdampfer von Buenos Aires bis Pto. Casado gewesen, wo sie in übervollen Räumen hatten leben müssen. Dazu war das Essen so wenig einladend gewesen. Viele hatten leichten Durchfall bekommen, und die ''Baños'' — Toiletten — waren fortwährend besetzt gewesen. Von dieser Einengung war man jetzt wenigstens befreit. Aber das engverbundene, gemeinsame Neben- und Miteinander ging so weiter; und das war auch etwas Neues für diese Leute.

Nach dem Urteil einiger damaliger Zeitschriften war dieser Pilgerzug eine hervorragende Glaubenstat. Rein menschlich gesehen war es aber ein riskantes Unterfangen, man könnte fast sagen, ein albernes Wagestück. Leute, die von der Seite oder aus der Ferne zuschauten, und kein Verständnis für die Weltflucht dieser Glaubenseiferer hatten, verurteilten diese Wanderung als ein sinnloses Getue, angetrieben von einem übertriebenen religiösen Draufgängertum. Allgemein gesehen, waren diese Leute für so eine Massenumsiedlung in eine so gegensätzliche Region gar nicht vorbereitet. Manche Zeitschriften jener Tage behaupteten, es sei das erste Mal, dass so eine grosse Menge der weissen Rasse aus dem hohen Norden so weit in den Süden, in die Tropen, hinüberzöge. Man war geradezu gespannt, was dabei herauskommen würde. Es war ein Wechsel klimatischer Extreme, der sicherlich seinen Tribut fordern würde; und so geschah es dann auch.

Die Auffassung dieser Leute aber entsprach dem biblischen Wort: ''Verfolgt man euch in einer Stadt, so fliehet in eine andere.'' Was weiter daraus werden würde, war ja nicht mehr ihre, sondern Gottes Sache, dessen Weisung sie folgten; denn es war ja Jesus selbst, der gesagt hatte ''fliehet!'' Dass dann viele dieser Auswanderer später den Mut verloren, als sie mit der Wirklichkeit der ''Fluchtfolgen'' konfrontiert wurden, und sich nun fürchteten, weiterzumachen, braucht niemanden wunderzunehmen, der die Schwachheit und Wankelmütigkeit der menschlichen Natur kennt.

Allein schon so eine vier- bis fünfwöchige Reise, wo mehr als 300 Menschen als engverbundene Gruppe miteinander auskommen mussten, förderte Probleme zutage, zu deren Lösung eine gute Portion Weisheit erforderlich war. Ein buntes Durcheinander verschiedenartigster Charaktergebilde zeigte sich hier. Auch Typen ungehemmter Meinungsäusserung, Ellbogenmenschen, waren dabei. Jetzt, nach Beendigung der ersten Reiseetappe, lockerte sich die Spannung etwas, und man versuchte, nach Möglichketi wieder zu einem normalen Familienleben zurückzukehren. Diese Möglichkeit war aber auch hier im Lager sehr begrenzt.

Nachdem die Leute an jenem ersten Tag in Pto. Casado sich die Wohnstelle für die Familie ausgesucht und reserviert und an dieser Stelle ihr Handgepäckt abgestellt hatten, machte sich das Männervolk ans Werk, das am Hafen liegende Frachtgut im Siedlerlager unter Dach zu bringen.[7]

> Die Männer fahren das Gepäck mit der Bahn so nahe wie möglich an die Einwandererschuppen heran und beginnen auszuladen; aber körperliche Arbeit ist hier bei der starken Hitze ermüdender als in Kanada, und durstig denken sie bald an das erfrischend kalte Trinkwasser in der alten Heimat. Schon während der Flussfahrt hatten sie in der ungewohnten Hitze oft von ihm gesprochen und sich aus diesem Grunde auf die Ankunft im Hafen (Pto. Casado) gefreut. Doch darin sahen sie sich enttäuscht: das Wasser am Hafen ist lauwarm.

Vergebliche Suche nach Südfrüchten

Am Morgen dieses ersten Tages in Pto. Casado, als nach der Unterbringung der Familien auf dem Barackenhof die Männer und Jungen an die Beförderung des Frachtgutes gingen, verdrückten sich einige sechszehnjährige Jungen seitwärts in den Busch. Sie hatten sich darauf geeinigt, dass es interessanter sein müsste, sich sofort aufzumachen und nach den berühmten Südfrüchten auszuschauen, von welchen die ''Alten'' schon so viel gesprochen hatten — und die es in Paraguay in Hülle und Fülle geben sollte. Sie wollten sich zuerst eine Menge dieser Früchte beschaffen und dann noch helfen, das Frachtgut in das Lager zu bringen.

So gingen sie los in den Busch, ahnungslos und unkundig in jeder Beziehung des wildfremden Landes. Was ein Durchsuchen des dornenbestickten Chacobusches bedeutete, lernten sie dann ein für allemal kennen, niemand brauchte es ihnen zu erklären. Sie schritten auf den kegelförmigen Berg zu, der sich etliche Kilometer chacoeinwärts vom Hafenstädtchen befindet, und sich etwa 140 Meter über die Flusszone erhebt. Dass man diesen Berg ''Cerro Galban'' nannte, wussten die ''südfruchtbesessenen'' Jungen damals nicht, und das war ihnen sicherlich auch nicht wichtig. Cerro Galban bedeutet nämlich ironischerweise ''Faulenzerhügel'' oder ''Hügel der Faulheit''. Dass man aber in dieser übereichlich bewaldeten Gegend Südfrüchte antreffen müsste, davon waren sie begeistert. Diese Begeisterung aber nahm ein klägliches Ende, als sie auch nicht ein einziges Fruchtstück finden konnten.

Als sie nach vielem vergeblichen Suchen dann feststellten, ihre

Jagt auf Südfrüchte in dieser Gegend sei ein Greifen nach Wind, ein nutzloses Bemühen, entschlossen sie sich zur Umkehr. Sie hatten sich aber schon zu weit entfernt, um noch gemütlich zurückzuschlendern. Sie mussten sich anstrengen, den Weg überhaupt zu finden, den sie gekommen waren. Die verdächtig flimmernde Tropensonne stand schon über ihnen und brannte unbarmherzig auf sie nieder. Die Zunge klebte ihnen schon am Gaumen, denn sie hatten kein Wasser mitgenommen. Das war ja auch nicht notwendig, wenn man genug Apfelsinen und dergleichen mehr im übersprudelnden Schmaus geniessen könnte! Und das wollten sie ja.

Spät nachmittags kamen sie dann endlich im Lager an, wo besonders die fürsorglichen Mütter sich schon anfingen, Gedanken zu machen über den Verbleib der Jungen. Sie waren ausgedörrt und überhitzt und nahmen sofort eine Menge des lauwarmen Wassers zu sich, um ihren Riesendurst zu stillen. Zum weiteren Leidwesen der ''Südfrüchtler'' stellte sich — wie man es sich auch nicht anders denken konnte — sobald ein Bauchgrimmen ein, und während der Nacht flitzten die Jungs dann immer wieder ins Klo, von welchen sich glücklicherweise eine Anzahl in der Nähe der Baracken befand. Sie mussten es sich jetzt eingestehen, dass es angenehmer gewesen wäre, den Vätern bei der Frachtgutbeförderung zu helfen — und auf die begehrten Südfrüchte noch einstweilen zu verzichten.

Der erste Abend

So verstrich der erste Tag dieser Neuangekommenen auf dem fremden Boden des neuen Heimatlandes Chaco — Paraguay. Auffallend rasch verschwand das Abendrot und es breitete sich die schwarze Kuppel der sterndurchglitzerten Tropennacht über die geräuschvolle Buschöde. Nach und nach kam die unruhige, sonnendurchhitzte Tropennatur zur Ruhe. Scheinbar aufgeregte Papageien flogen noch schreiend von Baum zu Baum, Buschhühner stiessen noch ihr lebhaftes, geradezu hysterisch klingendes Geschrei aus. Aus der Nachtferne zum Strom hin liess ein Truthahngeier seine schallenden Töne hören. Und so vernahmen diese nordländischen Fremdlinge so manches seltsame und unheimliche Gezeter und Gejohle. Endlich aber trat dann die wunderbare, fast unheimliche Stille der Tropennacht ein.

Wie hier aber auch alles so anders war, selbst die Nacht!

Wenn nun dieser erste Tag auf dem Chacoboden, der jetzt ihre Heimat werden sollte, auch zu Ende gegangen war, zu Ende gedacht war er noch lange nicht. Während des Tages, an dem alle so sehr mit dem Heranschaffen der Frachtgüter vom Hafen und dem Einrichten der Wohnstellen, ob nun in den Baracken oder in Zelten, beschäftigt gewesen waren, war wenig Zeit gewesen, sich einmal so richtig und ergiebig über die neuen Eindrücke und Empfindungen auszutauschen. Jetzt, wo es Abend geworden war und eine angenehme Nordostbrise vom breiten Paraguaystrom über das Lager strich, gruppierten die Siedlerpilger sich da und dort und ergingen sich in lebhaften Gedankenaustausch. Da waren solche, die jetzt schon den Anfang vom Ende sahen. Die Hitze, meinten sie, sei auf die Dauer unerträglich. Andere wieder glaubten, mit der Hitze würde man schon fertig werden, sie hätten doch den ganzen Tag hindurch geschuftet — es war wohl heiss gewesen, aber es war möglich gewesen, den Tag hindurch zu arbeiten.

So fielen schon am ersten Tag die Urteile sehr verschieden aus, und bei dieser Verschiedenheit blieb es dann auch. Da waren solche, die am liebsten schon am nächsten Tag abgedampft wären, zurück in die alte Heimat, nach dem "schönen" Kanada, das ihnen jetzt so wunderbar und gut gewesen zu sein schien. Alle guten Vorsätze zur Auswanderung waren bei diesen Leuten schon am ersten Tag am neuen Ort mit der tropischen Sonnenhitze dahingeschmolzen.

Andere wieder waren vom ersten Tag an mutig. Manches in diesem neuen und tropischen Lande mutete sie so recht paradiesisch an, und sie waren entschlossen, den Weg in die Wildnis festen Schrittes bis ans Ende zu gehen und alle Schwierigkeiten mit Gottes Hilfe zu meistern. Und wirklich, sie blieben bei dem einmal gefassten Entschluss, ungeachtet aller Prüfungen und trübseligen Zeiten, die dann geradezu erbarmungslos über dieses Wandervolk hereinbrachen, während es sich diesen schweren Weg in die unwirtliche Buschwildnis bahnte. "Mit Gottes Hilfe vorwärts — und nicht aufgeben!" war und blieb ihre Losung. Und sie haben es geschafft.

Die Bewältigung der ersten Probleme

Die Frachtgutbeförderung vom Hafen zu den Baracken konnte am ersten Tage nicht abgeschlossen werden. Der nächste Tag, ein Sonnabend, war Neujahrstag, der 1. Januar 1927. Am Vormittag wurde dann noch der Rest des Frachtgutes zu den Baracken herübergeholt, und am Nachmittag versammelten die Leute sich zu einem Dankgottesdienst; denn wunderbar hatte sie der Herr bis dahin geführt und bewahrt.

An diesem zweiten Tag ihres Weilens am Rande der grossen Chacowildnis starb ein Kind, und mehrere Kinder lagen schwerkrank darnieder.

Am Sonntagvormittag, dem 2. Januar, hielten sie ihren gewohnheitsmässigen Gottesdienst ab.

Am Spätnachmittag dieses Tages hatte der liebe Gott eine angenehme Überraschung für seine Siedlerpilger bereit: ein wunderbarer, erfrischender Regenschauer ergoss sich über die Gegend und erfüllte Mensch und Natur mit neuem Lebensmut. Die Sonne stand schon ziemlich tief im Westen, als sich der Regen nach Osten verzog, und ein herrlicher Regenbogen in seiner majestätischen Farbenpracht erstrahlte. Die Bibelkundigen unter den Siedlerpilgern empfanden es nun auch in diesem fremden Lande, das ihnen eine neue Heimat werden sollte, als eine neue Bestätigung, dass Gott, der Herr, noch zu seinem Worte, zu seinen Verheissungen stand!

In der ersten Woche des neuen Jahres, welches auch die erste volle Woche am neuen Ort war, schritt man an das Werk des provisorischen Wohnungsbaues, welches vor allem darin bestand, Zelte einzurichten und was immer möglich war zu tun, um es etwas wohnlicher zu machen. Die Baracken mussten für nachkommende Gruppen wieder freigemacht werden. Die Zelte waren verschieden. Manche hatten Wohn- und Schlafzelte mit Leinwandböden und mit Netzdrahttüren und ebensolchen Fenstern mitgebracht. Andere wieder — und das war die Mehrheit — hatten nur die einfachste Art von Zelten.

Um die sengenden Strahlen der Tropensonne zu dämpfen, errichtete man Gerüste vor den Zelten, bedeckte sie mit Latten und legte Zweige darauf. So hatte man ein Schattendach vor dem Zelt. Manche errichteten solche Gerüste auch über das Zelt, so dass dann so ein Dach über dem Zelt aufgebaut war, damit das Zelt nicht so erhitzte in der Mittagssonne. Einige hatten ihre Zelt auch unter schatten-spenden Bäumen aufgestellt, aber solche Bäume waren nur wenige auf dem Lagerplatz vorhanden.

Ein ernstes Problem ergab das Trinkwasser, das Dr. W. Quiring uns wie folgt schildert:[8]

> Eine ernste Sorge ist für die Einsichtsvollen gleich vom ersten Tag an das Trinkwasser. Die Eisenröhren, durch die das Wasser aus dem Fluss in hochgelegene Behälter gesammelt wird, liegen anfangs ungeschützt auf dem Sande und sind tagsüber den heissen Sonnenstrahlen ausgesetzt. Da die aufgestellten Filter bald unbrauchbar werden und das Instandsetzen immer längere Zeit in Anspruch nimmt, trinken viele das schmutzige Flusswasser roh; nur wenige Blechdachbesitzer sind in der Lage, Regenwasser zu sammeln.

Am 16. Januar kam die zweite Gruppe an und bald danach auch die dritte. Die zweite Gruppe bestand aus 35 und die dritte aus 20 Fami-lien, so dass im ganzen jetzt schon 106 Familien im Lager waren.

Mitte Januar fuhr Fred Engen mit 5 Männern von den Mennoniten der ersten Gruppe ins Chacoinnere. Von Pirisal, der damaligen Endstation der 77 Kilometer langen Eisenbahn, fuhren sie mit einem kleinen Lastkraftwagen weiter. Auf der Hinreise kamen sie gut voran. Sie fuhren bis zum Ort, den man Campo Esperanza, Hoffnungsfeld, nannte. Noch tiefer in den Westen vorzudringen, hatten sie nicht genug Lebensmittel bei sich. Engen teilte seinen Begleitern dann mit, dass dies der Anfang sei von dem höher gelegenen Gebiet, das er mit der mennonitischen Delegation von 1921 besucht hätte. Sie stellten hier (bei Hoffnungsfeld) schon einen viel lockereren Boden fest, als die Bodenbeschaffenheit in der Flusszone aufwies. Dieser Boden im Innern schien den mennonitischen Bauern schon brauchbar zu sein für Ackerbau, wie sie ihn vorhatten.

Als sie dann in der von vielen Bäumen bestandenen Grassavanne von Hoffnungsfeld umherschritten, wies Engen auf die vielen Quebrachobäume hin und berechnete ihren hohen Wert. Das aber war den mennonitischen Ackerbauleuten gar nicht wichtig. Sie wollten Ackerland haben. Mit Engen unterhielten sie sich in englischer Sprache. Einer der Mennoniten erwiderte dem Engen: ''We don't want the Quebracho, we want the land!''[9]

Der Busch gefiel den Mennoniten nicht, aber der grasbedeckte und mit Einzelbäumen bestandene Savannenboden sagte ihnen zu. Sie sagten sich, hier würde sicherlich auch Weizen gedeihen. Sie konnten es sich aber nicht vorstellen, wie man überhaupt brauchbares Holz aus diesem Labyrinth und Gewirre von Ästen und Sträuchern voller Dornen und Widerhaken und dem Boden mit stacheligem Kaktus bedeckt, herausholen sollte.

Auf dem Rückwege gingen schwere Regen nieder, so dass sie nur mit grossen Anstrengungen vorwärts kamen. Das war ein Weg für Ochsenfuhrwerke, und nicht für solche Kraftfahrzeuge, die dann nur immer wieder im aufgeweichten Boden versanken. Sie hatten eine schwere Reise zurück bis Kilometer 77.

Bis zum Februar waren dann schon 106 Familien mit 636 Personen in Pto. Casado angekommen. Vonseiten der Siedlungsgesellschaft war Fred Engen der Verantwortliche für die Siedler. Er hatte danach zu sehen, dass es ihnen möglichst wohl erging und dass das Siedlungsunternehmen im Gange blieb, d.h. dass es sich nicht irgendwo festlief. Herr Engen war schon jahrelang mit diesen Mennoniten bekannt. Er hatte sie bis dahin aber sozusagen nur in ihren Sonntagskleidern kennengelernt, obwohl ihm ihre Probleme als Gesamtgruppe bekannt waren. Jetzt aber lernte er seine Schutzbefohlenen auch in ihren Alltagskleidern kennen und wurde dann selbst in ihre Schwierigkeiten hineingezogen, weil er ihnen helfen sollte und auch helfen wollte, den gemeinsamen Weg in die unwegsame Wildnis zu bahnen.

Ursachen und Folgen des Trennungsgeistes

Engen hatte schon oft von den internen Schwierigkeiten dieser Auswanderer gehört. In der Gesamtheit dieser Auswanderer bildeten die Chortitzer des Ostreservats weitaus die Mehrheit; die zweitgrösste Gruppe kam aus der Sommerfelder Gemeinde des Westreservats; und dann noch eine kleine Gruppe von den Bergthalern aus Saskatchewan.

Nach ihrer ursprünglichen Herkunft waren sie alle (Alt) Bergthaler. Jetzt aber kamen sie aus drei Ortsgemeinden, wo sie zwischen 80 bis mehrere hundert Meilen auseinander gewohnt hatten. In vier Jahrzehnten räumlicher Trennung hatten sie sich, ohne es zu wollen, auseinandergelebt, mehr als sie jetzt selbst wahrhaben wollten. Dass sie nun durch den gemeinsamen Entschluss zur Auswanderung und neuen Ansiedlung an ein und demselben Ort als eine Kolonie sich notwendigerweise auch für die Bildung eines gleichgesinnten Gemeinschaftswesens und damit für die Aufgabe oder zumindest Zurücksetzung der trennenden Ansichten und Gewohnheiten entschieden hatten, das ist möglicherweise nicht allen, ja wahrscheinlich nicht einmal der Mehrheit zum Bewusstsein gekommen. Im Gegenteil schien es nun, als sie in der plötzlich gegebenen Wirklichkeit in solcher Nähe zusammenzuleben hatten, als ob sie an dieses Problem vorher nie gedacht hatten. Da versuchte dann jede Gruppe ungeniert ihrer Eigenart als die selbstverständlich richtige auszuleben, ohne Skrupel darüber zu empfinden, ob der andere auch zu dem gleichen Recht komme. Auch schienen die meisten wenig darüber nachgedacht zu haben, dass man eigene Interessen zu unterdrücken bereit sein müsse, wenn man dies von anderen forderte und ihre Bereitschaft zu gemeinsamem Vorgehen erwartete. Vielleicht war auch bei manchen das Interesse an der Gemeinsamkeit überhaupt gar nicht stark, oder es war ihnen gleichgültig, wie andere ihre Gewohnheiten empfanden. Aus Gründen der Einengung ihrer gewohnten Lebensweise waren sie ja schliesslich alle ausgewandert.

Von diesem Problem ihrer Dreiteiligkeit hatte Engen schon öfters gehört. Jetzt aber sah er es aus greifbarer Nähe. Und es war in der Tat ein fauler Gegenstand in einer Gemeinschaft, die sich doch die Gemeinde Jesu Christi nannte.

Die Anhäufung so einer Masse von Menschen musste wohl einerseits zwangsläufig ihre Schwierigkeiten mit sich bringen, und charakterbedingte Auswüchse waren durchaus denkbar; aber das wirklich Problematische war alles dieses nicht, sondern das war die gruppenbedingte Verschiedenheit oder der unheilvolle Wille, verschieden zu sein. Dieses war ein geradezu verhängnisvolles Hindernis für das notwendige gemeinsame Denken, Überlegen und Planen, wie den vielen und grossen Schwierigkeiten der Wildnisbezwingung in der Ansiedlung zu begegnen sei. Statt dass man vereinigt vorging, baute man von Anfang an ein Dreigruppensystem auf und legte in dieser Beziehung ganz bewusst — und zwar mit sehr negativer Auswirkung — die Grundmauern für das weitere Auseinanderleben.

Viele der Siedler aber wollten solches auch nicht. Sie stemmten sich dagegen, waren aber den Elementen des Grenzenbildungsbestrebens gegenüber machtlos. Wenn nun diese Einsichtsvolleren sich von dem Kolonisationswerk nicht zurückziehen wollten — und das wollten sie nicht — dann mussten sie eben den

Weg, der von den zurzeit Stärkeren gezeichnet wurde, äusserlich mitgehen.

Was Engen dann schon hier am Anfang in diesem Durchgangslager, das ja sowieso noch keine feste Niederlassung war, beobachten musste, war alles andere als ermutigend. Er hielt sonst grosse Stücke auf dieses sogenannte "Volk des Friedens". Auch er selbst gehörte einer organisierten Friedensbewegung an, und es imponierte ihm daher, dass es der Nationalismus bzw. der Militärismus gewesen war, der sie von Kanada zu fliehen und grosse Opfer zu bringen veranlasst hatte. Engens logische Schlussfolgerung war es aber auch (und so war es auch bei vielen der Siedler), dass sie sich jetzt auch ganz einig sein müssten.

Die Gruppe der Bergthaler aus Saskatchewan sonderte sich schon im Lager von Pto. Casado in ganz offensichtlicher Weise von den übrigen ab. Die meisten dieser Gruppe suchten sich in einer etwas abgelegenen Ecke des Siedlerlager separat heimisch zu machen. Hier hielten sie ihre eigenen Sonntagmorgengottesdienste ab, hier richteten sie sich ihre eigene Schule ein — einfach aus dem Grunde, dass sie die Bergthaler aus Saskatchewan waren, und mit den anderen nichts gemein hatten.

Diese Saskatchewan Gruppe hatte ihren eigenen Gemeindeältesten. Der Gemeindeälteste der grossen Chortitzer Gruppe war noch in Kanada. Er kam erst im September 1927 aus Kanada herüber. Die kleine Sommerfelder Gruppe hatte zwei Prediger. Diese schlossen sich mit einem Teil aus der Sommerfelder Gruppe noch 1927 in Puerto Casado den Chortitzern an. Es blieben dann aber noch Sommerfelder, die sich in wirtschaftlich–sozialen Belangen von den anderen absperrten.

Zu Pfingsten 1927 hatten die Chortitzer und Sommerfelder eine Gruppe von Täuflingen. Diese wurden von dem Ältesten der Saskatchewaner Gruppe mit der Taufe bedient. Die Saskatchewaner Gruppe hatte einen Jüngling, der im Taufunterricht stand. Der wollte sich dann auch den andern anschliessen und gemeinsam mit ihnen getauft werden. Solches aber liess die Gruppe nicht zu. Er musste alleine in seiner Gemeinde behandelt werden. In der anderen Gruppe waren 15 Täuflinge. Dieser Bergthaler Jüngling konnte solches nicht verstehen, aber da war nichts zu machen. Er hat es mir später selbst mitgeteilt.

In einem Schreiben in den letzten Tagen im Januar 1927 — die Mennoniten waren kaum einen Monat in Pto. Casado — berichtete Engen an seine Kollegen im Norden, im mennonitischen Siedlerlager in Puerto Casado sehe es nicht allzu friedlich aus.[10] Es waren um diese Zeit etwas über hundert Familien im Lager, davon waren etwas über 20 Familien von den Sommerfeldern, 40 von den Chortitzern und auch

40 von den Saskatchewanern.

Engen schrieb, dass die Mennoniten in vier verschiedene Richtungen auseinanderzerrten, statt dass sie gemeinsam **einen** Weg zur Stabilisierung des Kolonisationswerkes planen und einschlagen würden. Engen meinte, es fehle den Leuten an den richtigen Führern, doch diese — so schrieb er — hätte die Siedlungsgesellschaft noch in Kanada zurückbehalten, um das Auswanderungswesen dort voranzutreiben. Engen hielt das nicht für richtig. Er nannte zwar keine Namen; wenn man aber die gesamte Korrespondenz und verschiedene Abmachungen überschaut, wird daraus ersichtlich, dass Engen an Abraham A. Braun und Martin C. Friesen gedacht hat. Diese beiden beachtlichen Führer der Paraguaywanderung kamen erst in den letzten Monaten des Jahres 1927 nach Paraguay. Ihre Namen stehen immer an erster Stelle, wo Verhandlungen zwischen der amerikanischen Siedlungsgesellschaft und den Mennoniten der Paraguaywanderung gemacht wurden. Das Ansehen dieser beiden Männer war auch hervorragend unter den Mennoniten selbst. Jedoch auch sie vermochten die Zerstückelung nicht zu verhindern, obwohl sie sich ständig für eine Vereinigung einsetzten.

Dass Engen vier Gruppen erwähnt, obwohl es nach ihrer kanadischen Herkunft nur drei gab, kann in einem gewissen Sinn seine Richtigkeit haben; denn die Sommerfelder in Pto. Casado spalteten sich noch wieder, so dass diese eine Gruppe sich in zwei Gruppen zerlegte, d.h. in zwei Gesinnungslager. Denn ein Teil der Sommerfelder Gruppe — und zwar die Mehrheit — war von Anfang an dafür, sich sofort der Gruppe der Chortitzer in gemeindlicher Beziehung anzuschliessen und bedingungslos unter den Chortitzern aufzugehen, weil die Chortitzer sowieseo die stärkste Auswanderungsgruppe bildeten und somit auch führend waren in dem Siedlungswerk. Solche Gesinnung war wirklich lobenswert, war eine christliche Einstellung; sie hielten die Bildung einer Siedlereinheit als eine vorrangige Notwendigkeit. Der andere Teil aber der Sommerfelder wollte nicht unter den Chortitzern verschwinden, d.h. ihr Gruppenbewusstsein aufgeben, und wenn sie sich dann auch in gemeindlicher Angelegenheit den Chortitzern anschlossen, in wirtschaftlichen Belangen wollten sie separat bleiben. Der andere Teil aber wollte einfach unter den Chortitzer in jeder Beziehung "verschwinden". Daher kann man schon sagen, dass die Sommerfelder Gruppe sich in Pto. Casado in zwei Lager aufspaltete, grundsätzlich aber blieb es bei drei Gruppen. Aber die sowieso stärkste Gruppe wurde dadurch noch grösser und stärker, sie stieg von 70% auf 80% des gesamten Auswanderungs- bzw. Ansiedlungskontingents.

Die Ausstattung der Siedler

Die Siedler der ersten Gruppe nahmen verschiedene Sachen als

Frachtgut mit nach Paraguay. Manche hatten eine Bestellung bei der Firma Montgomery Ward in Chicago, USA, gemacht. Spätere Gruppen taten das gleiche. Unter den Sachen waren Faltstühle, Falttische, Feldbetten, Waschmaschinen und anderes mehr. Das konnten sich aber nur diejenigen leisten, die die Mittel dafür hatten. Die weniger Bemittelten oder Unbemittelten hatten eben auch weniger Sachen. Bestellungen auf Wagen hatte man noch extra aufgegeben. Die erste Bestellung bestand aus 99 Wagen. Die Ausführung dieser Bestellung aber wurde irgendwie verzögert, so dass die Siedler mehrere Monate lang in Pto. Casado auf die Ankunft der Wagen warten mussten.

Als die mennonitischen Landsucher 1921 in Puerto Casado gewesen waren und dort gesehen hatten, wie man hochrädrige Ochsenkarren herstellte, hatten sie Herrn Casado gefragt, ob man in seiner Fabrik nicht auch das vierrädrige amerikanische Modell von Wagen herstellen könnte, damit die Kanadier, sollten sie ins Land kommen, sich solche Wagen dann bei ihm kaufen könnten. Casado hielt solches für möglich. Jetzt waren die Siedler da, und die Casadofabrik hatte etliche Wagen "nordamerikanischen" Typs, wie man meinte, hergestellt. Es waren vierrädrige Wagen, waren aber viel zu grob und schwerfällig gebaut, so dass die Siedler nur ein Kopfschütteln dafür übrig hatten. Sie kauften nicht einen davon.

Als die in USA bestellten Wagen dann ankamen, musste man, die Transportkosten bis Pto. Casado miteingerechnet, etwas über 200 Dollar für einen Wagen bezahlen. Für die in der Casadofabrik hergestellten Wagen "nordamerikanischen" Modells sollte man etwas über 400 Dollar bezahlen. Die Casadowagen waren nach dem Begriff der mennonitischen Bauern keine Wagen für Feldarbeit, es waren Wagen für den Einzug in das Wildnisinnere durch tiefe Lagunen, überschwemmte Palmensavannen. Aber auch dazu wollten die Mennoniten nicht solche schwere Wagen. Für den Einzug zum Siedlungsort hin wollten sie die Eisenbahn haben, und nicht Wagen.

Die ersten Siedlerfamilien, die im Februar bis Mai nach Pozo Azul zogen, wurden auf solchen "Casado"wagen gefahren. Sie hatten auch hohe Räder, waren dazu noch auf Sprungfedern, so dass der Kasten hoch aufgebaut war, für die Durchquerung tiefen Wassers wohl geeignet, ungeeignet aber für die Verrichtung von Feldarbeit.

Ende Februar 1927 waren schon etwa 160 Familien mit etwa 1000 Personen im Casado–Siedlerlager. Hunderte von Zelten schossen wie Pilze aus der Erde. Eine besondere Reihenordnung beobachtete man nicht. Jeder schlug sein Zelt dort auf, wo ihm der Platz geeignet schien. Bemittelte Siedler liessen sich Wellblechtafeln kommen von Asunción, die sie am Ansiedlungsort für den Häuserbau verwenden wollten, die sich aber auch im Siedlerlager gut gebrauchen liessen; um sie nagelfrei zu erhalten, klemmte man sie zwischen Latten ein und stellte auf diese Weise ein Dach her.

Die einzige gerade Strasse im Siedlerlager war eine Strasse parallel mit der Eisenbahn, etwa 50 Meter von der Bahn entfernt. Zu beiden Seiten dieser Strasse waren mehrere Dutzend Palmenhütten errichtet worden. Man hatte sie für alte Leute und für Kranke gedacht, weil sie nicht so heiss wurden wie die Zelte.

Beschwerden des Lagerlebens

Solche Art des Zusammenlebens, wie es die Auswanderung nun mit sich brachte, war für diese Leute etwas sehr Ungewöhnliches. Was man bisher in festgefügter Siedlungsgemeinschaft in Kanada gepflegt hatte, war die hausväterliche Familienordnung und eine mehr oder weniger festgelegte Gesellschaftsordnung. Was darüber hinausgegangen war, war Sache gesetzlicher bzw. obrigkeitlicher Verfügungen gewesen. Die gesetzlichen Verfügungen hatte man zu beachten, man hatte selbst aber niemals darüber bestimmt. Jetzt aber mussten diese Leute mit eigenen Überlegungen auskommen, sich selbst in allen Dingen zu helfen wissen. Und das war bei dieser Enge des Zusammenlebens in einer so grossen Menschenmasse gar nicht immer so einfach.

Man hatte auch keinen familienbegrenzenden Raum, ausser in den kleinen Buden oder in den engen Zelten, in welchen bei der grossen Hitze sich sowieso niemand aufhalten wollte. Trat man hinaus, befand man sich sozusagen auch schon in Bewegungsreich der Nachbarn. Die Kinder spielten zusammen, zankten miteinander oder liefen einfach gemeinsam davon. Die jungen Menschen, vor allem die halbwüchsigen Jungen, trieben Tag für Tag allerlei Allotria in den verschiedensten Nuancen. Viele weilten auch immer wieder am Fluss, wo es einen herrlichen Zeitvertreib gab. Eine gute und nützliche Sache war das Fischen. Auch standen dort zu jeder Zeit einige geräumige Boote zur Verfügung, die dann auch ausgiebig benutzt wurden. Herrlich war es besonders in mondhellen Nächten, auf dem breiten Strom herumzurudern.

Mancher weilte am Fluss um zu fischen; das Ergebnis jedoch war sehr verschieden. Das Angeln war nicht jedermanns Ding. Und das machte sich ein älterer Herr, ein Sawatzky, dann ausgiebig zunutze. Er verstand es, die Fische zu ködern. Und im Zeltdorf waren viele, die sich für ein kleines Geld gerne einen Fischbraten gönnten. ''Ohmtje'' Sawatzky handelte billig mit seinen Fischen. Ihm selbst kosteten sie ja kein Geld — und Zeit zum Fischen hatte er genug. Und das musste man ihm lassen: aufs Angeln verstand er sich. In den Übermittagsstunden, wenns am Flusse gegenüber dem Zeltlager so ruhig war, war ihm der Fischsegen am meisten hold.

So kauerte er nun einmal wieder in der Mittagszeit im Sand am Wassersaum des breiten Stromes, die ausgeworfene Angelschnur um den Leib geknotet und wartete des Guten, das da kommen sollte — und döste vor sich hin; denn die Mittagshitze konnte einen schläfrig machen. Das Ende der Fischschnur band er sich um den Leib, damit, wenn er eindöste, ein sich festbeissender Fisch nicht mit Haken und Schnur durchging. Und bis dahin hatte er auch keinmal Schwierigkeiten gehabt mit dem Herausziehen der Fische. ''Doch mit des Geschickes Mächten ist kein ew'ger Bund zu flechten'' — hatte Ohmtje Sawatzky nicht Rechnung genommen. Jetzt biss ein Koloss von Fisch sich an dem Haken fest. Der dösende Fischer erwachte, als der den Ruck an der Schnur verspürte, und wollte ziehen. Aber der Fisch zog stärker als er, und so sehr er sich auch stemmte, er wurde ins Wasser gezogen, das rasch an Tiefe zunahm.

Etwa 100 Meter entfernt fischten 2 Jungen (die dann nachher einen ausführlichen Bericht erstattet haben). Sie hörten den Aufschrei um Hilfe, blickten auf und sahen, wie ein Mann gewaltsam ins Wasser gezogen wurde. Schnell eilten sie dem gefährdeten Manne zu Hilfe. Jetzt zogen sie ihrer drei an der Schnur, und Schnur und Hacken hielten, so sehr der fast 2 Meter lange Fisch sich auch sträubte und sich zu befreien versuchte.

Die Jungs berichteten dann, wenn sie nicht dort gewesen wären, hätte man den Ohmtje Sawatzky sicherlich nie mehr gesehen, er wäre spurlos verschwunden. Diese Fischergeschichte machte dann auch sobald ihre Runde im Zeltdorf, und der Beiname ''Fischer Sawatzky'' fand von neuem seine Bestätigung.

Auch ein 13 jähriger Junge ging, wie viele andere, an den Fluss, um zu fischen. nun hatte er gehört, da sei ein Mann, der hätte gefragt nach grätefreien Fischen — und wolle dafür gut bezahlen. Und er war auch bekannt als ein Mann der Geld hatte. Das könnte ja ein gutes Taschengeld für ihn bedeuten, wenn er dem Manne die gewünschten Fische verkaufe. Von seinem Vater kriegte er nicht ein Taschengeld, dafür hatte der zu viele Jungs und zu wenig Geld. Der Wilhelm — denn so hiess der Dreizehnjährige — machte einen guten Fang, ging zu dem Manne, und bot ihm Fische an. ''Junge, ich will solche ohne Gräten!'' sagte der Mann; — ''dies sind solche'', erwiderte der Wilhelm. — ''Ja wirklich?'' — ''Ja'', und verkaufte Fische und strahlte übers ganze Gesicht, als er sich das Geld dafür einsteckte. Dafür wollte er sich Zigaretten kaufen. — Als die Familie, die die grätefreien Fische gekauft hatte, dann bis zum Fischessen war, stellte sie fest, dass die Fische voller Gräte steckten. — Der Bengel, der sollte ihm noch einmal kommen, polterte der Vater, den würde er . . . Und wirklich der Wilhelm kam noch einmal; denn das Taschengeld reichte ja auch nicht alle Welt weit. Und er brauchte mehr. Und der Mann hatte noch nicht von sich hören lassen, wenigstens der Wilhelm hatte noch nicht gehört, dass er nicht zufrieden sei — aber andere hattens schon gehört, aber für sich behalten, denn sie wussten, der betreffende Mann würde dem Wilhelm das "Notwendige" schon beibringen. Der Wilhelm hatte einmal wieder einen guten Fang gemacht, und Taschengeld fehlte ihm nötig, er ging wieder hin und bot Fische an, grätefreie Fishe. Ob er wieder kaufen wolle, fragte der Wilhelm mit "unschuldiger" Miene. **"Deine** Fische will ich nicht, aber **dich** will ich haben" schrie der Mann, und schon streckte er seine Hand aus, den Wilhelm zu packen. Aber der Wilhelm war diesmal besonders flink, und blieb dem Manne um Armeslänge vor — und da es noch ein Hindernis zu überwinden gab, das der Wilhelm auch sehr schnell bewältigte, gewann er immer mehr Vorsprung und kam mit heiler Haut davon. Aber er hat dem Manne auch keinmal mehr Fische angeboten.

So machten die Halbwüchsigen öfters von sich reden, denn die hatten auch viel Zeit und viel Gelegenheit, sich etwas einfallen zu lassen, obwohl es gar nicht immer sehr rühmliche Taten waren.

Die erwachsenen Jugendlichen bildeten keine einförmige Gruppe. Aber das Gruppenbewusstsein der verschiedenen Gemeinden spielte bei ihnen keine besondere Rolle, vielmehr gruppierten sie sich nach dem Grad des Selbstbewusstseins und der eigenen Wert-einschätzung, wobei dann selbstverständlich die Schwächeren den Stärkeren weichen mussten. Das Zusammenfinden vollzog sich im Umgang. Die Jugendlichen, die aus verschiedenen Gegenden Manitobas und aus Saskatchewan kamen, standen nicht unbedingt auf gleichem sozialem oder kulturellem Niveau, und das auch nicht einmal unbedingt innerhalb der hier sich bildenden Gruppen. Es gab auch auf- oder abwertende gesellschaftliche Eigenheiten. Da waren die aus der "reinen Steppe" — der waldfreien Gegend in dem Ostreservat — und die aus der bewaldeten Gegend dieses Reservats, deren Bewohner man "Strauchländer" (Strucklända) nannte. Diese Bezeichnungen waren in Manitoba geprägt worden. Die Bewohner der "buschfreien" Gegend waren in allgemeinen bemittelter als die aus der "buschigen" Gegend. Hier war das Land weniger ertragreich gewesen. In dieser Gegend hatte es daher viele arme Leute gegeben, von welchen sich auch viele der Auswanderung angeschlossen hatten. Ihnen war die Reise bezahlt worden mit der Bedingung, das Geld in Paraguay zurückzuzahlen.

Solche Unterschiede wurden dann im Siedlerlager besonders von der Jugend aus dem buschfreien oder waldlosen Gebiet stark her-vorgehoben. Auf der Ansiedlung verflüchtigte sich später diese Einstellung. In der ersten Zeit jedoch wurde sie in den Dörfern noch stark beibehalten. Diese unlöblich Diskriminierung traf die Jugendlichen am nachteiligsten.

Das erste Paar, das in Pto. Casado heiratete, gab ein gutes Beispiel der Überwindung des Gruppenbewusstseins. Das Mädchen kam aus der "reinen Steppe" der Chortitzer Gemeinde und der junge Mann aus der Sommerfelder Gruppe.[11] Weitere Heiraten der ersten Zeit in Paraguay hielten sich hauptsächlich in der herkömmlichen Begrenzung innerhalb der Gruppe.

So bunt, wie das Zeltdorf in seiner äusseren Aufmachung aussah, so bunt war auch sein menschlicher Inhalt in seiner Zusammensetzung. Es wurde dann auch ein Schulzenamt ins Leben gerufen. Dieses Schulzenamt war auch gleichzeitig das Ordnungsamt, das nach dem Rechten zu sehen hatte. Zwei Männer mittleren Alters wurden dafür gewählt: Jakob F. Reimer aus der Sommerfelder Gruppe und Jakob J. Braun aus der Chortitzer Gruppe. Beide waren aus sich selbst hinausgehende Typen und scheuten sich nicht, sich auszusprechen und andere anzusprechen.

Ordnungsdienst im Lager

Es war keine leichte Arbeit, ein bestimmtes Mass an Ordnung im Lager aufrecht zu erhalten, in einem Lager, in dem es wimmelte wie in einem Ameisenhaufen, wo Tag für Tag, Abend für Abend die vielen jungen Menschen, besonders die Halbwüchsigen, sich gruppierten und ziel- und zwecklos durch das zeltbedeckte Gebiet strichen. Gruppen arbeiteten miteinander und auch gegeneinander. Aber auch zwischen erwachsenen Zeltnachbarn blieben Zerwürfnisse nicht aus. Diese wirkten sich mitunter recht unangenehm aus. Da gab es zum Leidwesen der übrigen die Typen von Menschen, die sich kaum einmal Gedanken darüber machten, was jeder selbst zum friedlichen Auskommen beitragen müsse, die aber ständig bestrebt waren, ihr vermeintliches Recht zu demonstrieren, zu verteidigen, und zu beweisen, wie unrecht sie fortwährend behandelt würden. Solche Charaktertypen konnten in so einem Massenleben doppelt lästig werden.

Ein so zusammengepferchtes Leben gibt Gelegenheit, Menschen kennenzulernen, und zwar manchmal mehr, als einem lieb ist. Es wäre ein geeignetes Feld für ein Studium der Massenpsychologie. Die Familien wohnten so dicht beieinander, dass sie ständig sozusagen in Tuchfühlung lebten. Man konnte kaum eine Bemerkung machen, die nicht auch der Nachbar erlauschte. Die temperamentvollen Familien machten dann besonders von sich reden, und auch diejenigen, in denen es zuweilen recht albern zuging, wenn Laune und Willkür das Familienbild prägten.

In der Zeit von Januar bis April, als die Gruppen in mehr oder weniger kurzen Abständen ankamen und die Baracken immer wieder von den neuangekommenen Siedlerfamilien voll besetzt wurden, musste man sich gemeinsam mit dem Kochen und Backen abfinden, bis man sich ein eigenes Heim mit eigenem Kochherd eingerichtet hatte. Wohl war alles sehr primitiv, aber man war dann wenigstens nicht abhängig vom Nachbarn. Mancher hat dann die gehaltvolle Tiefe des Sprichwortes "Eigener Herd ist Goldes wert" erkannt, so einfach die Einrichtung auch war.

Bei der gemeinschaftlichen Benutzung der Baracken-einrichtungen, bei der sich beispielsweise eine Anzahl von Frauen ihre Backzeit bei einem einzigen Backofen einteilen mussten, gab es zuweilen merkwürdige Zwischenfälle. Da hatte doch einmal eine Frau ihr Brot im Ofen und die Backzeit, um es ganz gar zu bekommen, war noch nicht abgelaufen. Als sie dann aber zur bestimmten Zeit zum Backofen ging, ihr Brot herauszunehmen, fand sie es halbgebacken neben dem Ofen stehen. Eine andere sehr selbständig denkende Frau hatte es sich so überlegt, dass jetzt eigentlich wohl schon ihre Zeit zum Backen gekommen sei. Solche Art, sich besser kennenzulernen, hatte doch allerlei Nachteile für das weitere friedliche Beisammensein. Oftmals musste dann doch von festerer Hand Ordnung geschaffen werden.

Es gab aber auch so etwas, dass Leute, die sich bis dahin nicht gekannt hatten, sich jetzt durch das nahe, zusammengerückte Wohnen kennen und schätzen lernten und für das weitere, schwere Ansiedlungsleben eng verbunden blieben. Solches wurde dann ein grosser Gewinn für das spätere schwere Ringen mit der rauhen Wildheit der "grünen Hölle" während der Ansiedlungszeit.

Die Amerikaner, welche die Verantwortung für die technischen Angelegenheiten der Ansiedlung hatten und ständig unter den Siedlern weilten, bis sie ihre Dörfer anlegten, stellten fest, dass diese Leute von einer systematischen, straffen Führung einer Masse eine nur sehr mangelhafte Vorstellung hatten. Doch waren auch unter diesen Mennoniten solche, die in ihrer Art, in ihrer Veranlagung, das Wesentliche im Unwesen des Massendurcheinanders erkannten und alles in ihren Kräften Stehende taten, den Gang der Dinge zu einem heilsamen Ziel zu lenken.

Der Jugend predigte man das Evangelium der Nächstenliebe und der Gewaltlosigkeit, aber sonst pflegte man keine geplante, zielgerichtete Leitung oder Anleitung für die Jugend. Es gab keine gemeindliche oder gesellschaftliche Jugendführung oder Jugend-erziehung, es sei denn in Sachen des christlichen Glaubens bei dem sogenannten Taufunterricht vor der Erteilung der Taufe.

Was Leben und Treiben in der Familie betraf, so herrschte im allgemeinen das patriarchalische Recht vor, das dann auch im gesellschaftlichen Leben zum Ausdruck kam. Die väterliche Autorität sorgte jeweils für die Zurechtstellung und Einrenkung der Halb-wüchsigen, der Teenagers, in die gesellschaftliche Ordnung. Einer der

vorerwähnten Ordnungsmänner unterstrich seine Ordnungsfor-
dernden Gesten, wenn die Jungen sie nicht zu verstehen schienen, mit
der Faust oder mit handfesten Zugriffen, wozu ihn eine
entsprechende, robuste Konstitution ausgezeichnet befähigte. Sein
Familienname war Braun — in Plattdeutsch "Brün" — und so erhielt er
von den Jungen den Beinamen "Füst-Brün" — Fäuste-Braun —.

Ernstes und Heiteres im Lagerleben

Schwer war es für manch einen, sich mit den nun ganz anderen
Verhältnissen zurechtzufinden, sich mit ihnen auseinanderzusetzen.
Man musste in so vielen Sachen umdenken und sich umstellen. Ein
älterer Herr, namens Friesen, hatte so seine Schwierigkeiten damit.
Ihm war die Zunge, wie man so sagt, ans Herz gewachsen. Das will
sagen, dass er das, was er dachte, wohl auch immer sofort in Worte
umsetzte, oftmals leider ganz verkehrt. Eine winzige hier vorkom-
mende Stechfliegenart war ganz besonders lästig, weil der feine Stich
äusserst peinigend und das Tierchen kaum zu sehen war, und darum
auch schwer zu bekämpfen. Es hatte wegen seiner Winzigkeit den
spanischen Namen "Polvorino" (Polvo-Staub). Diese Polvorinos gab
es am Fluss überreichlich. Besonders lästig waren sie in den
mondhellen Nächten. Kroch jemand unter einen Mosquitero —
Mückennetz —, der engmaschig genug war, die winzigen Dinger
abzuhalten, dann war es die Schwüle, die den Schlafenden umso
mehr quälte.

So eine Nacht hatte "Ohmtje Friese" — wie man ihn im Plattdeutschen nannte — nun mal wieder hinter sich. In aller Morgenfrühe
ging er scheltend über dieses Paraguay zu seinem Nachbarn. Erstaunt
über den murrenden Nachbarn, fragte er ihn, ob er nicht gut
geschlafen hätte. "Nein", erwiderte der Verdriessliche, "überhaupt
nicht geschlafen. Die Mandarinen haben die ganze Nacht an mir
gefressen". Sein Nachbar versuchte ihn dann aufzuklären über den
Unterschied zwischen Mandarinen und Polvorinos, Dinge, die er dem
Namen nach durcheinandergebracht hatte. Er aber meinte, die Biester
sollten heissen wie sie wollten, er wisse, wovon er spräche.

Ein anderes mal kam er in den Kaufladen des Herrn Casado. Dort
war ein deutschsprechender Verkäufer. Ohmtje Friese wollte
Hosenstoff kaufen. Leider hatte er die hiesige Massbezeichnung vergessen, oder besser, überhaupt noch nicht richtig begriffen. Er
überlegte bei sich selbst: Ja, wie sagt man das hier bloss wieder, wo
alles anders ist? Yards? Nein, das geht hier nicht! — Dann besann er
sich etwas und platzte heraus: "Ich will drei Kilometer von diesem
Stoff." Der Mann hinter dem Ladentisch wusste schon, wie es
gemeint war, und machte sich auch nicht lustig darüber. Aber da
waren auch noch andere Kunden aus dem Zeltdorf, also von seinen
eigenen Leuten, die dann ihre helle Freude an Ohmtje Friesens

Durcheinander hatten und diese Geschichte zu seinem grossen Verdruss weidlich verbreiteten, und darüber sprachen, was für grosse oder lange Hosen Ohmtje Friese sich machen lassen wollte.

Vorbereitungstätigkeiten für die Siedlung

Bald fingen die Siedler auch an, Vieh zu kaufen. Dass man im Chaco für den Transport und auch für die erste Zeit bei der Landbearbeitung sich in der Hauptsache der Ochsen bedienen würde, war im allgemeinen für alle eine Selbstverständlichkeit. So hatten es ihre Väter und Grossväter bei der Erschliessung der Prärien Manitobas gemacht und sich gut dabei befunden. Ochsen waren für so einen weiten Zug in die Wildnis den Pferden vorzuziehen, weil sie ausdauernder waren. Und sie sahen auch bald, dass sie darin richtig geurteilt hatten. Bei grosser Hitze oder bei Regenwetter, wenn der Weg so schwer wurde, hielt der Ochse, wenn man eine gewisse Rücksicht auf seine Belastung nahm, doch sehr viel besser aus als die Pferde. Pferde verlangten ausserdem eine entsprechende Pflege, wie man sie ihnen zu Anfang gar nicht hätte angedeihen lassen können.

Zum Viehkauf schreibt Dr. W. Quiring:[12]

> Gekauft wurde halbwildes Vieh der Herefordrasse mit starkem Höcker und langen, breitausladenden Hörnern. Im südlichen Paraguay überwiegt das als Criollovieh bekannte corrientinische Rindvieh, während im Norden in der Hauptsache der Pantaneiros und Franqueiros, mit der brasilianischen Zeburasse gemischt, gehalten werden

und an einer anderen Stelle:[13]

> Wer Geld hatte, kaufte bei Casado auch eine Kuh, um Milch für die kleinen Kinder zu haben. Als Weideplatz liess Casado nicht weit weg vom Lager auf einem Kamp eine Einzäunung einrichten. Auch die ersten Zugochsen wurden bei Casado erworben; später kauften die Siedler Vieh bedeutend billiger bei Hansen und Baerwald am östlichen Ufer (des Paraguayflusses) zwischen den Häfen Casado und Pinasco. Auch Maultiere, Schweine und Hühner holten die Kolonisten bald von der Ostseite des Flusses oder liessen es sich ins Lager bringen. Als Ende 1927 im Hafen Casado einige Ochsen angeblich an Maul — und Klauenseuche erkrankten, nahm Casado dieses zum Anlass, die Einfuhr von Vieh zu sperren, so dass dieses von da an nur noch bei ihm gekauft werden konnte.
>
> Die unbemittelten Einwanderer durften Kühe und Ochsen bei Casado borgen, und im Dezember 1928 lieh die Corporación Paraguaya den Siedlern 75.000 Pesos (rund 2000 Dollar) auf sechs Jahre ohne Zinsen für den Ankauf von Vieh.
>
> Von den zuerst gekauften Pferden gingen einige bald ein und zwar an einer in Parguay gefürchteten Hüft- Rücken–Lähmung, der "Mal de Cadera", eine Krankheit, die meist tödlich verläuft . . .

So melkten dann einige Familien ihre eigene Kuh. Das mussten sie aber ziemlich weit vom Lagerplatz in einem von Casado dafür freigestellten Korral machen. Casados Arbeiter trieben die Rinder tags auf die Weide und für die Nacht wieder in den Korral. Was den Nordländern so ganz "spanisch" vorkam (wiewohl sie Spanisch kaum verstanden), war, dass keine Kuh ihre Milch dem Melker freigab, es sei denn, ihr Kalb hatte zuerst vorgesogen. Hier hiess es also nicht nur: "Andere Völker, andere Sitten", sondern auch "Andere Kühe, andere Sitten".

Einen besonderen Platz nahm das Ochsenbändigen ein. Zum grössten Teil wurde es in Puerto Casado durchgeführt. Das Ochsenbändigen war nicht jedermanns Ding. Wenn da ein Familienvater mit erwachsenen Jünglingen war, so machten sie es gewöhnlich selber. Manche aber mochten es nicht selber tun. Und alleine konnte es sowieso niemand schaffen. Da waren dann genug junge Männer da, denen so eine Bändigungsprozedur einen Riesenspass machte. Es bildeten sich daher bald mehrere Ochsenbändigungs-Teams heraus, die gegen Bezahlung Ochsen einfuhren. Sie nahmen 500 Pesos (etwa 12 Dollar) für ein Ochsenpaar.

Die Bändigungsprozedur nannten sie das "Einfahren" der Ochsen. Es erforderte in den meisten Fällen ein robustes Draufgängertum. Die Männer, die sich dafür zusammentaten, waren dazu geeignete Kerle. Sie wollten sich nicht nur etwas Geld verdienen, sondern es machte ihnen auch Spass, denn Zeit dafür hatten sie mehr als genug. Es waren zumeist muskulöse Kerle, und das war auch nötig. Aber noch wichtiger war Furchtlosigkeit und am wichtigsten waren die sorgfältigen, wohlüberlegten Zugriffe und das Anlegen der Lassos als Sicherheitsmittel.

Bis zu den starken Pfosten, an welche die Ochsen angebunden wurden, brachte man die Tiere zwischen mehreren Reitern, ob sie nun ruhig oder wütend waren. Meistens waren sie wütend. Einmal an die Pfosten befestigt, liess man ihnen Zeit, sich etwas in ihre feste, aber sehr ungewohnte Lage zu fügen. Dann fing man an, ihnen die Siele überzuwerfen. Das war nun wieder so eine besondere Zumutung an die bis dahin naturfreien Tiere. Behutsam befestigte man dann nach und nach die Siele. Dann wurde meist der Wagen herangezogen. Weniger oft hat man sie vor ein schweres, schlittenartiges Gerüst gespannt, aber sie gleich vor einen Wagen zu spannen, war zweckdienlicher. Sie gewöhnten sich dann auch gleich an die Deichsel, welche die Schlitten nicht hatten.

War dann alles startbereit, wurden die Tiere vom Pfosten freigemacht. Es gab dann manchmal auch solche Tiere, die überhaupt nicht gehen wollten. Es waren ganz einfach störrische Tiere. Die meisten aber sprangen hurtig los. Voraussetzung war nun, dass die Kontrolle gut abgesichert war. Gewöhnlich waren zwei Männer auf dem Wagen und weitere zwei Männer hielten auf jeder Seite des Wagens Sicherungsleinen. Das Wichtigste war es nun, die Ochsen nicht ins Gallopieren kommen zu lassen, sonst hatte man verloren. Manchmal ist es dann doch geschehen, dass man vorübergehend die Herrschaft über die leidenschaftliche Wildheit der Biester verloren hat.

Einmal kam so ein widerspenstiges Ochsenpaar bei all dem Hin und Her während des Starts zu nahe an einen Kochherd, der vor einem Zelt errichtet worden war. Auf diesem Herd brodelte gerade ein Kessel mit siedendem Wasser. Der Kessel wurde vom Ochsen bei seinem Hin- und Herwerfen berührt, und etwas von dem heissen Wasser spritzte dabei an seine Seite. Urplötzlich schoss der Ochse im Bogen nach vorne und riss auch den anderen ebenso plötzlich mit. Die beiden Seitenmänner wurden zu Boden gerissen und mussten ihre Leinen loslassen. Das Ereignis hatte sich für sie allzu rasch abgewickelt.

Als die am Boden liegenden Männer zur Besinnung gekommen waren, tobte das Ungetüm schon in der Ferne davon. Sie stürmten nun hinterher. Die beiden Piloten auf dem Wagen hatten auch die Bremskontrolle verloren und mussten nur zusehen, wie sie auf dem tobenden Fahrzeug blieben. Das wilde Gespann stürzte sich nun von der geraden Strasse ab mitten in das Gewirre des Zeltdorfes und raste nun im Zickzack durch die ordnungslosen Zeltreihen. Frauen liefen schreiend zu ihren in der Nähe spielenden Kindern, als das schreckerregende, tobende Ungetüm herannahte, griffen ihre Kinder auf und suchten aus dem Wege zu kommen. Kinder selbst liefen und schrien aus Angst, stoben in die Zelte und verkrochen sich unter den Feldbetten. Als die rasende Fahrt vorbei war und ein Junge immer noch nicht zum Vorschein kam, fand ihn die Mutter zitternd unter einem Feldbett im Zelt, wo er mit Furcht und Bangen der Dinge wartete, die er über sich kommen zu sehen geglaubt hatte.

Es ist noch heute ein Wunder vor unseren Augen, dass kein Zelt mit- oder umgerissen worden ist. Kein Kind, von welchen so viele um die Zelte spielten, ist überfahren worden. Die beiden Begleitmänner eilten dann ihrem wildgewordenen Fahrzeug, das die anderen beiden nun doch zum Stehen gebracht hatten, nach und fragten diese schon von weitem, warum sie so eilig gewesen seien, sie hätten ja auch mitkommen wollen.

Ein anderes Mal fuhren die Ochsenbändiger mit einem Gespann, von dem sie meinten, es hätte sich schon einigermassen in sein Sielenschicksal ergeben. Sie waren eine längere Strecke gefahren, hatten angehalten und fuhren nun zurück zum Zeltdorf. Der Weg führte über eine freie Fläche, und vor ihnen schritt gemächlich ein Mann, der einen weissen Sack mit ein paar Sachen darin auf dem Rücken trug. Der Sack hing über die eine Schulter und baumelte beim Gehen hin und her. Einer der beiden Ochsen war schon ziemlich unruhig, so liessen sie beide Ochsen mit dem Wagen laufen. Bald näherten sie sich dem Manne. Auf einmal streckte der ärgerliche Ochse seine Nase nach vorn und setzte mit aller Kraft auf den Mann vor ihnen los. Der Mann setzte sich darauf auch in raschere Bewegung und lief auch mehr zur Seite, um den Wagen vorbeizulassen. Der Ochse aber folgte seinen Bewegungen und setzte zielbewusst hinterher. Der andere Ochse wurde einfach mitgerissen. Während der Mann lief, dass der weisse Sack hinter ihm nur so hin und her flatterte schien dies die Herausforderung an den sowieso schon erbosten Ochsen noch zu verstärken. Die Fahrer konnten nicht bremsen. Sie zogen daher aus Leibeskräften an der einen Leine, um mehr abseits von dem Verfolgten zu gelangen, und hatten Glück. Es klappte. Während sie nun an dem Mann vorbeitobten, rief der immer noch nicht aus seinem inneren Gleichgewicht geratene Mann ihnen auf Plattdeutsch nach: "Wull dee Oss waut von mie?" — Ja, sicher, der Ochse hatte etwas von ihm gewollt. Er hatte sich seine Hörnerspitzen an ihm reiben wollen.

Als einmal wieder so ein Bändigungsteam mit seinem unwirschen Gespann in eine andere als die vorgesehene Richtung geriet, ging es über einen Backofen, der dann umgerissen wurde. Die Brotlaibe selbst aber, die eine Frau gerade im Ofen hatte, und die fast gar waren, blieben unversehrt. Die Frau konnte das Brot nun hereinholen, ohne den Ofen öffnen zu müssen.

Nur wenige Mennoniten haben versucht, wie die Paraguayer, ihre Ochsen im Joch zu fahren. Die meisten fuhren sie in Sielen. Sie stellten von Anfang an bequeme, gepolsterte Kummete her, an die sie die Ochsen dann gewöhnten. Die Ochsen konnten damit bequemer eine Last hinter sich herziehen als mit einem Joch und leisteten darum auch mehr.

Was den Kauf der Ochsen betraf, so hatte Herr Casado bestimmte Tage, an welchen er viele Rinder in den Korral treiben liess, wo die kauflustigen Mennoniten sich dann ihre Ochsen aussuchen durften. An solchen Tagen versammelte sich dann Gross und Klein bei dem Korral. Einerseits hatte man ja Zeit und andererseits war es eine Abwechslung, indem man auch mal etwas anderes zu sehen bekam als das sonstige tägliche Einerlei in den Zelten. Begeistert schaute man zu, wie die "Cowboys", hier Vaqueros genannt, so meisterhaft mit ihren Lassos umzugehen verstanden.

Wieder einmal war so ein Tag hereingebrochen, und die Leute versammelten sich beim Korral. Diejenigen, die Ochsen zu kaufen gedachten, zeigten den Vaqueros, welches Tier sie mit dem Lasso einfangen sollten. Wieder war so ein ausgesuchter Ochse festgebunden worden und stand nun am Pfosten, um besehen zu werden. Der kauffreudige Mann beschaute sich ihn von beiden Seiten und schritt dann nach vorn. Er rechnete nicht damit, dass der Ochse, der übrigens sehr ruhig zu sein schien, mit seinem Kopf so viel Bewegungsfreiheit hätte. Dieser Kopf des Ochsen war mit einem Paar spitzer Hörner ausgestattet. Es war dann das Werk eines Augenblicks: Der Ochse hob seinen Kopf und schlitzte das eine Hosenbein des Beschauers von unten bis oben auf! — Alle sahen es, aber niemand lachte, denn man war besorgt, dass der Mann selbst womöglich auch verletzt worden sei. Als man feststellte, dass nur seine Hose in Mitleidenschaft geraten war, erntete er einen föhlichen Applaus. Er musste jetzt dafür sorgen, seine Bekleidung wieder einigermassen gesellschaftsfähig herrichten zu lassen.

Das Lager wird übervölkert

Nach dem Übereinkommen mit der Siedlungsgesellschaft hätte um diese Zeit (1927) der Siedlungskomplex vermessen und die Eisenbahn zum Siedlungsplatz hin gebaut worden sein müssen. Zum mindesten hätten beide Sachen in vollem Gange sein müssen. Es war aber nicht der Fall. Weder war die Eisenbahn, wie versprochen, gebaut, noch war das Land vermessen worden. Der Eisenbahnbau war nur von Kilometer 60 bis Kilometer 77 vorangetrieben worden; aber diese extra 15 Kilometer richteten sich mehr seitwärts als tiefer in den Westen hinein, worum es den Siedlern doch ging.

Diese beiden unerfüllten Abmachungen stellten zunächst die grössten Enttäuschungen für die in Puerto Casado angekommenen Siedler dar. Sie wurden nun dauernd nach der hier üblichen Weise auf ''mañana'', auf morgen, vertröstet. Man musste aber sehr lange warten, bis so ein ''Morgen'' endlich, wenn überhaupt, zu einem ''Heute'' wurde.

Die Mennoniten hatten Puerto Casado nur für ein Durchgangslager gehalten, wo in möglichst rascher Aufeinanderfolge Siedler hereinkommen und wieder hinausgehen würden, um sich in den geplanten Dörfern niederzulassen. Von Puerto Casado würden sie noch einmal aufbrechen müssen, damit hatten sie schon gerechnet. Man hatte aber nicht damit gerechnet, dass man nach dem Aufbruch von Puerto Casado noch wieder für längere Zeit in anderen Siedlerlagern auf dem Wege zum eigentlichen Siedlungsland würde bleiben und dann erneut aufbrechen müssen.

Aus Casado wurde ungewollt ein Dauerlager. Daraus ergaben sich nun Probleme, mit denen man ebenfalls fertig werden musste. Zuallererst musste die übermässige Anhäufung von Siedlermassen gebremst werden. Man musste das Herüberkommen des noch übrigen Auswandererkontingents vorläufig aufhalten. Es war vorgesehen gewesen, dass alle Gruppen in kurzen Zeitabständen nacheinander in Puerto Casado eintreffen und dementsprechen Abschübe in das Chacoinnere erfolgen sollten.

Die Auswanderer, die noch in Kanada waren, wollten so schnell wie möglich hinüber nach Paraguay, weil der Landhandel schon in der zweiten Hälfte des Jahres 1926 getätigt worden war, und die Auswandererfarmer ihre Wirtschaften an die Russlandmennoniten abgeben mussten, die sie 1927 schon beziehen wollten und auch mussten. Daher wollten die Paraguaywanderer so schnell wie möglich nach Südamerika, um wieder auf eigenen Boden zu kommen und sich landwirtschaftlich betätigen zu können. Ebenso wollten die Russlandmennoniten, die jetzt von Europa nach Kanada gekommen und dort sozusagen als Flüchtlinge aufgenommen worden waren, so schnell wie eben möglich zu Eigentum kommen und sich wirtschaftlich weiterbringen.

Da aber blitzte rotes Licht aus Südamerika auf: ''Bitte nicht mehr Familien nach Paraguay abfahren lassen, bis die Lage sich hier geändert hat!'' Das war ein schwerer Rückschlag für die Auswanderer. Die Russländer, die die Farmen gekauft hatten, waren eingezogen. Die ''Paraguayer'', die noch länger in Kanada bleiben mussten, mussten nun eben zusehen, wie sie mit ihrem Verbleib fertig würden. Dies betraf etwa 60 Familien. Viele von diesen blieben mit den einziehenden Russländern zusammen, woraus sich stellenweise sogar ein bleibender Freundschaftsbund gebildet hat, der in Briefen noch jahrelang aufrecht erhalten wurde. Andere zogen zu Freunden oder Verwandten, bis wieder grünes Licht aus Südamerika kam.

In Puerto Casado versuchte Fred Engen die Siedler dazu zu überreden, dass möglichst viele von ihnen weiter in die Wildnis zögen, um das Casadolager zu verdünnen. Die Leute aber weigerten sich. Sie hatten es sich in den Kopf gesetzt, jetzt nur noch einmal aufzubrechen und nicht mehr. Das war einerseits auch zu verstehen, wenn man bedenkt, welche Anstrengungen es mit sich brachte, alles wieder abzubauen und sich mit der Familie an einer anderen Stelle wieder wohnlich einzurichten und dabei zu wissen, dass man auch hier nicht würde bleiben können. Andererseits aber war das Siedlerlager am Fluss bereits für so eine lange Wartezeit viel zu sehr übervölkert.

Der erste Vorstoss in den Westen

Am 12. Februar 1927 zogen dann doch 6 Familien von Puerto Casado los, weiter ins Innere der Chacowildnis in Richtung des künftigen Siedlungslandes. Mit ihnen gingen 10 weitere junge Männer aus dem Lager. Die Gruppe fuhr mit der Eisenbahn bis Pirisal oder Kilometer 77, dem damaligen Ende der Casadoeisenbahn. Von dort wurde sie von Casados Arbeitern in Karretten und hochrädrigen Federwagen weitergebracht. Der Transport war reichlich mit Proviant und Schlachtochsen, die mitgetrieben wurden, ausgerüstet. Auch eine Anzahl Reitpferde wurde mitgenommen. Einer der Casadoarbeiter war ein höherer Angestellter, die anderen waren Ochsentreiber und Karrettenlenker. Der höhere Angestellte, ein Herr Siebert, spracht deutsch. Er war der Gruppenführer und war verantwortlich für die erste mennonitische Niederlassung auf dem Wege in die geheimnisvoll schlummernde Wildnis des grossen nördlichen Chaco.

Tagelang fuhren sie von Pirisal immerfort nach Westen. Nach etwa 100 Kilometern liessen sie sich an einer einladenden Süsswasserlagune nieder. Hier schlugen sie am Buschrand und auch in den Busch hinein ihre Zelte auf und richteten sich wohnlich ein. Herr Siebert richtete sich mit seinem Gesinde neben dem Mennonitenlager eine Dauerwohnung ein. Dieses waren die ersten Siedlerfamilien, die sich weiter ins Innere der ''Grünen Hölle'' begaben. Wegen des schönen blauen Wassers der Lagune erhielt das Lager den Namen Pozo Azul (Blauer Brunnen).

Nachdem die Mennoniten sich etwas wohnlich eingerichtet hatten, gingen sie daran, einen grösseren Speicher aufzubauen, wie es im Lager von Puerto Casado beschlossen worden war. Dieses Haus sollte für den weiteren Einzug in die Wildnis als Vorratslager für Lebensmittel, wie auch zur Lagerung des Frachtgutes dienen. Vor allen Dingen sollte hier genug Mehl gelagert werden, für den Fall, dass der Weg bei grossen Regen für längere Zeit unpassierbar wäre. Das Gebäude wurde dann unter dem Namen ''Mehlhaus von Pozo Azul'' bekannt. Pozo Azul wurde somit zum Vorposten und Vortrupp der Wildnissiedlung. Eine Gruppe von drei Familien kam bald nach und später kamen noch mehr. Mitte Mai waren dort schon 28 Familien.

Stützpunkte auf dem Wege zum Siedlungsgebiet

Nachdem der Speicher errichtet worden war, schritt man an die Bearbeitung eines Landstückes und pflanzte paraguayische Kulturen. Dabei wurden sie unterstützt von einem Agronomen, den ihnen die Siedlungsgesellschaft geschickt hatte. Nun sollten, von Pozo Azul ausgehend, neue Lager am Wege eingerichtet werden. Es war Engens Aufgabe, den Einzug in die Wildnis dadurch zu beflügeln. Herr Engen war nun zwar ein ausgezeichneter Wildnispionier, jedoch ein schwerfälliger Organisator. Im Norden beschloss man daher, Herrn Alfred Rogers, den Vizepräsidenten der Siedlungsgesellschaft und die rechte Hand von General McRoberts, nach Paraguay zu entsenden. Er traf in den letzten Tagen des Monats Mai in Puerto Casado ein. Er hielt dann zuerst Beratungsversammlungen mit den Siedlern ab, die nicht ohne Grund sich schwer enttäuscht fühlten. McRoberts hatte ihm das Angebot mitgegeben, den Siedlern einen Raupenschlepper mit entsprechendem Anhänger zur Verfügung zu stellen, um vor allem Frachtgut leichter befördern zu können, wenn nötig auch Familien, die keine Ochsen und keinen Wagen hatten. Die Maschine sollte ihnen nichts kosten, sie sollten sie nur selbst unterhalten.

Noch im Juni kam McRoberts selber nach Paraguay. Er liess die Leute im Siedlerlager von Casado versammeln und beriet sich mit ihnen. Dasselbe tat er auch in Pozo Azul, wohin er sich mit den Herren Rogers und Engen begab. Sie drangen dann noch bis in das Gebiet des heutigen Fernheim vor. McRoberts war sehr gut von der Bodenbeschaffenheit beeindruckt. Auch das Klima kam ihm angenehm vor, was für Juni ja auch nicht verwunderlich ist. Er sprach den Siedlern dann noch Mut zu, durchzuhalten und versicherte ihnen, dass die Siedlungsgesellschaft unerschütterlich hinter dem grossen Siedlungswerk stehen würde. McRoberts schickte dann auch wirklich die Zugmaschine mit Anhänger, die dann in der zweiten Häfte des Jahres 1927 und in der ersten Hälfte von 1928 grosse Dienste im Transportwesen geleistet hat. Sie wurde von David A. Braun gefahren.

Auf Veranlassung von Herrn Rogers wurde dann ein Transportkomitee ins Leben gerufen, das die Verantwortung für die Einfuhr von Mehl und vor allem auch für das Zustandekommen des Einzugs in die Wildnis hatte. Weiter wurde auch eine Landbesichtigungskommission gegründet, die unter Engens Führung ins Chacoinnere reisen und das Gebiet, das die mennonitische Delegation unter Engens Leitung im Jahre 1921 für die Besiedelung vorgeschlagen hatte, überprüfen sollte. Diese Kommission bestand aus 12 Männern. Jede der drei kanadischen Ortsgruppen hatte darin vier Männer. Die Kommission fuhr am 28. Juni von Puerto Casado los und kehrte am 14. August wieder nach Casado zurück. Pozo Azul war als Stützpunkt benutzt worden.

Noch im August fuhr eine grössere Gruppe von Siedlerfamilien los nach Pozo Azul, zog von hier aus aber weiter und legte ein neues Siedlerlager an einem Ort an, wo auch Wasserstellen waren. Dieser Stelle hatte Fred Engen schon den Namen ''Hoffnungsfeld'' gegeben. Hier hatte er 1920 die erste Begegnung mit den Nordlengua–Indianern gehabt und hier hatte er auch festzustellen gemeint, dass der zentrale Chaco sich für Ackerbausiedlungen eignen würde. Im September zogen die Bergthaler von Saskatchewan als Gruppe in den Chaco und liessen sich an einem Ort nieder, den man Palo Blanco nannte. Es war in der Nähe des späteren Dorfes Gnadenfeld.

Anfangs September kamen dann die ersten drei Familien bis nach Loma Plata und schlugen hier ihre Zelte auf. Bald kamen mehr. Als man hier dann an mehreren Stellen sehr gutes Grundwasser fand und der Platz zum Niederlassen breiten Raum bot, war Loma Plata bald das grösste Siedlerlager am Wege zu den Dörfern, die man anlegen wollte. Es wohnten hier zeitweise bis zu 60 Familien. Später entstanden dann noch zwei kleine Siedlerlager, eines bei Laguna Casado, in der Nähe von Pozo Azul, und eines, das man ''Kilometer 216'' nannte. Man sprach damals nur von ''Zwei sechzehn''. Das letztere war das am weitesten nach Westen in die Wildnis vorgeschobene Lager.

Die Namen der insgesamt angelegten Siedlerlager (ausser Puerto

Casado) sind also folgende, wobei die Numerierung auch gleich die Reihenfolge ihrer Anlage angibt: 1. Pozo Azul; 2. Hoffnungsfeld; 3. Palo Blanco; 4. Loma Plata; 5. Laguna Casado; 6. Kilometer 216 oder "Zwei sechzehn". Alle diese Lager entstanden im Laufe des Jahres 1927.

Enttäuschungen und Rückkehr einiger Auswanderer

Ausgangs des Jahres 1927 waren dann schon etwa 120 Familien in den 6 Siedlerlagern in der Wildnis. Der Rest des Auswanderungskontingents, der wegen Überhäufung in Puerto Casado aufgehalten worden war, kam noch vor Jahresschluss bis Puerto Casado. Es waren weitere 60 Familien. Etwa 40 Familien von den früheren Einwanderern hatten sich inzwischen bereits aufgemacht und waren nach Kanada zurückgekehrt. Unter diesen waren auch etliche Familien, die schon in Siedlerlagern in der Wildnis gewesen waren. Sie waren zuerst nach Puerto Casado zurückgezogen, dann aber bald auch weiter nach Kanada. In Puerto Casado blieben dann immer noch etwas über 100 Familien.

Jeder Zug weiter in die Wildnis war im Siedlerlager am Fluss immer wieder ein grosses Ereignis. Manchmal reisten bis zu 18 Familien auf eimal ab. Jedesmal wurden dann erst gründliche Reisevorbereitungen getroffen. Es war keine Kleinigkeit mit den Familien die weite, unbekannte Reise anzutreten. Mancher schrak dann auch wirklich davor zurück und trat mit seiner Familie lieber die Rückreise nach Kanada an.

Die Mutlosen und Unwilligen blieben im allgemeinen im Siedlerlager von Puerto Casado, obwohl auch in den Lagern im Chacoinnern einige waren, die den Mut, weiterzumachen, nicht aufbringen konnten. Wenn nun auch bis zum Jahresende 1927 schon nahe an 40 Familien sich davongemacht hatten, so war immer noch eine Anzahl da, die sich mit dem Einzug in die unbekannte Chacowildnis nicht abfinden konnte und auf Möglichkeiten sann, ebenfalls den Weg zurück einzuschlagen.

Dass die Leute in den Lagern am Wege mutiger oder ausdauernder waren als viele im Casadolager, hatte seinen Grund auch schon darin, dass man in diesen Lagern mit viel nützlicheren Dingen beschäftigt war als im Lager von Casado. In den Lagern von Pozo Azul, Hoffnungsfeld, Palo Blanco und Loma Plata befasste man sich zum Beispiel schon intensiv mit Feldbau. Man versuchte herauszufinden, wann und zu welcher Jahreszeit etwas am besten gedieh. Das machte man mit Kulturen, die hier fremd waren und auch mit paraguayischen Feldfrüchten. Die Leute ernteten Erdnüsse, Bohnen, Mais, Mandioka, Süsskartoffeln und auch besonders viel Wassermelonen, die hier, wie sie bald feststellten, paradiesisch gediehen und sehr süss und saftig wurden.

Das brachte eine sehr willkommene Abwechslung in der Ernährung mit sich, und man konnte endlich auch etwas die ernährungsbedingten Kosten senken. Und das war auch ermutigend. Wer aber einmal den Mut verloren hatte oder ihn überhaupt nicht richtig aufgebracht hatte, dem bedeutete das alles so bitterwenig, dass keine Bleibefreudigkeit bei ihm aufkommen konnte.

Zwischen dem Casadolager und den anderen Lagern wurde viel hin und her gereist. Dabei erfuhren die Ereignisse durch das Weiter- und Nacherzählen die merkwürdigsten Veränderungen. Eine in der weiten Ferne des Chacoinnern mitgeteilte Begebenheit stand dann öfters schon auf dem Kopf, wenn sie Puerto Casado erreichte. Die Leute im Siedlerlager von Casado hatten eigentlich nicht viel was zu tun und also genug Zeit für die verschiedensten Einfälle. Jetzt, nachdem schon über hundert Familien im Chaco waren, waren die meisten Ochsenkäufe gemacht und auch die Bändigungsbetätigungen hatten so gut wie aufgehört.

Als noch nur wenige in den Chaco gingen, bot Herr Casado Gelegenheit, in seiner Tanninfabrik zu arbeiten. Er bezahlte 33 Pesos (75 Dollarcent) für den Tag. Dies sollte denen, die keine Mittel besassen, eine Aushilfe ermöglichen, sich Lebensmittel zu kaufen. Aber es war wieder typisch für eine gewisse Klasse von Menschen; obwohl sie nichts hatten, wollten gerade diese nicht arbeiten, um sich etwas zu verdienen. Sie wollten lieber Unterstützung entgegennehmen. Andere wieder, die es nicht so nötig hatten, waren dann pünktlich auf dem Arbeitsplatz.

Versuche, in Ostparaguay zu siedeln

Um die Jahreswende 1927/28 bildete sich eine Gruppe, die zwar nicht zurück nach Kanada, aber auch nicht im Chaco siedeln wollte. Sie versuchte daher, die Gemeindeleitung zu überreden, einen Siedlungsort in Ostparaguay zu suchen. Doch diese glaubte, man dürfe das Chacoprojekt noch nicht aufgeben, weil man schon so viel Zeit und Geld hineingesteckt hätte.

Der Boden in der Flusszone und somit auch in und um Puerto Casado war hart und selbst für Gemüsekulturen ungeeignet, es sei denn, man machte sich viel Mühe mit Bewässerung und Bearbeitung. Aber weil man hier sowieso nicht bleiben wollte, lohnte sich das alles nicht. Viele nun schätzten auch den übrigen Chacoboden nach der Qualität des Casadogebietes ein. Wenn man dann mal so einen Missmutigen loskriegte, die Siedlerlager im Inneren zu besuchen, so merkte er sich dort auch unbedingt die negativen Dinge, wovon es ja auch dort genug gab, oder beschaute Manches nur von der unvollkommenen Seite.

Einen ganz verstimmten Familienvater, der auch mit seiner Familie zurück nach Kanada wollte, ohne das Chacoinnere überhaupt gesehen zu haben, überredete man dann doch noch, zum Siedlungsgebiet mitzufahren. Man dachte, es könnte ihm vielleicht doch so viel gefallen, dass er sich zum Bleiben entscheiden würde. Er selbst aber fuhr nur, wie er meinte, um des Friedens willen mit. Zurückgekehrt von dieser Besichtigung war er noch mehr entschlossen, diesem armseligen Paraguay den Rücken zu kehren. In der Wildnis — so erzählte er — schrieen selbst die Vögel, und das schon am frühen Morgen: "Hier verhungert ihr alle! Hier verhungert ihr alle!" Es waren die Buschhühner, die Charatas, gewesen, die ihn mit ihrem Zetergeschrei so erschreckt und zu dieser Deutung inspiriert hatten. Er machte sich darauf gleich entschlossen fertig und fuhr zurück nach Kanada.

In der zweiten Hälfte des Jahres 1928, als im Chaco schon 200 Familien fleissig und mutig bei der Kolonisationsarbeit waren, waren im Siedlerlager von Puerto Casado immer noch Leute, die nicht in den Chaco wollten, aber auch nicht die Möglichkeit hatten, zurück nach Kanada zu reisen. Einige kamen dann schliesslich in die schon bestehenden, blühenden Dörfer, andere reisten mit ihren Familien nach Asunción und wurden dort für mehrere Jahre wohnhaft, indem sie sich Arbeit suchten. Zwei der Familienväter starben in Asunción. Die eine Witwe reiste darauf mit ihrer Familie nach Kanada und die andere kam mit ihrer Familie in den Chaco. Auch die anderen Familien kamen später in den Chaco zurück.

Es waren selten junge Leute, die Mutlosigkeit verbreiteten. Das taten mehr die alten Leute. Sie rissen dann andere mit. Selbst einer der Delegierten von 1921, der jetzt im Siedlerlager von Puerto Casado wohnte, konnte sich nicht mehr mit dem Chaco abfinden, den er doch selbst für die mennonitische Kolonisation hatte auswählen helfen. Man ist niemals ganz dahinter gekommen, was ihn so verstimmt hatte. Die Amerikaner aus der Siedlungsgesellschaft, die sich darüber aus-tauschten, meinten, der Mann hatte damit gerechnet, eine Anstellung in der Vertretung der amerikanischen Siedlungsgesellschaft zu erhalten. Weil nun daraus nichts geworden war, hatte auch der Chaco seinen Reiz für ihn verloren.

Fussnoten zu Kapitel VII
Das Siedlerlager in Puerto Casado

1. Nach Mitteilungen des Peter B. Giesbrecht, damals ein 21 jähriger Jüngling: "Wir wussten, dass wir etwa um Mitternacht in Puerto Casado ankommen sollten. Etliche aus der Gruppe, darunter ich auch war, hatten sich verabredet, die Ankunft im Flusshafen-städtchen müsste man doch mit offenen Augen miterleben. Wir blieben auf dem Deck, und wir schliefen auch nicht — und erlebten so die Ankunft."
2. Dr. Walter Quiring — *Russlanddeutsche suchen eine Heimat* — S.73
3. Mr. John C. Marsh schreibt aus Südamerika — 20. Nov. 1926 — an seine Vorgesetzten, General McRoberts und Edward B. Robinette.

4. Der Platz des Siedlerlagers befand sich in einer leichten Senkung, so dass bei schweren Regenfällen sich viel Wasser ansammelte, das wegen leichter Erhöhung zum Fluss hin nicht abfliessen konnte.

5. Die Unzufriedenen beschuldigten dann nachher die Siedlungsgesellschaft, sie hätte den Einwanderern versprochen, im Durchgangslager von Pto. Casado, Gemüsegärten anzulegen. Die Siedlungsgesellschaft und auch die mennonitischen Siedlungsleiter wussten nichts davon. Man hatte über das Anlegen von Gemüsegärten gesprochen, aber gar nichts versprochen. Die Siedlungsgesellschaft hatte jedoch damit gerechnet, die Siedlerpilger würden sich selbst dort Gemüse anpflanzen, denn Wasser zur Berieselung war genug vorhanden. Einige haben es dann auch getan. Doch der harte Lehmboden bedurfte einer besonderen Vobereitung, und die Siedler wollten doch sobald wie möglich wieder weiterziehen, und sie hielten es dann dafür, es lohne sich nicht, hier noch viel Mühe dranzusetzen.

6. Auch in Sachen der elektrischen Beleuchtung des Siedlerlagers beschuldigten die Unzufriedenen die Siedlungsgesellschaft, was sie sollte versprochen haben — und nicht gehalten. Auch hiervon wussten die Angestellten in der mennonitischen Auswanderungsleitung nichts. Ja, gesprochen hatte man davon, dass vielleicht eine Möglichkeit bestünde von der Casadofabrik zum Siedlerlager hin eine Stromleitung einzurichten. Die Stromerzeugung des Ortes aber reichte dafür sowieso nicht aus, wie es sich nach einer Untersuchung herausstellte.

Merkwürdig war es, dass unter Einwanderern dann solche waren, die mit verschiedenen Einrichtungen, die die Siedlungsgesellschaft bewerkstelligen müsste, wie sie meinten, um sich gemütlich hinzusetzen; es sei ihnen solches versprochen worden, argumentierten sie. — Und es ist auch nicht ausgeschlossen, dass unter den Angestellten der Siedlungsgesellschaft nicht solche gewesen sind, die zuviel gesagt haben, d.h. sie haben von dem einen und anderen gesprochen, dass vielleicht geschehen könnte, und unter den mennonitischen Siedlerpilger waren dann solche, die es bei sich dann schon in die Wirklichkeitsform gesetzt hatten.

W. Quiring — ob.zit. — S.73:

"Elektrische Lichtanlagen, Waschküche, Kochherde und andere Bequemlichkeiten, mit denen Solberg in Kanada geprahlt hatte, sind hier nirgends zu sehen (bei der Ankunft der ersten Gruppe in Pto, Casado) . . ."

Mr. Alvin Solberg war ein Landmakler (aus Minneapolis, Minnesota, USA) und stand im Dienste der Siedlungsgesellschaft, der Intercontinental Co., er verstand es und versuchte es auch Leute für Paraguay zu begeistern, um dann mehr Land in Kanada zu erhalten, um den Gewinn zu erhöhen.

7. Quiring — ob.zit. — S.74

8. Ders. S.75

9. Mitgeteilt von Corn. T. Sawatzky. Der Mann, der dem Engen erwiderte "We don't want the Quebracho, we want the Land", war Peter F. Krahn.

10. Fred Engen schreibt aus Pto. Casado — 22. Jan. 1927 — an Mr. Marsh in Philadelphia, PA, USA:

" . . . you keep every competent Mennonite up there, who could handle their own people down here, as it is, they are without proper leadership; those who have been designated as such, are hopeless; there are four groups located on the bank of the Paraguayan River at Pto. Casado, all pulling in their own respective direction, not in the interest of all Mennonites. They fully admit, that they have not a leader. Mr. Krahn's capacity (gemeint ist P. F. Krahn) extends to dominate a few women and children, no more . . . "

11. Das waren Martin M. Friesen — aus der Familie Martin A. Friesen aus der Sommerfelder Gruppe, Westres. Manitoba — und Elisabeth Giesbrecht aus der Familie des Abram L. Giesbrecht aus der Chortitzer Gruppe Ostres. Manitoba.

12. Dr. Walter Quiring — *Deutsche erschliessen den Chaco* — S.44
13. Ders. *Russlanddeutsche suchen eine Heimat* — S.79

KAPITEL 8

Die Siedlerlager am Wege in die Wildnis

... Was Du auch im Chaco durchmachen wirst an Mühsalen,
Schwierigkeiten — lass nicht das Ziel aus dem Auge und halte
Schritt mit den Ereignissen. So eine Siedlung aufzubauen ist keine
Kleinigkeit. Da gibt es so leicht Verwirrungen, da kommen
Bedrängnisse, und man muss sich wirklich anstrengen ...

A. A. Rogers an R. N. Landreth, der an Rogers Stelle in den Chaco–Siedlungsdienst
tritt, November 1927

Das Durchgangslager wird zu einem Dauerlager

Die zwei Versprechen, die man den kanadischen Mennoniten bei
den Verhandlungen zwischen ihnen und der Casadogesellschaft
gemacht hatte, waren nicht gehalten worden: Die Eisenbahn war nicht
bis ins Chacoinnere fertiggebaut worden und der von den Mennoniten
erstandene Siedlungskomplex war nicht vermessen worden. Zudem
musste mehr vermessen werden als nur das von den Mennoniten
erstandene Siedlungsgebiet; es mussten zuerst noch Vermessungen
zum Siedlungsgebiet hin durchgeführt werden, denn alle Vermessungen mussten am Paraguayfluss anfangen und ausgehen.

Landvermessungen für das weite Chacoinnere gab es zu der Zeit
nur auf dem Papier, auf den Karten. Es waren karthographische
Überlegungen, wenn man 1921 feststellte, dass das von der men-
nonitischen Delegation ausgesuchte Siedlungsland sich innerhalb den
Grenzen des Besitztums der Casadogesellschaft befand, und zwar in
der Südostecke des karthographischen 100–Legua Komplexes, mit
''Block 168'' bezeichnet. Die Ostgrenze dieses ''Blocks'' war etwa 39
Legua (170 km) vom Paraguayfluss entfernt.

Monate vergingen, nachdem man im Mai 1927 mit der Vermessung
begonnen hatte, bis endlich die Ostgrenze des gedachten Siedlungslandes erreicht war. Dann konnte das 3×10 Legua grosse
Siedlungsland der kanadischen Mennoniten umgrenzt werden. Bis

alles in regelrechter Ordnung vollzogen war, waren 16 Monate verstrichen seit der Ankunft der ersten Gruppe.

Puerto Casado, zunächst das Endziel der langen Reise, sollte nur
ein Durchgangslager sein. Nach kurzer Rast wollte man wieder
weiterziehen, dorthin, wo man sich endgültig niederlassen wollte. Es
war eine herbe Enttäuschung, zu erfahren, man würde wenigstens 6
Monate mit dem Auszug aufs neue Heimatland warten müssen. Es
wurden dann 16 Monate!

Es blieb den Chacopilgern dann nur dieses: Ihre Zelte in Pto.
Casado für längere Zeit aufzuschlagen.

Die erste Besichtigung des Siedlungsgebiets

In der 2. Woche ihres Verweilens in Pto. Casado, also etwa um die
Mitte des Monats Januar (1927), fuhr Engen mit etlichen Männern der
mennonitischen Chacosiedler in die grosse Chacowildnis, Richtung
Siedlungsgebiet. Es waren 4 von der Chortitzer Gruppe: Peter F.
Krahn, Johann H. Harder, David H. Harder und Johann G. Klippen-
stein, und einer von den Sommerfeldern: Bernhard F. Wiebe.

Dr. W. Quiring schreibt in ''Russlanddeut. suchen eine Heimat''
S.82 f darüber:

> Sie fuhren im Kraftwagen bis Hoffnungsfeld. Benutzten teils den
> sogenannten Delegatenweg, teils schlugen sie neue Schneisen durch
> den Busch. Dabei irrten sie hier und dort von der Hauptschneise ab
> brauchten wiederholt lange Zeit, sich wieder zurechtzufinden . . . Der
> Weg war schlecht, so dass sie immer wieder in dem aufgeweichten
> Boden stecken blieben und sich mühsam herausarbeiten mussten. Aber
> schon in Hoffnungsfeld sind die Reisenden gezwungen umzukehren,
> weil ihnen die Lebensmittel ausgehen. Über eine Woche haben sie bis
> dort gebraucht. Die Lebensmittel waren vom Hafen auf 2 Ochsenkarren
> vorausgeschickt worden und Fred Engen hatte sie während der Fahrt
> freigebig an seine braunen Freunde, die Indianer, verteilt, die ihren
> Patron Engen glühend verehrten. Engen war damals 60 Jahre alt und
> sein weisses Haar flösste den Wilden ehrfurchtsvolle Scheu ein. Er
> bemühte sich vom ersten Tage seiner Bekanntschaft mit den Indianern,
> diese durch Geschenke und durch gerechte, geduldige Behandlung für
> sich zu gewinnen und ihnen das Gefühl zu nehmen, von den Weissen
> verdrängt zu werden.
>
> Auch diese Gruppe ist mit den vom Chaco erhaltenen Eindrücken
> zufrieden . . . Unfruchtbar, so schien es ihnen, werde die graue bis
> graugelbe Erde westlich von Hoffnungsfeld nicht sein . . .

Einer der Teilnehmer — Joh. G. Klippenstein — schrieb über diese
Reise:

> . . . Von dem Chacoland haben wir schon etwas gesehen. Aber das
> eigentliche Siedlungsland, das unsere Delegaten sich ausersehen
> haben, haben wir noch nicht gesehen. Wir hatten nicht genug
> Lebensmittel mitgenommen. Nun war das auch nicht der Zweck unserer
> Reise, Land zu besesehen; wir wollten einen Platz aussuchen für ein

Siedlerlager. Dort soll dann ein Lagerhaus gebaut und eine Pflanzung angelegt werden. Die Trinkwasseruntersuchung war uns auch sehr wichtig. Dort wo wir das Siedlerlager einrichten wollen, ist eine Quelle. Dort soll sich jetzt eine Gruppe Siedlerfamilien niederlassen.

Wir fuhren von Pirisal — Eisenbahn Kilometer 77 — mit einem Auto. Auf der Hinreise blieben wir etliche Male stecken. Während unserer Rückfahrt gingen schwere Regen nieder. Wir sind dann oftmals stecken geblieben. Haben schwer gearbeitet, das Auto dann wieder auf festeren Boden zu schieben.

Wir sahen etliche Rehe, etliche Strausse, und auch Rebhühner, die vor uns aus dem hohen Grase aufschwirrten. Diese sind hier aber kleiner als wir sie von Kanada kennen. Auch Enten und Wildtauben sahen wir. Von den Tauben schossen wir noch und bereiteten uns einen schmackhaften Braten. Auch einem Fuchs begegneten wir. Das ist auch alles, was wir von Wild gesehen haben.

Ich habe mir noch kein Jagdgewehr angeschafft. Wenn wir jetzt mit unsern Familien in die Wildnis ziehen werden, will Herr Engen mir seine Schrotflinte mitgeben . . .

Ehe die ersten Siedlerfamilien in die Wildnis zogen, fuhr Engen noch einmal in Begleitung etlicher Mennoniten bis zum Siedlungsgebiet. Dieses waren Johann F. Wiebe, Heinrich N. Bergen, Jakob J. Neufeld — Bergen und Neufeld waren von den Bergthalern — ; da waren noch etliche Mennoniten mehr, deren Namen aber nicht bekannt sind. Engen führte noch einen ''Koch'' mit sich, einen Negerjungen, namens ''Viktor''.

Von Pirisal reisten sie wieder in dem kleinen Camion, einem Chevrolet. Sie hatten ausser den Männern Lebensmittel geladen und auch etliche Ersatzräder für den Camion. In Hoffnungsfeld luden sie die Lebensmittel ab, und auch der Negerjunge blieb da zurück. Es war am Morgen. Sie wollten noch weiter in den Westen fahren und zum Abend oder wenigstens für die Nacht wieder zurückkommen bis Hoffnungsfeld. Der Koch sollte eine gute Mahlzeit vorbereiten, denn sie würden Hunger haben bei ihrer Rückkehr. Auf den Negerjungen war Verlass. Er bereitete eine gute Mahlzeit vor, aber gegessen wurde sie dann erst am nächsten Tag um den Abend, denn eher kehrten die aus dem Westen nicht zurück. Engen war schon überall mehr als einmal gewesen, aber mit dem Auto durch die unwegsame Wildnis zu rattern, war alles andere als eine rasche Erledigung der Landschaftsbesichtigung. Die Gummireifen der Autoräder hatten sich nicht vertragen mit den vielen Stacheln, über die sie oftmals hinweggerumpelt waren. Als sie kein Ersatzrad mehr zum Auswechseln hatten, mussten sie sich ans Flicken der Schläuche machen. Sie waren bis Kilometer 216 gewesen. Nach der 24 stündigen ''Fastenzeit'' — denn eine Mahlzeit hatten sie inzwischen nicht eingenommen — machten sie sich dann mit einem gesegneten Appetit an die Abendmahlzeit, die sich auf 24 Stunden verschoben hatte.

Die Aufgabe dieser zweiten Besichtigungsreise war, ausser dem Ort "Kilometer 165" (später "Pozo Azul" genannt) als Siedlerlager, nach mehr Plätzen für die Errichtung von Siedlerlagern auszuschauen.

Pozo Azul wird zum Siedlungsstützpunkt ersehen

In gemeinsamer Beratung aller drei Gruppen (Chortitzer, Sommerfelder u. Bergthaler — in Pto. Casado) wurde dann beschlossen, den Ort "Kilometer 165" als Stützpunkt für den Einzug noch weiter in die Wildnis anzulegen, dort ein Lagerhaus zu bauen und Versuchsfelder für paraguayische Kulturen zu bestellen.

Man stellte alsdann eine Gruppe von 6 Familien zusammen, die als erste Siedlergruppe in die grosse Wildnis vorstossen sollte. Es waren die Familien Johann G. Klippenstein, Johann H. Harder, Peter R. Doerksen, Peter K. Hiebert, Cornelius T. Doerksen — alle aus der Chortitzer Gruppe, und die Familie Abram F. Wiebe aus der Sommerfelder Gruppe. Die 6 Familien zählten 31 Personen. Weiter zogen mit ihnen noch 4 Familienväter: Gerhard T. Klassen, Gerhard D. Klassen, Bernhard G. Klippenstein und Aaron Heinrichs; und dann noch 8 unverheiratete junge Männer. So waren es im ganzen 43 Personen von den Mennoniten.

Sie brachen am 12. Februar (1927) in Pto. Casado auf nach Pirisal. Hier am Ende des Schienenstrangs stand eine Karawanenausrüstung für den Vorstoss in die geheimnisumwitterte Buschwildnis bereit. Die Siedlungsgesellschaft hatte von der Casadogesellschaft eine entsprechende Anzahl hochrädriger Karretten und hohe Federwagen mit Ochsenbespannung und entsprechender Besatzung gemietet. Die Wildniskarawane wurde von Casados Arbeitern bedient, Männer, die sich in dem Labyrinth der Buschwildnis schon auskannten. Der Karawanenführer war ein Deutschparaguayer namens Siebert. Fred Engen war um diese Zeit nach Asunción gereist, und konnte daher diesen ersten Zug von Siedlerfamilien in die grosse Wildnis nicht mitmachen.

Bei Einbruch der Nacht des ersten Reisetages kam dieser Siedlerzug an den Ort, den man "Laguna Barranca" nannte, wo paraguayisches Militär stationiert war. Hier richteten sich die Wildniseroberer für die Nachtrast ein.

Mit der Morgendämmerung waren dann wieder alle auf den Beinen. Die Paraguayer hatten schon am flackernden Feuer ihren unentbehrlichen Mate cocido getrunken und bemühten sich dann, die Karawane fortbewegungsfähig zu machen; sie hatten 8 Fahrzeuge zu bespannen. Bald erschien der Offizier des Militärlagers, das in der Nähe war, und liess sich von Herrn Siebert über die Einzelheiten dieses merkwürdigen Zuges in die unwirtliche Wildnis unterrichten. Es zogen schon immer wieder Männer in diese berüchtigte Gegend —

aber jetzt waren auch noch Frauen und Kinder dabei. Der Karawanen-führer hatte keine Hemmungen, alles zu erklären, denn was diese Leute, diese "immigrantes canadienses" wollten, musste ja als Plus für Paraguay gebucht werden, weil es den Anspruch Paraguays auf Besitzrecht oder Hoheitsrecht dieses Gebietes, was Bolivien in Abrede stellte, nur noch mehr sanktionierte. Aber — so fragte der Offizier weiter — führen diese Wildniseroberer dann auch Waffen mit sich, denn sie müssten damit rechnen, dass Indianer Überfälle verüben würden. Herr Siebert sagte ihm, die hätten höchstens ein paar Jagd-flinten bei sich. Was sie denn anfangen wollten, wenn sie überfallen würden, erkundigte sich der Offizier weiter. Herr Siebert übersetzte den Mennoniten wieder die Frage. Einer der mennonitischen Männer, Gerh. T. Klassen, der am Rande der Gruppe stand und mithörte, murmelte etwas vor sich hin. Die in seiner Nähe Stehenden lachten. Was der Mann gesagt hätte, wollte der Offizier wissen. Siebert erkun-digte sich und übersetzte es dem Offizier. Der lachte dann auch, machte eine Handbewegung und sagte, sie sollten fahren, er wünsche ihnen Glück und Erfolg in ihrem Unternehmen. Der Mennonit hatte gesagt, sie würden Stöcke nehmen, wenn es darauf ankäme.

Vielbenutzte Rastplätze bei dem Einzug in die Wildnis des mitt-leren Chaco damals von Pirisal (Ende der Eisenbahn auf km 77) bis Pozo Azul waren bekannt unter folgenden Namen: Laguna Castilla, Laguna Barranca, Cañaverales, Laguna Casado.

Anfang 1927 war das Militärlager am Ort von Laguna Barranca die am weitesten in den Westen des zentralen paraguayischen Chaco vorgeschobene Militärpatrouille. Am Pilcomayo entlang waren die paraguayischen Militärstationen schon früher. Ausgang 1927 gab es dann auch schon ein Militärlager in der Nähe der beginnenden Menno-Ansiedlung. Das Lager führte den Namen "Isla Poi". Von hier aus wurde dann auch sofort das Militärlager "Toledo" ángelegt. Es war etwa 30 km weiter in den Westen. So kam das paraguayische Militär gleichzeitig mit den mennonitischen Siedlern in den zentralen Chaco Paraguays.

Die erste Gruppe lässt sich bei Pozo Azul nieder

Die erste Gruppe der mennonitischen Siedlerfamilien, die in die grosse Chacowildnis vorstiess, erreichte dann am 17. Februar um 2 Uhr nachmittags den Ort, den man sich für die erste vorläufige Niederlassung ausersehen hatte. Man sprach damals von "Kilometer 165".

Die Familien suchten sich ihre Wohnplätze am Buschrand aus, säuberten die Plätze und schlugen ihre Zelten auf. Dann richteten sie sich ihre "Kochherde" ein, die trotz ihrer Einfachheit gut funk-tionierten. Man hob schmale Erdrinnen aus und legte Herdplatten, aus Kanada mitgebracht, über die Rinne und kochte wie auf einem fertigen Ofen. Auch die anderen, die mit diesen Familien gekommen waren, richteten sich möglichst wohnlich ein für die Zeit von etwa 2 Wochen, wie ihr Arbeitsprogramm vorsah.

Herr Siebert und seine paraguayischen Begleiter zogen, nachdem sie die Ladungen gelöscht hatten, einen halben Kilometer zurück den Weg entlang, den man gekommen war, und liessen sich da nieder. Ein Teil von ihnen fuhr sobald wieder zurück nach Pirisal. Sie brachten dann bald wieder neue Siedlerfamilien.

Herr Siebert mit noch etlichen Paraguayern bauten Wohnhütten und Korrale und stellten Zäune her. Nicht weit von hier sollte nach und nach eine neue Estancia eingerichtet werden. Immer wieder wurde ein Rind geschlachtet, für die Paraguayer und aber auch für die Mennoniten.

Herr Siebert und etliche Arbeiter der Casadogesellschaft blieben in der Nähe des Mennonitenlagers. Es war eine Anordnung der Casado- und auch der Siedlungsgesellschaft. Die Siedlerfamilien sollten sich nicht alleine überlassen sein. Herr Siebert war verantwortlich für das Wohlergehen dieser Wildniskolonisatoren.

Bald bricht der Abend des 17. Februar herein. Die Tropennacht senkt sich über die eigenartig schweigende Wildnis, abgesehen von einer naturreinen Regsamkeit der Wildniskreatur. Der Himmel taucht sich in Tiefdunkel, geschmückt von den flimmernden Sternen. Der Buschwald verwandelt sich in schwarze Umrisse. Eine angenehme Abendluft streicht über die weltvergessene Gegend, erfrischt und belebt die reisemüden Siedlerpilger, strapaziert und erschöpft von der tropischen Hitze der Februarsonne. Jetzt melden sich in besonderer Aufdringlichkeit die lästigen Mücken, als wollen sie ihren Tribut haben vom Blut der weissen Eindringlinge, die sich hier ihr Besitzrecht suchen. Die lästigen Biester vermögen sich aber nicht zu behaupten gegen den sich ausbreitenden penetranten Rauch der Palosanto- feuerchen, die am zackigen Buschsaum flackern und die Lagerstätten und deren nächste Umgebung in ein gemütliches, angenehmes Licht tauchen.

Die wildnishafte Stille der nächtlichen Natur wird ab und zu unterbrochen vom hysterischen Gegacker der Buschhühner, der Charata. Tief aus dem nachtverschlungenen, geheimnisumwitterten Wald erschallt der klagende Ruf des Urutau. Die Siedler, noch nicht bekannt mit den Kreaturen dieser Wildnis, sagten sich, das müsste eine Affenart sein.

Ein naturerregtes und kreaturbewegtes Treiben spielt sich indessen bei der Laguna ab, in deren Nähe sich die Wildnisbezwinger niedergelassen haben. Die bogenförmige Lagune, die etliche hundert Meter lang war, bildete den Abschluss einer Niederung, die sich neben einer Lichtung, die von Buschzungen zergliedert war, zu einer schmalen Lagune vertiefte. Die allmählich abfallenden Ufer waren von Waldgalerien gesäumt und die Böschung bis ins Wasser hinein strotzte von Schilfrohr und hohem Riedgras; die Wasseroberfläche bedeckt von schwimmenden Wasserpflanzen. Hier tummelte sich eine belebte Natur. Die Riesenralle rief mit ihrem ''Karau-karau'' in den rauschenden Lärm der Frösche und Kröten hinein. Mittenhinein mischte sich dann immer wieder der lachähnliche Ruf des Blätterhühnchen. Unzählige Leuchtkäfer trieben ihr lautloses Gaukelspiel. Und dass da auch noch eine Riesenschlange, eine Anakonda, in dem Rohrdickicht wohnte, und sich ab und zu schreckhaftanmutig der Öffentlichkeit zeigte, wussten die Lagerbewohner zunächst überhaupt nicht, aber sie wurden bald bekannt mit dem gruseligen Wasserdrachen. Sicherlich trug die Gegenwart der Wasserschlange noch dazu bei, dass es leichter war von einem Bad in der Lagune mit ihrem sehr angenehmen kühlen Wasser abzustehen; denn die Lagerinsassen hatten beschlossen, hier nicht zu baden, man wollte das Wasser möglichst rein erhalten für den Gebrauch im Haushalt. Es war gutes Trinkwasser, und bei heissen Tagen immer noch wohlschmeckend kühl unter der hitzeabschirmenden Schicht des Wasserpflanzenwuchses.

Dieser Abend verstrich unter regen Gesprächen, Unterhaltungen und Äusserungen über diese für die nordländischen Siedlerpilger unheimliche Wildnis; und was man am nächsten Tage machen und wie man es machen würde.

Allmählich verstummte diese erste ''Wirtschaftsberatung'' tief im Herzen des zentralen Chaco Paraguay's. Das begonnene und geradezu waghalsige kolonisatorische Unterwinden in der verrufenen ''grünen Hölle'', wurde fortgesetzt und kam auch nicht mehr zum Stillstand, trotz der unzähligen und unvorstellbaren Schwierigkeiten, die diesem wirtschaftlich erobernden Einzug in die zivilisationsferne Wildnis den Weg verbauen wollten.

Schon am frühen Morgen des 18. Februars, einem Freitag, schritten die Wildnispilger an die Arbeit. Eine Gruppe ging an das Herstellen von Lehmziegeln, andere suchten den Wald ab nach passenden Bäumen, deren Stämme geeignet wären für die Errichtung eines Baues. Es sollte ein Lagerhaus gebaut werden. Es wurden Bäume gefällt und die Stämme zurechtgesägt. Dann sollte ein ''besielter'' Ochse, der bis dahin das Ziehen nur in der Jocheinspannung kannte, die Stämme aus dem Busch zur Baustelle schleppen. Aber dem Ochsen war das so fremd, er wusste einfach nichts mit seinem Siel anzufangen. So gaben die Männer auf und holten sich ein Maultier und dann ging es. Den Ochsen wie auch das Maultier stellte ihnen Herr Siebert zur Verfügung. Die Mennoniten gaben den Ochsen in Verbindung mit dem Siel aber noch gar nicht auf. Sie spannten ihn dann vor eine "Schleppe" (Schlitten), womit sie Ziegeln vom Herstellungsplatz zum Bauplatz befördern wollten. Auf freiem Gelände konnte man mehr anfangen als im dichten Busch. Als der Ochse dann endlich mal begriffen hatte, was diese deutschen Menschen von ihm haben wollten, schleppte er gemütlich alle Ziegeln zum Bauort, die man dort brauchte.

Für das Dach hatten sie Wellblechtafeln mitgebracht. Die Pfeiler, auf welchen der Dachstuhl ruhte, bestanden aus Rundholz (Baumstämmen) und so auch der Dachstuhl, alles aus Rundholz, wie man es in geradlinigster Form im Walde gefunden hatte. Draht und Nägel hatte man auch mitgebracht. Das Lagerhaus enthielt etwa 12 × 12 Meter mit mannshoher Seitenhöhe und in der Mitte etwa 4 Meter hoch, ohne Fenster, mit nur einer Tür.

Nach der Fertigstellung des "Gemeindespeichers", wie sie den Bau nannten, fuhren die 12 mit den Siedlerfamilien mitgekommenen mennonitischen Begleiter und Arbeiter wieder zurück nach Puerto Casado.

Mehr Siedlerfamilien kommen

Inzwischen waren noch wieder 3 Familien angekommen und bis Ende Juni waren 28 Familien an dem Ort Kilometer 165, der von Engen zunächst "Pozo Asunción" und dann aber sobald "Pozo Azul" benannt wurde; Pozo Azul, blauer Brunnen oder auch blaue Quelle. Engen vermutete hier eine Quelle. Und wer konnte behaupten, dass hier nicht eine Quelle sei? Niemand! Denn das Innere dieser grossen Wildnis war ja bis dahin absolut unerforscht, war eine unbekannte Buschwüste. Und wenn Engen die Indianer fragte, ob hier **immer** Wasser sei, so bejahten sie seine Frage; das ist ja ihre Eigenart, Fragen zufriedenstellend zu beantworten. Und Engen war ihr grosser Freund. Engen war seit 1921 schon mehrere Male hier gewesen, und immer war die Laguna bis an den Rand von frischem Wasser angefüllt. Die mennonitischen Siedler wolltens dann auch gerne so haben, wie Engen und die Indios sagten, und berichteten nach Kanada, im Chaco gebe es Quellwasser. Dann aber Ausgang des (Chaco) Winters (1927), als der Regen längere Zeit über Pozo Azul, der blauen Quelle, ausgeblieben war und immer wieder heisse Nordstürme über die Gegend strichen, senkte sich der Wasserspiegel der "blauen Quelle" so sehr, dass die Bewohner des Wildnislagers besorgt wurden des Wassers wegen. Sie machten sich beizeiten auf und suchten durch Bohrungen nach Trinkwasser im Boden und fanden auch gutes Grundwasser. Als dann wieder die Regen einsetzten, war die Laguna bald wieder voll Wasser. Die Sache des Vorhandenseins von Quellen im Chaco war dann ein für allemal abgeschlossen.

Es folgen hier einige Auszüge aus einem Brief, über den Einzug in die Chacowildnis Anfang des (Chaco) Winters 1927, der aus Pozo Azul nach Kanada geschrieben wurde:

> . . . Am 4. Mai (1927) fuhren wir von Pto. Casado los nach Pozo Azul. Zuerst etwa 60 Kilometer mit der Eisenbahn und dann noch über 100 Kilometer mit ochsenbespannten Fahrzeugen. Als wir eine Tagereise hinter uns hatten, gingen schwere Regen nieder. Unsere Karawane stand dann einen Tag. Am 3. Tag strebten wir wieder westwärts. Wir hatten einen von unsern nordamerikanischen Wagen dabei. Im tiefen Wasser ging unser Wagen einigemale unter. Die anderen Fahrzeuge, 13 Karretten und Federwagen, alle mit hohen Rädern, waren für solchen Weg besser als unser Wagen. Jedes Fuhrwerk wurde von 2 Paar Ochsen gezogen. Man hatte 92 Ochsen eingespannt und 108 Ochsen wurden noch nebenher getrieben, was dann von Reitern getan wurde. Der Weg wurde zuweilen so schwierig, dass die Paraguayer, die unsere Führer und Fahrer waren, bis zu 8 Paar Ochsen vor einen Karren oder Wagen spannten, um durchzukommen. In dem tiefen Wasser gingen die Ochsen fast unter. Schliesslich kamen wir dann bis Pozo Azul.

Hoher Besuch in Pozo Azul

Vom 20. bis zum 21. Juni hatten die Bewohner des Siedlerlagers in der Wildnis an der ''blauen Quelle'' hohen Besuch. General McRoberts, der Chef der nordamerikanischen Siedlungsgesellschaft, Intercontinental Company, die die Verantwortung hatte für das Siedlungswerk dieser kanadischen Mennoniten im Chaco, war selbst nach Paraguay gekommen. Er war im Jahre 1920 etliche Tage in Asunción gewesen der mennonitischen Chacokolonisation wegen — und jetzt waren die Siedler da und die Lage war sehr kritisch. Er wollte die Lage selbst untersuchen, vor allem war ihm die Eisenbahn wichtig; es machte ihm grosse Sorgen, dass sie nicht gebaut wurde, wie man doch ganz bestimmt gerechnet hatte, dass sie gebaut würde. Er wollte auch selbst die Gegend sehen, die man ausersehen hatte für die Ansiedler, ob auch wirklich eine Möglichkeit für Ackerbausiedlung bestünde; denn es wurden um diese Zeit schon Nachrichten verbreitet, die den Chaco für untauglich erklärten. Am meisten aber war es das Problem des Eisenbahnbaues, das ihn beunruhigte.

Mr. Alfred A. Rogers, ein Vertrauter und auch der wichtigste Mitarbeiter des McRoberts, war vor etwa einem Monat nach Paraguay gekommen, um der sich festgefahrenen Siedlungssache nachzuhelfen. Es war eigentlich die Aufgabe Engens gewesen, doch diesem lagen die Dinge des Organisierens nicht, er hatte darin versagt. Rogers war auch noch nicht im Chaco gewesen. So begleitete er seinen Chef in die Wildnis. Auch Dr. Eusebio Ayala hatte sich dieser Blitzexpedition angeschlossen. Dr. Ayala war einer der ersten Paraguayer, der die mennonitische Einwanderung befürwortet hatte — zusammen mit Dr. M. Gondra. Dr. Ayala war jetzt enger Mitarbeiter im Verwaltungsstab der Siedlungsgesellschaft, Mitglied der Corporación

Paraguaya, wie die Siedlungsgesellschaft in Paraguay hiess, und gesetzlich anerkannt war. Auch Dr. Ayala hatte den Chaco noch keinmal gesehen. Führer dieser kleinen Expedition war selbstredend wieder Mr. Fred Engen, der den Weg in die riesige Buschwildnis schon einigermassen kannte, denn er war schon wiederholt in das weite Innere gereist; Indianer brauchte er nicht zu fürchten, die jubelten ihm zu, wo immer er auch auftauchte.

Es ist nicht bekannt, wie die hohen Herren bis Pozo Azul kamen. Engen war in Pozo Azul und nahm die hohen Chacogäste hier in Empfang. Von Pozo Azul nahm Engen die drei (McRoberts, Rogers und Ayala) in einem kleinen Camion und dann ratterten sie weiter in den "wilden Westen".

Einen Tag vor der Ankunft der Besucher in Pozo Azul, hatte Engen zwei Männer von den Mennoniten mit einem Ochsenfuhrwerk losgeschickt, beladen mit Lebensmitteln und mit Zelten. Sie sollten zunächst bis Palo Blanco fahren, einem Ort in der Gegend des heutigen Gnadenfeld, und dort die Zelte aufschlagen und eine Mahlzeit bereiten. Die beiden Männer waren Heinrich B. Harder und Cornelius Töws (der 1928 in Strassberg ansiedelte). Sie hatten die Arbeit mit dem Zelteaufbau und der Vorbereitung einer Mahlzeit noch nur gerade verrichtet, als sie in der Ferne das Surren des Camions hörten. Bald waren sie dann da. Harder und Töws spannten ihre Ochsen sofort wieder vor den Wagen, luden einige der Sachen auf, und begaben sich auf den Weg nach Kilometer 216. Während sie den Sandrücken von "Loma Plata" entlangfuhren, wurden sie von dem Camion überholt.

Auf Kilometer 216 angekommen, bereiteten die Männer Töws und Harder wieder eine Mahlzeit. Bald kam der Camion mit den vier Herren dann zurück bis zum Rastplatz. Sie waren bis ins Gebiet des heutigen Fernheim gefahren. Nach einer kurzen Rast brachen dann alle wieder auf und fuhren zurück nach Pozo Azul. Als Harder und Töws dort ankamen, waren die Herren Besucher schon abgereist nach Pirisal.

In Pozo Azul hatte man noch die Bewohner des Lagers zusammengerufen, und General McRoberts hatte zu den Wildniseroberern gesprochen, hatte ihnen gesagt, er hätte sehr gute Eindrücke mitbekommen von dem Siedlungsgebiet, und hatte ihnen Mut zugesprochen, durchzuhalten, und ihnen versichert, sie stünden als Siedlungsgesellschaft hinter dem Werk, und würden alles Mögliche dransetzen, dass die Ansiedlung zustande käme. Seine grösste Besorgnis sei die Eisenbahn, aber auch hierin wollten sie ihr bestes versuchen, ob der Bau nicht doch zu beschleunigen sei. Da die Zeit des Einzuges in die Wildnis aber gekommen sei, müsste man die Strecke, für die die Eisenbahn schon da sein sollte, eben ohne Eisenbahn zurücklegen. Und man wisse sehr gut — führte McRoberts aus — wie schwierig der Transport unter den schlechten Wegbedingungen sei. Weil er aber jetzt bewältigt werden müsste, werde die Siedlungsgesellschaft den Siedlern einen Raupenschlepper schenken.

Auch in Puerto Casado sprach McRoberts zu den Mennoniten, um sie zum Durchhalten zu ermutigen.

Auf dem Rückwege nach Nordamerika kaufte McRoberts in Buenos Aires einen "Holt"-Traktor mit Anhänger. Die gesamten Unkosten, Einkauf und Verfrachtung, beliefen sich auf etwa 12.000,– Dollar. Es war ein wertvolles Geschenk für die Siedler. Auch der Anhänger lief auf Raupenschlepperrädern mit einer Ladungskapazität von 10 Tonnen. Im August kam die Transportmaschine an und wurde ab Pirisal in den Dienst gestellt. Der Siedler David A. Braun übernahm die Führung. Die Unterhaltungskosten waren Sache der Siedler.

McRoberts Besuch bedeutete für die schwergeprüften Siedlerpilger wirklich eine Ermutigung, und so auch der Einsatz des Mr. Rogers, der dann 7 Monate bei den Mennoniten in Paraguay blieb, manches Mal wochenlang im Chaco verweilte, und Freude und Leid mit den Wildniseroberern teilte.

Fünf weitere Siedlungslager

Nachdem McRoberts wieder nach Nordamerika zurückgekehrt war und Rogers sich in Puerto Casado um die Auflockerung der sich festgefahrenen Siedlungssache bemühte, konnte alsdann eine Landuntersuchungskommission zusammengestellt werden, die aus 4 Mitgliedern von jeder Gruppe (Chortitzer, Sommerfelder, Bergthaler), also aus 12 Beauftragten bestand. Diese Kommission sollte das Gebiet, das die mennonitischen Landsucher von 1921 sich tief im Chaco ausersehen hatten, noch einmal wieder untersuchen und ihr Gutachten dafür geben. So stand es auch beschrieben im Handelsvertrag zwischen den Siedlern und der Siedlungsgesellschaft. Diese Kommission, die etwa 6 Wochen im Innern weilte, entschied sich dann auch für das Gebiet, das die Delegation von 1921 sich aversehen hatte.

Nach diesen Ereignissen — Besuch des McRoberts und der Landuntersuchung brachen dann viele Leute in Pto. Casado auf und zogen in die Wildnis. Es war ein "Transportkomitee" gegründet worden, das den Einzug in die weite Wildnis zu überwachen hatte, damit alles in guter Ordnung und auch in überlegter Weise vor sich ging. Es war keine Kleinigkeit, mit den Familien in die weite unwegsame Buschwildnis zu ziehen — einmal schon des beschwerlichen Weges wegen durch die grosse Gras- und Buschwüste, und dann nach so einer anstrengenden Reise mit den Ochsenfuhrwerken sich mitten in der Urwildnis niederzulassen, abgeschnitten von der zivilisierten Welt.

So entstanden jetzt 5 weitere Siedlerlager im Innern der Wildnis, ein Lager noch vor Pozo Azul, die andern vier noch viele Kilometer weiter in den wilden Westen hinein. Seit dem Anlegen des ersten Lagers, war jetzt schon ein halbes Jahr verstrichen. Das Zustandekommen weiterer Siedlerlager war verhindert worden durch die Unsicherheit in der Grenzbestimmung; wenigstens den Siedlern war sie zu unsicher. Der persönliche Einsatz der Kolonisationschefs McRoberts und Rogers flösste den geplagten Siedlern dann wieder mehr Mut ein, und viele liessen sich bewegen, in die sicherlich nicht sehr einladende Urwildnis einzuziehen, und sich in der Nähe des "verheissenen" Landes niederzulassen.

Zu einem grossen Teil schlossen sich die Siedler zu Lagergruppen zusammen. Die Leute schickten dann Männer in die Wildnis, einen Lagerort für ihre Gruppe auszusuchen.

Die Lager Hoffnungsfeld und Loma Plata wurden fast zu gleicher Zeit angelegt. In diesen Lagern liessen sich Chortitzer und Sommerfelder nieder. Bergthaler schlugen ihre Zelte in Palo Blanco auf. Der Anfang solcher Einzugbewegung war Ausgang des Monats August. Das Siedlerlager bei Laguna Casado, wo sich etwa ein halbes Dutzend Familien niedergelassen hatten, wurde noch Weihnachten wieder aufgelöst. Am weitesten in den Westen zogen vier Familien, die das Lager "Kilometer 216" anlegten, und dort auch blieben, bis die Dörfer angelegt werden konnten.

Im Siedlerlager Loma Plata kamen am 18. August, einem Donnerstag, um die Mittagszeit die ersten Familien an. Es waren 3 Familien: der Prediger (u. Witwer) Johann W. Sawatzky mit seinen Töchtern, sein Sohn Peter P. Sawatzky mit seiner Frau und der Schwiegersohn Gerh. T. Klassen mit Frau und Kind. Nach etwa einer Woche kamen weitere Siedlerfamilien an. Loma Plata wurde das grösste Siedlerlager am Wege zur Siedlung.

Der Tod des Ältesten Aaron Zacharias

Im September liessen sich 11 Familien der Bergthal-Gruppe in Palo Blanco nieder. Unter diesen war auch der Gemeindeälteste Aaron Zacharias mit seiner Familie.

Engen hatte eigentlich abgeraten von einer Niederlassung in Palo Blanco, wo es ihm mit dem Trinkwasser nicht sicher genug war. Und wirklich gerieten die 11 Familien sobald in Trinkwassernot. Das Wasser des Brunnens, der vor einiger Zeit gemacht worden war, verschlechterte sich von Tag zu Tag, und ein in der Nähe vorhandener Wassertümpel verschlammte.

Die Fuhrwerke, die die 11 Familien mit etwa 60 Personen an den Ort gebracht hatten, waren sofort wieder umgekehrt. Man hatte kein Fahrzeug im Lager. Ein tagelang anhaltender heisser Nordsturm fegte über die öde Gegend, den letzten Tropfen Feuchtigkeit des Bodens auszupfend. Die Menschen wie auch die gesamte Natur, lechzten nach dem erquickenden, belebenden Element Wasser. Engen schickte seinen Camion mit einem Fass Wasser hin. Aber es reichte nicht weit. Die Männer des Lagers suchten schon ganz besorgt nach Süsswasserstellen, indem sie mit einem Bohrgerät in den Boden vordrangen und die Beschaffenheit des vorhandenen Wassers feststellten. Sie fanden eine Süsswasserstelle. Emsig wurden dann gegraben unter ständiger Abwechslung der Arbeiter, damit es ununterbrochen weiterginge. Es war Abend geworden, als man bis zum Wasser gelangt war. Bald konnte Wasser geschöpft werden, und alle durften ihren quälenden Durst stillen. Bevor sie sich zur Nachtruhe begaben, versammelten sich gross und klein, um noch gemeinsam ihren Dank, den sie dem lieben Gott gegenüber empfanden, zum Ausdruck zu bringen. Der Älteste Zacharias sprach einige Worte des Dankes für die wunderbare Wasserversorgung, und gemeinsam sangen sie einige Danklieder.

Etliche Wochen später erkrankte der Älteste Zacharias und starb am 10. Oktober, im Alter von 56 Jahren.

Es war ein heisser Tag. In der Natur herrschte trostlose Dürre. Alles wartete auf Regen. Der sterbende Mann, Führer der Gruppe, schloss in seinem letzten Gebet auch noch die innige Bitte um Regen ein, und dass der Herr doch seine schützende Hand über die Siedler in der Wildnis ausbreiten möchte. Mit dieser Bitte auf den Lippen verschied er. Während man die Leiche aufbahrte, zog sich ein Gewitter zusammen und entlud sich auch über Palo Blanco, und ein erfrischender Regen ergoss sich über die ausgedörrte Natur. Obwohl er einen erfreuenden Zug durch die Natur brachte, konnte er die Trauer um den lieben Heimgegangenen doch nicht mildern. Der Tod hatte eine tiefe Lücke verursacht, nicht nur in der Familie, sondern auch in der Gruppe, deren Stütze und Führer der Älteste gewesen war.

Lagerleben

In den 4 grösseren Lagern wurden die schulpflichtigen Kinder unterrichtet. Man errichtete ein Gestell aus dünnen Baumstämmen und befestigte Wellblechtafeln darüber, so weit es ging, unter einem schattenspenden Baum, damit das Blechdach nicht so erhitzte. Die Lehrer waren: Abram B. Toews in Pozo Azul, Klaas Harder in Hoffnungsfeld, Johann R. Funk in Palo Blanco, Bernhard R. Funk in Loma Plata.

Die Einwohnerzahl der Siedlerlager wechselte ständig. Im Allgemeinen sah es so aus: Loma Plata hatte etwa 60 Familien, Pozo Azul und Hoffnungsfeld je etwa 30 und Palo Blanco etwa 20.

Die Ortschaften Loma Plata und Kilometer 216 hatten viel gutes Wasser. In Hoffnungsfeld fand man nach längerem Suchen auch noch eine Stelle mit gutem Wasser. Der Brunnen der viel Wasser hatte, erhielt den Namen "Jakobsbrunnen", der dann auch noch später bei den "Bahnreisen", wie man es nannte, nämlich auf den Reisen zur Eisenbahn, grosse Dienste geleistet hat. Sein Wasservorrat ging nicht zur Neige.

Der schwere Durchfall, der im Siedlerlager von Puerto Casado so viele Kinder hinraffte, blieb in den Lagern im Innern aus, nicht aber der schwere Typhus. Den Typhuserreger, den sie auch meinten hinter sich gelassen zu haben, hatten sie doch mitgenommen. Die schwere Krankheit brach dann auch bald in den Lagern aus — und viele starben. In Pozo Azul starb auch der Prediger Jakob A. Bergen, der dort mit seiner Familie wohnte. Er tat seelsorgerliche Dienste an Kranken und Sterbenden und sprach tröstende Worte auf 15 Begräbnissen — und dann starb auch er.

In allen Siedlerlagern im Innern des Chaco wurde emsig gearbeitet. Das war schon ein sich positiv auswirkender Unterschied zum Lagerleben in Puerto Casado, wo man kaum eine Arbeit verrichtet hatte. Die Bodenbeschaffenheit am Fluss war auch überaus ungeeignet für das Anlegen von Pflanzungen. Er war viel zu hart. Man hätte zur Bearbeitung entsprechende Landgeräte einsetzen müssen, dann hätte man vielleicht etwas anfangen können. Ganz anders war es tief im Chaco. Dort liess der Boden sich leicht bearbeiten. — Und das wurde dann auch reichlich ausgentuzt; solches war dem Siedlungswerk auch zum Segen. — In Puerto Casado dagegen wurden in der Hitze verschiedene "Ideen" ausgebrütet, die der Sache der Chacokolonisation wirklich nicht zuträglich waren.

Der Verkehr zwischen Puerto Casado und den Wildnislagern war ständig in Bewegung. Vom Hafenstädtchen Casado bis Pirisal, der Endstation der Eisenbahn war zweimal in der Woche Zugverkehr. Von der Eisenbahnstation gings dann in ochsenbedingter Langsamkeit weiter. In der Regenzeit war es dann ein unsäglich schwerer, strapaziöser Weg.

Die Nachrichten von Pto. Casado nach den Siedlerlagern in der Wildnis, und umgekehrt, aus der Wildnis nach Pto. Casado, waren langsamer Beförderung unterworfen, und kamen dann oftmals auch in veränderter Gestalt an. Die Leute in den Wildnislagern erhielten nicht so viel entstellte Nachrichten aus Puerto Casado, wie die Leute im Siedlerlager von Pto. Casado sie aus der Wildnis in Umlauf brachten. Warum war das so? Im Siedlerlager von Pto. Casado waren viele, die sich vor dem Einzug in die Wildnis fürchteten, und sowieso keinen Gefallen mehr hatten an dem Siedlungswerk, und sie sahen dann alles durch die dunkle Brille. Sie mussten ja dann auch eine begründete Rechtfertigung für ihre Einstellung, ihr Aufgeben, an den Tag legen. Man hatte auch sonst nichts zu tun, als sich mit seinen pessimistischen Gedanken zu beschäftigen.

Versuche mit verschiedenen Ackerkulturen

Für die Leute in den Wildnislagern lagen die Dinge etwas anders. Einmal hatten sie eine Beschäftigung; sie machten verschiedene Versuche mit verschiedenen Kulturen. Sie pflanzten Erdnüsse, Bohnen, Süsskartoffeln, Mandioka — und sie ernteten und hatten mehr Abwechslung für ihren Küchenzettel. Auffallend gut waren die Wassermelonen, die sie auch aus Kanada kannten, aber nicht in solcher hervorragenden Qualität. Aber sie hatten gar nicht immer Erfolg, und mit etlichen Versuchen überhaupt nicht Erfolg; und das waren die kanadischen Getreidearten, die nicht entsprechend gedeihen wollten. Was die Wildnisbewohner aber sehr positiv beeindruckte, war die Bodenbeschaffenheit, die sich bei günstigen Witterungsverhältnissen als überaus fruchtbar erwies. Man merkte aber auch die ungünstigen Zustände, wenn zum Beispiel der Regen zu lange ausblieb, und heisse Nordwinde über die Gegend strichen. Die grossen Bäume auf den provisorischen Ackerfeldern liess man stehen und zog die Pflanzenreihen aber unter sie hindurch. Die Pflanzen aber unter den Bäumen wollten nicht gedeihen. Und in Wirklichkeit erwartete es auch keiner. In Pto. Casado aber erzählte man sich die Sache so: die Pflanzen wollen im Chaco nicht gedeihen, es sei eben zu heiss; nicht 'mal im Schatten wüchse das Gepflanzte. Und das wurde dann auch sofort nach dem Norden berichtet, und dort erschien es dann in Zeitschriften in einer verstärkteren Form. — Als die Siedler von Kilometer 216 kurz nach Neujahr 1928 ein Erlebnis mit den Indianern hatten und für eine Nacht das Lager verliessen, kam diese Nachricht auch nach Puerto Casado! Aber dort wurde sie schon ganz anders berichtet, es wäre nämlich schon ein Überfall verübt worden. Auch dieses wurde sofort nach Kanada berichtet — und Zeitschriften Nordamerikas brachten dann unter Überschriften mit grossen Buchstaben, wie die Mennoniten im paraguayischen Chaco von Indianern und Bolivianern überfallen würden und dann flüchten müssten; die mennonitischen Siedler hätten ein elendes Dasein in der Wildnis und so gab es noch vieles mehr.[1]

So brachten die Leute im Siedlerlager von Pto. Casado so manches durcheinander. Nicht dass alle daran teilnahmen, nicht alle waren so mutlos, aber die andern waren dann so laut, dass die Stimmen der Bedächtigen nicht zu hören waren; die Unzufriedenen übertönten die Standhaften.

Die Versuchsfelder in Pozo Azul mit den tropischen Kulturen gediehen ausgezeichnet. Man nannte die Anlage einfach ''Gemeindegarten''. An den Versuchsanlagen hatten alle 3 Gemeindegruppen teil, Chortitzer, Sommerfelder, Bergthaler. Samen und Pflanzen wurden von der Siedlungsgesellschaft zur Verfügung gestellt, die Mennoniten umzäunten und bearbeiteten das Land, bestellten und

227

besorgten die verschiedenen Felder. Eine wirtschaftliche Organisation gab es noch nicht, solcherart Unternehmen zu betreiben; es wurde eben alles von der oder von den Gemeinden aus gefördert; daher sprach man auch vom "Gemeindegarten"

Die jungen Leute von Pozo Azul hatten hier eine gute Abwechslung. Jungs und Mädels taten sich dann zusammen, und die älteren Leute machten mit, und bauten den "Garten". Schwieriger war es ihn zu "bewahren". Der Weg in die Wildnis ging mitten durch das Siedlerlager und nahe an dem Versuchsfeld vorbei. Und diesen Weg zogen viele Leute. Auch war Pozo Azul sehr angenehm als Ort zum Ausruhen auf den beschwerlichen Reisen. Was den Verwaltern des Versuchsfeldes nicht angenehm war, war dass manche Durchreisende dann meinten, sie müssten sich auch so ohne weiteres die Früchte dort herausholen, als diese herangereift waren. Als dann in den letzten Tagen des Januar 1928 der Gemeindeälteste M. C. Friesen auch mit seiner Familie in Pozo Azul niederliess, um dort zu wohnen, wies man ihm ein Plätzchen an innerhalb der Umzäunung des Versuchsfeldes, in einer Ecke des "Gartens", unter schattenspendenden Bäumen seine Zelte aufzuschlagen. Wenn er auch nicht als "Wächter" der reifen Früchte des Feldes angestellt wurde (der eigentliche Wächter wohnte nebenan ausserhalb des umzäunten Feldes), so rechnete man doch mit einem dem Guten dienlichen Eindruck, den er mit seiner Anwesenheit machen würde.

Die Versuchspflanzungen mit tropischen Kulturen wurden im August 1927 angefangen. Die 3 Gruppen schickten Draht von Pto. Casado. Die Siedlungsgesellschaft sandte einen Agronom, einen Herrn Erik Lindgren, der in der Nähe von Asunción wohnte und dort eine Chacra hatte. Er sollte den Lagerleuten beratend zur Seite stehen. Man wusste was in Ostparaguay gedieh, aber der mittlere grosse Chaco Paraguays war in jeder Beziehung unerforscht; noch keinmal waren dort Kulturversuche gemacht worden. Hier machte man jetzt mit verschiedenen Kulturen den Anfang.

Die Versuchsfelder in Pozo Azul gediehen dann auch ausgezeichnet. Es gab Mandioka, Süsskartoffeln, Bohnen, Erdnüsse, Ananas, Bananen, Baumwolle, Mais, Wassermelonen und vieles andere mehr.

Für diejenigen, die gesonnen waren durchzuhalten, am Werk der Ansiedlung festzuhalten, war Pozo Azul mit seinem Versuchsfeld ein ermutigender Faktor inmitten aller Widerwärtigkeinten, die die Wildnisbezwinger umgaben.

Herr Lindgren, der im August in Pozo Azul gewesen und sich mit den Siedlern über die Art und Weise des Versuchsfeldes beraten hatte, kam Mitte November (1927) wieder in den Chaco. In einem Bericht an die Siedlungsgesellschaft, die ihn angestellt hatte, teilt er mit, dass die

Anpflanzungen in Pozo Azul gute Fortschritte gemacht, obwohl es nur wenig geregnet hatte. Was ihm nicht gefalle, sei die Einstellung der Siedler, zu grosses Gewicht auf die Kulturen ihres alten Heimatlandes legen zu wollen.

Auch in Hoffnungsfeld gingen die Siedler sofort an die Feldarbeit und legten gemeinschaftlich Pflanzungen an. Dabei wurden dann die Ochsen, indem sie in Sielen gesteckt wurden, für die "mennonitische" Feldarbeit erzogen. Hier aber bemühte man sich hauptsächlich um die Getreidearten, wie man sie von Kanada her kannte. Aber auch Gemüse wurde angebaut.

Herr Lindgren schreibt (11. Nov. 1927) über die Versuchsbemühungen der Hoffnungsfelder:

> . . . In Hoffnungsfeld traf ich verschiedene Anpflanzungen an. Die Felder aber waren planlos angelegt. Meist hatte man die Felder so gepflügt, wie es den Ochsen gefällig gewesen war. Am meisten angepflanzt hatte man Hafer und Flachs. Es wäre wertvoller gewesen, zu pflanzen, was hier heimisch ist, und auch mehr solches, das ihnen als Nahrung dienen könnte. Man legt zu viel Gewicht auf die Gewohnheiten der alten Heimat, was man dort gepflanzt, gezogen hat, wie man dort gegessen hat — Papas und Weissbrot . . . auch pflanzen sie viel zu konzentriert. Ich habe versucht, ihnen Erklärungen zu geben, ich wurde darin aber nicht sehr ermutigt, denn ihre Erwiderungen waren, sie würden es schon herausfinden, wie man es am besten zu machen hätte . . .
>
> Auch in Loma Plata sah ich guten Feldbau. Aber auch dort legt man zu wenig Gewicht auf den Wert der einheimischen Kulturen . . .

Herr Lindgrens Behauptung, die Siedler bemühten sich zu wenig um die einheimischen Kulturen, war sicherlich nicht falsch, besonders noch wenn es sich um Nahrungsmittel handelte. Sie pflanzten aber auch Nahrungsmittel, mühten sich aber intensiv um ihre bekannten Kulturen. Und auch das hatte seine positive Seite; denn als sie dann in die Dörfer zogen und dort ihre Felder pflügten und bepflanzten, befassten sie sich hauptsächlich mit den einheimischen Kulturen. Mit den Versuchen in Pozo Azul hatte man bewiesen, was zu tun sei; und mit den Versuchen in den andern Siedlerlagern hatte man herausgefunden, was man lieber nicht tun sollte. Und man tat es dann auch nicht, und das andere, was man zuerst nicht so richtig gewollt hatte, tat man jetzt.

Herr Fred Engen, der dann im März sein Zelt in Pozo Azul aufschlug, sich dort wohnlich einrichtete, reiste ab und zu nach Puerto Casado und auch 'mal nach Asunción, sonst aber war er ständig unter den Siedlern im Innern der Wildnis.

Der allmähliche Zug auf das Siedlungsgebiet

Als es dann im April 1928 soweit war, dass die Siedler in die Dörfer auf ihre eigene Scholle ziehen durften, waren immer noch viele Familien in Puerto Casado. Die Siedler, die dann während der langen Wartezeit in die Wildnislager übergesiedelt waren, waren jetzt im Vorteil. Die aus Puerto Casado mussten jetzt noch den beschwerlichen Weg zurücklegen. Es zog sich der Einzug in die Wildnis dann noch bis in die zweite Hälfte des Jahres 1928 hin.

Nicht nur der Einzug war schwer, weil man die längste Strecke mit den Ochsenfuhrwerken machen musste, sondern auch die Arbeit der Ansiedlung wurde durch den mühsamen Transport ungemein erschwert. Aber man hat es geschafft. Wie man es geschafft hat, kann man sich heute kaum vortellen.

Der beschwerliche Transport zwischen Eisenbahn und Ansiedlung war überaus muterprobend. Es wären ohne ihn schon mehr als genug Schwierigkeiten dagewesen, genug wildniserobernder Mühsale, die sich strapazierend und zermürbend auswirkten.

Solchen beschwerlichen Einzug in die weite Wildnis hatte man sich auch nicht vorgestellt, hatte man nicht im Kolonisationsprojekt vorgesehen. Der Einzug sollte mit der Eisenbahn geschehen; Damit hatte man nicht gerechnet, sich in solcher primitiven Weise mit den Familien, mit allem Hab und Gut, das man mit sich führte, zum Siedlungsgebiet durch die unwegsame Urwildnis hindurchzuschleppen.

Alle, die zur Untersuchung in das Gebiet gereist waren, als man sein Augenmerk auf dieses Gebiet geworfen hatte, hielten es für ausgeschlossen, mit Weib und Kind und allem, was man mitzuführen hätte, im Ochsenwagen die Buschwüste zu erobern.

Eine Ansiedlung in abgelegener Gegend durchzuführen, kann nur unter bestimmten Voraussetzungen geschehen, und eine dieser Voraussetzungen ist, eine den gegebenen Umständen entsprechende Verkehrsverbindung mit dem Ausgangspunkt zu haben. Nach reiflichen Überlegungen für die mennonitische Chacokolonisation, sagte man sich, alle Voraussetzungen für die Durchführung einer Ansiedlung in der grossen Buschwildnis seien gegeben, bis auf eine: die Verkehrsverbindung. Diese müsste noch erst geschaffen, hergestellt werden. Die vorhandene Eisenbahn entsprach nur etwa einem Viertel der Strecke, die bis zum Siedlungsgebiet zurückzulegen war.

In Ostparaguay sind mehrere Ansiedlungen, von Ausländern angelegt, gescheitert, auch eine an der Chacoseite (1855) in der Gegend von Villa Hayes. Die Ansiedlungen setzten sich nicht durch, weil die Siedler nicht als Ackerbauleute, Ackerbaupioniere taugten.

Kurz vor dem Anfang der mennonitischen Chacokolonisation in Paraguay, hatte man es von bolivianischer Seite am Chacorand mit einer Ackerbauansiedlung versucht.

Herr Federico Hettmann schreibt darüber aus Buenos Aires an Herrn Fred Engen — 15. Oktober 1924:

> . . . Ich habe die "Murray" Kolonie in Bolivien jetzt noch nicht besuchen können. Ich habe aber erfahren, dass einige der Siedler schon mutlos geworden sind. Es würde mich gar nicht überraschen, wenn die ganze Ansiedlung aufgegeben wird. Das Unternehmen ist nicht entsprechend seiner Notwendigkeit geplant worden, und ist auch nicht so geleitet worden, wie es hätte geschehen sollen, als die Siedler den Ort der Ansiedlung erreichten.
>
> Man kann sich keinen Erfolg versprechen von einem Unternehmen, bei dem man hunderte oder sogar tausende von Siedlerfamilien aufs kahle Land schickt und ihnen sagt, jetzt sollen sie machen, dass sie vorankommen.-
>
> Der Empfang solcher Ansiedler auf ihrem Land, muss entsprechend vorbereitet werden, wie auch Sie, Herr Engen, sehr gut wissen. Es müssen erfahrene Leute dabeisein, sie müssen beraten, und sie müssen den Neuangekommenen im neuen Lande zeigen, wie sie es machen sollen. Soviel mir bekannt ist, kamen die Leute dort an, ohne dass für Trinkwasser und für ein Dach überm Kopf vorgesorgt worden war. Man kann keinem Menschen etwas Sinnvolles beibringen, wenn sein Magen leer ist und ihm die Zunge vor Durst zum Halse heraushängt, einfach weil kein Trunk erfrischenden Wassers vorhanden ist. Das ist der Unterschied zwischen Erfolg und Fehlschlag . . .[2]

Die kanadisch–mennonitischen Chacosiedler von 1927 gingen dem Kolonisationswerk in der Wildnis zu Leibe trotz fehlender Erfüllung wichtiger Voraussetzungen, und bewältigten das Unternehmen, das alles andere als ermutigend aussah. Unter den nichterfüllten Voraussetzungen war in der Hauptsache die Verkehrsverbindung. Hätte man im voraus gesehen, was geschehen oder nicht geschehen würde, dass man nämlich die undenkbar schwierige Wegstrecke im Ochsenwagen und nicht mit der Eisenbahn zurücklegen müsste, hätten die Leute es sich sicherlich nicht unterwunden, den zentralen Chaco zu besiedeln, sie wären zurückgeschreckt und hätten sich gesagt, in der Weise könnte man das nicht schaffen, und die Chacokolonisation wäre wenigstens damals nicht zustandegekommen.

Nun hat man es aber doch in der undenkbaren Weise geschafft, in der Weise, die man für unmöglich hielt, nämlich mit allen Familien und allen Gütern, den ungebahnten Weg in die buschverlorene Wildnis zu ziehen, in einer Art und Weise, wie man es sich vorher niemals zugetraut hätte; denn diese Siedler waren keine abgebrühten Abenteurer, keine Leute, die eine Lust an Wagnissen hatten.

So wurde der Einzug jener kanadischen Mennoniten in die grosse Chacowildnis zu einer ungeheuren Mutprobe, zu einem mennonitischen Siedlungspionierstück, wie man es seinesgleichen suchen müsste. Und schliesslich war es überhaupt nur möglich, das

"Unmögliche" zu bewältigen, in der Weise des Zusammenschlusses und Zusammenhaltens, wie der gröste Teil der Siedler es pflegte.

Fussnoten zu Kapitel VIII
Die Siedlerlager am Wege in die Wildnis

1. Nachher stellte es sich heraus, dass die Aufregung unnötig gewesen war. Weder Indianer noch Bolivianer hatten die Siedler bedroht.
2. Diese Siedlung war auch tatsächlich ein Fehlschlag. Sie wurde aufgegeben.

Aufbruch nach dem ''Sonnigen'' Sueden, Altona, Manitoba, 1927.

Huetten aus Palmenstaemen, Puerto Casado.

Das Siedlerlager in Puerto Casado.

Das mennonitische Zelt im Huetterdorf in Puerto Casado.

In der Regenzeit sind die Fahrten an die Bahn mit grossen Strapazen verbunden. Sie dauern dann oft wochenlang.

Chacoexpedition, 1921

Einzug in den Chaco, 1927

Rastplatz, 1928

Reisen im Chaco.

Die Eisenbahn von Puerto Casado.

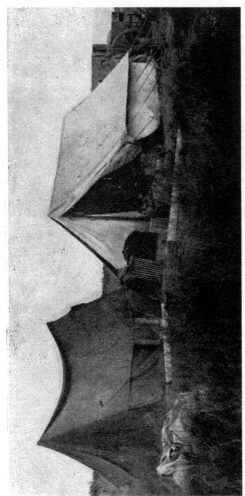

In den dünnen Zelten ist es natürlich beson– ders heiss, und auch I. K. Fehr beeilt sich, so rasch wie möglich eine Lehmhütte zu er– richten.

Peter P. Brauns (†) *in Laubenheim haben Zelt und Wellblech vor– sorglich aus Canada mitgebracht.*

KAPITEL 9

Die Eisenbahn, die auf sich warten liess

"... Was meinen Sie, werden Ihre Leute in den Chaco kommen, um dort anzusiedeln?" — fragte der Präsident von Paraguay die mennonitischen Landbesichtiger 1921, nachdem sie aus dem Chaco nach Asunción zurückgekehrt waren. Sie antworteten "... vorausgesetzt, dass die Eisenbahn bis zum Siedlungsgebiet gebaut wird, glauben wir, dass sie kommen werden..."

Nach Aufzeichnungen der mennonitischen Chaco-Expedition von 1921

Notwendigkeit der Eisenbahn

Als die amerikanische Siedlungsgesellschaft, die "Intercontinental Company", den Landhandel für die mennonitschen Chacosiedler mit der Casadogesellschaft abschloss, war auch der Bau einer Eisenbahn zum Siedlungsgebiet in den Kontrakt eingeschlossen. Es war allseitig klar und selbstverständlich, wenn eine Ansiedlung im weiten Inneren der Wildnis zustande kommen sollte, müsste eine Eisenbahn vorhanden sein.

Diese Eisenbahn wurde dann aber zu einer verzwickten Angelegenheit in der angehenden Chacokolonisation.

Die amerikanische Siedlungsgesellschaft war verantwortlich für die Entstehung und anfängliche Entwicklung des Siedlungswerkes; sie hatte also die Grundlage zur Verwirklichung der Ansiedlung zu schaffen.

Der Anfang der Verwirklichung solchen Chacokolonisationsprogrammes war die käufliche Erwerbung von 100 Legua Land von der Casadogesellschaft. Auch die Vermessung des gekauften Landes war eine Angelegenheit der Siedlungsgesellschaft. Der Bahnbau aber war das Werk der Casadogesellschaft. Und wenn sich die Eisenbahn etwa 180 km in Richtung Siedlungsgebiet hinzöge, befände sie sich immer noch auf dem Landeigentum der Casadogesellschaft, d.h. auf dem nichtverkauften Gelände.

Man rechnete von Anfang an damit (d.h. schon von 1920–21, als der zentrale Chaco untersucht wurde), dass das Siedlungsgebiet tief im Inneren der Wildnis zu suchen wäre, weil erst mit etwa 170 bis 180 Kilometern vom Paraguayfluss chacoeinwärts das eigentliche höhere Gelände für Ackerbautätigkeit anfing.

Nach den ungefähren Überlegungen (Grenzen gab's zu der Zeit für den Chaco hauptsächlich nur noch auf dem Papier) lag die Ostgrenze des 100 Legua–Komplexes, den die Amerikaner für die Ackerbaukolonisation erworben hatten, etwa dort, wo das niedrige Gelände allmählich in die Baum- und Grassavannen überging. Dementsprechend rechnete man dann auch mit einer Eisenbahn.

Einen Einblick in die Chaco–Eisenbahn–Affäre jener Tage des Kolonisationsanfangs gewähren die verschiedenen Berichte, die im historischen Archiv der Menno Kolonie in Fotokopien von den Originalen vorliegen.

Am 18. Dezember 1926 schreibt Mr. J.C. Marsh, Beauftragter der Siedlungsgesellschaft aus Nordamerika in Asunción, der nach Hause berichtet:

> . . . Der Eisenbahnbau geht weiter. Die Casadogesellschaft hat etwa soviel Material im Ausland bestellt, die Eisenbahn bis Kilometer 100 bauen zu können. Diese Strecke genügt aber noch nicht, um über das für den Siedlereinzug schwierige niedrige Gelände hinwegzukommen. Dafür müsste die Bahn wenigstens bis Kilometer 160 gebaut werden.
>
> . . . Die Herren der Casadogesellschaft sagten, wir (als Siedlungsgesellschaft) sollten dem Eisenbahnbau entsprechende Beachtung schenken; denn in 3 bis 4 Monaten — so ihre Behauptung — wird es ihnen an Geld fehlen.
>
> Ob wir sie vielleicht bewegen könnten, die Bahn bis Kilometer 156 zu bauen, indem wir die zweite Zahlung für das Land machen? Allerdings, um solchen Eisenbahnbau zu rechtfertigen, müsste man sich dann auch sicher sein, dass eine entsprechende Siedlermasse in den Chaco kommt
> . . .

Herr Marsh in einem anderen Bericht:

> . . . Die Eisenbahn gehört zum Anwesen der Tanninfabrik. Die Casadogesellschaft baut die Eisenbahn dort, wo man die meisten Quebrachobäume findet. Wenn diese Tendenz so weiter geht, kann dabei herauskommen, dass die Eisenbahn nicht in die Nähe des Siedlungsgebietes kommen wird. Wir wollen mit der Casadogesellschaft darüber verhandeln. Bevor wir die zweite Anzahlung für den Landkauf machen, und auch ehe die Mennoniten sich ihr Siedlungsland ausgesucht haben, müsste es klar sein, dass die Bahn bis zum Siedlungsgebiet gebaut wird . . . wenn es nicht mehr als 200 Kilometer vom Paraguayfluss sind.
>
> Die Casadogesellschaft wird sicherlich bereit sein, mitzuarbeiten, sofern es mit Sicherheit anzunehmen ist, dass die Siedlung zustandekommt . . .

Der Eisenbahnbau bleibt weit zurück

Herr Isaak K.Fehr schreibt am 27.Februar 1927 aus Pto.Casado an
Herrn A.A.Rogers in Winnipeg, Manitoba:

. . . Der Eisenbahnbau sollte rascher vorangehen. Herr Casado sagt,
wenn die Siedlungsgesellschaft ihm nicht Geld schickt, kann er auch
nicht die Eisenbahn bauen. Sie würden den Eisenbahnbau rascher
vorantreiben — wie Casado sagt —, wenn die Siedlungsgesellschaft ihm
für eine Million Ackerland bezahlt hätte, anstatt nur für 200.000Acker.
Es wird schwierig sein, die weite Strecke des niedrigen Geländes
mit Ochsenwagen zu bewältigen . . .

Ein Bericht vom Büro der Siedlungsgesellschaft in Asunción an das
Hauptbüro in USA — 5.April 1927:

. . . Herr Casado sagt, der Eisenbahnbau geht deshalb langsam
voran, weil es an Geld fehlt; die Siedlungsgesellschaft — so Casado —
hätte sich nicht an die vereinbarten Zahlungssätze gehalten . . .

Herr Alfred A.Rogers, der im April (1927) nach Paraguay reiste,
schreibt am 11.Juli (1927) an das Hauptbüro der Siedlungsgesellschaft in
Philadelphia,PA., USA:

. . . Die Transporteinheit für den Einzug in die Chacowildnis
besteht jetzt aus 10 zweirädrigen Ochsenkarren und 20 (Mennoniten)
Wagen. Wir haben 60 Ochsen dabei und Mennoniten haben 100 Ochsen.
So wird der Einzug in die Wildnis mit 160 Ochsen bewältigt. Da können
sie sich vorstellen, welch ein Aufwand an Transportkräften es benötigt,
den Einzug in die Wildnis durchzuführen . . . Da sind Stellen auf dem
Wege, den wir jetzt entlang ziehen, wo man an den Bäumen sehen
kann, dass das Wasser bis zu 15 Fuss tief gewesen ist. Jetzt ist es dort
noch 5 Fuss tief. Wir tun, was in unseren Kräften steht, um die Casadogesellschaft zum Eisenbahnbau anzuspornen.
Es wird drei bis vier Monate erfordern, die Siedler und ihre Güter
von Puerto Casado ins Innere zu befördern, so wie es jetzt mit dem
Transport steht . . .

Am 28.Juli schreibt Herr Rogers:

. . . Habe erfahren, dass die Casadogesellschaft für die Fahrten mit
den Ochsenkarren mit Siedlern und ihren Gütern von der Eisen-
bahnstation ins Innere nach Tagen berechnet: für Passagiere 100 Pesos
für den Tag und für die Fracht 75 Pesos — gerechnet auf eine Karrette.
Eine Reise hin und zurück braucht 9 bis 10 Tage . . . So kommt uns der
Einzug auf einen Dollar pro Meile zu stehen — und es sind 50 Meilen . . .
Wir werden jetzt den Caterpillar (Traktor) einsetzen. Diese Fahrten
werden billiger sein. Der Athey-Anhänger trägt 8 bis 10 Tonnen
Frachtgut. Von der Eisenbahnstation bis Pozo Azul braucht man etwa 15
Fahrtstunden. 36 Stunden reichen aus für die Fahrt hin und zurück. Wir
können mit dem Traktor 4 bis 5 Fahrten machen in der Zeit, in der die
Casado–Ochsenkarren **eine** Fahrt machen.
Es wird wenigstens 6 Monate brauchen, den Einzug zu bewältigen.
Wenn wir 50 Tonnen Frachtgut in den Chaco gefahren haben,

werden die Mennoniten den Transport mit dem Traktor auf eigene Kosten übernehmen.

Am nächsten Sonntag will man mit 250 Rindern losgehen in die Wildnis. Da sind etwa 500 Rinder, die in den Chaco gebracht werden sollen . . .

McRoberts kommt nach Paraguay

General McRoberts, der im Juni und Juli (1927) in Paraguay und auch im Chaco gewesen war, schreibt am 6. September:

> . . . Was mir am meisten Sorgen macht, ist die Verzögerung des Eisenbahnbaues der Casadogesellschaft. Und solches wirkt sich sehr nachteilig aus auf den Transport, auf die Beförderung der Siedler in das Siedlungsgebiet . . . Aber was sollen und können wir da machen? Wir sind ja nicht diejenigen, die die Eisenbahn bauen . . .

A. A. Rogers schreibt am 9. November (1927) aus Pozo Azul:

> . . . Von Pirisal bis Pozo Azul sind es etwa 115 Kilometer. In Pozo Azul haben wir einen grossen Lagerraum eingerichtet, um Frachtgut unterzubringen. Von Pozo Azul bis Kilometer 216 — das ist der Ort, der am weitesten im Westen liegt, wo Siedler wohnen — sind es etwa 78 Kilometer . . . Für den Transport mit den Ochsen ist das ein weiter Weg von der Eisenbahnstation zu den Siedlerlagern. In regenloser Zeit geht es dann noch einigermassen, aber während der Regenzeit wird es schwierig, oftmals sehr schwierig . . .
>
> Aus dem Militärlager "Laguna Barranca" sind jetzt Soldaten an die Arbeit gestellt, einen neuen Weg herzustellen, der uns alsdann mit Kilometer 103 verbinden wird. Diese Ochsenwegverbindung Kilometer 103 — Pozo Azul wird dann etwa 28 Kilometer kürzer sein als die Verbindung Pirisal — Pozo Azul. Das wird dann etwa zwei Tage weniger brauchen hin und zurück . . .
>
> Man sagt, die Eisenbahn soll noch vor Weihnachten (1927) bis Kilometer 103 fertig werden. Dann wollen wir die Eisenbahnstation des Siedlertransportes von Pirisal nach Kilometer 103 umbauen . . .[1]

Es heisst dann noch weiter in A. A. Rogers Schreiben —

> . . . Der Holt-30 Caterpillar-Traktor mit einem Anhänger, der zehntausend Tonnen trägt, gefällt den Mennoniten sehr. Sie bedienen den jetzt schon auf eigene Kosten und haben schon an die 2000 Kilometer damit gefahren; sie unterhalten die Maschine, bezahlen den Brennstoff und die Arbeit, ihn zu bedienen . . .

Am 20. November 1927 schreibt Rogers aus Buenos Aires:

> . . . Die verantwortlichen Herren der Casadogesellschaft bilden ein buntes Durcheinander. Die jüngeren Mitglieder möchten alles verkaufen, und das Geld unter allen Beteiligten aufteilen. Wenn ein Geschäft, das sie übrigens alle zusammen geplant haben, nicht gut geht, dann ist der Direktor derjenige, der die Schuld daran trägt . . . Sie haben jetzt schon lange genug Zeit gehabt, zu überlegen, ob sie die weiteren Zahlungen für das Land, das sie an uns verkauft haben, für den Eisenbahnbau verwenden wollen. Nun aber geht nicht zweierlei zu gleicher Zeit: das Geld, welches sie für den Landverkauf erhalten, für den

236

Eisenbahnbau zu verwenden, oder es unter sich aufzuteilen. Man kann nur eines von beiden tun. Und das ist dann ihr Problem. Eine Anzahl der Mitglieder haben nicht viel Verantwortung, sie würden die Mennoniten auch ruhig hungern lassen . . .[2]

. . . Die Casados wissen aber auch, dass sie die paraguayische Regierung in Rechnung zu nehmen haben — sie selbst sind ja Argentinier. Dr.Eusebio Ayala hat sich schon nachdrücklich um die Förderung des Eisenbahnbaues bemüht. Er war schon ganz unzufrieden mit den Casados. Jetzt aber meint er, wir drängen vielleicht doch zu sehr auf einen raschen Bau der Bahn . . . Wir haben Dr.Ayala wohl nicht ganz richtig behandelt . . .

Mein Vorschlag ist, wir zahlen ihm 12.000,- Dollar für ein Jahr und dann noch eine Anerkennung von 5.000,- Dollar. Er hat schon viel für uns getan . . . Diesen Mann brauchen wir. Er hat genug andere Angebote, seine Fähigkeiten anzuwenden . . .

Wir sollten ständig einen Mann aus unserer Siedlungsgesellschaft unter den mennonitischen Siedlern haben, um sie in ihrem schweren Siedlungsunternehmen zu ermutigen — und wir sollten versuchen, kleinere Übel auszumerzen — mit anderen Worten: es ist wichtig, dass wir die Oberaufsicht haben, und dafür müssen wir den richtigen Mann einsetzen.

Ich fahre noch wieder zurück in den Chaco. Aber zu Weihnachten will ich zu Hause (in Winnipeg) sein. Es muss auch von dorther gearbeitet werden. Da müssen mehr Siedler kommen . . . Denkt daran, es ist kein Geschäft für uns, wenn nicht noch mehr Siedler kommen . . .[3]

Herr Rogers sagt dann weiter:

. . . Die Herren Casado haben kein Vertrauen in uns. Sie sagen, wir hätten nicht gehalten, was wir versprochen haben. Wir aber dürfen nicht die Flinte ins Korn werfen, wir müssen weitermachen . . .

Mr.J.C.Marsh schreibt am 16.September 1927:

. . . General McRoberts erwägt eine Revision des Vertrages mit der Casadogesellschaft. Er meint, die Formulierung des gegenwärtigen Kontrakts sei unzulänglich. Er rechnet mit der Unterstützung der paraguayischen Regierung bei einer etwaigen Änderung des Zahlungsmodus für den Landkauf, so dass es bei der Casadogesellschaft eine Beschleunigung des Bahnbaues bewirkt, . . .

7.Dezember 1927 — Ein neuer Vertrag ist gemacht:

. . . für jede 15 Kilometer Verlängerung der Eisenbahn eine Teilzahlung für die 100 Legua Land — von Kilometer 100 bis Kilometer 160 — also jedesmal wenn 15 Kilometer Eisenbahn fertig sind, zahlt die Siedlungsgesellschaft 72.359 Dollar . . .[4]

Weihnachten — 1927: Herr Rogers ist nach Manitoba zurückgekehrt und berichtet dort über die Chacokolonisation. Ihm ging es darum, mehr Leute für die Chacobesiedlung zu interessieren, sie als Chacosiedler anzuwerben und versuchte daher auch die Chacosiedlungsangelegenheit von der besten Seite darzustellen:

. . . Die Eisenbahn, die sich in die Chacowildnis hineinzieht, wird so schnell weitergebaut, wie es die paraguayischen Verhältnisse erlauben. Wir haben einen neuen Vertrag mit der Casadogesellschaft abgeschlossen . . . Die Casadogesellschaft erhält jetzt eine Zahlung, wenn immer sie eine Strecke von 15 Kilometer Eisenbahn vorangetrieben hat. Der vorige Vertrag sah eine Zahlung von einmal im Jahr vor. Der jetzige Vertrag beschleunigt den Bau. Auch haben wir vereinbart, dass den Mennoniten Gelegenheit gegeben werden soll, auch Arbeiter bei dem Eisenbahnbau einzusetzen. — Zu bedauern ist jedoch das Vorkommnis, dass die Mennoniten, die in Puerto Casada vom dortigen Siedlerlager aus in der Tanninfabrik arbeiteten, sich nicht als sehr pünktliche Arbeiter erwiesen haben, sie kamen entweder zu spät zur Arbeit oder erschienen überhaupt nicht, wie ihr Arbeitsprogramm vorsah. Dadurch haben die Mennoniten sich die Sache etwas verdorben bei den Herren Casado. Die Eisenbahn wird jetzt wohl schon bis Kilometer 104 fertig sein. Sie soll bis Kilometer 200 gebaut werden . . .[5]

A.A.Rogers schreibt am 2.April 1928:

. . . Der Eisenbahndamm wird mit Handschaufeln aufgeschüttet. Die Mennoniten haben Erdschippen, vor die man ein Paar Ochsen spannt, um sich ihrer zu bedienen für Erdbeförderung, Graben machen, Dämme aufschütten . . . Ich glaube, die Aufschüttung des Dammes für die Eisenbahn wird etwa ein Viertel der gesamten Eisenbahnbaukosten ausmachen. Wenn die Casadogesellschaft sich mit den Mennoniten einliesse und mit ihnen einen Vertrag machte, in einer bestimmten Zeit 15 Kilometer Damm herzustellen, würde die Fertigstellung des Dammes sicherlich viel rascher vorangehen und die Mennoniten könnten sich etwas Geld verdienen . . .

R.N.Landreth schreibt aus Paraguay Anfang 1928:

. . . Ich habe eigentlich damit gerechnet, die paraguayische Regierung würde sich noch unterstützend einsetzen, vielleicht beim Wegebau oder was immer dem Erfolg der Chacoansiedlung zuträglich sein könnte. Ich weiss wohl, die Regierung hat nicht viel Geld zur Verfügung, aber vielleicht könnten wir sie überreden, einige Verbesserungen im Chaco zu unternehmem, und wir könnten dafür Darlehen machen und eine Bürgschaft entgegennehmen . . .

Herr Engen schreibt am 15.Mai 1928 aus Pozo Azul:

. . . Die Casadogessellschaft hat eben keine Eile mit dem Bau der Eisenbahn. Es ist zum Klagen, wenn man es vergleicht mit dem, was man vom Norden her kennt. Der angeborene Charakterzug der Casados ist Vornehmheit, und aus ihrer beschaulichen Ruhe lassen sie sich von niemandem bringen. Keiner kriegt sie dazu, endlich mal den Bau der Eisenbahn zu beschleunigen. — Wenn wir es als Siedlungsgesellschaft zu etwas bringen wollen, dann werden wir (bei dem Eisenbahnbau) wohl noch selbst zupacken müssen. Beschuldigungen gehen hin und her. Die Mennoniten beschuldigen die Siedlungsgesellschaft, dass die Eisenbahn nicht weiter in die Wildnis hinein fertig wird. Wir als Siedlungsgesellschaft gehen alsdann zu den Casados, um zu erfahren, was los ist, dass die Bahn nicht rascher gebaut wird. Und die Casados sagen uns, der Eisenbahnbau wird verzögert, kommt nicht vorwärts, weil die Siedlungsgesellschaft nicht gezahlt hat, wie vereinbart worden ist. Dann sagt mir mal, wo liegt wirklich die Schuld? Hätten wir den Bau der Eisenbahn in unseren Händen, der Bau ginge bestimmt rascher voran. Wir zahlen auch jetzt dafür, aber gebaut wird nicht . . .

Engen schreibt aus Puerto Casado — am 9.Juni 1928:

. . . Mr.Landreth und Dr.Ayala kommen von Asunción nach Pto. Casado zu einer Beratung in Sachen der Transportschwierigkeiten . . . Die Eisenbahn ist bis Kilometer 104 fertig, aber der Weg von Kilometer 104 bis Laguna Casado ist sozusagen unpassierbar. Immer wieder muss man die Sachen abladen, damit die Ochsen wenigstens die leeren Wagen durch die sumpfigen Stellen ziehen können. Ihr könnt Euch nicht vorstellen, wie mühsam das Vorwärtskommen dann ist, man kommt kaum mit den leeren Wagen weiter. Mancher Ochse krepiert am Wege. Das alles ist ungemein entmutigend für die Siedler. Herr José Casado weiss Bescheid, was für transportbezogene Mühsalen die Leute haben, und ich glaube, er wird auch etwas dazu beitragen, den Weg zu verbessern. Die Eisenbahn soll jetzt bis Kilometer 135 fertiggestellt werden. Dann wird man einen Weg bauen von Pozo Azul nach Kilometer 135. Die Mennoniten müssen sehr viel Zeit verbringen mit dem Transport der Ochsenwagen, nicht nur der weiten Strecke wegen, sondern auch des oftmals so entsetzlichen Weges wegen, anstatt dass sie die Zeit auf der Siedlung, wo so vieles zu tun ist, nützlich verwenden.

Solche schlechten Transportmöglichkeiten werden der Chacokolonisation nicht sehr förderlich sein, sondern werden sie vielmehr in einen schlechten Ruf bringen . . .

Die ersten Siedlergruppen werden mit Ochsenwagen transportiert

Wenn Engen schreibt, es soll jetzt die Eisenbahn bis Kilomter 135 fertiggestellt werden, und man will dann einen Weg von Pozo Azul nach Km 135 machen, so kann dazu gesagt werden, dass ein solcher Weg von P.Azul nach Km 135 schon vor der Fertigstellung der Eisenbahn gemacht worden war, und die Mennoniten benutzten diesen Weg, indem sie von Km 135 bis 104 neben dem Eisenbahnbau fuhren. Sie konnten dadurch grosse Niederungen umfahren, die auf dem alten Weg nach Km 104 durchzogen werden mussten. So versuchte man — und nicht nur die Mennoniten, sondern auch die Siedlungsgesellschaft und auch Casado — wo immer es möglich war, den Weg etwas zu verbessern, der dann immer noch ungemein zeitraubend und schwer war.

Landreth schreibt am 13.Juni 1928 aus Asunción an das Büro in USA:

. . . Die Wege in die Wildnis sind jetzt sehr schlecht. Wir müssen einfach etwas unternehmen, um sie zu verbessern.

Es sind noch 60 — 70 Familien in Puerto Casado. Es ist fast unmöglich bei solchen Transportverhältnissen, wie wir sie jetzt haben, die Leute in den Chaco zu bringen. Wir haben einfach nicht die Ausrüstung, es zu schaffen. Wir müssen etwas unternehmen . . . Man muss sich ab und zu einfach fragen, ob der Eisenbahnbau mehr rückwärts gehe als vorwärts. Ich sprach mit Dr. Ayala über den Eisenbahnbau, und wir waren darin einig, dass es notwendig sei, mal gründlich mit Casado zu verhandeln in dieser Angelegenheit. Ich habe schon oft mit ihm wegen der Eisenbahn verhandelt und ihn gebeten, die Herstellung des Schienenstranges doch mal zu beschleunigen, da es doch so wichtig sei für die Entwicklung der Ansiedlung. Sein Argument ist dann, er tue alles, was in seinen Kräften steht; tue alles, was er kann.

Die Bahn ist jetzt fertig bis km 110, sie sollte schon vor 2 Monaten bis km 112 fertig sein . . .

Landreth am 20. Juli 1928 aus Asunción an das Büro in USA:

. . . Dr. Ayala weilt in Pto. Casado und führt Verhandlungen mit dem Herrn José Casado wegen des Eisenbahnbaues. Dr. Ayala sagte zu mir, er wolle versuchen Herrn Casado nahezulegen, dass der lässige Eisenbahnbau das Bestehen der Chacosiedlung in Frage stelle. Er will auch einen Brief schreiben an das Hauptbüro der Casadogesellschaft in Buenos Aires und sich beschweren in dieser Eisenbahnsache. Ich habe schon so oft mit Herrn Casado dieser Sache wegen gesprochen. Vor einiger Zeit sagte er, er wolle für die Aufschüttung des Dammes allein etwa 150 Arbeiter einsetzen. Soviel ich weiss, will er diese 150 Arbeiter noch immer anstellen . . . Die Eisenbahnschienen sind bis km 114 ausgefahren, der Damm ist noch nicht ganz bis km 122 fertig. Ich glaube nicht, dass die Bahn bis September bis km 135 fertig sein wird, wie Casado versprochen hat. Wie Casado mir sagte, solle die Bahn bis Dezember bis km 145 fertig sein.

Wenn man mit den Bahnarbeitern selbst spricht, merkt man, dass diese auch der Meinung sind, die Arbeit könnte viel rascher vonstatten gehen. Was seine Arbeiter sagen, darf ich dem Casado ja nicht vorhalten . . . Was sicher ist, der Eisenbahnbau könnte schneller vorangehen . . .

Harte Auseinandersetzungen

Die Siedlungsgesellschaft –Corporación Paraguaya– schreibt am 3. August 1928 an das Büro der Casadogesellschaft in Puerto Casado:

. . . Der Vertrag vom Dezember 1927, zwischen Ihrer und unserer Gesellschaft vereinbart, wurde von uns unterschrieben in dem guten Glauben, gegründet auf Ihre Versprechungen, dass die Eisenbahn so schnell wie möglich bis zum Siedlungsgebiet der Mennoniten gebaut werden würde.

Wir als die Corp. Paraguaya sind dann auf Bedingungen eingegangen, durch die wir kürzere Zahlungstermine übernahmen, Zahlungen, die wir für das von Ihnen gekaufte Land zu machen haben. Dass wir die Zahlungen jetzt in kürzerer Zeit machen, als derzeit vereinbart worden ist, tun wir einfach aus dem Grunde, endlich die Verkehrsverhältnisse in der Wildnis aufzubessern. Denn die Wegverbindung ist ein wesentlicher Bestandteil des Siedlungsgeschehens und der Siedlungsentwicklung.

Wir sind in unseren Erwartungen aber schwer enttäuscht worden. Die Eisenbahn wird so langsam gebaut, dass es schliesslich fraglich wird, ob man mit der Ansiedlung überhaupt durchhalten wird. Und wir als Siedlungsgesellschaft haben auch schon so viel Mühe und Geld in dieses Chacokolonisationswerk heineingesteckt.

Wir können wirklich nicht verstehen, warum die Casadogesellschaft so handelt. Sachverständige Leute und auch andere, die das Geschehen von der Seite beobachten, sagen, die Herstellung der Eisenbahn könnte viel rascher vorangehen, viel schneller vorwärts getrieben werden; es fehle nur an dem Willen der Casadogesellschaft.

Im Laufe dieses Jahres hat die Siedlung schwer gelitten unter den grossen Transportschwierigkeiten. Und diese unsäglichen Schwierigkeiten stecken in der Strecke zwischen Eisenbahn und Ansiedlung.

Solches hat nicht zur Ermutigung der Siedler beigetragen; im Gegenteil Mancher ist entmutigt worden. Viele ärgerliche Briefe sind geschrieben worden von Siedlern an ihre Freunde im Norden. Manche dieser Siedler wollen zurück nach Kanada, andere wollen sich in Ostparaguay niederlassen. Solches hat Eigentümern ostparaguayischen Landes zu Werbearbeit veranlasst. Und das ist eine Sache, die unseren Interessen entgegenarbeitet, es ist zum Schaden des Chacokolonisationsunternehmens.

Man kann nicht unbedingt sagen, dass **alle** Schwierigkeiten aus dem lamentablen Transport hervorgehen, aber ein grosser Teil der Schwierigkeiten kommt aus diesem miserablen Verkehr. Das hätte nicht sein brauchen, wenn der Bau der Eisenbahn so gemacht worden wäre, wie es von Anfang an geplant worden ist.

Bevor der zweite Vertrag abgeschlossen wurde, beschwerte sich die Casdogesellschaft, man könne die Eisenbahn nicht bauen, weil die Siedlungsgesellschaft nicht genug Geld einzahle. Dieses Problem ist jetzt behoben, nachdem im Dezember 1927 ein neuer Vertrag gemacht worden ist; die Eisenbahnbauangelegenheit aber hat sich nicht verbessert, der Bau wird eben nicht beschleunigt — und die Eisenbahn ist doch so sehr wichtig für das Siedlungsunternehmen. Anderweitig aber muss man feststellen, dass die Casadogesellschaft verschiedene Dinge unternimmt, die viel Geld kosten. Es wird eine Hafenmole gebaut, es wird am Hafen ein Eisenbahnhof eingerichtet, es werden Vergrösserungen der Viehweideeinrichtungen, der Estancias, unternommen.

Wir schauen also mit grosser Besorgnis auf die mangelhafte Beachtung des Chacokolonisationsunternehmens, wie es von seiten der Casadogesellschaft geschieht.

Wir bemühen uns, im Interesse der Regierung Paraguays mehr Siedler in den Chaco zu bringen — und die Aussichten dafür sind auch nicht schlecht, aber müssen die Bewegung aufhalten, weil die Eisenbahn nicht gebaut wird . . .

Wir möchten Sie darauf aufmerksam machen, welchen negativen Eindruck die Verzögerung des Eisenbahnbaues auf die mennonitischen Siedler und auch auf die Siedlungsgesellschaft macht.

Die Leiter unserer Siedlungsgesellschaft haben nicht nur geschäftliche Absichten gehabt, als sie dieses Kolonisationswerk anfingen, sondern sahen es auch als einen Dienst an der Menschheit und auch an dem Land Paraguay.

Weil es schon so viele Rückschläge gegeben hat, entschied sich die Siedlungsgesellschaft im Dezember (1927) zu einer neuen Vereinbarung, zu einem neu durchdachten und neu formulierten Vertrag. Man fühlte sich verpflichtet, so viel wie möglich dazu beizutragen, den Eisenbahnbau zu fördern. Man hat sich angestrengt, das Kolonisationswerk vor einem Zusammenbruch zu bewahren. Die Siedlungsgesellschaft hat solches alles getan, weil sie sich den Siedlern gegenüber verantwortlich hielt. Es kann aber so auf die Dauer nicht weitergehen, dass man immer wieder grosse Summen Geldes ausgibt für so ein Unternehmen, das in seiner Entwicklung gehemmt wird, weil Ihre Gesellschaft nicht mitarbeitet.

Die Zeit ist ein wesentliches Element in dem Unternehmen und so auch in unserem Vertrag.

Wir erwarten auf jeden Fall eine Erwiderung von Ihnen. Es wäre noch zu sagen, dass nur eine wirksame Zusammenarbeit der Kolonisierung Ihren Ländereien eine Zukunft geben kann . . .

Die Antwort der Casadogesellschaft auf dieses Schreiben der Siedlungsgesellschaft (Corporación Paraguaya) kam dann auch bald (datiert am 10. August):

. . . Ihr Schreiben vom 3. August haben wir erhalten.

Wir sehen uns genötigt, die in Ihrem Schreiben gemachten Beschuldigungen zurückzuweisen und zu widerlegen. Wir wissen, dass unsere Gesellschaft die Vereinbarungen in jeder Beziehung erfüllt hat.

Sie müssten sich noch erinnern können, dass der erste Vertrag, den Sie und wir miteinander machten, von Ihnen nicht erfüllt worden ist, ob das nun zu Ihrem Vorteil oder einfach aus dem Grunde, der Vertrag sei nicht bindend, bleibt dahingestellt. Bis dann der 2. Vertrag zustande kam, ging viel Zeit verloren. Und dann nach dieser verlorenen Zeit war es nicht mehr möglich, den Eisenbahnbau den aktuellen Bedürfnissen entsprechend voranzutreiben. Jetzt aber wird der Bau so gut es geht gefördert . . .

Hier im Chaco eine Eisenbahn zu bauen, ist etwas ganz anderes als in einem Büro in New York darüber zu sprechen. Man hat hier nicht die grossartigen Ausrüstungen, schnell einen Damm aufzuschütten oder sich rasch durch einen Wald hindurchzuarbeiten, um eine Bahnbaulinie freizumachen.

Wir möchten Sie darauf aufmerksam machen, dass es grundsätzlich gegen unseren Willen war, die Siedler herüberzubringen, ohne richtig vorbereitet zu haben. Dass es aber doch geschehen und trotz allem bis soweit gelungen ist, ist nur möglich gewesen, weil die Casadogesellschaft sich hinter das Werk stellte und mithalf, das Werk zu fördern, indem ihnen so manche Sache zur Verfügung gestellt worden ist.

Die Siedler haben lange in Puerto Casada warten müssen, weil das Siedlungsland nicht vermessen wurde . . . Hätten sie ein Jahr früher auf ihr Land ziehen können, wären sie jetzt ein Jahr weiter in der Siedlungsentwicklung vorgeschritten. Manche Unzufriedenheit hätte dadurch vermieden werden können und Sie brauchtet sich jetzt nicht mit Beschuldigungen zu befassen . . .

Was Sie erwähnen von unseren Geldanlagen für verschiedene Einrichtungen wie Hafenmole, Estancias und so anderes mehr, versetzt uns in Staunen — denn was hat solches mit dem Vertrag zwischen Ihnen und uns zu tun? Ist es doch unsere Angelegenheit, wo wir unser Geld anlegen. Und schliesslich, sind nicht auch alle diese Verbesserungen zum Wohl und Fortschritt der Chacokolonisation? Oder meinen Sie, wenn wir unsere Hafenanlage verbessern, dass sich solches gegen die Kolonisation richtet? Oder wenn wir unsere Enstancias ausweiten, dass dadurch andere Arbeiten zurückgesetzt werden?

Niemand ist mehr interessiert als wir an dem Erfolg dieser Chacokolonisation. Nicht nur dass wir einen Gewinn daraus ziehen wollen, nein, sondern wir haben auch das Wohl des Landes Paraguay dabei im Auge. Wir fühlen uns eng verbunden mit diesem Lande, sind wir doch schon 40 Jahre hier.

Wir möchten Sie zum Schluss noch darauf aufmerksam machen, dass die Wege, die wir im Chaco gemacht haben, nicht von uns, sondern von Ihnen unterhalten werden sollen; und das ist bis jetzt noch nicht geschehen. Wir sehen das Versäumnis der Unterhaltung der Wege aber nicht als eine Verschuldung Ihrerseits, es ist vielmehr eine Angelegenheit der Siedler . . .

Herr Engen schreibt am 8. September 1928 an Dr. Ayala und an Mr. R. N. Landreth (Asunción):

. . . Die Eisenbahn ist jetzt bis Kilometer 122, und soll von da noch bis Kilometer 200 gebaut werden . . .

Wir haben viel diskutiert über die Schwierigkeiten, die man mit dem Transport hat. Wenn wir noch mehr Siedlungen anlegen wollen, müssen wir bessere Transportmöglichkeiten schaffen; und wenn sonst nicht, dann einfach passierbare Wege herstellen zwischen Eisenbahn und Ansiedlung . . .

Mr. Landreth schreibt am 20. Okt. (1928) aus dem Chaco an Dr. Ayala in Asunción:

. . . Die Eisenbahn ist bis Kilometer 127 fertig. Und wie man sagt, soll sie bis Mitte Dezember bis Kilometer 135 fertig sein. Señor Peña, der Capitán des Militärlagers "Laguna Castilla", sagte, er sei in der Gegend gewesen, wo die Eisenbahn gebaut wird und hätte dort eine Arbeitergruppe der Casadogesellschaft angetroffen, die ihm mitgeteilt hätte, sie kämen von der Eisenbahnbauarbeit und zögen jetzt ab, weil dort nicht genug Arbeit ist. Ich verstehe nicht, warum nicht genug Arbeit da ist. Sie könnten ja Schienen legen, wenn nicht alle mit dem Aufschütten des Dammes beschäftigt werden können.

Die Sache des Eisenbahnbaues hat ein unerfreuliches Gesicht und wirkt sich entmutigend aus . . . Wenn jetzt wieder die Regenzeit kommen wird, wird der Weg wieder schlecht und sehr schwer werden gerade dort, wo die Eisenbahn schon fertig sein sollte . . .

Mr. Landreth schreibt nach dem Norden (USA) am 7. Februar 1929:

. . . Unser Plan ist jetzt, den Weg von der Eisenbahnstation nach Hoffnungsfeld so einzurichten, dass er zu allen Jahreszeiten befahrbar ist. Gegenwärtig ist der Weg in einem guten Zustand, sobald es aber wieder mehr regnet, wird der Transport wieder sehr mühsam. Wenn wir den Weg hergestellt haben werden, wie wir es planen, wird man auch mit dem Auto entlang fahren können, und was besonders wichtig ist, man wird auch mit Pferden fahren können. Der Transport wird mit solchem Weg, wie wir ihn geplant haben, schon ziemlich erleichtert werden.

Jetzt geht der Weg von Hoffnungsfeld nach Pozo Azul, und von Pozo Azul dann weiter nach Kilometer 145. Die Umladestation — Eisenbahn/Ochsenfuhrwerke — ist noch Kilometer 135. Man fährt dann die Strecke der Eisenbahnlinie Kilometer 145 — Kilometer 135 entlang.

Die Eisesnbahn soll bis Kilometer 160 gebaut werden. Ich glaube, wir werden schon sehr zufrieden sein, wenn die Eisenbahn endlich mal bis Kilometer 145 fertig sein wird. Der Weg für Ochsenfuhrwerke ist jetzt gemacht von Pozo Azul nach Kilometer 145, und wir werden ihn nicht nach Kilometer 160 verlegen, denn die Entfernung Pozo Azul — Kilometer 160 ist gleich mit der Entfernung Pozo Azul — Kilometer 145 . . .

Mr. Landreth schreibt aus Asunción (16. August, 1929) nach USA:

. . . Mit dem Wegbau zwischen Ansiedlung und Eisenbahn sieht es noch nur sehr mager aus. Zwischen Hoffnungsfeld und Pozo Azul hat man etwas an dem Weg getan, aber noch nichts von Pozo Azul nach Kilometer 145 . . .

Fussnoten zu Kapitel IX
Die Eisenbahn, die auf sich warten liess

1. Als die Eltern des Verfassers mit ihrer Familie, zu der er als 15jähriger Junge gehörte, Ende Januar 1928 von Puerto Casado nach Pozo Azul zogen, war Pirisal noch die Station, von wo aus sie dann mit Ochsenfuhrwerken weiterzogen.
2. Herr Rogers erwähnt hier die Mitglieder, die in Argentinien waren. Die Angestellten in Puerto Casado, die unmittelbar in der Sache steckten und sie etwas anders sahen, hatten ihre Schwierigkeiten mit ihren Kollegen in Buenos Aires.
3. Es kamen nicht mehr als die, die zum ersten Schub gehörten, die etwa 270 Familien. Wenn Herr Rogers schreibt: ''Wenn nicht noch mehr Siedler kommen'', dann meint er über diese 270 Familien hinaus. Dass es mit diesen 270 Familien kein Geschäft für sie sei, hat er wohl richtig eingeschätzt, denn das ''Geschäft'', wie er es sich zurechtgelegt hatte, schlug fehl. Dass die Siedlungsgesellschaft dann aber doch so lange bei der Sache blieb, war einfach aus dem Grunde eines Verantwortungsgefühls, das sie den kanadischen Mennoniten als tapfere Siedlungspioniere gegenüber hatten, die man einfach nicht im Stich lassen wollte.
4. Der vorige Vertrag sah auch Teilzahlungen vor, aber weniger günstig für die Casadogesellschaft.
5. Die Eisenbahn war im Februar 1928 noch nicht bis Kilometer 104 fertig. Die Umladestelle war noch immer Kilometer 77 (Pirisal), von wo es mit Ochsenwagen in die unwirtliche, weglose Wildnis ging. Es ist auch kein Mennonit beim Eisenbahnbau angestellt worden.

KAPITEL 10

Das grosse Sterben

Tiefe Wege ist der Herr mit uns gegangen. Eine ernste Sprache hat der Herr zu uns geredet durch allerlei Zwischenfälle, besonders aber durch Krankheit und so viele Sterbefälle; wie manches Kind ist den Eltern durch den Tod entrissen worden, wie manche Trennung ist zwischen Eheleuten geschehen, welches so schmerzhaft ist. In einigen Fällen sind beide Elternteile hingerafft worden. Es hat so manches Waislein gegeben. Gott hat verwundet, aber er verbindet auch, er zerschlägt aber seine Hand heilet auch (nach Hiob 5,16)

Der Gemeindevorstand der Wildnissiedler an die Gemeinden in Manitoba —
November 1928

Die Hausmittel in Kanada

In Kanada hatten die Auswanderer gewöhnlich die Ärzte konsultiert, die in den ihnen am nächsten liegenden Ortschaften ihre Praxis hatten. Sie kauften sich die Medikamente, die ihnen der Arzt verschrieb, oder auch Medikamente nach eigener Wahl, sofern sie frei im Handel zu haben waren, in einer der verschiedenen Apotheken, dort "Drugstores" genannt. Für chirurgische Behandlungen begaben sie sich in eines der Hospitäler der Grosstadt. Jeder bezahlte seine Rechnungen beim Arzt, in der Apotheke oder beim Hospital selbst. Wo Hilfsbedürftigkeit vorlag, griff die Gemeinde ein. Das galt aber nur in schweren Fällen.

Entbindungen wurden hauptsächlich im eigenen Heim vollzogen, wozu meist Hebammen aus der eigenen Gemeinschaft herangeholt wurden. Die Anwendung verschiedener Hausmittel für die Behandlung von Krankheiten war gang und gäbe. Sehr viel hielt man von den sogenannten "Zurechtmachern" oder "Knochenärzten". Im Plattdeutschen nannte man die Behandlung durch diese Leute "Traijtmoaki". Diese "Traijtmoakasch" (Zurechtmacher) hatte man immer in der eigenen Gemeinschaft.

Die "Zurechtmacher"

Der bekannteste unter diesen Zurechtmachern war ein Johann Peters, der in Grünthal, in dem Ostreservat, wohnte. Allgemein war er unter dem Namen "Dockta Petasch" bekannt. Er war weit über die Grenzen der eigenen Gemeinschaft hinaus bekannt und hat manchen schwierigen Knochenbruch erfolgreich behandelt. Von medizinisch-wissenschaftlicher Seite genossen solche Zurechtmacher nicht besondere Anerkennung. Warum das so sei, fragte ich einmal einen solchen Praktikanten, der auch manchen Knochenbruch und verschiedenerlei Verrenkungen oder Verstauchungen in Ordnung gebracht hatte. Er erwiderte, das sei "wissenschaftliche Unwissenheit".

Man erzählte, dass sich einmal zwei Medizinstudenten aus Winnipeg unterwunden hätten, den "Dockta Petasch" reinzulegen oder blosszustellen. Sie glaubten es nicht, dass der Mann fähig sei, das zu tun, was die Leute von ihm erzählten und was auch er selbst sich anscheinend zutraute. Sie wollten darum einmal Beweise auf den Tisch bringen, dass das ganze Getue nur Betrug sei. Der Mann hatte ja niemals Anatomie studiert, und somit könnte er auch nicht imstande sein, das zu tun, was man von ihm glaubte, dass er es täte. Die beiden Studenten glaubten, es wäre notwendig, solche Unkenntnisse einmal an den Tag zu bringen.

Sie suchten sich also eines Tages, "Dockta Petasch" auf. Der eine beklagte sich über das eine Handgelenk. Er glaube, sagte er, da sei etwas nicht in Ordnung. Der andere klagte über seinen Nacken, von dem er auch meinte, er müsse mal in Ordnung gebracht werden. Sie wollten sich von ihm, dem "Dockta Petasch", "zurechtmachen" lassen. Sie waren der festen Meinung, dass ihm jedes Wissen über Gelenkbildung fehle. Welch einen Spass würde das nun geben, wenn der Mann ihnen die Stellen "zurechtdrücken" und dabei meinen würde, er bringe etwas in Ordnung, während sie selbst wüssten, dass ihnen gar nichts fehle.

Peters liess nichts merken, obwohl er ahnte, was gespielt wurde. Er machte "zurecht", und die Studenten bezahlten und verliessen ihn. Bald jedoch stellte sich heraus, dass nicht sie den "Dockta Petash," sondern dass er sie hereingelegt hatte. Der Weg war nicht zu weit. Am nächsten Morgen, früh, waren sie wieder an "Dockta Petaschs" Tür und baten um Einlass. Sie entschuldigten sich und baten sehr darum, die Stellen, die jetzt wirklich nicht in Ordnung waren, zurechtzumachen. Der eine kam mit einem angelaufenen, steifen Nacken und der andere mit einem geschwollenen Handgelenk. Peters hatte die Gesellen, die ihn so sinnvoll in seinen Anatomiekenntnissen hatten prüfen wollen, sofort wiedererkannt. Er hatte auch damit gerechnet, dass sie bald wieder erscheinen würden. Nun sah er, dass sie in peinvoller Bedrängnis waren. Er bat sie, auf einer Bank Platz zu nehmen, er müsse noch erst einiges verrichten. In Wirklichkeit aber wollte er sie nur noch ein bisschen länger in seiner ebenfalls sinnvollen "Vorlesung" über Anatomie ausharren lassen.

Nach entsprechender Behandlung bezahlten sie dann wieder und verliessen den Ort. Das Ergebnis aber ihrer Absicht, die sie dabei verfolgt hatten, war jetzt, dass die Leute über die Medizinstudenten lachten anstatt über den Doktor Peters. Doktor Peters hatte sein Anatomieexamen gut bestanden.

Dieser Peters und seine Frau schlossen sich 1927 auch den Paraguaywanderern an und liessen sich im Siedlerlager von Puerto Casado nieder, wo sie auch beide noch in demselben Jahr gestorben sind. Der Mann starb am 26. Dezember im Alter von 77 Jahren. Was das Klima betraf, war er schwer enttäuscht. Es war ihm hier zu heiss. Bei der regen Ochsenbändigung im Siedlerlager gab es aber manche Verstauchung, die er dann noch zurechtgebracht hat. Aber er schalt die Leute dann und sagte, sie sollten die dummen Ochsen doch laufenlassen, was sie denn mit denen wollten?

Beim Umzug von Kanada nach Paraguay führte die Auswanderungsgruppe auch ihre Hebammen und einige "Zurechtmacher" mit sich.

In Puerto Casado brach bald nach der Ankunft der ersten Gruppe eine schwere Ruhr unter den Kindern aus und raffte viele dahin. Dann brach auch ein schwerer Unterleibstyphus unter den Erwachsenen aus, und viele starben, nicht nur im Siedlerlager von Puerto Casado, sondern auch in den Siedlerlagern am Wege in die Wildnis. Aus den Aufzeichnungen des Ältesten Martin C. Friesen zum Gesundheitswesen entnehmen wir:

"In Puerto Casado war ein Arzt, und der wurde in schweren Fällen gerufen. In Pozo Azul war in der ersten Zeit der provisorischen Niederlassung auch ein Arzt, namens Meilinger. In der Kolonie war bis 1930, als ein Dr. Ediger kam, kein Arzt. Im Jahre 1936 kam die Frau des Ältesten A. Harder in den Chaco. Von 1932 bis 1936 betreuten Militärärzte die Kranken der Kolonien.

Wegen eines Arztes machten sich viele keine Gedanken. Ärzte wurden auch in Kanada nur wenig beansprucht. Es waren aber immer auch solche da, die meinten, man müsse einen Arzt haben. Es konnte aber keiner angestellt werden, weil die Mittel dazu fehlten. Was an Medikamenten nach Paraguay mitgenommen wurde, waren hauptsächlich "Wunderöl" (Wonder Oil), "Elektrisches Öl" (Electric Oil), "Grüne Tropfen", gegen Kolik, und so einiges mehr. Auch viel Kampferspiritus wurde verwendet. Es waren auch solche Leute da, die Branntwein als Medizin empfahlen.

Als die Malaria und der Hakenwurm häufiger wurden, schaute man nach einem Arzt aus, denn dagegen versagten jegliche Hausmittel. Wegen Mitteln gegen Schlangenbisse schien man auch nicht verlegen zu sein, wenn man danach fragte. 1. Abbinden, die gebissene Stelle durchschneiden, in aufgeweichten Lehm stecken oder auch in geronnene Milch; 2. Ein geschlachtetes Huhn auflegen; 3. Die Bisstelle von einem Indianer aussaugen lassen; 4. Sogar viel Branntwein trinken und vieles andere wurden empfohlen. Gott aber sei Dank! Es kamen nur wenige Schlangenbisse vor. An Schwerkranken konnte nur das getan werden, was man vom Hörensagen wusste. Oft wurde auch der Rat der wenigen Hebammen eingeholt; jedoch war es mit ihrem Wissen und Können auch nur kläglich bestellt.''

Mentalität der Auswanderer in Gesundheitsangelegenheiten

Obwohl sich diese Paraguaywanderer im grossen und ganzen nicht viel besorgniserregende Gedanken über die gesundheitliche Betreuung durch Ärzte machten, waren sie andererseits doch sehr auf Hausmittel bedacht, auf die sie grosse Stücke hielten. Sie führten eine Menge von Haus- und Volksmittelrezepten mit sich. Auch verschiedene getrocknete Kräuter in Stengeln, Blättern und Blüten packten sie ihren Siebensachen bei und nahmen sie mit ins neue Heimatland. Von den sogenannten Hausmitteln zur Anwendung bei verschiedenen Beschwerden und Krankheiten, von welchen man manche wahrscheinlich noch aus Preussen nach Russland, von dort nach Kanada und jetzt nach Paraguay mitgenommen hatte, waren manche wirklich nützliche und sinnvolle Heil- oder Schmerzlinderungsmittel. Manche dienten aber auch nicht unbedingt aufs beste der Gesundheit, besonders dann nicht, wenn sie mit Schnäpsen scharf gemacht worden waren.

Wie immer auch ihre Einstellung zur Gesundheitspflege war, es bestand kaum ein Unterschied in der Höhe der Sterbeziffer und der Lebenserwartung unter ihnen im Vergleich zu anderen Volksgruppen. Man wollte meinen, die Säuglingssterblichkeit sei unter ihnen höher gewesen, und das sei darin zu suchen, dass man Hausmittel zu hoch hielt und somit zu wenig ärztlichen Rat suchte. Manche aber der angewandten Mittel brachten, wenn sie auch nicht vollständige Heilung bewirkten, doch Linderung oder waren wenigstens einem Genesungsprozess nicht hinderlich. Es waren mild wirkende, unschädliche Hausmittel, die man bei leichten Erkrankungen anwandte, geläufige, einfache Behandlungsarten, wie z.B. auch kalte oder warme Umschläge, Wickel oder Bäder.

Schädlich konnten die Hausmittel bei ernstlichen Erkrankungen, die eine ärtzliche Behandlung erforderten, werden, wenn man sich auf eine heilende Wirkung der selbst ausgesuchten und angewandten Hausmittel verliess und dann nicht nur nichts damit erreichte, sondern die Lage noch verschlimmerte, besonders dann, wenn man sich so viel von einer positiven Wirkung der mitunter reichlich beigemischten Schnäpse versprach. Es bestand aber nicht unbedingt ein einheitlicher Trend in der Behandlung mit Hausmitteln. Es waren auch immer solche da, die es, wenn eben möglich, mit den Ärzten hielten.

Hausmittel in Paraguay

Was die Auswanderer an Hausmitteln mit sich nahmen, als sie sich nach Südamerika aufmachten, waren eingetrocknete Kräuter, wie Kümmel, Fenchel, Kamille und Pfefferminze, weiter Wacholderbeeren, Gewürznelken und anderes. Medikamente, die sie mitnahmen, waren: Kampfertäfelchen (mit denen man Kampferspiritus herstellte), Borsalbe, Zinksalbe, Borsäure, Karbolsalbe, eingedickte Aloe, Rizinusöl, Elektrisches Öl, Wunderöl, Hoffmannstropfen, Baldriantropfen, Kalte Tropfen (ein Äther enthaltendes Mittel), Grünes Öl, Olivenöl, Fischlebertran, Haarlemer Tropfen und so einiges mehr. Auch hielt man viel von ''Dr. Peter Fahrney's'' (Chicago) Kräutermedikamenten, wie: Magenstärker, Uterine, Alpenkräuter, die man sich auch bald nach Paraguay kommen liess.

In Kanada waren diese Leute ständig von fahrenden Händlern, die als Vertreter der Rawleighs und auch der Watkins Kompanien ihre Artikel in die Heime brachten, mit pharmazeutischen Artikeln bedient worden. Das versuchte man dann auch hier im Chaco, indem Heinrich B. Toews aus Waldheim sich als ein Rawleighs-Vertreter der Sache widmete. Er gab es aber nach etlichen Sendungen auf, da es trotz zollfreier Einfuhr schwierig war, die Sachen, die ja einen sehr weiten Transportweg zurücklegen mussten, bis zur Siedlung zu bekommen. Auch mangelte es an Geldmitteln.

Wir nennen nun noch eine Anzahl von Hausmittelrezepten, die aus Kanada nach Paraguay mitgenommen wurden. Es ist keine vollständige Aufzählung. In Paraguay hat man noch einige dazugenommen. Man wurde dazu veranlasst von Paraguayern, die sich mit verschiedenen Kräutern auskennen und sie zu Heilzwecken verwenden. Die Guaranieindianer, einst das Hauptvolk Paraguays, kannten sich ausgezeichnet mit Heilkräutern aus. Nicht in allen Familien wurden die gleichen Hausmittelrezepte verwendet. Es war damit noch gar verschieden. Zusammengefasst aber sah es etwa so aus:

Geschwüre: Sie wurden mit kühler oder auch mit stark erwärmter Seifenlauge ''gebäht'' (gebadet). Es war ein allgemein angewandtes Mittel. Oder man bereitete einen Brei aus gekochtem Flachssamen, machte ein Pflaster, einen Belag auf einem Stück Lappen, und legte dieses auf. Das gleiche tat man auch, anstelle von gekochtem Flachssamen, mit Rahm, mit dicker Milch oder auch mit einem Brei aus Brot. Andere wieder nahmen ungewaschene Schafwolle, legten sie auf glühende Holzkohlen und liessen den Rauch über die kranke Stelle ziehen. Oftmals legte man auch einen Belag aus einer Art der Aloepflanzen (Plattdeutsch: Zippelfie) auf, wozu man einen Aufschnitt von so einem dicken Blatt der Pflanze verwendete. Diese Aloenart pflanzte man auch bald im Chaco an.

Gegen **Entzündungen** wurde ein Getränk aus Gewürznelken (Plattdeutsch: Tjriednältji) oder aus den Blüten der Heckenrose bereitet und eingenommen.

Bei der **Rose**, einer Hautkrankheit, die früher auch **Rotlauf** genannt wurde, verabreichte man möglichst bittere Teegetränke. Man nahm auch auf einen Liter Wasser so viel Englisch Salz, bis das Wasser davon gesättigt war, feuchtete damit ein Tuch an und legte es auf. Darüber legte man ein trockenes Tuch und dann noch eine Wärmeflasche.

Bei **Erkältungen** wandte man die Wasserdunsttherapie an. Der Dunst wurde eingeatmet. Hatte sich die Erkältung auf die Lunge gelegt, dann tropfte man Eukalyptusöl in heisses Wasser oder warf etliche Eukalyptusblätter hinein. Dann musste man etwa 5 Minuten lang den Dunst einatmen. Das war ein überaus heilkräftiges Mittel oder wenigstens ein gutes Linderungsmittel. Man trank bei Erkältungen auch Kamilletee. Mitunter wurde auch ein sogenanntes Senfpflaster auf die Brust gelegt.

Bei **Augenentzündungen** wurden die Augen mit leichtsalzigem Wasser gewaschen. Auch feuchtete man ein Tuch mit salzigem Wasser an und legte es auf die Augen. Gewürznelke wurde hier auch verwendet. Manchmal wusch man auch die Augen mit in Wasser verdünnter Borsäure. Andere wieder nahmen das Weisse vom Hühnerei, schlugen es, schmierten es auf ein Tuch und legten es auf die kranken Augen. Die Augentzündung kam in der ersten Zeit der Ansiedlung sehr häufig vor. Mehrere Kinder sind damals infolge falscher Behandlung erblindet.

Säuglingskrankheiten oder Säuglingsbeschwerden wurden je nach ihrer Art behandelt. Wenn Säuglinge Leibschmerzen hatten, flösste man ihnen Pfefferminztee ein. Auch Kümmel — oder Fencheltee wurden als Beruhigungsmittel verabreicht. Wenn der Nabel nicht in Ordnung war, wurde von drei Hühnereiern der Dotter gebraten, zerrieben und damit dann der Nabel eingerieben. Bei Urinbeschwerden legte man die hauchdünne Haut eines gekochten Hühnereies auf den Unterleib.

Bei **Sodbrennen** nahm man eine Prise Tonerde, löste sie in einem Glas Wasser auf und trank zweimal am Tage davon.

Bei **Gallenleiden** sollte man abends eine ungeschälte Kartoffel zerreiben, in ein Glas Wasser schütten, gut rühren und bis zum Morgen stehen lassen. Morgens sollte man dies wieder gut durchrühren, dann durch ein Tuch seihen und ein paar Stunden vor dem Essen davon trinken. Während dieser Kur sollte man Heisses weder essen noch trinken.

Bei **Knochenbrüchen** wurde ein Tuch mit Wein oder Weinessig durchtränkt, und damit wurden Umschläge gemacht.

Bei **zu hohem Blutdruck** sollte man Knoblauch essen.

Bei **Verbrennungen** (Brandwunden) strich man Sirup auf ein Tuch und bedeckte damit die wunde Stelle, die möglichst dicht verdeckt sein sollte. Wenn man Brandwunden an Füssen oder Händen hatte, steckte man sie in Molke, um sich Erleichterung zu verschaffen.

Bei **Wassersucht** wurden Wermut, Wacholderbeeren, Meerrettich (die Wurzeln), Petersilie und Knoblauch zu gleichen Teilen genommen und abgekocht. Diesem tat man den Saft einer Zitrone hinzu, und davon nahm man ein. Beine, Leib und Kreuz wurden mit erwärmtem Olivenöl eingerieben.

Gegen **Magenschmerzen** wurde ein Hühnerei in einer Bratpfanne geröstet, zu Pulver zerrieben, in Wasser getan und davon eingenommen. Pfefferminztee wurde ebenfalls gegen Darm- oder Magenbeschwerden getrunken.

Die Kamille wurde viel und in verschiedenen Fällen verwendet. Besonders reichlich wurde sie von den Hebammen bei ihrem Dienst an Wöchnerinnen gebraucht.[1] Die Kamille wurde für Tee und auch für Umschläge, Wickel usw. verwendet.

In Paraguay angekommen, musste man dann auch mit den Bissen giftiger Schlangen rechnen, und die Betroffenen mussten behandelt werden. Übrigens machten die Leute sich darüber nicht allzu viele Sorgen. Waren doch die Delegierten der Chacoexpedition von 1921 fast zwei Monate im Chaco gewesen (fast einen Monat am Paraguayfluss und dann noch einen Monat im Innern). Diese hatten überhaupt nur ein paar Schlangen gesehen, und die hatten keine Angriffslust gezeigt. Aber man wusste, Giftschlangen seien da, und mehrere Personen wurden noch gebissen, während man in den Siedlerlagern wohnte. Sie wurden sehr krank, so dass man feststellte, die Schlangen seien doch ernst zu nehmen. Schlangenserum hatte man nicht. Aber die Rezepte waren da, sinnnvolle und auch sinnlose. Hier nun eine Reihe von Hausmitteln, die bei Schlangenbissen angewendet wurden:

- Man sollte einen Liter Wasser mit Englisch Salz sättigen, ein Tuch damit anfeuchten und es auf die Bisswunde legen. Dann sollte man ein trockenes Tuch darüberdecken und darauf eine Wärmeflasche legen. Es war genau das, was man auch bei Geschwüren machte.
- Reichlich Abführmittel einnehmen.
- Wo es möglich war, wurden Indianer herbeigerufen, um die Wunde auszusaugen.
- Man machte Mörtel, schnitt mit einer Rasierklinge über die Bisswunde und legte den Lehmmörtel auf.
- Schiesspulver wurde auf die Wunde getan und angezündet.
- War die Bisswunde an einem Fuss oder einer Hand, musste der Gebissene das betreffende Glied in Dickmilch stecken.
- Man machte einen Belag aus Waschblau und Essig (wie er auf den Tisch gebracht wird) und legte ihn auf die Wunde.
- Man drückte den Saft einer Zitrone in Molke, feuchtete ein Tuch damit an und machte Umschläge.

– Es wurden auch Schnäpse oder Wein verwendet, indem die gebissene Person reichlich, wenn nicht überreichlich, davon trinken musste. Dass solches aber dem Guten in keinerlei Weise förderlich war, stellte man bald fest, und tat es nicht mehr.

In Paraguay war man auch bald dahinter, welche gute Wirkung der Granatapfelsaft gegen **Durchfall** hatte. Auch die Blätter der Guayababäume wurden dagegen verwendet. Bei **Nierenbeschwerden** bereitete man sich einen Tee aus dem sogenannten Nierenkraut oder der Pflanze mit Blättern wie Ochsenklauen. Man sollte jede Stunde einmal davon trinken. Auch aus der getrockneten Wurzel der ''Feldfleckendistel'' wurde ein Tee bereitet. Ebenso konnte man auch die zerdrückte Wurzel in die Tereréguampa tun und mit dem Yerbaabzug mittrinken. Das sogenannte ''Wurmkraut'' wurde ebenfalls verwendet, indem man den Samen abzog und einen Tee davon machte oder ihn auch in die Guampa tat und mit dem Yerbaabzug mittrank. Dieses Wurmkraut ist sehr bitter und sollte gegen die Hakenwurmkrankheit wirken. Die Hakenwurmkrankheit aber hatte sich dann bald so sehr eingenistet, dass ärztlich- medizinische Eingriffe notwendig wurden.

Die Mennoleute hatten keine geschriebenen Gemeindegesetze für gesundheitliche Behandlung oder Nichtbehandlung, die ein Mitglied ihrer Gemeinschaft auf Gedeih oder Verderb zu befolgen hatte. Ein jeder tat das was er für gut und notwentig erachtete, oder tat es nicht. Im allgemeinen jedoch war die Ansicht vorherrschend, dass das Verabreichen von Vorbeugungs- oder Verhütungsmitteln ein Vorgreifen in das Walten Gottes sei. Es bestand aber dennoch kein direktes Verbot, solche Mittel entgegenzunehmen.

Einstellung zu Impfungen und Verhütungsmitteln

Die Schutzimpfung gegen Blattern (Pocken) war in Kanada obligatorisch gewesen, wie auch in vielen anderen Ländern, und somit war ihre Anwendung und Ausführung nicht abhängig von der Meinung und dem Gewissen einzelner Personen. Das Gesetz schrieb sie vor, und sie musste entgegengenommen werden. Von Zeit zu Zeit zogen die Vollstrecker solcher Gesundheitsmassregeln auch durch die mennonitischen Bezirke, und jedermann hatte sich mit seiner Familie bei der Ortsschule einzufinden. Im Falle der Pockenkrankheit, die auch schwarze Blattern oder schwarze Pocken genannt wurde, wussten auch die Mennoleute genug aus der Geschichte der Menschheit, was diese Volksseuche schon alles angerichtet hatte, auch in noch gar nicht so weit zurückliegender Vergangenheit. Ebenso wussten sie auch, wie man sie erfolgreich bekämpft hatte, seitdem die Schutzimpfung eingeführt worden war.

Dass auch diese an sich konservativen Mennoniten an diese Vorbehandlung glaubten, weil ihre Wirkung ja so offensichtlich war, bewiesen sie damit, dass sie später im Chaco, wo sie ja ganz sich selbst überlassen waren und sich ihre eigenen Bestimmungen machen konnten, die Initiative ergriffen und eine Schutzimpfung durchführten. Es war zwar nicht der Fall, dass sie alle guthiessen. Doch die Gegenstimmen verhallten wirkungslos im Chacowald.

Man erlebte es später auch, was für eine Bewandtnis es mit dieser Pest der schwarzen Pocken hatte. Im Sommer 1932/33 grassierte diese Seuche unter den Lengua im Gebiet Mennos und Fernheims. Viele erlagen der Seuche. Im Dorfe Chortitz, in Menno, erkrankten eine Anzahl Kinder und Erwachsene, und sieben Personen starben daran. Es starben daran auch noch in anderen Dörfern etliche Kinder. Die Krankheit aber wirkte sich sonst nirgends bedeutsam aus. Im Dorfe Chortitz stellte sich jedoch heraus, dass mehrere Familien die Schutzimpfung in Kanada nicht erhalten hatten. Sie waren irgendwie ohne Impfung davongekommen. Diese erkrankten nun besonders schwer, und mehrere Kinder und Erwachsene von ihnen starben auch. Leute, die die Pflege dieser Kranken besorgten, erkrankten auch, doch nur leicht. Es waren solche, die die Schutzimpfung erhalten hatten.

Es ist sehr wahrscheinlich, dass die Krankheit von den Indianern übertragen wurde. Weil aber meisten Siedler die Schutzimpfung erhalten hatten, brach sie im allgemeinen nur in ganz leichter Form aus. Dieses Ereignis im Dorfe Chortitz trug bestimmt noch dazu bei, dass man nun selbst die Initiative ergriff und die Schutzimpfung für alle Kinder anordnete.

Das mennonitische Siedlerlager von Puerto Casado war den gesundheitlichen Verordnungen des Hafenstädtchens unterstellt. Der Arzt von Puerto Casado, Dr. Walter, nahm sich vom Tage ihrer Ankunft der Siedlerpilger an. Das Urteil der Betreuten über die Ausübung seiner Praxis war verschieden, wie es ja gewöhnlich so ist. Verschieden waren die Leute auch darin, seine Anweisungen zu beachten und zu befolgen. Worin sich aber viele einig waren, das war, Vorbeugungsmittel, wie z.B. Antityphusbehandlung, abzulehnen. Was sie daran anders sahen als an der Antipockenbehandlung, ist nicht bekannt. Immerhin war es so. Der Arzt des Hafenstädtchens drängte dann ständig darauf, die Vorbeugungsmittel, wie er sie verabreichte, entgegenzunehmen und sich die Injektionen geben zu lassen. Es waren dann immer solche, die sich behandeln liessen. Anderen wieder war es eine Gewissenssache, und sie verweigerten die Behandlung schroff. Einem Brief über diese Sache entnehmen wir folgendes:[2]

''In Puerto Casado haben wir noch wieder mehrere Kinder und

Erwachsene zu Grabe getragen (nachdem schon viele gestorben waren, MWF). Ach, es gibt so viele Witwen und Waisen, was die Ansiedlung noch immer beschwerlicher macht. Es sind auch noch immer Kranke da. Hoffentlich haben wir den Wechsel hier bald überstanden. Gott möge es geben! Herr Landreth (von der Corporación Paraguaya bzw. der Intercontinental Company oder Siedlungsgesellschaft, MWF) versucht uns zu überreden, dass wir uns alle gegen Typhus impfen lassen sollen, was wir aber entschieden abgelehnt haben.''

Es war eine merkwürdige Ansicht, die man über die Vorbeugungsmassnahmen hatte. Einige glaubten überhaupt nicht an die Möglichkeit, Typhus zu verhüten, d.h. den Ausbruch der Krankheit durch eine vorherige Behandlung verhindern zu können. Andere bestritten solches nicht, hielten es aber nicht für vereinbar mit ihrem Gewissen. Sie meinten, durch die Vorbeugungsmassnahmen binde man dem lieben Gott die Hände, indem er nämlich durch diese Verhütungsmassnahmen verhindert werde, einem Menschen eine Krankheit zu schicken, wenn er es wolle. Und das sei nicht gut. Solches waren ja nach keiner Seite hin haltbare Ansichten, aber sie waren da. Merkwürdig war es dann, dass gerade auch bei dieser Art von Leuten solche da waren, die sehr empfindlich auf raschen Wetterwechsel reagierten und, wenn solcher im Anzug war, schon beizeiten für entsprechenden Bekleidungsüberzug sorgten, also Vorbeugungsmittel im wahrsten Sinne des Wortes anwandten.

Die Ansichten und Einsichten in gesundheitlichen, wie auch in vielen anderen Dingen waren bei manchen eigentlich nicht so besonders tief gegründet. Sie waren bei vielen eher traditionsgebundene, altherkömmliche Gewohnheiten. Die meisten der Siedler pflegten in einem bestimmten Mass und Rahmen eine gesundheitserhaltende Sauberkeit. Darüber hinaus bestand aber keine einheitlich Form der Gesundheitspflege.

Bei dem Klima der kanadischen Prärieprovinzen kam man mit der Art der gesundheitlichen Massnahmen schon irgendwie zurecht, nicht aber in Paraguay. Wenn fast hundert Kinder, die meisten im Kleinkindalter, in nur gut einem Jahr dahinstarben, dann war das doch eine sehr hohe Sterbeziffer und ein sehr hoher Prozentsatz, denn das waren etwa ein Drittel aller Kinder dieser Auswanderer.

Sicherlich hätten auch alle Vorbeugungsmassnahmen nicht ausgereicht, das Kindersterben ganz zu verhindern, aber wenn die Leute im allgemeinen eine gediegenere und angemessenere Gesundheitsdisziplin angenommen und sorgfältiger auf die Anweisungen des Arztes und auch auf die der Amerikaner acht gegeben hätten, die sich für sie einsetzten und auf dem Gebiet der Gesundheitspflege gut geschult waren, dann hätte das Bild der Sterblichkeit vielleicht doch etwas anders, d.h. weniger tragisch ausgesehen. Die Amerikaner, die sich unter diesen Mennoniten bewegten und sie von allen Seiten beobachteten, geben mit ihren Berichten einen Einblick über das Leben und treiben jener Siedlerpilger, auch in bezug auf ihre Art in gesundheitlichen Belangen. Die Siedler waren nur erst einige Wochen in Puerto Casado, als einer der für sie angestellten Amerikaner folgendes schrieb:[3]

"Was das Sterben der 6 Kinder betrifft, darüber brauchen wir uns keine Sorgen zu machen. Es sterben unter diesen Leuten durchschnittlich mehr Kinder, als es im allgemeinen der Fall ist. Grund dafür ist, dass sie sich nicht einer richtigen ärztlichen Hilfe durch Anweisung oder Beratung unterstellen. Auch trägt die Art ihrer Lebensweise dazu bei, dass ihre Gemeinschaft eine besonders hohe Ziffer der Kindersterblichkeit aufzuweisen hat. Diese auswandernden Mennoniten wissen es auch und rechnen auch damit, dass die schwächlichen Personen unter ihnen die grossen Umsiedlungsstrapazen nicht überleben werden. Aber trotz alledem ist es bedauerlich, dass schon so viele Sterbefälle vorgefallen sind, und wir müssen versuchen, alles mögliche zu tun, was in unseren Kräften liegt, die Sterbeziffer niedrig zu halten. Wir müssen auch versuchen, Vorbeugungsmittel zu verabreichen, wo Vorbeugungen möglich sind. Diese Mennoniten, die in den letzten 50 Jahren schon viel zu nahe im Geblüt geheiratet haben, haben schon viele Geistesschwache unter sich, und infolge ihrer Lebensweise werden sie auch weiter eine nicht normale Kindersterblichkeit aufzuweisen haben"

Bemühungen der Siedlungsgesellschaft

Herr Alfred Rogers, der Vizepräsident der Siedlungsgesellschaft, reiste dann im April oder Mai 1927, als es im Siedlerlager von Puerto Casado sehr kritisch wurde, von Winnipeg nach Paraguay und schrieb dann aus Puerto Casado an das Hauptbüro der Siedlungsgesellschaft in Nordamerika. Um diese Zeit, etwa Mitte des Jahres 1927, waren schon viele Kinder an einem schweren Durchfall gestorben.[4]

"Heute kam der Arzt dieses Hafenstädtchens Casado zu mir und teilte mir mit, es sei da ein Fall von Diphtherie bei einer Frau, und sie befände sich in einem bedauerlichen Zustand. Der Mann verweigere die Impfung. Auch wollten sie sich nicht darin fügen, abgesondert zu leben. Ich beeilte mich dann, eine sofortige Impfung anzuordnen und ausführen zu lassen. Was, zum Kuckuck, soll man denn mit solchen Leuten anfangen, die sich absolut weigern, ihren Kranken zu helfen!? Und dafür, dass so viele Kinder sterben, werden wir als Siedlungsgesellschaft dann zuletzt noch angeschuldigt, weil sie so lange hier am Flusse warten müssen. Keiner der Mennoniten nimmt ein Bad, keiner ruft den Arzt, es sei denn, jemand ist schon sterbenskrank.[5] Gott möge diesem Volke helfen! Wir können nicht mehr tun, als versuchen, ihnen so viel wie möglich zu helfen, indem wir immer wieder Anweisungen geben und für Beratungen bereit sind. Ich habe angeordnet, dass die betreffende Familie mit Diphtherie innerhalb von fünf Stunden zu isolieren sei. Wenn das nicht geschehe, müsse die Polizei eingreifen. Es wurde dann auch auf meine Anordnung hin ausgeführt. Der Arzt hier, der diese Leute betreut, ist noch jung und versteht nicht mit ihnen umzugehen."

In der zweiten Hälfte des Jahres 1927 zogen dann immer mehr Leute in die Chacowildnis hinein, liessen sich in Lagern am Wege zum Siedlungsgebiet nieder und hofften, dass "der Engel mit der Todessense" von Puerto Casado ihnen nicht in die Wildnis folgen würde. Doch sie täuschten sich. Bald schwang der Todesengel seine Sense in erschreckender Weise auch in den Siedlerlagern in tiefer Wildnis. Es starben aber in diesen Wildnislagern: Pozo Azul, Hoffnungsfeld, Palo Blanco und Loma Plata hauptsächlich Erwachsene. Von dem schweren Durchfall, der sie in Puerto Casado heimgesucht und dort so viele Kinder dahingerafft hatte, blieben sie im Inneren des Chaco fast ganz verschont. Dabei spielte die jetzt andere Trinkwasserversorgung sicherlich eine bedeutende und positive Rolle mit. Im September schrieb Rogers in einem Bericht aus Pozo Azul:[6]

"Die Mennoniten zahlen etwa 7000 Dollar monatlich für den Arzt. Jetzt aber sagen sie, dass sie es sich nicht länger leisten können, diese Summe auszuzahlen, weil so viele ihrer Leute den Arzt nicht wünschen. Sie haben nicht genug Geld, einen Arzt anzustellen. Unser Vorschlag war, dass wir als Siedlungsgesellschaft mit den Mennoniten zusammen die Bezahlung des Arztes 50 zu 50 übernehmen sollten. Dazu sollten die Mennoniten von ihren Leuten zwei Dollar pro Familie monatlich einfordern. Die Behandlung wäre dann frei, die Medizin aber müsste jeder selbst bezahlen.

Wir als Siedlungsgesellschaft können es uns einfach nicht erlauben, diese Leute hier in der Buschwildnis ohne Arzt sitzen zu lassen. Wir müssen etwas tun. Wir haben hier in Pozo Azul jetzt eine Familie, in der alle 6 Kinder und auch die Mutter erkrankt sind. Ich habe alles drangesetzt, wozu ich imstande war, sie am Leben zu erhalten, und es scheint so, es wird mir gelingen. Ich habe ihnen Sitzbäder verordnet, und sie mussten Chinin einnehmen. Die hohe Temperatur ist jetzt zurückgegangen. Auch verabreichte ich ihnen ein Desinfektionsmittel für die Eingeweide. Es war eine schwere Woche, die wir mit ihnen verlebten. Mehrere von ihnen fielen in ein Delirium. Es ist eine Art Durchfall und noch etwas dazu. Zu all diesen Krankheiten gesellt sich dann noch das Problem der Landvermessung, die Schwierigkeiten des Transports und manches andere mehr. Stellt euch das alles einmal vor. Was meint Ihr, ist es da verwunderlich, wenn der Mut sinken will? Sicherlich nicht. Und wenn wir dann noch unsere Unterstützung hinauszögern?! Wollen wir doch darüber nachdenken.

Ich habe gerade eine Mahlzeit eingenommen, eine dünne Kohlsuppe mit Brot und Tee. Während ich dieses schreibe, ist die Frau, die ich oben erwähnt habe, doch gestorben. Jetzt haben sich die Leute vor ihrem Zelt versammelt und singen ihr ein Sterbelied. Es ist Abend, ein wunderschöner Sonntagabend. Vermutlich ist die Frau an Lungenentzündung gestorben. Kein Arzt greift hier ein, weil eben keiner da ist, und so sterben die Leute dahin. Ich bestelle jetzt einen Arzt!!"

Am nächsten Tag schreibt Rogers dann an Dr. Eusebio Ayala in Asunción:

"Die Arztfrage für diese Leute hier im Chaco ist ganz ernst. Wir müssen einen Arzt einsetzen, und wir müssen ihn von der Siedlungsgesellschaft aus bezahlen. Hier in Pozo Azul geht ein schweres Fieber um. Ich habe nach dem Norden telegraphiert. Wenn die dort dann noch nicht volles Verständnis für diese Not hier aufbringen werden, um einen Arzt einzusetzen, so glaube ich doch, wir müssen es trotzdem tun. Verhandeln Sie mit einem Arzt. Er muss wissen, dass er in einem Zelt wohnen und ein regelrechtes Lagerleben wird führen müssen. Er soll so schnell wie eben möglich herüberkommen. Ich habe die Leiter der mennonitischen Siedlergemeinschaft gebeten, einen Teil des Gehalts für den Arzt zu bezahlen, und den Rest werden wir bezahlen. Viele von diesen Mennoniten wollen einen Arzt haben, und wir müssen ihnen zu einem solchen verhelfen:

1. damit wir in ärztlicher Beziehung auch wirklich alles tun, was in unseren Kräften liegt; denn man weiss ja gar nicht, was alles die Siedler noch werden durchmachen müssen;

2. müssen wir es tun, um unseren Ruf zu wahren, damit man uns später nicht den Vorwurf machen kann, wir hätten die Siedler vernachlässigt. Wir müssen den besten Weg suchen, ihnen zu helfen.''

Einige Wochen später schreibt Rogers dann wieder an das Hauptbüro der Intercontinental Company:[7]

"Drei Monate lang habe ich in Pozo Azul jetzt schon Menschen sterben sehen, ohne dass ihnen irgendwelche ärztliche Hilfe zuteil wurde, noch zuteil werden konnte. Ich halte es für notwendig, in Pozo Azul einen Arzt einzusetzen, und wenn wir ihn als Siedlungsgesellschaft allein bezahlen. Ich habe die Verbindung mit einem Arzt aufgenommen und erwarte jetzt Eure Stellungnahme in dieser Sache. Ich werde ihn aber sofort ins Feld schicken, weil es unverantwortlich ist, wenn wir nichts unternehmen.''

Herr Rogers schreibt dann an den Arzt, namens Meilinger:[8]

"Sie begeben sich nach Pozo Azul und verweilen einmal einen Monat unter diesen Mennoniten. In dieser Zeit werden Sie schon mit ihnen bekannt werden. Hoffentlich trägt dieser Monat dazu bei, dass Sie längere Zeit dort bleiben. Auf der Reise in den Chaco besuchen Sie dann auch das Siedlerlager in Puerto Casado und beraten Sie diese Leute in gesundheitlicher Beziehung. Während dieses ersten Monats in Pozo Azul fordern Sie den Leuten für ärztliche Behandlung nichts ab. Wir werden für ihre Bezahlung sorgen. Aber Medikamente berechnen Sie zu mässigen Preisen.

Man wird Sie von der Casadoeisenbahn abholen und in einem hochrädrigen Ochsenkarren bis Pozo Azul befördern. Dort wird unser Vertreter, Herr Fred Engen, für Ihre Unterkunft sorgen. Wir werden Ihnen dann ein Reitpferd zur Verfügung stellen und auch ein Zelt. Andere Sachen, die Sie benötigen, z.B. Bettzeug und Kochgeschirr, sollten Sie sich selbst nach Ihrem Geschmack anschaffen. Ich wünsche Ihnen Erfolg und gedenke selbst bald dort einzutreffen.''

Etliche Wochen später schrieb Engen dann aus Pozo Azul:[9]

"Die Angelegenheit des Arztes ist schwierig. Dr. Meilinger kommt bei den Mennoniten in Pozo Azul schwer an. Sie sind im Grunde genommen nicht dafür, dass ein Arzt unter ihnen weilt. Führende Männer wie Krahn und Doerksen befürworten diese ärztliche Betreuung nicht. Weil die Untersuchung kostenlos ist, haben sich fünf Kranke untersuchen lassen, und dann doch wohl auch in der Hoffnung, der Tod werde nicht verfrüht eintreten, wenn sie dem Arzt Zutritt gewähren. Solche Einstellung aber macht es dem Arzt schwer, unter ihnen zu sein. Der Arzt plant ein Absonderungshäuschen für die Kranken, die es nötig haben. Die Mennoniten aber wollen solches nicht. Es ist auch schwer, ihnen die richtige Sauberkeitspflege beizubringen. Die Witwe Harder und ihre Angehörigen tun so, als ob wirklich nicht viel passiert ist, dass der Mann und Vater gestorben ist, und doch ist Johann Harder gestorben. Man sagt, die Harders haben 14 Kinder gehabt. Die Hälfte davon sind gestorben. Drei sind jetzt hier in Pozo Azul gestorben. Die Frau ist 41 Jahre alt. Die Leute sagen, die wird wieder heiraten. Nun denn, ich hoffe, die werden es schon irgendwie in ihrer eigenen Weise schaffen.''

Etwa einen Monat später schrieb dann der Arzt selbst: [10]

''Ich kam am 1. Oktober hier in Pozo Azul an. Es sah im Blick auf die vielen Kranken und im Blick darauf, dass es am Notwendigsten mangelte, traurig aus. Viele waren mutlos. Ich stellte fünf Typhusfälle fest, eine Art Typhus, die man sonst nur in kalten und gemässigten Zonen antrifft. Es ist merkwürdig. Die Mennoniten sagen, sie haben in Kanada solche Krankheit in ihrer Gruppe gehabt. Und einige solcher Kranken befanden sich im Genesungsstadium, als sie sich auf die Reise nach Paraguay begaben. Hier ist diese Krankheit unbekannt, und man muss annehmen, dass sie eingeschleppt worden ist. Weil es nun an der richtigen Pflege fehlt, verbreitet sie sich hier. Hinzu kommt dann noch, dass die Leute unbeachtet lassen, was sie sonst gut machen könnten. Sie richten sich nicht diesem Klima entsprechend ein. Hemmend wirkt sich auch ihre religiöse Einstellung aus, indem sie dadurch den ärztlichen und medizinischen Vorschriften nicht die ihnen zutreffende Beachtung schenken.

In Pozo Azul lässt diese Krankheit jetzt aber schon nach, nimmt aber auf anderen Stellen zu. Mir sind zwanzig Fälle bekannt. Es war mir in zwei Fällen möglich, mit Erfolg eine Behandlung durchzuführen. Ich verabreichte Uretrepina Endevenesa. Viele haben die merkwürdige Einstellung, Gott schicke die Krankheit, und er werde die Menschen auch heilen, und weigern sich dann, die ärztliche Anordnung zu befolgen. Dadurch werden dem Arzt die Hände gebunden, er kann nicht richtig ein- und durchgreifen. Viele Leute sind auch zu schwach ernährt. Es waren da schon drei Fälle von Neuritis, ähnlich wie Beri Beri, und das liegt an der mangelhaften Ernährung.

Die meisten Siedler leben von Brot, Schmalz und Kaffee. Milch ist kaum einmal für einen Kranken zu bekommen. Selten auch sind Hühnereier zu bekommen und Früchte überhaupt nicht. Fleisch gibt es in Pozo Azul einmal wöchentlich, aber in Loma Plata und auf anderen Stellen nur jeden 20. Tag. Gemüse haben die Leute etwas geerntet. Wenn das denn nun auch alles so ist, wie es ist, verschiedene gesundheitzbezogene Massnahmen könnten sie sich trotzdem einzuhalten bemühen. Vielleicht sollten sie aber auch mehr die Ernährung aufzubessern versuchen.

Es fehlt ihnen eine Autorität, die sie veranlasst, das Notwendigste zu erfüllen. Ich fühle mich gedrungen, das ich die Armut vieler Leute gesehen habe, darauf aufmerksam zu machen, dass hier mitgeholfen werden muss. Die Leute brauchen die Unterstützung der Gemeinde, bis sie über den schwersten Berg sind und Erfolge in der Ansiedlung haben. Wenn neue Gruppen ankommen, sollte man sie in neue Lager weisen, um so die Verbreitung der Krankheit zu verhüten.''

Nachdem Herr Alfred Rogers seinen Dienst in Paraguay unter den Mennoniten und für die Mennoniten in ihrer Siedlungssache im Chaco beendet hatte, wobei er die meiste Zeit in den Siedlerlagern im Chaco gewesen war, schrieb er auf seiner Heimreise von Buenos Aires am 26. November 1927 an den Gemeindeältesten der Chacosiedler-pilger:

"Sie sind ein junger Mann, und Sie wissen, was Sie wollen; und ich weiss, dass Sie durch alle die Strapazen und Schwierigkeiten, denen sie begegnen, nicht entmutigt werden, das Werk der neuen Heimgründung im Chaco auszuführen. Sicherlich werden Sie zielbewusst in dem grossen Unternehmen voranschreiten, und Sie werden mit Ihrer Einflussfähigkeit auch die anderen mitziehen und sie dadurch bewegen, sich gemeinsam einzusetzen und dem Werk die sehr notwendige Unterstützung zu geben, um dem Siedlungsprojekt zu einem Erfolg zu verhelfen!

Ich weiss, dass dieses Jahr für Sie und für Ihr Volk sehr schwer gewesen ist. Einmal konnten die Leute nicht auf ihr eigenes Land ziehen, und dann kamen noch all die Schwierigkeiten hinzu, da hier alles, aber auch alles so ganz anders ist, als man es bisher gewohnt war.

Versuchen Sie nun doch alles, was in Ihren Kräften steht, die Leute zu bewegen, wirklich auf ihre Gesundheit zu achten. Ihr Volk ist jetzt in einem anderen Land mit ganz anderen Verhältnissen, als man sie bisher gekannt hat, und jetzt muss man sich den neuen Verhältnissen anpassen. Und das heisst, dass Ihre Leute ihre Lebensweise ändern und sich den neuen Zuständen und Verhältnissen nach Möglichkeit anpassen müssen. In der grössten Hitze darf man nicht arbeiten, sondern nur in den ersten Stunden des Tages und am Spätnachmittag, d.h. während der heissen Sommermonate. Man sollte kein unaufgekochtes Wasser trinken. Man sollte grosse Sorgfalt auf diese Trink-wasserangelegenheit legen. Weiter ist es sehr wichtig, dass man öfters badet, um den Körper rein und die Poren offenzuhalten. Das ist sehr nüzlich für den Körper, damit er die giftabsondernden Funktionen ausführen kann. Machen Sie Ihre Leute doch ständig darauf aufmerksam, wie wichtig es ist, das Siedlerlager bei Puerto Casado sauber zu halten. Man sollte wenigstens einmal wöchentlich Desin-fizierungsmittel anwenden. Man wird es mit der Sauberhaltung nicht so leicht übertreiben, aber allzuleicht kann man darin lässig sein. Wir haben im Englischen ein Sprichwort, das sagt "Cleanliness is next to god-liness" (in Deutsch etwa: Reinlichkeit steht der Frömmigkeit am nächsten, MWF.).''

Am 7. Dezember 1927 schrieb der Wildnisarzt, Dr. Carlos Meilinger, an Herrn Rogers in Winnipeg:

"In Pozo Azul hat die Typhusepidemie schon sehr nachgelassen. Es sind im November noch zwei Personen gestorben. Das ist ein Beweis dafür, dass die Akklimatisierung voranschreitet. Anders ist es im Siedlerlager Hoffnungsfeld und in dem von Palo Blanco. Besonders in Palo Blanco nimmt die Krankheit zu. In Loma Plata ist die Krankheit durch das gute Wasserversorgungssystem weitgehend aufgehalten worden. Ich habe auch dort noch Typhusfälle vorgefunden, sie konnten aber leichter bekämpft werden.

Im allgemeinen geht es mit dem Gesundheitszustand so weiter. In Wirklichkeit nehmen die Leute die Gesundheitspflege zu sehr auf die leichte Schulter. Sie beachten die Gesundheitsregeln zu wenig. Es fehlt unter ihnen jemand, der sich furchtlos und ohne Ansehen der Person zurechtweisen, ihnen das Verhängnis ihres falschen gesundheitsbezogenen Verhaltens ganz offen vor Augen malen und mit schonungsloser Strenge durchgreifen würde, sie zu einer mehr entsprechenden Aufmerksamkeit und Achtsamkeit auf sich selbst zu bringen. Ich glaube nicht, dass solches meine Aufgabe ist. Doch versuche ich immer wieder in einem sanften Ton, sie auf ihre Verantwortung hinzuweisen. Sie wollen eben nicht bevormundet sein.

Diese Leute sind nicht für einen Arzt. Da sind viele, die einfach sagen, sie brauchen den Arzt nicht. Die Klügeren unter ihnen wollen den Arzt sofort haben, wenn Schlangenbisse oder Skorpionenstiche vorkommen. Komme ich dann wiederholt zu einem Kranken, ihn zu behandeln, und es fängt dann mit ihm an zu bessern, dann sagen sie schon bald, ich brauche nicht mehr zu kommen, sie werden es jetzt schon selber schaffen. Nun, das sagen sie, weil sie so knauserig sind. Es kostet ihnen schon bald zuviel, was sie für Medikamente ausgeben sollen, die für die endgültige Genesung notwendig sind. Ich habe auch Medikamente kostenlos angeboten, aber auch dann sind immer noch solche Leute, die sie nicht nehmen wollen. Ich hoffe jedoch, ich bin hier nützlich gewesen."

Als Alfred Rogers in Winnipeg angekommen war, hatte Peter J. A. Braun aus Grünthal, Manitoba, ein Bruder des Abraham A. Braun, der unter den Siedlern war und im Dorfe Strassberg ansiedelte, am 28. Dezember 1927 ein Gespräch mit Herrn Rogers, das wir hier auszugsweise wiedergeben:

"Braun: Unsere Leute schreiben aus Paraguay so viel von Durchfall. Muss das ein jeder dort durchmachen? Kommt es vom dortigen Trinkwasser?

Rogers: Ich war monatelang dort und bin nicht einmal krank geworden. Wenn dann auch mal einige an Durchfall erkranken würden, aber so viele, wie es dort der Fall war, brauchten es nicht zu sein. Natürlich wird er durch das Wassertrinken verursacht, aber nicht vom Brunnenwasser, sondern weil die Leute irgendein Wasser trinken, ohne es vorher aufgekocht zu haben. Die Leute sind so: Wenn sie Durst haben, meinen sie, sie müssen sofort trinken, und dann trinken sie, ohne viel oder überhaupt danach zu fragen, was für Wasser es ist. Wir haben die Leute immer wieder davor gewarnt, das Wasser aus den Pfützen oder Lachen zu trinken, ohne es aufgekocht zu haben. Das stehende Wasser wimmelt von Ungeziefer und Krankheitskeimen. Das ist die Ursache des so häufigen Durchfalls.

Braun: Wie erklärt man es, dass so viele von unseren Leuten sterben?

Rogers: Eigentlich haben wir gar nicht über so ungewöhnlich viele Sterbefälle zu klagen, wenigstens nicht im Verhältnis zu anderen Stellen. Ausserdem sind die meisten an nicht-epidemischen Krankheiten gestorben, wie z.B. einer an einem Bruchleiden, ein anderer an Tuberkulose, noch ein anderer an Altersschwäche und Frauen an den Folgen eines Wochenbettes. Es sind auch einige an einer epidemischen Krankheit gestorben, wie z.B. an Typhus. Bis soweit aber ist keiner an einer südamerikanischen Krankheit gestorben; denn Typhus ist dort nicht heimisch. Das ist eine nordamerikanische Krankheit.''

Wir merken, dass Rogers, der, nachdem er aus Paraguay wieder zurück in Manitoba war, die Aufgabe hatte, mehr Interessenten für die Chacoansiedlung anzuwerben, den Krankheitsbericht sehr vorsichtig gegeben hat. Denn zu der Zeit waren doch schon aussergewöhnlich viele, auch Erwachsene, gestorben, sowohl in Puerto Casado als auch in den Siedlerlagern im Innern der Wildnis.

Das Verhältnis ''Mennoniten und Arzt'' war kein leichtes. Aber das hatte verschiedene Gründe. Nicht an letzter Stelle war es die Geldfrage, die finanzielle Seite. Denn diese Siedlerpilger, die während des langen Wartens, wo es keine Einnahmen gab, schon so viel hatten ausgeben müssen, um selbst erhalten zu bleiben, fürchteten sich nicht ohne Grund vor den Unkosten, die ihnen auch aus der medizinischen Betreuung erwachsen würden, vor allem, wenn eigens für sie ein Arzt in die Praxis kam. Denn ein Arzt musste gut bezahlt werden, dass wussten sie. Und er liess sich gut bezahlen. Und wenn sich die Siedlungsgesellschaft auch schon aus eigenem Entschluss und aus eigener Verantwortung aufmachte und einen Arzt einsetzte und ihn löhnte, so wussten sie doch, dass man von ihnen einen Beitrag erwartete. Diese Mennoniten hatten eine nur schwache Gemeinschaftskasse, an die man nicht viele Ansprüche stellen konnte. Das persönliche Beitragsgefühl hatte man in dieser Weise, wie es jetzt die Not eigentlich erforderte, niemals gepflegt. Dr. Walter Quiring hat das Kapitel, das er dieser Tragödie gewidmet hat, mit ''Die Gräber am Trakt'' überschrieben. Wir bringen hier einen Auszug: [11]

''Ungeheuerlich war der Preis, den diese Pioniere dem Schicksal für Zuflucht und Freiheit im Urwald bezahlten; jeder zehnte Einwanderer liess hier sein Leben für die ungewisse Zukunft seiner Volksgenossen. Eine lange Gräberreihe kennzeichnet den Leidensweg dieser Heimatsuchenden in der Wildnis des unerforschten Chaco. Im Hafen, bei Pozo Azul, Hoffnungsfeld und Loma Plata (und auch bei Palo Blanco, MWF), stösst der Wanderer noch heute (1933) auf die vielen verwachsenen Grabhügel am Buschrand und bleibt für Augenblicke, erschüttert ob dieses deutschen Schicksals, vor den Grabmälern stehen.

Viele Sielder kamen krank im Hafen an, weil sie die Kost und das Trinkwasser auf dem schmutzigen argentinischen Flussdampfer nicht vertragen hatten, und schwere Darmerkrankungen wurden bald allgemein. Hinzu kam im Hafen die für dieses Klima ungeeignete, meist fette Kost mit viel Schweinefleisch (die meisten hatten geräucherte Schinken aus Kanada mitgebracht), ohne Obst und Gemüse, das schmutzige Flusswasser, das vielfach roh getrunken wurde, das enge Zusammenwohnen, die hier ungeeignete kanadische Winterkleidung, das Arbeiten im Freien auch in der hohen Mittagshitze, die offenen Aborte dicht an den Wohnschuppen und Zelten und schliesslich das Fehlen jeglicher Badegelegenheit bei 42 Grad Celsius im Schatten. — Das Baden im Paraguayfluss ist wegen eines dort vorkommenden Raubfisches, der Palometa, gefährlich.

Die offenen Hallen, die dürftigen Blockhütten und dünnen Zelte boten natürlich keinen hinreichenden Schutz gegen die sengende Hitze und die Unmenge des Ungeziefers, und in der Regenzeit wurde die Mückenplage an dem überschwemmten Flussufer fast unerträglich. Aber schlimmer noch als diese Blutsauger, die einen zur Verzweiflung bringen können, quälen die winzig kleinen Polvorinos, deren Stiche noch lästiger sind als die der Schnaken.

Mückennetze kannten die Einwanderer anfangs nicht, und später waren viele nicht mehr in der Lage, sich welche zu kaufen. Um wenigstens nachts vor diesen Hausgenossen einigermassen Ruhe zu haben, schliefen die Kolonisten meistens im Rauche des Palisander, dessen ätzende Wirkung die Mücken zwar fernhielt, bei den Menschen aber vielfach heftige Augenentzündung verursachte.

Gleich am zweiten Tag nach der Ankunft der ersten Gruppe starb ein Kind und am dritten Tage starben drei; und von da an musste zwei Monate lang fast jeden anderen Tag ein Kind auf den Friedhof hinausgetragen werden. Im März starb die erste Erwachsene, Frau Katharina Goertzen, an Sonnenstich; sie hatte in der glühenden Hitze unter freiem Himmel gewaschen und war am Waschkübel tot zusammengebrochen. Und im Juni starb Frau Katharina Braun, an Typhus.[12]

Sofort nach den ersten schweren Erkrankungen zogen die Siedler den Casadoschen Hafenarzt, Dr. Walter, zu, der die Kranken während der Epidemie behandelt hat. Bald aber wurde er von den Kranken nur noch in den dringlichsten Fällen in Anspruch genommen, nachdem die Kolonisten sahen, dass sowohl ärztliche Behandlung als auch die Arzneien in der Casadoschen Apotheke teuer bezahlt werden mussten; ihre mitgebrachten Barmittel schmolzen ohnedies unheimlich rasch zusammen. Ausserdem konnte ein gegenseitiges Vertrauensverhältnis auch aus dem Grunde schwer entstehen, weil dem Arzt, einem Österreicher, die plattdeutsche Mundart und die Eigenart dieser eckigen, wortkargen Norddeutschen fremd blieben. Keineswegs aber waren die Kolonisten, wie damals auch in reichsdeutschen Zeitungen zu lesen war, religiöse Fatalisten, die dem Unglück freien Lauf liessen, statt sich ihm mit aller Kraft entgegenzustemmen.

Viele der Einwanderer konnten sich allerdings nicht entschliessen, sich gegen Typhus impfen zu lassen. Ein besonders tragischer Todesfall hatte sie gegen das Impfen misstrauisch gemacht: Peter Klippenstein, ein junger Mann, der aus Kanada hergekommen war, um seine Braut abzuholen, hatte sich gegen Typhus impfen lassen und war bald darauf gestorben.[13]

Währenddessen wütete die Krankheit immer heftiger und griff bald auch auf die Zwischensiedlungen im Chaco über, weil der Verkehr dorthin trotz der Ansteckungsgefahr nicht unterbrochen wurde. Viel mag zur Verbreitung der Krankheit auch beigetragen haben, dass die Absonderungsmassnahmen des Arztes im allgemeinen nur nachlässig durchgeführt wurden, und ferner, dass die Beerdigungen immer unter allgemeiner Beteiligung stattfanden.

Erst im September 1927, nachdem 83 Menschen zu Grabe getragen waren, zog die C.P. einen zweiten Arzt zu, Dr. Karl Meilinger aus Encarnación am Paraná. Dieser sollte die Kranken auf den Zwischensiedlungen im Chaco behandeln; er stellte auch dort gleich bei seiner ersten Reise in den Busch Typhus fest. Die Siedler selber glaubten lange, es sei eine mit dem Klima zusammenhängende Massenerkrankung, weil es nach ihrer Einwanderung längere Zeit trocken blieb und bis in den Mai nur einige Male leicht regnete.

Eine grosse Niedergeschlagenheit bemächtigte sich der Siedler, und eine Zeitlang schien es, als sei ihre Widerstandskraft durch die Verpflanzung in die Tropen gebrochen, als hätte die lange Wartezeit sie müde und mürbe gemacht. Bald reihte sich auf dem Friedhof Hügel an Hügel, und die Zahl der von der Gemeinde zu unterhaltenden Waisen, Witwen und Witwer wuchs mit jedem Tage. Nur wenige jener Gräber zieren Grabsteine, aus Zement und Sand gegossen, die meisten sind lediglich von schlichten Holzrahmen eingefasst. Kreuze dulden diese Kolonisten weder auf ihren Friedhöfen noch in ihren Kirchen, die wie gewöhnlichen Häuser ohne Turm und ohne irgendwelche Verzierungen gebaut werden.

Als die Epidemie auf ihrem Höhepunkt stand, entsandte die Regierung aus Asunción eine Ärztekommission, die die Lage im Hafen untersuchte, und die sich mit den vom Hafenarzt getroffenen Massnahmen einverstanden erklärte.

Im März 1928, nachdem mehr als 130 Menschen gestorben waren (es waren etwa 170, MWF), begann die Krankheit langsam zu erlöschen. Auf der Ansiedlung starb im selben Jahr noch die Frau des Diedrich Gerbrand (Bergfeld), und dann endlich hatten die Einwohner vor dem erbarmungslosen Würgengel Ruhe.

Aber auch diese schwere Heimsuchung hatte nicht vermocht, ihren Entschluss, im Chaco anzusiedeln, zu erschüttern, und trotzdem allen von den Glaubensgenossen in Kanada die Möglichkeit zur Rückkehr in die alte Heimat geboten wurde, machte nur etwa ein Fünftel von diesem Angebot Gebrauch.''[14]

Die von Dr. Quiring oben erwähnte ärztliche Kommission, die von der Regierung in Asunción beauftragt wurde, die Situation in Puerto Casado zu überprüfen, hat damals darüber berichtet. Der Bericht, gegeben von einem Dr. Santos Canillas aus Concepción, ist datiert mit dem 7. März 1927. Hier einige Auszüge daraus:

"Die Bedingungen für einen gesundheitlichen Zustand sind sehr gut, so dass Puerto Casado als Vorbild für andere ähnliche Städtchen dienen könnte. Überall merkt man es, dass man Wert auf die Gesundheit der Angestellten und Arbeiter legt. Die Strassen sind sauber, von Eukalyptusbäumen gesäumt und sehen überhaupt schön aus. Fabriken, Werkstätten, Bäckerei, Hotel, alles ist in sauberer Ordnung. Die meisten Wohngebäude sind Neubauten im Bungalowstil. Auch die alten Wohnhäuser sind einigermassen sauber gehalten. Überall ist elektrischer Strom. Das Wasser wird aus dem Fluss hochgepumpt und dann gefiltert und weitergeleitet.

Die Apotheke wird von einem Ausländer bedient. Sie ist mit dem Notwendigsten an Medikamenten versorgt. Ich stellte unter der paraguayischen Bevölkerung dieses Städtchens einen Typhusfall fest. Der Fall wird isoliert behandelt, und auch die Familie wird zur Behandlung herangezogen. Ein anderer Fall, eine Person aus der Verwandtschaft der Typhuskranken, wird in Asunción behandelt. Es ist anzunehmen, dass da der Typhusherd zu suchen ist.

Das Mennonitenlager in Puerto Casado:

Die kürzlich dort ansässig gewordenen, etwa 800 Mennoniten werden in der Gesundheitssache besonders behandelt. Sie befinden sich in einem Zelt- und Hüttenlager, etwa zwei Kilometer von der Casadofabrik entfernt. In der Nähe des Lagers ist ein Pumpwerk eingerichtet. Die vom Pumpwerk (zwei Wasserbehälter in etwa 40 Fuss Höhe) ausgehenden Leitungen ins Siedlerlager enden mit einer Filtervorrichtung. Es sind genügend Abtritte eingerichtet, die täglich desinfiziert werden.

Die ersten Gruppen dieser mennonitischen Einwanderer verliessen Kanada im kalten Winter und kamen hier in der heissesten Jahreszeit an. Das wirkte sich schlecht aus. Sie trugen dunkelfarbige Kleider aus dickem Stoff, unpassend für dieses Klima. Sie beachteten auch nicht genug die stechenden Strahlen der Mittagssonne. In der kalten Gegend war das tägliche Baden nicht so notwendig. Für diese heisse Gegend ist das tägliche Baden sehr wichtig, was diese Leute noch nicht erkannt haben. Sie haben sich ziemlich viel haltbares Schweinefleisch mitgebracht, das ihnen jetzt als Nahrung dient, was aber für sie nicht gut ist. Die für dieses Klima angemessene Ernährungsweise beachten sie zu wenig. Ich fand aber nur einen Kranken unter den Erwachsenen. Eine Frau war am Sonnenstich gestorben, wie die ärztliche Feststellung ergeben hatte. Die Kinder aber leiden schwer unter dem extremen Klimawechsel. Es war ein schwerer Fehler, Kanada in der kalten Jahreszeit zu verlassen und hier mitten im Sommer anzukommen.

Die Krankheit legt sich besonders auf die Kinder unter zwei Jahren, und das ist das in allen Weltteilen meistgefährdete Alter. Diese Kinder sind die Opfer falscher Ernährung und der Nichtbeachtung auch anderer gesundheitserhaltender Faktoren. Von diesen Kindern im besagten Altersrahmen sind in Puerto Casado, im Mennonitenlager, viele gestorben. Ich habe etliche der erkrankten Kinder untersucht und habe ''Diarrea Estival'' festgestellt, die Folgen einer Nahrungsvergiftung, würde man nach medizinischer Erkenntnis sagen. Soviel ich dahintergekommen bin, ist dieses die Ursache des schweren Durchfalls unter den Kindern dort im Lager, woran eben auch viele starben. Die grosse Hitze fördert diese Krankheit, besonders dort, wo die Ernährung nicht entsprechend ist. Es hätten nicht so viele Kinder zu sterben brauchen, wenn sie ihren Bedürfnissen entsprechend behandelt worden wären. Das hätte dann aber auch ausserhalb des Lagers geschehen müssen. Darauf hätten die Leute sich aber wohl nicht eingelassen.

Diese Mennoniten sind andererseits aber gefügig. Sie sind ein untertäniges und vernünftiges Volk, achten aber zu wenig auf die Umstände und Zustände, die bei solchem Klimawechsel auf sie eindringen und welchem Wechsel sie sich in einem fremden Land durch ihre Einwanderung aussetzen. Wenn noch mehr von ihnen ins Land kommen wollen, sollte man sie ernstlich warnen. Man müsste Schriften, verfasst in deutscher Sprache, unter ihnen verteilen, worin man vor allem den Müttern kleiner Kinder gesundheitspflegende Empfehlungen gibt.''

Das berichtete ein Arzt, den die Regierung beauftragt hatte, die gesundheitlichen Bedingungen des Hafenstädtchens Casado und die des Siedlungslagers zu untersuchen. Das zeigt, dass das Ergehen der mennonitischen Einwanderer der Reigerung in Asunción nicht gleichgültig war. Einige Wochen später hatten Asunciónen Zeitungsreporter mit Herrn José Casado eine Aussprache, der ihnen unter anderem folgendes mitteilte:[15]

''Es ist wahr, dass viele Kinder sterben, und zwar die kleinen Kinder. Erwachsene Personen sind bis dahin drei gestorben. Das Sterben so vieler kleiner Kinder hat aber gar nichts mit dem Klima zu tun und steht in keinerlei Weise in Beziehung zu dem für die Einwanderer neuen Land. Es liegt einfach darin, dass die Leute zu sehr kanadische Eigenarten und Gewohnheiten beibehalten und somit ihre Kinder nicht den neuen Verhältnissen entsprechend ernähren. Das ist ihnen auch schon gesagt worden, und man hat ihnen auch den Rat erteilt, wie sie es machen müssten. Sie aber sind schwerfällig im Umstellen. Sie hatten sich in grossen Mengen Nahrungsmittel aus Kanada mitgebracht, die hier aber nicht zu empfehlen sind. Auch sind sie etwas engstirnig in der medizinischen Behandlung; sie meinen, Gott müsse sie bewahren, nicht die Medizin.''

Waren es dann in der ersten Hälfte des Jahres 1927 noch mehr die Kinder — und meistens solche unter zwei Jahren – die den Wechsel nicht überstanden, so setzte in der zweiten Hälfte desselben Jahres das Sterben im unterschiedslosen Alter ein. Es starben ältere und alte Leute. Dieses Sterben zog sich bis in die erste Hälfte des folgenden Jahres hin. Als dann im April 1928 die Dörfer angelegt wurden, ging die Typhusepidemie noch mit in die Dörfer, ergriff noch mehrere Erwachsene, und eine ältere Frau starb daran. Dann verschwand die Seuche, und es kehrte ein Gesundheitszustand ein, so gut, wie ihn die Siedler von Kanada her gekannt hatten. Dr. Meilinger berichtet aus dieser Zeit, als die Leute in die Dörfer zogen:[16]

''Seit dem 1. Mai 1928 gibt es noch 16 Fälle von Typhuserkrankungen.

Die Todesfälle werden weniger. Anfangs dieses Jahres nahmen sie noch zu. Solches ist wohl auf den andauernden Mangel an körperlicher Widerstandskraft zurückzuführen, und dieser Mangel entsteht durch die sich so lange hinziehende mangelhafte Ernährung. Es fallen dann besonders diejenigen diesem Mangel anheim, die keine Mittel haben, sich irgend etwas zu kaufen. Diese werden von ihrer Gemeinschaft mit Mehl versorgt, aber auch nur das. Damit aber ist die Ernährung einseitig. Es ist natürlich, dass die körperliche Schwäche für Krankheiten anfällig macht. Die Widerstandskraft bricht zusammen, und die Krankheit steigt ein. Auch nimmt solche körperliche Schwäche den Willen und die Fähigkeit zum tatkräftigen Schaffen.

Es fehlt also an der Versorgung mit Nahrungsmitteln, auch heute noch. Es gibt auch Fälle von ''Conjunctivitis'' (Bindehautentzündung des Auges), darunter einen schlimmen Fall, der wohl zur Erblindung führen wird. Die anderen Fälle, wie Hals- und Lungenbeschwerden, Hauterkrankungen u.a. sind allgemeiner Natur.''

Im ganzen genommen war es aber eine trübe Zeit. In 5 Familien starben beide Elternteile, in 20 Familien starb die Mutter und in 22 Familien der Vater. 47 Familien verloren einen Elternteil oder auch beide durch den Tod. Es gab weit über 100 Halbwaisen und eine Schar von Vollwaisen. Diedrich R. Friesen, der damals seine Mutter verlor, schreibt dazu:[17]

''Es war ausgangs August des Jahres 1927, als meine Eltern, Heinrich H. Friesens, mit uns, ihrer Familie, von Puerto Casado nach Pozo Azul zogen. Dort angekommen, richteten wir es uns etwas wohnlich ein, für das Leben in der Wildnis. Dann fuhr Vater wieder zurück zur Eisenbahn, um mehr Sachen abzuholen.

Noch während er auf dem Hinwege war, erkrankten in rascher Folge fast alle in unserem Hause. Die Leute bemühten sich, Vater so schnell wie möglich zurückzuholen. Das konnte nur geschehen, indem man ein Pferd sattelte und ihm nachritt. Vater kam dann auch bald nach Hause. Es war niederdrückend für ihn, Frau und Kinder so krank anzutreffen. Bald kam es noch schwerer: Am 4. September starb Mama. Sie war 39 Jahre alt. Dann, am 12. September, starb die Schwester Margaretha, die 18 Jahre alt war, und am 24. starb die vier Jahre alte Schwester Anna. Vater hat damals eine sehr schwere Zeit durchgemacht. Das mitgebrachte Geld war schon in Puerto Casado für den Lebensunterhalt aufgebraucht worden. Für das Leben in der Wildnis blieb uns dann die Armut. Weil das Siedlungsland nicht vermessen war, mussten wir mit dem Ansiedeln so lange warten. Vater musste sich dann mit den fünf Kindern, die noch geblieben waren, durchschlagen. Es war ein prüfungsvoller Weg. Er hatte nicht seine eigenen Ochsen, kein Pferd und auch keinen Wagen.

Ich entsinne mich noch, wie wir Kinder einmal einfach zu hadern anfingen. Da war kein Mehl, kein Fett, nur Bohnen hatten wir. Da sagte Vater eines Tages, wir sollten doch dankbar sein, wenn wir noch Bohnen hätten! So assen wir dann Bohnen. Jede Mahlzeit bestand nur aus gekochten Bohnen. Wir hatten aber auch noch etwas Salz. Ich konnte es nicht verstehen, warum Vater sagte, wir sollten dafür noch dankbar sein. Vater vertraute dem lieben Gott. Er rechnete damit, es würde noch wieder anders, nämlich besser, werden. Und so wurde es auch.''

Dr. Johann Ediger und Homöopathie

Noch im Jahre 1927 wandte sich ein Mennonit aus Deutschland, der dort aus Russland eingewandert war, an den Vorstand des mennonitischen Siedlerlagers von Puerto Casado und bekundete sein Interesse, nach Paraguay einzuwandern und sich der mennonitischen Chacosiedlung anzuschliessen. Er hatte eine Frau und zwei Kinder. Es war ein gewisser Johann Ediger, ein Homöopath, also ein geschulter Vertreter der Homöopathie, eines Heilverfahrens, bei dem eine Krankheit durch kleinste Beigaben von Naturheilmitteln bekämpft wird.

Schon 25 Jahre hatte er, wie er schrieb, sich damit befasst, kranken Menschen arzneilos und so viel wie möglich auch operationslos mit giftfreien Mitteln zu helfen und den Segen der Homöopathie, die ihn in seinem 20. Lebensjahr vom sicheren Tod gerettet hatte, auch anderen Kranken zu bringen. So sei er ganz besonders darauf bedacht — hiess es weiter — der Homöopathie in diesem Staate, der ein Friedensstaat zu werden verspreche, ein Fundament zu legen und hier aufklärend zur Selbstbehandlung zu wirken, auch bei komplizierten Krankheiten. Mit dem Friedensstaat meinte Ediger wohl den paraguayischen Chaco, der nun von friedliebenden Mennoniten besiedelt werden sollte. Er erwähnte dann auch noch, mit welchen Erfolgen er in Deutschland schon gearbeitet habe. Begeistert für die mennonitische Ansiedlung im weltentlegenen Chaco, wollte der Mann nun mit seiner Familie auch dorthin. Wahrscheinlich sah er hier eine Möglichkeit zu einer intensiveren, regeren Ausübung seines homöopathischen Berufes. Homöopathie ist ein Heilverfahren, das auch damals nur wenig Anklang fand und oft unter Kritik stand.

Es ist nicht bekannt, was der Vorstand der Chacomennoniten ihm auf seine vielen Fragen geantwortet hat. Eine Verpflichtung ihm gegenüber hat es niemals gegeben. Es kann sein, dass er von Deutschland Unterstützung erhalten hat. Sonst aber kam er mit seiner Familie auf eigene Faust in den Chaco. Noch im Jahre 1929, ehe noch die Russlandmennoniten in den Chaco kamen, war er mit seiner Familie da und liess sich in der Nähe von Hoffnungsfeld, am Wege, der von Hoffnungsfeld nach km 145 führte, nieder. Der kleine Kamp, den er da einnahm, war Eigentum der Corporación Paraguaya, die die Familie Ediger dort auch aufnahm und ihr eine Siedlungsfläche überliess.

Nach einem Bericht in ''Die Post'', Steinbach, Manitoba, vom 2. April 1930, war mit Edigers Niederlassung in Paraguay, bzw. im Chaco, noch etwas mehr verbunden als nur sein persönliches Interesse. Es heisst dort, Ediger sei ein Vertrauensmann von Professor Benjamin H. Unruh, der seinerseits in Deutschland Vertreter für die

"Rostherner Board" in Kanada war, von einem Ausschuss also, der sich mit der Unterbringung mennonitischer Flüchtlinge befasste. Nun sei — hiess es weiter in dem Bericht — Ediger wahrscheinlich nach Paraguay zum Zwecke des Studiums der dortigen Verhältnisse in Verbindung mit einer möglichen Überführung der mennonitischen Flüchtlinge aus Russland nach Paraguay entsandt worden.

Aus der homöopathischen Praxis des Herrn Ediger, sowohl unter den Mennos als auch dann später unter den Fernheimern, ist kaum etwas in Erinnerung geblieben oder niedergeschrieben worden. Immerhin richtete er in beiden Siedlungen gar wenig aus und verliess dann auch bald wieder den Chaco. Doch etwas, das noch lange geblieben ist, hatte er geprägt: Der kleine Bittergraskamp, auf dem er mit seiner Familie mehrere Jahre gewohnt hatte, behielt noch viele Jahre den Namen "Eidgerkamp".

Dass er als Homöopath sehr verdünnte Heilmittel herausgab, die auch giftfrei waren, wie er ausdrücklich selbst bekanntgab, wussten die Leute. Doch sie interessierten sich merkwürdig wenig für die homöopathische Behandlung, obwohl man auch nichts dagegen hatte. Wer solche Heilmittel nehmen wollte, sollte sie nehmen. Er gab sie zunächst auch noch kostenfrei heraus.

Was aus der Zeit der kostenfreien Behandlung noch weiter bekannt ist, ist dieses: Als einmal eine kleine Gruppe von jungen Männern, die als Transporter der Siedlung von km 145 heimwärts fuhren, bei Edigers vorbeikamen, überreichte er ihnen für ihr Dorf eine Literflasche, gefüllt mit einem Heilmittel für entzündete Augen, das die Kranken einnehmen sollten. Ich weiss nicht, was die Jungs dazu getrieben hat, die Flasche "Augenheilmittel" noch auf dem Wege auszutrinken. War es Durst? — War ihnen das Trinkwasser vielleicht ausgegangen? War es irgendein Wohlgeschmack an dem dünnen Heilmittel, oder nahmen sie es als Vorbeugungsmittel zu sich? Was immer es auch gewesen sein mag, als sie ihr Heimatdorf, für welches der Homöopath das Heilmittel zur freien Benutzung mitgegeben hatte, erreichten, war kein Tropfen "Heilmittel" mehr in der Flasche. Sie hatten alles ausgetrunken.

Das Massensterben hört 1928 auf

Wie schon erwähnt: Während die Siedler in die Dörfer zogen, starben noch etliche, und dann kam das Sterben für 1928 zum Stillstand. Im Jahre 1929 starben im ganzen 7 Personen.

Übersichtstabelle über das grosse Sterben

Altersgruppen der 1927/28 Verstorbenen
1. In Puerto Casado
Kinder:

unter einem Jahr	29	von 3 bis 4 Jahren	3
von 1 bis 2 Jahren	23	von 4 bis 5 Jahren	2

von 2 bis 3 Jahren	9	von 5 bis 6 Jahren	2

Total im Alter von 0 bis 6 Jahren: 68 Kinder

von 6 bis 7 Jahren	2	von 9 bis 10 Jahren	4
von 13 Jahren	1	(in den Zwischenjahren keine)	

Total im Alter von 6 bis 14 Jahren: 7 Kinder

Junge, unverheiratete Männer von 15 bis 25 Jahren: Total 2 Jünglinge

Verheiratete Männer:

von 21 bis 27 Jahren	4	von 54 bis 57 Jahren	3
von 33 bis 39 Jahren	3	von 62 bis 64 Jahren	3
von 40 bis 42 Jahren	2	von 70 bis 77 Jahren	5

Total: 20 verheiratete Männer

Jungfrauen von 16 bis 27 Jahren: Total 5

Ein älteres Fräulein von 58 Jahren

Verheiratete Frauen:

von 18 Jahren	1	von 40 bis 41 Jahren	2
von 21 bis 27 Jahren	3	von 50 bis 57 Jahren	3
von 31 bis 35 Jahren	6	von 61 bis 68 Jahren	2
von 70 Jahren	1		

Total: 18 verheiratete Frauen

Insgesamt: 121 Todesfälle

Diese 121 Personen wurden in Puerto Casado auf dem katholischen Friedhof beerdigt. Weiter wurden dort zwei Kinder beerdigt, die auf der Reise gestorben waren, also als Leichen vom Schiff auf den Friedhof gebracht wurden. So liegen auf dem Friedhof von Puerto Casado 123 von den Mennoniten aus Kanada. Herr Fred Engen, der im Dienste dieser Siedlerpilger ebenfalls in Puerto Casado starb, ist der 124., der aufgrund der Wildnissiedlung der Mennoniten auf den katholischen Friedhof des Hafenstädtchens Casado gelangt ist. Einer der Mennoniten, der 15–jährige Peter der Familie Diedrich D. Wiebe, wurde am 26. August 1928 beim Baden von den Fluten des Paraguaystromes verschlungen. Seine Leiche konnte nicht gefunden werden.

2. In Pozo Azul

Kinder unterm Schulalter	4
Kinder in den Schuljahren	1
Mädchen von 15 bis 20 Jahren	3
Junge, unverheiratete Männer von (über 20)	2
Verheiratete Frauen von 26 bis 58 Jahren	3
Verheiratete Männer von 40 bis 65 Jahren	4

Total: 17 Sterbefälle in Pozo Azul

3. In Hoffnungsfeld

Kinder unterm Schulalter	5
Kinder in den Schuljahren	1
Eine verheiratete Frau von 30 Jahren	1

Eine Witwe von 54 Jahren 1
Total: 8 Sterbefälle in Hoffnungsfeld
4. In Palo Blanco
Kinder unterm Schulalter 1
Kinder in den Schuljahren 2
Ein Mädchen von 15 Jahren 1
Ein älteres Fräulein von 38 Jahren 1
Verheiratete Frauen von 26 bis 32 Jahren 2
Verheiratete Männer von 56 bis 58 Jahren 2
Ein Unbekannter 1
Total: 10 Sterbefälle in Palo Blanco
5. In Loma Plata
Kinder unterm Schulalter 3
Kinder in den Schuljahren 1
Unverheiratete Männer von 14 bis 32 Jahren 4
Ein älteres Fräulein von 30 Jahren 1
Eine Frau von 24 Jahren 1
Ein verheirateter Mann von 38 Jahren 1
Ein Witwer von 74 Jahren 1
Total: 12 Sterbefälle in Loma Plata
Insgesamt:
In Puerto Casado 121
In den anderen Siedlerlagern 47
Total: 168 Sterbefälle insgesamt

Fussnoten zu Kapitel X
Das grosse Sterben

1. Ich habe es noch in der Erinnerung, dass mein Elternhaus immer von solchem Duft erfüllt war, wenn ich nach einer zwangsmässigen Abwesenheit wieder nach Hause durfte, nachdem ein neues Brüderchen oder Schwesterchen bei uns eingekehrt war.
2. Prediger Diedrich D. Wiebe schrieb aus Puerto Casado am 2. März 1928 an Ältesten M. C. Friesen in Pozo Azul.
3. A. A. Rogers, aus Winnipeg am 22. Januar 1927 an R. N. Landreth, der um diese Zeit in den U.S.A. war.
4. A. A. Rogers, aus Paraguay am 28. Juli 1927 an das Hauptbüro der Intercontinental Company in Philadelphia, PA, USA.
5. Dass keiner der Mennoniten ein Bad genommen habe, stimmt nicht; dafür bin ich persönlich Zeuge. Es wurde aber zu wenig gepflegt. Es stimmt auch nicht, dass der Arzt nur zu Schwerkranken gerufen wurde. Auch andere, die nur leicht krank waren, konsultierten den Arzt; allerdings gab es zu viele, die den Arzt erst dann riefen, wenn jemand schwer krank war.
6. A. A. Rogers, aus dem Siedlungslager am 2. September 1927 an das Hauptbüro der Siedlungsgesellschaft in Philadelphia, PA, USA.
7. A. A. Rogers, aus Paraguay am 21. September 1927 an das Büro wie oben.
8. A. A. Rogers an Dr. Meilinger vom 24. September 1927.
9. Fred Engen, aus Pozo Azul an A. A. Rogers, Puerto Casado am 3. Oktober 1927.

10. Dr. Meilinger, aus Pozo Azul, an die Angestellten der Corporación Paraguaya in Asunción.

11. Dr. Walter Quiring: *Russlanddeutsche suchen eine Heimat* S.92 ff.

12. Frau Goertzen starb zwar an den Folgen eines Sonnenstichs, nicht aber plötzlich am Waschkübel, sondern erst nach längerer Krankheit, und zwar am 5. Februar, nicht im März. Frau Braun starb nicht im Juni sondern am 23. März, nicht am Typhus sondern an einem schweren Bruchleiden.

13. M. W. Friesen: *Kanadische Mennoniten bezwingen eine Wildnis* S.42.

14. Dass allen, die aus Kanada nach Paraguay gekommen waren, die Möglichkeit geboten wurde, in die alte Heimat zurückzukehren, stimmt nicht. Es gab solche, die umgekehrt wären, wenn die Möglichkeit für sie vorhanden gewesen wäre.

15. **El Liberal** — Tageszeitung, Asunción vom 27. April 1927.

16. Bericht von Dr. Meilinger aus Pozo Azul vom 14. Juli 1928 an die Corporación Paraguaya in Asunción.

17. Diedrich R. Friesen, Hochstadt, Südmenno, Paraguay.

KAPITEL 11

Hier bleibe ich nicht!

Es ist nichts Ungewöhnliches, dass aus so einer Gruppe von Leuten Siedler abziehen . . . Man muss bestenfalls damit rechnen, dass von 5 bis 10 Prozent entweder aus familiären Gründen oder wegen einer anderen Ursache nach Kanada zurückkehren. Wir haben keine Ursache, uns zu beunruhigen, wenn 100 oder 200 Personen aus einer Gruppe von 1800 bis 2000 dorthin umkehren, von wo sie gekommen sind . . .

A.A.Rogers aus B.Aires an das Büro der Corp. Paraguaya in Asunción —
November 1927

Vorstellungen und Wirklichkeit

Dr. Walter Quiring schreibt über die Rückwanderung einiger Paraguayeinwanderer wie folgt:[1]

"Dass . . . nicht alle Einwanderer Ausdauer genug bewiesen, die scheinbar endlose Wartezeit durchzuhalten, ist nicht verwunderlich. Viele von den Siedlern verzagten und brachen unter den seelischen Erschütterungen und körperlichen Strapazen zusammmen, und enttäuscht und verbittert kehrten sie dem Chaco den Rücken und gingen in die alte Heimat zurück. Eine Anzahl gewichtiger Gründe machen die Rückwanderung dieser Enttäuschten verständlich und lassen die heroische Tat der Eroberer des Chaco umso verdienstvoller erscheinen."

Es gibt ohne Zweifel Aus- und Einwanderungen, bei denen man sich übereilt hat, weil alles in zu rascher Folge ablief und kaum Zeit für eine gründliche Überlegung und Überprüfung des Unternehmens gewesen war. Das aber kann man von der Kanada–Paraguay–Wanderung der 1920er Jahre nicht sagen. Man hatte Zeit, ja sogar viel Zeit, sich alles gründlich von allen Seiten und aus allen Perspektiven in aller Ruhe zu beschauen und zu überlegen. Das war die Zeit von 1921 bis Ende oder wenigstens bis Mitte des Jahres 1926. In diesen etwa 5 Jahren gab es eine Unmenge von Anlässen, die Sache der Auswanderungsbewegung immer wieder von neuem zu überlegen, durchzudenken und sich im Geiste Bilder davon zu machen, wie etwa die Wirklichkeit aussehen könnte.

Viele nun, die zu Beginn der Auswanderungsbewegung mit Leib

und Seele dabei gewesen waren, überlegten es sich dann im Laufe der 5 Jahre langen Wartezeit anders und zogen sich davon zurück. Viele aber blieben bei dem einmal gefassten Entschluss, nach Paraguay auszuwandern, trotz aller Warnungen und Hinweise darauf, was für ein strapaziöses Unternehmen so eine Ansiedlung in einem tropischen Land und dazu noch in einem Wildnisgebiet sein werde. Allein schon die ungemein weite und mühevolle Reise dorthin, mit allem, was dann noch an Unvorhergesehenem kommen könnte, wäre Grund genug, davon Abstand zu nehmen. Aber die Paraguaybegeisterten reagierten einfach nicht darauf.

Freilich waren sie nicht in der Lage, die volle Wirklichkeit zu erkennen; die musste erst einmal erfahren werden. Zu dem Umstand, dass sie die volle Wirklichkeit nicht wissen konnten, trugen u.a. einige positive Schilderungen ihrer neuen Wahlheimat bei. Der Bericht ihrer Delegierten war, wie schon erwähnt, im ganzen positiv ausgefallen. Andere positive Berichte über Paraguay las man in einem Buch über Paraguay, ''Paraguay — wirtschaftliche, naturgeschichtliche und klimatologische Abhandlungen'', von einem ehemaligen deutschen Konsul geschrieben.[2] Dass dieses Buch sich lediglich auf Ostparaguay bezog und nicht auf den Chaco, sagte den Auswanderungslustigen sehr wenig. Paraguay war Paraguay. Schluss! Zudem schrieb ein Vertreter der Intercontinental Company über den Chaco wie folgt:

> In den Sommermonaten, Januar und Februar, ist die Temperatur warm und übersteigt in einigen Jahren zuweilen 100 Grad F.; manchmal erreicht sie auch nicht 98 Grad. Engen, so wie auch die anderen mennonitischen Delegierten finden, dass dort ein sehr angenehmes Klima ist.[3]

Ferner hatten die Delegierten selber wie folgt berichtet:

> Von Kilometer 235 bis Kilometer 255 trafen wir verschiedene ausgedehnte Indianergärten. Auch hier hatten sie, wie weiter zurück auch, Süsskartoffeln, Mandioka, Bohnen. Wir fanden überhaupt an verschiedenen Stellen Pflanzen von Wassermelonen, Zuckermelonen, Kürbissen, Baumwolle, Rizinus. Die Gewächse scheinen von einem hingestreuten Samen herzurühren und wachsen nun wild, ein Beweis dafür, dass hier verschiedene Pflanzen gedeihen, auch wenn der Samen nur auf die Erde geworfen wird.[4]

Wenn die nüchternen Mennoniten sich nun auch trotz dieser positiven Berichte unter Paraguay und dem Chaco kein Schlaraffenland vorstellten, sondern realistisch mit einer rauhen harten Wirklichkeit einer strapaziösen Ansiedlungsperiode rechneten, so konnten sie nicht wissen, **wie** entbehrungsreich, opfervoll und anstrengend die Wirklichkeit sein sollte. Aber die Auswanderer liessen sich, trotz aller erdenklichen Versuche der Gegner der

Auswanderung nicht von ihrem einmal gefassten Entschluss auszuwandern abbringen.

Und dann kam die Wirklichkeit! Sie war dann doch viel anders, als man sie sich immer wieder in seinen Vorstellungen ausgemalt hatte. Ihre Einwirkung war im allgemeinen auf die verschiedenen Leute verschieden. Zwei Tatsachen indessen wirkten sich auf alle gleich folgenschwer aus: erstens, dass die Eisenbahn nicht bis zum Siedlungsgebiet gebaut worden war (und auch später nicht gebaut wurde), und zweitens, das das Gebiet, wo die Siedlung angelegt werden sollte, nicht vermessen war. Eine weitere allgemeine Enttäuschung betraf die Viehweide. Die Delegierten hatten immer von dem vielen Gras, das die Savannen der Siedlungsgegend bedeckte, gesprochen, worunter man sich ausgedehnte, üppige Viehweiden vorstellte, und das sich dann als bitter und als ungeniessbar für das Vieh herausstellte. Merkwürdig bleibt, wieso es die Delegierten damals nicht bemerkt haben, dass es Bittergras war. Sie sahen nur, wie die Ochsen und Pferde ihrer Karawane, wenn sie Rast machten, umhergingen und frassen. Die Tiere aber hatten nur das Süssgrass, das sich in spärlicher Menge zwischen den Bittergrasstauden befand, herausgelesen, wie man später dann beobachtete. Dieser Umstand, dass die Unmenge der vermeintlichen Viehweide sich als sozusagen wertlos erwies, war ebenfalls für alle Siedler eine schwere Enttäuschung. In vielen anderen Dingen aber waren die Enttäuschungen persönlicher Art. Man kann sich z.B. vorstellen, dass Heimweh mehr oder weniger bei allen auftrat, die Reaktionen darauf waren aber sehr verschieden.

Vor allem war es die totale Andersartigkeit und Fremdheit, die sich lähmend über alle legte und die anderen Enttäuschungen umso schwerer erscheinen liess. Sogar die Optimistischsten wurden zeitweilig davon ergriffen. Klima, Landschaft und örtliche Sitten: alles war hier so grundverschieden von der alten Heimat, dass ein Gefühl des Zuhauseseins nicht aufkommen wollte.

Dann aber kam das grosse Sterben: Walter Quiring schreibt zu der ganzen Lage Folgendes:

> "Der eigentliche Grund zur Rückwanderung war zweifellos Heimweh, das unter den traurigen Verhältnissen am Hafen besonders stark werden musste, Sehnsucht nach den Verwandten und Bekannten, nach Heim und Geborgenheit und nach allem, was ihnen Kanada zur Heimat gemacht hatte. Aber auch ausserdem hatten die Einwanderer Ursache genug, mit dem Land ihrer Wahl unzufrieden zu sein. Vor allem entmutigte das grosse Sterben, das gar kein Ende nehmen wollte, und das fast tropische Klima, unter dem die Nordländer am Hafen stark litten. Monatelang blieb es nach der Einwanderung unerträglich heiss und trocken, und das Leben in den dünnen Zelten, wo Gesunde und Kranke Tag und Nacht von unzähligen Schnaken und Polvorinos

gepeinigt wurden, war kaum zu ertragen. Und als dann die ersten tropischen Regen niedergingen und das niedrige Hafengebiet unter Wasser setzten, steigerte sich die Mückenplage zur Qual.''

Auch das Gefühl der unermesslichen Entfernung von dem, was man bisher als trautes Heim, sein Zuhause in wohliger Geborgenheit gehabt hatte, legte sich bleiern auf das Gemüt; denn es war, als wäre man über eine Brücke geschritten, die eine ungeheure Kluft überquerte, und hätte sie dann hinter sich abgebrochen. Das Gefühl der Entfernung wurde noch vergrössert durch die Umständlichkeit, die Mühseligkeit und die Länge der Reise mit den Reisemitteln jener Zeit. Aufsteigendes Heimweh wurde dann, wo die Widerstandskraft nicht stark genug war, zu einem gesteigerten Heimweh, zu einer Sehnsucht, die sich allmählich zu einem nagenden Wurm entwickeln konnte, ja geradezu zu einer seelischen Qual.

Wer sich vorher alles, so gut er es gekonnt, möglichst ''südamerikanisch'' vorgestellt und über manches andere vorher schon nachgedacht und sich nichts Utopisches hatte vorgaukeln lassen, der schnitt sicherlich viel besser ab als derjenige, der in heimlicher Hoffnung auf paradiesische Zustände sich ein Land des ewigen Frühlings oder wenigstens eines ständig herrlichen Sommers vorgestellt hatte, und sich nun in ein Leib und Seele zermürbendes, nervenaufreibendes, zumeist trocken–heisses tropisches Klima und in eine unergründliche Buschwildnis voller Stacheln und Dornen versetzt sah.

Eine fernere Enttäuschung bildete die lange Wartezeit. Als man in Puerto Casado angekommen war, hiess es, man wäre nun am Ziel der langen Reise angekommen, und nach jeder Ankunft einer neuen Gruppe in Puerto Casado wurde ein Telegramm an die in Kanada Verbliebenen geschickt:''Gesund und glücklich angekommen.'' In Wirklichkeit war man aber vom Ort der Ansiedlung noch sehr weit entfernt. Schaurige Wildnis, ungebändigte Natur lag noch dazwischen! Es ist kein Wunder, dass mancher schon ''auf halbem Wege'' umgekehrt ist, wenn er auf das dornenumwobene Gewirr der buschigen Wildnis blickte, die noch zwischen diesem vorübergehenden Aufenthaltsort und der vorgesehenen Siedlungsstelle lag. Ein ungemein mühevoller Weg war bis dahin noch zu überwinden, immer tiefer hinein in das Dickicht einer völlig unbekannten Wildnis. Nein, niemand braucht sich darüber zu wundern, dass manche Leute den Mut verloren, wenn sie später diesen elenden Wildnisweg zogen oder überhaupt schon gar nicht von Puerto Casado aufbrachen, es sei denn, um zurück in die alte Heimat zu fahren. Der wilde Mut, in solche unwirtliche, ungebändigte, kulturfeindliche und zivilisationsfremde Gegend vorzustossen und sie zu bezwingen, verzog sich bei der Begegnung mit dieser Wirklichkeit nur zu leicht in den Hintergrund. Wenn man dazu gezwungen war, so würde man halt mitmachen müssen, niemals aber freiwillig.

Darum überlegten sich einige dieser Wildnispilger schon bald nach ihrer Ankunft in Puerto Casado, wie sie am schnellsten wieder auf den Weg nach "Hause" kämen, heraus aus dieser Treibhausluft und zurück dorthin, woher sie gekommen waren und wo es doch möglich war, zu leben. Schon im März 1927 dampfte die erste "heimkehrende" Familie ab. Es war die Familie Jacob Peters aus Saskatchewan. Nachdem der Anfang dann gemacht war, entschieden sich immer mehr Leute, dem fremdländischen Gelände zu entfliehen und den Rückweg anzutreten.

Merkwürdig sind die Gründe, die meist als Ursachen für den Entschluss zur Rückwanderung angegeben wurden. Es war entweder die Hitze, die Ungewissheit, ob der Bau der Eisenbahn weitergeführt werden würde, dass das Siedlungsland noch nicht vermessen war, die schwierige Wasserfrage, die Viehweidefrage (weil das Kampgras ja bitter war) und verschiedenes andere. Niemand jedoch wollte die Sehnsucht nach dem alten Zuhause als Ursache angeben. Es scheint so, dass jedermann die Beschuldigung fürchtete, dass man ein Land des Glaubens wegen verlassen hatte und nun des Heimwehs wegen wieder dahin zurückkehrte. Das hätte ja Kleinmut verraten und dem Ansehen in der alten Heimat sehr geschadet. Weil der grösste Teil der Auswanderer doch im Chaco verblieb, mussten schon gewichtigere Gründe für eine Rückkehr angegeben werden. In der alten Heimat jedoch wurden diese Begründungen meist skeptisch aufgenommen, weil sie so verschieden waren.

Die Standhaften der Siedlerpilger hielten die Rückwanderung für ein übereiltes Handeln und nannten es ein "Umkehren auf halbem Wege", denn man war ja noch nicht auf dem Siedlungsplatz, sondern immer noch unterwegs, immer noch auf der Reise zum Bestimmungsort. Warum sollte man also jetzt schon aufgeben?!

Es waren damals so 20 v.H., die umkehrten. Sie fuhren fast alle in der etwa 16 Monate dauernden Wartezeit zurück, die meisten noch aus dem Siedlerlager bei Puerto Casado. Etwa ein Dutzend Familien verliessen Paraguay dann auch später noch, als schon die Dörfer angelegt waren. Insgesamt sind damals etwa 60 Familien (335 Personen) zurückgekehrt. Nach ihrer Herkunft aus Kanada waren es aus der Gruppe der Manitobaleute (Ost- und Westreservat) 229 Personen (etwa 15%) und aus der Gruppe der Bergthaler aus Saskatchewan 106 Personen (etwa 47%).

Den Herren der Siedlungsgesellschaft war die Rückwanderungsbewegung natürlich eine unwillkommene und besorgniserregende Erscheinung. Sie mussten sich aber damit abfinden und trösteten sich schliesslich mit dem angeblichen Erfahrungsergebnis kolonisatorischer Unternehmen, wonach eine Umkehr von 100 bis 200 Personen bei 2000 Auswanderern eine normale Erscheinung sei. Daher versuchten sie, den Rückkehrern Verständnis entgegenzubringen und schickten sich in das Unvermeidliche.

In diesem Falle erwies sich leider die Statistik als unzulänglich und damit die Berechnungen der "Intercontinental Company" als viel zu niedrig: Es kehrten etwa 50% mehr als erwartet zurück.

Über die Rückkehr der ersten Familie hatte jemand aus dem Siedlerlager bei Puerto Casado nach Kanada geschrieben, eine Familie Peters sei zurückgefahren und habe als Ursache angegeben, es sei ein zu grosser Schwindel mit der Auswanderung getrieben worden. Das stimme aber nicht. Peters sei in Wirklichkeit ein Feigling, weil er auf halbem Wege umgekehrt sei. Fred Engen schrieb:[6]

> "Man hat so seine Bedenken, was dieser nach Kanada zurückkehrende Peters dort alles berichten wird."

Angesichts der schwierigen Lage der zermürbenden Wartezeit, deren beständige und entmutigende Wirkung nun, durch die Rückwanderungsstimmung verursacht, noch schmerzlicher spürbar wurde, machte sich damals im Siedlerlager bei Puerto Casado ein starkes Aufbegehren bemerkbar. Ende März des Jahres 1927, kurz nachdem die Familie Peters nach Kanada zurückgekehrt war, hielten die Einwanderer in Puerto Casado eine Versammlung ab. Fred Engen, der dieser Versammlung beiwohnte, forderte seine Schutzbefohlenen auf, einmal Vergleiche mit früheren Ansiedlungen ihrer Vorfahren anzustellen, beispielsweise im Weichselmündungsgebiet, in den Steppen Südrusslands und in der Wildnis der Grassteppen Manitobas. Immer und überall habe man in der Anfangs- und Vorbereitungszeit grosse Anstrengungen machen und Entbehrungen ertragen müssen und habe hohe Unkosten gehabt. Ebenso sei es auch jetzt. "Ja", sagten die bedrückten Siedlerpilger, das sei wahr, aber das Warten im Siedlerlager sei doch sehr anstrengend.

In Engens Brief heisst es dann weiter:[6]

> "Die Leute machen sich Sorgen wegen des Wassers. Aber wie lange sind doch schon tausende von Menschen — Indianer — im Chaco gewesen. Und dann sollte dort nicht auch für die Mennoniten Wasser sein? — Nun denn unzufriedene Leute gibt es überall. Der Herr Peters wird jetzt wohl das Gegenteil von dem berichten, was wir vom Chaco erwarten. Er wird die Fortsetzung der Auswanderung nach Paraguay wohl zum Stehen bringen wollen. Heute fahren aus Puerto Casado etliche der Mennoniten nach Asunción. Sie wollen von dort aus ein Telegramm nach Kanada schicken, um ihren Kummer zu bekunden. Wollen wir doch versuchen, diesen Leuten klarzumachen, dass sie ihre Angelegenheiten hier regeln müssen; denn sie sagen ja selbst, sie haben

Kanada als ihre Heimat aufgegeben. Und je mehr sie von ihren Klagen nach dem Norden überbringen, umso schwieriger wird es für sie werden, weil sie sich selbst dadurch Schaden zufügen.''

Besonders hoch ging die Welle der Unzufriedenheit zunächst unter den Leuten der Saskatchewaner Bergthalergruppe. Fast die Hälfte dieser Gemeinschaft brach noch im Jahre 1927 vom Siedlerlager in Puerto Casado zur Rückkehr nach Kanada auf. Warum aus dieser Gruppe verhältnismässig so viel mehr nach Kanada zurückkehrten, kann nicht mit Bestimmtheit gesagt werden. Wahrscheinlich trug eine Verstimmung innerhalb der Gruppe selbst dazu bei, die nun, als sowieso schon alles schwer ging, den Ausschlag gab. Von den beiden Delegierten dieser Bergthalergruppe, die 1921 mit bei der Untersuchungskommission für Siedlungsmöglichkeiten im Chaco gewesen waren, war nicht einmal einer mit ausgewandert.

Nachdem eine Familie es fertiggebracht hatte, zurückzukehren, rafften sich bald auch mehr auf, um den Weg ''nach Hause'' anzutreten, und die Unruhigen und Unzufriedenen liessen immer mehr von sich hören. Bald schallte das Echo der Enttäuschten auch durch den Zeitungswald. Im August desselben Jahres befasste sich bereits eine Asuncioner Zeitung damit:[7]

> ''Die Regierung sollte eine Untersuchung anstellen, um herauszufinden, was eigentlich unter den Mennoniten in Puerto Casado vorgeht. Sie sind beunruhigt. 8 Familien machen sich jetzt auf, um nach Kanada zurückzukehren. Sie werden das Echo der Enttäuschung und der Unzufriedenheit jetzt über die Grenzen unseres Landes hinaustragen. Sie sagen, sie seien von der Intercontinental Company, die ihren Hauptsitz in den USA und auch ein Büro in Winnipeg hat, enttäuscht worden. Diese Gesellschaft, die den Landhandel, sowie das Herüberbringen der Siedler und ihre Ansiedlung bewerkstelligt, habe sich nicht zufriedenstellend ihren Aufgaben gewidmet, wie es im Vertrag festgelegt worden sei, berichten diese Mennoniten. Es sind also nicht das Land mit seiner Bodenbeschaffenheit und auch sonstige Verhältnisse unseres Landes schuld daran, dass diese Leute aufgeben und nach Kanada zurückkehren; denn das Land, sagen sie, sei ausgezeichnet, und auch an Wasser fehle es nicht. Das Ansiedlungsprojekt ist somit in Gefahr. Eine Untersuchung sollte unbedingt eingeleitet werden. Man müsste hier eingreifen, um eine Wende zum Besseren herbeizuführen, damit doch das Chacosiedlungsprojekt fortgesetzt werden kann.''

Die Amerikaner (d.h. die Siedlungsgesellschaft) waren von solchen Zeitungsberichten selbstverständlich nicht erbaut. Einer von ihnen schreibt dazu:[8]

> ''Wenn man solchen Zeitungsbericht liest, bekommt man den Eindruck, als hätten wir es mit einer Betrügerbande zu tun, anstatt mit arbeitsamen, sparsamen, friedlichen und frommen Leuten, wofür wir diese Mennoniten doch hielten.''

Entstellungen und Halbwahrheiten

Bald hallte das Echo der enttäuschten Paraguaywanderer auch durch Kanada. Die ersten Rückkehrer waren in Saskatchewan angekommen. Eine Zeitung aus Saskatoon berichtete dann über die "Siedlungstragödie kanadischer Mennoniten in Paraguay" . . . Der Artikel hatte eine in die Augen fallende Schlagzeile. Dann hiess es dort weiter: [9]

> "Grosse Unzufriedenheit wegen der grossen Strapazen und der Behandlung, die ihnen widerfahren ist, herrscht jetzt unter den Mennoniten, die vor etwa einem halben Jahr Kanada verliessen und nach Paraguay übersiedelten. Sie beschweren sich, dass das Land, das sie sich für ihre kanadischen Farmen eingehandelt haben, überhaupt nicht vermessen sei, und dass es eine wasserlose Wüste sei, absolut unbrauchbar für landwirtschaftliche Zwecke. Die meisten dieser Leute haben kein Geld mehr. Sie wenden sich jetzt an Verwandte und Freunde in Kanada und bitten um Hilfe, um zurückkehren zu können. Leute hier bei Rosthern haben Briefe erhalten, worin berichtet wird, dass das Land, das die Mennoniten gekauft haben, von Indianern bewohnt wird. Sie durften dann ein anderes Stück Land übernehmen, da aber war kein Wasser. Mancher Brunnen ist schon gegraben worden, ohne dass man überhaupt auf Wasser gestossen ist. Eine Gruppe aus Manitoba und Saskatchewan verkaufte ihr kanadisches Landeigentum, erhielt 7 Dollar in Bargeld und den Rest in Landeigentum in Paraguay. Etwa 1000 dieser Leute mit ihren Familien liessen hier alles stehen und liegen, ihre Heime, ihre Verwandten und Bekannten, und reisten nach Puerto Casado in Paraguay. Dort sind sie jetzt, wo sie vor 6 Monaten landeten; die meisten von ihnen haben kein Geld mehr. Viele leben in grosser Armut. Das Geld, das sie für ihr Land erhielten, haben sie für die Reise dorthin ausgegeben. Hier verliessen sie im Winter und kamen im tropischen Sommer dort an. Unter solchem Klimawechsel haben sie sehr gelitten. Es sind schon 50 Personen gestorben, zumeist Kinder. Wir lassen hier noch einen Brief folgen, von einem, der hier eine gute Farm mit voller Ausrüstung verlassen hat, und damals, als er abreiste, auch noch Geld auf der Bank hatte:

> 'Puerto Casado, Paraguay, den 15. Mai, 1927
> 'Mein lieber Onkel: Wir sind noch immer auf der Stelle, wo wir aus dem Schiff ausstiegen. Haben auch keine Hoffnung, weiterzukommen. Die Eisenbahn ist nicht zum Siedlungsland hin gebaut. Und wenn wir auch schon auf unser Land gelangen sollten, bleiben können wir dort doch nicht. Kein gutes Wasser ist zu finden. Der Boden ist hart wie Stein von der brennenden Sonne. Das Land pflügen, wie wir es von Kanada kennen, geht hier gar nicht. Man kann nicht mal mit dem Spaten Land umgraben. Wenn man etwas anfangen will, muss man schon die Spitzhacke nehmen. Wir haben hier in Puerto Casado in der Weise etwas Land bearbeitet, auch etwas bepflanzt, welches auch aufging und dann aber auch schnell wieder verschwand. Es hat keinen Sinn, etwas zu pflanzen. Bitte schreibe meinem Bruder in Manitoba, er soll nur nicht auch noch die Dummheit begehen, dass er sein Land verkauft, um in diesen unfruchtbaren Teil der Welt zu kommen. Besonders für Kinder ist das Klima schwer. In 5 Monaten sind schon mehr als 50 Personen

gestorben. Ich hoffe Euch bald von Angesicht zu sehen. So schnell es geht, fahren wir zurück nach Kanada.

Dein lieber Neffe, A. F. Friesen.''''

Die Zeitung fährt dann fort:

"Wie auch aus anderen Briefen jener unglücklichen Leute in Südamerika hervorgeht, leiden sie schon fürchterlich. Ihr Geld ist dahin, aufs Land können sie nicht ziehen, weil es eine unvermessene Wildnis ist. Etliche, die noch Geld haben, wollen, so schnell, wie es geht, zurück. Alle klagen über die schreckliche Hitze, über grimmige Ameisen, über Wassermangel, über das Misslingen ihres Ansiedlungsplanes. Das Land ist nicht so beschaffen, wie es ihnen vorgestellt wurde, es ist unbrauchbar für diese Leute, die es gewohnt sind, nach kanadischer Art Landbau zu treiben. Farmer, die hier ertragfähiges Land besassen, gute Brunnen und Gebäude hatten, ja, alles, was man braucht, Ackerbaugeräte usw. und Geld auf der Bank, die haben jetzt nichts. Sie sind gestrandet in einer wasserlosen Wüste eines tropischen Landes, tausende Meilen von ihren Verwandten und Freunden entfernt."

Die Siedlungsgesellschaft reagierte natürlich prompt auf solche Töne. Jemand schrieb zu dem Artikel:[10]

"Der Bericht im "SASKATOON DAILY STAR" hat uns Schwierigkeiten bereitet. Ich habe die Sache mit dem Ältesten Friesen und mit A. A. Braun besprochen. Ich bat sie, mir Briefe zuzustellen, die dem SASKATOON DAILY STAR Bericht entgegenarbeiten würden. Ich fahre vielleicht auch selbst nach Saskatoon, um mit dem Herausgeber zu sprechen. Und nicht nur in der Zeitung ist dieser widersinnige Bericht gebracht worden, sondern er wurde auch übers Radio verbreitet. Da sind noch viel mehr Geschichten in der Luft. Gestern sagte mir ein Mann, jemand hätte bei der Eisenbahngesellschaft angefragt, ob sie vielleicht willens wäre, etwa 500 Mennoniten aus Südamerika unter günstigen Preisbedingungen zurückzuhelfen. Es ist ja zum Lachen über solche Geschichten. Auch erzählt man sich, der zurückgekehrte Peters hätte 50 Briefe von unzufriedenen Leuten mitgebracht, sie dort an die Empfänger zu verteilen."

Auch die Mennoniten in Paraguay liessen zu diesem Thema von sich hören:[11]

"Wir hören davon, dass unsinnige Berichte, die grobe Unwahrheiten enthalten, durch Zeitungen und übers Radio verbreitet werden. Mr. Rogers ist jetzt hier bei uns und schuftet und schwitzt mit uns in Gemeinschaft, um die Ansiedlung zustandezubringen. Noch ehe er hier ankam, entschloss sich einer von den unseren, nach Kanada zurückzukehren. Andere machen sich jetzt fertig, um zurückzufahren, nach Kanada. Das sollte uns nicht zu sehr überraschen. Es ist noch bei jeder Ansiedlung so gewesen. Jetzt, wo wir in der Wirklichkeit stecken, muss jeder beweisen, wie fest er gegründet ist. Ist jemand nur sehr flach, dann schon besser, so schnell wie möglich abhauen, nicht noch lange hier sitzen und klagen. Aber da sind nicht viele von dieser Sorte. Sicher wäre es uns allen ganz recht, wenn die Ansiedlung etwas rascher vorangehen würde. Aber wir sind ja selbst schuld daran. Warum haben wir nicht Engens Rat befolgt und einen Vortrupp geschickt, der die Vorbereitungsarbeiten für die Ansiedlung ausgeführt hätte! Wie immer jetzt auch alles ist, eines ist klar: Wir sind da, wo wir unsere gesuchten Freiheiten gefunden haben, für Kirche und für Schule. Dafür sollten wir dankbar sein. Wer das dann noch nicht ist, steht nicht in gottgefälliger Stellung. Wir haben uns wirklich gefreut, dass General McRoberts selbst bis hier kam, um selbst alles zu untersuchen, mit eigenen Augen zu sehen. Wir sind ihm und Herrn Rogers sehr dankbar für ihre Bemühungen um uns und unsere Sache. Auch dem Herrn Casado danken wir herzlich für sein Bemühen in unserem Interesse, indem er uns Beistand leistet und das Siedlungswerk fördert.''

Mit jenem Bericht im ''SASKATOON DAILY STAR'' war dann der Anfang mit der sensationellen Berichterstattung über den ''Fehlschlag'' der Paraguaysiedlung gemacht worden. Peters' Nachfolger, die bald, der grossen ''Trübsal'' in Paraguay entronnen, zu Dutzenden glücklich in Saskatchewan ankamen, bestätigten sodann die schon erschienen ''wüstenhaften'' Berichte.

Den Zeitungsleuten beizubringen, nicht sensationelle, sondern sachliche Berichte zu publizieren, ist ja wohl nicht nur schwer, sondern wahrscheinlich überhaupt unmöglich. Das muss man schon so hinnehmen. So dachten es sich dann wohl auch die Männer der Siedlungsgesellschaft. Doch einfach war es nicht für sie, alles so ohne Widerspruch einzustecken. Sie wollten ja nicht erleben, dass Siedler zurückkehrten, sondern sie wollten immer noch mehr Leute nach Paraguay schleusen. Dafür hatten sie vorgesorgt, als sie 100 Legua Land von der Casadogesellschaft kauften. Sie hatten es sich schon viel kosten lassen, das Siedlungsprojekt **so** weit zu bringen, und jetzt fingen Leute an, alles in Frage zu stellen.

Mr. Rogers schreibt dazu an den Ältesten Martin C. Friesen:[12]

''Ich war in Saskatoon und stellte fest, dass man dort besonders stark gegen unser Auswanderungsprojekt eingestellt ist. Man sagte mir, die Paraguaysiedlung sei ein Fehlschlag, und alle Mennoniten, die dort schon seien, würden zurückkommen. Solche Nachrichten haben dazu beigetragen, dass eine Anzahl von Mennoniten aus der Hague Gegend, die nach Paraguay auswandern wollten, dieses eingestellt haben und jetzt nach Mexiko ziehen. Sie haben den falschen Nachrichten geglaubt. Wir müssen zu Felde ziehen mit Gegenberichten. Ich hoffe, Sie denken auch so.''

Herr Rogers hatte sich für seine Rückreise nach Winnipeg, ausgangs 1927, von den Mennoniten in Puerto Casado einen sachlichen Bericht anfertigen lassen.[13] Der Bericht war von 29 Siedlern — leitenden und anderen — unterschrieben worden. Mit diesem Bericht fuhr dann Mr. Rogers im Januar 1928 nach Saskatoon und liess ihn dort von der gleichen Zeitung veröffentlichen, die vor gut einem halben Jahr jene sensationellen Berichte gebracht hatte. Der Bericht erschien — jedenfalls auf Anordnung von Herr Rogers — ganz in Fettdruck. Auch die Überschrift erschien in grösserem und stärkerem Druck als sonst.

Dieser Bericht widerlegte das früher von dem "SASKATOON DAILY STAR" gebrachte, so sehr übertriebene Schreiben. Danach griffen auch andere Zeitungen Saskatchewans diesen Gegenbericht auf und korrigierten damit ihre vorigen.

Die Mennoniten aus der Hague Gegend, die aufgrund der schlechten Nachrichten ihre beabsichtigte Paraguaywanderung einstellten und nach Mexiko gingen, waren von der sogenannten Altkolonier Gemeinschaft. Diese Altkolonier aus der Hague Gegend hatten schon ausgangs 1920 eine eigene Delegation nach Paraguay geschickt, die vom Chaco aber nur Randgebiete gesehen hatten. Sie hielten ihn daher für untauglich, dort Ackerbau zu treiben, weil das Land, soweit sie es kennengelernt hatten, von Zeit zu Zeit unter Wasser stand. Daher strichen diese Leute Paraguay ganz von ihrer Liste. Später, als sie sahen, dass die "Altbergthaler" Mennoniten tiefer in den Chaco eindrangen und sein Inneres als für die Land-wirtschaft geeignet beurteilten, haben sie es sich wahrscheinlich noch einmal überlegt und doch Interesse daran gefunden, auch nach Para-guay zu gehen. Nun aber wurde nichts daraus.

Sogar Duchoborzen standen damals mit der Intercontinental Company in Verhandlung, ebenfalls in den Chaco zu ziehen. Sie waren von den schlechten Nachrichten auch negativ beeindruckt worden. Dass sie aber nicht dazu gekommen sind, nach dem Chaco auszuwandern, lag nicht unbedingt nur an den schlechten Nachrichten, die sich in Kanada vertreiteten, sondern vielmehr wohl daran, dass Schwierigkeiten in ihrer eigenen Gemeinschaft auftauchten. Jedenfalls kam ihre Auswanderungsbewegung ganz zum Stillstand.

In Manitoba aber, wo um die Mitte des Jahres 1927 noch etwa 60 Familien auf ihre Abreise nach Südamerika warteten, machten die Saskatchewaner Nachrichten, so abschreckend sie auch waren, keinen nachteiligen Eindruck. Als die Zeit ihrer Abreise nach Paraguay gekommen war, fuhren sie einfach los. Die faulen Nachrichten und das Zurückkehren einer Anzahl von Leuten sahen sie als eine normale Erscheinung an. Schliesslich waren es ja auch nicht Manitobaleute, die zurückgekehrt waren. Im Gegenteil, ihre Leute luden noch immer ein, dorthin zu kommen. So hielt sich die Stimmung in dieser Gruppe, zumindest in der Anfangszeit, weitgehend am besten aufrecht.

Dann aber begann auch in ihr der Same der Unzufriedenheit allmählich zu keimen. Richtig gesagt, war dieser Keim auch hier vom ersten Tage an vorhanden gewesen. Nur entfaltete sich die Unzufriedenheit hier langsamer, und sie entwickelte sich auch später, im Verhältnis zur Gruppengrösse, überhaupt niemals so weit. War es in der Saskatchewaner Bergthalergruppe etwa die Hälfte der Leute gewesen, die zurückkehrten, so war es aus der Manitobagruppe nur etwa ein Siebentel.

Schwierig war es besonders für die Unbemittelten, wenn sie allen Mut zum Bleiben bei der Siedlungssache verloren. Sie mussten ihre Rückkehr dann ganz von der Gnade ihrer in Kanada verbliebenen Verwandten oder Freunde abhängig machen. Diese aber reagierten verschieden. Manche griffen sofort in ihre Taschen und halfen mit. Andere aber sagten einfach, sie, die jetzt um Hilfe bäten, um zurückzukehren, hätten ja selbst dorthin gewollt, niemand habe sie gezwungen, jetzt sollten sie dort auch bleiben. Noch andere rieten zum Bleiben, weil die Siedlung ja überhaupt noch nicht erprobt sei, alles sei ja nur erst im Werden. Hier aus einem Brief eines solchen:[14]

"Liebe Freunde! Wir wünschen Euch Geduld, die Euch vonnöten ist. Ich weiss Ihr habt schon sehr auf eine Antwort gewartet, aber es fällt mir schwer, Euch zu schreiben, weil Ihr um Unterstützung für die Rückreise bittet. Die Einreiseerlaubnis — kein Problem, aber das Geld für die Rückreise das liebe Geld! Ich habe schon etliche Male mit Euren Eltern gesprochen, und wir kommen immer wieder noch zu der Einigung, noch ein wenig zu warten mit der Zurückhilfe. Wenn Herr Rogers jetzt dorthin kommt, werden die Dinge sich vielleicht auch anders gestalten. So wie wir, denken auch andere hier. Wir glauben nicht, dass man Euch dort wird verhungern lassen, sondern Euch unterstützen, und wenn nicht, dann wäre hier immer noch zu haben. Die meisten Leute hier meinen, es habe mit der Zurückhilfe noch nicht allzu grosse Eile.

Also, wollen mal abwarten, was Ihr werdet schreiben, nachdem Mr. Rogers dort eine Zeitlang gewesen ist und die Leute anfangen in den Chaco zu ziehen. Habt nur guten Mut und verzagt nicht unter dem Druck des Unwillens und macht es Euch nicht unnötig schwer. Ihr seid in einer Lage, die sich nicht zu Euch, sondern zu der Ihr Euch schicken müsst. Und wenn wir schon von hier aus helfen wollten, würde es doch noch einige Zeit brauchen, bis Ihr aus Paraguay herauskämt. Die Lage ist wohl schwer, aber in der Welt sind wir alle, wir hier, Ihr dort. Wir müssen beten, und Gebet kann Erleichterung verschaffen. Das Gebet ist die Waffe, den Feind zu bezwingen. Was schwer zu erringen ist, ist auch um so viel mehr wert!"

Ausgangs des Jahres 1927 kehrte unter anderen auch ein Friesen nach Manitoba zurück. Eine Zeitung aus Winnipeg brachte einen Bericht, der aus einem Interview mit ihm hervorgegangen war. Der Bericht war sehr sachlich gehalten. Hier einiges daraus:[15]

"Vor einem Jahr siedelte Friesen mit einer grossen Gruppe über nach Südamerika, in ein Land, das ihnen mehr Freiheiten versprach. Es ist ein heisses, tropisches Land. Man hätte nicht gedacht, dass es dort so heiss würde, wenigstens Friesen hatte das nicht gewusst. Immer wieder — und dann tagelang — über 100 Grad nach Fahrenheit im Schatten. Für Kanadier ist das nicht angenehm. Es ist eine weite, lange Reise, die diese

Leute machten, um bis nach Puerto Casado zu gelangen, mitten im Herzen Südamerikas. Dann muss man von Puerto Casado noch weit landeinwärts, wo keine Wege sind, nur eine kurze Strecke Eisenbahn, dazu noch eine schmalspurige. Versprochen worden ist, dass sie weiter in die Wildnis hinein gebaut werden wird. Man ist erst jetzt damit beschäftigt, die Grenzen des Siedlungslandes festzulegen. Man hat dort schon kleine Versuchsfelder mit Bananen, Ananas und anderen tropischen Kulturen. Dort sind auch Indianer, die aber nicht viel Feldarbeit verrichten. Sie belästigen die Siedler aber auch nicht. Wenn es endlich soweit ist, dass die Siedlung angelegt werden kann, wird man in Dörfern ansiedeln. Die Siedlung wird ihre eigenen Schulen haben und 10 Jahre Steuerfreiheit. Das Land scheint fruchtbar zu sein. Es ist teils bewaldet, teils sind es offene Niederungen, die von Zeit zu Zeit unter Wasser sind. Oft aber auch leidet das Land unter Trockenheit. Herr Friesen kann nicht sagen, ob die anderen durchhalten werden. Immerhin, als er sie dort verliess, herrschte allgemeine Ruhe, und es gab keine besonderen Anzeichen dafür, dass die Leute zurück nach Kanada umkehren würden. Einige jedoch, wie auch Friesen selbst, hatten genug von dem Klima dort und machten sich auf und fuhren zurück in ihre alte Heimat. Diejenigen, die bereits im Inneren des Chaco wohnen, werden immerhin noch einige Jahre dort bleiben. Es war ein ganz grosses Unternehmen, die tausende von Meilen zu wandern, und dann dort alles unfertig anzutreffen. Man fuhr dorthin, um anzusiedeln, konnte es aber nicht. Friesen ist froh, wieder zu Hause zu sein.''

Es fuhren dann noch mehr Mennoniten zurück nach Manitoba. Manche beflügelten sogar die örtlichen Journäle. Eine Zeitung brachte unter dem Titel: ''KANADISCHE MENNONITEN VERHUNGERN'' folgendes:[16]

''Nach Südamerika ausgewanderte Mennoniten kommen zurück und wissen von grosser Trübsal zu berichten, von Pestilenz und Hungersnot. 18 von diesen Leuten kamen durch New York, darunter eine Frau (Harder) mit 7 Kindern, ganz verarmt. Ihr Mann hatte das letzte Geld ausgegeben, als er es mit hungerleidenden Menschen seiner Gemeinschaft teilte, mit Leuten auf der unfruchtbaren Ansiedlung, die nichts mehr hatten. Ihr Mann sei dann selbst an Unterernährung und Malaria gestorben. Die Reisenden auf dem Schiff, mit welchem die Frau bis New York kam, legten 250 Dollar für sie zusammen, damit sie zu ihren Freunden in Kanada weiterreisen könnte. Auch für einen Anton Schroeder wurden 135 Dollar eingesammelt. Er litt schwer an der Malaria und wurde in New York in ein Hospital überführt.[17] Auch die anderen Mitglieder dieser Sekte erhielten finanzielle Unterstützung.''

Dieselbe Zeitung hatte schon vorher über die Rückkehr aller Mennoniten aus Südamerika berichtet:[18]

''Die Mennoniten kommen aus Paraguay zurück, wohin sie vor 9 (?,d. Verf.) Jahren zogen, als sie ihre Farmen hier in Manitoba und Saskatchewan gegen Land in Paraguay vertauschten, und wo sie bessere Lebensmöglichkeiten zu finden meinten. Eine Zeitlang ging es auch gut, doch dann kamen Missernten, und eine schwere Zeit brach über die Siedlung herein. Witterungsverhältnisse und Mangel an

Nahrung trugen dazu bei, dass 90 Kinder starben. Die Siedlungsleitung beschloss dann, das alle nach Kanada zurückkehren sollten, jetzt, wo sie noch die Mittel dazu hätten, und hier wieder von neuem zu beginnen. Der Rest der Siedler wird innerhalb einiger Wochen hier erwartet.''

Zumeist erweckten die Rückkehrer an dem Ort, wohin sie zurückkehrten, den Eindruck, das ganze Auswanderungsunternehmen sei ein Fehlschlag gewesen. Das aber entsprach gerade ihrer Absicht, denn sie wollten ja nicht ohne gewichtigen Grund die anderen verlassen haben. So mussten sie sich eine Rechtfertigung ihres Handelns zurechtbauen.

So viele es aber auch der wirklichen Widerwärtigkeiten und Enttäuschungen waren, die Mehrheit der Auswanderer wollte nicht aufgeben. Es bildeten sich daher sozusagen zwei Meinungslager. Die standhafte Gruppe hielt das Handeln der Zurückwandernden für ein Umkehren auf halbem Wege, weil sie nicht bis zum Siedlungsort mitgekommen waren und den Anfang der Ansiedlung gar nicht abgewartet hatten.

Jedoch zeigte sich auch hier, wie sehr die menschliche Natur Schwankungen unterworfen ist. Eine klare und beständige Abgrenzung der Gesinnungsgruppen konnte es daher nicht geben. Wer gestern vielleicht noch mutig gewesen war, war am nächsten Tage mit einmal still geworden. Seine Standhaftigkeit hatte irgendwie einen Riss bekommen. Bei anderen wieder war es von Anfang an ein nagender Wurm gewesen, der sich aber erst nach und nach durchfrass. Manche wurden auch nur von anderen mitgerissen. Ging eine Familien zurück, so erweckte das gemischte Gefühle bei einer anderen. So zogen manche Familien nach. Andere aber blieben, einfach, weil sie nicht auf halbem Wege umkehren wollten. Manche aber musten auch bleiben, weil sie aus finanziellen Gründen einfach nicht zurückkehren konnten.

Es gab auch solche, die eine Zeitlang sogar das grosse Wort hatten, dann aber, wenn Dinge auf sie zukamen, die, wie sie meinten, zuviel von ihnen, von ihrem guten Willen forderten, plötzlich anderer Meinung wurden und dann auch dorthin zurückfuhren, woher sie gekommen waren.

Man kann nicht sagen, dass es für die Abziehenden leichter war als für die Bleibenden, die ja manches Schwere durchzukämpfen hatten, indem sie zur Sache, zu ihrem Wort standen. Die Umkehrenden gingen zwar den Mühsalen einer Neuansiedlung, diesen riesigen Strapazen der Wildnisbezwingung, aus dem Wege, aber sie fanden in Kanada nicht mehr das, was sie verlassen hatten. Sie mussten auch dort wieder ganz von vorne anfangen. Viele dieser Rückkehrer waren dann dort nicht nur mittellos, sie waren auch manchmal tief verschuldet und fristeten oftmals ein erbärmliches Dasein. Zusätzlich mussten sie dann oftmals noch die sarkastischen Bemerkungen der anderen einstecken, dass sie in Kanada ja nicht mehr ihres Glaubens hätten leben können, sie hätten doch das "verheissene Land" gefunden, und nun? —

Zur Rechtfertigung ihres Handelns mussten sie dann dementsprechend über Paraguay berichten, dass es ein Land sei, das für Menschen aus dem Norden auf keinerlei Weise geeignet sei. Manches, was sie berichteten, entsprach der Wahrheit, anderes berichteten sie ganz einseitig, so dass der wirkliche Kern der Sache nicht herauskam. Dass Paraguay, bzw. der Chaco, nicht für weisse Menschen sei, war eine These, die die Auswanderungsgegner ihnen schon vor ihrer Auswanderung hatten beibringen wollen, die sie damals aber nicht geglaubt hatten. Jetzt bestätigten sie diese These.

Nicht alle aber waren darin gleich. Es gab auch solche, die sachliche Berichte gaben. Sie liessen auch Gutes an Paraguay und am Chaco, wenn sie selbst auch dort nicht sein wollten.

Wenn sich nun auch die Grenze zwischen den Standhaften und den Versagenden und Verzagenden nicht klar abzeichnete, weil man nie mit Bestimmtheit wusste, wie man morgen denken würde, so war doch ein harter Kern unter den Standhaften, der ganz zum Durchhalten entschlossen ware, das Handeln des Rückwanderns für sinnlos erklärte und es mit dem Verhalten der Kinder Israel auf dem Weg durch die Wüste vergliche, die sich unter den opferreichen Mühsalen der Wanderung nach den Fleischtöpfen Ägyptens zurückgesehnt hatten (2. Mose 16,3) oder mit Ausführungen in Sprüche 26,11 und 2. Petri 2,22, wo eine gewisse Handlungsweise von Menschen verglichen wird mit einem Hund, der wieder fresse, was er gespien habe, und mit einem Schwein, das sich nach der Schwemme wieder im Kot wälze.

Ebenso aber hatte auch die Gegenseite ihren harten Kern, der in allen denkbaren Redewendungen seine Ansichten zu rechtfertigen suchte. Wenn es die Schriftleiter der mennonitischen Zeitschriften damals hätten wollen, so hätten sie ihren Lesern die buntesten Bilder einer "Wüstenwanderung" bringen können, aber sie taten's nicht. Sie setzten rechtzeitig "rotes Licht", wenn die Berichte aus den Fugen zu gehen drohten.

Die mennonitischen Blätter Manitobas stellten sich merkwürdigerweise auf die Seite der Unerschütterlichen. Diese Gruppe erweckte ihr Interesse am stärksten, und sie brachten in der Hauptsache deren Berichte. Sicherlich merkten sie, dass die Berichte der im Chaco verbleibenden Siedlerpilger mehr der Wirklichkeit entsprachen als die Berichte der Rückwanderer, die zwar auch nicht nur Unwahrheiten mitteilten, die Wahrheit aber leicht auf den Kopf stellten oder nur die halbe Wahrheit berichteten.

Ärgerlich wurden die Zurückgekehrten dann, wenn die Mutigen manchmal mit etwas ungeschminkten Erklärungen herausrückten, und es soll hier auch nicht gesagt sein, dass solche Erklärungen und Zurechtweisungen immer mit Liebe gewürzt waren.

Dass die mennonitischen Zeitschriften Manitobas sich auf die Seite der sich durchsetzenden Chacosiedler stellten, kann man zum Teil auch darin sehen, dass sie ein gewisses Mass von Verständnis für deren Auswanderungsideal aufbrachten, als sie sahen, wie ernst sie es mit dem Religionsunterricht und der Privatschulsache nahmen. Es beeindruckte sie auch, dass sie sich von der Regierung nicht umstimmen liessen. Wenn nun die anderen Gemeinden nicht auswandern wollten, weil sie es nicht für notwendig hielten, so waren sie aber doch auch nicht mit den obrigkeitlichen Verfügungen über die Schul-, bzw. Unterrichtssache zufrieden.

Als nun so viele Mennoniten, gute Farmer Südmanitobas, auswanderten, da trat auch für die zurückbleibenden Mennoniten eine Wende zu ihren Gunsten ein. Die obrigkeitlichen Massnahmen schwächten allmählich ab und nahmen mehr versöhnliche Formen an. Man könnte geneigt sein, zu sagen, die Auswanderung sei den Zurückbleibenden zugute gekommen. Die Regierung wie auch das kanadische Volk wollten die Mennoniten, als treffliche Ackerbauleute, gar nicht los sein.

Hatten die anderen Mennoniten die Auswanderung auch nicht befürwortet, so wünschten sie ihnen denoch jetzt, wo sie doch schon dort waren, den Segen Gottes zu ihrem heroischen und ungemein schweren Unternehmen.

Den Zurückgewanderten ging diese Einstellung denn doch zu weit. Sie fanden es zu einseitig, dass über die Siedlung im Chaco anscheinend immerfort nur Gutes gebracht wurde, während sie den Chaco doch nicht ohne Grund verlassen hatten. Besonders herausgefordert fühlten sie sich, als 1929 eine mennonitische Zeitschrift Manitobas einen Artikel kopierte, der in der DEUTSCHEN ZEITUNG FÜR PARAGUAY erschienen war. Dieser Artikel trieb den Unwillen der Chacoflüchtigen auf die Spitze. Wir geben den Bericht hier ungekürzt wieder:

> "Wir hatten in Asunción das Vergnügen, den Besuch einer massgebenden Persönlichkeit der Mennonitenkolonie Menno, im Chaco, zu empfangen. Der Mann gab uns eine wahrheitsgetreue, interessante Schilderung der dortigen Verhältnisse. Darüber folgendes:
> Es hat sich im paraguayischen Chaco ein Volk angesiedelt. Man begann damit im Jahre 1928. Die Siedlung befindet sich also im Anfangsstadium. Die Siedler sind seit 11 Monaten auf ihrem Land und erfreuen sich des Erfolgs in der kurzen Zeit der schweren Arbeit.
> Sie kümmern sich nicht um Politik und auch nicht darum, was ihre Glaubensbrüder in der alten Heimat über sie zu kritisieren wussten,

wenn bundbrüchige Brüder zurückkehrten und alles anschwärzten, was sie gesehen, gehört und empfunden haben wollten. Diese im Chaco haben zu viel zu tun, als sich noch um solchen Plauderquatsch zu kümmern oder ihn zu widerlegen. Sie sind sich dessen bewusst, dass solche Verleumdung eine Wiedererscheinung dessen ist, was ihre Vorfahren bei der Auswanderung von Russland nach Manitoba ebenfalls erlebt haben, jedoch mit dem Unterschied, dass das Zeitungswesen damals noch nicht so weit entwickelt war, wie es heute ist. Aber auch Napoleon soll ja schon gesagt haben, er möchte lieber gegen ganz Europa kämpfen als gegen die britische Presse. Was die Presse leisten kann, haben auch wir genugsam kennengelernt. Und darunter haben diese Ansiedler sehr gelitten und leiden noch darunter.

Diese südamerikanischen Ansiedler aus Kanada sind vielleicht die am meisten missverstandenen Menschen der Welt. So können z.B. die Leute in Nordamerika nicht verstehen, warum man Unwahrheiten berichtet wie diese, dass der kalte Wind aus dem Süden weht und der warme Wind aus dem Norden; ja die Sonne soll sogar vom Norden scheinen und im Sommer sollen die Tage kurz und im Winter lang sein; auch Schnee soll es nicht geben. Solches alles sei doch nicht zu glauben; denn der liebe Gott hat doch Winter, Sommer, Schnee und Eis auf der ganzen Welt eingesetzt. Ebensowenig sollen es die Siedler fertiggebracht haben, den Fortschritt so zu beschleunigen, dass die Ansiedlung in zwei Jahren wenigstens 40 Jahre alt sei. Denn nach den Fragen, die gestellt werden, müsste man auf eine vierzigjährige Entwicklung schliessen dürfen. Und wenn das Erreichte nicht dem entspricht, ist die Ansiedlung ein Fehlschlag.

Der Chaco ist als Siedlungsland genau so verrufen, wie auch vor 50 Jahren der kanadische Westen verrufen war, wo diese Siedler herkommen. Und tatsächlich schien das Schicksal dort im kanadischen Westen damals gegen die Ansiedlung zu sein. Gleich im ersten Jahr frassen die Heuschrecken die Ernte weg. Sie sind aber seitdem nicht wiedergekommen. Frost kam so früh im Herbst, dass der Weizen beschädigt wurde. Heute ist dort keine Frostgefahr für den Getreidebau mehr zu befürchten.

Der Gesundheitszustand auf einer neuen Ansiedlung lässt immer viel zu wünschen übrig, und das war auch hier in Paraguay der Fall. Ein Arzt sollte den Siedlern mit Rat und Tat beistehen. Er war darin aber nicht erfolgreich. Typhus brach aus. Der junge Arzt impfte die Kranken, bis sie den Geist aufgaben. Die Leute wollten nichts mehr von ihm wissen. Er war ein junger und sehr aufgeregter Mensch, lebte mit einer Hiesigen zusammen und liebte alkoholische Getränke. Schnaps war dann das Universalheilmittel. Es wurde angewandt, schien aber nicht zu helfen, stärkte wenigstens nicht das Fleisch, wenn auch anscheinend den Geist. Die Schrift ging in Erfüllung: "Der Geist ist willig, aber das Fleisch ist schwach." Der Arzt wurde entlassen. Eine andere Sache war die, dass er nicht zu Pferd zu reiten verstand, was doch auf einer neuen Ansiedlung unbedingt notwendig ist.

Seitdem hat die Kolonie keinen Arzt. Und der Gesundheitszustand ist befriedigend.[19]

Leider hat es dieser junge Menschendoktor für nötig gehalten, seine Wut in ausländischen Zeitungen über die Kolonieverwaltung auszulassen, und zwar in Artikeln, die mit Sensationen gesalzen und gepfeffert sind, und die es dem Leser schwer machen, zu entscheiden, über welchen der Skandale er am meisten erbost sein soll.

Die getreuen Pioniersiedler aus Kanada haben hier im Chaco trotz aller Widerwärtigkeit von seiten ihrer treulosen Brüder, eine Tätigkeit entwickelt, die einzigartig in der Geschichte dastehen wird.

Es sind Dörfer gegründet worden, Schulen gebaut, in denen Deutsch unterrichtet wird, Wohnhäuser errichtet, Wald gerodet, Äcker bepflanzt — und fast alles verschieden von dem, was früher in Kanada ihre Beschäftigung war. Die ganze Ackerei drüben ist so einfach, dass die Gemütlichkeitsmaschinen den ganzen Verdienst auffressen. Hier im Chaco ist es Handarbeit. Von früh bis spät sind die Leute auf ihren Heimstätten beschäftigt, oder sie sind auf dem Wege zur Eisenbahnstation, um ihre Habseligkeiten abzuholen und unter Dach und Fach zu bringen.

Das Wetter war ihnen günstig, und sie konnten die erste Ernte einbringen und davon verkaufen. Wassermelonen hat es sehr viele gegeben, man schätzt auf eine Million Stück, sehr gute, bis zu 50 Pfund schwere. Man hat viel Sirup davon gekocht und genossen, soviel man wollte. Auch andere Gemüsearten gibt es, wovon die Zurückläufer mit Bestimmtheit berichteten, dass sie im Chaco nicht gedeihen, was sie in Puerto Casado wahrscheinlich am Biertisch ausgefunden haben, und was die Stammgäste ebenfalls bestätigt hätten.

Man hat bis zu 50 Dollar Wert von einem Acker geerntet. Ein Siedler hat von 10 Ackern so viel von der Ernte verkauft, dass er 230 Dollar eingenommen hat, und dann hat er noch für Lebensmittel und Aussaat zurückbehalten. Das sind Ergebnisse vom Land, das zum ersten Mal gepflügt worden ist. Hätte es vorgearbeitet werden können, es hätte noch mehr gegeben. Die Ernten wurden in weniger als 4 Monaten erreicht. Das Land kann dann 2 Monate brach liegen, und dann ist es für eine zweite Aussaat und Ernte im Laufe eines Jahres bereit. Ein Zufrieren des Landes, wie in Kanada, gibt es hier nicht.

Es gibt eine Sommerzeit und auch eine Winterzeit. Für die Aussaat muss die richtige Zeit verwendet werden, sonst gedeiht sie nicht. Solches können die Leute in Nordamerika ebenfalls nicht verstehen. Wenn dort die Natur auftaut, wird so schnell wie möglich die Aussaat ausgeführt. Das ist die bestimmende Zeit für die Aussaat. Und warum sollte es im Chaco nicht auch so sein, fragen sie sich. Die Welt hat doch seit Noahs Zeit überall dieselbe Witterung, solches hat Gott, der Herr, dem Noah doch ganz deutlich mitgeteilt, als Noah aus der Arche ging.

Es gibt giftige Tiere wie Schlangen, Skorpione u.a. Man unterscheidet diese von den anderen, weil sie gefürchtet sind ihres tödlichen Bisses oder Stiches wegen. Es ist uns auch mitgeteilt worden, dass man sehr grosse Schlangen gesehen haben will, die sich mit Ungestüm auf ihre Opfer stürzen und das Opfer dann vernichten. Auch Krokodile sollen gefährlich sein, Skorpione und grosse Spinnen sollen den Menschen verfolgen. Mit allerlei solchen Vorurteilen kamen die ersten Siedler hier an. Und was fanden sie? — Vielen von ihnen haben noch nicht einmal ein giftiges Tier gesehen in den 2 Jahren ihres Verweilens hier, viel weniger noch sind sie gebissen worden. Es sind Schlangenbisse vorgekommen. Sie wurden mit ganz gewöhnlichen Mitteln ausgeheilt. Auch Skorpionenstiche wurden geheilt. Bis soweit sind noch keine Todesfälle solcher Dinge wegen gewesen.

Die schauerlichen Geschichten, die in Nordamerika umlaufen, lassen einem die Haare zu Berge stehen! Welche angenehme Enttäuschung aber erlebt der Neueingewanderte, wenn er nach Jahr und Tag nichts von all dem Schauerlichen merkt! Man geht auf dem Felde und im Wald bei Tag und bei Nacht ohne Furcht und Angst einfach aus dem Grunde, weil keine Gefahr vorhanden ist. Die Kinder laufen barfuss umher. "Ja, aber die Sandflöhe!" sagt die nordamerikanische Mutter. Ja, die gibt es. Und was tut man damit? Man entfernt sie, das ist alles.

Es gibt auch Wild wie Rehe, Füchse, Wildschweine, Tiger, Strausse, Rebhühner, Papageien, Störche u.a. Ob die letzteren die Geburtenrate erhöht haben, wissen wir nicht. Enten gibt es verschiedene. Es gibt eine Sorte — die Stillen im Lande — die lispeln nur. Wahrscheinlich hat der Schöpfer sie als Vorbild für Schwätzer und Krakeeler geschaffen. Man sollte sie als Muster nach Nordamerika bringen, besonders für die Presse dort.

Eine ganz besondere Delikatesse gibt das Fleisch des Wildschweines; selbst Nordamerikaner ergötzen sich daran. Das Schwein ist nicht so gross wie die nordamerikanischen, die sich dort manchmal in den Städten herumtreiben.

Sterbefälle sind in der letzten Hälfte des Jahres 1928 keine vorgefallen, in der ersten Hälfte von 1929 noch nur einer, und das war eine Person, die schon in Kanada krank war."

Anders war es mit den nichtmennonitischen kanadischen Zeitschriften und Zeitungen. Diese brachten die Berichte ihrer eigenen Reporter, und die mussten ja sowieso sensationell gestaltet sein. So kam bei ihnen aller Stoff dran, auch wenn er ganz und gar erdichtet war. Übertrieben nach allen Seiten, verbreiteten sie oft sinnlose Geschichten und stellten allgemein die Paraguaysiedlung als gänzlichen Fehlschlag dar. Das aber war ganz im Sinne des kanadischen Volkes. Man wollte, dass alle diese guten Farmer wieder zurückkehrten dorthin, wo sie bis dahin zu Hause gewesen waren. Die Presse verbreitete daher die Meinung, diese Leute seien insgesamt von geschäftshungrigen Landagenten betrogen worden. Daher trug man ihnen auch nicht nach, sondern bemitleidete sie eher.

Die amerikanischen Zeitungen hingegen erblickten in dieser Auswanderungsbewegung eine heroische Tat glaubensbedrängter Pilger. Sie bezeichneten diese unerschrockenen Pioniere, die ein gesichertes Leben verliessen, um eine Wildnis, die, wie es hiess, bis dahin nur von wilden Indianern bewohnt worden sei, zu bezwingen, als Glaubenshelden.

Am Anfang jenes Zeitungsartikels aus Asunción heisst es, dass eine "massgebende Persönlichkeit" aus der Mennonitenkolonie diesen Bericht erstattet habe. Damit ist aber noch nicht gesagt, dass die betreffenden Zeitungsschreiber nicht auch noch Farbe hinzugefügt haben, obwohl sie den hauptsächlichen Stoff zweifellos vom Berichterstatter hatten. Die bisweilen sarkastische Färbung rührte sicherlich von dem mennonitischen Berichterstatter her, und man kann sich dann keinen geeigneteren dafür denken als den sogenannten "mennonitischen Rechtsanwalt" John J. Priess. Wir stimmen darin mit den Zurückgewanderten, die im Norden diesen Artikel mit "Entgeisterung" lasen, überein, die ebenso schlussfolgerten. Die ganze Aufmachung, sowie Schwung und Stil des Berichtes lassen die Wesensart von Priess durchblicken.

Hier und da merkt man, dass sich die Spitze des Artikels gegen die englischsprachige Presse richtet. Es war bekannt, dass Herr Priess, der in enger Verbindung mit der Siedlungsgesellschaft stand, die englische Sprache gut beherrschte und mit allen Berichten jener Blätter (der englischsprachigen Presse) vertraut war, seinen Ärger über die unsinnigen Berichte nicht verbarg. Priess war nicht Mitglied dieser Siedlungsgesellschaft und war auch nicht Mitglied der mennonitischen Gemeinschaft, obwohl er sich bei ihr aufhielt. Er war 1928 auf Wunsch der Siedlungsgesellschaft und der mennonitischen Leitung in Paraguay hierher gekommen, um hier in verschiedenen staatsamtlichen Angelegenheiten, wie Landtitel, Waisenamt und dergleichen, mitzuhelfen. Er hatte in dieser Weise schon 1921 in der Chacoexpedition mitgearbeitet. Zum zweiten Mal fuhr Herr Priess dann nicht mehr nach Kanada zurück, sondern blieb bei seinen Freunden in Menno, wo er auch gestorben ist. Priess war Junggeselle geblieben und ist auch niemals Gemeindeglied gewesen.

Ob Herr Priess bei der Erstattung des Berichts damit gerechnet hatte, dass dieser auch in den mennonitischen Zeitschriften Manitobas publiziert werden würde, kann nicht gesagt werden. Aber er wurde, und selbstverständlich wirkte er stark herausfordernd auf die Zurückgewanderten, wie es ja auch nicht anders zu erwarten gewesen war. Obwohl der Grundzug des Berichts auf Wahrheit beruhte, merkte man ihm doch stellenweise eine Mischung aus "Dichtung und Wahrheit" an; und wenn er vielleicht auch nicht so grob gegeben worden ist; das Übrige können die Reporter schon gemacht haben. Eine recht willkürliche Darstellung der Dinge merkt man besonders bei der Beschreibung des "Doktors".

Den Zurückgekehrten — den "bundbrüchigen Brüdern", als welche sie in dem Bericht gestempelt werden — wurde es jetzt doch zu bunt. Ein Brief gegen jenen Artikel erschien am 5. März, 1930, in der "Steinbach Post":[20]

> "Der Paraguay-Berichterstatter muss doch viel Zeit haben, um zu sammeln. Er weiss ja viel Neuigkeiten über die "bundbrüchigen Brüder", die nach Kanada zurückgekehrt sind und über den jungen Doktor, der dem Schnaps ergeben gewesen sein soll. Da irrt der Schreiber doch. Er wird den Doktor wohl nicht gut gekannt haben. Ein Sprichwort sagt: Was ich selber tu, trau ich auch meinem Nächsten zu.
> Der Schreiber muss viel Zeit haben, sonst könnte er nicht so viel am

Biertisch erfahren. Ich denke, die Bierpartie ist noch in Paraguay, und da wird wohl auch der Bericht erfunden worden sein von den 50 Dollar vom Acker oder von 10 Acker 230 Dollar Einnahme. Wahrscheinlich sind damit Pesos gemeint, also ein Schreibfehler. Das wäre sehr einleuchtend.

Wir finden nur immer eins und dasselbe in der POST: Wassermelonen, Erdnüsse, Niggerweizen, Korn – und dann noch von Sirup. Das fanden wir schon am Anfang aus, das nahm nicht viel Zeit. Es blieb dann noch Zeit zum Biertrinken.

. . . schauerliche Geschichten, die in Nordamerika erzählt werden, dass unsern Freunden im Süden die Haare zu Berge stehen — das muss doch viel Bürsten kosten, das Haar wieder zu glätten. Und die Sandflöhe, die werden entfernt — aber mit welchen Folgen von wunden Füssen! Herr Fred Engen musste nach Buenos Aires, um seine Füsse ärztlich pflegen zu lassen, so voller Sandflöhe steckten sie.

Da lesen wir auch von den Stillen im Lande, dass der Schöpfer sie geschaffen hätte zu Vorbildern. Das geben wir dem Schreiber recht. Aber er sollte sich am ersten danach richten und nicht solches unnütze Geschwätz hierherschicken. Hier in Nordamerika brauchen wir die Musterenten nicht, hier ist genug Arbeit darohne. Wir haben hier auch noch die deutsche Sprache — und nur aufgepasst, dass die spanische Sprache dort nicht wird überhandnehmen — denn der Feind wird auch dort sein Unkraut säen so gut wie hier. Er ist überall bei der Arbeit, wie wir selbst erfahren haben.''

Ein ''Bericht'' der nicht berichtet wurde

Dieser ''kratzige'' Brief erschien in der ''Steinbach Post''. Es sollte dann noch mehr und viel gründlicher kommen. Einige Männer von den Zurückgekehrten setzten sich zusammen und hielten sozusagen einen Kriegsrat, wie man es machen müsste, um gegen die vielen ''guten Berichte'' aus dem Süden und besonders nun gegen diesen Artikel der Asuncioner Zeitung wirksam zu Felde zu ziehen. Sie wollten doch einfach mal die gegen sie ausgespielten Trümpfe überbieten. Sie hatten doch nicht so ohne weiteres Paraguay verlassen, sie hatten ihre Gründe gehabt, ihre ganz triftigen Gründe, dass sie aufgegeben hatten, und das musste doch einmal klar dargelegt werden, so, dass es allgemein verständlich war und auch überzeugend wirkte. Es sollte nicht nur immer das Gute aus Paraguay berichtet, sonder wirklich auch mal die andere Seite aufgezeigt werden.

Sie beschlossen, zu einem Manne zu gehen, der im publizistischen Sinne schreibfähig war, und ihn zu bitten, ihren Chacostoff oder Paraguaykummer, der schon so zeitungsreif war, in einen annehmbaren, salonfähigen Leserahmen zu bringen. Der Mann sagte zu, und sie lieferten den Stoff.

Als der Bericht — es wurde ein ziemlich langer — dann fertig war, sollte er in den mennonitischen Zeitschriften Manitobas veröffentlicht werden. Die Männer aber hatten ihre Publikationsrechnung ohne den Zeitungswirt gemacht. Nicht einer der Zeitschriftenverleger nahm den

Bericht an. Sie sagten, sie täten solches der jungen Siedlung in Paraguay nicht an.

Der Mann, der den Bericht bearbeitet hatte (Peter J. A. Braun), war darüber nicht verärgert, denn er, der seinen einzigen Bruder in Paraguay hatte, wünschte der Ansiedlung selbst das beste Gelingen. Er legte den Bericht einfach weg, und damit war die Sache erledigt.

Viele Jahre später, als er selbst nach Paraguay kam, seinen Bruder und die schwergeprüfte Ansiedlung zu besuchen, brachte er diesen Bericht mit und stellte ihn dem Geschichtsarchiv zur Verfügung. Jetzt liest man ihn gerne, und niemand stösst sich mehr daran. Er ist jetzt geradezu ein wertvolles geschichtliches Dokument geworden.

Hier der ungekürzte Bericht:

"Viel Für und Wider ist schon über die Siedlungsmöglichkeiten im Chaco geschrieben worden. Der Chaco ist eine bisher unerforschte Wildnis in Paraguay. Bis soweit aber ist mehr dafür als dagegen geschrieben worden. Vielleicht kommt das daher, dass die Berichte hauptsächlich von der Siedlungsgesellschaft, der Intercontinental Company, gegeben worden sind, denn die will ja gerne die Gegend besiedeln. Ein anderer Grund, dass immer nur das Gute berichtet wird, kann auch sein, dass die Leute ihren gesunkenen Mut zu stärken versuchen, was für die Bauern aber nicht ausreichen wird. Es sind wohl noch einige dort, die es auch jetzt noch in der Weise machen sich aber schon kleinlaut die Unzulänglichkeiten gestehen und sich wünschen, sie wären schon weit weg von dort, wieder zurück in der "alten Heimat", dort, bei ihren "bundbrüchigen Brüdern", die schon zurück sind, und die nun alles "anschwärzen", was sie gehört, gesehen und empfunden haben wollen, wie es in einem Bericht in der "Steinbach Post" heisst, ein Bericht, der Deutschen Zeitung für Paraguay in Asunción, entnommen.

Was wir hier jetzt bringen wollen, haben wir selbst, also persönlich, "gehört, gesehen und empfunden", das haben wir nicht nur "gewollt" — denn wir waren selbst dort.

Wir glauben, dass jene "massgebende Persönlichkeit" kein anderer als J. J. Priess ist, ein Angestellter der Corporación Paraguaya in Asunción, und dass jener Artikel in der Asunciónor Deutschen Zeitung von ihm stammt, oder wenigstens unter seiner Mitwirkung entstand. Wenn es nun bei der Zusammenstellung jenes Artikels angebracht war, mit "Plauderquatsch" und "Verleumdungen" Hiebe auszuteilen, so wollen wir deshalb doch nicht mit "Lügen" antworten; denn was weiter in dem Bericht gegeben ist, grenzt so verzweifelt nahe an Unwahrheit, dass man nach passenden Worten suchen müsste, um es anders zu nennen.

Wir waren dort, wo heute noch viele unserer Mitbrüder sind. Etliche von uns waren von den ersten, die im November 1926 nach Parguay abreisten, hoffnungsvoll und überzeugt, die rechte Wahl getroffen zu haben. Die wir dorthin zur Untersuchung geschickt hatten, hatten uns zufriedenstellende Aussichten gegeben.

Einer von uns hat von Anfang an mit den Landvermessungsarbeiten zu tun gehabt, er kann also ein Wort mitreden. Wenn jene Berichterstatter sagen, dass "getreue Pioniersiedler aus Kanada" dort im Chacogebiet eine "Tätigkeit entwickelt haben trotz all den Widerwärtigkeiten", dann fügen wir noch hinzu: und der fast unerträglichen Hitze und grosse Trockenheit, dass man mitunter den Tag hindurch kein Wasser bekommen hat, abends dann erschöpft und ausgemergelt niedergesunken ist. Weiter waren noch die lästigen Mücken und andere kleinere und grössere Quälgeister, die uns Tag und Nacht nicht in Ruhe liessen. Ohne Mückennetz konnte man überhaupt nicht schlafen. Solches haben wir oft gesehen und empfunden. Wir sind mehrere Jahre dort gewesen, wir berichten aus Erfahrung.

Vor etwa 9 Jahren schickten mehrere unserer Gemeinden 5 Delegaten nach Südamerika. Zu ihnen gesellte sich dann, wahrscheinlich aus eigener Entscheidung, der schon erwähnte Herr J. J. Priess aus Altona, Manitoba, und fuhr mit.[21] Unsere Delegaten hatten Einreiseerlaubnis für Argentinien, Uruguay, Bolivien, Brasilien, Chile und Paraguay. Sie sollten nach Siedlungsmöglichkeiten ausschauen. Sie haben solches aber nur im paraguayischen Chaco ausgeführt, und zwar auf dem Land eines reichen Argentiniers, Casado, im Gebiet von Puerto Casado, wo Herr Casado eine grosse Tanninfabrik besitzt. Die Delegaten waren hier in der Herbstzeit, Mai 1921, zu einer Zeit, wo sowieso nicht viel Ungeziefer ist. Ein Agent, Fred Engen, reiste mit ihnen, den Chaco zu besehen. Sie mussten jedoch einen Monat warten mit der Reise in die Wildnis, weil, wie man sagte, es zu nass war. Ob das die Ursache gewesen ist, wissen wir nicht. Später hat Herr Casado zu einem unserer Delegaten gesagt, er hätte eigentlich gar nicht damit gerechnet, dass die Untersuchungskommission überhaupt aus dem Chaco zurückkehren würde.[22] Als sie wieder zurück bis Asunción waren, wollten unsere Delegaten auch noch im östlichen Paraguay Land besehen, 100 Kilometer südost von Villarica. Das war nicht Eigentum des Herrn Casado, sondern war Regierungsland, welches General McRoberts aus New York unsern Delegaten geraten hatte zu besehen. Sie waren aber unbekannt in Paraguay und wussten gar nicht, wo das land lag, und Engen, ihr Führer, der es auch nicht zu wissen schien, gab vor, bei McRoberts in New York anfragen zu müssen, wo das Land sei. Tage vergingen, und es kam keine Antwort. Nach zehntägigem Warten gaben die Delegaten auf und reisten weiter. Sie wurden auch ohne weiteres entlassen. Heute verstehen wir besser, warum das Telegramm nicht angekommen ist. Dieses haben wir "gehört", und das von unseren Delegaten.[23]

Während der Zeit ihres Aufenthalts in Paraguay, wurden unsere Delegaten sozusagen bewacht und ständig beobachtet. Sie wurden in Asunción in Hotels einquartiert, wo nur spanisch gesprochen wurde, anstatt dass man sie in einem Hotel unterbrachte, wo deutsch gesprochen wurde, von welchen es dort genug gibt, und wo sie sich sicherlich viel heimischer gefühlt hätten. Man mahnte sie auch immerzu, sich in acht zu nehmen und nicht ohne Begleitung auf den Strassen zu spazieren, damit ihnen ja nicht ein Unglück zustossen möchte. Dieses haben wir auch gehört und glauben es auch, wir glauben aber nicht, dass es ein Unglück gewesen wäre für unsere Mennoniten, wenn sie zufällig mit einigen von den deutschsprechenden Geschäftsleuten von Asunción zusammengekommen wären, vielleicht aber ein Unglück für die Agenten; denn höchstwahrscheinlich wären unsere Mennoniten dann nicht in den Chaco gegangen, sondern nach Ostparaguay, in die Gegend von Villarica.

Als sie dann auf dem Wege von Südamerika nach Hause noch Mexiko besuchten, schien es unmöglich zu sein, selbst bei der Regierung dort vorstellig zu werden, und so übernahm diese Rolle ein anderer Agent, ein Herr Solberg, der sich irgendwo in den USA unserer Delegation angeschlossen hatte. Hier wurden die Indianer (oder Mexikaner) als so schlecht erklärt, dass die Delegaten schon lieber nichts mehr davon wollten, also ganz im Gegenteil zu den Indianern im Chaco, die als sehr friedliebende Menschen beschrieben wurden. Man entschied sich dann für den Chaco. zu Hause angekommen, wurden Versammlungen abgehalten und über Wege beraten, wie dorthin zu kommen.

Die Intercontinental Company wurde gegründet und ein Fürsorgekomitee gebildet aus unserer Mitte. Die beiden zusammen arbeiteten dann den Auswanderungsweg nach Paraguay aus. Aber erst nach 5 Jahren konnte die Umsiedlung ausgeführt werden. In Puerto Casado häufte sich dann eine Volksmasse an, weil nicht Vorkehrungen für die Ansiedlung getroffen worden waren. Elektrische Beleuchtung und Frischwasserleitung, wovon die Siedlungsgesellschaft in Kanada viel gesprochen hatte, waren im Siedlungslager in Puerto Casado nicht fertig. Es gab kleine Gebäude aus Palmen, und auch die waren nicht ganz fertig; von den 50 Acker Gartenland, das bereitliegen sollte für Gemüseanbau, wovon sich die hereinkommenden Siedler einen Teil ihrer Nahrung beschaffen sollten, war überhaupt keine Rede. [24]

Man muss es erlebt haben, um zu wissen, wie das geht, wenn so eine Masse von Menschen so planlos zusammengebracht wird und die Leute dann nichts anfangen können. Das Land war noch nicht vermessen, infolgedessen konnten wir auch nicht ansiedeln. Das Trinkwasser kam aus dem Paraguayfluss. Es war warm und schmeckte schlecht. Wenn es regnete, wurde all der Dreck, der in Flussnähe lag, in den Fluss gespült, auch der Abgang von den Tierleichen. Es ist gesagt worden, dass die vielen Krankheitsfälle, die anfangs vorkamen, von Kanada mitgebracht worden seien, aber man fragt sich dann doch, ob sie nicht vom Flusswassertrinken hergekommen sind.

Die Hitze war für uns Nordländer fast unerträglich. An dem warmen Wasser konnten wir uns nicht erquicken. So braucht man sich nicht zu ''wundern'', wenn dann auch noch mal etwas ''beim Biertisch'' ausgefunden wurde, wo auch die Herren von der Company (Siedlungsgesellschaft) unter dem kühlenden Ventilator sassen, Pläne schmiedeten und Möglichkeiten für die mennonitische Ansiedlung im Chaco überlegten.

Dort gibt es Schmeissfliegen, die lebendige Maden legen, die nicht erst nach 24 Stunden leben, wie hier in Kanada. Die Maden fangen also sofort an zu fressen. Sie sind für Mensch und Vieh gefährlich. Bei irgendeinem lebendigen Geschöpf tun sie ihre Arbeit. Man muss sehr aufpassen. Menschen bekommen sie in den Ohren, in der Nase, an den Füssen, wenn man nicht aufpasst. Fledermäuse plagen das Rindvieh, und die Maden fangen an zu fressen an der Stelle, wo eine Fledermaus gebissen hat.

In Puerto Casado sassen wir und warteten der Dinge, die kommen sollten. Alles ging so langsam. Engen, der Angestellte der Siedlungsgesellschaft, versagte. Dann musste Rogers, der Verwalter der

Siedlungsgesellschaft, kommen. Er hatte sich das Vertrauen der Mennoniten schon bei den Verhandlungen in Kanada erworben und sich als fähiger Leiter erwiesen. Er ordnete dann alles in Puerto Casado und zog selbst mit den Mennoniten hinaus in den Chaco. Er schlief, wo wir schliefen; er ass, was wir assen. Er war hilfsbereit, hatte gesunde Ansichten und war dienstbereit mit Rat und Tat. Nach einiger Zeit verliess uns Rogers und fuhr wieder zurück nach Kanada. Der Abschied fiel uns schwer. Rogers versprach, binnen einem Jahr wieder zurückzukommen. Inzwischen sollte sein Sohn kommen und die Sache weiterführen, wie er sie getan hatte. Es muss aber etwas vorgefallen sein, womit Herr Rogers nicht gerechnet hat. Anstelle seines Sohnes kam ein Herr Landreth. Dieser war nicht so gutmütig wie Rogers. Er verdarb den Leuten den Appetit, besonders noch, als er mit eiserner Faust das Mennonitenlager in Puerto Casado ausräumte (die Lagereinwohner ausziehen hiess). Viele, die bis dahin noch unschlüssig waren, gingen zurück nach Kanada oder blieben in Asunción, wo sie sich seitdem herumgestossen haben. Wir glauben, wenn Rogers wiedergekommen wäre, wären wir noch in Paraguay, aber nicht im Chaco, sondern in Ostparaguay, wohin dann wahrscheinlich auch mehr gekommen wären.

Während Rogers dort war, wurde endlich mit dem Einzug in den Chaco begonnen, obwohl einige schon vorher in die Wildnis gezogen waren. Es war beschwerlich, aber es ging einigermassen. Wir haben dann auch auf verschiedene Weisen versucht, etwas aus der Ansiedlung zu machen. Aber nicht in der Erwartung, sie in zwei Jahren ''vierzig Jahre'' alt zu haben, wie in dem Artikel ''Kolonie Menno'' steht. Wir machten es aber, so gut wir's konnten und nach dem Rat der Company, die auch noch einen Agronom anstellte, um uns zu beraten. Wir haben dann gepflanzt, um etwas zu ernten. Aber in den zwei bis drei Jahren haben wir nicht so viel geerntet, das uns ermutigte, noch mehr zu versuchen.

Einige wurden sofort bei dem Beginn mutlos, andere etwas später, und diese kehrten alle um. Doch die meisten mussten bleiben, weil sie die Mittel, zurückzukehren, nicht hatten. Etliche zogen ab, bevor die Mittel erschöpft waren, andere wurden später von ihren Verwandten unterstützt, um zurückreisen zu können. Viele jedoch konnten nicht zurückfahren, weil auch ihre Verwandten in Kanada nicht die Mittel dafür hatten. Es haben sich sogar einige an den Ackerbauminister von Manitoba gewandt und um Zurückhilfe gebeten.

Bald nach unserer Ankunft in Parguay kauften wir uns Kühe und Ochsen. Die Rinder verhielten sich aber anders, als wir es von unserem Vieh in Kanada kannten. Vor den langen Hörnern muss man sich immer in acht nehmen, ob man es mit einer Kuh oder mit einem Ochsen zu tun hat. Es war mitunter sehr gefährlich.

Am schwierigsten war es auf der weiten Reise (in die Wildnis) mit dem Wasser und mit dem Futter. Das meiste Gras war Bittergras, ungeniessbar für das Vieh. Wir fanden dann nach und nach auch Plätze mit besserem Gras. Gute Weide ist nur auf wenigen Stellen. Einige Dörfer haben etwas mehr, andere wieder so gut wie keine Weide. Die Milchkühe mussten mitunter bis zu 12 Kilometer vom Dorf fortgetrieben werden, um sie auf die Weide zu bringen. Bei der sengenden Hitze ist das eine schwere Aufgabe!

Die Ernten bestanden hauptsächlich aus Wassermelonen, Wassermelonen und Wassermelonen — und dann noch aus etwas Erdnüssen
und Bohnen, nicht genug, eine Familie zu ernähren. Dass dort jemand
für 50 Dollar Wert vom Acker soll geerntet haben und ein anderer sogar
230 Dollar von 10 Acker eingenommen haben und dann für Lebensmittel
und für die Aussaat zurückbehalten, wie es in dem schon erwähnten
Artikel heisst, haben wir nicht ''gehört'' und auch nicht ''gesehen'' und
glauben es auch nicht, weil es so etwas im Chaco nicht geben kann. [25]

Die Beschaffenheit des Bodens ist nicht so schlecht, aber die Witterung ist extrem, einmal viel zu nass, dann wieder zu trocken, zu lange
ohne Regen; vor allem aber ist es zu heiss. Wenn der heisse Nordwind
dann so 3 bis 4 Tage über die schönen Felder weht, ist bald alles dahin.

Sirup haben wir im Chaco auch gekocht, von Wassermelonen, und
wir assen dann ''soviel wir wollten''. Aber wir wollten nicht mehr als 2
Tage davon geniessen, dann gärte der schöne Sirup schon so sehr, dass
er entweder noch einmal gekocht werden musste, oder er musste
hinausgeschüttet werden. Es war nicht ratsam, noch mehr davon zu
geniessen. Die Zeit der Wassermelonen aber hält nicht das ganze Jahr
hindurch an, sonder nur — wenn lange — 4 Monate. Ist diese Zeit um, ist
auch das Sirupgeniessen vorbei.

Brot und Fleisch usw. muss gut versteckt werden, sonst nehmen es
die Ameisen, die nachts bei Millionen auftreten. Jedes Tischbein muss in
einem Behälter mit Benzin stehen, wenn die Ameisen auf dem Tisch
nicht überall hineinkriechen sollen. Beim Ausheben von Brun-
nenschächten fanden wir Ameisengänge bis in 10 Fuss Tiefe.

Getreide, wie z.B. Weizen — natürlich importierten, denn anderen
gibt es nicht — Korn, Bohnen usw., das alles kann man auch nicht
aufbewahren. Es dauert nicht viele Wochen, bis alles vom Ungeziefer
zerfressen ist.

Jene ''massgebende Persönlichkeit'' scheint nur wenig Kenntnis
vom Chaco zu haben, sonst hätte sie nicht berichtet vom Barfusslaufen
und Schlafen im Felde oder im Wald draussen bei Nacht. Wir sind dort
gewesen und wissen, dass wir Nächte hindurch kein Auge zugemacht
haben des Ungeziefers wegen. Da sind viel Mücken, aber das ist nicht
das Schlimmste, da sind die unbarmherzigen, unsichtbaren Polvorinos,
da gibt es die Sandflöhe. Wirklich, da hat eine nordamerikanische Mutter sicher viel Ursache, mit Entsetzen daran zu denken. Die ''massgebende Persönlichkeit'' behauptet in dem Artikel: ''die entfernt man,
das ist alles''. Aber was muss man dabei aushalten! Von unsern Kindern
haben auch etliche solche Dinger in den Zehen gehabt, und wir wollten
es schon lieber vergessen, als noch wieder davon schreiben. Fred Engen
musste ja nach Buenos Aires, um sich seine Füsse der Sandflöhe wegen
behandeln zu lassen.

Paraguay, ja; der Chaco, nein

Manche waren der Meinung: wenn auch nicht zurück nach Kanada — aber weg vom Chaco! Walter Quiring schreibt dazu wie folgt: [27]

''Die allgemeine Unruhe fand Ende 1927 Ausdruck in einer
Bewegung, die eine Übersiedlung eines Teiles der Einwanderer in das
östliche Paraguay zum Ziele hatte. Sie waren mit einem
Grossgrundbesitzer bei Villarica bekanntgeworden. Dieser bot ihnen bei
Pastoreo, 100 Kilometer nordöstlich von Villarica, Land zu sehr vor-

teilhaften Bedingungen an. Darauf reisten der ehemalige Abgeordnete Isaak Funk, das Mitglied des Fürsorgekomitees, A. J. Friesen, sowie Bernhard Wiebe, Abram Wiebe, Johann Toews und Peter Harder dorthin, um die Siedlungsverhältnisse zu untersuchen. Sie fanden das Land für ihre Zwecke sehr geeignet: gutes Trinkwasser, Quellen, Bäche, Bauholz in Fülle und das Land um 60% billiger als das im Chaco.''

Diejenigen, die für eine Ansiedlung in Ostparaguay interessiert waren, versuchten dann, die Gemeindeleitung für dieses Unternehmen zu gewinnen und baten, dass wenigstens einer der Prediger mit ihnen zöge. Selbst die Frauen bemühten sich um direkte Beeinflussung der Prediger. Eine solche Gruppe kam eines Tages zum Ältesten Friesen und versuchte, ihn zu überreden. Aber auch sie musste unverrichteter Sache wieder zu ihren Zelten zurückkehren (es war noch in Puerto Casado). Ältester Friesen und seine Kollegen hielten sich für die grössere Gruppe der Siedler verantwortlich. Und schliesslich war das Chaco–Siedlungsprojekt ja immer noch nur in der Vorbereitung. Der Anfang der Ansiedlung war überhaupt noch nicht gemacht worden. Man hatte andererseits aber schon viel Geld und viel Arbeit hineingesteckt. Und niemand konnte jetzt schon mit Bestimmtheit sagen, dass es nicht doch damit gelingen würde. Die Gemeindeleitung lehnte jedenfalls damals eine Ansiedlung in Ostparaguay entschieden ab. Der "Bericht" geht weiter:

Dass der Doktor in dem Artikel so abschätzig behandelt wird, ist nicht verwunderlich. Er war immer offen in seinen Aussagen. Er konnte es nicht verstehen, was wir in dem Chaco wollten. Der Chaco, sagte er, sei doch nicht für weisse Menschen, er sei für die Eingeborenen. Natürlich, solches passte den Agenten nicht in ihren Kram. Wir fanden den Arzt sogar sehr nett. Den Mennoniten war er zugeneigt. Er schien Paraguay zu kennen. Er lebte mit einer Paraguayerin zusammen, ob verheiratet oder in wilder Ehe, wissen wir nicht, und das ist dort auch nicht wichtig. Es wurde uns gesagt, dass von 1000 Paaren nur 3 Paare in legaler Ehe leben. Dass der Arzt ein aufgeregter Mensch war, ist uns nicht bekannt, auch nicht, dass er ein Trinker gewesen sei. Wir glauben es auch nicht.

Nicht aber alle, die dem Chaco nicht viel zutrauten, kehrten sofort um; denn man wollte doch nicht nur wegen der ''Fleischtöpfe'' allein wieder zurück nach Kanada, wir wollten in dem ''freien'' Paraguay bleiben. Wir untersuchten dann auch noch das östliche Paraguay. Wir besuchten deutsche Ansiedlungen, Yerbaplantagen, sahen, wie der Tee zubereitet wird. Es ist mühevoll, aber es ist möglich. Im Chaco wächst dieser (Yerba) Tee überhaupt nicht. Viele wildwachsende Apfelsinen sahen wir, die gibt es im Chaco auch nicht, und viel Gemüse. Baumwolle gedeiht sehr gut. Das Holz ist viel besser als im Chaco, auch andere Arten. Was sonst auch noch im Chaco wächst, in Ostparaguay gedeiht alles viel besser. Wir glauben, Ostparaguay wäre für uns Mennoniten viel besser gewesen, als der Chaco. Der Chaco ist wohl das schlechteste Land, das Paraguay hat. Auch andere Leute als die Mennoniten sagen, dass der Chaco für Siedlungen ungeeignet ist.

Man sagt uns, dass der Präsident von 1921, als unsere Delegaten das Land besuchten, es bedauert habe, dass die Delegaten den Chaco besehen hätten, um die Mennoniten dorthin zu bringen. Auf unsere Frage, warum man unsern Delegaten nicht Land in Ostparaguay gezeigt habe, sagte man uns, der Präsident hätte es gewusst, dass die Mennoniten mit Herrn Casado im Landhandel stünden. Nun möchten wir fragen, wer es damals noch gewusst hat. Wir haben's nicht gewusst, und soviel wir wissen, wussten auch unsere Prediger und Delegaten nichts davon, wenigstens nicht alle. Und deshalb ist dann auch das Telegramm aus New York nicht angekommen, weil die ''Mennoniten mit Casado im Handel standen''. Und wir wussten nicht mal, dass es überhaupt einen Casado gibt.[26]

In Ostparaguay bot man uns Regierungsland für 4 Dollar den Acker an, etwa 30 Kilometer von Asunción entfernt, und in der Gegend von Villarica für 2,50 Dollar den Acker, und auch für einen Dollar den Acker. (Im Chaco ist uns das Land mit 5 Dollar den Acker berechnet worden.) Die Gegend und auch das Klima in Ostparaguay sagten uns zu. Wir aber waren nicht mehr imstande, nicht finanziell und auch körperlich nicht, einen nochmaligen Anfang zu machen. Wir fürchteten uns davor. Auch waren wir zahlenmässig nicht stark genug dazu. Unsere Gemeindeleiter konnten sich für eine Umsiedlung nach Ostparaguay nicht entschliessen.

Es wären wohl noch mehr Gründe anzuführen, weshalb wir aufgaben und zurückfuhren nach Kanada, ganz abgesehen von dem Heimweh, wovon J. W. Thiessen schreibt. Wir konnten es nicht berechnen, wie wir dort im Chaco jemals unser Leben machen sollten.

Der Regierung von Paraguay waren die Mennoniten willkommen. Als wir in Asunción waren, wurden uns Begünstigungen angeboten; der Ackerbauminister händigte uns ein Schreiben ein:

Asunción, den 16. Oktober, 1928

'Ich bin von der Abteilung für Land und Kolonisation beauftragt, Ihnen Begünstigungen anzubieten, falls Sie sich für eine Niederlassung auf Regierungsland entschliessen sollten: freier Aufenthalt im Einwanderungshotel in Asunción, freie Reise und freie Beförderung Ihrer Güter bis zum Bestimmungsort (mit der Bahn oder mit dem Schiff), Übergabe von landwirtschaftlichen Losen unter den Bedingungen des Einwanderer- und Kolonisationsgesetzes. Geben Sie, bitte, unten auf diesem Schreiben die Antwort, ob Sie einverstanden sind. Für weitere Auskunft sind wir bereit. Dieses Angebot gilt nicht nur für Ihre Gruppe, sondern auch für andere Ihrer Gemeinschaft, die sich in einer Regierungskolonie niederlassen wollen.'

(Siegel und Unterschrift)

Für diesesmal schliessen wir. Wenn nötig, erfolgt eine Ergänzung. Wir haben hier verschiedenes nur berührt.''

Ältester Friesen, der mit seiner Familie 1928 in den Chaco zog und sich im Siedlerlager Pozo Azul niederliess, schrieb von dort an die Gemeinde in Puerto Casado:[28]

''Liebe Geschwister: Gnade und Friede von Gott, dem Vater der Barmherzigkeit!

Warum ein anderes Stück Land suchen? Seitdem wir Euch am 31. Januar verlassen haben, habe ich schon viel an Euch gedacht. Die Bewegung dort (nach Ostparaguay oder zurück nach Kanada) hat mir schon viel zu denken gegeben. Jetzt sucht man nach einem andern Gebiet, wo es besser sein soll. Solche Unbeständigkeit bedrückt mich. Obwohl dort in Puerto Casado Prediger sind, die sich um Euch bemühen, fühle ich mich doch gedrungen im Bewusstsein der grossen Verantwortung, Euch *allen* zu schreiben zur Warnung und auch zur Starkung. Bleibt Gott und uns schwachen Arbeitern doch treu in dieser Sache, die wir im Gottvertrauen unternommen haben, und die uns auch schon viel gekostet hat. Habt Ihr, die Ihr nach etwas Besserem sucht, vergessen, dass wir unter Gebet unsere Delegaten aussandten und Gott so oft angefleht haben, er wolle das Werk doch segnen? Und der Herr hat sie dann auch glücklich zurückgebracht, und auch brachten sie eine gute Nachricht mit: den Freibrief, von einer Regierung, die wohlgesinnt sei. Sie berichteten, sie glauben, mit Gottes Hilfe könnten wir in dem Lande, das sie untersucht hatten, unser Leben machen.

Natürlich, aller Anfang ist schwer.

Warum überhaupt umkehren? Geschwister, bedenkt nicht nur unsere heutige Lage, denkt weiter. Wollen wir jetzt nicht den Zweck der Auswanderung in den Hintergrund verdrängen! Sind solches nicht nur Versuchungen die sowieso an uns herantreten? Was haben wir doch schon an Mut erbracht, indem wir Kanada verlassen haben? Und wenn wir jetzt ein wenig leiden sollen, ist es uns schon zu viel. Darum, wollen doch nicht umkehren, wollen lieber ausharren. Wir haben ja noch gar nicht bis aufs Äusserste widerstanden. Hat es uns wirklich nicht mehr bedeutet, um des Namens Jesu willen auszuwandern? Wollen wir jetzt wieder fressen, was wir gespien haben? (2. Petri 2,22) — Dann ist es doch zu bedauern, dass wir dieses Werk überhaupt begonnen haben. Es fehlt uns nicht besseres Land, auch nicht eine bessere Regierung, es fehlt das gehorsame, demütige Herz, es fehlt uns an der Hingebung für die Sache. Es ist schwer, das stimmt, und ich glaube, es wird noch schwerer werden, aber warum es dann durch Ungehorsam und Widerstreben **noch** schwerer machen? Warum nicht lieber vertrauensvoll und frohen Mutes mit allen uns von Gott geschenkten Mitteln dieses schwere Werk mit Gottes Hilfe versuchen durchzuführen?

Setzen wir uns auch wirklich für die Gemeinschaft ein? Es mangelt an wirklicher Hingabe. Wir müssen nicht denken ''ich habe'', sondern ''wir haben'' das Werk angepackt. Hast Du, lieber Bruder, schon einmal darüber nachgedacht, welchen tiefen Sinn der Ausdruck in sich schliesst: wir haben uns an das Werk herangemacht? Es gilt zu erwägen, warum wir hier sind.

Du, der Du **mittellos bist oder fast mittellos**, hast auch Du das Deine getan? Hast Du Deine von Gott erhaltene gesunde Kraft dazu verwendet, mit willigem Herzen dieses Werk zu fördern? Frage nicht, was Dir dafür wird. Sei nur getreu in Deiner Sache und folge im Gehorsam denen, deren Aufgabe es ist, Dich anzustellen. Lasset uns Gutes tun und nicht müde werden, denn zu seiner Zeit werden wir ernten ohne aufhören.

Liebe Brüder, werdet nicht verdrossen, Gutes zu tun. Wollen nicht unseres Nächsten Gut begehren. Führet einen guten Wandel, ziehet die Kinder auf in der Zucht und Vermahnung zum Herrn.

Und wir, liebe Brüder, **die wir** durch die Gnade des Herrn **beides haben: die Kraft und die Mittel**, wie steht es mit uns? Wollen auch wir uns prüfen. Haben wir getan, was zu tun uns möglich war? Haben wir unsere Mittel, die Gott uns aus lauter Gnade geschenkt hat, nach Vermögen zum allgemeinen Besten verwendet? Oder können wir es ruhig hinnehmen, wenn das schwere Werk von anderen gefördert und getragen wird, ohne uns selbst anzustrengen? Lasset uns mit Kraft und Mitteln vorbildlich sein, um die Last zu erleichtern. Wollen wir treu hinter unsern Männern stehen, deren Aufgabe es ist, alles zu regeln, damit das Werk vorwärts schreitet, wozu sie unser aller Unterstützung, moralisch und finanziell, nötig haben.

Wollen wir Gottes Wort zum Wegweiser nehmen und uns vom Geist Gottes leiten lassen! Gott sei uns gnädig und wirke in uns das Wollen und Vollbringen nach seinem Wohlgefallen!''

Um fast die gleiche Zeit schrieb einer der Prediger aus Puerto Casado einen Brief an den Ältesten Friesen in Pozo Azul, den dieser dann etwas später erhielt. Hier einiges aus dem Brief:[29]

"Was das Land in Ostparaguay betrifft, so hat die Bewegung dorthin ziemlichen Anhang. Delegat Isaak Funk erklärt es so: Ihm seien jetzt, als er in den Chaco fuhr, die Augen aufgegangen, man habe sie (1921) sehr betrogen, sagt er. Jetzt wisse er — sagt er — warum man die Delegation von 1921 so bewacht habe. Sie hätten damals keine Freiheit gehabt, sich frei zu bewegen, hinzugehen, wohin sie wollten. Ist jemand von ihnen mal allein ausgegangen, seien die Führer böse gewesen. Immer hätten sie müssen in Hotels wohnen, wo man nur Spanisch sprach, wo es doch genug deutschsprachige Hotels gegeben habe. Mehrere Tage hätten sie in Asunción gewartet, um hinauszufahren Land zu besehen; es sei ihnen aber keine Gelegenheit dazu geboten worden usw. Etliche sind so mutlos, dass sie, wenn es eine Ostparaguay-Ansiedlung nicht geben wird, zurück nach Kanada wollen. Hoffentlich wird aus alledem nichts! Ich hoffe, sie werden noch alle erst in den Chaco ziehen. Aber die Nachrichten aus dem Chaco, die alles andere als ermutigend sind, verschlechtern die Sache nur noch. Erstens kam einer und berichtete, dass wieder alles Gewächs von der Hitze verdorrt sei. Zweitens wurde mitgeteilt, unsere Leute hätten vor bolivianischem Militär fliehen müssen. Drittens erzählte man, nicht jedes Dorf würde genug Weide für das Vieh haben, nicht mal für ein Paar Ochsen und für eine Kuh. Alles das macht die Unmutigen dann noch verzagter.''

Etwas später besuchte Ältester Friesen von Pozo Azul aus die Gemeinde in Puerto Casado. Nach seiner Rückkehr schrieb er an Prediger Abram E. Giesbrecht, der im Siedlerlager Loma Plata wohnte:[30]

"Ich war vor einer Woche in Puerto Casado. Da sind alte Grossväter, die die Leute bange machen mit ihren zweifelerregenden Reden, die sie schwingen. Ach, wie viele haben's doch schon vergessen, was wir auf unsern Knien unserm Gott gelobt haben, nämlich treu und beständig auszuharren bis ans Ende. Auch in dieser Auswanderungssache war es unser Wunsch, der Herr möchte uns doch einen

Zufluchtsort anzeigen — und er hat es getan. Wir aber murren, anstatt dass wir danken. Blinder Mensch, wann willst Du endlich dankbar werden!''

Etwa um die gleiche Zeit schrieb einer der Leitenden der Siedlungsgesellschaft an seine Kollegen in den U.S.A.:[31]

"Am 8. Februar (1928) schickte ich folgendes Telegramm an Euch: 'Isaak Funk und A. Friesen haben das Land in Ostparaguay untersucht. Man ist jetzt bemüht, eine Gruppe zusammenzustellen. Ich denke, die Bemühungen werden fehlschlagen. Also keine Ursache zu Besorgnissen!'
Ich habe mit Funk und Friesen gesprochen, und Herr Hoefliger hat noch mehr mit ihnen gesprochen als ich. Funk scheint der Führer von der Sache zu sein. Er ist wohl verbittert über die Ostreserver, und so auch wohl der Friesen. Beide behaupten, die Delegation von 1921 hätte versucht, Land in Ostparaguay zu besehen. Das Land, das sie jetzt besehen haben, gehört dem früheren Staatspräsidenten Schaerer. Ich glaube, die Sache wird ins Wasser fallen. Friesen sagte mir, er sei schon fertig damit, er wolle nur noch eines: zurück nach Kanada.
Hoefliger teilte mir im Vertrauen mit, Funk habe angedeutet, die Siedlungsgesellschaft wäre verpflichtet, ihn anzustellen. Es scheint also, er habe damit gerechnet, wir würden ihm bezahlen. Er ist jetzt wohl in grosser Geldnot. Ich sagte zu Hoefliger, es bestünde keine Möglichkeit, Funk anzustellen und zu bezahlen. Ich habe Funk und Friesen sehr deutlich gesagt, was ich von ihrer Haltung denke. Ich habe den Eindruck, sie sind verbittert und sind ganz und gar fertig mit diesem Kolonisationswerk.''

Die Angestellten und Verantwortlichen der Siedlungsgesellschaft machten es genauso wie die mennonitischen Siedlerpilger, die nicht aufgeben wollten: sie flössten sich gegenseitig Mut ein. Da schreibt z.B. Fred Engen aus Pozo Azul an Herrn Rogers in Winnipeg:[32]

"Dass der Delegat Funk abfällig wird, rüttelt gar nichts an dem Siedlungswillen der anderen. Je grössere Schwierigkeiten sich ihnen entgegenstellen, desto zäher werden sie. Aus der Ostparaguay-Ansiedlung wird es nichts geben. Ich habe Euch schon früher gesagt, wollen wir den Mennoniten es selbst überlassen, sich zurechtzufinden mit ihrem Unternehmen. Sie werden den Chaco schon in ihrer eigenen Art entwickeln, vielleicht nicht gerade so, wie wir es uns denken, wie wir es würden wollen, aber doch in einer Weise, dass unsere Siedlungsgesellschaft noch einen fetten Happen herausholen wird, indem der Chaco sich zu einer der wunderbarsten Gegenden Amerikas entwickeln wird. Ich stelle mir vor, wie (hoffnungslos) die wilde Gegend des Red-River-Tales ausgesehen haben mag, als die Vorfahren dieser Mennoniten dorthin kamen.''

Engen schreibt dann etwas später, im Juni 1928, nicht mehr ganz so mutig:[33]

"Wir müssen Schritte unternehmen, um die Propaganda für eine Ansiedlung in Ostparaguay zu bremsen. Hier in Puerto Casado sind noch zu viele Leute, die nicht in den Chaco wollen, und da findet so ein Ostparaguayprogramm schon Anklang. Alle Herrlichkeit des Chaco geht zugrunde durch den fürchterlichen Zustand der Wege. Unser Camionfahrer kann durch einen andern ersetzt werden. Er bekommt 106 Dollar den Monat, und der Erlös geht sicherlich zum Aufbau eines Funkdorfes in Caaguazú. Der alte Funk und seine Gesinnungsgenossen haben dort 70.000 Acker Land erstanden für 140.000 Dollar. Zusätzlich übernehmen sie noch einen Bauholzlieferungs-Vertrag, der zwischen dem Eigentümer und einigen Holzfällern besteht und jetzt auf die Mennoniten übertragen werden soll, weil er noch 2 Jahre Lieferfrist vor sich hat. Man verspricht sich dabei einen Verdienst von 100.000 Dollar, so dass ihnen das Land dann nur auf 40.000 Dollar zu stehen kommt.''

Aus dem Siedlerlager Loma Plata schreibt jemand: [34]

"Eine Gruppe von 19 Familien (Puerto Casado) ist fast fertig, um nach Ostparaguay überzusiedeln. Ich selbst wäre auch gerne dort. Dort gibt es Wasserströme und bessere Weide, und das Wetter ist nicht so heiss. Offenes Land ist dort wirklich offen, und der Wald hat grössere Bäume.''

Wenn sich zunächst dann auch ziemlich viele der Siedler für Ostparaguay interessierten, weil die landwirtschaftlichen Verhältnisse dort anscheinend günstiger waren und das Klima angenehmer, so entschieden sich dann doch nur einige Familien, dieses auch auszuführen, denn man war dann ja doch immer noch in Paraguay, auch wenn man nach der anderen Seite des Flusses ging, und nicht zu Hause in Kanada. So kehrten viele der über den Chaco Enttäuschten dann doch lieber gleich in die alte Heimat zurück, anstatt noch einmal einen Niederlassungsversuch in Südamerika zu machen. Andere wieder entschlossen sich, trotzdem in den Chaco zu ziehen, wo die überwiegende Mehrheit unter Aufbietung aller Kräfte nicht einen Zollbreit von dem Kolonisationsunternehmen zurückwich. Zu diesen gehörten auch die Siedlungs- und die Gemeindeleitung, die alles dransetzten, einer Zersplitterung oder sogar einer Auflösung entgegenzuarbeiten.

Der Ankauf eines Landgutes in Ostparaguay hat überhaupt keine festen Formen angenommen. Wahrscheinlich sah man, als man erst näher damit bekannt wurde, dass es damit doch nicht ganz so rosig bestellt war, als es zu Anfang den Anschein gehabt hatte. Aus Briefen hört man heraus, dass der bis dahin auf dem hier in Frage kommenden Landgut getätigte Holzhandel mit Verlust gehandelt haben soll. Auch sprach man davon, dass der Landbesitztitel nicht ''klar'' gewesen sei. Man hielt also dafür, dass die Mennoniten, wenn sie es kauften, eine grosse Dummheit begehen würden.

Aber keiner, weder die chacofesten Mennoniten noch die Siedlungsgesellschaft, versuchten es mit Gegenmassnahmen. Man liess diese Leute, die den Chaco satt hatten, sich selbst zurechtfinden. Sie sollten selbst herausfinden, was für sie das Beste sei.

Schliesslich begaben sich zwei Familien — I. Funk und A. F. Wiebe — in die Gegend von Villarica, um dort anzusiedeln. Aber schon nach etwa einem Monat brachen auch sie auf zur Rückreise nach dem lieben Kanada.[35]

Sorgen machte sich die Siedlungsleitung schon, weil man sich ja nicht sicher war, ob nicht doch mit einmal eine Ansiedlung in Ostparaguay zustande kommen würde. Man musste in solchem Falle damit rechnen, dass sich dann eine beachtliche Zahl diesem Unternehmen anschliessen könnte. Nach Kanada zurückzukehren konnten sich viele der Mittel wegen und andere ihres ''Gewissens'' wegen nicht leisten, aber eine blosse Übersiedlung nach Ostparaguay wäre für sie schon eher möglich gewesen, einerseits, weil sie nicht so kostspielig sein würde, andererseits, glaubten sie, würde eine Bespöttelung ihrer Wankelmütigkeit hier keinen Grund haben, denn es war ja immer noch Paraguay.

Auch die Rückwanderung der Mutlosen war für das Zustandekommen der Ansiedlung ein Minus, denn sie schwächte die dafür notwendige Begeisterung und den Mut. Man verbot niemandem das Zurückkehren, aber man riet ernstlich davon ab. Manche der Zurückkehrenden waren bemittelt. Sie nahmen ihr Geld natürlich wieder zurück nach Kanada, anstatt es in der Gemeinde als Darlehen zu lassen, wie andere Bemittelte, die bei dem Chacoprojekt blieben, es taten und so zum Segen der Chacokolonisation wurden.

Die Rückwanderung war aber keine gemeinsame Planung, es sei denn, dass sich ein paar Familien zusammentaten. Sie war darum auch nicht so besorgniserregend wie die Idee einer Übersiedlung nach Ostparaguay, die die Form einer organisierten Bewegung anzunehmen drohte. Hätte sich dann noch eine Organisation dahintergestellt, die diese Umsiedlung unterstützte, so wäre dadurch eine Zersplitterung zustandegekommen und damit eine Schwächung, wenn nicht überhaupt ein Zusammenbruch des ganzen angefangenen Kolonisationswerkes.

Auch wenn nur eine kleine Gruppe sich einig gewesen wäre und auf dem schon einmal so gut wie erworbenen Landstück in der Gegend von Villarica durchgehalten hätte, so wären sicherlich mehr gefolgt. Aber so ein Werk, auch wenn die Natur dort viel anziehender war, brauchte erneuten Zusammenschluss, erforderte wieder eine Organisierung, und diese Voraussetzung wurde nicht erfüllt.

Als dann die meisten derjenigen, die das Chacoprojekt aufgegeben hatten, nach Kanada zurückgekehrt waren, brachten sie dort neue Überlegungen ins Rollen. Das war ausgangs 1928 und anfangs 1929. Viele in Manitoba hatten den Auswanderungsgedanken noch nicht fallen gelassen. Der Chaco aber, über den sie so fürchterliche Dinge gehört hatten, schreckte sie ab. Nun brachten die Rückkehrer Einflüsterungen über neue Siedlungsmöglichkeiten mit, und das war gemeint im östlichen Paraguay. Dass die Sache dort Anklang fand, hört man aus einem Brief von Herr Rogers heraus, den er an den Ältesten Friesen als Antwort auf dessen Anfrage schrieb: [36]

> "Sie schreiben mir von der Bewegung unter den Mennoniten hier in Manitoba, nach Ostparaguay überzusiedeln, und dass Sie gehört hätten, ich sei daran interessiert.
>
> Es stimmt so, dass die Leute mit solchen Fragen zu mir gekommen sind. Meine Antwort an sie war: Wenn die Mennoniten, denen ich geholfen habe, im Chaco anzusiedeln, dort nicht ihr Fortkommen haben werden und in Not geraten, z.B., sie hungern, und diese Chacosiedler, die meine Freunde sind, dann zu mir kommen und mich bitten, ihnen behilflich zu sein, in Ostparaguay anzusiedeln, dann will ich das tun. Ich sagte zu den Leuten, es würde beleidigend für die Leute im Chaco sein, wenn ich mich ausserdem mit einer Ostparaguayansiedlung befasste, solches könne ich einfach nicht tun, es sei denn, die Leute im Chaco fänden es unmöglich, im Chaco zu leben und möchten ihn verlassen. Ich habe hier Freunde unter den Mennoniten, die wollen eine Auswanderung nach Ostparaguay. Ich wäre auch bereit, ihnen zu helfen, solches aber finde ich als eine Verletzung der Gefühle derjenigen, denen ich geholfen habe, in den Chaco zu gehen.
>
> Dieses, Herr Bischof, ist meine Einstellung."

Damit ist die Sache dann wohl eingeschlafen, denn eine von Kanada aus organisierte Siedlung im östlichen Paraguay ist damals nicht zustandegekommen.

Probleme mit dem "Pauschalpass"

Problematisch wurde für die Rückwanderer auch die Einrichtung des sogenannten Pauschalpasses, welcher zeigt, dass man bei der Auswanderung eine Umkehr Einzelner überhaupt nicht in Erwägung gezogen hatte. Als die Paraguaywanderer sich in Kanada für die weite, kostspielige Reise nach Südamerika vorbereiteten, kamen sie auf die Idee, mittels eines allgemeinen Passes aus Kanada auszureisen und in Paraguay einzureisen. Es ging ihnen um die Ersparnis von tausenden von Dollars, die sie andernfalls für die Beschaffung aller einzelnen Dokumente hätten bezahlen müssen. Es waren wirklich nur wenige, die ein persönliches Dokument, einen kanadischen Pass, bei sich hatten.

Zur Erstellung des Gemeinschaftspasses musste dann für jede Familie ein Formular ausgefüllt werden, und zu jeder Person mussten folgende Angaben gemacht werden: Name, Geburtsdatum, Nationalität, Grösse, Gewicht, Augenfarbe, Haarfarbe, besondere Kennzeichen. Man nannte das "Personal Description" (Beschreibung der Person). Dieses Formular wurde dann in mehreren Kopien angefertigt, und nach dieser Beschreibung wurde, wenn man es für nötig fand, kontrolliert. Abgesehen von einzelnen Fällen, klappte alles gut.[37]

Später aber, als die Leute anfingen nach Kanada zurückzukehren, wurde dieser persönliche Dokumentenmangel zu einem zähen Problem. Dr. Walter Quiring schreibt dazu:[38]

"Die Einreiseerlaubnis nach Kanada wurde den Rückwanderern anfangs ohne Beanstandung gegeben, weil sie britische Staatsangehörige waren, später jedoch durften sie nur noch unter dem kanadischen Einwanderungsgesetz zurückwandern. Der englische Konsul in Asunción verlangte ausserdem ein vom Ältesten oder der Siedlungsverwaltung bestätigtes Personenverzeichnis der Familien, das ihnen aber von der Gemeinde verweigert wurde, um einer Rückwanderung von dieser Seite nicht irgendwie Vorschub zu leisten. Dadurch waren manche Rückwanderer gezwungen, sehr lange auf die Heimreise zu warten, da diese Schriftstücke nun aus Kanada beschafft werden mussten. Ausserdem hatte jeder Einwanderer in Kanada Bürgen zu stellen, dass er dem Staate nicht zur Last fallen werde."

Wie der erste Rückkehrer, ein Peters aus Saskatchewan, der im März 1927 mit seiner Familie Paraguay verliess, es mit seiner Einreiseerlaubnis nach Kanada gemacht hat, ist nicht bekannt. Wahrscheinlich hatte er seine Dokumente bei sich, denn einige hatten sie sich vor der Abfahrt von Kanada beschafft.

Als dann mehr solche Rückwanderer aus Puerto Casado nach Asunción kamen, beim britischen Konsul dort vorstellig wurden und nichts vorzuzeigen hatten, sich aber beklagten, sie seien von der Siedlungsgesellschaft schwer enttäuscht, ja betrogen worden, indem sie nicht vorgefunden hätten, was sie erwartet hatten und wie es ihnen versprochen worden sei, und kundtaten, sie wollten jetzt nur wieder zurück in ihre alte, geliebte Heimat, gerade jetzt, wo sie noch die Mittel besässen, sich die Rückreise leisten zu können, empfand der Konsul keine Abneigung, sondern das tiefste Mitgefühl und den Wunsch, sich dieser "verlassenen" britischen Staatsangehörigen anzunehmen und ihnen die bürgerrechtliche Rückkehr in ihre alte Heimat zu ermöglichen. Sie waren kanadische Bürger britischer Oberhoheit, und er, der Konsul, hielt sich voll verantwortlich für ihr Wohlergehen. In seinen Augen waren es Leute, waren es britisch–kanadische Untertanen, die in Not geraten waren und denen geholfen werden musste. Er wandte sich also an die Corporación in Asunción und bat um die Bestätigung, dass dieses Leute seien, die sie, als Siedlungsgesellschaft, aus Kanada nach Paraguay gebracht hätte. Die gewünschte Information wurde aber verweigert. Der Konsul tat darauf seinen Unwillen über diese Auskunftsverweigerung in folgendem Schreiben an das Büro der Corporación Paraguaya in Asunción kund:[39]

"Bezugnehmend auf den Beschluss ihres Herrn Rogers, dieser Botschaft Informationen über die unzufriedenen Mennoniten nicht zu erteilen, um dadurch die Lage der Corporación Paraguaya weniger schwierig zu gestalten möchte ich Sie darauf hinweisen, dass, abgesehen von der Tatsache, dass meines Erachtens die Interessen Ihrer Gesellschaft dadurch keineswegs verbessert werden, sich daraus bedauerliche Situationen von weitreichenden Folgen ergeben können.

Was immer Sie auch unternehmen, diese Leute sind entschlossen, nach Kanada zurückzukehren. Doch gerade Sie vermögen deren Rückkehr hinauszuzögern, wobei sie dann noch immer mehr verlieren. Und wenn sonst nicht noch etwas vorliegt, was ihrem kanadischen Bürgerrecht im Wege steht, werden sie die Einreiseerlaubnis erhalten.

Ich mache mir darüber nicht viel Gedanken, was diese Leute, wenn sie zurück nach Kanada kommen, dort berichten werden, und welchen Einfluss sie auf diejenigen ausüben werden, die noch damit beschäftigt sind, nach Paraguay herüberzukommen. Ich möchte Sie aber auf einiges andere aufmerksam machen, woran Sie vielleicht noch nicht gedacht haben.

Es ist schon richtig, dass Sie eine vollständige Personalbeschreibung nicht geben können, aber Sie können mithelfen und mitwirken in einer Bestätigung auf Treu und Glauben. Und wenn Sie nun solches ablehnen, mit Ihrer Unterschrift Erklärungen zu bestätigen, die wir unbedingt für das Ausstellen der Reisepässe brauchen, dann bringen Sie nicht nur diese Leute, die jetzt in Asunción sind und hier keine Freunde haben, in eine Notlage — denn sie können nichts unternehmen, um weiterzukommen und müssen aber ihr Geld ausgeben — sondern Sie bringen überhaupt das Kolonisationswerk bei der paraguayischen Regierung in einen üblen Ruf und schädigen das Interesse der Nation an diesem Ihrem Unternehmen. Und indem die Leute hier unnötigerweise zurückgehalten werden, worunter dann ganz besonders Frauen und Kinder zu leiden haben, hat man zu beachten, dass die britische und auch die kanadische Regierung es für gut erachten werden, dass Sie die geplante Fortsetzung der Einwanderung kanadischer Mennoniten in Paraguay aufhalten, bis sich die Situation hier zufriedenstellend verbessert hat. Man hat damit zu rechnen, dass auch unter den weiteren Einwanderern wieder eine gewisse Anzahl von Leuten sein werden, die wieder enttäuscht zurückziehen werden.

Wir möchten einfach nicht, dass Untertanen des britischen Reiches zwangsweise zurückgehalten werden durch die Siedlungsgesellschaft, wenn die Leute feststellen, dass sie die Verhältnisse nicht so gefunden haben, wie ihnen vorgestellt worden ist, als sie sich für die Übersiedlung entschieden.

Ich hoffe, Sie werden verstehen, wenn ich sage, dass die kanadische Regierung eine ernsthafte Untersuchung für notwendig erachten wird, wenn diese Leute hier in Not geraten, indem ihnen von Ihrer Gesellschaft, die sie hergeführt hat, der Rückweg gesperrt wird, und das in einem Land, wo sie niemanden sonst haben als Sie, der für sie sprechen kann."

Auch General McRoberts in New York erhielt eine Kopie dieses Briefes. Er schrieb dem Konsul, er wisse einfach nicht, warum Mr. Rogers seine Mitwirkung für die Rückreise der unzufriedenen verweigert hätte. Er habe sofort eine telegraphische Meldung an das Büro in Asunción gemacht und angewiesen, sich helfend in der Sache der Rückreise der Unzufriedenen zu erweisen, und er hoffe, seine Anweisung werde befolgt. McRobert bedauerte diesen Zwischenfall und schloss sein Schreiben so:[40]

> "Bei Kolonisationsunternehmen hat es noch immer solche Leute gegeben, die sich aus dem einen oder anderen Grund enttäuscht zurückgezogen und das Werk im Stich gelassen haben. Es ist nicht die Absicht dieser Siedlungsgesellschaft, die diesen Leuten bei der Ansiedlung helfen will, ihnen, wenn sie aufgeben und nach Kanada zurückwollen, den Weg zu verbauen.

Der Konsul war von dem Inhalt des Briefes von General McRoberts sehr gut beeindruckt. In seiner Erwiderung heisst es unter anderem:[41]

> "Ihre Anweisungen haben dieses Konsulat einer unangenehmen Sache enthoben. Dafür danke ich Ihnen und erkläre mich bereit, mit Ihren Vertretern hier zusammen das Interesse der britischen Mennoniten, die unter Ihrer Leitung hier in Paraguay ansiedeln, zu fördern, eine Sache, die, in irgendeiner Lage, die sich ergeben kann, zu unterstützen ich jetzt ermutigt worden bin, und zwar auch durch das Vertrauen, das ich in Ihren Angestellten, Herr Fred Engen, gefasst habe, der eine wundervolle, versöhnliche Haltung und ein weises Benehmen and den Tag gelegt hat, wie ich es selber beobachtet habe. Auch habe ich solches Zeugnis über ihn aus dem Munde paraguayischer Regierungsbeamter hier gehört, auf die seine Urteilskraft und seine Persönlichkeit einen ausgezeichneten Eindruck gemacht haben."

Zwischen dem britischen Konsulat und der Siedlungsgesellschaft waren damit dann die Unebenheiten zufriedenstellend ausgeglichen.

Bald aber wurden die Rückwanderungsbestimmungen seitens der **kanadischen** Regierung wesentlich verschärft. Hatte bis dahin zur Bestätigung der Identität der Rückwanderer der britische Konsul in Asunción das letzte Wort gesagt, so wollte jetzt die kanadische Regierung selbst das letzte Wort sagen. Und schliesslich war das auch nicht verwunderlich. Die kanadische Regierung aber stellte die Rückwanderung jetzt unter das Einwanderungsgesetz. Dementsprechend wurden andere und auch erweiterte Massnahmen für die Bestätigungsberechtigung zur Rückwanderung notwendig. Für die Rückwanderer war das viel komplizierter, und nur langsam begriffen diese die Wirklichkeit der neuen Verfügung. Der britische Konsul schrieb dazu an das Büro der Corporación Paraguaya in Asunción:[42]

> "Die Mennoniten, die nach Kanada zurückwollen, sind schwer dahinzukriegen, die Erfordernisse zu erfüllen, die für die Identifizierung und für das Ausstellen der Reisepässe notwendig sind. Aber weil sie sich damals bei der Auswanderung nach Paraguay nicht mit den persönlichen Dokumenten versehen haben, müssen sie es jetzt tun."

Es folgen hier die Anweisungen für die Vorarbeit der Dokumentationsprozedur, und dann heisst es weiter in Punkt c:

> Eine Identifizierungsbescheinigung ist erforderlich, unterschrieben von einem ihrer Prediger oder einem sonstigen Leitenden der Gruppe, zu der der Antragsteller gehört, und dann noch von dem Bischhof oder Hauptleitenden der mennonitischen Gemeinschaft in Paraguay bestätigt.
>
> Bitte informieren Sie die Mennoniten darüber, dass sie das alles beizeiten zu erfüllen und auszufüllen haben, ehe sie nach Asunción kommen, um sich Enttäuschungen und Unkosten zu ersparen.''

Die Corporación Paraguaya wandte sich dann an das mennonitische Fürsorgekomitee in Puerto Casado:[43]

> ''Wir haben schon viel Zeit und Geld für die Sache der Rückwanderung verwendet. Wir hoffen, dass die Leute sich jetzt mal genau nach den Vorschriften richten werden, um damit Unkosten zu ersparen und Verzögerungen zu vermeiden. Die Corporación Paraguaya sieht ihre höchste Aufgabe in dem Bemühen um diejenigen Mennoniten, die in Paraguay bleiben und ansiedeln wollen, und diesen die Zeit und Aufmerksamkeit zu geben, die Ansiedlung zu einem Erfolg zu bringen. Wir wünschen, die Rückkehrer kümmerten sich selbst um ihre Angelegenheiten, um dadurch sich selbst und auch der Corporación Unannehmlichkeiten zu ersparen.''

Als diese neuen Identifizierungsanordnungen unter den standfesten Siedlern bekannt wurden, lehnten sie sich dagegen auf, den Rückkehrern darin behilflich zu sein. Man drängte bei der Gemeindeleitung auf entschiedene Verweigerung der unterschriftlichen Bestätigung. Die Predigerschaft entschied sich dann dafür, nicht zu unterschreiben, auch nachdem der Gemeindeälteste die Formulare einer Familie schon unterschrieben hatte. Ältester Friesen richtete daraufhin folgendes Schreiben an das britische Konsulat in Asunciön:[44]

> ''Ich erlaube mir, Ihnen mitzuteilen, dass wir die Deklarationspapiere nicht unterschreiben wollen. Wir haben eines für die Familie J. Ginter unterschrieben. Der Gemeindevorstand aber erachtet es nicht für gut, und so haben wir keine weiteren unterschrieben. Wir legen den Rückkehrern auch bei der kanadischen Regierung nichts in den Weg. Aber wir wünschen, und bitten Sie, die Leute nicht mehr zu uns zu schicken, um eine Unterschrift entgegenzunehmen. Wir danken der kanadischen Regierung für alles uns erwiesene Gute. Wir aber sind durch das Schulgesetz, bzw. durch das religionslose Schulsystem von dort verdrängt worden. Darum bitten wir Sie, uns nicht mehr damit zu beschweren, Unterschriften von uns zu verlangen.''

Dieses Schreiben liess an Klarheit nichts zu wünschen übrig. Es ist aber nicht bekannt, wie das Konsulat darauf reagiert hat. Selbstverständlich waren die Rückkehrer sehr aufgeregt darüber, dass der

Gemeindevorstand solche Einstellung hatte. Jeder weitere Versuch aber, ihn zum Unterschreiben zu bewegen, war soviel, wie mit dem Kopf durch die Wand rennen zu wollen.

Es waren unter den standfesten Siedlern aber auch solche, die der Meinung waren, den Rückwanderern geschähe Unrecht mit solcher Behandlung. Die Predigerschaft schrieb daher eine Art selbstverfasster Ausweise aus und händigte diese den Rückkehrern aus. Darin wurde bestätigt, dass die Betreffenden bis dahin Glieder der Mennonitengemeinde in Paraguay gewesen seien, jetzt aber diese Gemeinschaft verlasssen wollten. Die Gemeinschaft sähe solches ungern, weil die Ansiedlung noch nicht soweit durchgeführt sei, dass man schon beurteilen könne, welche Möglichkeiten für das Kolonisationsunternehmen im Chaco bestünden oder nicht bestünden. Sonst aber habe man nichts gegen diese rückkehrenden Leute.

Einige Familien haben es mit solchem Ausweis versucht. Die Angestellten der Corporación Paraguaya in Asunción waren betroffen von dieser Stellungnahme der mennonitischen Gemeindeleitung. Rückkehrer kamen nun wieder mit halbfertigen Deklarationspapieren zur Bearbeitung. Was diese Leute vom Gemeindeältesten mithatten, entsprach nicht dem, was der Herr Konsul Seiner Britischen Majestät von ihnen forderte.

Die Corporación Paraguaya wandte sich daher an die Prediger der Siedlungsgemeinschaft wegen der notwendigen Dokumente. Die Rückkehrerfamilien warteten in Asuncíon das Ergebnis ab. Da es erfolglos war, mussten sie wieder zurück nach Puerto Casado. Die Gemüter dieser Leute gerieten selbstverständlich in Hochspannung über diese Haltung der Gemeindeleitung. Aber in Asunción zu bleiben, war immer noch weniger ratsam, als nach Puerto Casado zurückzukehren. Sie wählten dann das billigere Übel.

Im Büro der Corporación Paraguaya in Asunción war man der Meinung, die Gemeindeleitung hätte sich entschlossen, die Rückwanderung zu drosseln. Man machte sich nun Sorgen darüber, wie leicht solches zu Ungunsten der Siedlungsgesellschaft ausschlagen könnte, und wünschte, die Gemeindeleiter würden selbst eine Erklärung nach dem Norden abgeben. Die Gemeindeleitung wollte jedoch die Rückwanderung nicht aufhalten, sie wollte sie aber auch nicht fördern.

Die Angestellten der Corporación Paraguaya waren zunächst etwas ratlos:[45]

> "Wir können es nicht verstehen; denn jetzt, wo wir schon meinten, eine gutlaufende Lösung für die Rückkehrer gefunden zu haben, sind es die mennonitische Leiter selbst, die Probleme schaffen."

In der ersten Hälfte des Jahres 1929 machten sich dann noch etwa acht Familien auf und fuhren zurück in die alte Heimat. Dass sich damals in Kanada die wirtschaftlichen Verhältnisse infolge einer aufsteigenden Depression zusehends verschlechterten, kann dazu beigetragen haben, dass die Rückwanderung dann ganz zum Stillstand kam.

Unter den Rückwanderern waren auch solche, die in der Auswanderungsbewegung führend gewesen waren, und die mitunter sogar etwas abschätzig mit dem Finger auf die Nichtauswandernden gewiesen hatten, weil sie nicht aus dem berüchtigten "Babel" fliehen wollten. Für solche war es dann besonders heikel und peinlich, wieder in dieses Babel zurückzukehren, das sie vorher so hart und so laut verurteilt hatten.[46] Aber mit den obwaltenden Verhältnissen des neuerkorenen Heimatlandes konnten sie sich einfach nicht abfinden. So blieb ihnen nur dieser einzige Ausweg, das "Gespieene wieder zu fressen."

Im Oktober 1928 schrieb der Verantwortliche der Corporacíon Paraguaya vom Siedlungsfeld im Chaco an Dr. Eusebio Ayala:[47]

> "Im allgemeinen herrscht ein reger Geist in der Siedlung. Da sind wohl noch Einige, die noch überlegen, ob es vielleicht doch besser für sie wäre, wenn sie nach Kanada zurückkehrten, sofern — wie sie sagen — es in den nächsten Monaten nicht besser wird. Wieviele das sind, weiss man nicht. Peter Krahn ist einer von diesen. Ich sprach mit ihm. Er sagte, im Chaco wächst nicht so viel, dass man einige hundert Hühner unterhalten kann. Weiter sagt er, dass diejenigen lügen, die es anders sagen. In Wirklichkeit aber sagt gerade Krahn nicht die Wahrheit, und ich denke, er weiss das selbst auch. Es ist traurig und der Kolonisation nicht unbedingt förderlich, wenn solche Männer, wie dieser Krahn, der vorher eine so positive Bedeutung in dem Werk hatte, sich so gehen lassen. Er ist ja doch schon längere Zeit im Chaco.
>
> Nun ja, das ist ja das Problem, dass wir da, wo wir heute sind, schon vor einem Jahr hätten sein sollen. Denn in dieser (Warte-) Zeit haben die Leute nur Ausgaben und keine Einnahmen gehabt, und das hat sie selbstverständlich finanziell erschöpft, wenigstens viele von ihnen. Und jetzt kommt der Knoten, der überwunden werden muss. Der Älteste Friesen, schien mir so, war mit allem sehr zufrieden."

Die "alte Heimat" ist nicht mehr "Heimat"

Aber auch die "alte" Heimat war nicht mehr die alte "Heimat", und glücklich waren die meisten Rückgewanderten eigentlich nicht, auch wenn sie nun "glücklich wieder zu Hause", d.h. an ihrem früheren Wohnort in Kanada angekommen waren. Einige kamen auch nicht mehr an.[48] Die aber ankamen, hatten dort in Wirklichkeit doch kein Zuhause mehr. Das musste erst wieder erworben werden. Ihre früheren Heime besassen jetzt andere. Sie hatten darauf keinen Anspruch mehr, weil sie sie bei der Auswanderung freiwillig abgegeben hatten. Die Beschaffung eines neuen Heimes war aber nicht so einfach. Wer noch Mittel mitgebracht hatte, konnte etwas rascher wieder zu Eigentum kommen. Viele von ihnen aber waren jetzt ganz mittellos und mussten sich oft mit recht kümmerlichen Behausungen abfinden. Sie waren nun aber wenigstens wieder in dem Lande, wo sie zu Hause gewesen waren und auch weiter zu Hause sein wollten.

"Doch" — wie Schiller sagt – "mit des Geschickes Mächten ist kein ewger Bund zu flechten, und das Unglück schreitet schnell". Während sie sich noch von dem finanziellen Rückschlag, den wirtschaftlichen Verlusten und den durch das misslungene Auswanderungsunternehmen verursachten seelischen Erschütterungen zu erholen versuchten, brach schon die schwere Wirtschaftskrise herein, die dann alle Kanadier betraf, nicht nur diejenigen, die in dem grossen Kolonisationswerk versagt hatten. Diese aber standen dann immer noch eine Stufe tiefer als diejenigen, die nicht ausgewandert waren.

Unter den Rückkehrern waren auch wohlhabende Leute, die trotz ihres verfehlten Auswanderungsexperiments immer noch genug Geld hatten. Einer von ihnen, der, wahrscheinlich im Blick auf die herannahende Depressionswolke am wirtschaftlichen Horizont, seiner Meinung nach sein Geld an einer mehr sicheren Stelle hinterlegt hatte, kaufte sich vom Chaco aus eine Farm in Kanada und machte die Anzahlung von seinem "Taschengeld". Ehe er dann aber dazu kam, von seinem deponierten Geld an der betreffenden Stelle soviel abzuheben, um die Farm ganz zu bezahlen, erklärte das Geldinstitut den Bankrott. Bis ins tiefste Innere seines Gemütes erschüttert, sass der Mann nun mit leeren Händen da. Dieses Geld, das er während seines Weilens in Paraguay in der Deutschen Bank in Asunción so schön aufbewahrt hatte, war jetzt in ein Nichts zerronnen.

Dieser Mann verliess den Chaco, als schon alle in den Dörfern waren. Die Geldbeschaffung wurde in dieser Zeit immer schwerer. Immer wieder erging der Aufruf an diejenigen, die noch Geld hatten, etwas in die Aushilfskasse zu leihen, um Mehl einführen zu können, weil viele kein Geld hatten. Da waren dann Siedler, die immer wieder ihre Bankkonten in der Banco Germanica in Asunción angriffen und vorbildlich von ihrem Gut vorstreckten. Andere wieder versuchten, sich möglichst davon fernzuhalten.

Leute, die jenen Mann, von dem wir etwas mitteilten, kannten, waren der Meinung, er habe den Chaco in der Hauptsache deshalb verlassen wollen, um sein Geld zu schonen. Weil viele Leute der Siedlung voraussichtlich noch lange hilfsbedürftig bleiben würden, habe er sich weit genug zurückziehen wollen, damit er von weiteren Versuchen, ihn um Hilfe zu bitten, Ruhe habe.

Und merkwürdig! Die Farm, die er dort dann gekauft hat, lag genau in jener Gegend, von der er früher geringschätzig angedeutet hatte, sie sei nur für arme Leute, die nicht viel von sich machten.

Fussnoten zu Kapitel XI
Hier bleibe ich nicht!

1. Dr. Walter Quiring — *Russlanddeutsche suchen eine Heimat* — S.96
2. H. Mangels — *Paraguay — Wirtschaftliche, naturgeschichtliche und klimatologische Abhandlungen* — München–Freising 1919
3. *Paraguay — Chaco Heimatland* — Intercontinental Company, Winnipeg, Manitoba — 1921/22
4. Bericht der Chacodelegation an ihre Gemeinden — 1921 (die Kilometerangaben 235 bis 255 — stimmen nicht nach heutigen Angaben vom Fluss)
5. W. Quiring — ob.zit. S.96
6. Engen schreibt aus Pto. Casado an Mr. Crawford im Asunciőner Büro der Corp. Paraguaya — 25. u. 26. März 1927
7. *La Tribuna* (Zeitung) Asunción — 4. Aug. 1927
8. Herr John C. Marsch schreibt aus Asunción an Herr E. B. Robinnette, Philadelphia, USA — 14. Sept. 1927
9. *Saskatoon Daily Star* — (Zeitung) Saskatoon, Saskatchewan/Juni 1927
10. Herr R. N. Landreth aus Winnipeg an Herr A. A. Rogers in Paraguay — 5. Juli 1927
11. P. A. Falk — schreibt aus dem Siedlerlager in Pto. Casado an die Intercontinental Company in Winnipeg — 27. Juli 1927
12. Herr A. A. Rogers schreibt aus Winnipeg an Ält. M. C. Friesen in Paraguay — 12. Juli 1928
13. *Saskatoon Daily Star* (ob.zit.) 17. Jan. 1928
14. Herr P. A. Braun schreibt aus Grunthal, Manitoba an Jakob Ginter in Pto. Casado — Juni 1927
15. Special Dispatch to the *Manitoba Free Press* — Winnipeg — ''Mennonite tells of South America Trek''
16. *The Manitoba Free Press* — ob.zit. — 6. Dez. 1927 ''Canadian Mennonites Starving''
17. Anton Schroeder ist damals auf der Rückreise von Paraguay nach Kanada in New York gestorben.
18. *Manitoba Free Press* — ob.zit. — 8. Okt. 1927 — ''Mennonites return from South America — Find Canada more satisfactory for living than Paraguay''
19. Diese Arzt–Geschichte entspricht nicht den Tatsachen. Die Angelegenheit des ''Schnaps'' — trinkens ist übertrieben.
Hier eine kurze Erklärung:
Der Arzt, Dr. Walter, stand im Dienste des Hafenstädtchens, und bediente dann auch die Mennoniten. Er hatte so einige Besonderheiten, die die Mennoniten veranlassten Anekdoten über ihn breitzutreten. Es ereignete sich auch, dass ein junger Mennonit, der von Dr. Walter antityphus injiziert worden war — und dann starb (siehe: ''Kanadische Mennoniten bezwingen eine Wildnis–'' S.42: Peter wollte nicht sterben). Vom Chaco hielt der Arzt gar nichts. Als er einmal wieder einem Mennoniten einen Besuch abstattete und in dessen Bude einen hübschen Maiskolben hängen sah, wollte er wissen, von wo der käme. ''Aus dem Chaco'' war die Antwort. ''Nein'' erwiderte der Arzt ungläubig, ''Aus dem Chaco? — Sowas gibts nicht. Im Chaco wächst nichts''. Der Maiskolben aber kam aus dem Chaco, auch wenn Dr. Walter es nicht glaubte.

Ein anderer, ebenfalls deutschsprechender Arzt (aus Encarnación), namens Meilinger, stand im direkten Dienst der mennonitischen Siedler. Er wurde angestellt von der Corp. Paraguaya. Er war im Chaco in Pozo Azul in der zweiten Hälfte des Jahres 1927, und dann 1928 noch einmal. Er diente den Mennoniten in den Siedlerlagern an dem Wege im Innern der Chacowildnis.

Dr. Walter in Pto. Casado, der etwa 2 km bis zum Siedlerlager zurückzulegen hatte, liess sich ein Pferd satteln und ritt ins Siedlerlager. Dr. Meilinger, der andere Arzt, der im Chaco diente, war oftmals im Sattel. Er ritt von Pozo Azul nach Hoffnungsfeld, Palo Blanco, Loma Plata. Da war keine Rede von Nicht–zu–reiten–verstehen; und so auch nicht bei Dr. Walter. Als Dr. Meilinger einmal von Pozo Azul nach der Eisenbahnstation km 77 — eine Strecke von nahezu 100 km — zu Pferd zurücklegte — kam er schwerkrank in Pto. Casado an. Das hatte aber nichts mit dem Reiten zu tun, denn ans Reiten war er gewöhnt. Er war schon krank gewesen, als er von Pozo Azul losgeritten war. Es kann schon sein, dass dadurch ein Gerücht umging, er verstünde nicht zu reiten und vertrage es also auch nicht. Mit dem Herrn Casado war er nicht gleicher Meinung und brachte seine Misstimmung über den ''Chacokönig'' — wie er ihn nannte — öffentlich zum Ausdruck. In einer deutschen Zeitschrift in München erschien bald darauf ein Artikel ''Mennoniten werden versklavt''. In einer ganz krassen Weise wird Casado in diesem Artikel behandelt. Es ist möglich, dass dieser Artikel aus der Feder Dr. Meilingers gekommen ist (siehe auch: ''Kanadische Mennoniten bezwingen eine Wildnis'' — S.37)

20. *Steinbach Post* — 5. März 1927 — Brief des P. A. Friesen vom 22. Februar 1930

21. Johann (oder John) J. Priesz wurde von den 5 mennonitischen Delegaten (aus Saskatchewan und Manitoba) der Chacoexpedition von 1921 als Berater bei der wichtigen Untersuchung erwählt und mitgenommen. Die Gemeinden hiessen den Vorschlag, der von den Delegation gegeben wurde, dass Priesz mitführe, gut und bezahlten auch Priesz' Reisekosten.

22. Als die mennonitischen Siedler in den Jahren 1927 und 1928 im Siedlerlager von Pto. Casado vor den Toren des Tanninfabrikstädtchens lagen und einige der unzufriedenen Siedlerpilger dem Herrn Casado mit ihren Verwünschungen des Chaco seine empfindlichen Stellen berührten, da kann es schon passiert sein, dass der don Casado in einer Anwandlung von Missmut gemurmelt habe, er hätte überhaupt nicht damit gerechnet, dass die Beteiligten, die Chacoexpedition von 1921 zurückkehren, sondern in der Wildnis umkommen würden. — Casados Einsatz für die Untersuchung des Chacoinneren in jenen Tagen, seine Bemühungen um das Wohl der Expeditionsmitglieder und seine eigenen Worte (die niedergeschrieben und uns erhalten geblieben sind), sprechen dafür, dass er nicht mit so einem Unglück der Niewiederkehr gerechnet habe.

23. Die Südamerikadelegation von 1921, ausgesandt von den Mennonitengemeinden der Chortitzer, Sommerfelder und Bergthaler (Sask.) hatten den Auftrag, hauptsächlich den paraguayischen Chaco zu untersuchen und sich mit der Regierung auch gerade in bezug auf den Chaco in Verbindung zu setzen, und nämlich das Chacogebiet, das ihnen von Fred Engen empfohlen wurde. Aber auch im östlichen Paraguay haben sie Besichtigungen gemacht und sind auch zusammengewesen mit deutschsprechenden Leuten. Da ihnen dann das Land im Chacoinnern, das Engen entdeckt hatte, für Ackerbauansiedlung zusagte, haben sie sich auch nicht weiter nach Siedlungsmöglichkeiten umgesehen, sondern waren höchst zufrieden mit dem, was sie gefunden hatten, abgesehen davon, dass noch eine Transporterleichterung geschaffen werden müsste. — Und von der andern Seite: eine Siedlungsgesellschaft, die später dann den Landhandel bewältigt hat, gab es um die Zeit jener Chacountersuchung überhaupt noch nicht. Da war sowieso noch kein Landhandel angeknüpft, wohl aber gefragt worden, ob die Casados gegebenfalls würden willig sein, von ihrem Landeigentum im Chaco zu verkaufen.
Dass die Delegation dann auf der Rückreise noch Mexiko besuchte, geschah auf Wunsch einer kleineren Gruppe. Die Mehrheit wollte von Mexiko nichts.

24. Vertraglich waren da keine Verpflichtung von seiten der Siedlungsgesellschaft. Wohl hatte man davon gesprochen, in dem Durchgangslager beim Hafenstädtchen wäre es vielleicht auch möglich eine elektrische Beleuchtung einzurichten, weil in

der Nähe eine Stromerzeugungsanlage war. Die war aber sowieso nicht stark genug. — Was Gemüsegärten betrifft, so findet man aus den Briefen der Siedlungsgesellschaft heraus, dass man damit gerechnet habe, die Siedler selbst würden solche Gärten anlegen. Land gerodet war genug dafür. Einige der Siedler versuchten auch etwas zu tun, doch der Boden war sehr hart, so dass wenig anzufangen war, er hätte dann noch erst eine besondere Bearbeitung benötigt, und dafür war man nicht ausgerüstet. Und schliesslich wollte auch die Mehrheit der Siedler weder elektrische Beleuchtung noch Gemüsegärten in Pto. Casado, man wollte in das Innere des Chaco, aufs Land, das man zur Besiedlung gekauft hatte, und nicht sich in Pto. Casado heimisch machen.

25. ''. . . Wir glauben es nicht, weil es im Chaco so etwas **nicht** geben kann . . .'', war eine falsche Behauptung der Rückkehrer. Es gab solches damals schon im Chaco, nur war das nicht allgemein. Mancher hatte schon 1929 die Möglichkeit Berechnungen über Einnahmen von der Ernte zu machen, sofern er die Produkte verkaufen könnte. Aber da hatte die Sache einen Haken. Die Absatzmöglichkeiten waren so sehr beschränkt. Wer dann das Glück hatte, als erster etwas liefern zu können oder sogar noch sehr gute persönliche Beziehungen zu dem Herrn Casado hatte — und das gab es auch —, der konnte gut verkaufen. Der Speicher des Herrn Casado aber wurde voll schon bevor alle Siedler ihre Produkte abgeliefert hatten. So war der Absatz nur sehr beschränkt.

26. Dass der damalige Staatspräsident es sollte vorgezogen haben, die mennonitische Delegation hätte statt den Chaco lieber Ostparaguay bereist und sich dort nach Siedlungsmöglichkeiten umgesehen, entbehrt jeglicher Beweisführung. Der Staatspräsident war Dr. Manuel Gondra, einer der ersten, der sich für die mennonitische Einwanderung einsetzten. Und es handelte sich um die Besiedlung des Chaco, als die mennonitische Kolonisation in Paraguay ins Fahrwasser gebracht wurde. — Die Mennoniten baten um Sonderrechte, die dem Buchstaben nach im Gegensatz zur Staatsverfassung standen, so dass gewisse Männer im Kongress sich schwer damit abfanden, den Mennoniten solche Rechte zu erteilen. Eine starke Mehrheit im Kongress vertrat dann aber den Standpunkt, dass mit einer Niederlassung solcher Leute in dem unwirtlichen Chaco wirklich nichts zu verlieren hätte, nichts dabei aufs Spiel setzte, höchstens aber dadurch gewinnen könne. Und man stimmte für das Kolonisationsprojekt der Mennoniten im Chaco.

Als dann 1928 die Lage der Mennoniten im Rahmen des Chaco–Kolonisationsprojektes kritisch wurde und man sah, dass die Leute anfingen zurückzukehren nach Kanada, waren unter den Regierungsmännern solche, die sich erboten, ihnen zu helfen in Ostparaguay auf Regierungsland eine Siedlung anzulegen; denn man wollte diese ''berühmte'' Landbaupioniere gerne im Land behalten. In Wirklichkeit aber stand die Regierung unterstützend hinter dem Werk der Chacokolonisation, weil auch die Mehrheit der Siedler es nicht aufgeben wollten. Man war immer noch dabei es auszuführen, nur ging es so sehr langsam, und dadurch gerade ergab sich auch die kritische Lage.

27. Dr. W. Quiring — *Russlanddeut. suchen eine Heimat* — S.98
Anmerkung des Verf.:
Die genannten Männer, die eine Siedlungsmöglichkeit in Ostparaguay untersuchten, gingen mit ihren Familien zurück nach Kanada nachdem eine Ansiedlung in der Villarica Gegend gescheitert war — das waren Isaak Funk (1921-Delegat), Abr. J. Friesen, Bernh. Wiebe, Abr. F. Wiebe, Peter Harder. Aber Johann B. Toews ging mit seiner Familie in den Chaco und siedelte in Laubenheim an. Er hat dann auch sowieso nicht weiter mitgemacht bei einem Ansiedlungsversuch in Ostparaguay.

28. Auszüge aus einem Schreiben des Äl:. M. C. Friesen, der zu dieser Zeit — Februar

1928 — im Siedlerlager Pozo Azul wohnte. Das Schreiben ist gerichtet an die Leute im Siedlerlager von Pto. Casado.

29. Pred. Diedrich Wiebe schreibt aus Pto. Casado — 2. März 1928 — an Ältesten Friesen in Pozo Azul — Original im hist. Archiv in Menno.

30. Der Brief liegt im hist. Archiv — Menno, L. Plata.

31. Mr. R. N. Landreth schreibt aus Paraguay (4. März 1928) an Mr. A. A. Rogers in Winnipeg, Manitoba.

32. Fred Engen schreibt aus Pozo Azul an A. A. Rogers in Winnipeg — am 4. März 1928.

33. Fred Engen schreibt aus Pto. Casado — 9. Juni 1928 an Dr. Eusebio Ayala und an Mr. R. N. Landreth im Büro der Corp. Paraguaya, Asunción.

34. *Steinbach Post* — Aug. 1928

35. Dr. J. W. Fretz schreibt in seinem Buch *Pilgrims in Paraguay* S.49, dass Ende der 1920er Jahre 4 Familien aus der Mennosiedlergruppe in Pto. Casado nach Ostparaguay übergesiedelt seien, wo sie dann 5 Monate gewohnt haben sollen, bevor sie aufbrachen und nach Kanada zurückgekehrt seien. Was uns bekannt ist, ist dass 4 Familien aus Pto. Casado nach Asunción übersiedelten, eine Familie noch ausserhalb Asunción. Drei Familien kamen dann noch wieder zurück und schlossen sich der Siedlung an und eine Familie kehrte zurück nach Kanada.

36. Mr. A. A. Rogers schreibt aus Winnipeg Anfang 1929 an den Ält. M. C. Friesen. Rogers war um diese Zeit schon ausgetreten aus dem Konsortium des Chaco-Kolonisationsunternehmens, und leitete ein Privatunternehmen.

37. Die Frau des Abr. P. Penner, 1928 in Bergthal, Menno, angesiedelt, wurde mit zwei Kindern in Buenos Aires einer Krankheit wegen zurückgehalten. Sie wurde von ihrem Manne ohne Abschied nehmen zu können, getrennt. Und der Mann musste mit der Gruppe weiterreisen (nach Pto. Casado). Das war eine trübselige Zeit für die Familie. Nach etwa 4 Wochen wurde die Frau mit ihren beiden Kindern dann nach Pto. Casado nachgeschickt. Sie reiste in derselben Weise, was Dokumente anging, wie die Gruppen reisten, sie hatte nicht ein einziges persönliches Dokument aufzuweisen. Ihr Name stand nur in der Gruppenliste unter ''personal description''. Auf dem Flussdampfer kam sie mit deutschsprechenden Damen ins Gespräch. Die stellten dann verschiedene Fragen — Woher? Wohin? — Frau Penner aber hatte den Namen des Ortes vergessen, wo sie aussteigen wollte, wo ihr Mann auf sie wartete. Dann fragten die Damen nach ihren Dokumenten, nach ihrem Fahrausweis. Sie hatte nichts dergleichen. Die Damen schüttelten die Köpfe; käme von Kanada, wollte nach Paraguay — aber wüsste nicht wo in Paraguay auszusteigen — und hätte keine Ausweise! Sie prophezeiten der Frau Penner nichts Gutes. Sie könnte irgendwo mit einmal abgesetzt werden, damit müsste sie rechnen, sagten ihr die Damen. Frau Penner bekam es einfach mit der Angst zu tun. Hatte schon solche schweren Erfahrungen gemacht, und jetzt sollte es noch wieder so unsicher sein? Sie betete einfach aus Angst, aber befahl sich Gottes gnädiger Führung. Auf dem Schiff aber war einer, der wusste wohin die Frau sollte. Das war der Kapitän des Schiffes, auf dem sie reiste.
Siehe auch ''Kanad. Mennoniten bezwingen eine Wildnis'' (von M. W. Friesen), S.84. Das obenbeschriebene hat die Frau selbst an M. W. F. mitgeteilt.

38. W. Quiring — ob.zit. — S.100

39. H. A. Cunard–Cummins — H. M. Charge D'Affaires — Brit. Konsulat in Asunción — 28. Aug. 1927 — an die Herren der Corp. Paraguaya in Asunción.

40. Gen. McRoberts, New York — 16. Nov. 1927 — an H. A. Cunard Cummins — H. M. Charge d'Affaires — Brit. Legation in Asunción.

41. H. A. Cunard Cummins — ob.zit. an General McRoberts, Chairman Chatham Phenix — 149 Broadway, N. York — 20. Dez. 1927

42. Brit. Konsulat in Asunción — 14. Mai 1928 — an die Corporación Paraguaya in Asunción.
43. Corp. Paraguaya, Asunción, 18. Mai 1928 — an das Fuersorgekomitee in Pto. Casado.
44. M. C. Friesen, Ältester der Mennonitengemeinde der jungen Wildnissiedlung ''Menno'' — 13. Aug. 1929 — an Herrn Cummins im Brit. Konsulat in Asunción.
45. Corp. Paraguaya, Asunción, 26. Juni 1928, an den Angestellten im Siedlungsgebiet, Mr. R. N. Landreth — der um diese Zeit in Pto. Casado weilte.
46. Brief eines Herrn Isaak aus der Grünthaler Gegend, Südmanitoba, an J. W. Thiessen in der Kolonie Menno.
47. Brief im hist. Archiv in L. Plata, Menno
48. Ein alter Mann, David Doerksen, starb auf dem Schiff auf dem Atlant. Ozean, und der Familienvater Anton Schroeder starb in einem Krankenhaus in N. York, beide auf der Rückreise nach Kanada.

KAPITEL 12

Die Vermessung des Siedlungsgebiets

... Wir wollen nicht klagen, aber wir möchten die Sache (Landvermessung zur Umgrenzung des Siedlungslandes) so gerne gefördert haben. Sie werden sicherlich verstehen, dass es sehr schwer ist, das (Siedler) Volk in Ordnung zu halten und mutig zu bleiben. Es ist schon schwierig gegen die Wildnis anzukämpfen, um sie urbar zu machen — hinzu kommt dann noch so viel Krankheit und so viele unserer Leute sterben...

Ält. M. C. Friesen an A. A. Rogers, Oktober 1927

Die Ungewissheit der Grenzen

Peter F. Krahn schrieb am 17. Juni 1927 aus Puerto Casado an A. A. Braun in Grüntal, Manitoba:[1]

"McRoberts wird jetzt im Juni nach Paraguay kommen. Dann wollen wir mal sehen, was sich wird machen lassen, um rascher mit unserer Ansiedlung vorwärts zu kommen. Wir sollten schon auf unserem Lande sein; aber auf unvermessenem Lande siedeln wir nicht an; das könnte schlechte Folgen haben."

Es handelte sich um das Gebiet westlich von Hoffnungsfeld, wo die vielen hochgelegenen, grossen "Campos" lagen, die mit Einzelbäumen, Strauchwerk und Gras bestanden waren. Hier wurden dann 1928 die ersten 14 Dörfer angelegt und im Jahre 1929 das 15. Vom Zeitpunkt der Ankunft der ersten Siedlergruppe in Puerto Casado bis zur Dörfergründung und zur gesetzlichen Bestätigung des Besitzrechtes des Landes für diese Neuansiedler verstrich aber noch eine Zeit von sechzehn Monaten. Das waren sechzehn Monate voller Spannungen und Aufregungen, eine Zeit ungeahnter Zwischenfälle und schwerer Prüfungen, eine Zeit der Opfer und Entbehrungen, ein sechzehn Monate langes Harren der Dinge, die da kommen sollten. Immer wieder hiess es "mañana", und dabei blieb es dann sechzehn lange Monate.

Man hatte festgestellt, dass das Gebiet, für das sich die Mennoniten interessierten, in der Südostecke des Kartenblocks Nr. 168, hart an der Südgrenze des Besitztums der Casados lag. (Ein Kartenblock ist ein Komplex von 10×10 Leguas. 1 Legua: 4330 Meter) Das Ungewisse lag in der Frage: ''Wo sind die Grenzen des Siedlungslandes?'' Angeblich sollte sich der für die Ansiedlung vorgesehen Savannenkomplex innerhalb des Gebietes der 100 Quadratlegua befinden, welche die Intercontinental Company, bzw. die Corporación Paraguaya, von der Casadogesellschaft gekauft hatte. Ob es sich aber tatsächlich so verhielt, musste erst eine genaue Vermessung hervorbringen. Da die Grenzen des Casadolandes nicht genau festlagen, war es praktisch unmöglich, ganz sicher zu sein, ob das Land, das man nun in Besitz nehmen und besiedeln wollte, noch ganz zum Gebiet der Casados gehörte, oder ob es sich bei einer genauen Vermessung doch heraustellen würde, dass man vielleicht teilweise schon über die Grenzen des Casadolandes hinausgegangen war. Bis dann diese Grenzen des Siedlungsgebietes, die ostwestlich verliefen, endlich klar waren, ging mehr als ein Jahr ins Land.

Vor der konkreten Festlegung der Grenzen stützte man sich auf kartographische bzw. astronomische Überlegungen und Berechnungen. Man glaubte mit ziemlicher Sicherheit andeuten zu können, wo die Grenzen des Siedlungsgebietes hinkommen würden, aber das war leider wirklich nur eine Andeutung. Aufs Geratewohl aber wollten sich die Siedler nicht niederlassen und ihre Dörfer gründen. Dazu waren sie nicht zu bewegen. Die Südgrenze könnte dann eventuell doch mehrere Kilometer weiter nach Norden liegen. Und wenn dann in dem Streifen ein Dorf angelegt worden wäre, müsste man wieder aufbrechen. Es war aber gerade dieses Gebiet, das den Siedlern so gefiel. Es ist darum wahrscheinlich, dass die Ansiedlung schneller zustande gekommen wäre, wenn das bevorzugte Gebiet mitten im 100–Quadratlegua–Komplex gelegen hätte. Die Siedler wären dann auch ohne vorher genau festgelegte Siedlungsgrenzen kein Risiko eingegangen, denn innerhalb des grossen Komplexes durften sie nach Belieben die Wahl ihres Siedlungsgebietes treffen. Die Siedler wollten ein Gebiet von 30 Quadratlegua kaufen.

Aus der Tatsache also, dass das für die Ansiedlung als am geeignetsten angesehene Gebiet so hart an der Südgrenze des Kartenblocks 168 lag, erwuchs zu einem grossen Teil das Verzögerungsproblem beim Ansiedeln. Die genaue Südgrenze des Blocks hätte aber schon zur Zeit der Ankunft der ersten Siedlergruppe in Puerto Casado klar sein sollen. Nichtsdestoweniger wurde sie es erst nach gut einem Jahr. Die Angestellten der Siedlungsgesellschaft drängten dann darauf, dass die Siedler baldmöglichst das Casadolager verlassen und ins Innere des Chaco ziehen sollten. Erstens sollte dadurch das Casadolager erleichtert werden. Dann aber seien die Siedler auch schon näher zum Ansiedlungsort und könnten dort die Vermessung abwarten. Dafür aber waren die Siedlerpilger schwer zu bewegen, da sie nicht mehrmals, sondern nur einmal von Puerto Casado aufbrechen wollten. Nach und nach kam es dann doch zum Teil zustande.

Im Landhandelsvertrag zwischen den Siedlern und der Siedlungsgesellschaft war vorgesehen, dass die Siedler vor der Inbesitznahme des Landes eine Landbesichtigungskommission zusammenstellen sollten, die endgültig das Gebiet, das ihnen am besten gefallen würde, wählen sollte. Nun drängte die Siedlungsgesellschaft in der Zeit von Mai und Juni 1927 darauf, dieses auszuführen. Die Siedler wollten das auch, aber sie sagten zu den Angestellten der Siedlungsgesellschaft: "Zeigt uns die Grenze, wo das Land der Casados anfängt, und wir suchen uns unser Siedlungsland aus." Die Siedler wollten feste Anhaltspunkte haben, von welchen sie mit Sicherheit ausgehen konnten. In Wirklichkeit gab es nicht eine einzige sichere Hauptgrenze vom Paraguayfluss hinauf zum Kartenblock 168. Das müsste also vor allen Dingen klargestellt werden. Die Siedler waren über diese Verzögerung der Grenzfestlegung ungehalten und beschuldigten die Siedlungsgesellschaft, in Sachen der Landvermessung nicht das Ihre getan zu haben.[2]

Der Landkaufvertrag zwischen der Casadogesellschaft und der Siedlungsgesellschaft lautete dahin, dass die Siedlungsgesellschaft, also die Corporación Paraguaya, die Verantwortung für die Vermessung und auch für die Vermessungskosten zu tragen habe. Schon das ganze Jahr 1926 hindurch hatte einer der Beauftragten der Siedlungsgesellschaft, ein Mr. John C. Marsh, in Asunción gewirkt. Seine Aufgabe war es gewesen, den Landhandelsvertrag mit der Casadogesellschaft zu Ende zu führen und die Landvermessung anzubahnen. In bezug auf den Landhandelsvertrag mit den Casados hatte er manche Plackerei hinzunehmen, konnte ihn aber zum Abschluss bringen; doch was die Landvermessung anging, war er kaum einen Schritt vorwärtsgekommen. Er hatte aber, als er wieder in die USA zurückkehrte, eine Menge südamerikanischer Arbeitsgepflogenheiten kennengelernt.

Die meisten Siedler merkten natürlich nicht viel, wenn überhaupt etwas, von dem, wie Herr Marsh sich um die Grenzen ihres Besitztums abmühte. Fast ein ganzes Jahr lang hatte er in Asunción geschuftet und so gut wie nichts für die Grenzlegungsarbeit erreicht. Und schliesslich war er seinen Vorgesetzten gegenüber nicht weniger verantwortlich als der Siedlern gegenüber. Daher musste er sich wegen der Vermessungskosten noch in Verhandlungen einlassen, um nicht zu teure Verträge abzuschliessen.[3] Man kann nicht sagen, dass die Herren der

Siedlungsgesellschaft mit ihren Dollars sehr knauserig umgingen, doch übertrieben teuer wollten sie auch nicht zahlen. Und doch haben sie teuer dafür bezahlt, weil die Sache eben nicht anders zu bewältigen war.

Heute weiss man, — und in der mennonitischen Siedlungsleitung wusste man es damals schon — dass die Siedlungsgesellschaft zu Unrecht beschuldigt wurde; denn auch die Herren der Siedlungsgesellschaft konnten die lateinamerikanischen Verhältnisse nicht ändern. Sie waren selbst oftmals nicht weniger ungehalten über den langsamen Verlauf der Dinge. Auch ihnen wollte mitunter der Mut zum Durchhalten schwinden. In solchen augenblicklichen Anwandlungen in dunkelsten Stunden, wo es statt vorwärts rückwärts zu rollen schien, sprachen auch sie manchmal davon, es wäre vielleicht besser, alles aufzugeben. Die Mehrheit der Siedlerpilger, die niemals von Aufgeben sprach, hat dann einen nicht geringen positiven Eindruck auf die Amerikaner gemacht, die auch nur Menschen waren.

Die Überfüllung des Siedlerlagers bei Puerto Casado

Als anfangs 1927 eine Siedlergruppe nach der anderen in Puerto Casado landete, gab es dort einen Einwanderungsstau. Der Plan war, die etwa 270 Familien, die sich für die erste Einwanderungswelle gemeldet hatten, in der ersten Hälfte des Jahres 1927 nach Paraguay zu bringen. Und um diese Zeit sollten dann die Hauptgrenzen des Siedlungsgebietes festgelegt sein, oder man sollte wenigstens schon dabei sein, diese Arbeit auszuführen. Und auch die Eisenbahn sollte dann bis zum Siedlungsgebiet fertiggestellt sein. Zu allem diesem hiess es nun: "mañana".

Wie oben schon gesagt, waren das die Pläne von der nordamerikanischen Seite. Von der anderen Seite, nämlich der südamerikanischen, sah die Sache anders aus. So lebhaft man von der nordamerikanischen Seite auch alles geplant und beschrieben hatte, im heissen und tropischen Südamerika drehten die Räder aller Unternehmen viel langsamer. Man zog im Ochsenschritt dahin. Alles verlor hier an Lebendigkeit und büsste den schnell vorwärtsstrebenden Schwung ein. Was für die Kolonisationsbeteiligten übrigblieb, war, zu lernen, sich damit abzufinden.

Als die Siedler dann feststellten, dass die Vorbereitungen, wie Landvermessung und Eisenbahnbau, weit hinter der Einwanderung zurückgeblieben waren, wurden sie schwer enttäuscht. Aufgrund der Abmachungen, dass es an der Landvermessung und am Eisenbahnbau nicht fehlen sollte, hatte man sich ja in das Wildniskolonisationswerk eingelassen. Man hatte sich felsenfest auf die gegebene Zusage verlassen und nicht damit gerechnet, dass nachher noch alles zu machen sein würde.

Die hauptverantwortlichen Herren der Siedlungsgesellschaft und die Herren Casado hatten übrigens zunächst noch einen etwas anderen Plan gehabt. Die mennonitischen Siedler sollten erst um die Mitte des Jahres 1927 nach Paraguay kommen, einmal schon aus dem Grunde, damit sie nicht mitten im tropischen Sommer dort ankämen. Die Mennoniten aber, die ohnehin schon viel zu lange auf die Stunde der Auswanderung gewartet, ihre Farmen verkauft und obendrein noch die Russländer in ihre Heime aufgenommen hatten, liessen sich nicht mehr zurückhalten. Jetzt, wo endlich alle geschäftlichen Verträge abgeschlossen waren, wollten sie nur in die neue Heimat.[4] Puerto Casado sollte ihnen wohl als Durchgangslager, nicht aber als längerer Aufenthaltsort dienen. Dass es dann doch ein Ort längeren Aufenthalts werden würde, wurde schon der ersten Gruppe auf dem Flussdampfer, ehe sie noch Puerto Casado erreichte, mitgeteilt:[5]

> "Auf der Fahrt von Asunción beginnt Fred Engen (als er die erste Gruppe von Buenos Aires bis Puerto Casado begleitete) die Einwanderer schonend darauf vorzubereiten, dass ihr Land noch nicht ausgesucht und natürlich auch nicht vermessen sei, und dass sie aus diesem Grunde im Hafen Casado wahrscheinlich längere Zeit würden auf die Weiterreise warten müssen."

In Puerto Casado angekommen, überlegten die Einwanderer, wie der Einwanderungsstau abzumildern sei, der sich unbedingt ergeben würde, wenn die Gruppen wie geplant ankämen, weil man nun nicht in den Chaco weiterreisen könne, wie man es sich gedacht hatte. Man wusste, dass 55 Familien bereits wieder auf der Reise seien und bald ankommen sollten. Man war der Meinung, dass es damit zunächst genug sein würden und schickte ein Telegramm nach Winnipeg, in dem man die Bitte aussprach, keine weiteren Gruppen mehr nach Paraguay zu schicken, bis eine andere Nachricht aus Puerto Casado eintreffen würde. Solche Weisungen vom Süden her zu geben war nun nicht so schwierig. Viel schwieriger war es, die im Norden reisefertigen Gruppen aufzuhalten. Die Leute wollten keinen Tag länger dort verweilen, weil sie sich von allem losgemacht hatten und dort kein eigenes Heim mehr hatten. In Puerto Casado aber hielt man mit 100 Familien das Lager für voll besetzt.

Die Gruppenbeförderung von Manitoba nach Paraguay war aber mit allerlei Abmachungen in Sachen der Fahrtregelung mit der Eisenbahn, den Ozeandampfern und der Flusschiffahrt verknüpft. Einmal war es die Platzreservation und dann waren es die entsprechenden Verbindungstermine zur Weiterreise dort, wo umgestiegen werden musste. Auch von daher gesehen war es also nicht einfach, reisefertige Gruppen aufzuhalten. Ein nicht kleines Problem war es aber auch, den Familien in Kanada dann einen längeren Verbleib zu verschaffen. Ihre an die Intercontinental Company verkauften Farmen wurden ja von den Russlandmennoniten bezogen.

Etwa 60 Familien wurden dann doch für die zweite Jahreshälfte von 1927 zurückgehalten. Diese zogen bei ihren Verwandten oder Freunden ein, oder sie vereinbarten mit den einzelnen Familien der Russlandmennoniten, mit ihnen zusammen in einem Hause zu wohnen. Die Mennoniten, die schon in Puerto Casado waren, meinten, es sei besser, noch in Kanada zu bleiben, schon aus dem Grunde, weil in Paraguay, nach dem Dollar gerechnet, alles teurer sei als in Kanada. Die Herren der Intercontinental Company jedoch waren anderer Meinung:[6]

> Wenn südamerikanischerseits ein Mangel an Vorbereitungen besteht, so ist solches die Verantwortung unserer Vorgesetzten — McRoberts und Robinette in den USA — und auch Sache derjenigen, die in Südamerika auf dem Felde sind. Man könnte meinen, es sei genug Zeit für die Vorbereitungen gewesen, die für die Einwanderung nötig waren. Warum ist im Inneren des Chaco nicht schon ein Siedlerlager eingerichtet worden? Wir hatten doch damit gerechnet. Das muss getan werden. Die Folgen der Nichtvermessung des Siedlungslandes merken wir schon. Die Hauptgrenzen sollten fertig sein.
> Die Mennoniten, die schon in Paraguay sind, wünschen, dass jetzt nicht mehr Gruppen nach Südamerika abreisen. Dieses müssen wir beachten. Wir halten jetzt 50 Familien zurück. Und auch für sie müssen wir sorgen. Ihre Farmen gehen über an die Russlandmennoniten. Es ist eine missliche Lage für uns. Aber auch für die auswandernden Mennoniten ist dieses peinlich. Sie sagen, sie haben hier kein Geld mehr, um ihre Armen zu unterstützen. Sie müssen so schnell wie möglich nach Südamerika abgeschoben werden. Wir müssen versuchen, sie von hier wegzukriegen. Die Last fällt sonst uns zu, da sie unterhalten werden müssen. Es wäre sicherlich ratsamer, in Südamerika Geld auszugeben anstatt hier in Kanada. Was man hier jetzt noch ausgibt, ist ja weggeworfenes Geld. Wir müssen alles dransetzen, die Gruppenbeförderung wieder in Bewegung zu setzen. Wir wollen eher noch mehr Auswanderer haben, statt diese noch aufzuhalten. Wir wollen mehr Land in unseren Handel einbeziehen. Die Abwanderung von hier muss vorangetrieben werden, auch wenn es uns in Südamerika mehr Geld kostet, als wir uns zuerst gedacht haben.''

Das obige Schreiben war nicht eine Auseinandersetzung zwischen der Siedlungsgesellschaft und den mennonitischen Auswanderern, sondern zwischen Mitgliedern der Siedlungsgesellschaft selbst.

So kamen dann in der ersten Hälfte des Jahres 1927 fünf Gruppen mit etwas über 200 Familien (etwa 1300 personen) in Puerto Casado an. Die Siedlungsgesellschaft hatte hier eine grosse Fläche Waldland für das Siedlerlager kahlschlagen lassen. Damit war aber nicht gemeint, dass hier nun ein so grosses Zeltlager entstehen sollte. Vielmehr sollten die durchziehenden Siedlerfamilien hier Gemüsegärten anlegen. Jede durchziehende Gruppe sollte die Zeit ihres Weilens in Puerto

Casado dazu verwenden, Gemüsegärten einzurichten bzw. weiterzuführen, damit Gemüse als zusätzliches Nahrungsmittel vorhanden sei. Und das war ein guter Gedanke, der sich sicherlich zum Segen der Ernährung ausgewirkt hätte, hätte man ihn ausgeführt, oder, besser gesagt, ausführen können. In Wirklichkeit war der Boden am Flussufer gänzlich ungeeignet für Gemüsebau. Wenn man dort hätte bleiben wollen, hätte man sicherlich auch herausgefunden, wie man den Boden vorbereiten musste. Jetzt aber hat sich niemand damit abgegeben, abgesehen von etlichen Familien, die dann etwas Gemüse zogen. Aber es war schwierig.

Nicht des Raumes wegen, sondern der Verhältnisse wegen, wie sie hier lagen, war das Mennonitensiedlerlager in Puerto Casado überbevölkert. Es fehlte an entsprechenden Regelungen und Ordnungen. Es wurden wohl Anweisungen von der Siedlungsgesellschaft an die Lagerbewohner gegeben. Sie wurden aber ungenügend ausgeführt. Und schliesslich hatten sich diese Leute auch nicht nach Paraguay begeben, um in Puerto Casado, bzw. neben dem Flusshafenstädtchen, ein nach planvollen Regeln eingerichtetes zweites Städtchen aufzubauen, sich also Dauerwohnungen einzurichten. Nein, sie wollten auf das eigene Land ziehen und sich dort heimisch machen.

Sie hätten aber doch gut getan, wenn sie sich wenigstens gleich von Anfang an mehr für die tropischen Verhältnisse eingerichtet hätten. Der Verschiedenheit der klimatischen Verhältnisse zwischen Kanada und Paraguay hätten sie mehr Rechnung tragen sollen, denn es war in Südamerika doch ganz anders, als sie es vom Norden her gewohnt waren. Es wurden hier im Süden doch ganz andere Anforderungen an sie gestellt.[7] In Nordamerika merkte man dann auch bald, dass sich die Kolonisationssache im Chaco festfuhr. Man hatte sich zu sehr auf schriftliche Verhandlungen verlassen. Sie erwiesen sich als unzureichend. Herr Engen, der einzige Mann auf dem Felde, wo sich die Kolonisationsfunktionen unmittelbar abspielten, war nicht der Mann, die Zügel straff in die Hand zu nehmen. Das Organisatorische, das hier sehr bedeutungsvoll war, lag ihm nicht. Und im Prinzip wollte er es auch nicht. Er war ein Wildnispionier, ein ''Explorer''. Er interessierte sich dafür, die Wildnis auszukundschaften und hier und da nach dem Rechten zu sehen. Auch die Indianerfrage lag ihm sehr am Herzen, aber nicht der Kram des so problematischen Einzugs der Siedler in die Wildnis, wo richtiges und taktvolles Planen, Überlegen und das Überzeugen von der Bedeutung verschiedener Funktionen so wichtig waren.

Der Besuch der Herren McRoberts, Rogers und Ayala

So beschloss die Siedlungsgesellschaft denn, den Vizepräsidenten der Siedlungsgesellschaft und Chef des Büros der Intercontinental Company in Winnipeg, Herrn Alfred A. Rogers, nach Südamerika zu entsenden. Er war den Auswanderern nicht nur schon gut bekannt, er war auch sehr beliebt unter ihnen. Er war es gewesen, den General McRoberts dazu eingesetzt hatte, den seit 1922 stillgelegten Landhandel mit den Auswanderern im Jahre 1925 wieder flottzumachen und das ganze Auswanderungswerk wieder ins Fahrwasser zu bringen. Er war ein Ingenieur und auch ein fähiger Organisator.

Herr Rogers kam Ende Mai in Asunción an. Hier überprüfte er zunächst den Gang, oder besser gesagt, die Stagnation des Kolonisationswerkes im Büro der Siedlungsgesellschaft, hier "Corporación Paraguaya" genannt. Dann begab er sich nach Puerto Casado und überprüfte dort die Situation, beriet sich mit den leitenden Persönlichkeiten der Mennoniten und hörte sich nicht zuletzt auch Engens Beschwerden an. Im Siedlerlager herrschte eine geladene Atmosphäre. Rogers fuhr dann wieder zurück nach Asunción, wo er General McRoberts, der aus New York herbeigereist kam, in Empfang nahm. McRoberts hatte sich entschlossen, selbst einmal das ganze Kolonisationsprojekt aus unmittelbarer Nähe zu beschauen.

Was McRoberts hier nun für besonders wichtig hielt, das war das Vorantreiben des Eisenbahnbaues. Sein Kollege, Edward B. Robinette, hatte eigentlich mit ihm kommen wollen, denn er hatte, gemeinsam mit McRoberts, ebenfalls schon sehr viel Geld in das Projekt hineingesteckt. Er erkrankte aber, bevor sie loskamen, und musste zurückbleiben.

In der zweiten Hälfte des Monats Juni reisten die Herren McRoberts, Rogers, Eusebio Ayala und Engen dann in den Chaco. Engen war ihr Führer. Von Laguna Casado, einem Ort in der Nähe von Pozo Azul, fuhren sie in einem kleinen Lastkraftwagen weiter. Sie folgten dem Expeditionsweg von 1921 und kamen bis in das Gebiet des heutigen Fernheim, westlich von Menno.

McRoberts war sehr gut beeindruckt von der Bodenbeschaffenheit der grossen Savannen oder Kämpe, wie sie von den Mennoniten genannt wurden. Er ermutigte die Siedlerpilger in Pozo Azul und auch in Puerto Casado, wo noch die meisten waren, zum Durchhalten. In beiden Lagern wurden die Leute zusammengerufen, und McRoberts sprach zu ihnen und unterhielt sich mit ihnen. Er versicherte seinen Schutzbefohlenen, sie als Siedlungsgesellschaft stünden hinter den Wildnissiedlern und würden alles mögliche tun, ihnen zu helfen, das Werk zu einem Erfolg zu bringen. Dass es bei ihm nicht nur Worte waren, bewies er bald auch damit, dass er den Siedlern eine Zugmaschine, einen Raupenschlepper, mit Angänger schenkte. Die Transportkapazität dieser Maschine bei trockenem Weg war 10 000 Kilo. Aber sie war auch bei schlechtem Wege brauchbar, nur dann mit viel weniger Belastung. Diese Maschine war den Siedlern bei ihrem Einzug in die Wildnis von grossem Nutzen.

Herrn Rogers' erste Aufgabe war es nun, die im Vertrag verein-
barte Landbesichtigung vor der Besiedlung anzukurbeln. Nachdem
diese vollbracht sein würde, sollten die Leute in die Wildnis ziehen,
sich in der Nähe des Siedlungsgebietes niederlassen und dort die
Vermessung des Siedlungsgebietes abwarten. Man versprach sich bei
dem Zusammenleben kleinerer Gruppen bessere Verhältnisse, nicht
nur in hygienischer, sondern auch in gesellschaftlicher Hinsicht.

Um sich ihres Siedlungslandes sicher zu sein, welches hart an der
Südgrenze des Casadolandes lag, wollten die mennonitischen Siedler
unbedingt konkrete Anhaltspunkte oder Ausgangspunkte haben.
Und solche gab es noch immer nicht. Es waren nur abstrakte
Berechnungen und Orientierungsversuche, die man bis dahin unternommen hatte. Es waren bei solchen Orientierungsversuchen auch
Landmesser mit dabei gewesen, aber auch sie hielten sich, weil es noch
keine genaue Vermessung war, immer noch einen Spielraum von fünf
Kilometern aus. Für die mennonitischen Siedler, die genaue Grenzen
sehen wollten, waren fünf Kilometer viel zu viel; denn wie leicht
könnte man in Bereich dieses Fünf-Kilometer-Streifens ein Dorf
anlegen. Nach der endgültigen Festlegung der Grenzen läge es dann
ausserhalb des Siedlungsraumes auf ganz fremdem Lande, und man
müsste wieder aufbrechen.

Beginn der Vermessungsarbeit

Herr Rogers hatte die Landvermessungssache auch sofort in
Angriff genommen. Noch Ende des Monats Mai kam ein Landmesser
aus Asunción nach Puerto Casado und stellte hier eine Grenzar-
beitergruppe zusammen, die über Puerto Sastre in den Chaco
vorstiess. Sie fuhr mit der Sastre–Eisenbahn etwa 70 Kilometer in den
Westen und dann noch etwa einen Tag mit Ochsenkarren. Es war eine
Gruppe von etwa einem Dutzend Männern, darunter vier Mennoniten. Von den Mennoniten waren es die beiden Familienväter
Peter R. Sawatzky (32) und Bernhard G. Klippenstein (32) und die
beiden Jünglinge Peter W. Niessen (24) und Abram F. Toews (19). Auf
einem Viehweideplatz, einem Potrero der Sastregesellschaft, einem
Ort, den man später (und vielleicht auch damals schon) ''Chamacoco''
nannte, wurden die Zelte aufgeschlagen, und es wurde für eine
Woche Halt gemacht. Hier sollten Maultiere eingeritten und Packesel
an das Lastentragen gewöhnt werden. Für jedes der etwa zehn
Maultiere war auch ein Esel als Lastenträger gerechnet. Der Landmesser selber ritt zu Pferd.

Als sie dann mit allem fertig waren, setzte sich die Maultier- und
Packeselkarawane in Bewegung. Etliche Männer schritten zu Fuss
hinterher, an einer Stange ein Fass tragend, das auf den Campamen-
tos, den Lagerplätzen, als Wasserbehälter dienen sollte. Viele von den
Gebrauchsgegenständen hatten die Reiter dann noch an den Sätteln

befestigt. So zog diese Reiter- und Lasttierkarawane dann im Gänsemarsch, in lässig schaukelnden Bewegungen dahin. Jedesmal, wenn sie von einem Lager aufbrach, um weiterzuziehen und dann wieder ein neues anzulegen, wiederholte sich die gleiche Formierung und der gleiche Trott dieser Kolonne.

Etwa 30 Kilometer zog sie eine Buschschneise entlang. Es war die schon vor einer Reihe von Jahren festgelegte Grenze zwischen den Ländereien der Casados und der Sastregesellschaft. Diese Schneise war schon sehr verwachsen. Die ganze Strecke musste von neuem ausgehackt werden. Es ging daher nur langsam vorwärts. Von der Südwestecke des Sastrelandes setzte dann die neue Vermessung ein, hin zur Nordostecke des Blocks 168. Von dieser Ecke sollte es dann südwärts gehen hin zur Südostecke des besagten Blocks. Die neu zu vermessende Strecke zog sich hauptsächlich durch den Urwald. Hier war es ein stachliger, dorniger Busch. Dann und wann lag auch mal ein schmaler Graslandstreifen dazwischen, der die Eintönigkeit des Dornenbusches angenehm unterbrach. Es war Urwildnis. Die mennonitischen Männer lernten nun von den Paraguayern, wie man eine Machete, ein Buschmesser, gebraucht.

Im Siedlerlager von Puerto Casado aber warteten etwa 200 Familien schon vier Monate lang auf die Festlegung der Grenzen des Siedlungsgebietes. Nun meinte man, die Wartezeit würde bald abgelaufen sein. Man atmete geradezu erleichtert auf. Man sprach von noch einem Monat, dann würde die Vermessung bis zum Ansiedlungsgebiet fertig sein. Zur gleichen Zeit, wenn dieser Grenzarbeitertrupp soweit sein würde, die Ostgrenze von Block 168 zu vermessen, sollte eine Landbesichtigungsgruppe aus dem Casadolager aufbrechen und ins Chacoinnere reisen, um sich mit der Auswahl des Siedlungslandes zu befassen. Man hatte die Rechnung jedoch ohne den ''südamerikanischen'' Wirt gemacht. Vier Monate dauerte das, was mit einem Monat bedacht worden war. Also erst nach vier Monaten war der Grenzarbeitertrupp die Ostgrenze des Blocks 168 entlang gekommen.

Man hatte kaum mit der Vermessung begonnen, die über Puerto Sastre in Gang gesetzt wurde, als der Landmesser erkrankte. Er fuhr zurück nach Asunción und schickte einen anderen Landmesser. Es vergingen Wochen bis die Vermessungsarbeit wieder fortgesetzt werden konnte. Untätig lagen die Männer im Grenzarbeiterlager herum. Besonders für die vier Mennoniten war es eine Geduldprobe. Endlich erschien der neue ''Agrimensor'' (Landmesser). Er kam zum ersten Mal in den Chaco. Was er hier nun kennenlernte, war eine fast undurchdringliche Buschwildnis. Er stellte sich nun vor, so sei der gesamte Chaco, und konnte es nicht verstehen, was die Mennoniten hier wollten.

Jetzt arbeitete sich die Grenzexpedition wieder langsam in den Westen weiter, frass sich sozusagen mit Buschmesser und Axt in den widerspenstigen Krüppelbusch hinein. Die mennonitischen Männer vermochten das langsame Tempo in keinem Falle zu beschleunigen. Sie mussten sich ins Unvermeidliche schicken. Das Wort "mañana" wurde ihnen zu einem hartgesottenen, zeitignorierenden und zeit-verachtenden Begriff. Bei der Arbeit schlugen die Mennoniten und etliche der Paraguayer gewöhnlich die Schneise, steckten die Linie ab und zogen die Messchnur aus. Bernhard Klippenstein diente als Koch. Es war eine unheimliche Buschwildnis, voller Widerhaken, Dornen und Stacheln, ein Gewirr von sperrigen Ästen mit dichtem Unterholz, Kakteen und Fächerpalmen.

Untereinander kamen die Arbeiter sehr gut aus. Zusammenhalten war hier auch ein Gebot äusserster Notwendigkeit. Die Mennoniten verständigten sich zunächst mit den Landmessern in englischer Sprache. Bald aber lernten sie auch etwas Spanisch zu verstehen und zu sprechen. Die Witterung war um diese Jahreszeit angenehm. Sie war besonders passend für die Arbeit im dichten Busch. Ab und zu gab es feuchtkalte Nieselregentage, selten auch einige frostkalte Nächte.

Etliche der Paraguayer schafften das Wasser herbei. Das machten sie mit den Packeseln. Zwei Kanister wurden mit Riemen aneinander gebunden und dann über den Tragsattel gehängt. Einmal mussten diese Wasserversorger tagelang nach brauchbarem Wasser suchen. Im Lager wartete man schon sehr auf sie, denn man hatte nicht mehr Wasser. Chacokundige Paraguayer suchten die Umgebung dann nach einer Kaktusart ab, die Wasser aufspeichert, das man als Trinkwasser brauchen kann. Sie fanden solchen Kaktus und konnten so viel Wasser einsammeln, dass sie etwas zum Trinken hatten, bis die Wasserver-sorger dann endlich mit dem Wasser kamen.

Andere Paraguayer waren für die Beschaffung von Lebensmitteln verantwortlich. Diese holten sie aus den sogenannten "Campa-mentos", den Arbeiterlagern für den Eisenbahnbau, die sich viele Kilometer südöstlich vom Feldmesserlager befanden. Der Proviant-transport wurde mit Reitmaultieren und Packeseln durchgeführt. Je weiter die Landvermessungsarbeiter in den Westen gelangten, umso grösser wurde die Entfernung von dem Ort, wo man die Lebensmittel abholte. Mehrere Male brachten die Lebensmittelversorger einen Schlachtochsen mit ins Lager. Dann gab es einen festlichen Schmaus! Die Mennoniten erfuhren dann bei solcher Gelegenheit, wie gut sich die Paraguayer mit der Zubereitung eines saftigen Bratens, den sie "Asado" nannten, verstanden.

Nicht so schmackhaft war für die Mennoniten das Trockenfleisch, das die Paraguayer "Charqui" nannten. Der Rest des Fleisches, der nach so einem Asado übrigblieb, wurde nach Möglichkeit in dünne

Streifen zerschnitten, zum Trocknen auf eine Leine gehängt und auf diese Weise haltbar gemacht. Für die Mennoniten hatte dieses Fleisch einen unangenehmen Beigeschmack. Es wurde zumeist in einem "Guiso", d.h. in einem Reis-, Nudel- oder Bohnenbrei verwendet.

Einmal hatten sich diese Lebensmittelversorger mit ihrer Maultier- und Packeselkarawane verirrt. Anstatt in die Grenzschneise, die sie nach Norden zum Lager führen sollte, einzubiegen, waren sie darüber hinweggeritten und so tagelang Buschblössen und Waldschluchten entlanggeritten, bis sie sich wieder zurechtgefunden hatten. Es hatte zwei Wochen gebraucht, bis sie wieder ins Lager zurückgekehrt waren. Dem Landmesser und seinen Leuten war es schon ungemütlich geworden. Wussten sie doch wirklich nicht, was ihren Kameraden zugestossen sein mochte. Auch gingen ihnen die Lebensmittel schon aus. Sie überlegten bereits, wie sie aus dieser misslichen Lage herauskommen sollten; denn man wusste ja nicht, ob die Lebensmittelversorger noch einmal wieder zurückkommen würden. Immer wieder guckten sie durch ihren Feldstecher die sich weit hinziehende Schneise entlang. Immer wieder legte man den Feldstecher missmutig ab. Man fragte schon nicht mehr, wenn einer wieder das Ding an die Augen legte, ob etwas zu sehen sei. Man sah es dem Suchenden schon an seiner Haltung, an seinem Benehmen an, dass er nichts von dem, was gesucht und erwartet wurde, erblickte.

Inzwischen hatten sie sich, da die Lebensmittel ausgegangen waren, etliche Vögel am Feuer zugerichtet. Sonst hatten sie nichts mehr zu essen. Es war dann am dritten Hungertage, als Peter Sawatzky wieder den Feldstecher an die Augen führte und die Schneise absuchte, wie solches schon viele Male geschehen war. Dieses Mal aber übergab er den Feldstecher sofort dem Landmesser, statt ihn, wie sonst, nur hinzulegen. Er machte dazu die Bemerkung, es bewege sich etwas weit hinten in der Schneise. Der Agrimensor nahm den Feldstecher, schaute und rief sofort hoch beglückt aus: "Sie kommen! Sie kommen!" Und wirklick, sie kamen.

Dieses Ereignis verknüpfte die Gruppe noch enger miteinander. Jene Männer, die mit der Lebensmittelbeförderung den rechten Weg verfehlt hatten, hatten ihren Kameraden Treue bewiesen. Viel einfacher wäre es für sie gewesen, zum Lager der Eisenbahnarbeiter zurückzukehren. Sie aber wussten, dass ihre Kameraden die Lebensmittel dringend gebrauchten.

Ab und zu erschienen auch Indianer im Lager. Es war in der Gegend des Grenzgebietes der Lengua, der Toba und der Chamacoco. Die Chamacoco waren finster dreinblickende Kerle. Die Lengua und Toba aber waren stets freundlich und zeigten Wohlwollen. Nicht so die Chamacoco. Diesen traute man Hinterlist zu. Die Paraguayer hatten ihre Gewehre immer griff- und schussbereit. In einer Nacht schlugen die Lagerhunde grossen Lärm. Etliche der Paraguayer schlichen den Hunden nach. Sie konnten im Dunkel der Nacht etliche davonschleichende Menschengestalten ausmachen. Die Nachtwache wurde dann besonders scharf durchgeführt. Am nächsten Morgen fand man wohl eine Spur, aber keine Indianer. Es blieb dann auch bei diesem einen nächtlichen Besuch.

Die Mennoniten erhielten nicht eine einzige Nachricht aus dem Casadolager. Klippenstein und Niessen zogen dann nach zwei Monaten ab. Sie gingen wieder zurück nach Puerto Casado. Sawatzky und Toews blieben noch einen Monat länger. Dann kehrten auch sie ins Siedlerlager bei Puerto Casado zurück, wiewohl noch nicht einmal die erste Etappe der Vermessung bewältigt worden war.

Es war für sie, als erwachten sie aus einem langen Schlaf. Nicht eine einzige Nachricht hatten sie von dem, was im Lager in Puerto Casado oder überhaupt in der grossen Welt vor sich ging, erhalten. Sie hatten daher keine Ahnung gehabt, wie es ihren eigenen Familien ergangen war. Alle fanden ihre Angehörigen am Leben und gesund, nicht aber alle ihre Freunde. Von diesen waren inzwischen mehrere auf den katholischen Friedhof des Fabrikstädtchens getragen worden. Dort konnten sie noch deren triste Grabhügel sehen. Noch andere waren mit ihren Familien nach Kanada zurückgefahren. Gespannt lauschten sie den Berichten von dem, was inzwischen alles passiert war.[8]

In diesen drei Monaten hatte sich manches ereignet. Das Siedlungswerk als solches hatte jedoch kaum Fortschritte gemacht, obwohl es in manchen Hinsichten eine festere Form angenommen hatte. Herrn Rogers war es bald gelungen, die Hoffnung der schwer enttäuschten Siedlerpilger wieder etwas zu heben. Das lange Warten hatte sie schon sehr mitgenommen. Rogers selbst teilte seinen Kollegen im Norden folgendes mit:[9]

> ''Ich habe bisher einfach noch nichts an Euch berichtet, weil ich mich hier zuerst selbst einmal hineinfinden und mit den Dingen zurechtfinden musste. Zuerst musste ich überhaupt herausfinden was alles hier los oder nicht los sei. Die Lage war tatsächlich kritisch, und es fehlte schon nicht mehr viel bis zu einem Zusammenbruch. Es sah wirklich nicht sehr tröstlich aus.''

Und an das Fürsorgekomitee, die mennonitische Siedlungsleitung in Puerto Casado, schrieb er aus Asunción:[10]

> ''Wenn ich etwas sagen soll, dann dieses: Schickt so schnell wie möglich zwölf Männer aus Eurer Mitte in den Chaco, dort die Landauswahl zu treffen. Gebt Anweisung, dass 300 Personen aus Kanada nach Paraguay kommen. Und weiter versucht alles, was in Euren Kräften steht, die im Siedlerlager von Puerto Casado wohnenden Leute von dort fortzukriegen, d.h. sie zu bewegen, sich ins Innere des Chaco

zu begeben und dort in den Siedlerlagern sesshaft zu werden, damit mehr Raum für neue Einwanderer geschaffen wird. Im Chaco können sie dann schon Pflanzungen anlegen. Nun denn, dieses ist Eure Sache, und Ihre müsst zusehen, wie Ihr damit fertig werdet.''

Wenn Rogers sich in dieser Weise äusserte, dass die Siedler ihre eigenen Angelegenheiten selbst regeln und ihre eigenen Schwierigkeiten selbst bewältigen müssten, weil die internen Probleme der Siedlerpilger nicht Probleme der Siedlungsgesellschaft seien, so war das von ihm im Ernst so gemeint. Und doch wusste er, dass sie als Siedlungsgesellschaft im Organisieren zur Bewältigung des Ansiedlungswerkes mithelfen müssten, und zwar auch gar nicht so wenig. Diese Chacosiedlerpilger litten unter ihrem gruppenbezogenen Eigensinn, der in der verhängnisvollen Dreiteilung an ihnen zerrte und ihren Gang nach vorwärts erschwerte. Solches sahen die Angestellten der Siedlungsgesellschaft und äusserten sich auch darüber.[11]

> ''Unter den mennonitischen Siedlern mangelt es an Einigkeit. Sie sind in drei Gruppen zersplittert. Auch ermangeln sie einer straffen Führung.''

Diese mennonitischen Siedler und die Herren der Siedlungsgesellschaft arbeiteten ja in Wirklichkeit an einem Werk. Und einer war vom andern abhängig für die Fortsetzung des Kolonisationswerkes. Hätte die Siedlungsgesellschaft die Geldsache, die finanzielle Grundlage, nicht bewältigt, so hätten die Mennoniten auch ihren Teil niemals geschafft. Wären diese Siedler nicht kolonisatorisch so draufgängerisch und so tapfer gewesen, die Siedlungsgesellschaft hätte nicht noch eine Volksgruppe dazu bewegen können. Trotz all der finanziellen Anstrengungen und Investitionen wäre nichts aus der Kolonisation des zentralen Chaco geworden. Die Wildnis war ohne Eisenbahn viel zu unzugänglich im Blick auf zivilisatorische Bewältigung.

Die Herren der Siedlungsgesellschaft konnten den Spaltungsgeist der Siedler nicht verstehen, sahen aber, dass er ihrem sowieso schon schweren Werk sehr hinderlich war. Sie anerkannten aber auch in vollem Masse die Einsatzbereitschaft der Siedler, die Wildnissiedlung zustande zu bringen. Daher waren die Amerikaner auch zu enormen Dienstleistungen bereit, freilich auch mit der gleichzeitigen Absicht dadurch ein weitreichendes Geschäft zustande zu bringen und grossen Profit dabei herauszuschlagen. Die mennonitischen Siedlerpilger wurden dann am Ende doch zu hervorragenden Siedlerpionieren und hatten mit ihrem Werk Erfolg. Die Siedlungsgesellschaft dagegen hat zuletzt mit ungeheuren Verlusten Pleite gemacht. Vorerst aber sah die Kolonisationsangelegenheit im zentralen Chaco auch für sie rosig aus.

Die leitenden Herren der Siedlungsgesellschaft waren den mennonitischen Siedlern in technischen und organisatorischen Angelegenheiten überlegen. Sie waren Fachmänner und beherrschten die Theorie. Die mennonitischen Siedler wieder waren praktisch, und das anerkannten die Amerikaner. Trotz all der Reibungen und Probleme, die zwischen den Siedlern und der Siedlungsgesellschaft auftauchten, bestand doch allgemein ein gutes Verhältnis. Man sagte sich gegenseitig die Fehler und versuchte zu glätten, wo die Dinge zu rauh waren und wo immer solches möglich war. Herr Rogers war den Mennoniten bei all den komplizierten und problematischen Verhandlungen sympathisch. Sie hatten seine Offenheit gern, denn sie spürten es ihm ab, dass er es aufrichtig meinte und wirklich helfen wollte.

Die Landauswahlkommission

Die drei Gemeindegruppen im Siedlerlager von Puerto Casado stellten dann, nachdem sich General McRoberts von ihnen verabschiedet hatte, unter der Leitung des Herrn Rogers eine Landauswahlkommission zusammen. Dazu gehörten aus der Chortitzer Gruppe Johann K. Hiebert, Peter F. Braun, Johann R. Doerksen und Johann H. Harder, aus der Sommerfelder Gruppe Peter F. Reimer, Peter A. Friesen, David Peters und Isaak Funk und aus der Bergthaler Gruppe von Saskatchewan Heinrich H. Dyck, Johann H. Penner, Johann A. Neufeld und Johann J. Wall. Einige von diesen wohnten schon in Pozo Azul. Sie schlossen sich den aus Puerto Casado Kommenden an, als diese Anfang Juli in Pozo Azul eintrafen. Hier liess sich die Gruppe noch Brot backen. Am 6. Juli fuhr sie los, den Kartenblock 168 zu untersuchen.

Die Karawane der Landauswahlkommission bestand aus etwa einem halben Dutzend hoher Federwagen und Karretten, die alle von Ochsen gezogen wurden. Sie wurden von Casados Arbeitern bedient. Zu der Karawane gehörten etwa 40 Ochsen und einige Reittiere (Pferde und Maultiere). Der Expedition schlossen sich im ganzen 15, ausser den 12 schon genannten noch drei Mennoniten an. Von der Siedlungsgesellschaft waren die Herren Alfred Rogers und Fred Engen dabei, weiter auch ein Herr Alfons Hoefliger, den die Siedlungsgesellschaft aus Hohenau, Ostparaguay, angeheuert hatte. Er sollte als Mittelmann zwischen dem Vermessungsteam und den mennonitischen Siedlern dienen und überhaupt den Mennoniten bei der Planung der Dorfanlagen und der Festlegung der Leguagrenzen behilflich sein. Er sprach ausser Deutsch, Spanisch und Guaranie auch etwas Englisch. Engen war der Expeditionsführer.

Ausser der Landbesichtigung und der Untersuchung der Bodenbeschaffenheit wurde das Gebiet auch auf Grundwasser untersucht. An vielen Stellen wurde nach Wasser gebohrt. Nicht überall fand man das gewünschte Süsswasser. Sehr gutes Wasser fand man in Hoffnungsfeld, Palo Blanco, Loma Plata, Kilometer 216 und auch noch an einigen anderen Stellen. Manche Bohrung zeitigte ungeniessbares, salziges Wasser. Die Kommission hatte aber den Eindruck, dass die Wasserfrage im allgemeinen zufriedenstellend würde gelöst werden können.

Von Kilometer 216 ritt die Kommission noch etwa 60 km in den Norden. Hier fand sie weniger Stellen mit gutem Wasser. Auch in den Süden und in den Westen ritt sie noch weite Strecken, das Land zu beschauen. Am 6. August brach die Karawane ihr Lager auf Kilometer 216 wieder ab und zog den Weg zurück nach Pozo Azul und von hier weiter nach Puerto Casado, wo sie am 14. August ankam. Man hatte die Aufgabe der Landuntersuchung und der Landauswahl erfüllt. Einig waren sich alle darin, dass man das Savannengebiet südwestlich und westlich von Hoffnungsfeld als Siedlungskomplex empfehlen würde. Es war dasselbe Gebiet, das auch die Delegation von 1921 als Siedlungsland empfohlen hatte. In einem Bericht des Herrn Engen heisst es:[12]

> ''Über einen Monat lang hat die mennonitische Landauswahlkommission sich im Innern der Chacowildnis aufgehalten und die Auswahl des Siedlungslandes getroffen. Man hat seine Kräfte dabei voll eingesetzt. Das Gebiet, wofür sich die Kommission entschieden hat, ist dasselbe Gebiet, was wir schon etliche Male besehen haben. Die Kommission ist sehr zufrieden mit dem Ergebnis der Untersuchung. Jetzt will man erst einmal sehen, wo die genauen Grenzen des Blocks 168 im Osten und im Süden sein werden. Dann will man die endgültige Entscheidung einbringen. Dann haben wir als Siedlungsgesellschaft nichts mehr mit diesem Siedlerland zu tun. Wir können dann den übrigen Teil unseres 100–Legua–Komplexes untersuchen, um zu wissen, was wir weiter zum Verkauf anzubieten haben.''

Einer der mennonitischen Teilnehmer dieser Expedition, P. A. Friesen, erkrankte und wurde auf einem Ochsenfuhrwerk nach Pozo Azul gebracht. Die zurückbleibenden Expeditionsmitglieder fragten sich dann, ob sie ihren Kollegen wohl noch einmal wiedersehen würden, wenn sie zurückkämen, denn die Häufigkeit der Sterbefälle unter den Erwachsenen nahm immer mehr zu. Dieser Mann aber starb nicht. Mit Pozo Azul hatte die Expedition beständig Verbindung, wenn auch nur im Ochsentempo. Aus Pozo Azul beschaffte sie sich ihre Lebensmittel.

Ab und zu stiess man auf Wild. Meist waren es Strausse, die ihren Weg kreuzten. Als eines Tages zwei von den Mennoniten zu Pferd durch die Savannengegend streiften, tauchte vor ihnen wieder so ein langhalsiger Vogel auf. Sie sagten sich, den müssten sie einmal überholen, bis zur Übermüdung treiben und ihn festnehmen. Doch bevor sie ihre Pferde so richtig in Schwung hatten, hatte der Strauss schon mit einigen Zickzacksprüngen den Anfang gemacht und entschwand dann bald ihren Blicken.

Man sprach von Busch- und Waldland und von offenem Land. Aber auch das offene Land war alles andere als baum- und strauchfrei. Herr Rogers und einer der Mennoniten sprachen eines Tages darüber, wieviel Arbeitszeit und Arbeitskraft die Rodungsprozedur wohl noch in Anspruch nehmen würde. Sie einigten sich darauf, einmal gemeinsam einen grossen Urundeybaum umzulegen. Sie gruben die Erde etwa spatentief um den Baum herum weg, um seine Wurzeln freizulegen und hackten dann mit den Äxten drauflos. Als sie den Baum endlich gefällt hatten, waren sie müde, ganz müde! Herr Rogers schüttelte den Kopf und meinte, das würde doch noch ein gutes Stück Arbeit sein, dieses Land urbar zu machen. Über diese Expedition schrieb Rogers von Kilometer 216 aus:[13]

> "Den Leuten geht es gut. Alle sind mutig. Etliche habe ich schon aus meiner Erstehilfekiste behandelt. Einer hatte ein böses Geschwür an einer Hand, eine Art Blutvergiftung. Wir machten Zwiebeln heiss und legten sie auf. Es half wirklich. Mehrere haben den Durchfall gehabt. Immer wieder trinken sie unaufgekochtes Wasser. Das sollen sie gar nicht. Gestern wurde einer der Mennoniten von einem unwilligen Maultier aus dem Sattel geworfen. Er machte jedoch seine Landung ohne Knochenbrüche. Sein Glück!
>
> Die Mennoniten werden etwa 30 Quadratlegua von unserem Land übernehmen. Die Entscheidung für die Landauswahl ist stark vom Grundwasserbefund abhängig. Die Mennoniten wollen alles Land der Umgebung besehen. Da müssen wir uns oft durch die Büsche schlagen indem wir Pikaden herstellen. Herr Engen hat doch wirklich eine grosse Arbeit geleistet, indem er sich in diese Wildnis hinein getastet hat. Er hat sich dabei durch so manchen Busch hindurcharbeiten müssen. Hätte er diese Vorarbeit nicht getan, wer von uns wäre heute hier? Niemand! Nur durch seinen Unternehmungsgeist ist dieses Werk zustande gekommen. Engen hat Brücken gebaut, die wir jetzt benutzen, ohne überhaupt etwas dazu getan zu haben. Es ist wirklich eine weite, weite Wildnis! Und bald wäre dieses Kolonisationswerk zusammengebrochen, gerade aus dem Grunde, dass es gilt, eine so riesige Strecke von Wildnis zu bewältigen."

Rogers blieb nicht bei der Landauswahlkommission, bis sie ganz mit ihrer Arbeit fertig war. Er fuhr schon zwei Wochen früher bis Pozo Azul, lieh sich hier ein Pferd aus und ritt bis Pirisal, der damaligen Endstation der Casadoeisenbahn, nahe an 100 Kilometer von Pozo Azul. Hier kam er an einem Vormittag an und versuchte, von hier aus telephonische Verbindung mit Puerto Casado zu erreichen, um sich ein Schienenauto zu bestellen, das ihn abholen sollte. Die Verbindung der Fernsprechleitung mit Puerto Casado war an diesem Tage besonders schwerfällig. Es nahm bis 4.00 Uhr nachmittags, bis er durchkam. Man versprach, ihm sofort ein Schienenauto zu schicken.

Rogers richtete sich dann in der Nähe des Bahngeleises ein Warteplätzchen her, entzündete ein flackerndes Lagerfeuerchen, machte Wasser heiss, trank Tee, knackte die harten Galletas und wartete auf das Autovia, das Schienenauto, das ihn wieder in die Welt der Zivilisation zurückbringen sollte. Sicher, dachte er, in den Abend würde es schon hineingehen! Aber Mitternacht brauchte es eigentlich nicht zu werden, bis das Ding nach Kilometer 77 kam. Es wurde aber Mitternacht und es wurde auch Spätmitternacht! Und schliesslich fing der Morgen an, heraufzudämmern, aber noch immer war kein Schienenauto in Sicht. Er bereitete sich wieder einen heissen Tee und knabberte aufs neue seine Galletas. Dann stieg die Sonne über dem krüppeligen Buschwald herauf und — endlich, um 7.00 Uhr, kam der kleine Eisenbahnwagen herangerasselt! — Auch so etwas zählte Rogers zu den hemmenden oder erschwerenden Faktoren bei der Wildnisbezwingung. Sieben Monate lang machte er diese Wildniseroberung in verschiedener Weise mit.

Die mennonitischen Chacosiedler mussten sich beim Vordringen in diese unwirtliche, geradezu zivilisationsfeindliche Wildnis den erdenklichsten Strapazen unterwerfen. Und so hielt auch Herr Rogers die notvolle Überwindung aller Schwierigkeiten für den einzigen Weg zur schliesslichen Bezwingung dieser Wildnis und somit zu einer erfolgreichen Kolonisation. Die Mennoniten hatten in Rogers einen Mann, der nicht nur mit ihnen litt, sondern der auch redlich für sie stritt. Er machte bei den schwierigsten Arbeiten mit. Er ass, was die Siedler assen, er schlief, wo sie schliefen. Die Mennoniten anerkannten ihn als eine Autorität, und daher konnte er ihnen auch frei von der Leber weg ihre Missstände, die sie unter sich hatten, und ihre Fehler, die sie begingen, vorhalten.

Worin die Mennoniten und Rogers sich dann in etwas krasser Weise unterschieden, das war, wenn entweder ihnen oder ihm die Geduld riss. Das passierte den mennonitischen Siedlern, und das passierte auch Rogers und seinen Kollegen. Die Mennoniten hatten dann im allgemeinen so ihre schlichten, mennonitisch geprägten Ausdrücke dabei. Rogers dagegen liess in solchen Fällen eine Reihe rauher und derber Ausdrücke vom Stapel. Als er dann im November 1927 von seinen tapferen Freunden Abschied nahm, um nach Nordamerika zurückzureisen, schenkten die Siedler ihm eine englische Bibel mit besonderer Widmung, von der er bekannte, sie habe ihn gerührt.

Entstehung der Siedlerlager

Herrn Rogers' besondere Aufgabe war es dann, die in Puerto Casado mittlerweile schon phlegmatisch auf die Lösung der Ansiedlungsprobleme wartenden Siedler zu bewegen, sich aufzumachen und in die Wildnis hinüberzusiedeln. Er glaubte, es sei gesünder für sie, sich in verkleinerten Gruppen in Lagern am Wege zur Wildnis niederzulassen, als noch länger im Siedlerlager von Casado zu verweilen. Ginge es auch noch nicht in die Dörfer, wohin man ja vor allen Dingen wollte, so doch schon in die Nähe des Siedlungsgebietes. Und da war überall viel Raum und auch Möglichkeit, sich etwas zu betätigen und Versuche mit verschiedenen Kulturen zu machen. Denn mit dem Land im Inneren der Wildnis konnte man doch viel mehr anfangen als mit dem harten Lehmboden der Flusszone.

Nachdem die Auswahl des Siedlungslandes von den drei Siedlergruppen durchgeführt und die Entscheidung für den grossen Savannnenkomplex in der Südostecke des Kartenblocks 168 gemacht worden war, begab Herr Rogers sich noch einmal wieder zusammen mit einem Landmesser nach Pozo Azul und von dort ins voraussichtliche Siedlungsland, um astronomische Peilungen für örtliche Grenzfestlegungen zu machen: Sie bedienten sich dazu eines Radios und benutzten Signale aus Buenos Aires, um die Grezlinien annähernd zu orten. Der Grenzarbeitertrupp, der im Juni über Puerto Sastre losgegangen war, war Ende August noch nicht bis in die Nähe des Siedlungslandes vorgedrungen. Daher unternahm man nun einige andere Ortungsmassnahmen, um sich zu vergewissern, dass jene grossen Grassavannen, für welche die Mennoniten sich interessierten, mehr oder weniger doch in dem Gebiet der Südostecke des Blocks 168 lagen.

In Puerto Casado war zugleich mit der Bildung der Landauswahlkommission auch ein ''Transportkomitee'' ins Leben gerufen worden. Führende Stellung darin erhielt der 35–jährige Siedler Jacob A. Braun. Ihm zur Seite stand der Siedler Martin A. Friesen. Beide waren aus der Sommerfelder Gruppe und von denjenigen, die sich noch in Puerto Casado den Chortitzern anschlossen. Dieses Transportkomitee war auch für die Beschaffung von Mehl aus Argentinien verantwortlich. Zollfreie Einfuhr stand diesem Komitee unter Gesetz 514 zu, und somit erhielten die Mennoniten das Mehl viel billiger, als sie es im Lande, vor allem in Puerto Casado, hätten einkaufen können. Das Transportkomitee war dann aber vor allem anderem für den Einzug der Siedler in die Chacowildnis verantwortlich. Friesen hatte mehr den Mehlkauf in der Hand und Braun die Regelung des Einzugs der Familien in die Wildnis.

Bis dahin war Pozo Azul noch das einzige Siedlerlager im Inneren der Wildnis. Jetzt, Ende August und weiter im September, machten sich die Siedler daran, neue Lagerplätze auszumachen. Die Wahl fiel dann auf solche Plätze, wo die Landauswahlkommission gutes Wasser gefunden hatte. Das zweite Siedlerlager, das entstand, war

Hoffnungsfeld. Der Name für den Ort war schon da. Er war von Engen so benannt worden. Das dritte Lager war Lomo Plata. Dann folgten noch Palo Blanco, Kilometer 216 und Laguna Casado. Alle diese Ortschaften hatten bereits ihre Namen, als die Siedler sich dort niederliessen. In Palo Blanco liessen sich die Bergthaler aus Saskatchewan nieder. Als das Jahr 1927 zu Ende ging, waren etwa 140 Siedlerfamilien in diesen sechs Lagern.

Von Pozo Azul bis Kilometer 216, also zwischen dem anfänglich östlichsten und dem westlichsten Siedlerlager im Chacoinneren waren es 55 km. In Laguna Casado, das übrigens noch 5 km östlicher als Pozo Azul gelegen war, wohnten nur für eine kurze Zeit etwa ein halbes Dutzend Familien. Sie verteilten sich später auf die anderen fünf Lager. Das Siedlerlager von Puerto Casado wurde durch den Einzug so vieler Familien in das Innere des Chaco sehr verdünnt. Es kamen dann vor Jahresschluss noch zwei Gruppen aus Kanada in Puerto Casado an, insgesamt etwa 60 Familien.

Die drei Enwanderungsgruppen

Nach misslungenem Versuch in Kanada, die drei Gemeinden der Paraguayinteressierten zu einer Gruppe zu vereinigen, sagte man sich, wenn das auch nicht gelungen sei, so wäre es vielleicht später doch in Paraguay möglich, wenn sich erst alle drei Gruppen an einem Ort befänden, um das grosse Werk der Neusiedlung zu meistern. Vielleicht vergässe man dann bei den Strapazen der Ansiedlung die gruppenbezogenen Eigenheiten und besinne sich in recht positiver Weise auf den Wert der Einigkeit. Aber auch hierin hat man sich sehr getäuscht. Die sture Haltung im unerschütterlichen Festhalten am Eigenen führte auch hier zu harten Auseinandersetzungen.

Es zogen aus Kanada nach Paraguay in jener Zeit: aus Südmanitoba 177 Familien aus der Chortitzer Gemeinde des Ostreservats und 53 Familien aus der Sommerfelder Gemeinde des Westreservats, weiter 36 Familien aus der Bergthaler Gemeinde von Rosthern, Saskatchewan. Von den 177 Chortitzer Familien gingen 4 Familien hinüber zu den Saskatchewaner Bergthalern. So bestand die Bergthaler Gruppe aus 40 Familien. Es blieben danach für die Chortitzer Gruppe noch 173 Familien. In Puerto Casado angekommen, liessen sich die Ostreserver und die Westreserver, dazu auch eine Bergthaler Familie, im Zeltlager durcheinander nieder. Doch die übrigen Bergthaler suchten sich eine separate Ecke im Zeltgelände aus.

Die kleine Sommerfelder Gruppe, die zwar grösser als die Bergthaler Gruppe aber gemeindlich nicht organisiert war, wollte in keinem Falle als eigenständige Gemeinde auftreten. Diese Leute hatten sich aber zu Anfang der Auswanderungsbewegung in Kanada gesagt, sie würden sich, da ein Zusammenschluss der Bergthaler und der Chortitzer nicht zustande kam, vorerst noch keiner dieser

Gemeinden anschliessen, sondern es sich am Ort der Ansiedlung überlegen, welcher Gruppe sie sich zugesellen würden. Sie lehnten sich dann aber doch in gemeindlicher Beziehung in Paraguay von Anfang an nur an die Chortitzer Gruppean. 27 Familien aus dieser Sommerfelder Gruppe schlossen sich noch vor der Siedlungsgründung, 1927 und anfangs 1928, ganz der Chortitzer Gruppe an. Etwa 13 Familien der Sommerfelder fuhren zurück nach Kanada und 13 Familien hielten fest daran, sich zwischen den Chortitzern und den Bergthalern niederzulassen, um sich zu gegebener Zeit, laut einem damaligen Beschluss auf einer ihrer Beratungen in Manitoba, einer der beiden Gemeinden anzuschliessen.[14] Diese 13 Familien gründeten die Dörfer Laubenheim und Waldheim.

Die schon erwähnten 27 Familien der Westreserver-Sommerfelder Gruppe gaben noch vor dem Anlegen der Dörfer ihre Gruppenzugehörigkeit auf, gingen in Puerto Casado zu den Chortitzern über und gründeten dann mit ihnen durcheinander 1928 die Dörfer Gnadenfeld, Weidenfeld, Bergfeld, Halbstadt, Reinland, Osterwick, Strassberg, Chortitz, Blumengart, Schöntal und Silberfeld. Die Bergthaler gründeten das Dorf Bergthal. Das waren die 14 Dörfer zu Anfang der Mennosiedlung. Die Laubenheimer und Waldheimer schlossen sich dann in der zweiten Hälfte des Jahres 1928 auch den Chortitzern an.

So waren zu Beginn der Ansiedlung zwei Gemeinden in der Kolonie Menno: die Chortitzer Mennonitengemeinde und die Bergthaler Mennonitengemeinde. In wirtschaftlicher und administrativer Beziehung begründete man ein dreigeteiltes System. Die Landbesitztitel wurden auf die Saskatchewaner (Bergthaler) Gruppe, die Westreserver (Sommerfelder) Gruppe und die Ostreserver (Chortitzer) Gruppe ausgestellt. Die drei verschiedenen Landbesitztitel wären an und für sich auch weiter nicht problematisch gewesen, aber die Dreigeteiltheit sass tiefer als nur auf dem Papier.

Anstatt eine einheitliche siedlungsgründende Verwaltung einzurichten, organisierte man sie dreiteilig. Und wiewohl die Gruppen verschieden gross waren, war doch das Verwaltungsrecht nicht dementsprechend verteilt. Merkwürdig ist es, dass das, was den kleineren Gruppen gegenüber der grossen Gruppe, die viele Arme hatte, als Schutzmassnahme dienen sollte, ihnen zum Verhängnis wurde. Die Ansiedlung litt schwer unter diesem Teilungsgeist. Es schwächte das Vorwärtskommen und hinderte offensichtlich die Entwicklung der jungen Wildnissiedlung.

Aus der besitzrechtlichen Dreiheit ergab sich dann die Frage: Wer nimmt wo sein Land auf? Jede Gruppe hatte ein Anrecht auf eine bestimmte Fläche, die Saskatchewaner Gruppe auf 7400 ha, die Westreserver Gruppe auf 6100 ha und die Ostreserver Gruppe auf 42.300

ha. Für die grosse Chortitzer Gruppe spielte die Gebietswahl kaum eine Rolle. Diese Gruppe liess daher auch die anderen wählen. Vor allem war es die Saskatchewaner Gruppe, die sich schwer entscheiden konnte, wo sie das Siedlungsstück aufnehmen sollte. Die Westreserver wollten zwischen der Saskatchewaner Gruppe und den Chortitzern siedeln, damit es für später von der räumlichen Seite her keine Rolle spielen würde, welcher Gruppe sie sich gemeindlich anschlössen.

Es war ein merkwürdiges Ansiedlungssystem. Obwohl es theoretisch eine Kolonie war, war es in Wirklichkeit doch ein dreigefächertes Siedlungssystem, und so wirkte es sich auch in der Praxis aus. Daher schritten die Ostreserver mit den zu ihnen übergetretenen Westreservern auch zur Gründung einer neuen Verwaltung, wie es in dem allgemeinen Kapitel über Siedlungsverwaltung beschrieben ist.

Die Siedlungsgesellschaft, die für die gesetzlich anerkannte Umgrenzung durch entsprechende Vermessung des Siedlungsgebietes verantwortlich war, stellte es den Siedlern anheim, sich das Siedlungsland aus dem 100–Legua–Komplex selbst zu wählen, und überliess es auch ihrer Entscheidung, welche Flächengestalt die gesamte Siedlung haben sollte. Es war also nicht gesagt, dass die Nordseite des Siedlungsgebietes unbedingt geradlinig verlaufen müsste. Sie könnte auch gewinkelte Grenzen aufzeigen. Nur würde das Siedlungsgebiet dann nicht eine Länge von 10 Legua haben. Sie durften sich das Hoffnungsfelder Gebiet herausschneiden oder mit hineinschneiden.

Es wurde dann ein Stichtag gesetzt. Wären bis zu diesem Tage keine anderen Wünsche bei der Siedlungsgesellschaft eingeschickt, dann bedeutete dies, dass die Fläche des Ansiedlungsgebietes in einem Rechteck von 12 mal 43 Kilometern bestünde, also 3 Legua breit und 10 Legua lang wäre. In diesem Gebiet besass die Chortitzer Gruppe mitsamt den 27 Familien aus der Sommerfelder Gruppe etwa 42.300 ha, die selbstständige Sommerfelder Gruppe 6100 ha und die Saskatchewaner Gruppe 7400 ha.

Bei dieser Landverteilung fällt auf, dass die kleine noch verbliebene Gruppe der Westreserver proportionell zu ihrer Familienzahl weit mehr Land erhielt als die anderen Gruppen. Wenn man die gesamte Landfläche von 55 800 ha auf alle Siedlerfamilien (nämlich 240) gleichmässig verteilt, dann hätte es 232,50 Hektar Land pro Familie ergeben. Die Chortitzer Gruppe (200 Familien) hätte dann 46 500 ha erhalten, die Westreserver Gruppe (13 Familien) 3022,50 ha und die Saskatchewaner Gruppe (27 Familien) 6277,50 ha. Die Landverteilung geschah aber, wie schon erwähnt, nach dem Vermögensstand der Auswanderer in Kanada. Entsprechend ihrem Vermögenswert erhielten sie von der Intercontinental Company im gleichen Verhältnis

Land im Chaco und Bargeld. Es geht daher schon aus dem Verhältnis des eingenommenen Landes zu Beginn der Ansiedlung klar hervor, wo die Mehrzahl der armen Leute steckte und woher die wirtschaftlich stärkere Gruppe kam. Diese kam nämlich aus dem Westreservat und war gerade aufgrund ihrer wirtschaftlichen Vorrangstellung so stark an ihrer weiteren Selbständigkeit interessiert. Man sagt, dass die Westreserver sich überhaupt auch bildungsmässig stark von den übrigen Auswanderern heraushoben, was sich auch darin bestätigt, dass führende Männer der Siedlung aus dieser Gruppe hervorgegangen sind. Sicher sind sie damals, als in Manitoba eine fortschrittliche Gruppe die Fortbildungsschule gründete, welches zur Spaltung der Gemeinde führte, stärker davon ergriffen und beeinflusst worden, als ihnen selbst bewusst war. Nun aber, wo sie mit unberührten, sehr konservativen Gruppen zusammenkamen, fielen sie in dieser Hinsicht auf. In geistlicher Hinsicht sollen sie dagegen weniger anspruchsvoll gewesen sein. Sie hatten in der Hinsicht keine nennenswerten Eigeninteressen und schlossen sich daher leicht und bedingungslos der Chortitzer Gemeinde an. Ihr schon in Kanada erreichter wirtschaftlicher Status bestätigt diese ihre stark wirtschaftlich ausgerichtete Grundhaltung.

Die Saskatchewaner Gruppe dagegen war eigensinniger und wollte aus diesem Grunde keine Vermischung mit anderer Art und anderem Geist. Von dieser Gruppe von 40 Familien (36 eigene und 4 Familien von den Chortitzern) gingen auch noch vor der Ansiedlung 13 Familien nach Kanada zurück. Die übrigen gründeten das Dorf Bergtal, (jetzt ohne h geschrieben), das ein doppelreihiges und sehr langes Dorf wurde. Gleich nach der Ansiedlung gingen noch 2 weitere Familien nach Kanada zurück, so dass nur noch 25 Familien blieben. Auch diese konnten die gemeindliche Einigkeit nicht erhalten, so dass sich schon 1929 eine Gruppe abspaltete und das Dorf Neuanlage gründete. Im ganzen sind die krausen Verhältnisse dort rückschauend für den Verfasser schwer in allen Einzelheiten genau festzustellen, so auch besonders hinsichtlich genauer Zahlen und Daten.

Die Regelung der Besitznahme eines jeden der drei Landstücke zur Ansiedlung war Sache der Siedler, also eine interne Angelegenheit Schwer fiel es den Saskatchewanern, sich zu entschliessen, wo sie ihr Land nehmen würden. Zwischen den Saskatchewanern und den Chortitzern wollten ja die selbständigen Sommerfelder ihr Land nehmen. Die Chortitzer mussten also den Westteil oder den Ostteil nehmen. Im grossen und ganzen war es ihnen egal, welchen Teil sie bekommen würden, nur wollten sie endlich mal wissen, woran sie wären. Es nahm aber mehrere Monate in Anspruch, bis sich die Saskatchewaner entschliessen konnten. Dieses hatte nichts mit den

Aussengrenzen zu tun, sondern nur mit der inneren Aufteilung des gemeinsamen Siedlungsgebietes.

Der Stichtag zur Festlegung der Fläche war abgelaufen, und besondere Eingaben waren nicht eingegangen. Die Festlegung der Aussengrenze ging los. Da meldeten sich die Saskatchewaner, die im Siedlerlager von Palo Blanco wohnten. Sie hätten sich nun entschlossen, das Gebiet um Hoffnungsfeld in Besitz zu nehmen. Herr Landreth schreibt dann am 22. März 1928 in dieser Sache:[15]

> "Es überraschte mich unangenehm, als ich vor einigen Wochen im Chaco war und erfuhr, dass die Saskatchewaner Gruppe wegen der Gestalt der Siedlungsfläche, wie wir sie bestimmt haben, unzufrieden sei. Auch die Westreserver beschwerten sich und sprachen von Umtauschen. Die Saskatchewaner bestehen darauf, sie hätten der Flächenform von 3 Legua breit und 10 lang nicht zugestimmt. Ich musste ihnen sagen, dass es jetzt schon zu spät sei, zu ändern, denn die Vermessung bzw. Festlegung der Nordgrenze hätte schon begonnen. Ich sagte ihnen auch, dass es nur zu ihrem Vorteil sei, wie die Fläche jetzt zurechtgeschnitten sei. Und sie selbst hätten ja doch auch ja gesagt zu dieser jetzigen Form. Sie aber hatten es sich jetzt in den Kopf gesetzt, die Hoffnungsfelder Gegend als ihr Siedlungsgebiet zu übernehmen. Dort sei viel und gutes Wasser!
>
> Herr Landreth versuchte die Saskatchewaner davon zu überzeugen, dass das Gebiet auf dem Ostende des gesamten Siedlungskomplexes wirklich nicht schlecht sei. Sie liessen sich überreden und wählten schliesslich das Ostende. Später jedoch änderten sie nochmals ihren Sinn und versuchten doch wieder ein anderes Stück zu erhalten.
>
> Was Herr Landreth in seinem obigen Schreiben weiter erwähnt, nämlich, dass die Westreserver (womit hier lediglich die selbständige Gruppe von 13 Familien von den Sommerfeldern gemeint ist) sich über die Ostreserver beschwert hätten, kann sich auf folgendes beziehen: Das viele aus der Sommerfelder Gruppe diese verlassen hatten und damit ganz unter ihnen (den Chortitzern) aufgingen, gefiel den Zurückbleibenden der Gruppe nicht. Diese wollten sich selbst verwalten und auch einen eigenen Landtitel haben. Die zu den Chortitzern Übergehenden nahmen ihr Land aus dem Gebiet der Westreserver heraus und übertrugen es dem Gebiet der Chortitzer (Ostreserver). Dieses geschah noch alles ehe die Landgrenzen festgelegt worden waren. Für die offizielle Grenzfestlegung des gesamten Siedlungskomplexes bildete dies auch kein Problem. Die verbleibende Gruppe konnte es auch nicht verweigern oder verhindern. Nun aber wollte die selbständige Restgruppe der Westreserver, dass die Siedlungsgesellschaft zwischen ihrem Land und dem Land der Ostreserver ein Stück für etwaige Nachkömmlinge reservieren sollte.[16] Wahrscheinlich aber war es ihre Absicht, dieses Stück später ihrem Besitz einzuverleiben. Solches Stück Niemandsland zwischen den mennonitischen Gruppen wollten die Chortitzer aber gar nicht haben, denn sie fürchteten, es könnten dann noch mit einmal andere Leute als Mennoniten dieses Landstück kaufen, und dann würde die geschlossene Kolonie zerstückelt. Die Herren der Siedlungsgesellschaft standen hierin auf der Seite der Ostreserver und

liessen sich auf so einen Gedanken von Landreservierung zwischen den Gruppen überhaupt nicht ein.

Als die Saskatchewaner dann sahen, dass die Festlegung der Nordgrenze bereits im Gange war und ihr Plan, das ausserhalb des Siedlungsrechtecks liegende Hoffnungsfelder Gebiet zu erhalten, nicht Anerkennung fand, versuchten sie, das Gebiet um Palo Blanco, wo sie ihr Siedlerlager am Wege hatten, als Siedlungsgebiet für ihre Gruppe festzulegen. Dann aber hätten die Chortitzer ihr Gebiet zerstückeln müssen, weil sie dann nach Westen hin nicht ihre Hektarzahl hineinbekommen hätten. So lehnten sie dieses Ansinnen ganz entschieden ab. Die Bergthaler oder Saskatchewaner blieben dann bei dem Ostende, wo sie im April 1928 das Dorf Bergtal anlegten. Dieser Gruppengrenzstreit zog sich über Monate hin. Der dunkle Hintergrund war dabei immer die landtitelbezogene Aufteilung des Gesamtsiedlungsgebietes, was eine genau abgegrenzte Gebietseinteilung erforderte. Viel einfacher und leichter wäre es gewesen, wenn es sich nur um die Bestimmung der Stellen für die Anlage der Dörfer gehandelt hätte. Das sahen auch die verantwortlichen Herrn der Siedlungsgesellschaft:[17]

"Das Sprichwort 'Einigkeit macht stark' haben diese Mennoniten zu wenig in Rechnung genommen. Wären sie in völliger Einheit vorgegangen, die Ansiedlung könnte viel rascher voranschreiten. So wie es bis jetzt gehapert hat, verlieren sie Zeit und Geld. Ein mehr zielbewusstes Handeln hätte dazu beitragen können, ihre Landtitel schon in Händen zu haben. Die Gruppe, der es erlaubt wurde, als erste ihre Landauswahl zu treffen, konnte sich längere Zeit gar nicht entscheiden, wo sie das Land nehmen wollte. Das hat dann die anderen in ihrem Vorhaben aufgehalten.

Herr Rogers schrieb vor seiner Abfahrt von Paraguay am 9. November 1927, an Herrn Landreth, der damals noch in Winnipeg war, aber bald nach Paraguay abreisen sollte, um dort Rogers' Stelle einzunehmen:

"Da ist ein Kampf zwischen der Saskatchewaner Gruppe und den anderen. Die Mennoniten haben den Fehler gemacht, dass sie der Saskatchewaner Gruppe das Recht eingeräumt haben, als erste ihr Siedlungsgebiet wählen zu dürfen. Die Entscheidung fiel auf das Ostende. Jetzt aber wollen sie das Gebiet von Palo Blanco haben. Sie glauben, dieses Gebiet gehöre zum Ostende. Das ist aber nicht der Fall. So hat sich die Angelegenheit schon mehr als vier Monate hingezogen. Und, so sinnlos dieses alles ist, für uns als Siedlungsgesellschaft bedeutete es Zeitgewinn für die Einteilung der Landvermessungsarbeiten."

Erst anfangs 1928 gaben die Saskatchewaner sich endlich endgültig darein, auf dem Ostende des Siedlungsrechtecks ihr Siedlungsland zu nehmen. Ihr Misstrauen, sie würden das schlechteste Los ziehen, war zwar unbegründet, hielt sie aber so lange von einer endgültigen Annahme eines bestimmten Siedlungsstückes ab. Sie hatten in Wirklichkeit kein schlechtes Los gezogen oder wenigstens kein schlechteres Gebiet gewählt, als die anderen erhielten.

Festlegung der Dorfplätze

Die Siedlungsgesellschaft hatte auch Schwierigkeiten mit den Landvermessungsfirmen. Als unter dem ersten Vertrag vier Monate gearbeitet worden und man nur 53 Kilometer vorangekommen war, sagten sich die Herren der Siedlungsgesellschaft, bei solchem Arbeitstempo der Landvermessung würden die Siedler noch ein zweites Jahr auf die Dörfergründung warten müssen. Die Siedlungsgesellschaft setzte sich daher mit anderen Landvermessungsfirmen in Verbindung und brachte einen neuen Vertrag zustande.[18] Die Forderungen dieser Landmesser waren nicht höher als die Forderungen kanadischer Landmesser, ihre Arbeit im Chaco aber viel mühvoller als es in kanadischen Gebieten der Fall war. Obwohl also die Landmesser selbst jetzt für ihre Arbeit nicht billiger bezahlt wurden als die früheren, bestand eine Änderung in der Bezahlung darin, dass die Unterhaltungskosten für den gesamten Grenzarbeitertrupp jetzt zu Lasten der Vermessungsfirma gingen und nicht, wie früher, auf die Rechnung der Siedlungsgesellschaft. Das bedeutete eine Beschleunigung der Vermessungsarbeiten, denn je rascher die Vermessung vor sich ging, umsomehr Gewinn hatte die Vermessungsfirma davon.

Die Ergebnisse des zweiten Vertrages erwiesen sich dann auch zufriedenstellender. Die gesamte Vermessungsarbeit kostete der Siedlungsgesellschaft etwa 25 000 Dollar. Die Kosten für Grenzarbeiten innerhalb des Siedlungsrechtecks bezahlten die Siedler selbst. Bis Weihnachten 1927 war die Vermessung der Umgrenzung des Siedlungskomplexes sozusagen fertig. Dann ging man an die Einteilung der drei Gruppengebiete los, wobei den beiden kleinen Gruppen, besonders den Saskatchewanern, die "Qual der Wahl" blieb. Aber noch anfangs Februar 1928 schrieb Landreth, der Feldaufseher der Siedlungsgesellschaft, die Mennoniten seien wegen innerer Zerwürfnisse mit der Landeinteilung unter sich immer noch nicht fertig.

Im Siedlerlager von Puerto Casado warteten um diese Zeit noch etwa 80 Familien auf die endgültige Festlegung der Pläne zur Gründung der Dörfer. Sofern sie nicht überhaupt schon eine Rückkehr nach Kanada eingeleitet hatten, wollten diese nicht eher von Puerto Casado aufbrechen, bis sie direkt ins Wildnisdorf, das im hohen Grase mit Pfählen abgesteckt war, einziehen konnten.

In ihrer Gesamtheit waren die Siedlerpilger über ein weites Gebiet verstreut, das sich von Puerto Casado bis über 200 Kilometer in die Wildnis zog. Immer wieder gab es Ursachen, über gewisse Angelegenheiten, die alle Siedler angingen, zu beraten. Die Verbindung der Siedlerlager untereinander war recht mühsam. Zumeist reiste man mit Ochsenfuhrwerken. Zeit zum Reisen hatte man schon, doch wenn es sich um wichtige Beratungen handelte, die so schnell wie möglich erledigt werden sollten, war das Ochsentempo doch allzu mässig. Nachrichten, die einfach eine schnellere Beförderung erforderten, wurden dann im Sattel zu Pferde übertragen. Aber auch die verantwortlichen Persönlichkeiten der Siedlungsgesellschaft waren nicht immer auf einem Platz, sondern genauso wie die Siedler im allgemeinen irgendwo im Gebiet der Siedlerlager. Daher war es oft mühsam, alle an einen Ort zusammenzubringen.

Es wurde dann beschlossen, dass der Gemeindeälteste, Martin C. Friesen, sich mit seiner Familie in Pozo Azul niederlassen sollte, um von hier aus seines Amtes zu walten. Er war als Gemeindeältester nicht nur für die gemeindlichen Angelegenheiten, sondern mit anderen zusammen auch für siedlungsbetreffende Sachen verantwortlich. Im Januar 1928 kam er nach Pozo Azul. Von hier aus reiste er dann nach Hoffnungsfeld, Palo Blanco und Loma Plata und notwendigenfalls auch nach Puerto Casado. Aber da er jetzt etwa im Zentrum des Lagergebietes wohnte, war es etwas leichter, die vielen Angelegenheiten zu behandeln. Aus einem Schreiben, das er an einen seiner Kollegen in einem anderen Lager schickte, ersieht man so einige der Sorgen, die ihn in Verbindung mit dem Siedlungsbemühen begleiteten. Es heisst dort unter anderem: (Brief des Ält. M. C. Friesen aus P. Azul an Pred. A. E. Giesbrecht, Loma Plata wohl geschrieben im April 1928):

> "Ich bedaure wirklich von Herzen den Geist der Uneinigkeit. Meine Gedanken wandern oft in jene Richtung, und ich frage mich: 'Was sollen wir tun, um mit den Westreservern eins zu werden?' Ich fürchte, es wird für uns ein steter Zankapfel bleiben, wenn es so, wie es jetzt ist, weiter geht. Wie oft habe ich in meiner Schwachheit schon gewünscht, wir könnten doch zusammen arbeiten."

Die Ostreserver Gruppe wäre sofort bereit gewesen, mit den Westreservern, die sich separat hielten, ein gemeinsames Siedlungsgebiet einzunehmen, wenn dann schliesslich die Saskatchewaner auch ihr abgesondertes Gebiet beibehalten hätten. Aber es war auch bei den Westreservern nicht möglich, mit Vereinigungsvorschlägen anzukommen. Sie hatten es sich halt in den Kopf gesetzt, unabhängig von den Ostreservern anzusiedeln. Die Gebiete der drei Gruppen wurden dann nach der Ackerzahl des Besitzrechtes verrechnet, und dann wurden die Grenzen festgelegt.

Für die kleinen Gruppen, nämlich für die Westreserver und die Saskatchewaner, war es dann nicht so schwierig, sich mit der Anlage ihrer Dörfer zurechtzufinden. Die eine Gruppe hatte nur ein Dorf und die andere Gruppe nur zwei Dörfer. Eine andere Sache war es für die grosse Ostreserver Gruppe, die das weitaus grösste Siedlungsgebiet, nämlich etwa 75% der gesamten Siedlungsfläche, einnahm. Diese Siedler hatten sich in elf Dorfgruppen aufgeteilt und mussten dann auch so viele Dorfplätze bereitstellen. Sie waren zunächst noch unentschieden, wann sie darangehen würden, ihre Dorfplätze auszusuchen und festzulegen oder zu kennzeichnen. Sie dachten daran, zuerst einmal die Leguagrenzen festzulegen. Herr Alfonso Hoefliger, der verantwortliche Angestellte der Siedlungsgesellschaft zur Förderung der Grenzarbeiten schrieb am 8. Januar 1928 an den Ältesten Martin C. Friesen einen dringenden Brief hinsichtlich der Dorfanlagen und der vermeintlichen Wichtigkeit der Leguagrenzen. Es ist ein aufschlussreicher Brief, der hier etwas gekürzt wiedergegeben wird:[19]

"Die Jahreszeit ist bereits vorgeschritten, und die Zukunftsverhältnisse Ihrer Gemeindeglieder sind ungewiss. Ich möchte an der Behebung der drohenden Not mitarbeiten. Dabei beziehe ich mich auf die Vermessung der Dorfanlagen, die, wie ich gemerkt habe, fertig sein soll, ehe man das Land pflügen will. Ich sehe solches als eine grosse Gefahr für die Ansiedlung. Ich möchte jede Gelegenheit benutzen, darauf aufmerksam zu machen. Und das habe ich schon seit Oktober vorigen Jahres getan. Obwohl ich Aussenseiter bin, so bekümmere ich mich doch um das Schicksal Ihres Unternehmens. Ich halte es einfach für meine Pflicht.

Vor allem mache ich Sie darauf aufmerksam, dass auf die Führung der Landvermessung in bezug auf Zeitdauer kein Verlass ist, wenn nicht die Mennoniten sich sofort ins Zeug legen. Die Interessen des Landmessers sind andere als die der Mennoniten. Er verrichtet die Arbeit, um Geld zu machen. Ein Termin ist ihm nicht vorgeschrieben. Er beeilt sich wegen der Lage der Mennoniten nicht. Wir werden also alles denkbar Mögliche tun müssen, voranzukommen. Ob es uns dann gelingen wird, hängt noch von verschiedenem anderem ab. Schlechtes Wetter kann die Arbeit tagelang lahmlegen; die indianischen Arbeiter können davonlaufen, ohne sich vorher abgemeldet zu haben, und dann müssen wir andere Arbeiter suchen; der Landmesser kann erkranken, und es kann dann Monate dauern, bis wieder einer bei der Arbeit ist, weil die Entfernung eine so grosse Rolle spielt.

Dem Landmesser ist es egal, wann die Vermessung abgeschlossen wird. Auch kann es passieren, dass der Landmesser der Leguagrenzen mit seinem Vorgesetzten nicht auskommt und entlassen wird. Solche und viele andere Dinge können passieren und die Ausführung der Vermessung für Monate hinausschleppen. Auch kann es durch Unannehmlichkeiten von Seiten der Mennoniten geschehen, was niemals ausgeschlossen ist. Die Festlegung der Leguagrenzen ist also nicht annähernd in ihrer Zeitdauer vorauszusagen. Mit anderen Worten: das Schicksal vieler Siedler wird eigentlich von nebensächlichen Landmessergeschichten abhängig gemacht.

Es sind aber auf Erden schon Dörfer und Städte gegründet und gebaut worden, ehe es überhaupt Landmesser gegeben hat. Man merkt jetzt schon eine grosse Armut in vielen Familien. Und Sie, da Sie die Geschicke Ihres Volkes lenken, wissen dieses am besten. Ich weiss nicht, über wie grosse Mittel die Mennonitengemeinden verfügen, aber wenn sie auch noch sehr viele Mittel hätten, so werden sie doch nicht ausreichen, wenn es so weiter geht. Und wenn die Mittel aufzutreiben wären, wäre es doch noch keine Lösung, denn dadurch wird die sowieso hart mitgenommene Gemeinde nur noch tiefer verschuldet. Die ersten Jahre des Kampfes müssen Sie bestenfalls darauf verwenden, Schulden zu zahlen, für die Sie weiter nichts als Elend gehabt haben. Solcher Zustand bringt Unmut — und körperliche Erschöpfung spielt da mit — und der eine und andere stirbt überhaupt daran. Durch das Schuldverhältnis lassen sich viele Siedler zu allzu grosser Sparsamkeit im Essen verleiten. Solches wirkt sich in jeder Hinsicht schädlich aus.

Es wird Leute geben, die die Tatsachen verkehren werden und werden dem Chaco die Schuld zuschieben. Eine erschöpfte und physisch heruntergekommene Gemeinde wird nicht imstande sein, die Einwanderung in Schwung zu erhalten, um ein rechtes Mennonitenland zu gründen. Dieses muss aber doch die Grundlage Ihres Unternehmens sein. Ich habe es mir also seit einigen Monaten schon zur Pflicht gemacht, dahin zu wirken, dass die Dorfplätze ausgesucht und gepflügt werden sollten, sobald die Südgrenze fertig ist, und nicht erst, wenn der Landmesser mit allem fertig ist. Dadurch wollte ich erreichen, die herannahende, drohende Not abzuwenden.

Ich habe es auch schon auf Versammlungen Ihrer Leute, wo ich zugegen war, gesagt und erklärt, wie man die Dorfplätze herausfinden kann. Man sollte Männer herausstellen, die jetzt schon das Siedlungsreservat durchreiten. Wenn sie vom Gebiet der Saskatchewaner Gruppe anfangen und in der Nähe der Südgrenze westwärts ziehen, werden sie alle Plätze, die sich für Dorfanlagen eignen, entdecken. Wenn ein Dorfplatz gefunden ist, reitet man anhand eines Kompasses nach Süden bis zur Grenzlinie. Dort findet man jeden halben und jeden ganzen Kilometer einen eingerammten Pfosten mit einer eingebrannten Zahl. Weil die Dörfer infolge des dafür geeigneten Landes alle mehr oder weniger in dem Gebiet nicht weit von der Südgrenze anzulegen sein werden, wird es auch ratsam sein, jedes Dorf so in die Legua hineinzustellen, dass es von keiner Grenze der Vermessung durchschnitten wird.

Der Zweck solcher Vorarbeit soll sein, sobald wie möglich pflügen zu können, um zu pflanzen und zu ernten, zur Linderung der Not. Sollten dann doch noch Vermessungskorrekturen notwendig sein, so wäre das immerhin nicht so schlimm, wie Hunger und Geldmangel. Ein weiterer Vorteil, die Dörfer an der Südgrenze entlang anzulegen, wäre: Über die Südgrenze hinaus gibt es viele gute Weideplätze, die die Siedler nutzen können. Das wird keinem Besitzer schädlich sein.

Bitte prüfen Sie nach, was ich Ihnen mit diesem Schreiben anrate. Es ist im Interesse der Siedlungsgesellschaft und soll den Mennoniten zum Vorteil gereichen. Da sind noch etwa 250 Kilometer Grenzpikaden zu schlagen, und es wird nicht möglich sein, damit fertig zu werden, bis die Aussaatzeit hereinbricht. Ich versichere Ihnen nochmals, dass obige Vorschläge zum Wohl Ihres Unternehmens dienen sollen, eines Unternehmens, das Sie bis heute so tapfer geleitet haben.''

Herrn Hoefligers Ausführungen und Vorschläge wirkten sich glücklicherweise positiv bei den Siedlern aus. Am 19. Januar überreichte man dem Herrn Hoefliger ein Schreiben des Ältesten Friesen. Hoefliger war zu der Zeit in Loma Plata. Das Schreiben enthielt eine Zusage, sofort mit dem Aussuchen und Festlegen der Dorfplätze zu beginnen. Am 28. Januar fand im Siedlerlager von Loma Plata in dieser

Sache eine Versammlung statt, wo beraten wurde, wie vorzugehen sei.

Die Mennoniten stellten dann ihre jungen Männer in den Dienst zur Bestimmung der Leguagrenzen. Diese Grenzen bedeuten heute nichts mehr. Damals aber waren sie zur Bestimmung einer Dorffläche von Bedeutung. Es wurde auch eine Kommission gebildet, die die Dorfplätze aussuchen und planen sollte. Man wählte dazu folgende Männer: Abram B. Toews, Johann A. Schroeder, Johann W. Froese, Peter F. Braun und Jakob H. Harder. Herr Hoefliger schloss sich ihnen an und war dann auch die ganze Zeit mit dabei. Bald kam auch noch Jakob A. Braun dazu, der um diese Zeit noch in Puerto Casado wohnte. Diese Arbeit der Bestimmung der Stellen zur Gründung der Dörfer nahm etwa einen Monat in Anspruch.

Jakob A. Braun war unter Mitwirkung der Siedlungsgesellschaft in die Siedlerlager im Chaco gereist mit dem Auftrag, die Leute zu bewegen, Siedlerfamilien von der Eisenbahn abzuholen. Es sassen um diese Zeit immer noch etwa 70–80 Familien am Paraguayfluss. Sie sollten dort endlich mal fortkommen. Viele von ihnen hatten keine Reisemöglichkeiten von der Eisenbahn aus in die Wildnis, weil sie weder Ochsen noch Wagen besassen. Andere wieder waren sowieso unschlüssig. Nach Erledigung seines Auftrags in den Siedlerlagern gesellte Braun sich zur Dorfanlagekommission. Die Männer dieser Kommission nahmen ihn gerne auf, weil er schon als tapferer Draufgänger bekannt war und sich auch in der Überlegungs- und Berechnungsfähigkeit ausgezeichnet hatte.

Die Herren der Siedlungsgesellschaft aber schimpften auf Herrn Braun, dass er nicht sofort wieder nach Puerto Casado zurückkehrte und dort persönlich berichtete, wie die Dinge im Chaco aussähen. Auch bezahlten sie Braun ja dafür, dass er seine Zeit für die Planungen des Einzugs in die Wildnis verwenden sollte.[20] Doch gingen ihre Bestrebungen nicht unbedingt auseinander, denn auch die Siedlungsgesellschaft wollte schon so gerne, dass die Siedler in ihre Dörfer übersiedeln könnten.

Wochenlang ritten die Männer der Dörferanlegungskommission durch die weiten und auch durch die engeren Gras- und Baumsavannen, bemassen und überlegten und legten Dorfanlagepläne zurecht, indem sie immer wieder von der Südgrenze aus in die ''Campos'' ritten. Sie benutzten dabei Kompass, Bleistift und Papier. Jeder Reiter hatte eine Feldflasche mit Wasser und etwas Essen bei sich. Für die Nacht kehrten sie in das ihnen am nächsten liegende Siedlerlager ein. Das war Palo Blanco, Loma Plata oder Kilometer 216. Mit den primitiven Mitteln, die ihnen bei dieser Arbeit zur Verfügung standen, war das keine einfache Sache. Aber dass sie ihre Arbeit damals gut gemacht haben, dafür spricht die Tatsache, dass zehn von den elf damals angelegten Dörfern nach mehr als 50 Jahren noch bestehen.[21]

Bei dieser Arbeit des Ausschusses der Dorfplätze geriet Jakob A. Braun eines Tages, kurz vor Abend, in einen Wald, der viel breiter war, als er angenommen hatte. Er kam erst kurz vor Morgenanbruch mit seinem Reittier aus dem Dornengeflecht des Chacobusches heraus, an der Haut zerschunden, die Kleider zerfetzt. Das hatte ihn soviel mitgenommen, dass er am nächsten Tag der Ruhe bedurfte. An diesem Tage zog er nicht mit den anderen mit. Als die Kommission dann mit ihrer Arbeit zum grössten Teil fertig war und ihr Quartier im Siedlerlager Kilometer 216 hatte, ereignete sich noch ein merkwürdiger Zwischenfall.[22] Darüber schreibt Engen folgendes:[23]

Am 17. Februar, kurz vor Morgenanbruch, meldeten sich Männerstimmen vor meinem Zelt in Palo Blanco, wo ich unter meinem Mückennetz schlief. Es waren die Herren Hoefliger und Jakob Braun. Hoefliger bat mich, mal herauszutreten, sie hätten mir etwas mitzuteilen. Ich erwiderte, ob sie denn nicht bis zum Morgen warten könnten. Ich wollte nicht aufstehen. Aber Hoefliger bestand darauf, es könnte nicht bis zum Morgen hinausgeschoben werden. Ich erhob mich, schlurfte hinaus und rief ihnen entgegen, was für eine dringende Sache sie hätten? Sie berichteten dann, gestern abend seien Indianer ins Siedlerlager Kilometer 216 gekommen, wo sich die Dorfanlagekommission aufhielt, und hätten gemeldet, dass bolivianische Soldaten in der Nähe gesehen worden seien. Ich fragte Hoefliger, was zum Teufel er denn wolle, dass ich jetzt unternehmen solle. Warum er nicht lieber herausgefunden hätte, was überhaupt an der Sache wahr sei. Die Indianer hätten sich wahrscheinlich nur einen Spass auf unsere Kosten erlaubt.

Ich dachte mir gleich, wie das Ganze aussehen könnte, und so war es dann auch. Hoefliger teilte dann mit, er habe die Leute des Siedlerlagers Kilometer 216, wo 4 Familien wohnten, aufbrechen lassen und sie nach Loma Plata zu flüchten angewiesen. Sie hätten dann rasch einige ihrer Siebensachen auf die Wagen geworfen, die Ochsen vorgespannt und wären abgehauen nach Loma Plata, wo sie kurz nach Mitternacht angekommen seien. In Loma Plata sei Hoefliger zu David Fehr geeilt, habe ihm einen Lagebericht gegeben und ihn gebeten, Aufbruch und Flucht der Lagerbewohner anzuordnen.

Ich machte Hoefliger dann klar, was für eine unsinnige Handlung solches sei und was dabei herauskommen würde — sprachs und ging und kroch wieder ins Bett und unter mein Mückennetz. Der arme Braun war ganz müde; denn er war den ganzen Tag vorher in der Angelegenheit der Festlegung der Dorfplätze bis in den Abend hinein im Sattel gewesen.

In Loma Plata war grosse Aufregung. Und die etwa 50 bis 60 Familien des Siedlerlagers waren aufgerufen worden, sich zur Flucht bereitzuhalten. Keiner hatte seit Hoefligers Fluchtalarm kurz nach Mitternacht mehr geschlafen. Überall erblickte man furchtzerquälte Gesichter. Wir brachten den Leuten dann bei, dass es sinnlos sei, sich vorzustellen, bolivianisches Militär hätte die Absicht, diese friedlichen Siedler zu molestieren.

Wir fuhren dann nach Isla Poí, wo paraguayisches Militär ist. Herr

Isaak Funk fuhr uns im Camion dorthin. Wir hatten den Herrn Landmesser mit, der auch deutsch spricht und nach der Rückkehr den Mennoniten mitteilte, man wisse von keinem bolivianischen Militär in dieser
Umgebung. Um Mitternacht waren wir wieder zurück im Siedlerlager
Loma Plata. Wir flössten den aufgeregten Siedlergemütern wieder
neuen Mut ein.

Die Siedler sprachen sich dann sehr offen über den Hoefliger aus.
Der war in Palo Blanco geblieben, wo er in offensichtlicher Angst der
Dinge harrte, die kommen sollten. Als wir am nächsten Tag dorthin
zurückkehrten, wollte er wissen, ob wir Bolivianer gesehen hätten. Er ist
ein guter Mann. Auch die Mennoniten haben ihn gerne. Und sie
bestehen auch jetzt noch darauf, er soll ihnen weiter in der
Ansiedlungssache helfen. Aber wäre ich in diesem Falle jetzt nicht hier
gewesen, hätte er ganz dumme Sachen abgewickelt, indem er das, was
er schon angefangen hatte, sicherlich ganz im Ernst weiter ausgeführt
hätte. Aber macht Euch diesbezüglich nicht weiter Sorgen, denn
Hoefliger hat eine lehrreiche Lektion mitbekommen und die Mennoniten auch. Die Indianer hatten für gewisse Arbeit, die sie verrichtet
hatten, nicht genug zu essen und nur zwei und einen halben Meter Stoff
als Wochenlohn bekommen. Dieses haben wir jetzt mit ihnen geregelt,
und alles ist wieder gut.''

Als dann die Nachricht von diesem peinlichen Vorfall bis ins
Siedlerlager Puerto Casado drang, hatte sie über die weite Strecke
durch die Wildnis schon ein viel ernsteres Gesicht bekommen. Ein
wirklicher Überfall wäre schon geschehen, und was die Leute nicht
noch alles dazuerfunden hatten. Bald stand es dann auch in nordamerikanischen Zeitungen.

In den letzten Tagen des Februar 1928 wurde dann die Arbeit der
Dorfanlegungsplanung beendigt. Die Dörferplanungskommission
hatte den Hauptteil ihrer Aufgaben erledigt. Die Einzelskizzen
wurden zu einer Einheit verarbeitet und die skizzierten Dorfplätze
wurden mit Namen versehen. In allen Siedlerlagern hatten sich bereits
Dorfgruppen gebildet und sich einen Dorfschulzen ausersehen. Mit
diesen setzte sich die Siedlungsleitung jetzt in Verbindung, und so
wurden die Dorfplätze durch Lose an die Dorfgruppen vergeben. Das
war auch noch wieder eine mühsame und, bei dem langsamen Verkehr, zeitraubende Angelegenheit, da die Dorfschulzen bis über 200
Kilometer hin und her zerstreut in den Siedlerlagern wohnten. Bis
zum April war die Verlosung dann abgeschlossen. Endlich war es
soweit! Die Siedler durften unter sich als Dorfgruppen ihre
Grundstücklose ziehen und hinausfahren, sie zu vermessen und
abzustecken.

Ein Aufatmen ging durch die wartemüden Reihen! Jetzt galt es,
noch die letzte Etappe zu bewältigen, und dann sollte man zu Hause
sein.

Fussnoten zu Kapitel XII
Die Vermessung des Siedlungsgebiets

1. Aus einem Brief des Peter F. Krahn aus Puerto Casado am 17. Juni 1927 an Abram A. Braun, Grünthal, Manitoba.

2. Dr. Walter Quiring in seinem Buch: *Russlanddeutsche suchen eine Heimat*, Seite 77:
   '' . . . die Landgesellschaft (gemeint sind die Amerikaner als Siedlungsgesellschaft, MWF) schien sich nicht kümmern zu wollen; sie hatte schon im Dezember 1925 ihren Vertreter Marsh aus New York nach Paraguay geschickt, um das bei der Casadogesellschaft gekaufte und auf der Karte festgelegte Land im Chaco vermessen zu lassen. Doch hatte Herr Marsh sich mit dem Landmesserbüro in Asunción im Preise nicht einigen können und war unverrichteter Sache wieder nach Nordamerika zurückgekehrt. Seitdem hatte die Corporación Paraguaya (die Siedlungsgesellschaft) nichts unternommen, ihr Land in dem Riesenurwald zu suchen, Schneisen zu ihm durchzuschlagen und wenigstens einige Punkte der Grenzen festzusetzen.''

   Obige Feststellung stimmt nicht ganz. Aus der Fülle der Korrespondenz, die wir heute in unseren Händen haben, kann man ersehen, wie machtlos auch die Amerikaner den südamerikanischen Verhältnissen gegenüberstanden und manches ganz anders gehen lassen mussten, als sie wollten. Und wenn sie merkten, dass sich mit Geld etwas machen liess, scheuten sie sich auch nicht Geld auszugeben, das sonst gar nicht im Siedlungsbudget vorgesehen war. Sie haben viele tausende Dollars ausgegeben, einfach aus dem Grunde, dass das Chacoprojekt endlich doch einmal mit Erfolg gekrönt würde oder wenigstens nicht zusammenbrechen sollte.

3. John C. Marsh an Herr Robinette — 18. Dezember 1926
   Herr Marsh schrieb aus Asunción u.a.: Vermessungsberechnungen für 100 Legua Land: Alexander Bibolini 15.700, — Dollar; Sixto Estigarribia 14.782, — Dollar. Beide Berechnungen werden als zu hoch angesehen. Dr. Eusebio Ayala hält sich den Weg noch offen. Herr Engen und Herr Casado sind für den Landmesser Bibolini. Engen meint, das gewünschte Land für die Ansiedlung wird auf dem Kartenblock No. 168 sein, es ist aber noch niemals vermessen worden und somit örtlich nicht festgelegt.

4. Dr. W. Quiring ob.zit. — S.92
   ''Aber bei der stümperhaften Vorbereitung und der sträflich nachlässigen Durchführung des Unternehmens durch die Corporación Paraguaya war eine Katastrophe unvermeidlich. Denkbar ungünstig war von der C.P. schon die Jahreszeit für die Einwanderung in diese subtropische Gegend gewählt worden.''

   In Wirklichkeit waren es aber gerade die Mennoniten selbst, die sich diese Jahreszeit gewählt hatten. Nicht aber ging es ihnen darum, in dieser Jahreszeit umzusiedeln, sondern darum, endlich einmal die Auswanderung zu verwirklichen, hatten sie doch schon seit 1921 damit gearbeitet. Und jetzt, ausgangs 1926, wo in Manitoba der Winter einsetzte und in Paraguay heisser Sommer war, war es endlich soweit, dass sie ziehen konnten, und da zogen sie eben aus. Die verantwortlichen Amerikaner in der Siedlungsgesellschaft und auch der Herr José Casado oder auch die Casadogesellschaft überhaupt, waren nicht dafür, dass die Mennoniten schon gingen sondern dass sie bis zur Zeit des Winteranfangs in Paraguay warten sollten. Dafür aber waren die Auswanderungsinteressenten nicht zu haben, sie wollten sofort ziehen.

5. Dr. W. Quiring — ob.zit. S.71

6. Herr Alfred Rogers aus Winnipeg am 22. Januar 1927 an Herrn R. N. Landreth in USA.

7. Herr Rogers aus Asunción am 4. Juni 1927 an Herrn Robinette in Philadelphia, Penn., USA:

''We are even paying for keeping the villages in Puerto Casado clean, and we are also paying for pumping water. This work, however, is not costing much, and for the time being it seems necessary on our part as these people have no experience in a city life and the necessary cleanliness. I do not think many of them have taken a bath since they arrived. It is hard to get them into the ways of living so necessary in this climate.''

8. Nach Berichten von Peter R. Sawatzky und Abram F. Toews.
9. Herr Rogers aus Paraguay an Herrn R. N. Landreth in Winnipeg am 14. Juni 1927.
10. Herr Rogers aus Asunción an das Fürsorgekomitee in Puerto Casado am 4. Juni 1927.
11. Herr Rogers aus Paraguay an Herrn Robinette, USA, am 4. Juni 1927
12. Herr Fred Engen aus Pozo Azul an General McRoberts in New York am 11. August 1927.
13. Herr Rogers am 11. Juli auf dem Rastplatz Km. 216 an die Intercontinental Company, Philadelphia USA.
14. Aus den Notizen des Paraguaydelegierten Bernhard Toews, Altona, Manitoba:
    ''Auf einer Beratung am 11. Februar 1926 im Hause des Bernhard Toews, West-reserve, Manitoba:
    Punkt 5: Wir von der Westreserve gedenken dort nebeneinander anzusiedeln und uns alsdann an diejenige Gemeinde anzuschliessen, die uns gelegen ist (gemeint sind die Chortitzer aus der Ostreserve Südmanitobas und die Bergthaler aus der Rosthern Gegend in Saskatchewan.)''

    Aus dem Schreiben vom 18. März 1926 des Bernhard Toews an den Ältesten Martin C. Friesen, Ostreserve, Manitoba, geht hervor, dass er — Bernhard Toews — mit **nur einem** Landtitel für die gesamte Chacosiedlung rechnete. Es ist aber auch aus demselben Schreiben schon herauszuhören, dass schon um diese Zeit von mehr als nur einem Landtitel gesprochen worden ist.
15. R. N. Landreth aus Paraguay am 22. März 1928 an A. A. Rogers in Winnipeg.
16. R. N. Landreth — idem
17. Rogers zu P. J. A. Braun in Winnipeg Ende Dezember 1927, als Rogers soeben aus Paraguay zurückgekehrt war. (Nach Aufzeichnungen des P. J. A. Braun. Original im Menno–Archiv.)
18. Brief des A. A. Rogers aus Asunción an A. Hoefliger, Pozo Azul, Chaco, vom 10. November 1927.
19. Herr Alfonso Hoefliger aus Pozo Azul am 6. Januar 1928 an den Ältesten Martin C. Friesen, damals noch in Puerto Casado wohnhaft. (Original im Menno–Archiv)
20. Herr R. N. Landreth aus Paraguay an Herrn A. A. Rogers in Winnipeg am 22. März 1928.
21. Ein Dorf — Silberfeld — wurde um 1935 aufgelöst. Die Silberfelder verteilten sich alsdann auf verschiedene andere Dörfer. Die Ursache der Auflösung dieses Dorfes aber lag nicht darin, dass es unpassend angelegt worden war, sondern lag in den Folgen ständigen Zwiespalts unter den Nachbarn und auch in der Armut dieser Siedler. Ein anderes Dorf — Halbstadt — wurde zu dicht besiedelt, was man auch bald merkte. Um 1935 siedelte etwa die Hälfte der Halbstädter aus und die zurückbleibenden Siedler vergrösserten ihre Wirtschaften. Die Aussiedelnden liessen sich dann in neugegründeten Dörfern wie Ebenfeld, Kleinstädt und Grün-feld nieder.
22. Siehe ''Kanadische Mennoniten bezwingen eine Wildnis'' Seite 69: Die Bolivianer sind da!
23. Herr F. Engen in einem Brief aus Pozo Azul am 4. März 1928 an Herrn A. A. Rogers in Winnipeg.

KAPITEL 13

Die Siedlung entsteht

Die schwerste Zeit für jene mennonitischen Chacosiedler ist jetzt überwunden. Die Wartezeit war sehr schwer . . . Man kann sich kaum vorstellen was diese Leute durchgemacht haben . . . Heute aber sieht man, dass sie mutig sind, allgemein zufrieden und freuen sich, endlich auf eigenem Boden zu sein . . .

Aus Berichten von Männern der Alt–Mennoniten, die 1929 auf Wunsch ihrer Gemeinde in USA die junge Wildnissiedlung besuchten.

Die Bildung der Dorfsgruppen und Verlosung der Dörfer und Höfe

Die Zusammensetzung der Gruppen für die künftigen Dorfgemeinschaften war für die verschiedenen Dörfer verschieden. Zum Teil fanden sich die Siedler für die Dorfsbildung so zusammen, wie sie in Kanada in abgegrenzten Bezirken gewohnt hatten. In fast allen Dörfern waren aber auch solche Familien, die bis zur Auswanderung mit ihren jetzigen Nachbarn nicht bekannt gewesen oder die weit auseinander gewohnt hatten. Sie hatten sich jetzt während der langen Wartezeit kennengelernt und waren eng miteinander befreundet.

So ging die Dorfsgemeinschaft von Schöntal aus dem Siedlerlager Hoffnungsfeld hervor und setzte sich aus Familien zusammen, die aus verschiedenen Gegenden des Ost– und Westreservats Südmanitobas kamen. Dagegen setzte sich das Dorf Bergfeld aus Familien zusammen, die auch in Manitoba nahe beieinander gewohnt hatten. Die 27 Westreserver Familien, die sich noch vor der Bildung der Dorfgemeinschaften den Ostreservern gemeindlich und somit auch wirtschaftlich–organisatorisch zugesellt hatten, verteilten sich auf 6 von den 11 Dörfern der Ostreserver Gruppe, welche damals noch die sogenannte Chortitzer Gemeinde bildete.

Von Pozo Azul aus gingen einige Familien zurück nach Kanada, die anderen zogen mit ihren Familien auf ihre zugefallenen Stellen in der Wildnissiedlung, wo sie weiter nichts als hohes Gras und Sträucher und Bäume vorfanden. So machten es auch die meisten aus dem Hoffnungsfelder Siedlerlager. Auch von hier gingen einige zurück nach Kanada. Die Bewohner des Siedlerlagers Loma Plata blieben hier noch für einige Zeit mit ihren Familien wohnen. Sie arbeiteten zuerst auf ihren Hofstellen in ihren Dörfern, errichteten dort Gebäude und pflügten Äcker. Nach und nach zogen sie dann in die Dörfer. Auch aus diesem Siedlerlager gingen noch etliche Familien nach Kanada zurück. Die meisten Gnadenfelder kamen von Loma Plata, die Weidenfelder von Pozo Azul. Das Dorf Waldheim wurde grösstenteils im Walde angelegt. Die Siedler kamen aus dem Lager Loma Plata.

Die Bewohner des Siedlerlagers Palo Blanco gründeten das Dorf Bergtal. Sie hielten sich auch als Gemeinde separat und nannten sich die Bergtaler Gemeinde. Die Einheit dieser winzigen Gemeinde hielt sich kaum ein Jahr. Im Jahre 1929 gingen 7 Familien aus diesem Dorf ab und gründeten das Dorf Neuanlage. Damit schieden sie auch aus der Bergtaler Gemeinde aus und schlossen sich der Chortitzer Gemeinde an. Sie fanden die Gemeindeorganisation der Bergtaler für ihre Begriffe zu mangelhaft. Die anderen jedoch wollten ihre separate Gemeinschaft als Bergtaler beibehalten. Daher mussten jene, wenn sie sich den Chortitzern anschliessen wollten, das Dorf verlassen. Unter diesen 7 Familien waren auch die 4 Familien, die sich noch in Kanada den Bergtalern aus Saskatchewan angeschlossen hatten, indem sie aus der Chortitzer Gemeinde austraten und als Bergtaler nach Paraguay auswanderten. Jetzt waren sie wieder zurück bei den Chortitzern.

Das letzte der 14 Ansiedlungsdörfer war Silberfeld, das aber auch noch 1928 angelegt wurde. Diese Dorfgruppe setzte sich in der Hauptsache aus solchen zusammen, die bei anderen nicht gut angekommen waren, so dass ihnen zuletzt nichts anderes blieb, als sich zusammen in Silberfeld niederzulassen. Die meisten von diesen waren obendrein noch arm. Das Dorf hätte sich aber trotzdem halten können, vermochte es aber nicht, weil es an der Einigkeit fehlte. So wurde es nach etwa 6 Jahren aufgelöst, und die Einwohner wurden auf die anderen Dörfer verteilt.

Von den 70 Familien, die um die Zeit der Dörfergründung (April 1928) noch in Puerto Casado wohnten, ging eine Anzahl zurück nach Kanada, die anderen kamen in die Dörfer, deren Gemeinschaft sie zugehörten oder sich erst jetzt anzuschliessen versuchten. Unter diesen waren auch spätere Silberfelder. Die Laubenheimer kamen wohl alle direkt aus Puerto Casado.

Die Dorfgruppenbildung wurde von den Predigern etwas beaufsichtigt; vor allen Dingen wurde von der Seite mitgearbeitet. In einem Schreiben des Ältesten Martin C. Friesen aus Puerto Casado an die Prediger im Siedlerlager Loma Plata, vom 18. Januar 1928, hiess es unter anderem:

"Noch etwas über das Organisieren der Dorfgruppen: Es ist notwendig, darauf aufmerksam zu machen, bei der Gruppierung Recht und
Gerechtigkeit walten zu lassen, ohne Ansehen der Person, so dass der
Herr unser Werk auch segnen kann. Und auch darauf aufmerksam
machen, dass nicht zu viele Blutsverwandte sich in einem Dorf
niederlassen oder sogar nur solche ein Dorf anlegen. Wir denken dabei
an das Heiraten zwischen Blutsverwandten. Wir wollen vor solchen
Heiraten warnen."

Die Dorfgruppen organisierten sich aber nur als Dorfgemeinschaften. Sie suchten sich nicht selber ihre Kämpe aus, um sie
einzunehmen und zu besiedeln. Die Siedlungsplätze, d.h. die Kämpe
für die Anlage der Dörfer wurden von einer speziellen, hierzu ernann-
ten Kommission gewählt und bestimmt. Im März schloss diese Kommission ihre Arbeit ab.

Diese Festlegung der Stellen für das Anlegen der Dörfer bezog sich
nur auf das Gebiet der Ostreserver Gruppe, einschliesslich der 26
Familien, die ihren Landbesitz dem Ostreserver Gebiet einverleibt
hatten. Die Dörfer Laubenheim und Waldheim wurden von der sepa-
raten Westreservergruppe angelegt, die als Gruppe alle erforderlichen
Funktionen selbst ausübte. Das gleich traf auf die Saskatchewaner
Gruppe zu, die das Dorf Bergtal gründete.

Die grosse Ostreserver Gruppe hatte viel mehr mit der Gründung
der Dörfer zu tun als die kleinen Gruppen. Sie hatte sich, zusammen
mit den 27 hinzugekommenen Westreserver Familien in 11 Dorfgruppen aufgeteilt, von welchen die eine, Silberfeld, nur langsam
nachhinkte, d.h. erst richtig als Dorfgruppe zustande kam, als schon
all die anderen fertig waren.

Nachdem die Dorfanlagepläne klar waren, beriet man über die
Benennung der Dörfer und einigte sich auf folgende Namen: Gnaden-
feld, Bergfeld, Chortitz, Reinland, Strassberg, Osterwick, Weidenfeld,
Halbstadt, Grüntal, Hoffnungsort und Silberfeld.

Am 1. März 1928 wurden die Vertreter der Dorfgruppen nach
Hoffnungsfeld eingeladen, um die Lose für ihre Dorfplätze zu ziehen.
Es waren 6 Dorfschulzen erschienen. Die anderen 5 Vertreter der
Dorfgruppen, die noch im Siedlerlager von Puerto Casado waren,
kamen dann einige Wochen später nach Pozo Azul und zogen dann
dort ebenfalls ihre Lose.

Nachdem die Dorfvertreter die Lose gezogen hatten, fuhren die
Bürger der einzelnen Dörfer in kleineren und auch in grösseren Gruppen hinaus, ihren Siedlungsplatz zu untersuchen; zu besehen, was sie
erhalten hatten, was ihnen zugefallen war. Die Gnadenfelder,
Weidenfelder, Bergfelder, Reinländer, Halbstädter, Chortitzer und
Osterwicker nahmen die ihnen durchs Los zugefallenen Stellen
unverändert an und so auch die Gruppe, deren Platz man mit

Hoffnungsort benannt hatte. Hier wurde aber ein anderer Name gewünscht. Es wurde ''Blumengart'' vorgeschlagen und angenommen.

Den späteren Schöntalern war der Dorfplatz Strassberg zugefallen. Sie fanden diesen Kamp aber für ihre grosse Gruppe als nicht geeignet. Im nordwestlichen Teil des gekauften Landes lagen noch Stellen, die nicht in die Lose mit einbezogen waren. Sie wählten sich dann eine von diesen für ihr Dorf und nannten es Schöntal. Den späteren Strassbergern war der Dorfplatz Grüntal zugefallen. Er gefiel ihnen aber nicht, und weil der Dorfplatz Strassberg nun frei geworden war, übernahm diese Gruppe Strassberg und erhielt auch den Namen. Silberfeld wurde dann noch zum Teil von Nachzüglern voll besiedelt.

Der Name ''Hoffnungsort'' war also durch den Namen ''Blumengart'' ersetzt worden.

Ein Dorf Hoffnungsort hat es deshalb nie gegeben. Schöntal kam sowohl als Dorfsname wie auch als Siedlungsplatz neu hinzu. Dagegen blieb Grüntal als Ort und auch als Name zunächst übrig. Es ist dann erst später von jungen Neubauern besiedelt worden und hat dann den alten Namen beibehalten.

Von den etwa 60 Familien, die nach Kanada zurückfuhren, waren etwa 25 Familien, die noch mit in den Chaco bis in die Siedlerlager gekommen waren, und etwa 15 Familien hatten sogar mit angesiedelt. Ganz genau kann das nicht mehr festgestellt werden.

Hatte eine Dorfgruppe ihren Dorfplatz eingenommen, dann wurde überlegt, wie man das Dorf am zweckmässigsten anlegen könne. Was man vor allem anstrebte, war, das Kampland so viel wie möglich gleichmässig auf die Wirtschaften einzuteilen. Das Zuteilen der Grundstücke an die Dorfsbürger wurde dann auch wieder durch Verlosung gemacht. Denn man sah es schon sofort, dass die Grundstücke in der Bedeutung für den Ackerbau gar nicht alle gleich waren.

Als einmal so eine Männerschar für eine Stellenverlosung zusammen war — es war in diesem Falle die Dorfgruppe Bergfeld — und der Schulze einen nach dem anderen sein Los zu ziehen aufrief, weigerte sich der eine, als er dazu aufgerufen wurde. Er sagte, er wolle noch nicht. **Warum** er aber nicht ziehen wollte, sagte er nicht. Andere aber hatten gehört, wie er sich vorher geäussert hatte, dass er den einen ihrer Gruppe auf keinen Fall zum Nachbarn haben wolle. Nun war er gerade nach diesem aufgerufen worden, sein Los zu ziehen. Deshalb wollte er lieber bis zuletzt warten, um mehr aus dessen Nähe zu rücken. In Wirklichkeit war das sinnlose Überlegung denn das Los wurde ja aufs Geratewohl gezogen. Er zog dann als Letzter sein Grundstückslos. Und wahrhaftig! — es war das Nachbarstück zu dessen Grundstück, den er nicht als Nachbarn haben wollte. Und es war das letzte, einzige Los, das noch verblieben war.

Die ersten Arbeiten und Erlebnisse auf eigener Scholle

Die prüfungsvolle Zeit des Wartens aber, das unendlich lange Überlegen, wann doch endlich das schon so abgegriffene "Manana" sein erfülltes Mass erreicht haben würde, alles das sollte nun doch endlich einmal vorbei sein, und das so sehnlichst erhoffte Anlegen eines neuen Heimes in der wildfremden neuen Heimat sollte beginnen. Die neuerworbene Scholle hatte man schon vor der Abreise in Kanada bezahlt und inzwischen hatte man auch schon festgestellt, dass der Boden ertragsfähig war.

In die hingestreuten Siedlerlager der weiten Wildnis kam nun, nachdem das Land endlich vermessen war, neue Bewegung, neue Hoffnung, neues Leben. Jetzt hiess es, Vorbereiten zum Aufbruch, zum endlichen Einzug ins "gelobte Land", nicht, sich wieder irgendwo niederzulassen, das Zelt aufzuschlagen und sich wieder für lange Monate hinzusetzen und tatenlos zuzusehen. Nein, jetzt zog man hinaus auf die eigene Scholle, wo man endlich wieder wirklich sein eigener Herr sein würde!

"So, nü senn wi tüs", sagte die Mutter zu ihren Kindern, als die schwerbeladenen, knarrenden Wagen endlich mitten im hohen Grase auf einer gedachten Hofstelle anhielten. "Jo, nü mott wi aune Oabeit gohne, nü mott wi noch seah oabeide", sagte der Vater und schaute doch etwas besorgt in die alles andere als wirtschaftlich einladende Gras- und Strauchwüste.

Jawohl, zu Hause waren sie jetzt, aber nicht in einem Zuhause, das es schon war, sondern das es noch werden sollte. Man hatte nun ein Besitzrecht, ein Eigentumsrecht, legal festgelegt, aber damit hörte auch alles auf. Von da an war nichts wirklicher als die Ungewissheit der Zukunft hier, dunkel und geheimnisvoll wie die Wildnis selbst. Wer wollte es diesen, wenn auch tapferen, so doch oftmals auch von düsteren Zweifeln angefochtenen Wildnisbezwingern verdenken, wenn sie dann etwas bange die Frage stellten: "Was wird uns die Zukunft bringen?!"

Die Namen der Dörfer muteten zwar heimatlich an: Bergtal, Laubenheim, Waldheim, Gnadenfeld, Weidenfeld, Bergfeld, Silberfeld, Reinland, Halbstadt, Strassberg, Osterwick, Blumengart, Schoental und Chortitz. Und doch! Das waren zunächst bloss Namen, "aul daut aundre wea so gaunz aundasch" (alles andere war so ganz anders). Das einzige Bekannte oder Altvertraute, das ihrer hier erwartete, war auch wirklich nur der Dorfsname. Alles um sie her war rauhe, schweigende Wildnis, die sich schon über so lange Zeiträume hinweg in ihrer Unberührtheit und Unerbittlichkeit behauptet und aller Kultur getrotzt hatte. Um diese unbarmherzige und trotzende Wildheit der Landschaft für eine kulturelle Bezwingung überhaupt anzugreifen, brauchte es Menschen, die sich buchstäblich als Wildnisstürmer hergaben und bereit waren, ein Stück von sich selbst zu geben; brauchte es Menschen, denen die ganze Sache bitter ernst war; denn mit Halbheiten schaffte man hier nichts. Hier musste man in der Tat aufs Ganze gehen; hier musste man nicht nur viel, sondern eigentlich alles wagen.

Man könnte meinen, in den Adern dieser Wildnisbezwinger habe abenteuerliches Blut gewallt, es seien von einer rohen Abenteuerlust erfüllte Menschen gewesen. Aber nein! Das war es nun gar nicht! Sondern es waren Menschen mit einem unverwüstlichen Gott-vertrauen, Menschen, die nicht das Ihre suchten, sondern das, was Gottes ist.

Im folgenden lassen wir drei Männer aus jener Zeit sich über diesen Siedlungsanfang äussern, zuerst Walter Quiring in seinem Buch: *Russlanddeutsche suchen eine Heimat*:

> "Nun begann auf den Kämpen im Urwald ein emsig-hastiges Schaffen und Wirken, und es schien, als sei die Kraft dieser deutsch-blütigen Neuschaffer unerschöpflich. Nachdem die Grundstücke ver-messen und verlost waren, wird unter grossen Schwierigkeiten Wasser gesucht, kleine Lehmhütten werden als Notwohnungen aufgeführt, die baumbestandenen Kämpe gerodet und gepflügt und das Land vor-bereitet für die erste schicksalhafte Aussaat. So ensteht die Ansiedlung Menno — so genannt nach Menno Simons."

Herr Alfred A. Rogers aus Winnipeg schrieb am 7. Juni 1928 an den Siedlungsangestellten Abram A. Braun im Dorfe Strassberg wie folgt:

> "Ich denke, Euer Siedlungswerk ist nun endlich doch so weit, dass Ihr Siedlungsleiter mal ein bisschen ausruhen könnt. Denn es ist doch keine Kleinigkeit, mit all dem fertig zu werden, das auf Euch gekommen ist. Ich bewundere Euren Mut und Eure Charakterstärke, die ich an Euch beobachtet habe. Jetzt können die anderen mal was tun. Nun denn, ich weiss wohl, viele Eurer Leute haben keine Erfahrung; viele sind jung, waren niemals aus der Umgebung, wo sie aufwuchsen, herausgekom-men. Sehr richtig ist es, wie Du schreibst, dass sie jetzt meinen, sie müssten in der Wildnisansiedlung mit einem Riesen Goliath kämpfen. Sie fürchten sich. Vieles in der Welt scheitert eben daran, dass man sich fürchtet. Und bei solchem Unternehmen, wie Eure Wildnisansiedlung, muss man, um durchzuhalten, entweder ein ganz grosses Selbstvertrauen oder einen starken Glauben besitzen. Und nochmals: Ich bewundere Eure Glaubensstärke und die Art, wie Ihr die Furcht bezwingt. Aber gerade das wird Euch auch befähigen, Euer Siedlungswerk erfolgreich durchzuführen."

Ältester Martin C. Friesen schrieb am 1. März 1928 folgender-massen an Herrn Alfred Rogers in Winnipeg:

"Diese Gegend hat Vorteile, und sie hat auch Nachteile, so wie es mit allen Gegenden der Welt ist. Warum sollte man dann nur die Nachteile aufzählen? Das wollen wir nicht. Und überhaupt, was wir heute als einen Nachteil empfinden, sehen wir morgen vielleicht schon als einen Vorteil an. Es ist wirklich noch zu früh, jetzt schon ein vollständiges Urteil abzugeben oder aufzuzeigen, welches die wirklichen Nachteile oder welches eigentlich doch Vorteile sind oder sein werden. Aber soviel können wir heute schon sagen, wir vertrauen auf Gottes Hilfe und hoffen unser Leben hier machen zu können. Und schliesslich — ganz egal, wo in der Welt wir sind — an Gottes Segen ist alles gelegen. Wir danken Gott, dass er uns ein Land hat finden lassen, das uns so grosszügige Freiheiten gewährt. Mögen uns diese Freiheiten erhalten bleiben!

Die bis dahin harte, unnahbare Wildnis forderte wirklich ein festes Zupacken, und das geschah dann auch. Diese Bauern germanischer Abstammung hatten Schwielen in ihren Händen, Schwielen sogenannter mennonitischer Pionierarbeit. Es waren keine verweichlichten Träumer, die in schlafwandlerischer Sorglosigkeit oder aus Leichtsinn sich eine stille Ecke aufgesucht hatten. Mit Gelehrsamkeit und mit dem Schwingen grosser Reden, sagten sie, schaffe man es hier nicht; und da hatten sie sicher recht. Sie hatten etwas Besseres: einen unbeugsamen Willen und ein hohes Mass schlichten Glaubens, verwurzelt in einem unverwüstlichen Gottvertrauen.

Was hatte die Welt nicht schon alles durch ihren hohen Bildungsstand zu erreichen versucht? Und was hatte sie erreicht? Was war dabei herausgekommen? Man war diesen Ergebnissen gegenüber höchst skeptisch.

Herr Alfred Rogers war den grössten Teil des schweren Jahres 1927 unter den Siedlern gewesen, hatte auch das so ganz Menschliche an diesen so unbeugsam am Alten festhaltenden Mennoniten beobachtet und in der Hitze des kolonisatorischen Gefechts manchmal auch seine Ärgernisse mit ihnen gehabt. An seine Stelle trat nur Herr R. N. Landreth in den Dienst der Siedler. Rogers ging wieder zurück in sein Büro in Winnipeg. Von hier schrieb er dann am 1. Mai 1928 an Herrn Landreth in Paraguay wie folgt:

"Ich schätze Deine Arbeit, die Du dort im Süden tust, indem Du dahin zu wirken versuchst, dass die verschiedenen mennonitischen Gruppen sich näher kommen und zusammenarbeiten. Ich weiss es, diese Arbeit ist schwierig. Sie braucht viel Geduld und Geschick von unserer Seite. Ich anerkenne Deine Aufopferung, die Du in der Wildnis unter den Mennoniten aufbringst. Es ist nicht leicht, den Kopf dabei immer oben zu halten, wenn man fortwährend von natürlichen Schwierigkeiten bei der Bezwingung der Wildnis geärgert wird und dazu noch obendrein eine Reihe entmutigender Ärgernisse mit den Leuten selbst hat. Andererseits aber müssen wir uns gestehen, dass es gerade diese Mennoniten sind, die wir dort brauchen können; denn es ist ein Menschenschlag, der vor der Wucht der Schwierigkeiten, die die Wildnisbezwingung mit sich bringt, nicht zurückschrickt. Wir werden nicht noch so ein Volk finden, das solches leisten würde, wie diese Mennoniten, und das solche Geduld aufbringen und solchen Mut an den Tag legen würde.''

Der erste Angriff auf die Wildnis zur neuen Heimgründung bestand im Säubern einer kleinen Hoffläche, wo dann zunächst das Zelt oder die Zelte — wenn es eine grosse Familie war — aufgerichtet und eingerichtet wurde, bzw wurden. Das Zelt war der erste Zufluchtsort, der äusserlichen Geborgenheit vor der Unbill des Wetters und der gespenstisch schwarzen Wildnisnacht. Rasch wurde dann auch ein "Kochherd" errichtet. Man hob eine schmale Vertiefung im Boden aus und legte eine Herdplatte darüber. Auch Backöfen wurden in einfacher Weise und schnell errichtet.

Dann errichtete man sich eine etwas wetterfestere Hütte, denn während eines Sturmregens war es im Zelt doch ungemütlicher als in einem festeren Häuschen. Die ersten Hütten waren eigentlich auch nur ein Notbehelf. Und sehr verschieden wurden sie gebaut. Wer Wellblechtafeln hatte, überdachte sie damit, und wenn genug von den Tafeln da waren, dann wurden auch die Wände davon gemacht. So war rasch ein Häuschen hergestellt. Aber auch mit den Büscheln des Bittergrases hatte man bald ein Dach hergerichtet, nur mussten dann Latten aus dem Busch geholt werden. Um das Gerüst zu bauen, bediente man sich der kleineren Savannenbäume als Ständer. Die Grasdächer waren billiger und dazu auch bei jedem Wetter viel angenehmer als das Blech über dem Kopf. Zur Herstellung der Wände stellte man gewöhnlich Latten nebeneinander in einer Rinne auf, die man dafür grub. Die Rinne wurde dann zugestampft, und damit waren die Latten unten befestigt. Oben befestigte man sie mit querlaufenden Latten. Die vertikalgestellten Latten verklebte man mit grasgemischtem Lehm, und so hatte man eine wetterfeste Wand.

Auch mit dem Roden, dem Aushacken der vielen verschiedenen Sträucher und der kleineren Bäume begann man sofort, um einen Acker pflügen zu können. Es gab sehr viel sogenannte ''Pi–Hin''-Büsche, eine Mimosenart mit prachtvollem, zartem und sehr dichtem Laub und kugelrunden, grellgelben Blütenkätzchen. Wegen der breitausladenden Äste dieses Strauches, die bis auf den Boden reichen und mit nadelscharfen Dornen besetzt sind, musste man sich förmlich erst an die Wurzeln heranarbeiten. Die Wurzeln selbst waren dann nicht schwer durchzuschlagen.

Anders war es mit den Urundeýsträuchern, die oft ganz dicke, knorrige Stümpfe und Wurzeln hatten, die aber nicht hart waren. Auch hatten diese Sträucher keine Stacheln oder Dornen. Paratodo und Jacarandá waren meist leicht umzulegen. Schwer war es jedoch, mit den grossen Quebracho- und Urundeýbäumen fertig zu werden und sie so tief auszuroden, dass der Pflug nicht mehr anstiess. Man liess daher die grössten Bäume zuerst noch stehen. Man schälte dann einen Streifen ihrer Rinde ringsherum ab, damit die Bäume vertrockneten. Dann legte man Feuer an.

Alles in allem war es eine mühsame Arbeit, besonders in der Hitze. War dann ein Stückchen Feld für den Pflug frei, so war es noch nicht einmal sicher, ob die Ochsen den Pflug auch ziehen würden, denn das war ja noch wieder etwas anderes als einen Wagen zu ziehen. Die meisten Ochsen jedoch waren bald dafür hergerichtet, obwohl zuerst immer noch jemand vorne gehen musste, um sie zu führen.

Ein geheimnisgeladenes, stimmungsvolles Schweigen lag zuweilen über den grossen Baum- und Grassavannen. Unterbrochen wurde diese Stille von unruhigen Papageienschwärmen, die über die Köpfe der fremden Eindringlinge lärmend hinwegflogen, scheltend und schimpfend über diese Störenfriede, die ja ohne ihre Erlaubnis in diesen ihren Daseinsbereich vordrangen, und von den schallenden Hochtönen der Seriema, einem langbeinigen Vogel dieser Buschwüste, den man in deutscher Sprache Schlangenstorch nennt. Die mennonitischen Siedler aber nannten ihn Sandläufer.

Zunächst bewunderten die Savanneneroberer die buntfarbigen Vögel, deren Lärm ihnen fast auf die Nerven ging, deren Gefieder aber in so herrlichen Farben schimmerte. Später jedoch, als sie merkten, wie diese dickschnäbeligen Papageien ihre Früchte zermalmten, verwandelte sich die Bewunderung in Ärgernis, über ihre Gefrässigkeit.

Die geheimnisvolle Stille der Gegend konnte dann an manchen Abenden auch mit einem Schlage wie weggewischt sein, wenn in der Nähe eines Siedlerdorfes durch die Nacht hindurch das wilde Gröhlen einer festfeiernden Indianerhorde an die zahmen Ohren der neuen Einwohner drang.

Beginn des geregelten Dorfslebens

Den Anfang in den Wildnisdörfern erlebten die Leute verschieden. Klaas H. Wiens, der sich mit seiner Familie im Dorfe Strassberg niederliess, hat darüber Aufzeichnungen gemacht. Er hatte kein Fuhrwerk. So wurde er mit seiner Familie von anderen dorthin gefahren. Das Fuhrwerk fuhr sofort wieder zurück. Ein anderer Siedler, der seine Familie noch nicht da hatte, blieb bei ihnen zurück, um zu helfen. Sie hatten noch keine Ochsen, um Bauholz heranzuschleppen. So mussten sie es selbst tun. Die ersten Hütten wurden aus rohen Latten, die man aus dem Busch holte, errichtet. Ein Brunnen war schon früher gegraben worden. Das Wasser war aber für Menschen ungeniessbar. Der nächste Brunnen mit gutem Wasser befand sich am Südende von

Osterwick, dem Nachbardorf. So gingen sie vom Westende des Dorfes Strassberg nach Osterwick, um mit Eimern Wasser zu holen. Das waren etwa 3 Kilometer.

Bald kam eine weitere Familie dazu. Die hatte Ochsen und einen Wagen. Jetzt wurde das Wasser in Fässern herangeholt. Es wurde auch weiter nach gutem Wasser in Strassberg gesucht. Man nahm sich Lengua Indianer an, die gute Wasserstellen suchen helfen sollten. Ein Indianer zeigte ihnen eine Stelle und meinte, da würden sie gutes Wasser finden. Sie gruben hier einen Brunnen und wirklich! — das Wasser war gut. So hatten sie jetzt trinkbares Wasser in der Nähe.

Der Siedler Cornelius B. Toews, vom Dorfe Laubenheim, hat ebenfalls Aufzeichnungen gemacht. Nachdem sie ihren Dorfplatz ausgesucht hatten, gruben die Männer einen Brunnen. Sie meinten gutes Wasser gefunden zu haben, und fuhren nach Puerto Casado zurück, ihre Familien zu holen. Sie glaubten einfach, der Brunnen würde gutes Wasser haben. Darin erlebten sie dann später eine unvergessliche, bittere Enttäuschung. In Puerto Casado brachen sie ihre Wohnungen ab, machten sich reisefertig und zogen dann mit ihren Familien in den Chaco. Es war etwa im August und zu jener Zeit sehr trocken. Ein tosender Nordsturm fegte über die Buschwildnis. Reisemüde erreichten die Siedler an einem Abend das ersehnte Ziel. Sie hatten sich darauf verlassen, dass am Ort der Niederlassung ein Brunnen mit gutem Wasser sei und genug Wasser für alle habe. Darum hatten sie an der Stelle, wo sie zum letztenmal Gelegenheit dazu gehabt hatten, ihre Wasserbehälter nicht nachgefüllt. Als sie jetzt Wasser aus dem Brunnen schöpften, stellten sie fest, dass es ungeniessbar war. Sie waren sehr durstig, mussten sich aber, ohne den Durst gestillt zu haben, zur Nachtruhe begeben. Auch den nächsten Tag, bis zum Abend, blieben sie ohne Trinkwasser. Schon früh an diesem Tag fingen die Männer mit dem Graben eines neuen Brunnens an. Ständig wechselten sie bei der Arbeit ab, damit sie ununterbrochen vorankämen. Es war dort nicht so sehr tief bis zum Grundwasser. Bis zum Abend hatten sie es geschafft, und — Gott sei Dank! — das Wasser war gut. Diese durstgeprüfte Zeit vergassen die Siedler nicht mehr. An jenem Abend schmeckte das Wasser grossartig. Sie glaubten, sie hätten doch schon vorher gewusst, dass Wasser sehr viel wert sei, aber dass es so kostbar sei, wie sie es jetzt empfanden, das hatten sie sich früher nicht vorstellen können.

Überall begann jetzt ein geregeltes Dorfsleben. Die meisten der Siedler kannten zwar das Dorfsleben von Kanada her schon nicht mehr, weil es dort schon seit vielen Jahren aufgegeben worden war. Es waren nur noch wenige, die eine Dorfgemeinschaft erlebt hatten. Die meisten waren schon auf Einzelhöfen aufgewachsen. Eigene wirtschaftliche Verwaltung hatten sie in Kanada sowieso nicht gekannt, und die schulische Verwaltung war in Bezirke aufgeteilt gewesen. Man hatte aber von den anfänglichen Dorfgemeinschaften her das Amt der Dorfschulzen beibehalten. Alle wirtschaftlichen Belange hatten auf privater Ebene gelegen. Was sonst zu der wirtschaftlichen Verwaltung gehört hatte, war von der Regierung Kanadas oder Manitobas verordnet und zur Ausführung gebracht worden. Das dazu beauftragte Regierungsorgan war die sogenannte Munizipalität gewesen. In diesem Organ, das für viele Jahre hauptsächlich die ländliche Verkehrsverbindung zu beaufsichtigen und weiter auch die Aufgabe gehabt hatte, die Wege allmählich zu verbessern, waren auch immer Mennoniten vertreten gewesen. Wenn Bezirksversammlungen abgehalten worden waren, hatten die mennonitischen Kreise ihre Schulzen als Vertreter gesandt. Was diese Mennoniten anfänglich noch lange Zeit in ihren Händen gehabt hatten, war die schulische Verwaltung gewesen, und in dieser Beziehung war dann das ''Schultebott'' die ausschlaggebende und beschlussfähige Versammlung gewesen. Auch für die Anstellung des Lehrers und für die Bestimmung seines Lohnes war der Schulze die zuständige Person gewesen.

In dieser Wildnisansiedlung aber, dieser weltfernen Niederlassung, könnte man sagen, kümmerte sich niemand um sie und konnte sich auch niemand kümmern. Alle Regierungsämter waren in weiter Ferne. Gemeinsame Wirtschaftsführung und Verwaltung mussten jetzt von den Siedlern übernommen und durchgeführt werden. Hier aber war enge wirtschaftliche Zusammenarbeit nicht nur angebracht, sondern brennend notwendig. In dieser Hinsicht hatten die Siedler in der mehr als einjährigen Wartezeit bereits eine lehrreiche Schule durchgemacht. Es war eine prüfungsreiche Zeit des Beisammenwohnens und des gemeinsamen Auskommens gewesen. Viele, die sich bis dahin überhaupt kaum gekannt hatten, waren zusammengeschweisst worden in Not und Herzeleid, in heimatgerichteter Sehnsucht und in der Verfolgung eines gleichen Zieles, das man sich wohl freiwillig, aber nach ihrem Dafürhalten doch im Gehorsam des Glaubens gesteckt hatte. Diese probenreiche Wartezeit war sicherlich eine Zeit vieler Überlegungen und gemeinsamer Orientierungen gewesen. Nicht alle hatten gleichviel dabei gelernt, einige vielleicht gar nichts, aber für die meisten erwuchs daraus doch ein Nutzen für die spätere notwendige Zusammenarbeit.

In diesen nun beginnenden Dorfgemeinschaften war dann Gelegenheit, die verschiedenen Theorien und Einsichten in die Praxis umzusetzen. Im Blick auf den ganzen Siedlungsanfang ist es sicherlich nicht zuviel gesagt, wenn man behauptet, dass die Verbundenheit im Glauben und das darin wurzelnde Bewusstsein auch der materiellen Verantwortung füreinander, woraus sich auch die Form des gesellschaftlichen Lebens ergab, ausschlaggebend dafür gewesen sind, dass das Siedlungswerk überhaupt durch- und weitergeführt werden konnte und nicht scheiterte. Dieser sichere Grund allein besass genug Tragfähigkeit, trotz der vielen kleinen und kleinlichen Zänkereien und eigenwilligen Spaltungsbewegungen, den Siedlern jenen Mut zu geben und zu erhalten, der sie befähigte, standhaft zu bleiben und der sie als Gesamtheit davor bewahrte, in eine gänzliche Verwirrung zu geraten.

Die ganze Siedlungsangelegenheit wurde auf solche harten Proben gestellt, die geeignet gewesen wären, die Kolonisationssache vollständig zugrunde zu richten. Doch waren damals zum Glück in der Gemeindeleitung, die in erster Zeit auch die Siedlungsleitung war, solche Männer, die sich in besonderer Weise als fähig erwiesen, das Werk durch all die Prüfungen und mitunter skandalösen Episoden hindurch zu leiten und zu lenken. Zu diesen gesellten sich dann auch begabte Männer aus der Siedlermasse, die gemeinsam mit der Gemeindeleitung die Zügel in die Hand nahmen. Vor allem aber waltete, wie diese mit so grosser Verantwortung betrauten Männer es nannten, die Gnade Gottes über diesem Kolonisationswerk, sonst wäre es wohl, trotz aller menschlichen Anstrengungen, doch noch gescheitert. Diese führenden Persönlichkeiten aber lehnten sich an die Ausführungen in Hebräer 12,4, die den damals angesprochenen Glaubenskämpfern vorhalten, dass sie noch nicht bis aufs Blut hätten widerstehen müssen in allem dem, was ihnen widerfahren sei.

Dr. Walter Quiring schreibt dazu wie folgt:[1]

"Weder ihre Einwanderung von Deutschland nach Russland und von dort nach Kanada, noch die vielen Ansiedlungen in jenen Ländern waren ein so grosses Wagnis gewesen, wie die Niederlassung im Chaco. Während die Mennoniten in Osteuropa, in Asien und Nordamerika in klimatische gewohnten Breiten blieben und während sowohl die südrussische und sibirische Steppe als auch die kanadische Prärie im voraus mit einiger Wahrscheinlichkeit als für den Ackerbau geeignet anzusehen waren, siedelten sie hier zum erstenmal in den Tropen, in einem weltentlegenen Urwaldgebiet, das schon allein wegen seiner Wasserarmut von jeher als unfruchtbar und unbewohnbar gegolten hatte. Hinzu kam, dass vor ihrer Einwanderung niemand in der Welt das als fast wertlos geltende Riesengebiet des Chaco kannte. Kaum ein Forscher oder Jäger war bis in die Mitte des Chaco vorgedrungen, und vergebens suchte der gebildete Einwanderer auch in dem wissenschaftlichen Schrifttum nach Werken über sein Zielland. Was ihm in die Hände fiel, waren kleinere Aufsätze in Zeitungen und Zeitschriften über die Randgebiete des Chaco, über seine Edelhölzer, über Gerbstoffgewinnung, Heuschrecken und Indianer, aber nichts über das Chacoinnere, über Klima, Boden und Landwirtschaft, was allein für ihn wertvoll gewesen wäre. Darum waren die Einwanderer bei der Eroberung dieses "Niemandslandes" in allem auf eigene Arbeit, auf ihre Anpassungsfähigkeit und Beharrlichkeit angewiesen, und mit einem beharrlichen Mut und einer Stosskraft, wie sie nur Angehörigen eines jungen, unverbrauchten Volkes eigen ist, machten sich die Kanadadeutschen an die Erschliessung dieser unberührten Wildnis, die bis vor kurzem noch als weisser Fleck auf der Karte bezeichnet gewesen war.

Ungeheuer gross waren die Mühsale und Entbehrungen, die Leiden und seelischen Erschütterungen, die von den Einwanderern überwunden werden mussten, bevor sie ihr Land im Chaco in Besitz nehmen durften. Aber die schwere Leidenszeit war nicht vergebens gewesen: sie liess die ungeheuren Schwierigkeiten, die es auf der Ansiedlung noch zu bezwingen galt, geringer erscheinen, als sie in Wirklichkeit waren, und halfen über Nöte hinweg, an denen sonst wahrscheinlich noch mancher Siedler gescheitert wäre.

Auch ihre auf den Zwischensiedlungen teuer erkauften landwirtschaftlichen Erfahrungen erwiesen sich bald als wertvolles Kapital; die Einwanderer wussten jetzt zum mindesten, in welchen Monaten im Chaco gesät werden muss und kannten einige tropische Kulturen, von denen angenommen werden konnte, dass sie auch im Chaco gedeihen würden.''

Das Gemeindeleben — Wichtige Beschlüsse

Die Führung des Gemeindelebens wurde hier in der gleichen Weise fortgesetzt, wie man sie aus der alten Heimat kannte. In den Wochen vor Pfingsten (1928) wurde in den Lagern Loma Plata, Hoffnungsfeld und Puerto Casado und in dem eben angelegten Dorf Bergtal ein Taufunterricht für die Jugend, die sich zur Taufe hatte anmelden lassen, durchgeführt. Am 28. Mai fand dann im Lager von Loma Plata, wo um diese Zeit noch viele wohnten, das erste Tauffest dieses Jahres statt. Aber auch aus den umliegenden, eben entstandenen Dörfern kamen die Leute zu den gewöhnlichen gottesdienstlichen Versammlungen in Loma Plata und auch zu diesem Tauffest. Hier waren 28 Täuflinge. Davon waren 8 aus Westreserver Familien, die sich noch nicht den Ostreservern, bzw. der Chortitzer Gemeinde angeschlossen hatten. Am 29. Mai wurde im Hoffnungsfelder Lager ein Tauffest mit 6 Täuflingen durchgeführt und am 30. Mai im Dorfe Bergtal mit 2 Täuflingen. Das Tauffest in Puerto Casado, wo 5 Täuflinge waren, fand erst am 17. Juni statt.

Der Älteste Martin C. Friesen diente an allen Stellen mit der Taufhandlung, auch im Dorfe Bergtal, deren Bewohner sonst ihr eigenes Gemeindewesen hatten. Diese Gemeinde hatte zu dieser Zeit nur einen Prediger und einen Diakon. Der Diakon verliess dann bald den Chaco und fuhr nach Kanada zurück. Der Älteste der Bergtaler, Aaron Zacharias, war im Oktober 1927 im Lager von Palo Blanco gestorben. Im Juni 1927 hatte er noch den Ostreservern und Westreservern in Puerto Casado mit der Taufhandlung und mit dem Abendmahl gedient.

Im weiteren Verlauf des Jahres hielt man in einigen Dörfern in

Privathäusern gottesdienstliche Versammlungen ab, weil es noch keine öffentlichen Gebäude dafür gab. Als dann im Dezember in fast allen Dörfern die Schulgebäude fertiggestellt waren, wurden diese auch für die sonntäglichen Gottesdienste benutzt.

In der Anfangszeit der Ansiedlung wurden die Dorfschulzen an einem bestimmten Tage nach Osterwick zusammengerufen, wo unter der Anleitung der Siedlungsleitung folgende wichtige Fragen behandelt und entsprechende Beschlüsse gefasst bzw. Ratschläge erteilt wurden:

1. Ein jeder soll sich sehr in acht nehmen, sich nicht in der weiten Wildnis zu verirren, was sehr leicht geschehen könne, wenn man nicht sehr aufpasse. Jeder Schulze sollte dies seinen Dorfsbürgern aufs gründlichste einschärfen.
2. Weiter sollten die Schulzen die Bürger ermahnen, nicht die Graskämpe anzuzünden.
3. Es sollte dafür gesorgt werden, dass keine Familie Hunger leide.

Besonders leicht konnte jemand verirren, wenn er hinausging, seine auf die Weide getriebenen Ochsen zu suchen, die sich oft weit in die Wildnis hinein verliefen; denn Einzäunungen gab es noch keine.

Weil bis dahin allgemein noch kein Vieh durch die Kämpe zog, war auch alles wilde Gewächs noch seiner freien Entfaltung überlassen, wobei sich dann besonders in den Bittergraskämpen dieses Büschelgras sehr gut entwickelte. Später, während der Wintermonate, trocknete es ab. Wenn es dann einmal vom Feuer erfasst wurde, brannte es wie Zunder. Besonders in bewölkten Winternächten liess dann oft so ein weithin sichtbarer Kampbrand das Wolkenbild hell und herrlich erstrahlen. Jemand, der solches beobachtet hat, schreibt darüber:[2]

> "Den stillen Winterabenden im Chaco verleiht der weithin leuchtende Feuerschein der Kampbrände eine eigentümliche Stimmung; in der grenzenlosen Einsamkeit des Urwaldes glaubt der Kolonist dann oft den Lichterschein einer fernen Stadt zu sehen und träumt sich hinaus aus der nie gelockerten Enge des Busches."

Bei starkem Wind konnte so ein Kampbrand besonders für die neuangelegten Zelte und Hütten der entstehenden Siedlung gefährlich werden. Wenn die Siedler sich auch in acht nahmen, um solche grossen Kampbrände möglichst zu verhüten, so kamen sie doch vor. Erst als man die Höfe vom Grase freigemacht und ringsherum gepflügt hatte, schwand damit auch die Gefahr einer verheerenden Feuersbrunst.

Am 4. und 5. Oktober wurden Bruderschaften abgehalten, zuerst in Osterwick und dann in Weidenfeld. Verhandlungs- und Beratungsgegenstände waren:[3]

1. **Schulen**. Wenn eben möglich, sollten die Schulen bis zum 1. Dezember fertig sein, um dann sofort mit dem Unterricht zu beginnen.

2. **Kredit für Nahrungsmittel**. Die Corporación Paraguaya will in Hoffnungsfeld einen Nahrungsmittelhandel aufmachen, wo auch diejenigen, die zum Kaufen nicht die Mittel haben, Gegenstände, die für den Unterhalt der Familie notwendig sind, wie Zucker, Reis, Salz u.a.m., auf Anschreiben mitnehmen können. Die Höhe des Kreditbetrages ist aber nicht unbegrenzt, sondern wird für jeden Monat nach der Zahl der Familienmitglieder neu festgelegt.

3. **Rindvieh**. Die Casadogesellschaft bietet Siedlern, die jetzt nicht bezahlen können, Rindvieh zu einem Kredittermin von 3 Jahren ohne Verzinsung an. Wenn jemand es nach Ablauf der 3 Jahre noch nicht bezahlen kann, darf er den Kredit für weitere 3 Jahre zu denselben Bedingungen verlängern. Sollte jemand auch dann noch nicht bezahlen können, dann werde — so soll Herr Casado gesagt haben — der liebe Gott es bezahlen.

4. **Das Siedlerlager Puerto Casado** soll jetzt aufgelöst werden. Das ist ein gemeinsamer Beschluss der Corporación Paraguaya und der mennonitischen Siedlungsleitung. Alle Mennoniten sollen jetzt das Lager verlassen. Die in den Chaco zur Ansiedlung wollen, sollen dahin, und diejenigen, die zurück nach Kanada wollen, sollen zurück nach Kanada. Das Siedlerlager aber soll geräumt werden. Aus den Dörfern werden dann Leute zur Bahn fahren, um die in den Chaco kommenden Siedler von der Bahnstation abzuholen.

Alle unbemittelten Siedler, die sich in Puerto Casado nicht hatten Ochsen kaufen können, bekamen jetzt im Laufe des Ansiedlungsjahres Gelegenheit, sich Ochsen anzuschaffen. Die Corporación Paraguaya kaufte etwa 140 Ochsen bei der Casadogesellschaft und borgte sie für 5 Jahre an die armen Siedler aus. Auch von der Casadogesellschaft wurden eine Anzahl Ochsen und Kühe auf Kredit gekauft, wie es angeboten worden war. Das war eine grosse Aushilfe für die armen Siedler.

Landreths Sicht der Lage — Vorschläge und Hilfsmassnahmen

Wiewohl die Wartezeit nun abgelaufen war und die Siedler sich in ihren Dörfern auf ihren neuen Schollen niederliessen, stand die Siedlungsgesellschaft, die Corporación Paraguaya, doch noch immer ganz hinter den Siedlern und suchte nach Mitteln und Wegen, mitzuhelfen, wo es notwendig sei. Der damalige Verantwortliche der Siedlungsgesellschaft, R. N. Landreth, schreibt dazu:[4]

"Ich sinne nicht darüber nach, Wege zu finden, um mehr Geld auszugeben, möchte aber Eure Aufmerksamkeit auf einige wichtige Angelegenheiten lenken. Ich denke, es wäre von wertvoller Bedeutung, eine Versuchsfarm im Chaco anzulegen. Ich weiss schon, dass die Chefs von unserem Büro im Bankgeschäft stecken und auf Gewinne hinarbeiten. Ich weiss aber auch, dass es ihnen nicht nur ums Geldmachen geht, sondern dass sie diesem Kolonisationsunternehmen wirklich helfen wollen. Dafür sind hier auch Möglichkeiten vorhanden. Unsere

Ausgaben für die nächsten sechs Monate können sich auf etwa 25.000 Dollar belaufen. Es sind Ausgaben für notwendige Dinge. Dann kämen noch Ausgaben für Bohrungen nach Wasser. Landuntersuchungen und auch für die Versuchsfarm hinzu, auch nach meinem Dafürhalten alles wichtige Dinge, die aber in den 25.000 Dollar, die grösstenteils aus Exekutivgehältern bestehen (6.000 für Ayala, 4.000 für Engen), nicht eingeschlossen wären.''

Einige Monate später gab derselbe Mann einen kurzen Überblick über die Anfänge der Ansiedlung, über die Mühsale, über allerlei Schwierigkeiten und über das langsame Vorwärtskommen der Siedler:[5]

''Die Siedler haben nur noch wenig gepflügt. Was sie dann ausgestreut oder gepflanzt haben, haben sie sofort hinter dem Pflug gemacht. Weil man so gerne schon was pflanzen wollte, konnte man das frischaufgebrochene Land nicht noch erst besser vorbereiten, damit die Erträge besser würden.

Zur Siedlungstätigkeit wäre folgendes zu sagen:

Für den Bau der Wohnhäuser holt man Stämme und Latten aus dem Wald und verwendet ausserdem Lehm als Baumaterial. Das härteste Holz ist, was Qualität betrifft, für die Bauausführungen am geeignetsten, aber nicht am leichtesten zu bearbeiten.

Man muss versuchen, so schnell wie möglich die Pflanzungen vor den Rindereinfällen zu schützen. Für die Errichtung der Zäune muss man sich dann eben auch Zeit nehmen.

Das Suchen nach gutem Wasser wird fortgesetzt. Vermutet man wo gutes Grundwasser, dann wird ein Brunnen gegraben. In einigen Dörfern muss man das Wasser für den Haushalt von weither holen. Da geht viel Zeit hinein.

In einigen Dörfern sind die Schlepperameisen sehr bei der Arbeit, das wenige Gepflanzte, wenn es aufgeht und es gerade solches ist, das sie gerne mögen, abzufressen. Man muss sie bekämpfen.

Um das Land überhaupt pflügen zu können, muss man auf vielen Stellen noch erst mit allerhand Anstrengung Büsche und Stümpfe entfernen. Es ist eine schwere Arbeit, die das Vorankommen sehr verlangsamt.

Einige Dörfer haben noch Weideknappheit. Man muss das Vieh weit vom Dorf wegtreiben, um es auf die Weide zu bringen. Und man muss das Vieh hüten, d.h. tagsüber dabei sein. Dafür wird auch viel Zeit verbraucht. Viele machen solche Treib- und Hütearbeit einfach zu Fuss, weil sie noch kein Reitpferd haben.

Gross sind noch die Probleme des Transportes. Sie sind wohl das grösste von allen Hindernissen für ein schnelleres Vorwärtskommen der Ansiedlung. Jeden Monat müssen 300 Sack Mehl von der Eisenbahnstation herangefahren werden. Soviel Mehl verbrauchen die Siedler monatlich, weil die eigenen Lebensmittel noch so kanpp sind. Alles, was von auswärts in die Siedlung kommt, muss von der weitentfernten Eisenbahnstation abgeholt werden. Das nimmt immer aufs wenigste eine Woche Zeit, und wenn der Weg besonders schlecht ist, auch zwei Wochen. Durchschnittlich lädt man so zehn Sack Mehl auf einen Wagen. Zu Hause angekommen, müssen die Ochsen Zeit haben, sich auszuruhen, ehe man sie wieder für eine andere Arbeit, z.B. zum Pflügen, einspannt. In vielen Dörfern sind zuweilen die Hälfte aller Ochsen arbeitsunfähig. Für die Anstrengungen, die man ihnen zumutet, erhalten sie nicht die entsprechende Fütterung.

Wir glauben aber nicht, dass die obenerwähnten Schwierigkeiten unüberwindlich seien. Man braucht aber viel Zeit, das alles zu bewältigen, und es ist ganz gewiss von grosser Bedeutung, dass wir als Siedlungsgesellschaft auch aktiven Anteil daran nehmen. Die Gebäude errichten, die Einfriedigungen machen, die Brunnen graben, das alles werden die Siedler schon selbst ausführen. Vieles von diesem haben sie bereits verrichtet. Für die Bekämpfung der Ameisen stellen wir ihnen kostenfrei Gifte zur Verfügung. Wenn wir darauf warten, dass sie kaufen kommen, haben die Ameisen in vielen Fällen die Pflanzungen bereits abgefressen. Wir müssen helfend eingreifen , dass sie besser pflügen und pflanzen können. Auch im Transportwesen müssen wir mithelfen. Das sind alles Dinge, die ineinanderfliessen. Wir sollten so helfen, dass der Fortschritt und die Stabilisierung der Ansiedlung beschleunigt werden.

Wir könnten auch einen Kaufladen aufmachen, wo wir die notwendigsten Gebrauchsgegenstände auf Lager haben. Das ist ja im Vertrag mit dem Fürsorgekomitee auch mal vorgesehen gewesen. Dieses würde den Siedlern sehr viel helfen. Für den Transport der Waren von der Bahn zur Siedlung könnten wir den Traktor mit dem Anhänger in Betrieb nehmen. In diesem Kaufladen müssten wir den armen Siedlern einen bestimmten Kredit gewähren, damit sie sich die notwendigsten Dinge kaufen können. Sie brauchen auch sehr nötig mehr Nahrungsmittel. Wir könnten ihnen auch noch mehr Ochsen auf Kredit verkaufen, auch noch einige Pferde. Diese Möglichkeit haben sie auch noch bei der Casadogesellschaft, und sie werden diese Gelegenheit auch nützen.

Unser Kaufladen im Dorfe Weidenfeld könnte mal mit 9000 Dollar anfangen. Herr Langer könnte dieses Geschäft übernehmen. 140 Ochsen haben wir den Siedlern schon auf Kredit übergeben. Es fehlen aber noch mehr. Pferde wären auch gut zu gebrauchen. Mit Verlusten müssen wir schon rechnen. Der Saskatchewaner Gruppe habe ich zusätzlich zu anderen Krediten auch noch 2000 Dollar geborgt. Es ist ganz schwierig für die Siedler, ohne Kredite auszukommen, eigentlich ist es unmöglich.

Der grösste Teil der Siedler, stellte ich fest, ist zufrieden, und zwar sehr zufrieden. Da sind wohl noch einige, die noch erst einmal abwarten wollen. Sie sind also noch unentschieden, ob sie bleiben oder ob sie nach Kanada zurück fahren sollen. Unter diesen sind solche, die reich sind, und die haben so ein bisschen Angst, sie werden etwas tun müssen, um den Armen mitzuhelfen.

Wenn ich mir die jüngsten Ereignisse auf der Siedlung anschaue, bin ich aber sehr zuversichtlich, dass die Entwicklung einen Aufschwung nehmen wird. Und ich denke, die meisten Siedler sehen es auch so.

Sicher, die Schwierigkeiten sind da, aber sie sind nicht entmutigend. Es geht alles sehr langsam vorwärts, das schon. Es braucht eben alles viel Zeit.

Was nicht so sehr ermutigend ist, das ist die Wahrscheinlichkeit, dass die Casadogesellschaft wohl den grössten Gewinn einheimsen wird. Wir aber tragen die Hauptverantwortung, das grosse Gewicht der ganzen Sache. Es ist auch nicht ermutigend, dass der Eisenbahnbau von der Laune der Casadogesellschaft abhängig ist.''

Ein Brief an die ''Mennonitische Rundschau''

Zum Schluss diese Kapitels bringen wir einen Brief aus der jungen Ansiedlung. Er wurde am 29. Juni 1928 von Franz R. Funk aus dem Wildnisdorf Halbstadt geschrieben und an die ''Mennonitische Rundschau'' in Winnipeg eingesandt. Dort erschien er in der Ausgabe vom 15. August 1928:

''Es tut mir leid: Ich muss dem Editor eine unangenehme Mitteilung machen, dass ich nämlich diese Zeitschrift abbestelle, weil ich einfach nicht das Geld habe beizulegen, um die Zusendung zu verlängern. Einer braucht das bisschen Geld, das man noch hat, um sich in dieser Wildnissiedlung durchzuschlagen.

Vor einiger Zeit sah ich ein Bild in einer Ausgabe der ''Mennonitischen Rundschau'', welches das Leben in Paraguay darstellte. Es war ein sehr bekanntes Bild, aber nicht aus dem Leben der mennonitischen Siedler hier. Das war ein paraguayisches Ochsenfuhrwerk, das auf dem Bilde zu sehen war. Unsere mennonitischen Fahrzeuge unterscheiden sich nicht von unseren Fahrzeugen in Kanada, nur dass wir Ochsen statt Pferde vorgespannt haben.

Wir sind jetzt sehr beschäftigt mit dem Einziehen in die Dörfer. Viele wohnen schon auf ihren Plätzen. Das Getreide, welches gesät worden ist, steht gut. Auch das Gartengemüse sieht gut aus. Auf Stellen aber sind die Ameisen schlecht gewesen und haben gefressen, was sie nicht sollten. Unseren Garten haben sie fast ganz vernichtet. Viele haben schon zum 3. Mal gesät, der Ameisen wegen.

Wir haben hier jetzt schönes Wetter. In den Nächten wird es empfindlich kühl. Auf einigen Stellen hat es auch schon gefroren. Der Gesundheitszustand ist gut. Ich selbst fühle mich hier schon ganz heimisch.''

Fussnoten zu Kapitel XIII
Die Siedlung entsteht

1. Dr. Walter Quiring — *Deutsche erschliessen den Chaco* — S.77
2. Ders. — S.46
3. *Steinbach Post* — Steinbach, Manitoba — 28. Nov. 1928
4. R. N. Landreth schreibt aus Buenos Aires — 5. Mai 1928 — an das Büro der Siedlungsgesellschaft in USA.
5. R. N. Landreth schreibt aus Puerto Casado — 13. Okt. 1928 — an das Büro der Siedlungsgesellschaft in den USA.

KAPITEL 14

Wir suchen
unsere Brüder

Die junge Kolonie Menno im paraguayischen Chaco: Viele haben
hier (in USA) in den Zeitschriften gelesen, dass die Chacosiedler in
grosser Not zu sein scheinen. Doch widersprechen sich die
Nachrichten, die von verschiedenen Seiten gegeben werden. Wir
haben jetzt Männer entsandt, die Lage an Ort und Stelle zu
untersuchen . . .

Orie O. Miller im Missonary Messenger, Feb. 1929

Alarmbotschaften in den U.S.A
Der **"Philadelphia Enquirer"** in USA brachte in seiner Ausgabe
vom 13. Dezember 1928 unter anderem folgende aufsehenerregende
und ergreifende Nachricht über die mennonitischen Siedler im Chaco:

"Der Ruf nach Hilfe aus ihrer Bedrängnis in Südamerika, den dort
eingewanderte kanadische Mennoniten jetzt an ihre früheren Nachbarn
und an ihre Verwandten in Kanada richten, ist ein weiteres tragisches
Kapitel in der Geschichte dieser Leute.

Vor fast zwei Jahren kamen sie nach Paraguay. Sie suchten sich
angeblich "gut bewässertes" Land und hatten dabei zwei Ideale vor
Augen: dem obligatorischen Militärdienst zu entrinnen, von welchem
sie in Nordamerika bedrängt wurden, und ihre von alters her gepflegten
Sitten und Gebräuche beizubehalten, wozu auch die deutsche Sprache
gehört.

Die grossen, fruchtbaren Ebenen des Chaco schienen grossartige
Möglichkeiten zu bieten, allem, was ihnen im Norden das Leben erschwert hatte, aus dem Wege zu gehen. Der Chaco erschien ihnen als ein
verheissenes Land. Grosse Freiheiten hatte man ihnen hier angeboten.
Zweitausend Pioniere haben dort für noch mehr nachzufolgende Siedler
vorgearbeitet. Sie rechneten mit 60.000. Zu Anfang schienen die Aussichten sehr gut zu sein. Die Dörfer blühten auf und schritten vorwärts.
Man hatte aber eines übersehen: es gab nicht genug Wasser.

In der vergangenen Woche kam Nachricht, dass Hunger und
Krankheit diese Pioniere dahinraffe und Hilfe dringend nötig sei. Nicht
genug des Schlechten, will man nun noch in diesem Gebiet einen Krieg
zwischen Paraguay und Bolivien vom Zaun brechen. Es ist damit zu
rechnen, dass Paraguay dann die Sonderrechte, die es den Mennoniten
gegeben hat, widerrufen wird.

Was immer dort nun auch geschehen wird, eines ist klar: So ein Traumland gibt es auf dieser Welt nicht, wo man ohne Steuern und ohne ein staatliches, öffentliches Erziehungssystem auskommt, und wo man keine Einrichtungen gegen innere oder äussere Feinde braucht, ob es nun menschliche oder solche der Natur sind.''

Das Echo dieser Alarmbotschaft hallte nun durch das nördliche Amerika und machte die Leute auf das tragische Schicksal jener armen kanadischen Mennoniten aufmerksam, die sich in eine unbekannte Wildnis begeben hatten und dort nun angeblich elend umkämen.

Die Nachricht wurde zunächst durch nichtmennonitische amerikanische Zeitschriften verbreitet. Dann aber wurden durch das Lesen dieser Artikel auch die amerikanischen Mennoniten, besonders die in Pennsylvanien, auf die Vorgänge in dieser Wildnissiedlung im Chaco aufmerksam. Sie begannen nun auch ihrerseits innerhalb der mennonitischen Gemeinschaft in den eigenen Zeitschriften auf die Not und Hilfsbedürftigkeit der Siedler hinzuweisen. Im **"Missionary Messenger"** vom 23. Dezember, 1928 war zu lesen:

"Es verbreiten sich Nachrichten, dass vielleicht alle jenen kanadischen Mennoniten, die vor etwa zwei Jahren nach Paraguay auswanderten, wieder nach Kanada zurückkehren werden. Die Siedlung ist im paraguayischen Chaco in der Nähe der bolivianischen Grenze angelegt worden. Zwischen diesen Ländern besteht aber schon seit vielen Jahren ein Grenzstreit. Es heisst, dass ein Teil des Landes, das die Mennoniten besiedelt haben, von Bolivien beansprucht wird. Man hört von kriegerischen Zwischenfällen; und das ist wohl auch einer der Hauptgründe, weshalb die Mennoniten alle von dort fort wollen.

In einer New Yorker Zeitung, vom 6. Dezember 1928, heisst es, dass dort 18 Personen aus Paraguay angekommen seien. Sie berichteten von Pestilenz und Hungersnot unter ihrem Siedlervolk in Paraguay. Eine Frau Harder kam mit 7 Kindern mittellos im Hafen von New York an. Ihr Mann — so berichtete sie — sei in Paraguay an Unterernährung und an Malaria gestorben, dort, wo alle Hunger litten und einer dem andern nicht helfen könne. Man hätte zwar eine Ansiedlung gegründet, es habe aber trotz aller Versuche keine Ernten gegeben.

Wenn es wirklich so schlimm ist, dann wollen wir doch versuchen, was wir dazu beitragen können, die Not dieser Leute zu lindern.''

Amerikanische Mennoniten machten sich nun Sorgen über das Elend jener Wildnissiedler, falls es sich wirklich so verhalten sollte, wie die Zeitungen berichteten. Unter den Männern, die es dann nicht nur beim Sprechen bleiben liessen, sondern auch Hand ans Werk legten und sich vor allen Dingen erst einmal Gewissheit über die wirkliche Lage jener Leute zu beschaffen begannen, um, wenn notwendig, helfend einzugreifen, war auch ein Herr Orie Miller, der als junger Mann im Dienste des Mennonitischen Zentralkomitees (M.C.C.) schon in Russland während der Hungersnot und auch in anderen Ländern in der Hilfsarbeit gestanden hatte.

Kontaktversuche

Die Konferenz der Alt-Mennoniten — heute **Mennonite Church** — hatte ein Komitee für Missions- und Wohltätigkeitsdienste gegründet. Unter diesem Komitee hatte die Konferenz zu jener Zeit acht Missionare in Argentinien.

Hinter den Kulissen spielten sich nun also Beratungen über das Schicksal der Siedler und Pläne zu ihrer Hilfe ab, ehe diese zur Kenntnis der Siedler gelangten, wiewohl vielfach vergeblich versucht worden war, Kontakte mit ihnen aufzunehmen.

Wir lassen einige Beispiele über die Besorgnis der nordamerikanischen Brüder und ihre Versuche, Verbindung zu erhalten, folgen:

"T. K. Hershey — Superintendent
Misión Evangélica Menonita
Tres Lomas, F.C.O., Argentina   den 10. August, 1928

An die Siedlungsleitung im paraguayischen Chaco:
Grüsse im Namen Jesu. Ich möchte mich mit unseren Brüdern im Chaco bekanntmachen. Ich vertrete "The Eastern Mennonite Board of Missions and Charities" hier in Argentinien und bin Superintendent dieser Organisation, wie Sie auf dem Briefkopf sehen. Hier in Argentinien betreiben wir Mission. Wir möchten Ihnen mitteilen, dass wir eine Reise nach Paraguay zu unternehmen beabsichtigen, um Sie zu besuchen, es sind Bruder Swartzentruber aus Ontario, Kanada und ich. Ich kenne niemand von Ihnen. Ich werde einfach mehrere Briefe abschicken, an Ihre Siedlung, an den Bischof und an das Postamt. Mal sehen, ob einer sein Ziel erreichen wird.
Unser Besuch steht ganz unter christlichen Beweggründen."

"Amos Swartzentruber
Misión Evangélica Menonita
Tres Loma, F.C.O., Argentina   den 18. Dezember, 1928

An V. E. Reiff
Elkhart, Indiana
Ihr Telegramm vom 16. Dezember haben wir erhalten. Sie wünschen also, dass wir die Reise nach Paraguay sofort unternehmen, weil Nachricht zu Ihnen durchgedrungen ist, dass die Leute der mennonitischen Siedlung dort furchtbar leiden. Bruder Hershey ist nach Buenos Aires gefahren, um herauszufinden, wie man zu den Siedlungen gelangen kann. Man hört hier, dass im nördlichen Paraguay kriegerische Handlungen zwischen Bolivien und Paraguay im Gange sind. Ich rechne damit, dass ich morgen von Bruder Hershey Bescheid erhalten werde, wie es mit unserer Reise nach Paraguay aussieht."

Endlich hatten dann diese besorgten und hilfswilligen Brüder doch Erfolg. Eines Tages erhielt Ältester Martin C. Friesen einen Brief von einem dieser Missionare in recht hilfsbedürftigem Deutsch. Der Brief wird hier daher nicht wörtlich, sondern inhaltlich wiedergegeben:

"Amos Swartzentruber
Misión Evangélica Menonita
Tres Loma, F.C.O., Argentina   den 22. Dezember, 1928
An Bischof Friesen, Kolonie Menno
    Mein Deutsch ist nicht gut. Ich will aber trotzdem versuchen, dieses Mal in Deutsch zu schreiben, weil wir schon mehrere Briefe in englischer Sprache geschrieben, aber keine Antwort erhalten haben.
    Wie Sie aus dem Briefkopf merken werden, sind wir Mennoniten, mennonitische Prediger. Unsere Gemeinden aus den USA und Kanada haben uns hierher nach Argentinien gesandt, diesem in Finsternis lebenden Volk das Evangelium zu predigen.
    Wiederholt haben wir in letzter Zeit schon Anfragen aus den USA und aus Kanada erhalten, wie es den Leuten im Chaco von Paraguay ergehe. Wir haben darüber leider nicht Bescheid geben können. Jetzt haben unsere nordamerikanischen Gemeinden vorgeschlagen, es sollten einmal zwei Brüder von hier die Mennoniten im Chaco besuchen, um aus erster Hand zu erfahren, wie es Ihnen dort geht. Nun aber bekommen wir keine Verbindung mit Ihnen. Von Herrn Crawford von der Corporación Paraguaya in Asunción haben wir Antwort, und wir haben den Eindruck bekommen, dass es diesen Herren nicht gefallen würde, wenn wir zu Ihnen in den Chaco kämen.
    Die Gemeinden von Nordamerika aber wollen nur Ihr Bestes. Das haben sie ja auch schon mit ihrer Hilfsarbeit in Russland bewiesen, die dort vor einigen Jahren getan wurde.
    Wir würden gerne vier Fragen von Ihnen beantwortet haben:
1. Wie finden Sie das neue Land und die Witterung dort?
2. Wie geht es unsern Brüdern dort und wieviel sind dort?
3. Würden Sie uns willkommen heissen, Sie zu besuchen?
4. Wann ist es die beste Zeit, dorthin zu kommen; wann würden Sie wollen, dass wir kommen?
Wir warten auf Ihre Antwort.
    P.S.: In welcher Sprache predigen Sie, in Ihrer Gemeinde, in englischer oder in deutscher?''

Es ist nicht bekannt, ob Ältester Friesen den Missionaren geantwortet hat, und wenn, ob jene die Antwort auch erhalten haben. Auf alle Fälle waren die wiederholten Alarmberichte in den nordamerikanischen Blättern besorgniserregend genug, so dass ''The Eastern Board of Missions and Charities'' einfach zwei ihrer Missionare in Argentinien beauftragte, die Siedlung aufzusuchen und den wirklichen Sachverhalt festzustellen.

Zwei Missionare aus Argentinien werden beauftragt, die Mennoniten im Chaco aufzusuchen

Es nahm Monate in Anspruch, bis sie so weit waren, eine Reise nach Paraguay antreten zu können, d.h., bis sie ihren Weg klar hatten, auf dem sie in den Chaco einreisen durften. Am 7. Februar 1929 bestiegen sie endlich einen Flussdampfer in Buenos Aires und erreichten am 11. Februar Asunción. Hier suchten sie sich zuerst das Büro der Corporación Paraguaya auf. Mit diesem Büro hatten sie schon seit längerer Zeit korrespondiert, aber irgendwie hatten die Herren der Corporación Paraguaya noch kein rechtes Vertrauen zu ihnen gewonnen, denn sie waren denen ganz unbekannt, und man wusste ja nicht, was sie eigentlich von den Chacosiedlern wollten.

Als es dann aber klar wurde, welcher Art ihre Mission sei, und dass sie Mitglieder mennonitischer Gemeinschaften in Pennsylvanien seien, die diesen amerikanischen Mitgliedern der Corporación Paraguaya ja bekannt waren, und von denen sie wussten, wieviel sie schon in verschiedenen notleidenden Teilen der Welt getan hatten, waren alle Hindernisse zur Einreise in den Chaco mit einem Schlage aus dem Wege geräumt. Nicht nur das. Die Corporación Paraguaya tat jetzt alles, den Missionaren Hershey und Swartzentruber die Reise in die Wildnis zu erleichtern und gab ihnen Empfehlungsbriefe an Herrn Casado und an die Gemeindeleitung der Mennonitensiedlung mit. Das war kurz nach Neujahr 1929.

Der Besuch im Chaco

Folgende Beschreibung ihrer Erlebnisse beim Besuch im Chaco sind ihren Tagesnotizen zur Bearbeitung entnommen.[1]

Von Puerto Casado aus fuhren sie am 15. Februar 1929 mit dem Schienenauto bis Kilometer 135. Sie hatten für diese Strecke fünf Stunden gebraucht, weil sie einige Male an Zweigstellen hatten halten müssen, um das Vorbeifahren von Zügen mit Quebrachostämmen abzuwarten.

An der Station von Kilometer 135 wartete der Camión der Corporación Paraguaya, ein Chevrolet. Sie wurden hier von Mr. Joe McRoberts, einem Sohn von General Samuel McRoberts, und von einem Herrn Friesen begrüsst. Diese nahmen die Besucher in Empfang und fuhren dann mit ihnen in ihrem Camión ab.[2] Die 68 km bis Hoffnungsfeld fuhren sie in vier Stunden. ''So gut'', sagten McRoberts und Friesen, ''reist man diese Strecke nicht immer.''

In Hoffnungsfeld angekommen, besahen sie sich zunnächst die Einrichtungen der Corporación Paraguaya, die hier ihre Betreuungsstelle für die junge Wildnissiedlung hatte. Da waren Büros, Warenlager usw. Hier wurden auch Versuche mit verschiedenen tropischen Kulturen gemacht. Sie sahen Riesenkürbisse, die sie in Staunen versetzten. Hier trafen sie auch schon etliche Siedler, die mit ihren Gartenerzeugnissen hergekommen waren, sie hier zu verkaufen. Diese Leute aber fuhren ihre Ochsen nicht im Joch, wie es in Südamerika allgemein üblich war, sondern einfach in Kummetsielen, gelenkt mit Leinen, wie Pferde.

Halbnackte Indianer, Männer und Frauen, liefen hier herum; die Kinder trugen überhaupt keine Kleidung.

Hier lernten sie nun auch den Ursprung, Aufbau und die Funktion der Corporación Paraguaya kennen.[3]

Die Missionare Hershey und Swartzentruber stellten fest, dass die Corporación Paraguaya für das Zustandekommen und Gelingen der Ansiedlung eine sehr nützliche Funktion verrichtete, und dass sie unbedingt darauf bedacht war, dass es den Siedlern gut ginge. Zu jener Zeit war Mr. Landreth der verantwortliche Leiter im Felde. Auf dieser Station, Hoffnungsfeld, gab es damals eine Versuchsfarm, auf der man festzustellen versuchte, wie tropische Kulturen angebaut werden müssten, und was man hier anfangen könne.[4]

Die Corporación Paraguaya kaufte auch den schon angesiedelten Mennoniten ihre Produkte ab und half den Siedlern in verschiedener Weise. Sie hatte in der Siedlung einen Kaufladen eingerichtet und sorgte dafür, dass die Siedler hier insbesondere verschiedene Nahrungsmittel und notwendige Dinge für den Haushalt erstehen konnten. Für die Unbemittelten bestand eine bestimmte Kreditzusage, so dass sie auf Anschreiben die notwendigen Artikel kaufen konnten. Auch hatte die Corporación auf Estancias Ochsen gekauft und sie an die unbemittelten Siedler auf Kredit weiterverkauft. Die Versuchsfarm auf Hoffnungsfeld war eigens für die Unterstützung der Siedler eingerichtet worden.

Die Corporación trug überhaupt die Verantwortung für das Wohlergehen der Siedler. Kein Fremder durfte sie dort behelligen. Es war so gut wie unmöglich, dorthin zu gelangen ohne Erlaubnis von der Corporación Paraguaya.

Hershey und Swartzentruber sahen also, dass gegenwärtig keiner der Siedler an Nahrungsmangel zu leiden brauchte. Mehl wurde aus Buenos Aires bezogen und andere Waren aus Asunción. Im Kaufladen der Corporación Paraguaya konnten die Siedler Rosinen, Pflaumen, Birnen und Pfirsiche in Konserven kaufen, auch Äpfel waren zu haben. Wenn jemand nicht Geld hatte, dann zeigte er einen Brief vom Gemeindeältesten vor, der besagte, dass er kreditbedürftig sei und für eine bestimmte Summe auf unbestimmte Zeit kaufen und anschreiben lassen dürfe. Ein Siedler hatte gesagt, aus seinem Dorf hätten die Leute auf diese Weise wenigstens für 2000,00 Dollar Ware aus dem Laden der Corporación Paraguaya gekauft.

Am Sonnabendmorgen, dem 16. Februar 1929, ging es dann weiter zur Siedlung, d.h., zu den neu angelegten Dörfern auf dem Koloniesgebiet. Da es in dieser Gegend geregnet hatte, konnte man den Camión nicht benutzen. Die Weiterreise wurde also zu Pferd und im Sattel gemacht. Die Herren Joe McRoberts und Erdmann S. Fehr begleiteten die beiden Besucher. Für die Mittagsmahlzeit rasteten sie bei Jacob Doerksen, in Weidenfeld, der 1921 mit als Delegierter im Chaco gewesen war. Auch bei Jacob A. Braun, Weidenfeld, hielten sie noch etwas an und assen von den zuckersüssen Wassermelonen, die ihnen hier vorgesetzt wurden. Es war heiss! Als sie sich anschickten, nach Osterwick weiterzureiten, zeigte das Thermometer 105 Grad F. im Schatten.

Auf dem Weiterwege wurden sie von einem schweren Regenschauer überrascht. Sie versuchten noch, sich unter Büschen zu verkriechen, um Schutz vor den niederprasselnden Fluten zu finden; ihr Bemühen jedoch, trocken zu bleiben, schlug fehl. So bestiegen sie halt wieder ihre Pferde und ritten weiter — in strömendem Regen!

Diese Art des Reisens waren die Besucher nicht gewohnt. Kurz vor Abend kamen sie, vom Regen durchnässt, vom Reiten müde und abgespannt auf dem Hofe des Ältesten Friesen in Osterwick an. Sie hatten 36 km im Sattel zurückgelegt. Ein Packtier (ein Maulesel) hatte ihre Sachen getragen.

Sie zogen sich nun zuerst trockene Kleider an und bekamen dann eine stärkende Mahlzeit. Obwohl sie das Bedürfnis, sich zur Nachtruhe auszustrecken, stark empfanden, kamen sie dann doch in ein reges Gespräch mit Ältestem Friesen und vergassen dabei zunächst sogar von ihrer Müdigkeit.

Am Sonntagmorgen gingen die beiden Missionare mit zur Andacht, die in der Schule stattfand. Am Nachmittag besuchten sie, von McRoberts begleitet, die drei Dörfer Blumengart, Schönthal und Chortitz. In Schönthal waren sie beim Prediger Johann Schroeder, der vormittags in Osterwick gepredigt hatte, zum Kaffee. Es war eine richtige mennonitische Vespermahlzeit, wie sie von ihren Müttern zu Hause auch bereitet wurde.

Auf dem Weiterwege begegneten sie einer Schar Indianer. Als sie dann im nächsten Dorf für eine Weile anhielten, kamen die Indianer auch auf den Hof, wo die fremden Besucher waren. Diese gaben den Indianern dann Geld und sagten ihnen, sie sollten am nächsten Tag zum Almacén gehen und sich dafür etwas kaufen. Die Indianer strahlten übers ganze Gesicht.

Nach einem Ritt von 25 Kilometern kehrten sie wieder zurück in ihr Quartier im Heim des Ältesten Friesen. An diesem Abend hatten sie eine lange Unterhaltung mit dem Ältesten. Sie liessen sich nun einen gründlichen Ein- und Überblick über die Geschichte dieser Mennoniten und ihre Ansiedlung im Chaco geben.

Am nächsten Morgen nahmen sie Abschied von Ältestem Friesen und ritten los, um noch eine Anzahl anderer Dörfer zu besuchen. Sie teilten sich die Dörfer ein. Hershey wurde von McRoberts begleitet und Swartzentruber von Erdmann Fehr. Sie legten dann 50 km zurück.

Hershey und McRoberts waren zu Mittag in Silberfeld bei einer Familie Enns gewesen. Es hatte Herrn Hershey doch in Erstaunen versetzt, als bei der Unterhaltung die Frau die Bemerkung gemacht hatte, sie wisse nicht, warum sie in Paraguay sei, aber zurück nach Kanada wolle sie auch nicht.

Es regnete den ganzen Tag. Von Halbstadt nach Silberfeld ritten sie die als enge Schneise geöffnete Südgrenze der Kolonie entlang. Dabei lernte Hershey den Chacobusch kennen, mehr als ihm lieb war. Seine Kleider litten in besonderer Weise darunter.

Am Dienstagmorgen ritten sie dann zusammen nach Waldheim, einem Dorf, das seinen Namen mit Recht trug, denn die Siedler hatten ihre Heime im Busch angelegt. Die Besucher bekamen den Eindruck, dass man in Waldheim besonders begeistert für die Kultivierung des Chaco war. Auch Indianer waren hier tüchtig bei der Arbeit im Dienste der Siedler. Sie arbeiteten fürs Essen und für alte Kleider. Aber Risse durften die Kleider, die sie als Lohn erhielten, nicht haben. Dass sie gebraucht waren, machte ihnen nichts aus. Sie mussten aber ganz oder geflickt sein.

Die Besucher verweilten in Waldheim bei den Familien Heinrich B. Toews und David K. Fehr. Hier sahen sie auch, wie die Leute Quebrachostämme verbrannten und dann die Asche nahmen, um damit die Wohnhäuser von innen und auch von aussen zu tünchen. Die Asche liess sich wie Kalk verwenden, man konnte damit die Wände schön weiss anstreichen.

Im Heim des B. H. Toews unterhielten sie sich noch mit Herrn Priess, der so eine Art Rechtsanwalt unter den Mennoniten war. Er liess sich ziemlich abschätzig über die kanadische Presse aus, die solche unsinnigen Übertreibungen über die kanadischen Paraguaywanderer publiziert hatte. ''In Wirklichkeit'' — sagte Priess — ''ist es der kanadischen Regierung nur schade, dass diese guten Bauern das Land verlassen haben.''

Am Dienstag, dem 14. Februar, um 6 Uhr abends, waren sie dann wieder zurück in Hoffnungsfeld. Durch 13 der 14 Dörfer der Siedlung waren sie gekommen. Etwa 130 Kilometer hatten sie im Sattel zurückgelegt. Hershey und Swartzentruber, die das Reiten nicht gewohnt waren, glaubten nun selbst, dass sie etwas geleistet hatten. Seit Sonnabend, wo sie zur Siedlung geritten waren, hatte es noch jeden Tag geregnet. Abends, als sie sich in Hoffnungsfeld zur Nachtruhe begaben, regnete es wieder. Das Dach des Hauses, in dem sie schliefen, war nicht ganz wasserdicht, und so mussten sie zusehen, wie sie trocken blieben.

Die Rückreise

Auf der ungeahnt mühevollen Rückreise zur Bahn hatten die zwei Missionare dann reichlich Gelegenheit, zu erfahren, was Friesen und McRoberts auf dem Hinweg damit gemeint hatten, als sie gesagt hatten, der Weg sei nicht immer so gut, wiewohl sie doch mit dem Auto nur 17 km pro Stunde weitergekommen waren. Sie bekamen nun auch etwas von dem zu schmecken, was diese Siedlerpioniere schon so oft durchlebt hatten, und noch immer wieder durchmachen mussten.

Am Mittwoch, dem 20. Februar, um 6 Uhr morgens, fuhren sie wieder ihrer vier, wie auf der Hinreise, auf dem Chevrolet von Hoffnungsfeld los: Hershey, Swartzentruber, McRoberts und C. S. Friesen. In Hoffnungsfeld hatte man ihnen schon gesagt, die Strecke von der Siedlung bis zur Bahn hätte während der letzten vier Tage schwere Regen gehabt, bis zu 200 mm. Hershey und Swartzentruber aber wollten die Strecke wieder mit dem Camión zurücklegen, denn am Freitagmorgen sollten sie in Puerto Casado Gelegenheit haben, ein Schiff zu besteigen, welches sie lieber nicht verpassen wollten.

Die Leute in Hoffnungsfeld, die schon wussten, was so ein Riesenregen für den Weg bedeutete, hatten sehr davon abgeraten, mit dem Camión zu fahren. Sie hatten gemeint, es wäre viel besser, zu Pferd im Sattel die Reise zu unternehmen und die Sachen von Lasttieren tragen zu lassen. Die Herrn Besucher jedoch liessen nicht locker, denn sie wollten nicht so viel Zeit verlieren, und so übernahmen McRoberts und Friesen es sich wieder, sie nach km 135 zu bringen. Für McRoberts und Friesen war das, was sie dann erlebten, nichts Neues. Für die chacofremden Amerikaner jedoch war es ein unangenehmes, aber auch unvergessliches Erlebnis, und es brachte sie ein gutes Stück näher zum Verständnis dessen was es bedeutete, wenn man im Chaco von schlechten Wegen sprach.

Sie waren noch nicht weit gefahren, da blieben sie schon stecken. Durch Graben und mit Schieben bekamen sie den Camión wieder frei und fuhren wieder. Sie kamen nur langsam voran. Es war etwa 11 Uhr, als sie dann wieder festsassen, und diesmal ganz fest. Inzwischen war, als sie bei einem Soldatenlager vorbeigekommen waren, ein Offizier zu ihnen auf den Camión gestiegen, um bis zum nächsten Militärlager mitzufahren. Hier, wo sie jetzt festsassen, waren auch Soldaten, die sich am Buschrand unter einem hohen Baum aufhielten. An dem Baum war eine Strickleiter befestigt. Darauf stiegen sie hoch, um die Gegend zu überblicken, auszuschauen nach feindlichen Eindringlingen, nach Bolivianern. Der Offizier schickte dann, als er merkte, dass er vom Camiónfahren wohl nichts mehr zu erwarten haben würde, zwei Soldaten nach dem nächsten Fortin und bestellte, ihm ein gesatteltes Pferd zu bringen. Zwei Soldaten sollten weiter mit einem Paar Jochochsen kommen und diesen Leuten aus dem Morast helfen.

Es dauerte nicht lange, bis ein Soldat mit dem Reitpferd kam. Der Offizier ritt dann los, nach dem Fortin. Die Ochsen aber kamen nicht. Bis drei Uhr nachmittags schufteten die Camiónfahrer und Passagiere wie verrückt, um aus dem Morast herauszukommen, aber es wurde nichts daraus. Alles Graben, Heben und Schieben, alles, alles war gleich Null. Um drei Uhr gaben sie auf und beschlossen, dass zwei von ihnen beim Camión zurückbleiben sollten, und zwei würden nach dem Militärlager losstampfen, um zu sehen, ob nicht doch Ochsen zu bekommen wären, mit welchen man wieder freie Fahrt voraus zu bekommen hoffte.

McRoberts und Swartzentruber gingen los. Es waren etwa 4 Kilometer bis zum Fortin, wo sie nach einer Stunde ankamen. Der Weg war selbst zum Gehen zu schlecht. Es war meistens lehmiger Buschweg, wo sie oft bis zum Knie den Schlamm durchzustapfen hatten. Die Tropensonne brannte unbarmherizig auf sie nieder. Mücken plagten sie ununterbrochen. Ab und zu tranken sie von dem Wasser, etwas mehr abseits, wo es etwas reiner zu sein schien. Swartzentruber wurde müde und sprach schon von Aufgeben.

Aber sie kamen zum Fortin.

Sie mussten jedoch feststellen, dass man hier keine Ochsen hatte. Die Ochsen, sagte man ihnen hier, seien noch mehrere Kilometer weiter, wo auch eine Militärstation wäre.

Die geplagten Herren rafften sich also wieder auf und schritten von neuem los, immerzu in Schlamm und Wasser. Um 6 Uhr abends kamen sie dann, zum Umfallen müde, am ersehnten Ziel an. Ausser dem Frühstück hatten sie heute noch keine Mahlzeit zu sich genommen, nur einmal zwischendurch einen heissen Kaffee, den sie sich selber zubereiteten, getrunken und ein Stücklein Brot gegessen. Hier bekamen sie etwas Heisses zu trinken und ruhten etwas aus. Die Ochsen mussten erst noch von weiter ab geholt werden.

Endlich kamen die Soldaten mit zwei Paar Jochochsen an. McRoberts und Swartzentruber erhoben sich und stapften mitsamt Soldaten und Ochsen los in Richtung Camión. Um 9 Uhr abends erreichten sie die Stelle, wo der Camión stak. Hershey und Friesen hatten die Hoffnung schon aufgegeben, dass die beiden Hilfesuchenden noch vor der Nacht oder bei Nacht zurückkehren würden. Sie hatten sich schon ins Gras gebettet, um, wenn auch nicht zu schlafen — denn die Mücken setzten ihnen fürchterlich zu — wenigstens nicht mehr nutzlos herumzustehen. Zum Essen hatten sie leider auch nicht viel was mitgenommen, weil man ja bei einer halbwegs normalen Camiónfahrt für diese Strecke kein Essen brauchte.

Jetzt wurden die zwei Paar Ochsen vor den Camion gespannt. Die vier Horntiere kriegten es tatsächlich fertig, dieses versunkene, hilflose Erzeugnis menschlicher Technik aus seiner traurigen Gefangenschaft zu befreien. So liessen sich die ermatteten Herren nun im Camión von den Ochsen bis zum nächsten Militärlager schleppen. Hier wurden die Ochsen abgenommen, und sie fuhren wieder alleine weiter, doch unter Verabredung mit den Soldaten, gleich mit den beiden Ochsenpaaren zu folgen. Das taten diese dann auch, und es war höchst notwendig, denn bald staken sie wieder fest und konnten sich nicht selbst herausarbeiten. So warteten sie auf die Ochsengespanne, die auch bald herankamen. Sie liessen sich wieder herausschleppen und fuhren dann wieder selbst weiter, doch nur eine kurze Strecke, dann sassen sie wieder fest.

Sie legten die Ochsen wieder vor, aber der Camión rührte sich dieses Mal nicht. Auch alles Mitschieben half nichts. Da versuchten sie es rückwärts, indem sie die Ochsen hinten anlegten. Aber auch das half nichts.

Sie bauten nun eine Hebevorrichtung aus Knüppeln, versuchten es so und dann wieder anders, aber alles war vergebens.

Von unten bis oben voller Dreck und durchnässt und müde, sprachen sie nun davon, dass es vielleicht doch besser wäre, sich bis zum Morgen zur Ruhe zu begeben, um dann mit frischer Kraft wieder zu versuchen, sich aus dem Dreck herauszuschaffen. Sie überlegten schon, wie sie sich aus dem Grase, wovon sie genug in der Nähe hatten, Betten herrichten könnten, und suchten schon wasserfreie Stellen dazu aus. Da aber meinte einer von ihnen, man könne vielleicht doch noch einmal wieder vorne anlegen und alles an Kräften aufbieten, was aus den Ochsen, aus sich selbst und aus dem Auto herauszuholen wäre.

Sie machten es so.

Friesen setzte sich ans Lenkrad und gab überreichlich ''Gas'', die Soldaten brüllten aus Leibeskräften auf die Ochsen ein, und die übrigen drei Männer schoben und hohen oder zerrten wenigstens am Camión — und wirklich! — auf einmal rührte sich das Ding und bewegte sich vorwärts.

So mühten sie sich dann noch eine Strecke ab, mit Ochsen, ohne Ochsen. Sie warfen zwischendurch Gras vor die Räder, damit sie im schlüpfrigen Schlamm besser griffen, und so gelangten sie, vor Mitternacht, wirklich noch bis zum zweiten Militärlager.

Und wie ihnen das Glück bei all den Missgeschicken doch hold war! Die zwei Soldaten, mit welchen sie am Morgen verabredet hatten, ihnen ein Paar Jochochsen entgegenzubringen, und auf die sie dann vergeblich gewartet hatten, die waren hier in diesem Militärlager und hatten das versprochene Paar Ochsen schon vorspann- und vorlegebereit. So waren es also doch pflichtbewusste Soldaten, die das einmal gegebene Versprechen auch unbedingt erfüllen wollten.

In diesem Lager sagte man ihnen, jetzt weiter hätten sie erst recht einen schlechten Weg vor sich. Sie stellten dann bald selber fest, dass diese Mitteilung eine begründete ''grundlose'' Tatsache war. Nur eine kurze Strecke fuhren sie allein, dann liessen sie sich wieder herausschleppen, denn die Soldaten folgten treu mit ihrem Jochochsenpaar nach. Bald aber machten sie die Ochsen überhaupt nicht mehr los, sondern liessen sich einfach von ihnen schleppen, indem auch der Motor etwas mithalf.

So ging es langsam weiter bis 2 Uhr morgens. Dann gerieten sie wieder in einen entsetzlichen Morast, wo wieder alle Energie der Ochsen, der Menschen und des Motors eingesetzt werden musste, um sich herauszuquälen.

Um 3 Uhr kamen sie an eine Niederung, die weithin unter Wasser war, und wo der Weg mitten hindurch führte. Ein Weg war aber nicht zu erkennen. Einer der Soldaten musste darum im tiefen Wasser vor den Ochsen, barfuss den Weg erfühlend, voranschreiten. So planschten sie durch die Palmensavanne. Um 4 Uhr kamen sie dann endlich wieder bei einem Militärlager an.

Im Osten zeigten sich schon die ersten Anzeichen eines neu heraufkommenden Tages. Im Militärlager wurde es lebendig. Bald waren die reisegeplagten, arg verdreckten, lehm- und schlamm-verschmutzten Fremdlinge von mehreren hundert Soldaten umgeben. Der Offizier liess sich über ihre überaus strapaziöse Fahrt berichten. Swartzentruber und Hershey sprachen gut Spanisch.

Sie hatten sich fürchterlich anstrengen müssen. Einen Tag und eine Nacht hatten sie so gut wie nichts gegessen. Alles das noch nicht genug, hatten sie ständig gegen die blutgierigen, stechwütigen Mücken ankämpfen müssen. Jetzt waren sie ausgemergelt, und das konnte ihnen jedermann, ohne irgendwelche weitere Bestätigung nötig zu haben, ansehen.

Schnell mussten nun die Mozos einen Mate cocido herrichten. Das stärkende Getränk wurde mit Behagen genossen. Dann mussten sie sich auf Anordnung des Offiziers auf rindslederbezogenen ''catres'' (Feldbetten) hinstrecken, um etwas auszuruhen. Sie schliefen gut eine Stunde. Danach mussten sie sich erneut mit dem Offizier zusammen in einem Kreis hinhocken, und wieder wurden sie mit einem Mate cocido bedient. Die Soldaten machten währenddessen ihren Morgendrill.

Dann wurde ein hoher zweirädriger Karren, die sogenannte Carreta, mit drei Paar Ochsen bespannt. Diesen Karren bestiegen Hershey und Swartzentruber nun und nahmen ihr Reisegepäck dazu. Zwei Soldaten setzten sich vorne in den Kasten (das vordere Ende des Karrens war ganz offen) und los gings nach km 135. Die Strecke betrug noch etwa 12 Kilometer.

Es war ein Weg, der in Wirklichkeit keiner war: schlammiger Boden, manchmal unter Wasser, Morast und auch schier grundlose Strecken. Hier durch hätte man den niedrigen Camión überhaupt nicht einmal schleppen können. Oft war das Wasser gut einen Meter tief. Aber jetzt brauchten sie nicht herunterzusteigen, um zu schieben oder sich im Dreck herumzustossen. Hoch und erhaben thronten sie nun über allen dreckigen Schwierigkeiten.

Aber die Mücken, diese unermüdlichen Plagegeister, fanden den Weg auch in das hohe, schaukelnde Häuschen — der Karrenkasten war mit Rindshäuten überspannt — und suchten so viel Blut wie möglich aus diesen Fremdlingen mit der weichen weissen Haut zu ziehen.

Endlich, um die Mittagszeit, kamen sie auf km 135 an. In 6 bis 7 Stunden, hatten sie sich in Hoffnungsfeld gesagt, wollten sie wieder auf km 135 sein, und 30 Stunden hatten sie gebraucht. Jetzt verstanden sie es, warum die Leute in Hoffnungsfeld sich gar nicht hatten überreden lassen wollen, sie im Camión nach km 135 zurückzubringen. Aber auf der Hinreise hatte es doch so gut geklappt!

McRoberts und Friesen waren zwar keine Neulinge in solchen Reiseerlebnissen, aber jetzt waren sie sicherlich doch ein bisschen ärgerlich, dass sie sich letztes Endes doch auf diesen Unsinn einer Camiónreise eingelassen hatten, auch, als sie schon wussten, das in jenem Gebiet 200 mm Regen niedergegangen waren.

Wieder war es hier ein Offizier — denn auch hier war ein Militärlager — der sie zuerst freundlich aufnahm. Er wies ihnen ein Zimmer an, wo sie sich ihrer dreckigen und schon hässlich aussehenden Kleider entledigen und sich wieder rein anziehen konnten.

Es wohnten auf km 135 zu dieser Zeit auch noch mennonitische Familien. Die Männer waren von der Siedlungsleitung hier als Aufseher und Stationsverwalter angestellt worden. Sie waren verantwortlich für die hier gelagerte eingekaufte Ware, die von Puerto Casado bis hier her geliefert wurde, um dann hier von den Siedlern abgeholt zu werden.

Zu diesen Leuten gingen Hershey und Swartzentruber jetzt noch ein Weilchen, tranken einen heissen Kaffee und assen etwas. Sie merkten dann auch bald, dass die Familie, bei der sie zu Gast waren, überhaupt nicht mehr zurück zu den Siedlungen, sondern so bald wie möglich nach Asunción und dann weiter zurück in die alte, gute Heimat loslegen wollte, die sie — merkwürdigerweise - als eine schlechte verlassen hatte.

Hershey und Swartzentruber wollten dann wissen, was sie denn in Kanada anfangen würden, wenn man ihnen dort, wie sie ja geglaubt hatten, Religion und Sprache nehmen werde. Darauf hatten sie keine richtige Antwort, aber sein Sohn, sagte der Vater der Familie, indem er auf seinen ältesten Jungen wies, sein Sohn könne in Kanada Hasen einfangen und sie für zehn Cents das Stück verkaufen, und zehn mal zehn Cents wären ein Dollar.

Hershey und Swartzentruber dachten bei dieser Unterhaltung an die Kinder Israel während des Auszugs aus Ägypten, die sich auch umgeschaut und sich nach den Fleischtöpfen Ägyptens zurückgesehnt hatten, weil sie auf der Reise kein Fleisch bekamen. Auch diese Leute hier auf km 135 hatten anscheinend kein Fleisch zum Essen. Als sie sich nämlich mit ihnen für eine Mahlzeit um den Tisch gesetzt hatten, hatte der Mann in seinem schwachen Englisch — denn Hershey und Swartzentruber unterhielten sich mit ihnen in englischer Sprache — gesagt: "Here we have no meeting", was so viel bedeutet, wie, hier haben wir keine Begegnung oder keine Versammlung. Er hatte aber sagen wollen: "Here we have no meat." (Hier haben wir kein Fleisch zum Essen.)

Hershey und Swartzentruber merkten auch, dass die Mennoniten auf km 135 schon eine ungesunde Verbindung oder ein ungesundes Verhältnis mit den Soldaten hatten. Es schienen ihnen wirklich "arme" Leute zu sein.

Um 1 Uhr nach mittags bestiegen sie das Schienenauto und knatterten los nach Puerto Casado, wo sie um 6 Uhr ankamen. An diesem Abend nahmen sie endlich mal wieder eine richtige Mahlzeit ein, was sie seit dem Mittagessen bei H. Toews in Waldheim am Dienstag (jetzt war es Donnerstagabend) schon nicht mehr getan hatten.

Jetzt, wo sie aus all dem Schlamassel heraus waren, dachten sie darüber nach, was wohl aus ihrer Fahrt von Hoffnungsfeld nach km 135 geworden wäre, wenn die Soldaten nicht dagewesen wären oder ihnen nicht geholfen hätten. Es wäre dann doch einfach unmöglich gewesen, durchzukommen. Sie hatten bei all dem fürchterlichen weg doch noch wieder Gottes wunderbare Führung erfahren.

Die Berichte der Missionare

Wenn diese beiden Missionare jetzt berichteten, was diese Siedler–pilger ihnen von ihren Wegerlebnissen in die unwegsame Busch–wildnis mitgeteilt hatten, und was sie noch immer wieder in der Regenzeit erlebten, dann sprachen diese Männer nicht mehr nur etwas nach, was sie gehört hatten, sondern ihre Berichte wurden nun bekräftigt durch unvergessliche eigene Erfahrungen.

Von den 14 Dörfern der Ansiedlung hatten sie 13 gesehen. Sie hatten in den Hütten der Siedler geschlafen und an ihren Tischen gegessen. Sie hatten gesehen, dass die Leute genug zu essen hatten, obwohl die Speiseauswahl mitunter sehr klein war. Das aber, meinten sie, würde sich bald ändern.

Sie waren in vielen Heimen gewesen, hatten mit vielen Siedlern gesprochen und ihre Verhältnisse genau beobachtet. In Asunción sprachen sie dann noch mit Herrn Eusebio Ayala, der schon einmal Staatspräsident gewesen und jetzt der Vizepräsident der Corporación Paraguaya war, welche die Verantwortung für das Gelingen der Ansiedlung trug. Sie sprachen weiter mit Herrn José Casado, der früher Eigentümer des Landes gewesen war, das die Mennoniten jetzt besiedelten; sie sprachen mit dem amerikanischen Konsul, Herrn Faust, der kurz vor ihnen im Chaco bei den Mennoniten gewesen war; sie sprachen mit Herrn Landreth, dem obersten Feldmann der Corporación Paraguaya und hervorragenden Mitglied der Intercontinental Company, und mit verschiedenen anderen Personen ausserhalb der mennonitischen Siedlungsgemeinschaft.

Über die Einzelheiten ihrer Eindrücke in der Siedlung, ihre Gespräche und ihre Ansichten über das ganze Siedlungsunternehmen lassen wir sie nun selbst berichten:[5]

> "Diese Chacosiedler haben eine schwere Zeit durchgemacht. Sie haben sich aber dadurch nicht entmutigen lassen, sondern haben alles, was ihnen widerfahren ist, als eine Glaubensprüfung aus Gottes Hand genommen. Diejenigen, die diese Prüfung nicht bestanden, kehrten um, zurück nach Kanada, von wo sie gekommen waren.
>
> Gegenwärtig ist der Gesundheitszustand gut. Einige Familien leiden an entzündeten Augen. Im allgemeinen schauen die Siedler mutig in die Zukunft. Über die so sehr übertriebenen Zeitungsberichte haben sie einfach gelacht. Zu Anfang haben sie natürlich alle sehr gelitten, das ist schon wahr. Wie sehr, das wissen nur sie und Gott allein. Jetzt glauben sie aber, dass die schwerste Zeit vorüber ist. Sie haben schon eine grossartige Ernte gehabt und wollen jetzt gerne dort bleiben.
>
> Im Chaco ist viel Land für die Mennoniten reserviert worden. Die Menno-Siedler haben ihr Land — etwa 140.000 Acker (56.000 ha) — in 27 Sektionen aufgeteilt. Sie haben 14 Dörfer angelegt. Es gibt Dörfer mit zehn Familien und auch solche mit zwanzig. Jeder Wirt soll wenigsten 30 Acker eingezäuntes Land in der Nähe seines Hofes haben. Die Wirtschaftsstellen wurden durch Lose vergeben. Es ist noch viel nicht bewirtschaftetes Land da.
>
> Im allgemeinen ist das Land bewaldet. Es gibt wertvolle Hartholzbäume, verwendbar für Zaunpfosten, die wenigstens 40 Jahre unverfault in der Erde stehen bleiben sollen. In den Niederungen wächst sehr gute natürliche Viehweide. Auf dem höher gelegenen Gelände gibt es viel Bittergras, das das Vieh nicht frisst.
>
> Das meiste Land, das sie für das Anlegen der Dörfer genommen haben, ist sandig. Dass dieses Land sehr ertragsfähig ist, haben wir gesehen, und das zeigen auch ihre Ernten, die sie schon eingebracht haben. Was immer sie pflanzen und säen, es wächst prächtig, ähnlich so, wie man es in den südlichen Staaten unseres Landes (USA) kennt. Alles, was dort gedeiht, gedeiht auch im Chaco.
>
> Wir haben Kafir, Mais, Hirsearten, Bohnen, Erbsen, Süsskartoffeln, Bananen, Erdnüsse (geerntet 14 Sack vom Acker), Mandioka, Wassermelonen und Baumwolle gesehen. Die Wassermelonen werden hier wirklich gross. Der Älteste Friesen sagte, sie hätten eine 2 Fuss lange und 50 Pfund schwere Wassermelone aus dem Garten geholt. Man sagt, im letzten Jahr habe die Siedlung wenigstens eine Million Wassermelonen geerntet.[6] Auch die Baumwolle gedeiht sehr gut. Man rechnet damit, dass sie auf dem Absatzmarkt an erster Stelle stehen wird.[7]
>
> Einige der Siedler waren noch nur 6 Monate auf ihrem Land. Wir mussten staunen über das, was sie in dieser kurzen Zeit schon alles

zustande gebracht hatten. Sie haben Zäune gemacht, Häuser gebaut und das Land für die Pflanzungen vorbereitet. Wir sahen auch Gemüsegärten, die uns an Gemüsegärten in Pennsylvanien erinnerten, mit Bohnen, Kürbissen und anderem darin. Auch Kafir hatten sie schon zum Verkaufen.

Es gibt einige Dörfer, die Schwierigkeiten damit haben, gutes Wasser zu finden. Sie müssen das Wasser für den Haushalt mitunter ziemlich weit fahren. Man rechnet damit, dass man noch mehr gutes Wasser finden wird, wenn man tiefer bohrt. Es werden auch schon Zisternen gebaut, um das Regenwasser aufzufangen. Während der Regenzeit gibt es hier viele Mücken.

Im Siedlungsgebiet der Mennoniten wohnen etwa 300 Indianer. Sie sind sehr friedlich und arbeiten gut. Oft sind sie mit alten Kleidungsstücken als Belohnung zufrieden. Sie leben sehr einfach und bauen sich ihre Hütten aus Stöcken, Zweigen und Gras, indem sie die Stöcke kuppelartig zusammenstellen und mit langem Gras bedecken. Möbelstücke haben sie keine.

Seitdem die Mennoniten zu ihnen gekommen sind, wird es mit der Bekleidung etwas besser. Vorher gingen sie fast ganz nackt. Die Mennoniten aber wollen, dass sie sich etwas mehr anziehen. Ihre Führer nennen sie Cazique. Die Mennoniten sind froh, dass die Indianer hier sind, denn sie sind besonders gewandt im Buschroden.

Es bestehen nach unserer Meinung hier wirklich alle Möglichkeiten, dass diese arbeitsamen Mennoniten hier eine schöne Kulturlandschaft hervorbringen werden. Wir glauben, dass die mennonitischen Siedler hier eine Zukunft haben.

Die Siedlungsgemeinschaft plant, in jedem der 14 Dörfer ein Schulgebäude zu errichten. Die schon fertigen Schulhäuser sind etwa 15 × 28 Fuss gross (ungefähr 4,50 × 8,40 m). Sie sind aus Rohziegeln, nur an der Luft getrocknet, angefertigt worden. Die Dächer sind aus Schilfgras oder aus Wellblechtafeln, die Fussböden aus Lehm.

In einigen Dörfern ist an jeden Sonntag Morgengottesdienst, in anderen jeden zweiten Sonntag und in einigen nur jeden vierten Sonntag, je nachdem, wie gross das Dorf ist und ob ein Prediger darin wohnt. Da die Dörfer bis zu 30 km voneinander entfernt liegen, haben die Prediger mitunter einen weiten Weg zum Andachtsplatz, wo sie predigen sollen. Sie teilen sich die Orte und Sonntage für diese Aufgabe ein, um nicht immer am gleichen Ort sprechen zu müssen. Weil sie die Reise mit Ochsenfuhrwerken machen müssen, fahren sie meist schon am Sonnabendnachmittag los, und fahren dann oft bis spät in die Nacht, um am Sonntag rechtzeitig am Platz sein zu können.

Der Gottesdienst beginnt um 8 Uhr morgens. Nachher werden Besuche gemacht, und am Spätnachmittag legt man dann wieder los nach Hause. Während der heissesten Tageszeit fährt man nicht, wenn es nicht unbedingt sein muss.

Die Gemeinde hat sechs Prediger und einen Bischof (Ältesten). Wir waren nur einen Sonntag in der Siedlung, und zwar in Osterwick, wo auch Andacht war. Wir gingen mit zur Versammlung. In der Versammlung trafen wir vier Prediger, einen Diakonen und den Bischof. Wir wurden der Gemeinde vorgestellt und mussten dann etwas über uns und unsere Aufgabe mitteilen. Zum Predigen wurden wir nicht

aufgefordert. An diesem Morgen hatte ein Johann Schroeder Predigt-
dienst.

Zum Anfang wurden zwei lange Lieder gesungen, welches etwa
eine halbe Stunde dauerte. Die Lieder hatten je 10 Strophen und die
Strophen dann noch so 10, bis 12 Zeilen. Das Singen wurde von Vorsängern geführt, und sie hatten eine merkwürdige Art der
Tonüberleitung von eine Zeile zur anderen. Die Melodien wurden in
einem altmodischen Schlepptempo gesungen. Nachdem die zwei
Lieder gesungen waren, erhob sich der Prediger, zog einen Wisch
Papiere aus seiner Rocktasche und breitete sie auf einem Tischpult vor
sich aus. Es waren 28 dicht vollgeschriebene Seiten, die er dann lesend
vortrug. Er brauchte über eine Stunde dazu.

Zweimal wurde von der ganzen Versammlung ein kniendes Gebet
verrichtet; es betete aber keiner so, dass es zu hören war. Wann so ein
stilles Gebet dann zu Ende war, merkten wir erst, wenn der Prediger
wieder zu lesen anfing. Wir fanden es ermüdend, zwei Stunden auf
Bänken ohne Lehnen zu sitzen und in der Schwüle die monotone
Predigt anzuhören. Wir merkten, dass viele Anwesenden einfach dös-
ten, besonders während der letzten Hälfte der Predigtverlesung. Viele
sassen mit auf den Knien aufgestützten Ellenbogen, den Kopf in den
Händen vergraben, oder das Kinn in eine Hand gestützt. Nach der
Predigt wurde noch wieder ein langes Lied gesungen.

Für die Andachtsversammlung, wozu auch aus den umliegenden
Dörfern Teilnehmer gekommen waren, hatte man nicht genug Bänke,
und so hatten viele Leute sich Bänke mitgebracht und nahmen sie auch
wieder mit zurück.

Die Prediger trugen Amtsröcke, die bis an die Knie hinabreichten,
dazu schwarze Hemden, und sie waren ungeschlipst. In der Versammlung trugen manche Männer Kravatten; das waren aber mehr die
jüngeren. Die meisten trugen dunkle Anzüge, einige auch helle. Die
Frauen hatten eine Kopfbedeckung nach einer englischen Mode. Einige
der jungen Frauen hatten auch geschnittenes Haar.

Die Andachten werden in hochdeutscher Sprache geführt und so
auch der Unterricht in den Schulen. Im alltäglichen Umgang und in den
Heimen spricht man ein sogenanntes Plattdeutsch. Wenn man schon
etwas von der hochdeutschen Sprache versteht, so hilft das noch nichts
dazu, auch ihre plattdeutsche zu verstehen. Es ist noch wieder etwas
ganz anderes. Die Leute selbst bezeichneten diese ihre Umgangssprache
als ''mennonitische'' Sprache.

Während der Woche wird in diesen Gebäuden Schulunterricht
erteilt. Man unterrichtet Lesen und Schreiben. Sobald ein Schüler etwas
lesen kann, wird die deutsche Bibel als Lesebuch verwendet. Wir
wollten dann wissen, ob ihre Lehrer auch eine Vorbildung erhielten, um
die Schule leiten zu können, worauf man uns aber ein klares ''Nein'' als
Antwort gab; das halte man nicht für notwendig.

Wir bekamen den Eindruck, die deutsche Sprache sei ihnen das
Wichtigste in ihrer Religion. Einer der Siedler sagte, wenn ihnen die
deutsche Sprache genommen würde, dann wäre es um ihren Glauben
geschehen. Wir fragten einen, den wir für einen der wohlhabenderen
Siedler hielten, ob er sich nicht nach Kanada zurücksehne, wenn er
daran denke, was sie dort doch schon an Angenehmem gehabt hätten.
— Nicht aber — erwiderte er — wenn sie daran dächten, weshalb sie von

dort ausgewandert seien, wo man ihnen ihre deutsche Sprache habe nehmen wollen und für sie darum Auswandern als die einzige Möglichkeit geblieben sei. Wenn sie nun — führte er weiter aus — durch allerlei Prüfungen und Trübsale gehen müssten, so geschehe solches wegen einer guten Sache, für die solche Opfer zu bringen sich lohne.

Wohin hätten diese Leute gehen sollen, hätte Paraguay sich ihrer nicht in so grosszügiger Weise angenommen?! Möge es diesen Siedlern dort in Paraguay doch wirklich gut gehen, und Gott wird schon wissen, was er mit ihnen dort noch anfangen will.''

Wegen des langen Wegbleibens dieser beiden Kundschafter, ohne Nachricht von ihnen zu haben, begannen sich nun auch ihrethalben bange Ahnungen und Spekulationen zu verbreiten, genauso wie es vor acht Jahren bei der ersten mennonitischen Delegation der Fall gewesen war.

Man hörte längere Zeit nichts mehr von den beiden Missionaren aus Argentinien, die sich in die indianische Buschwildnis begeben hatten, und darum glaubte man, mit dem Schlimmsten rechnen zu müssen. In den Zeitungen Pennsylvaniens war zu lesen[8], dass zwei Männer sich in die paraguayische Wildnis auf die Suche begeben hätten, um dort Menschen in ihrer Not Hilfe zu bringen. Über ihren Verbleib hätte man aber noch nichts erfahren.

Und in der Gemeinde daheim in Pennsylvanien, von wo aus man die Männer beauftragt und nun von deren Verbleib schon eine längere Zeit nichts mehr gehört hatte, war man schon besorgt. Spätkluge Leute wussten nun, es sei nicht so einfach, durch die Wildnis zur Siedlung vorzustossen. Das bedeute, allerhand Strapazen auf sich zu nehmen. Die letzte Strecke, sagte man, könne nur zu Pferd im Sattel überwunden werden, oder vielleicht nicht einmal das, sondern man müsse eine weite Strecke einfach zu Fuss zurücklegen.

In Zeitungsberichten hiess es, es seien nun schon Wochen verstrichen, seit die Missionare den Vorstoss in die Wildnis unternommen hätten, und die mennonitische Gemeinschaft, die für jene Männer verantwortlich sei, warte schon sehnlichst auf Nachricht. Diese Wildnissiedlung, die aus mennonitischen Bauern bestünde, befände sich mitten in einer riesigen, schwer zugänglichen Wildnis und sei von aller Welt so gut wie abgeschnitten. Die Leute — so hiess es weiter — seien vor zwei Jahren dorthin geflohen, als man ihnen in Kanada die englische Sprache aufzwingen wollte und sie aufhören sollten, ihren Kindern die deutsche Sprache beizubringen.

Die Mennoniten Pennsylvaniens aber hielten sich gleichzeitig auch dafür bereit, Nachrichten über die bedrängten Siedler zu hören, um, wenn nötig, gleich mit Sendungen von Nährmitteln oder Geldüberweisungen helfend einzugreifen. Orie O. Miller, selbst Mitglied einer Hilfsorganisation, schrieb wie folgt:[9]

''Die Mennoniten in Paraguay

Aus Zeitschriften haben wir erfahren, dass diese Leute in grosser Not sein sollen. Daher haben wir jetzt zwei Männer beauftragt, die Lage an Ort und Stelle zu untersuchen. Diese Männer, die um diese Zeit wohl dort in der Untersuchungsarbeit sein werden, sind unsere Missionare T. K. Hershey und Amos Swartzentruber aus Argentinien. Hoffentlich können sie nächstens über ihre Untersuchungsergebnisse berichten.

Die Informationen, die wir aus deutschsprachigen Blättern erhalten haben, widersprechen sich. Infolge des schweren Klimawechsels sind dort in Paraguay schon viele von ihnen gestorben, und viele sind zurückgekehrt nach Kanada. Die Mehrheit aber hat sich in Dörfern am Siedlungsort niedergelassen. Wahrscheinlich hilft die Siedlungsgesellschaft, die das Projekt ausgeführt hat, sehr mit, um die Siedlung selbständig zu machen. Es heisst, dass sie den Siedlern mit Rindvieh aushilft, ihnen Sämereien für die Anpflanzungen zukommen lässt und sie mit Ackerbaugeräten versieht, was durch eine Kreditgewährung möglich gemacht wird.

Vieles Schwere, das die Siedler dort erlebt haben, ist in Wirklichkeit nichts Befremdendes, denn es ist sowieso niemals leicht, so eine Ansiedlung zu gründen, wieviel schwerer aber in einem so abgelegenen Gebiet, in einer Wildnis, wie diese Chacogegend.''

Die Wahrheit muss doch siegen

Nachdem die amerikanischen Mennoniten die Untersuchung der mennonitischen Wildnissiedlung im Chaco ausgeführt und aus erster Hand über den wirklichen Zustand dieses Siedlungsunternehmens berichtet hatten, tischten dann auch die Zeitschriften andere Berichte auf. An dieser Nachrichtenverbesserung war dann auch die amerikanische Botschaft in Asunción beteiligt. Auch sie verbreitete nun optimistische Nachrichten über den nordamerikanischen Kontinent, die der Konsul Faust selbst verfasste.

Hier einer jener nun geradezu superoptimistischen Zeitungsberichte:

''In der grossen Wildnis entsteht nun ein neues Städtchen. Man nennt es 'Campo Esperanza' (Feld der Hoffnung). Dieses Städtchen ist die aufblühende Metropole eines praktisch sich selbst verwaltenden Mennonitenstaates im paraguayischen Chaco und umfasst etwa 230 Quadratmeilen. Es ist eine religiöse Gemeinschaft, von einem Bischof geleitet. Sie hat das Vorrecht, sich eigene Gesetze zu geben, und ist für eine bestimmte Zeit von allen Besteuerungen und anderen staatlichen Verpflichtungen der Regierung gegenüber freigesprochen, und dieses ist der wichtigste Punkt in dem ihnen von der paraguayischen Regierung gegebenen Freibrief.

Eine Gruppe kanadischer Duchoborzy machte sich auch schon fertig, um in den Chaco zu ziehen.

Diese neue mennonitische Ansiedlung in der Wildnis eines paraguayischen Gebietes, ist von kanadischen und amerikanischen Unternehmungen geschaffen worden. Von amerikanischer Seite wurde die notwendige finanzielle Grundlage gesichert, eine Angelegenheit, die bei solcherart Ansiedlung schon so oft übersehen worden ist, und woran dann die Kolonisation meist scheiterte.

Die schlechten Nachrichten, die vor einiger Zeit über diese Chacosiedlung die Runde machten und mitteilten, wie die Leute dort Hunger litten, wie sie von Indianern überfallen und von bolivianischen und von paraguayischen Soldaten beraubt würden, wurden angeregt durch diejenigen Auswanderer, die den Mut verloren hatten und nach Kanada zurückgekehrt waren. Diese gaben dann dort einseitige Berichte und diese Einseitigkeit wurde noch ausgebaut. Viele dieser zurückgekehrten Auswanderer hatten ihr wirkliches Siedlungsland überhaupt nicht gesehen. Aber dort am Paraguayfluss, beim Städtchen Casado, gefiel ihnen das Klima so schlecht, dass sie schon gar nicht noch mehr kennenlernen wollten, sondern nur zurück in die alte Heimat drängten.

In Wirklichkeit hält das paraguayische Militär Wacht über ihre Siedler. Die Indianer sind auch gar nicht gefährlich. Sie sind viel schmutziger, als sie gefährlich sind. Die Mennoniten haben schon Ernten eingebracht, und von einer Hungersnot ist gar keine Rede.

Die Bedingungen, unter welchen die Mennoniten in Paraguay eingewandert sind, sind einzigartig. Paraguay fördert die Kolonisation in vorbildlicher Weise. Das Land haben die Mennoniten von einem Manne gekauft, der dort ein riesiges Gebiet eignet. Landvermessungen waren hier bis jetzt noch niemals vollzogen worden. Es gibt also nur Eintragungen auf der Karte.

Als Paraguay zu einer Zeit in Geldnot war, lieh es sich Geld von einem Argentinier namens Carlos Casado, dreihunderttausend Dollar. Später hat Paraguay dann diesem Argentinier anstatt mit Geld, mit 3000 Legua Land im Chaco sein Darlehen zurückerstattet.''

Fussnoten zu Kapitel XIV
Wir suchen unsere Brüder

1. Die ausführliche Beschreibung der Erlebnisse der Missionare Hershey und Swartzentruber im Chaco, ihrer Besuche, ihrer Reisen durch die Wildnis u.s.w. sind ihren Aufzeichnungen entnommen. Hershey führte ein Tagebuch, das nach seinem Tode in der Historical Library des Goshen College, Goshen, Indiana, aufbewahrt wird. Als der Verfasser 1971 drei Wochen in Nordamerika verweilte und viele Ablichtungen und Abschriften von Dokumenten machte, wurde auch dieses Tagebuch nicht übersehen. Auch während der schweren Rückreise von Hoffnungsfeld nach km 135 machte Hershey seine Eintragungen, die sehr interessant und wertvoll sind.

2. Cornelius S. Friesen, der für die Corporación Paraguaya als Chauffeuer arbeitete und später in Hoffnungsfeld bei der Baumwollentkernungsanlage die Dampfmaschine bediente.

3. Es folgt nun eine längere Beschreibung des Ursprungs, Aufbaus und der bisherigen Arbeit der Korporation, wie schon in den vorhergehenden Kapiteln geschildert. Wir sehen deshalb von einer Wiederholung ab.

4. 1929 errichtete die Corporación Paraguaya in Hoffnungsfeld eine Baumwollentkernungsanlage auf ihre Kosten. Sie wurde später (1937) nach Loma Plata überführt und umgebaut.

5. Die Berichte der mennonitischen Missionare Hershey und Swartzentruber erschienen in verschiedenen kanadischen und amerikanischen Zeitschriften, vor

allem in mennonitischen Blättern. Im *Gospel Herald*, Scottdale, Pennsylvanien, erschien diese Berichtfolge in den Ausgaben vom 19. September bis zum 14. November 1929. Der Bericht beginnt mit einer Zusammenfassung der Geschichte der Einwanderung, der langen Wartezeit, dem Beginn der Ansiedlung u.s.w. und stimmt wesentlich mit dem Inhalt der bisherigen Kapitel dieses Buches. Wir beginnen den Bericht mit der Ab- und Einschätzung der Ansiedlung von seiten der Besucher.

6. 5000 Wassermelonen pro Familie durchschnittlich? Die Zahl scheint zu hoch gegriffen zu sein. Man sollte vielleicht eine Null streichen.

7. Gemeint ist hier, dass Baumwolle für die Siedler das wichtigste Absatzprodukt sein wird, und eventuell ihr grösster Exportartikel sein dürfte.

8. *Evening Ledger*, 7. Januar 1929. (Ort der Herausgabe nicht angegeben)

9. *Missionary Messenger*, 22. Februar 1929, Lancaster, Pennsylvanien. Orie Miller, Schriftleiter.

10. *Daily News*, 21. August 1929 (Ort der Herausgabe nicht angegeben)

KAPITEL 15

Zur Auswanderung und Ansiedlung braucht man Geld

. . . Die Siedler müssen finanziell und auch in ihren Ansiedlungsoperationen unterstützt werden, soll die Ansiedlung vorangehen. Um eine solide Grundlage zu schaffen, müssen noch einige Widerwärtigkeiten überwunden und einige Mängel behoben werden. Es fehlt den Siedlern auch noch eine bessere (wirtschaftliche soziale) Organisation. Die meisten von ihnen sind gute Farmer, sind redlich und auch sehr arbeitssam. Und wir (als Siedlungsgesellschaft) müssen finanziell unterstützen und dann werden sie die Ansiedlung sicherlich bewältigen . . .

R. N. Landreth schreibt aus Pto. Casado an Herrn Robinette in USA — Oktober 1928

Die finanzielle Anfangslage der Siedler

Rodney N. Landreth, der Beauftragte der Siedlungsgesellschaft für die Betreuung der jungen Ansiedlung, schrieb im Oktober 1928 an den Präsidenten der Siedlungsgesellschaft, Herrn Edward B. Robinette:

> ''Die Siedler bedürfen einer angemessenen Unterstützung, finanziell wie auch strukturell, wenn ein baldiger Fortschritt ihrer Ansiedlung verzeichnet werden soll.
>
> Um sich selbst eine solide Grundlage zu schaffen, müssen natürlich noch einige Widerwärtigkeiten überwunden werden. Auch müssen diese Mennoniten ihre eigenen Mängel beheben, die ihnen hinderlich sind, die Ansiedlung wirksam auszuführen. Sie müssen sich entsprechend organisieren, denn daran fehlt es ihnen noch immer.
>
> Sie sind an und für sich tatsächlich gute Bauern, und die meisten von ihnen sind auch redliche Leute und sehr arbeitssam. Mit unserer Unterstützung werden sie es schaffen.''

Herr Robinette war ein bedeutendes Mitglied der Firma Stroud & Company in Philadelphia, U.S.A. Er hatte, neben General McRoberts, den zweitgrössten Anteil am Kapital der Siedlungsgesellschaft und war auch der Präsident dieser Gesellschaft, während McRoberts, der wohl mehr zu sagen hatte als Robinette, Ehrenpräsident war. Auch Landreth hatte finanziellen Anteil an dieser Gesellschaft. Er war die rechte Hand von Robinette und McRoberts und war 1928/29 als Beauftragter mit dabei, als die junge Siedlung entstand. Der erste Beauftragte der Siedlungsgesellschaft für die Betreuung der Siedler im Jahre 1927 war Herr Alfred Rogers gewesen. Es war dies gerade das kritische Jahr gewesen, in dem man ansiedeln wollte aber nicht konnte, weil das Land nicht vermessen war. Er war dann nach Kanada zurückgefahren, um dort mehr Interesse unter den Mennoniten für die Chacokolonisation zu wecken, und Herr Landreth hatte seine Dienststelle in Paraguay übernommen.

Landreths Schreiben an Robinette hatte also den Zweck, auf die Notwendigkeit oder zumindest die Bedeutung einer finanziellen Unterstützung oder einer Kreditgewährung für den Siedlungsanfang hinzuweisen. Einige Tage später schrieb Herr Landreth an Herrn Martin C. Friesen, den Gemeindeältesten der jungen Siedlung, wie folgt:

> ''Ich habe gehört, dass manche Ihrer Leute sich Sorgen machen wegen der Anleihe, die wir Ihrer Gemeinschaft machen wollen, dass sie nämlich hinderlich sein könnte, den Chaco zu verlassen, falls jemand das einmal würde wollen, dass er also den Chaco nicht verlassen dürfe, wenn das Darlehen noch nicht zurückgezahlt sei, sondern in Paraguay bleiben müsse, bis alle Schuld bezahlt sei.
>
> Das sind unnötige Sorgen. Das Einzige, was die Leute zurückhalten könnte, ist ihre Verpflichtung der eigenen Gemeinde gegenüber.
>
> Sollte es sich jedoch einmal herausstellen, dass der Chaco für die gesamte Ansiedlung ungeeignet ist — was ich übrigens gar nicht glaube — dann sind alle Siedler berechtigt, den Chaco zu verlassen, als wäre die Anleihe niemals gemacht worden.
>
> Ich sage Ihnen, wir machen diese Anleihe in derselben Weise wie die Mennoniten von Ontario es seinerzeit für Ihre Väter in Manitoba gemacht haben, als sie dort von Russland eingewandert waren.
>
> Ich verspreche mir aber eine blühende Ansiedlung von Ihrem Unternehmen hier, und ich habe das Vertrauen in Ihr Volk, dass, sofern sie sich alle an der aufbauenden Arbeit beteiligen und nicht auf das dumme Gerede hören, die Ansiedlung Fortschritte machen und festen Fuss fassen wird.''

Rückblick auf die Auswanderung der Bergthaler, 1874–1876

Als sich seinerzeit (1873) die Bergthaler Gemeinde in Russland nach Amerika auszuwandern entschlossen hatte, war damit noch nicht die Art und Weise klar und entschieden gewesen, wie man dieses finanziell schaffen würde. Auswandern wollte damals sozusagen die ganze Gemeinde, aber nur etwa einem Drittel war es finanziell möglich. Man war sich damals jedoch als Gemeinde einig geworden, dass niemand des Geldes wegen zurückbleiben solle. Wer auswandern wolle, solle es auch dürfen. Um dieses für alle, auch die Ärmsten, möglich zu machen, müsse eben ein Weg gefunden werden. Der damalige Bergthaler Gemeindeälteste, Gerhard Wiebe, hat es in seinem Buch beschrieben, wie man diese Frage gelöst hat.[1]

"Die Gemeinde war arm, obzwar wir im Natürlichen nicht so arm waren, aber wir sollten unsere Wirtschaften stehen lassen, und nur das bewegliche Vermögen konnten wir verkaufen, und zudem hatten wir keine anderen Käufer als Russen, Lutheraner und Griechen, und diese sagten: 'Sie müssen noch verkaufen, wollen nur warten, bis wir es ganz billig bekommen'.

Dem grössten Teil sollte von der Gemeinde mitgeholfen werden, denn wir zählten etwa 145 Wirte und im ganzen waren wir etwa 500 Familien, der grösste Teil davon arm. Dazu waren noch 100 000 Rubel Waisenamtschulden, ausser bei den Krämern. Alles musste geregelt werden, damit uns niemand verklagen konnte, denn wir mussten mit falschen Brüdern rechnen.

Wir haben es dann so gemacht: Erstens hatten wir einen gutgesinnten, klugen Mann und seinen Gehilfen, das waren unsere Waisenvorsteher, und die setzten sich hin und überlegten, wie die Auswanderung geldlich zu bewältigen wäre.

Im Waisenamt waren noch so bei 50 000 Rubel bares Geld, das Witwen und Waisen gehörte, auch waren etliche alte Wirte darunter, die ihre Wirtschaft verkauft und das Geld für die alten Tage hier hinterlegt hatten. Auch waren viele verstorbene Eheleute, und die hinterbliebenen Väter oder Mütter hatten ihren Waisen ausgezahlt, und dieses Geld war im Waisenamt. Und wenn es zum Teil ausgeliehen war, so war es doch als Bargeld zu betrachten. Jetzt waren aber noch viele, die es noch nicht eingezahlt hatten, und wenn sie es einzahlen sollten, konnten sie nicht auswandern; wieder andere hatten für ihr Kinder eingezahlt, waren jetzt aber zu arm, die Kinder mitnehmen zu können. Und auf dieses hatten sie die Berechnungen gemacht, z.B. diejenigen, die ein beträchtliches Kapital und Überschuss hatten, sollten — jedoch mit ihrer Bewilligung — 25 Rubel v.H. fallen lassen für die Armen, und von diesem Geld sollte den vater- und mutterlosen Kindern geholfen werden; und viele wieder bekamen von dem eingezahlten Geld zurückgezahlt und konnten dann auch mit ihrer Familie auswandern; und noch andere konnten ihre Waisenschuld mitnehmen, und dann wurden noch 5000 Rubel hinzugenommen, die die Gemeinde seinerzeit zum Landkauf eingesammelt hatte.

Zweitens: Die kein Geld, aber Schulden im Waisenamt hatten, durften ihre Schulden mitnehmen, und mit dem abgelassenen Geld wurde ihnen geholfen, die Reise zu bezahlen, mit der Bedingung, in Amerika das vorgestreckte Geld zurückzuzahlen.

Alles wurde als Vorschläge den Brüdern vorgelegt, und zu unserer Überraschung sagten sie: Ja, wir sind bereit, alles Mögliche zu tun, damit unsere armen Brüder mit ihren Kindern auch mitziehen können, anders sehen wir unsere Auswanderung nicht als richtig an. Zwar fiel es einigen etwas schwer, aber auch sie gaben dann bald ihr Ja–Wort; denn der Herr hatte ihre Herzen gerührt und zum Geben willig gemacht. Einige liehen sich dann noch Geld, andere wieder nahmen ihre Freunde auf ihre eigenen Kosten mit.''

Solches war wirklich ein gemeinschaftliches Vorgehen gewesen. Anders wäre es damals auch nicht möglich gewesen, die Auswanderung in der Weise durchzuführen, wie sie durchgeführt worden ist. Es waren Kreditmöglichkeiten für alle, die sie nötig hatten, geschaffen worden. Viele hätten zurückbleiben müssen, wenn man ihnen nicht durch Vorschüsse den Weg geebnet hätte. Einzelne Bürgschaften hatte man damals aufgehoben, und alles war gemeinsam getragen worden.

Die erste Zeit in Manitoba war aber auch sehr schwer gewesen, besonders für die Armen, die nicht einmal das notwendige Geld zur Beschaffung von Nahrungsmitteln gehabt hatten. Dazu war dann noch die erste Ernte von Heuschrecken vernichtet worden. Wieder hatte ein Weg gesucht werden müssen, den Leuten zu helfen. Da hatten sich die Mennoniten von Ontario für sie eingesetzt und ihnen eine Anleihe von der kanadischen Regierung verschafft. Die Mennoniten Ontarios hatten sich für den an die Mennoniten Manitobas gegebenen Kredit zur Beschaffung von Nahrungsmitteln verbürgt.

Auch über diese Sache finden wir etwas in dem Buch über die Auswanderung von Russland nach Manitoba, von Gerhard Wiebe:[2]

> ''Im Jahre 1881 fuhr ich wegen Gemeindeschulden nach Ontario zu den Brüdern, dieselben zu bitten, noch ein wenig Geduld mit uns zu haben, denn die Zeit zum Abzahlen war nahe und unsere Schuld an sie betrug noch etwa 80.000 Dollar, und besonders noch, sie zu bitten, uns einen Teil der Zinsen zu erlassen, worauf sie aber nicht eingingen. Jedoch kamen die Brüder darin überein, unsere Zahlungsfrist noch auf etliche Jahre mehr zu verlängern. Sie haben Wort gehalten und haben uns mit den Altkoloniern zusammen etwa 30.000 Dollar abgelassen und reichlich ihre Bruderliebe an uns bewiesen. Ihnen sei nächst Gott vielmal Dank dafür!''

Jene Geldaushilfe durch die kanadische Regierung, erwirkt durch die Mennoniten Ontarios, war zur Überwindung der Not der Anfangssiedlungszeit gewährt worden.[3] Weiter hatte dann jeder selbst zusehen müssen, wie er mit seinen Einkünften für den Lebensunterhalt und für seine Wirtschaftsführung fertig würde. Das Waisenamt hatte auch Geld ausgeliehen, wenn es welches gehabt hatte. Dieses Amt war aber keine eigens dafür eingerichtete, weitreichende Kreditinstitution gewesen, die im grossen Masstab mit Geldvorschüssen hätte dienen können. In kleineren Beträgen hatte man damals auch in Kaufläden Waren auf Anschreiben kaufen können. Das war vor allem für solche möglich gewesen, die sonst als gewissenhafte und pünktliche Zahler bekannt waren.

Auswanderungskredite für Unbemittelte
bei der Paraguayauswanderung

Als es nun wieder zu einer Auswanderung kam, nahm die Chortitzer Mennonitengemeinde, eine Stammgemeinde der Bergthaler Gemeinde aus Russland, die die Hauptmasse der Südamerikawanderer ausmachte, das Verfahren der Väter aus Russland zum Vorbild und schuf eine Möglichkeit, dass alle, die auswandern wollten, aber nicht die Mittel dazu besassen, auswandern konnten.

Die Beiträge für diesen Kredit kamen von stark und auch weniger stark Bemittelten in freiwilliger Form und betrugen insgesamt etwa 50.000 Dollar.[4] Davon wurden 43.000 Dollar für Fahrkarten von Manitoba bis Paraguay und für die Schulden solcher, die Verschiedenes ausser ihren Reisekosten nicht bezahlen konnten, ausgegeben. Die 50.000 Dollar wurden als Darlehen gegeben. Jeder sollte sein Geld am neuen Wohnort wieder zurückerhalten. Der Rückzahlungstermin war fürs erste auf 5 Jahre, ohne Verzinsung, angesetzt. Die restlichen 7.000 Dollar — von den 50.000 — wurden dann im Laufe der 16–monatigen Wartezeit im Lager von Puerto Casado und in den Siedlerlagern am Wege in die Wildnis für den Mehlkauf verwendet. Den Reisekredit von Kanada nach Paraguay beanspruchten etwa 37%, viele von diesen dann auch später den Mehlkredit, nachdem sie in Paraguay angekommen waren und ihr ''Taschengeld'' bald aufgebraucht hatten.

Aus dieser Kreditkasse, die man auch Gemeindekasse nannte, bezahlte man auch das Material für den Bau eines sogenannten Mehlhauses im Siedlerlager von Puerto Casado. Das Mehl, das man als Mennonitengemeinschaft in Buenos Aires im Grossen einkaufte und nach Paraguay zollfrei importieren durfte, wurde während der 16–monatigen Wartezeit von diesem Mehlhaus aus an die mennonitischen Siedler weiterverkauft. Als dann um die Jahreswende 1928/29 die sogenannten ''Leguagrenzen'' des Siedlungskomplexes vermessen und festgelegt wurden, bezahlte man auch diese Arbeit und die damit verbundenen übrigen Ausgaben aus der Gemeindekasse.

Ausser dieser Gemeindekasse hatte die Gemeinschaft auch eine Waisenamtkasse, aus welcher auch viele Darlehen gemacht wurden. Eine Anleihe erhielt man aus dieser Kasse aber nur, wenn die Mehrheit der Gemeinschaft ihre Zustimmung dazu gab.

Nach der fast anderthalbjährigen Wartezeit, einer Zeit wirtschaftlicher Untätigkeit, wo es kaum eine Einnahmne gab, man aber für den Lebensunterhalt sein Geld ausgeben musste, waren schon manchem Siedler die eigenen, immerhin nur knappen Geldmittel, ausgegangen. Andere hatten zu ihren mitgebrachten Schulden nur noch mehr Schulden hinzugetan. Die Gemeinschaft sorgte dafür, dass niemand Hunger litt. Dennoch konnte einer einseitigen und oftmals auch knappen Ernährungsweise nicht vorgebeugt werden. Darunter litten Viele, besonders die Kinder. Bald war aber auch bei vielen Erwachsenen nicht mehr die notwendige Widerstandskraft da, wenn Krankheit über sie kam. Am wirtschaftlich–finanziellen Stand gemessen gab es unter den Siedlern etwa je ein Drittel Arme, mittelmässig Bemittelte und Wohlhabende.

In den Siedlerlagern am Wege zum Siedlungsland lebte man schon besser als im Lager von Casado, denn hier baute man gleich Feldfrüchte an, die sich dann so fast übers ganze Jahr verteilten. Da gab es doch schon reichhaltige Abwechslung im Speisezettel. Als man dann endlich ganz auf eigener Scholle sass, wurden vor allen Dingen sobald wie möglich Dauerfrüchte angebaut, vor allem die Mandioka die sich so gut in der Erde erhielt.

Die Amerikaner aus der Siedlungsgesellschaft, die unter den Siedlern weilten und mit ihnen gemeinsam alles überlegten und planten und mit den inneren Zuständen der Siedlungsgemeinschaft, negativ oder positiv, fast bis ins Kleinste vertraut waren, verschlossen sich nicht gegenüber der Not dieser Leute, die ja schon so mancherlei Leiden und Beschwerden auf sich genommen hatten. Schliesslich war ja auch vom Gelingen, vom Erfolg dieser ersten Siedlung auf ihrem 100–Leguakomplex die weitere Bedeutung ihres Kolonisationsgeschäftes massgeblich abhängig. Aber auch die Gefühle der Menschlichkeit sprachen bei ihnen mit, und zuweilen wuchs die freundschaftliche Verbindung schon über das Geschäftliche hinaus, oft vielleicht sogar mehr, als man wahrhaben wollte.

Wenn diese Amerikaner auch manches Unangenehme mit diesen Leuten erlebten, so schätzten sie sie andererseits doch und bewunderten ihre Fähigkeiten, in solchen schweren Zeiten, wo Menschen anderer Völker wahrscheinlich schon längst alles im Stich gelassen hätten, in ruhiger Weise durchzuhalten und all das Üble, das aus dem so prüfungsreichen und opfervollen Warten herauskam, in Geduld auf sich zu nehmen und durchzustehen.

Gewiss hatten die verantwortlichen Männer der Siedlungsgesellschaft auch gewisse vertraglich festgelegte moralische Verpflichtungen, um die sie sehr gut Bescheid wussten und die sie auch nicht zu umgehen versuchten. Da heisst es in einem Vertrag (Memorandum of Agreement) zwischen dem Fürsorgekomitee (der mennonitischen Siedlungsleitung) und der Siedlungsgesellschaft, in Paragraph 18, wörtlich:

> "The Comany will establish and maintain a depot of supply at or near Kilometer 180, at which the colonists may obtain eatables of the first necessity at reasonable prices."

Verdeutscht würde es etwa so lauten:

"Die Gesellschaft wird bei oder in der Nähe von Kilometer 180 ein Warenlager einrichten und unterhalten, in dem die Siedler die notwendigsten Esswaren zu mässigen Preisen erhalten können."

Die Zeit, die für den Unterhalt der Einrichtung zur Versorgung mit Lebensmitteln vorgesehen worden war, war eigentlich schon abgelaufen, als man endlich an die Gründung der Dörfer herangehen konnte. Weil sich die Ansiedlung aber so sehr verzögert hatte, war die amerikanische Siedlungsgesellschaft im Blick auf die Lage nun doch der Meinung, dass die Notwendigkeit zur Unterstützung auch jetzt — ausgangs 1928 — immer noch bestehe. Sie wählte dann den Lagerplatz Hoffnungsfeld als passende Stelle für die weitere Siedlungsförderung aus. Man errichtete eine Reihe von Häusern als Wohnungen für Arbeiter und Angestellte und für Warenlagerräume und einen Kaufladen. Auf Lager hatte man hier dann getrocknete Früchte, wie Rosinen und Pflaumen und konservierte Früchte, wie Birnen, Pfirsiche und manches Andere. Auch andere Sachen für die Zubereitung von Mahlzeiten, wie Tee, Kaffee, Schmalz, Reis, Zucker u.a. gab es hier zu kaufen. Wer kein Geld hatte, durfte auf Anschreiben Waren mitnehmen. Das war eine sehr wertvolle Aushilfe.

Hilfe der Siedlungsgesellschaft

In Hoffnungsfeld wurde dann auch eine Versuchsfarm eingerichtet, die aber nicht mit besonderem Erfolg gearbeitet hat. Die Mennoniten hatten im Laufe der fast anderthalbjährigen Wartezeit schon selbst Verschiedenes versucht und beobachtet und auch herausgefunden, wie man mit paraguayischen bzw. tropischen Kulturen umgehen müsse. Wenn sie dann Herrn Alexander Langer, dem Agronomen aus Ostparaguay, bei seiner Arbeit zusahen, so kam es ihnen oft vor, der wisse nicht viel mehr, als sie selbst als Bauern auch schon herausgefunden hätten. Manchmal schien es sogar, er wisse noch weniger. Wenn beispielsweise Herr Langer seinen Lernbefohlenen weismachen wollte, dass man beim Erdnussernten neben jede Staude einen kleinen Pfahl einrammen müsse, um die Erdnussstauden, mit der Frucht nach oben, zum Trocknen daran aufzuhängen, so hielten die Bauern so etwas für eine wissenschaftliche Unwissenheit oder auch Verkehrtheit sondergleichen. Die mennonitischen Bauern kippten die ausgezogenen Stauden einfach mit der Frucht nach oben und liessen sie so trocknen.

Herrn Langers Methode erschien ihnen lächerlich, einfach schon aus dem Grunde, weil sie viel zu viel Zeit in Anspruch nehmen würde, ganz abgesehen von der Mühe, die Tausende von Pfählen zu beschaffen, einzuschlagen und später auch wieder wegzuschaffen. Schliesslich war Herr Langer auch nur erst wenige Jahre in Paraguay bzw. in Südamerika. Er musste die Behandlung der tropischen Kulturen wohl auch erst selbst kennenlernen.

Es ist daher verständlich, dass zwischen den Angestellten der Siedlungsgesellschaft und den mennonitischen Siedlern nicht unbedingt ein reibungsloses Verhältnis auf dem Gebiet des Landbauexperimentierens bestand. Die Angestellten der Siedlungsgesellschaft hielten den mennonitischen Siedlern vor, sie seien wissenschaftlichen Dingen gegenüber zu engstirnig. Und sie hatten damit nicht immer unrecht, denn die Siedler gingen auch dann eigene Wege, wenn sie gut daran getan hätten, sich mehr belehren zu lassen. Sie aber glaubten, dieses nicht nötig zu haben, weil sie sich für erfahrene Landwirte hielten, was aber zunächst nur auf den Ackerbau in den gemässigten Zonen zutraf. Aus dieser Haltung aber entwickelten sich dann einige Gegensätze zwischen den Siedlern und den Angestellten der Siedlungsgesellschaft. Die Siedler konzentrierten sich anfänglich noch zu sehr auf Ackerbaukulturen der nördlichen Halbkugel. Sie glaubten, mit den Kulturen, die sie im Norden angebaut hatten, könnten sie und müssten sie hier auch Fortsetzung machen, denn der Chacoboden — das sahen sie selbst — war fruchtbar.

Die Angestellten der Siedlungsgesellschaft aber drängten darauf, den Anbau z.B. von Weizen und einigen anderen Kulturen zunächst noch nicht zu versuchen, sondern voll auf die tropischen, in Paraguay heimischen Kulturen loszusteuern. Die Siedler waren jedoch voll vom Anbau des Weizens, wie auch einiger anderer Kulturen der nördlichen Halbkugel. Weizenbau war ihnen vor allen Dingen wichtig, denn Weizen stellte ja ein sehr wichtiges Nahrungsmittel dar und durfte daher nicht übersehen werden. Und gerade diese Mennoniten aus Manitoba waren ja ausgesprochene Weizenbauern.

Wie man darüber dachte — und das so ziemlich allgemein — zeigt folgende Episode: Es war im Siedlerlager von Casado. Eine Gruppe von Siedlern unterhielt sich über die werdende Ansiedlung. Da wurde wieder die Frage aufgeworfen, ob man hier auch wirklich würde Weizen anbauen können, welcher für die Ernährung ja eigentlich unerlässlich sei. Da äusserte sich eine ältere Siedlerfrau, die mit der Geschichte der Mennoniten und besonders mit deren Pionierleistungen im Weizenanbau in den Steppen Südrusslands, in Kansas und in den Prärien Manitobas bekannt war, folgendermassen: Gott habe — so sagte die Frau — noch immer Weizen wachsen lassen, wo Mennoniten hingekommen seien, und er würde das auch hier im Chaco tun.

Doch diesesmal hatte Gott wohl einen anderen Gedanken. Er wollte, sie sollten Baumwollbauern werden, und sie wurden es. Das war anfänglich für viele dieser Bauern mit ihrem starken

Selbstbewusstsein ein hartes, jedoch durchaus notwendiges Umstellen. Der Chaco erwies sich hier noch härter und sturer als sie, denn er stellte sich nicht um.

Während der langen Wartezeit haben die Siedler dann dennoch viel gelernt. Doch bezahlten sie ein teures Lehrgeld für diese Schule, die so reich war an Erfahrungen und die ihnen trotz aller trübseligen Erlebnisse zu einem bleibenden Segen wurde. Hätten sie sich jedoch vom ersten Tage an auf Tropenkulturen eingestellt, so wäre das auch für ihren Lebensunterhalt von grossem Vorteil gewesen. Gewiss taten sie auch Vieles, was für die tropische Gegend das Richtige war. Bei allen Siedlerlagern pflanzten sie etwas von dem, das hier in Paraguay zu Hause war. Dabei stellten sie fest, dass hier Kulturen, die sie vom Norden her kannten, noch weit besser gediehen als dort. Das erlebten sie besonders mit den Wassermelonen. Von den grossen und zucker-süssen Wassermelonen berichteten sie dann begeistert an ihre zurückgebliebenen Verwandten im Norden.

Ein Siedler schrieb seinem Bruder von dem ausgezeichneten, über Erwarten guten Gedeihen der ''Arbusen'', und wie sie sich hier daran erquickten. Sein Bruder aber wollte nichts von Südamerika oder vom ''Süden'', wie er es nannte, wissen. Er war ärgerlich darüber gewesen, dass sein Bruder in jene Wildnis, die ja nur für Indianer, niemals aber für einen weissen Menschen geschaffen worden, ausgewandert war. Er schrieb daher nur ganz lakonisch zurück: ''Von Arbusen werdet ihr dort nicht am Leben bleiben können.'' Nun, das meinte sein Bruder im Süden auch nicht. Aber er schätzte die wunderschönen Wasser-melonen und wollte das auch herzlich gerne seinem chacoskeptischen Bruder mitteilen.

Wenn nun in den Siedlerlagern auch tropische Kulturen angepflanzt wurden, in den beiden grösseren Lagern, Hoffnungsfeld und Loma Plata, war man besonders darauf bedacht, Versuche mit Kulturen der nördlichen Hemisphäre durchzuführen. Im kleineren Lager von Palo Blanco legte man etwas mehr Gewicht auf einheimische Kulturen, und in Pozo Azul wurde nur mit Kulturen, die in Paraguay heimisch waren, gearbeitet. Und Pozo Azul trug den Sieg davon. Als um die Mitte des Jahres 1928 die Siedlung endlich zustande kam, waren die Kulturen, die sich in Pozo Azul als chacogeeignet erwiesen hatten, auschlaggebend für die neuanfangenden Bauern der jungen Ansiedlung.

Die mennonitischen Pioniere wussten sich in manchen Dingen, die in dieser Buschwildnis hemmend auf sie zukamen, oftmals meisterhaft zu helfen. Sie hätten dennoch gut daran getan, in gewissen anderen Dingen mehr Wert auf die Worte der Angestellten der Siedlungsgesellschaft zu legen, nicht nur in Fragen der Land-wirtschaft, sondern auch in sozialen und besonders in medizinischen

Angelegenheiten. Dass sie dieses nicht taten, lag zu einem grossen Teil in ihrer Abneigung gegen hohe Bildung und gegen die Undurchschaubarkeit wissenschaftlicher Praktiken.

Kündigung der Kredite der Siedlungsgesellschaft

Als nun die Dörfer angelegt wurden, und die Leute aus allen Siedlerlagern ihrem letzten und endlichen Ziel zustrebten, errichtete die Siedlungsgesellschaft auch noch im Dorfe Weidenfeld einen ebensolchen Kaufladen, wie schon in Hoffnungsfeld einer bestand. Nach und nach wurden dann die Waren und Einrichtungen von Hoffnungsfeld ebenfalls nach Weidenfeld hinübergebracht. Als der Kaufladen von Hoffnungsfeld dann um die Jahreswende 1929/30 ganz aufgelöst wurde, hatten die mittellosen Siedler hier bis dahin für etwa 10.000 Dollar Lebensmittel auf Kredit gekauft. Das bedeutete eine grossartige Hilfe für diese armen Siedler. Ausserdem hatte die Siedlungsgesellschaft noch Kredit für Mehleinkäufe gegeben und eine grosse Herde von Ochsen und Milchkühen von den Estancias Casados gekauft und an die mittellosen Siedler ausgeborgt. Auch waren noch einige andere Unterstützungen an arme Leute gegeben worden, beispielsweise an die Siedler der Saskatchewaner Gruppe, so dass sich der Darlehensbetrag der Siedlungsgesellschaft, die Corporación Paraguaya, um 1930 auf über 30.000 Dollar belief. Das war für jene Zeit und für jene Verhältnisse viel Geld und bedeutete eine nicht zu überschätzende, wertvolle Hilfe für das angehende Siedlungswerk.

Als es dann im Februar 1930, fast zwei Jahre nach der Gründung der Dörfer, mit einmal hiess, die **Corporación Paraguaya** werde jetzt die Kreditvorschüsse sperren, waren die Siedler zunächst sehr bestürzt. Ein Schreiben des Vertreters des Ostreservats, d.h. der Chortitzer Gruppe im Fürsorgekomitee, an das Hauptbüro in Philadelphia, U.S.A., hat etwas von der unangenehmen Überraschung ausgedrückt.[5]

> ''Mit Bedauern stellen wir fest, dass Sie (die Corporación Paraguaya) den für uns so wichtigen Kredit nicht mehr geben wollen.
>
> Liebe Herren, unsere Zukunft, unser Erfolg hier in Paraguay, ist abhängig von auswärtigen Unterstützungen, solange wir nicht wirtschaftlich selbständig geworden sind, was wir noch nicht sind. Das ist auch bei anderen Ansiedlungen genau so gewesen. Wir werden es hier nicht schaffen, wie andere Ansiedlungen eben auch nicht geschafft haben und untergegangen sind, einfach aus Mangel an Unterstützung.
>
> Ihr Vertreter, Herr Rodney Landreth, hat uns im vergangenen Jahr versprochen, Ihre Unterstützung werde so weitergehen. Und darauf haben wir uns verlassen. Wir haben sogar auf die Unterstützung anderer verzichtet, weil wir uns auf die Corporación Paraguaya verliessen, dass die von Ihnen gegebene Unterstützung noch so weitergehen würde.
>
> Ihre plötzliche Sperrmassnahme in bezug auf die Kreditvorschüsse ist uns wie ein Blitz aus heiterem Himmel gekommen. Solche jähe

Kreditentziehung kann sich hier katastrophal auswirken. Wir verstehen nicht, warum Sie nicht mehr unterstützen wollen. Als treue Siedler, die sich mit der Wildnis abgegeben haben, haben wir solcherart Behandlung doch sicherlich nicht verdient, und wir hatten solche Behandlung auch nicht erwartet, solche plötzliche Sperrung des Kreditzuschusses.

Wir bitten Sie freundlichst, diese Sache noch einmal zu erörtern und uns die so bitterbenötigte Unterstützung doch zu gewähren. Wir sehen erwartungsvoll Ihrer Antwort entgegen.''

Nach etwa einem Monat kam folgende Antwort:[6]

''Ihr Schreiben vom 3. März 1930 haben wir erhalten. Wir haben mit Herrn Landreth gesprochen. Er ist nicht mehr in unserem Unternehmen. Er sagte, Sie müssen ihn missverstanden haben, denn ausser dem, was im vergangenen Jahr als bestimmte Summe für den Mehleinkauf vorgestreckt worden ist, seien keine weiteren Versprechungen gemacht worden. Man hat davon gesprochen, dass die Gesellschaft sicher helfend eingreifen würde, sollte es mal eine Hungersnot oder sonst eine Katastrophe geben.

Als seinerzeit in Kanada die Vereinbarungen zwischen diesen mennonitischen Siedlern und der Siedlungsgesellschaft getroffen wurden, ist überhaupt nichts davon erwähnt worden, dass die Siedlungsgesellschaft sich übernehmen würde, diese Siedler zu unterstützen oder sie zu unterhalten. Die Siedlungsgesellschaft war verantwortlich für den Landhandel, und die auswandernden Mennoniten betrachteten sich selbst als in einer möglichen finanziellen Lage, sich selbst durchzubringen.

Die meisten Siedler sind jetzt schon so lange auf ihrem Lande, dass sie zwei Ernten haben einheimsen können. Jetzt sollten sie schon soviel von der Ernte und vom Vieh aufbringen können, um sich selbst zu unterhalten. Deshalb meinen wir jetzt auch, es sei die Zeit gekommen, wo wir diese Lage der Selbstunterhaltung als gekommen ansehen dürfen, und aus diesem Grunde die Kreditvorschüsse einstellen müssen, Kreditvorschüsse, wie sie in den letzten zwei Jahren beständig gegeben worden sind.

Auch glauben wir, dass es für diejenigen, die sich leicht daran gewöhnen, nicht gut sei, wenn sie weiter Unterstützung erhalten, denn sie bemühen sich dann weniger um eine selbsterhaltende Existenz. Es wäre vielmehr zum Vorteil aller, Ihrer Siedlung sowohl als auch unserer Organisation, solche Leute zu ermutigen, fleissiger zu arbeiten. Andernfalls unterstützt man die Trägheit solcher Leute, und zwar zum Schaden der ganzen Siedlung.

Wir haben uns in dieser Sache auch von anderen Stellen beraten lassen und haben den Eindruck bekommen, dass kein Grund zur Besorgnis vorhanden ist. Die Siedlung sollte sich schon selbst erhalten können.

Wir wollen uns bemühen, alles Mögliche zur Förderung der Kolonisation zu tun. Unsere Organisation besteht so weiter, und wir stecken noch wieder mehr Geld hinein und machen noch wieder neue Anstrengungen, indem wir noch mehr Siedler dorthin in den Chaco bringen. Sie kommen aus Europa.[7] Es sollte sicherlich eine positive Bedeutung haben auch für die, die dort schon im Chaco sind. Sicher werden die Mennosiedler von ihren landwirtschaftlichen Erzeugnissen an die neuen Siedler verkaufen können, und diese neuen Siedler werden sich mit bereits vorhandenen Siedlern sicherlich im allgemeinen gegenseitig nützlich sein.

Wir haben in dieser Woche noch wieder 1000 Dollar an Ihre Leute ausgeborgt, denen es an Unterstützung sehr nötig fehlte, um Mehl kaufen zu können. Wir entschieden uns dafür. Aber wir müssen Ihnen sagen, ab jetzt müssen die Leute sich darauf einstellen, sich selbst durchzufinden, indem sie sich bemühen, Nahrung von ihrem Acker zu erhalten, anstatt vom teuren Mehl, das aus dem Ausland kommt, zu leben.

Sollte die Siedlung wirklich mal in Not geraten, die zu bewältigen ausserhalb ihrer Macht liegt, würden wir sicherlich helfend eingreifen und entsprechende Unterstützung angedeihen lassen.

Wir wollen mit dieser Erklärung gesagt haben, dass unsere Organisation noch weiter besteht. Aber die beste Art der direkten Hilfe ist jetzt die Förderung der Landwirtschaft, indem noch mehr Siedler hineingebracht werden und wir uns von Asunción aus in moralischer Beziehung hinter das Kolonisationswerk stellen und mithelfen, beim Ankauf von Verbrauchsgegenständen oder beim Verkauf ihrer Landbauerzeugnisse den besten Weg zu finden.''

Dr. Eusebio Ayala äusserte sich zu der Kreditfrage im April 1930 wie folgt:[8]

''Die Unterstützung an die Siedler durch die Corporación Paraguaya wird nach und nach eingestellt. Die Casado–Gesellschaft will in Siedlungsnähe eine Versuchsfarm einrichten, den Siedlern zu dienen. Wir werden unsere Versuchsfarm in Hoffnungsfeld dann aufgeben. Auch den Kaufladen schliessen wir.

Wir haben die Mennoniten benachrichtigt, dass die Corporación Paraguaya jetzt mit den Geldvorschüssen für Mehlbeschaffung wird Schluss machen müssen. Die Siedler aber wollen sich mit dieser Absage noch nicht zufrieden geben. Einige von ihnen bestehen darauf, Angestellte der C.P. sollen gesagt haben, man würde die Siedlung finanziell unterstützen, bis sie in der Lage sei, sich selbst zu halten.

Besonders bestürzt über die Entziehung des Kredits ist der Siedlungsleiter, J. A. Braun. Ich habe ihm gesagt, sie sollten doch bei Molinos Harineros in Asunción einen Kredit zu bekommen versuchen. Ich glaube, es wäre möglich, in dieser Weise für ein Jahr einen Kredit zum Mehleinkaufen zu erhalten. Aber es kann auch sein, dass so ein einjähriger Termin noch nicht ausreicht, weil die Entwicklung der Ansiedlung nur langsam vorangeht.

Bei der Vermarktung ihrer Produkte werden wir ihnen noch behilflich sein müssen, sowohl beratend als auch vertretend, aber mit den Geldvorschüssen werden wir aufhören müssen.

Baumwolle wird wohl ihr einziges Ausfuhrprodukt sein. Das andere kann man nach Puerto Casado verkaufen. Wir rechnen damit, dass wir ihren Mais und ihre Bohnen von der gegenwärtigen Ernte an das in jener Gegend sationierte Militär verkaufen können. Vielleicht kann man auch noch, sollte es notwendig sein, an andere Häfen am Paraguayfluss Erzeugnisse liefern.

Es ist etwas problematisch mit den Leuten, indem sie nämlich pflanzen, was **sie** meinen, was gut sei, z.B. Kafir, der aber noch wenig bekannt ist in unserem Land.[9] In Paraguay muss dieses Produkt noch erst bekanntwerden, ehe man es kauft. Auch müssten wir wissen, wieviel von einem Produkt vorhanden ist, um eine Vermarktung zu planen. Man kann auch damit rechnen, dass die Aufkäufer sich selbst zur Siedlung begeben werden, wenn erst genug Baumwolle und anderes von den Siedlern zu haben sein wird. So wenigstens geschieht es in anderen Teilen unseres Landes.''

Jacob A. Braun richtete ein weiters Schreiben an die Herren der Corporación Paraguaya:[10]

''Ihr Schreiben vom 5. April 1930 haben wir erhalten. Wir haben es mit Bedauern gelesen. Ich möchte hiermit auf einiges in dem Schreiben Erwähnte zurückgreifen.

Zunächst wiederhole ich, dass Herr Landreth uns versichert hat, die Unterstützung würde man fortsetzen, bis wir uns selbst unterhalten könnten, da gilt kein Verleugnen.

Was die ursprüngliche Abmachung bei der Auswanderung von Kanada aus betrifft, sei hier bemerkt, dass Ihre Ausführungen darüber auf eine grosse Unkenntnis der damaligen Sachlage schliessen lassen.

Es ist immer wieder darauf hingewiesen worden, dass die Bargeld– zahlungen für das kanadische Land und für das bewegliche Eigentum viel zu niedrig waren, um den Siedlern einen Anfang zu sichern, und dass dann solches früher oder später eine Notlage hervorrufen müsste. Hinzu kam dann noch, dass die Ansiedlung fast zwei Jahre verzögert wurde. In dieser Zeit mussten die Siedler von ihren Reserven leben. Die Folge war eine grosse Verstimmung und das Zurückwandern vieler Siedler nach Kanada, die andernfalls mit ihren Mitteln hiergeblieben wären.

Dieser unfreiwillige Aufenthalt in Puerto Casado und in den Siedlerlagern im Chacoinnern war **nicht die Schuld** der Mennoniten, sondern sie muss Ihrer Organisation zur Last gelegt werden.

Ihr Abgeordneter, Herr Landreth, hat uns **nie gesagt**, dass seine Versicherungen, seine Versprechungen, nicht auch die Versicherungen oder die Versprechungen Ihrer Organisation seien. Er versicherte uns, er besitze Autorität.

Dass wir bereits zwei Ernten in weniger als zwei Jahren eingebracht haben, garantiert noch lange nicht die Stabilität der Siedlung, viel weniger noch kann diese Tatsache den Verlust an Menschenleben und Eigentum, den wir erlitten haben, ersetzen.

Wir haben einige Erfahrung im Ansiedeln und wissen, dass eine Ansiedlung in ihrer Entwicklung in Perioden von fünf, zehn, fünfzehn und zwanzig Jahren vor sich geht. Dass man hiermit rechnen muss, ist Ihrer Organisation immer wieder mitgeteilt worden.

Hätten wir gewusst, dass Sie so handeln würden, wie sie jetzt handeln, indem Sie uns den Kredit einfach abschneiden, dann hätten wir doch andere Unterstützungen angenommen und uns solche Angebote von Herrn Landreth nicht absagen lassen.

Die jetzt von Europa kommenden Mennoniten sind Zwangsauswanderer, und diese Auswanderung haben Sie nicht veranlasst. Diese Leute haben furchtbar gelitten und sind dann von den kanadischen Ärzten ausgesondert worden. Und des Leides nicht genug, haben auch die brasilianischen Ärzte diese Leute noch einmal gesiebt, und was dann am Ende übriggeblieben ist, kommt hierher. Mit welcher Nachlässigkeit diese Leute herübergebracht werden, sieht man daran, dass ihnen Wagen mitgegeben wurden, die in ihrer Spurweite schmaler sind als unsere "Standard" — Wagen. Jetzt zerfahren sie unsere Wege. Ihre Organisation wusste doch, dass wir eine einheitliche Wagen-spurweite haben, und Sie hätten das Hereinbringen solcher schmalspurigen Wagen verhüten sollen.

Wenn Sie darum besorgt sind, wie Sie schreiben, dass Ihre Organisation in jeder Beziehung der Ansiedlung behilflich sein soll, dann müssen wir leider feststellen, dass vieles an diesem "behilflich sein" zu wünschen übrigbleibt.

Der Produktenhandel in Hoffnungsfeld wurde zuerst abgesagt, dann zugesagt, dann etwas gekauft und dann ganz abgesagt. Die Form der Zahlungen bereitete den Produktenverkäufern Unan-nehmlichkeiten, weil es hier keine Bank gibt. Die letzte Mehlsendung durch Ihre Gesellschaft in Asunción ist uns aussergewöhnlich teuer zu stehen gekommen, die Unkosten an der Sendung waren hoch.

Ihre Verweigerung weiterer Kreditvorschüsse hat in der Siedlung eine schwere Niedergedrücktheit verursacht, die sich überall bemerkbar macht. Wir haben auch so schon schwer genug zu kämpfen, die Siedler auf der benötigten Stimmungshöhe zu halten.

Wenn Sie auf die Trägheit unserer Leute hinweisen und ein Faulenzerleben zu unterstützen befürchten, wenn Sie noch mehr Unterstützung geben, und Sie meinen, solches würde sich sehr nachteilig auswirken, dann möchten wir dazu sagen, dass Ihr Urteil nicht zutrifft. Diejenigen, durch welche Sie unterrichtet worden sind, sind ebenso fadenscheinig wie andere Herren dieses Kalibers. Wir wollen aber nicht weiter auf diese Herren, die Bericht erstatten, eingehen, vielmehr aber auf eine unparteiische Kommission hinweisen, die diese Lage, diesen wirtschaftlichen Fall untersuchen und beurteilen könnte.

Unser Volk hat sich lange geweigert, irgendwelche Hilfe von aus-wärts anzunehmen. Schliesslich liess man sich dazu überreden, obwohl mit starkem Widerstand. Herr Landreth, Ihr Vertreter, hat den Leuten dann versichert, diese Hilfe würde fortdauern, bis die Siedler sich selbst unterhalten könnten. Und jetzt, mit einmal, ohne Vorwarnung, erhalten wir eine telegraphische Nachricht, die Unterstützung wird abgebrochen. Und die Ursache solchen jähen Abbruchs? Nun, es wird nicht sehr genug gearbeitet, die Siedlung sollte schon viel weiter vorgeschritten sein.

Welchen Kampf die Siedler mit den Elementen der Wildnis, mit dem Ungeziefer führen müssen, wie sie sich damit abfinden müssen, das wird nicht erwähnt. Die Kolonie soll mit zwei Ernten, egal, wie klein sie sind, selbständig geworden sein. Mit anderen Worten, sie soll bereits einen zehnjährigen Erfolg erreicht haben.

Die Arbeit, die hier geleistet worden ist, kann nur fachmännisch beurteilt werden, und vieles von dieser Arbeit ist unsichtbar. Die Kolonie hat eine solche Behandlung nicht erwartet und ist furchtbar enttäuscht.''

Das Fürsorgekomitee der Kolonie Menno erhielt dann ein

Schreiben von der Intercontinental Company, dem Hauptbüro der Corporación Paraguay in den U.S.A.:

"Herrn Brauns Brief vom 27. Mai gefällt uns nicht, denn beide, General McRoberts und Robinette, meinen, sie hätten schon viel mehr getan, als überhaupt jemals vorgesehen gewesen ist. Niemals hat man beabsichtigt oder versprochen, so viel an Kreditvorschüssen zu geben, wie die Corporación Paraguaya bzw. die Intercontinental Company schon gegeben hat.

Wir können es uns nicht denken, dass das Fürsorgekomitee und Bischof Friesen und die anderen Leiter der Siedlung auch so denken wie Herr Braun. Wir glauben auch nicht, dass Herrn Brauns Brief in Ihrem Auftrag geschrieben worden ist.

Sind wirklich von Herrn Landreth oder jemand anderem aus unserer Organisation Kreditversprechungen gemacht worden, die nicht eingehalten wurden? Im Falle, dass es so ist, könnten Sie uns mal genau mitteilen, wie es sich damit verhält?

Herrn Brauns Brief ist auch Herrn Landreth vorgelegt worden, und er sagt, er habe keine Versprechungen gemacht, die nicht eingehalten worden sind. Wir glauben einfach, wir haben schon mehr getan, als überhaupt jemals von uns versprochen worden ist. Herrn Brauns Schreiben wirft einen Schatten auf unsere Organisation, und besonders auf die beiden Herrn McRoberts und Robinette. Jeder weiss, dass sie viel mehr getan haben als jemals von ihnen erwartet wurde oder gefordert worden ist, um die Auswanderung durchzuführen und die neue Ansiedlung zustande zu bringen. Wenn wir uns zu Gemüte führen, was diese beiden Herren für die Sache der Mennoniten in Paraguay ausgegeben haben, nämlich schon 1,5 Millionen Dollar, dann muss man zugeben, dass Herrn Brauns Schreiben unanständig und ungerecht ist."

Bischof Friesen erhielt ebenfalls ein Schreiben von den Herren der Intercontinental Company:

"Wir glauben, Brauns Brief wirft ein schlechtes Licht auf unsere Organisation und ganz besonders auf die Herren McRoberts und Robinette. Sie werden mit uns sicher gleicher Meinung sein, wenn wir sagen, dass diese Herren schon viel mehr getan haben, um die Ansiedlung zustande zu bringen, als man von ihnen erwartet hat. Wir haben mit Interesse die Berichte von Dr. Ediger an Professor Unruh in Deutschland und von G. G. Hiebert an das M.C.C. in Akron gelesen. Danach hat sich die Lage der kanadischen Mennoniten im Chaco schon sehr verbessert. Und sicherlich werden Sie nicht nur darauf aus sein, rasch einen wachsenden materiellen Nutzen aus dem ganzen Siedlungsunternehmen zu gewinnen, sondern Sie werden auch eine Befriedigung darin finden, welche Opfer und Anstrengungen Sie schon hergegeben haben, um der mennonitischen Sache zu dienen."

Ein Angestellter des Büros der Corporación Paraguaya in Asunción schrieb an das Hauptbüro in den U.S.A."

"Was den Inhalt von Herrn Brauns Brief betrifft, so ist das, wie mir scheint, die Meinung der meisten Siedler. Sie glauben, der Kredit sei wegen ungünstiger Berichte über ihre Arbeit und über ihre Lebensweise abgeschnitten worden. Unter den Siedlern herrscht Unwille über die Siedlungsgesellschaft.

Herrn Brauns Beschuldigungen sind aber nicht zu rechtfertigen. Die Produkte, die in Hoffnungsfeld von uns aufgekauft wurden, haben wir mit Schecks ausgezahlt, die man in Puerto Casado einlösen kann. Es wäre nicht ratsam, mit dreihunderttausend Pesos barem Gelde in den Chaco zu gehen. Die Auszahlungen mit Schecks haben den Siedlern keine Schwierigkeiten bereitet. Alle Produkte des Jahres 1929 sind so ausgezahlt worden. Und es sind keine Beschwerden eingebracht worden.

Der von Herrn Braun erwähnte Mehleinkauf war infolge einer Geldentwertung um 25% teurer als bisher. Der paraguayische Peso ist sehr abhängig vom argentinischen Peso, sinkt dieser im Wert, wird auch der paraguayische Peso sofort mitgerissen.

So schlimm, wie Herr Braun die Lage der Siedler schildert, ist sie gar nicht. Den Brief hat überhaupt ein anderer als Braun selbst geschrieben. Joe McRoberts meint, den Brief hätte Herr John Priesz diktiert. Verglichen mit dem, was Joe mir mitteilte, und was ich selbst beobachtet habe, finde ich Joes Ansicht, Herr Priesz sei der Urheber der ganzen Aufregung, bestätigt. Herr Priesz hat mir selbst verschiedenes mitgeteilt, das auch in Herrn Brauns Schreiben angeschnitten wird.

Ich stelle fest, dass Herr Priesz uns hier schädlich ist. Da ist noch die Sache mit der Registrierung des Waisenamtes und so einiges andere zu regeln, und das wird dann vorgegeben, um Herrn Priesz' Aufenthalt hier zu rechtfertigen. In Wirklichkeit bedeutet Priesz' Aufenthalt hier gar nichts mehr. Er hat bei der Waisenamtsregelung sowieso nicht viel zu sagen gehabt, denn er spricht ja überhaupt nicht Spanisch. Immerhin meinen die Siedler, Priesz habe es geschafft. Ich denke, wir sollten Herrn Priesz empfehlen, nach Kanada zurückzukehren.''[II]

Vom Fürsorgekomitee aus wurde dem Büro der Intercontinental Company in U.S.A. geantwortet:

''Wir haben Ihr Schreiben erhalten und sorgfältig gelesen und auch gemerkt, dass falsche Andeutungen vorhanden sind. Zuerst möchten wir den Herren General McRoberts und Robinette unseren aufrichtigen Dank aussprechen und unsere Achtung bekunden. Wir haben einen guten Eindruck von Ihnen und schulden Ihnen viel, sehr viel für die uns erwiesene materielle Hilfe. Die beiden Herren haben einen sehr guten Willen für unser Auswanderungswerk und die Ansiedlung hier bewiesen.

Es wird aber auch noch weiter vereinte Kräfte erfordern, das Ziel zu erreichen, und es wird auch noch eine Reihe von Jahren brauchen, bis wir es erreicht haben. Die Leiter unserer Gemeinden stimmen obigen Ausführungen zu.

Auf Ihren Wunsch haben wir nachgeprüft, inwieweit Versprechen eingehalten worden sind oder nicht. Wir haben den Eindruck, die Unterstützungsversprechungen haben sich auf so lange Zeit bezogen, bis der Stand der Siedlung durch Selbsthilfe gesichert sei. Wahrscheinlich hat Herr Landreth solches angedeutet, und die Leute haben sich darauf verlassen. Sie können sich vielleicht vorstellen, wie es den Leuten dabei ergangen ist, die ohne vorherige Warnung erfahren, die Unterstützung sei jetzt zu Ende. Wir konnten es anfänglich nicht fassen, dass es wahr sein sollte. Ein so plötzlicher Umschwung in öffentlichen Angelegenheiten führt zu Unannehmlichkeiten und ruft Besorgnisse hervor. Wir haben uns auf Sie verlassen seit der Gründung dieser Ansiedlung und waren bestürzt, als wir merkten, dass die gegenseitigen Beziehungen jetzt unterbrochen werden. Wir haben keine anderen Hilfsquellen, und die Lage der Siedlung ist ernst und weit davon entfernt, sich schon selbst durchzuhelfen. Das kann noch zehn Jahre dauern, bis wir so weit sind."

Die Intercontinental Company antwortete dem Fürsorgekomitee wie folgt:

"Was die grossen Geldvorschüsse betrifft, die zur Unterstützung solcher gegeben worden sind, die sich in keinem Falle aus irgendeinem Grunde selbst helfen konnten, lautet unser Beschluss jetzt, keine solchen Kredite mehr zu geben. Die Leute müssen sich die Kredite dann anderswo beschaffen.

Wie Sie wissen, sind unsere Unterstützungsbeiträge weit über das Mass hinausgegangen, das man sich jemals gedacht hat. Wir haben schon so viel Unterstützung gegeben, wie das wohl bei keiner mennonitischen Ansiedlung der Fall gewesen ist.

Diese unsere jetzige Entscheidung haben wir nicht plötzlich gemacht, wir haben sie uns gut überlegt. Und so wie die Verhältnisse heute sind, bestehen keine Aussichten, dass wir diese Entscheidung abändern werden.

Wir wollen aber auch weiter mit Ihnen sein, und wir wollen unterstützen, wo es uns möglich ist. Jetzt aber ist es unmöglich."[12]

Ältester Friesen antwortete der Intercontinental Company am 22. Dezember 1930 wie folgt:

"Mit Bedauern nehmen wir wahr, dass es zwischen unserem Bruder Braun und Ihrer Organisation zu einer Verstimmung gekommen ist. Schuld daran ist wohl die überraschende Absage einer weiteren geldlichen Unterstützung, und zwar zu einer Zeit, wo unsere Leute die meisten ihrer Landerzeugnisse zu billigen Preisen an die neu hereingekommenen Russländer (Fernheim) verkauft haben und jetzt nicht genügend Lebensmittel auftreiben können, da der Ertrag der Ernte lange nicht alle Erfordernisse deckt.

Somit sind unsere Leute in eine missliche Lage geraten. Nur festes Vertrauen auf Gott kann neuen Mut einflössen und in der Hoffnung bestärken, dass er auch heute noch seinen Kindern, wo es nottut, mit milder Hand durchhelfen wird, denn er, Gott, kann ja auch in der grössten Not helfen, und wird auch in schwerer Not helfen. Die Aussaat in diesem Jahre ist sehr spät ausgeführt worden, und die Insektenplage ist nicht klein.

Wir fühlen uns zu grossem Dank verpflichtet für die Unterstützung, die uns durch die Herren McRoberts und Robinette geworden ist. Unser Fürsorgekomitee wird auf weitere Einzelheiten eingehen. Wir hoffen, dass die Verstimmungen beigelegt werden können."

Die Siedler empfanden das Einstellen der weiteren Unterstützung durch Geldvorschüsse als einen abrupten Bruch, weil sie einfach noch nicht damit gerechnet hatten. Der immerhin schon sehr schwere wirtschaftliche Entwicklungsgang wurde ihres Erachtens dadurch noch mehr gehemmt.

Herr Rodney Landreth, der letzte Beauftragte der Siedlungsgesellschaft, der während des Jahres 1928 und der ersten Hälfte von 1929 bei den Siedlern weilte, hatte die Initiative für die Geldvorschüsse zur Beschaffung von Mehl und von anderen Lebensmitteln ergriffen. Durch seine Vorschläge war der Kredit erst zustande gekommen, weil er mit eigenen Augen sah, wie nötig die ausgepumpten Siedler so einen Kredit hatten. Schliesslich waren die Siedler auch nicht schuld daran, dass sie sechzehn lange Monate hatten warten müssen, bis sie endlich auf ihre eigene Scholle hatten ziehen dürfen, um sich dem Ackerbau zu ihrer Unterhaltung widmen zu können.

Auf Herrn Landreths Worte hatten die Siedler dann ihre Hoffnung auf Kredit für noch längere Zeit aufgebaut. Diese Hoffnung hatten die Siedler nicht aus eigenem Gutdünken erträumt, Landreth hatte sie in ihnen geweckt. Landreth aber war dann schliesslich auch nicht derjenige, der die Dollars hergab. Das taten seine Vorgesetzten, die mehr zu sagen hatten als er. Als Herr Landreth dann in der ersten Hälfte des Jahres 1929 in die U.S.A. zurückkehrte und dort einen persönlichen Bericht an seine Oberherren erstattete, hatte sich im Bereich des Kolonisationswerkes schon manches geändert. Die Aussichten auf eine Grosskolonisation waren bereits bedenklich verringert worden.

Schliesslich wird Herr Landreth auch keine verbindlichen Versprechungen gemacht haben. Soweit reichte seine Autorität gar nicht. Er konnte immer nur sagen, was er dachte, und vorschlagen. Wenn die Vorschläge dann angenommen wurden, konnte er sie fördern. Die letzten Entscheidungen aber in grösseren Sachen wurden immer im Hauptbüro der Intercontinental Company in den U.S.A. gemacht.

Wenn Herr Landreth jetzt betonte, die Versprechungen nicht gemacht zu haben, so war das im Sinne konkreter Versprechungen sicherlich richtig. Dass er aber bei den Siedlern Hoffnungen für noch längeren Kredit geweckt hatte, stand wohl ausser Frage.

Die Entscheidungen im Hauptbüro der Intercontinental Company hingen aber auch nicht nur von Herrn Landreths Berichten ab, die er nach seiner Rückkehr erstattete. Die Fäden liefen hier im Hauptbüro von allen Seiten zusammen, und die obersten Herren wussten auch schon Bescheid, ehe sie sich Landreth anhörten.

Im Büro der Intercontinental Company war diese Kreditabsage daher kein jäher Abbruch. Es war für jene Herren nur das Einstellen derjenigen Geldzuschüsse, die in dem Kolonisationsprojekt überhaupt nicht vorgesehen gewesen waren. Als dann jedoch so

Manches anders gekommen war, als man es geplant hatte, war die Siedlungsgesellschaft dadurch bewogen worden, helfend einzugreifen.

Letzten Endes ging es aber nicht nur um diese eine Ansiedlung, sondern um ein viel umfangreicheres Unternehmen. Es ging um die Ausführung eines Kolonisationsprojektes grossen Ausmasses. Dieses muss man ins Auge fassen, wenn man den ganzen Dreh verstehen will.

Im Laufe des Jahres 1929 war aber schon zu sehen, dass das so gross angeschnittene Projekt der Chacokolonisation allmählich an Umfang verlor. Seine anfänglich verheissungsvolle Gestalt schrumpfte zusammen, die profitversprechenden Aussichten schwanden, wie ein Nebel in der Morgensonne sich nach und nach hebt und verschwindet.

Ursachen und Hintergründe des kostspieligen Siedlungsunternehmens

Das erste Kontingent mennonitischer Einwanderer, die Bahnbrecher der Chacokolonisation, hatte eine Ansiedlung in ihrem Anfangsstadium bewältigt. Von den 100 Quadratlegua, die die Intercontinental Company, bzw. die Corporación Paraguaya für Kolonisationszwecke im Chaco angekauft hatte, hatten die ersten Einwanderer 30 Legua gekauft und in Besitz genommen. Der Siedlungsgesellschaft waren dann immer noch 70 Quadratlegua geblieben, die der Ausführung des weitausgeholten Kolonisationsprojektes dienen sollten. Und sollten die nicht ausreichen, so konnte man noch mehr dazukaufen, denn die Casadogesellschaft hatte noch viel Land im Chaco.

Diese kleine Mennosiedlung war im Grunde genommen das Versuchskaninchen, der Anfang, zur Besiedlung des zentralen Chacogebietes gewesen. Von diesem ersten Versuch hatte man sich dann grosse positive Ergebnisse hinsichtlich der weiteren Kolonisation des zentralen Chaco versprochen. Dann aber war alles anders gekommen, als es in dem so umfangreichen Kolonisationsvornehmen vorgesehen gewesen war. Schon bald nach seinen Anfängen war das Unternehmen aus seiner vorgeplanten Entwicklungsbahn gewichen, und das hatte dann Kettenreaktionen mit nachteiligen Auswirkungen zur Folge gehabt.

Man hatte nach dem erfolgreichen Durchbruch der ersten Siedlungsbarrieren, nach der Bewältigung der ersten Etappe noch hunderte von Familien mennonitischer Bauern aus Kanada zu übersiedeln vorgehabt. Auch hatte man mit vielen Siedlern aus Europa und auch aus Asien, wo man in Japan auch schon angeknüpft hatte, gerechnet,[13] denn es war ja noch nicht lange nach dem 1. Weltkrieg, als Unruhe und Unsicherheit über manche Völker gekommen war. Daher hatte man hier im Chaco die Möglichkeit gesehen, eine Kolonisation in ganz grossem Stil durchzuführen.

Grosse Pläne hatte man auch für die Schaffung der Verkehrsverbindung durch entsprechende Eisenbahnlinien gehabt. Man hatte damals schon von einem Eisenbahnbau, diagonal durch den Chaco verlaufend, gesprochen, ähnlich der heutigen "Ruta Transchaco". Aufgrund seiner Lage und seiner vielen Vorzüge hatte der Chaco der Phantasie dieser Spekulanten keine Grenzen gesetzt. Er war ihnen geradezu als Traumland vielversprechender Kolonisationsprojekte erschienen. Da hatte es sich schon gelohnt, die Köder auszuwerfen.

Von diesem Gesichtspunkt aus gesehen ist es zu verstehen, dass dann alles weitere Gelingen sozusagen vom Gelingen der ersten Ansiedlung abhängig gewesen war. Auch hatten die Amerikaner sich mit dem Gedanken befasst, alles bewegliche und unbewegliche Eigentum der Casadogesellschaft im paraguayischen Chaco anzukaufen. Die Verhandlungen in dieser Beziehung waren schon im Gange gewesen. Es war aber zu keiner Einigung gekommen. Den Amerikanern waren die Forderungen der Casados zu hoch gewesen. Sie hatten noch einen Gegenvorschlag gemacht, auf den die Casados nicht weiter eingegangen waren. Also war aus der Sache nichts geworden, und — von heute her gesehen — sicherlich zum Glück der Amerikaner; denn bald hatte sich herausgestellt, dass sie zum grössten Teil auch schon an dem erstgekauften Landkomplex von 100 Legua hängen blieben. Das aber war noch nicht alles. Sie hatten dann noch eine grosse Summe Geldes ausgegeben, das grossangelegte Kolonisationswerk, wie es ihren Entwürfen entsprach, anzubahnen.

Je rascher die anfangmachende Chacosiedlung aufblühen würde, umso erfolgreicher müsste dann das weitgespannte Kolonisationsunternehmen Gestalt gewinnen und an Umfang zunehmen. Darum hatten die Amerikaner, die Herren der Siedlungsgesellschaft, auch alles Mögliche drangesetzt und keine Ausgaben für die Grundlegung dieser ersten kleinen, die von kanadischen Mennoniten heroisch bewältigt wurde, gescheut.

Es war also nicht diese kleine Ansiedlung selbst in der Wildnis, die die Herren der Siedlungsgesellschaft so viel Geld auszugeben und in dieses Wildnisprojekt zu investieren ermutigt hatte, sondern, im Grunde genommen, der vielversprechende Gewinn, den man aus dem Anfangsprojekt hervorsprudeln sah.

Zuletzt war es dann den Amerikanern aber auch nicht ganz gleichgültig gewesen, was mit diesen tapferen Wildnissiedlern geschah. Sie hatten sich mit diesen einerseits nur bescheidenen, dann aber doch so tapferen Leuten im Laufe der Jahre eng befreundet und mit ihnen zusammen schon eine Reihe fast unüberwindlicher Schwierigkeiten gemeistert.

412

Wenn diese Amerikaner nun das Werk beschauten, waren sie doch in gewissem Sinne stolz auf die mennonitischen Siedler, die sich in der Wildnisbezwingung ungewöhnlich tapfer erwiesen hatten. Und, aufrichtig gesehen, mussten sie, die Herren der Siedlungsgesellschaft, es sich gestehen, — und sie gestanden es sich — dass sie schwere Fehler gemacht hatten, Fehler, durch welche die Siedler fast an den Rand der Verzweiflung getrieben worden waren. Trotz allem waren sie aber dem mit den Amerikanern gemeinsam begonnenen Kolonisationswerk treu geblieben. Alle Achtung vor diesem Volk! — sagten die Amerikaner — das einzig in seiner Eigenart dasteht!

Wer aber wollte sich jetzt noch darüber wundern, dass diese Herren nicht noch mehr Geld in dieses utopisch gewordene Unternehmen hineinstecken wollten, als sie ihre Hoffnungen auf den schon als sicher erschienenen Gewinn schwinden sahen. Das war aber noch nicht alles. Nicht nur hatte sich die Gewinnaussicht in ein Luftschloss aufgelöst, sie mussten jetzt obendrein noch mit dem Einstecken eines grossen Verlustes rechnen, denn es bestand kaum Aussicht, dass die Siedler das Darlehen bald würden zurückzahlen können.

Die Siedler beschafften sich für das Geld nämlich nicht Geräte oder Vieh zur Entwicklung ihrer Wirtschaft, sondern Mehl, das sie für den laufenden Bedarf benutzten. Daher wollte die Siedlungsgesellschaft jetzt, nach zwei Erntejahren, einfach nichts mehr hineinstecken. Die Siedler müssten anfangen, von ihren eigenen Erzeugnissen zu leben.

Zusammenbruch der Siedlungsgesellschaft und Verkauf des Unternehmens an das M.C.C.

Wenn man das ganze Geschehen, auch das der finanziellen Ereignisse, heute so vor dem Geistesauge vorüberziehen lässt, muss man darin eigentlich eine wunderbare Führung Gottes erblicken, dass alles so gekommen ist, wie es gekommen ist. Denn es ist nicht denkbar, dass es jemals eine Intercontinental Company gegeben hätte, wenn man nicht die Hoffnung gehabt hätte, das Siedlungsprojekt nach einer so grossen Skala anlegen zu können. Es hätte dann folgerichtig auch überhaupt keine Chacokolonisation gegeben. Das Wildnissiedlungswerk war auf eigene Faust viel zu riskant. Es erforderte einen starken finanziellen Hinterhalt.

Als in der ersten Hälfte der 1920er Jahre die an Südamerika interessierten kanadischen Mennoniten Herrn Samuel McRoberts um finanzielle Vermittlung gebeten hatten, hatte dieser sich zuerst mit Leuten beraten, die er dann auch später als Mitbeteiligte in die Siedlungsorganisation hineingenommen hatte. Gemeinsam hatten sie den Mennoniten den Rahmen der Bedingungen gesetzt, unter welchen es geschehen könne. Zu der Zeit hatte es in Manitoba noch viel mehr Auswanderungsinteressierte gegeben. Zunächst hatte sich dann ein Kontingent dazu entschlossen, und es hatte Aussicht bestanden, dass weitere Siedler bald folgen würden. Diese sind dann niemals gekommen. Die Gesellschaft blieb damals aber doch bei der Sache, weil sie sich einmal damit eingelassen hatte.

Von den etwa 400 Familien, mit welchen man zunächst unbedingt gerechnet hatte, waren bis 1930 insgesamt etwa 260 Familien gekommen, und diese hatten sich 30 Legua übernommen. Im Jahre 1930 kamen dann noch ganze zwei Familien nach.

Mit den Duchoborzen hatten die Amerikaner ebenfalls schon ganz bestimmt gerechnet. Diese hatten 1926 noch eine Delegation unter Engens Führung in den Chaco geschickt. Sie waren von den Möglichkeiten in dieser menschenleeren Region ganz begeistert gewesen. Weil sie dann aber in grosse Scherereien mit der kanadischen Regierung geraten waren, hatten sie die Auswanderung ganz eingestellt. Und Gott sei Dank! dass sie nicht in den Chaco, bzw. nach Paraguay gekommen sind, denn was hätten sie hier vielleicht alles angestellt!

Es kam dann noch ein kleiner Teil europäischer Flüchtlinge, die sowieso ganz und gar von Unterstützungen abhängig waren.

Schliesslich zog noch ein weltweites Wirtschaftsunwetter herauf, welches die Verdienstberechnungen der Herren der amerikanischen Siedlungsgesellschaft mit dem An- und Verkauf der kanadischen Farmen gänzlich zerschlug. So steckte die Intercontinental Company, die mit einem Riesengewinn gerechnet hatte, am Ende nur noch Verluste ein. Ein Riesengeschäft war es schon geworden, nur kein gewinnbringendes.

Von den vielen Tausenden von Dollars, die die Intercontinental Company in das Chacokolonisationswerk gesteckt hatte, so wie auch von den mehr als 30.000 Dollar, die sie den Siedlern als Darlehen vorstreckte, hat sie so gut wie nichts zurückerhalten. Denn ehe die Siedler so weit waren, an die Zahlung ihrer Schulden zu gehen, erklärte die Intercontinental Company, bzw. die Corporación Paraguaya den Bankrott. Das bewegliche und auch das unbewegliche Vermögen (70 Legua Land im Chaco, eine Baumwollentkörnungsanlage in Hoffnungsfeld und die Darlehen an die Mennosiedler verkaufte man an das M.C.C. (Mennonite Central Committee) in Akron, Pennsylvanien, für 57.000 Dollar.

Die Mennosiedler brauchten dann nur einen ganz geringen Teil des Darlehens an das M.C.C. zurückzuzahlen. Das M.C.C. verrechnete die Schulden nach dem Prozentsatz, wie es das Kolonisationsgeschäft gekauft hatte.

Wir schliessen dieses Kapitel mit einem bewegten Schreiben von Herrn Samuel McRoberts, der von der finanziellen Seite her gesehen wohl die Hauptrolle in dem ganzen Geschehen spielte, das er am 14.

April 1945, nicht lange vor seinem Tode, an den Gemeindeältesten, Martin C. Friesen, richtete.[14]

"Die Mennoniten versicherten mir, sie würden das Projekt so ausarbeiten, dass es mich für meine Bemühungen entschädigen sollte, und das schien mir ganz angemessen zu sein.

Abgesehen von irgendwelchen rein geschäftlichen Interessen, war ich sehr beeindruckt von dem Charakter dieser mennonitischen Gruppe. Auch war ich überzeugt, dass der Welt eine Wohltat daraus werden könnte, wenn diese Leute mit ihrem Glauben erhalten blieben. Und so sagte ich ihrem Begehren zu. Ich übernahm es, mich mit ihrem Kolonisationsgeschäft abzugeben, ihre Probleme lösen zu helfen.

Doch ehe es dazu kam, brach (1922/23) eine Weltwirtschaftskrise herein.[13] Das Land in Kanada war nicht zu verkaufen, und es bestanden eben keine Aussichten auf ein gewinnbringendes Geschäft. Ich war aber schon zu weit mit diesen Leuten verbunden. So blieb ich dann dabei, die Sache auszuführen. Das Ende davon war ein grosser Verlust für mich.

Jetzt schreiben Sie, Herr Friesen, mir, sie seien nach 18 Jahren immer noch nicht reich geworden, sie leben aber in Ruhe und Frieden und haben Nahrung und Kleidung.

Wenn die Mennoniten auf der neuen Ansiedlung glücklich sind und das Programm weiterführen, um welches willen jene Delegation damals bei mir vorsprach, dann bin ich froh, dass ich die Sache unterstützt habe. Und obwohl ich dadurch arm geworden bin, so bedaure ich es doch nicht, dass ich mein Geld für solchen Zweck ausgegeben habe.

Grüssen Sie die Kolonisten von mir. Es ist mein aufrichtiger Wunsch, dass Sie auch weiter in Frieden und Wohlergehen leben!

Samuel McRoberts"

Fussnoten zu Kapitel XV
Zur Auswanderung und Ansiedlung braucht man Geld

1. Ältester Gerhard Wiebe — *Ursachen und Geschichte der Auswanderung der Mennoniten aus Russland nach Amerika* — (Druckerei "Der Nordwesten", Winnipeg, Manitoba, Mai 1900
2. Ders. S.44
3. *Hildebrand's Zeittafel* — J. J. Hildebrand, Winnipeg — S.66 über das Darlehen:
   "Die seit 1874 aus Russland nach Manitoba ausgewanderten Mennoniten bezahlen (1891) der Dominion Regierung den letzten Betrag ihrer Ansiedlungsschuld. Da sie mittellos einwanderten und hier die Urwildnis erschliessen und unter Kultur bringen sollten, bedurften sie der Mittel.Die Regierung jedoch borgte ihnen kein Geld hierzu, ging aber schliesslich darauf ein, dass, wenn sich 150 wirtschaftlich stark situierte Mennoniten aus Ontario für die Rückzahlung der Schuld mit Zinsen, verbürgen würden, sie bis 100.000 Dollar dazu borgen würde; diese (Ontario-Mennoniten) verbürgten sich und 96.400 Dollar wurden diesem Konto entnommen, die die Mennoniten in Manitoba schuldig wurden.

   Teilzahlungen a conto waren schon verschiedentlich gemacht und nach Abtragung der letzten Schuld waren ausser der Stammesschuld noch 33.986 Dollar an Zinsen berechnet, im ganzen noch 130.386 Dollar bezahlt worden.

   Den Nutzen von der (wirtschaftlichen) Erschliessung (Südmanitobas) hatte die Regierung bzw. der Staat; die eingewanderten Mennoniten aber bewältigten die Erschliessung auf eigene Kosten und auf eigenes Wagnis. Die Regierung machte nur eine gut verbürgte, sichere Kapitalanlage, die ihr aus dem Schweisse und den Strapazen der Pioniere noch 33.986 Zinsen eintrug.''

Herr Hildebrand ist vielleicht etwas zu kritisch der Regierung gegenüber. Den mennonitischen Siedlern war das Darlehen von grosser positiver Bedeutung. Die Leute waren in einer Notlage. Viele von ihnen waren arm aus Russland herübergekommen. Dann hatten sie noch das Unglück, dass die ersten Ernten von den Heuschrecken grösstenteils vernichtet wurden. Manchem mittellosen Siedler ist dann durch das Darlehen von der Regierung geholfen worden und hat einen bedeutsamen wirtschaftlichen Nutzen davon gehabt, auch wenn er noch Zinsen zahlen musste.

Die Gemeinden Manitobas hatten dann den Gemeinden Ontarios gegenüber Bürgschaft gestellt und musste sich mit dem einzelnen Schuldner gemäss dessen Zahlungsfähigkeit und Zahlungsmöglichkeit abfinden. So wenigstens war es in der Chortitzer Mennonitengemeinde in dem Ostreservat Südmanitobas. In dieser Gemeinde zahlten einige der Schuldner jenes Darlehens bis zu 30 Jahre lang (die Gemeinde hatte es dann längst bezahlt), mit andern Worten: nach 30 Jahren waren immer noch Familien da, die alte ''Brotschuld'' (wie man sie nannte) hatten, wahrscheinlich schon auf die 2. Generation übertragen.

4. In unserer 50-Jahre-Jubiläumsschrift *Kanadische Mennoniten bezwingen eine Wildnis* S.149, ist der Darlehensbetrag für die Durchführung der Kanada–Paraguay Wanderung mit etwa 60.000 Dollar angegeben. Dieses ist entnommen aus Dr. W. Quiring's Buch *Russlanddeutsche suchen eine Heimat* S.64.

Da die alten Bücher noch alle vorhanden sind, darin die Auswanderungsbeiträge gebucht sind, habe ich es nachgeprüft und festgestellt, dass es nicht 60.000 sondern genau 50.133 Dollar gewesen sind, eingezahlt von etwa 100 Familienvätern der Auswanderer. Davon sind ausgezahlt worden für 67 Familien, für welche die Reise nach Paraguay ganz oder teilweise bezahlt wurde, im ganzen 43.049 Dollar. Nur etwa 10 Auswandererfamilien hatten weder ein Guthaben als Darlehen, noch eine Schuld in der Gemeindekasse. Die restlichen etwa 7000 Dollar wurden dann in der Hauptsache für Unterstützung der Armen in der ersten Zeit in Paraguay verwendet.

Quiring's Angabe von 60.000 Dollar wird sich wohl auf den Gesamtbetrag der Gemeindekasse beziehen; denn die Gemeinde nahm eine Summe von etwa 10.000 Dollar mit nach Paraguay, dass dem Waisenamt der zurückbleiben Gemeinde entnommen wurde als Erbgut unmündiger Erben, die mitgingen nach Paraguay, wo man alsdann sofort ein neues Waisenamt ins Leben rief.

5. Brief des Jakob A. Braun aus Kol. Menno — 3. März 1930 — an die Herren McRoberts und Robinette in USA.
6. Brief des H. G. Norman aus USA an J. A. Braun in Menno — 5. April 1930
7. Gemeint sind hier die späteren Gründer der Kolonie Fernheim
8. Brief des Dr. Eusebio Ayala, Vorsitzender der Corp. Paraguaya in Asunción — 8. April 1930 — an die Intercontinental Company in Philadelphia, PA., USA.
9. Der Kafir wurde von den mennonitischen Chacosiedlern in Paraguay bzw. in den Chaco eingeführt. Der Siedler Heinrich B. Toews, wohnhaft im Dorf Waldheim, bestellte verschiedene Sämereien aus Nordamerika. Er machte das durch die Corp. Paraguaya und unter diesen Sämerein befand sich dann auch der weisse Kafir, der im Chaco gut gedieh und sehr geschätzt wurde.
10. J. A. Braun aus Menno — 27. Mai 1930 — an die Herren H. G. Norman, General McRoberts und E. B. Robinette, Philadelphia, PA., USA
11. Herr Johann J. Priesz — auch ''John'' genannt — hatte die Altkolonier Gemeinschaft (in Manitoba) verlassen und sich dann keiner Gemeinschaft mehr angeschlossen. Er hielt sich aber immer in mennonitischer Gemeinschaft auf. Er war in Manitoba im Städtchen Altona zu Hause und hatte dort einen Handel mit Ackergeräten.

Infolge seiner Fähigkeit in rechtskundlichen Sachen, wurde er als "mennonitischer Rechtsanwalt" bezeichnet. Im Jahre 1920 wurde er für die 1921 durchgeführte Chacoexpedition als beratender Begleiter erwählt und ging als sechster mit den fünf Altbergthaler (Chortitzer, Sommerfelder . . .) Delegaten nach Südamerika.

1927 wurde er von den mennonitischen Paraguaywanderern nach Paraguay gerufen, um dort in verschiedenen Angelegenheiten, die man mit der Regierung in Sachen der Gesetzlichkeiten zu regeln hatte, zu helfen.

Diese Berufung und Sendung nach Paraguay geschah im Einvernehmen mit der Intercontinental Company, der Siedlungsgesellschaft. Die Amerikaner waren grosse Freunde von Priesz, der nicht nur gut englisch sprach, sondern auch fähig war in der Bearbeitung verschiedener Entwürfe für die Kolonisationsbewerkstelligung. Dann aber, als die Amerikaner merkten, dass Priesz es mit den kleinen Gruppen (Sommerfelder und Bergthaler aus Sask.) hielt in der Formierung der Dreiteiligkeit, stellten sie sich gegen Priesz, und hätten ihn am liebsten zurückgeschickt nach Manitoba. — Priesz ist dann aber nicht mehr nach Kanada zurückgekehrt, sondern blieb bei den Mennoniten im Chaco, wo er am 29. Mai 1945 im Alter von 71 Jahren starb. Er wurde im Dorf Laubenheim beerdigt.

12. Die Feststellung dieses Schreibens, dass noch bei keiner mennonitischen Ansiedlung eine finanzielle Unterstützung in dem Masse gemacht worden sei, wie sie die Intercontinental Company an die Siedler der Kolonie Menno im Chaco gegeben habe, stimmt nicht. Dem Schreiber geht da immerhin die Kenntnis ab, dass seinerzeit in Manitoba die mennonitischen Ansiedler eine viel grössere finanzielle Unterstützung erhielten, und zwar von der kanadischen Regierung in Zusammenarbeit mit den Mennoniten in Ontario.

13. Februar 1928 — Man diskutiert eine Einwanderung von Japanern in Paraguay. A. A. Rogers schreibt aus Winnipeg an Dr. Eusebio Ayala in Asunción:
" . . . Wir haben Aussichten Japaner nach Paraguay zu bringen . . . Da dieses Volk sich sehr schnell vermehrt, wird Paraguay es wohl nicht irgendwo hinsetzen, denn es würde das paraguayische wohl bald verdrängen . . . Ich denke, der beste Platz für diese Japaner wäre im nördlichen Teil des Chaco, dort wo sie einen Prellbock bilden könnten gegen bolivianische Einfälle, denn damit können wir todsicher rechnen, dass die Bolivianer diese "Japs" nicht überrennen würden . . . Sie in jenem Teil des Chacogebietes unterzubringen, wäre der sicherste Weg, die Japaner in Paraguay ansässig zu machen . . .

14. General Samuel McRoberts schreibt aus New York, USA — 14. April 1945 — an den Ältesten Martin C. Friesen.
(McRoberts starb im Jahre 1947 im Alter von 81 Jahren)

15. Wenn man heute von einer Weltwirtschaftskrise spricht oder liest, denkt man gewöhnlich an die grosse Weltwirtschaftskrise der Anfang 1930er Jahre. Aber es gab auch eine schwere Weltwirtschaftskrise in der ersten Hälfte der 1920er Jahre, bald nach dem ersten Weltkrieg.

Das erste Luftziegelhaus in Pozo Azul, eine Zwischenstation, wurde 1927 von Kornelius Derksen und Abram F. Wiebe errichtet.

Alt Paso Azul, 1927.

Giesbrecht in Gnadenfeld hat sich einen kleinen Schlitten zusammengenagelt, auf dem er das Saatgut auf den Acker fahren kann.

Nicht jeder der Chacosiedler faud auf seinem Grundstück schon Süsswasser. Die Brunnen werden, besonders auch an der Strecke an die Bahn, von Durchreisenden stark in Anspruch genommen.

Zu Pferd, durchs hohe Gras Palmensavannen in der Gegend von Puerto Casado, 1921.

Eine der ersten Schulen der Wildnissiedlung — nach 1928 erbaut.

Eine Saegemuehle in Silberfeld.

Baumwollentkernungsanlage, 1929. Gebaut von Intercontinental Co., New York.

Fuhren mit Baumwolle.

Eisenbahn station, 1. bis 20. Km. von Chaco

Martin C. Friesen mit Familie.

Isaak K. Fehr (und Frau). Erster
O *berschulze der Kolonie Menno*
(1928–35).

Jakob A. Braun, bei der Untersuchung einer Feldbauprodukts (Kafir)– war zweiter Oberschulze der Siedlung (1935–40).

Fred Engen zog mit den Siedlern in die Wildnis. Engen bei seinen kleinen LKW und seine Wohnung in Pazo Azul, 1927–28.

In der Wagenraeder–Fabrik in Puerto Casado. Herr Jose Casado (l.) und Delegat Isaak Funk (April 1921).

Funk (l.) und Toews in einem Korral einer Viehweideeinrichtung der Casadogesellschaft–(April, 1921).

KAPITEL 16

Fred Engen,
Der Chacopionier

... Engen hat eine riesige Arbeit getan. Es ist keine Kleinigkeit
gewesen, sich durch alle die Wildnisbüsche hindurchzufinden und
durchzuarbeiten. Hätte er diese (Explorations) Arbeit nicht getan,
dieses Siedlungswerk wäre nicht zustandegekommen. Engen hat
eine Brücke gebaut, die wir jetzt benutzen, ohne etwas dazu getan
zu haben. Es ist ein weltfernes Gebiet, das macht es auch so schwer.
Das Werk drohte auch schon zusammenzubrechen.

A. A. Rogers in einem Brief an das Büro der Siedlungsgesellschaft in USA — Juli 1927

Engens Tod und Begräbnis

"Engen ist ein Wegbereiter für den kolonisatorischen Einzug in den
Chaco. Viele Buschschneisen hat er geschlagen. Ohne ihn wäre das
Vordringen in diese Wildnis wohl nicht gelungen."

So schrieb Alfred A. Rogers schon im Jahre 1927.

Es war im August des Jahres 1929. In der seit kaum mehr als einem
Jahr bestehenden Ansiedlung "Menno", weit im Innern der grossen,
schweigsamen Busch- und Savannenwildnis rangen die schwergeprüften Chacosiedlerpioniere um ihre sehr bescheidene Existenz
und waren in rastlosem Bemühen dabei, sich eine neue Heimat zu
schaffen. Die meisten waren mutig und versuchten, mit den ihnen zur
Verfügung stehenden Mitteln dem jungfräulichen Boden das zunächst
Mögliche abzugewinnen und sich den Verhältnissen entsprechend
einzurichten.

Von dem, was man um diese Zeit, im August 1929, verrichtete, hat
Prediger Abram E. Giesbrecht das eine und andere in seinen Tagebuchnotizen festgehalten. Man hackte Baumwollstauden ab, um das
Feld für eine neue Aussaat vorzubereiten, man rodete Sträucher,
Bäume und alte Stümpfe, um das Ackerfeld für den bevorstehenden
Frühling zu vergrössern, man machte Ziegel, um Gebäude
aufzuführen und man zersägte Baumstämme, vor allem Palo Blanco
und Quebracho Blanco mit einem sogenannten Brettschneider, der
von Männern bedient wurde, zu Brettern und Bohlen.

Einige Familien machten sich gerade im August noch wieder auf, um nach Kanada zurückzukehren. Bekanntmachungen für Ausrufe wurden durch die nächsten Dörfer geschickt, denn sie wollten keine Sachen mit zurücknehmen. So wurden sie hier versteigert. Die Post und auch die Nachrichtenbeförderungen gingen nur sehr langsam. Von Puerto Casado bis zum Ende der Chacoeisenbahn, km 145, konnten telephonisch Nachrichten durchgegeben werden. Dann blieb aber immer noch die weite, schwerfällige Wegstrecke durch die Busch- und Grasöde, zwischen dem Ende der Eisenbahn und der Siedlung, zurückzulegen.

Etwa Mitte August kam die Nachricht aus Puerto Casado in die Siedlung, Herr Fred Engen liege in Puerto Casado sterbenskrank darnieder. Er wünsche seine mennonitischen Freunde zu sehen. So schnell, wie es damals möglich war, machten sich vier Männer auf, ihn zu besuchen. Es waren der Gemeindeälteste Martin C. Friesen, der Kolonieleiter Isaak K. Fehr, der Siedlungsberater David K. Fehr und Jakob Doerksen, ein Mitglied der Chacoexpedition von 1921. Sie kamen am späten Nachmittag des 22. August in Puerto Casado an und begaben sich sofort zum Hotel, wo Engen seinen Aufenthalt hatte.

Engens Diener, der die vier Männer an der Tür zu Engens Zimmer empfing, flüsterte ihnen zu, Herr Engen liege gerade im Sterben. Um Engen noch lebend zu begrüssen und mit ihm zu sprechen, waren sie zu spät gekommen.[1] Am nächsten Tag, dem 23. August, wurde die Leiche dieses friedensbeseelten Chacopioniers auf dem katholischen Friedhof des Ortes beerdigt. Der Leichenzug bestand aus 8 Personen, nämlich aus den 4 Mennoniten und weiter noch aus 4 Paraguayern.

Nachdem der Sarg überm Grab platziert war, erbaten die Mennoniten sich noch ein paar Minuten, die sie noch ihrem Freund und Goenner widmen wollten. Ältester Friesen verlas die Verse 4 und 5 aus Lukas 7: ''Da sie aber zu Jesus kamen, baten sie ihn mit Fleiss und sprachen: 'Er ist es wert, dass du ihm das erzeigest; denn er hat unser Volk lieb, und die Schule hat er uns erbaut.'' Ältester Friesen sprach dann über die Bemühungen Herrn Engens in Verbindung mit den grossen Schwierigkeiten beim Eindringen in diese weltferne Chacowildnis, durch welche er einem Völklein in besonderer Weise Beistand leistete, um diese Wildnis zu kolonisieren. Und das war es auch, was den Redner bewog, gerade diese Verse aus Lukas, zu verlesen. Engen, der nicht Mennonit war, opferte sich für die Mennoniten auf, als ob er einer wäre. Er hatte sich rast- und restlos für die Sache der Mennoniten zur Verfügung gestellt und sich tapfer und selbstlos für die Erhaltung ihrer Schulen mit dem ausgeprägten Glaubensprinzip der Wehrlosigkeit und der Kriegsdienstverweigerung verwendet, einem Prinzip, das er persönlich anerkannte und darum bei seinen Freunden, den Mennoniten, besonders hoch hielt.

Innerlich bewegt verliessen dann die mennonitischen Siedlungsleiter den katholischen Friedhof, wo 123 mennonitische Siedlerpilger ihre Grabstätte gefunden hatten, als sie bei dem Zug in die Chacowildnis hier im Durchgangslager von Puerto Casado vorübergehend ihren Aufenthalt gehabt hatten. Eigentlich waren es nur 121 Personen, die in Puerto Casado starben. Dann aber wurden noch die Leichen zweier Kinder, die auf dem Flussdampfer gestorben waren, bis Puerto Casado mitgenommen und hier beerdigt. Engens Grab war jetzt das 124. in der Reihe der mennonitischen Landsucher, deren Bahnbrecher in die Wildnis er geworden war.

Nun hatte er bei seinen Schutzbefohlenen seine Ruhestätte gefunden, dieser kühne, aber friedliche Eroberer einer menschenvergessenen, zivilisationsfernen, unwirtlichen und ungebändigten Wildnis. Die Herzen der Indios, die der weissen Rasse bis dahin nicht viel Gutes zutrauten, hatte er für seine Sache gewonnen. Engen war beseelt gewesen von seinem ihm sehr hoch scheinenden Ideal, nämlich von der Schaffung eines umfassenden Mennonitenstaates[2], einer grossen, geschlossenen Gemeinschaft der Gewaltlosigkeit, die nach seinen Überlegungen eine breite Form annehmen sollte. Es war eine Illusion, die nun mit ihrem Träger ebenfalls zu Grabe sank. Denn das, nämlich einen äusserlich so beschaffenen Friedensstaat zu bilden, hatten selbst die wehrdienstverweigernden Mennoniten nicht im Sinne gehabt. Vielmehr aber wollten sie eine Gemeinschaft des Friedens sein und den Frieden ausleben.

Kurzer Lebenslauf

Wer war dieser Fred Engen?

Engen wurde am 6. November 1863 in Norwegen geboren.[3] Über sein Leben vor 1919 ist aber kaum etwas bekannt. Immerhin ist er irgendwann nach den U.S.A. gekommen, denn er war amerikanischer Bürger. Er soll dort 15 Jahre lang Farmer gewesen sein. Als es dann damit schief ging, habe er es aufgegeben.[4] Er soll auch ein Landmakler gewesen sein und als solcher schon Millionär. Bei einem unglücklichen Einsatz soll er dann sein ganzes Vermögen verloren haben.[5]

Mit den westkanadischen Mennoniten ist er irgendwie bekannt gewesen, vor allem mit den Bergthalern in Saskatchewan und mit deren Ältesten Aaron Zacharias. Engen gehörte einer pazifistischen Bewegung an und war aus dem Grunde ein besonderer Freund der kriegsdienstverweigernden Mennoniten. Auf einer Versammlung der für Paraguay interessierten Mennoniten in Manitoba, wo Engen auch zugegen war, sagte er unter anderem zu den anwesenden mennonitischen Männern:

"Ihr seid es nicht allein, die den Grundsatz der Wehrlosigkeit vertreten. Nein, wir mit vielen anderen haben ebenfalls versucht, es dahin zu bringen, worin ihr schon 400 Jahre treu bestanden habt. Es ist auch ganz gegen meine Überzeugung, dass ein Bruder den anderen tötet."[6]

Seine Chacoexpedition

Engen war daher vom ersten Tage an von einem Projekt mennonitischer Chacokolonisation begeistert. Als er dann mit der mennonitischen Delegation im Mai 1921 im Chaco gewesen war, und auch die Mennoniten vom Chaco gut beeindruckt waren, schickte Engen mit den sechs mennonitischen Männern, die sich am 2. Juli in Buenos Aires einschifften, um nach Nordamerika zurückzukehren, Berichte an General McRoberts mit. Nachfolgend bringen wir Auszüge aus jenen Berichten Engens an McRoberts. Engen selbst blieb in Buenos Aires zurück.

"Sie haben mich gebeten, mit der mennonitischen Delegation meine Ideen und Pläne, die ich über die Chacokolonisation habe, mitzugeben. Ich habe festgestellt, dass Sie sich weitgehend abhängig machen wollen von meinen Urteilen. Ich bin Ihnen dankbar für solches Vertrauen, möchte aber gleichzeitig sagen, dass ich mich selbst nicht dafür halte, mich in meinen Beurteilungen mit den Ihrigen messen zu können, oder dass ich imstande wäre, Ihre Urteile zu verbessern. Aber weil Sie sich nun einmal so ausgedrückt haben, bin ich froh dazu und will Ihnen gerne meine Ideen kundtun, so wie ich sie habe. Und ich hoffe, Sie werden auch etwas Annehmbares darunter finden. Wenn auch manches Unreife dabei ist, so ist doch vielleicht auch solches, das unsere Chacosache unterstützt und fördert.

Die Berichte der mennonitischen Delegation, wie auch meine eigenen Berichte, zeigen einen nur sehr bescheidenen Teil von dem, was wirklich zustande gebracht werden könnte, wenn man in Betracht zieht, welche wunderbaren natürlichen Verhältnisse der Chaco bietet. Wir haben die Vorzüglichkeit dieser Gegend in ihrer Bodenbeschaffenheit für eine fruchtbare Bearbeitung und ebenso die Schönheit der Landschaft gesehen. Auch das angenehme Klima haben wir empfunden. Alles das liegt uns zu Füssen, ist für uns zu haben. Und wie erreichen wir das?

Die Mennoniten verfügen nicht über Kapital. Geldanleihen auf ihr Land in Kanada zu machen ist nicht gut denkbar. Viele werden nun auch zuerst einmal sehen wollen, wie sich alles weiter entwickeln wird. Das Beste, was von denen zu erwarten ist, die zuerst aufbrechen werden, ist, dass sie ihre Reisekosten bezahlen und dass sie etwas Geld für den Anfang auf dem neuen Platz haben. Hoffentlich können sie dann, wenn erst wieder eine bessere wirtschaftliche Zeit gekommen ist, ihr zurückgelassenes Gut an den Mann bringen. Ich glaube nicht, dass die Casados sehr um Geld benötigt sind, und vielleicht sind sie willig, den Mennoniten billig Land zu verkaufen und auch mit längeren Zahlungsterminen und ohne Bargeldanzahlung.

Solange aber keine Eisenbahn vorhanden ist, hat alles sowieso keinen Sinn. Ohne Eisenbahn wäre die Kolonisation zu beschwerlich und somit nicht der Beachtung und der Mühe wert. Sie wäre auch geschäftlich gar nicht lohnend. Wäre aber eine Eisenbahn da, so wäre schon irgend ein sonst entsprechender Landpreis annehmbar. Wenn die Mennoniten das Land erst einmal besitzen und den Freibrief, der jetzt in der Bearbeitung ist, erhalten haben, würden sie das Land nicht für 100 Dollar den Acker verkaufen. Die Mennoniten aber wollen nicht nur das Land, sie wollen auch die Eisenbahn. Herr Casado wird nach New York kommen und dort die Beziehungen hinsichtlich des Landhandels aufnehmen. Wie immer Sie dann mit Casado verhandeln, tun Sie es zugunsten der Mennoniten. Das Geschäft wird dann auch für Sie günstig sein. Aber die Begünstigungen müssten nicht auf unsere Kosten gehen, auf Kosten unserer Interessen, wir müssen entsprechend planen.

Sie haben gefragt, wie Casados Pläne aussehen. Ich habe den Eindruck, sie laufen ziemlich parallel mit unseren Plänen. Ich bin geneigt zu glauben, die Casados werden ganz gut mit uns zusammen arbeiten. Ich schlage vor, wir kaufen drei Millionen Acker Land von den Casados. Zuerst muss dann die Eisenbahn vom jetzigen Ende der Bahn noch 125 km weiter gebaut werden, also auf 62 km noch 125 km mehr. Das wäre dann schon eine grosse Hilfe für die Siedler. Weiter müsste dann ein Plan zur Fortsetzung des Eisenbahnbaues gemacht werden. Diese Eisenbahn sollte durchlaufen bis Santa Cruz in Bolivien. Dadurch erhielte Bolivien einen Durchgang zum Atlantischen Ozean, den es gerne haben möchte. Es wären dann vier Nationen verbunden: Paraguay, Argentinien, Bolivien und Brasilien. Welch einen Vorschub für den Produktenabsatz könnte das bedeuten!

Wohlan, dieses sind so meine Ideen. Nehmen Sie bitte diese in dem Geiste auf, in dem ich sie gebe. Wir haben eine grossartige Gelegenheit, Geld anzulegen. Der Gewinn wird nicht auf sich warten lassen und wird auch nicht gering sein. Und die mennonitischen Siedler werden dafür die Grundlage schaffen. Sie werden die Bürgschaft leisten für so ein Projekt. Aber dafür muss alles organisiert werden, und das heisst arbeiten und sich selbst dafür hergeben. Ich sage Ihnen, der Chaco bietet aussergewöhnlich günstige Möglichkeiten, aber es muss eine Eisenbahn da sein. Den Kern der ganzen Sache aber bilden die mennonitischen Siedler.

Allein die natürlichen Verhältnisse dieser Gegend bieten die Möglichkeit, in sechs Monaten einen Lebensunterhalt zu schaffen. Das ganze Jahr hindurch könnte man die verschiedenen Früchte als Lebensmittel produzieren. Es gehört sich einfach nicht, hier noch zu zweifeln, Erfolg und Wohlergehen in Frage zu stellen, wenn man hier an die Arbeit geht, sich eine Heimat zu schaffen. Die Eisenbahn müsste also bis ''Media Luna'' im Mennoland gebaut werden (Media Luna ist der Ort, wo die Expedition von 1921 das Kreuz mit dem Halbmond an einen Baum heftete, MWF). Nirgends in der Welt gibt es eine solche Gegend mit solchem naturgegebenen Überfluss. Welch einen Garten haben wir, Sie und ich, da entdeckt! Arme Siedler werden hier mit wenig Einsatz und Aufwand ihren Lebensunterhalt herausholen.''

Durch die inzwischen eingetretene Wirtschaftskrise kam das Chacokolonisationswerk dann für mehrere Jahre nicht vom Fleck. Engen blieb daher etliche Jahre in den U.S.A., in Kalifornien, wo seine Familie zu Hause war. Dass er aber immer noch mit der Chacokolonisation rechnete, ersieht man aus einem Brief, den Frederico Hettman, ein Bruder des Karl Hettman, der 1921 die Chacoexpedition mitmachte, am 15. Oktober 1924 an ihn richtete:

"Es freut mich, zu erfahren, dass Sie mit Begeisterung bei der Arbeit sind, das Projekt einer Kolonisation in Paraguay zu fördern. Ich glaube, Sie werden es schaffen. Was Ihnen dabei zugute kommt, ist, dass Sie Paraguay kennen, dass Sie bekannt sind mit den Hindernissen und Schwiergkeiten solcher Kolonisation. Und was besonders wichtig ist, Sie wissen mit den Widerwärtigkeiten umzugehen.

Meine geplante Reise nach Bolivien habe ich immer noch nicht gemacht. Ich wollte dort die Murray-Ansiedlung besuchen. Inzwischen habe ich nun erfahren, dass die Siedler dort mutlos werden. Es würde mich nicht überraschen, wenn die Ansiedlung überhaupt eingeinge. Ich weiss, dass man für die Ankunft der Siedler nicht gut vorgearbeitet hat. Man kann sich keinen Erfolg versprechen, wenn man hunderte von Familien einfach auf kahlem Land absetzt und ihnen sagt, jetzt sollen sie etwas daraus machen. Man muss für die Ankunft der Siedler Vorbereitungen treffen, wie Sie, lieber Herr Engen, es ja auch gut wissen. Man muss erfahrene Leute dabei haben, die auf so einer neuen Ansiedlung anzupacken wissen. Soviel ich weiss, waren dort keine Brunnen gegraben und keine Unterkünfte geschaffen oder sonst etwas vorbereitet worden. Man kann von einem hungrigen und durstigen Menschen keinen Einsatz verlangen."

Im Jahre 1926 war Engen wieder in Südamerika. Im April schrieb er aus Buenos Aires an Herrn J. J. Priesz in Altona, Manitoba, unter anderem:

Ich bin neulich aus dem Chaco zurückgekehrt. Es hat dort seit 1921 noch nicht wieder eine Überschwemmung gegeben, wie wir sie damals erlebt haben. Es hat jährlich etwa 50 Zoll geregnet. Das Wachstum ist sehr gut. Casado hat jetzt ein sehr gutes Hotel gebaut. Dort können nun eine Anzahl Gäste aufgenommen werden. Der Bau der Eisenbahn aber geht nur sehr langsam vorwärts. Wir werden auf etwa 200 einen Schuppen bauen müssen, wo wir dann Nahrungsmittel unterbringen können, bis sich die Siedler selbst versorgen. Ich glaube, mit dem Baumwollenbau wird man im Chaco was anfangen können und so auch mit der Yerba. Im argentinischen Corrientes hatte ein Mann 127 000 Yerbabäume, die ihm bis zu 50 000 Dollar im Jahr eingebracht haben. Die Aussichten, im Chaco sein Leben machen zu können, sind wirklich nicht fraglich: Ich bin überzeugt, die Mennoniten werden sich dort über alle Erwartungen wirtschaftlich entwickeln."

Auf einer Reise nach Puerto Casado, im April 1926, schreibt Engen an den Ältesten Aaron Zacharias von der Bergthaler Gemeinde in Saskatchewan:

"Es freut mich, dass Sie für mich beten. Ich hoffe, wir werden uns in Puerto Casado treffen. Ich lebe in der grossen Hoffnung, dass die Auswanderung nach Paraguay nun Wirklichkeit werden wird. Und Ihr Mennoniten seid imstande, solches Werk durchzuführen."

In Puerto Casado angekommen, schreibt Engen am 23. April an Herrn Alfred A. Rogers in Winnipeg:

"Ich hoffe, alles geht seinen richtigen Weg. Sollte die Umsiedlung der kanadischen Mennoniten in den Chaco gelingen und die Ansiedlung gut ausfallen (womit ich rechne), dann werden noch viele hierher kommen, und zwar aus allen Teilen der Welt. Jawohl, der zentrale Chaco ist unbekannt. Man weiss einfach nicht, was man dort alles wird zustande bringen können. Aber die Mennoniten, die werden das schon herausfinden."

Mit den Duchoborzen

In Puerto Casado bereitete Engen sich für den Empfang einer Duchoborzen–Delegation aus Kanada vor, die den Chaco besichtigen wollte. Diese zweite Chacoexpedition, diesmal mit den Duchoborzen, wurde im Juni 1926 durchgeführt. Die Teilnehmer von seiten der Duchoborzen waren die Herren Boris Sachatoff, Ivan Swetlischneff, John J. Malakoff, George W. Popoff und Joseph Derhausoff. Boris Sachatoff war der Sekretär der Delegation. Der Leiter der Expedition war wieder Fred Engen. Sie waren drei Wochen im Inneren des zentralen Chaco und bereisten dieselbe Strecke wie die Expedition von 1921. Die Karawane bestand aus sechs Karretten mit über hundert Ochsen und einer 24–köpfigen Mannschaft. Die erste Reisestrecke von der Eisenbahn in den Westen war schlecht. Tagelang fuhren sie in Schlamm und Wasser. Wir geben hier Auszüge aus dem Bericht der Duchoborzen:

Wir staunten über den friedlichen Geist des Lebens und Treibens in der Karawane. Da wir mitten drin waren, hatten wir Gelegenheit, alles bis ins Kleinste zu beobachten, und wir haben uns darüber gewundert, wie gut alles klappte. Einer, der massgeblich an dem Bewirken dieser harmonischen Atmosphäre beteiligt war, das war Herr Fred Engen. Er verhielt sich wie ein verantwortungsvoller General unter treuen Soldaten, sympathisch und überall nach dem Rechten schauend. Er war andererseits wie ein Vater, der sich um alles sorgt und überall Wandel schafft, wo Probleme auftauchen. Klagte jemand über Kopfschmerzen, oder hatte sich jemand eine Schramme zugezogen — denn die Chacosträucher sind voller Dornen —, dann war es Fred Engen, der seine helfende Hand darbot. Niemals war es ihm zuviel, helfend einzugreifen. Er war bald hier, bald dort, energisch und immer frohen Mutes. Und dieses übertrug sich dann auch auf seine Mitreisenden.

Das Werk, wofür er sich opfert, ist so bedeutungsvoll, dass es sich lohnt, einem kriegsdienstverweigernden Völklein zu einem neuen Wohngebiet zu verhelfen. Es wird in einer Wildnis blühende Siedlungen zustande bringen, wofür alle unmittelbaren Voraussetzungen gegeben sind. Nur eine mittelbare Voraussetzung ist nicht gegeben, und das ist die Eisenbahn. Sie ist noch nicht da. Und ohne Eisenbahn kann man hier nichts beginnen. Aber wenn eine Eisenbahn durch dieses Gebiet ginge, könnte man es erschliessen und grossartige Erfolge durch entsprechenden Einsatz schaffensfreudiger Kräfte haben. Eine der grössten und sichersten Möglichkeiten, dort Geld zu machen, wird die Anpflanzung von "Yerba Mate" sein. Das aber kann irgend jemand machen, und die Nachfrage ist gross.

Engen hat sich sehr bemüht, die Expedition erfolgreich durchzuführen. Sein Verhältnis mit den Indios ist bewunderungswürdig. Es ist zum Staunen, wie gut sie ihn verstehen, wenn er etwas von ihnen will. Wir haben es immer wieder beobachtet, wie die Indios sich abmühten, Engens Wünschen gerecht zu werden, und zwar in irgendeiner Arbeit, die sie auf seinen Wunsch verrichteten. Die Indios brachten ihm ein merkwürdiges Vertrauen entgegen, und daraus kann man erkennen, dass er ein aufrichtiges Verhältnis mit ihnen hat. Indianer sind schwer zu täuschen. Sie fühlen dem Mann ins Herze, der mit ihnen umgeht, und sie erfühlen seine wirkliche Sympathie. Und dementsprechend ergeben sie sich dem Manne, oder sie entfernen sich, wenn ihnen etwas verdächtig ist. Sie sind aber wirklich Freunde, wenn man selbst in seiner Freundschaft aufrichtig ist."

General McRoberts schreibt am 26. August 1926 an Fred Engen, der sich in Südamerika aufhält, unter anderem:

"Die Duchoborzen haben Bericht erstattet. Sie möchten, dass man tiefere Bohrungen nach Wasser unternimmt, um herauszufinden, wie es mit dem Grundwasser bestellt ist.

Sehr wichtig ist ihnen der Bau einer Eisenbahn bis zum Siedlungsgebiet. Sie sagen, ohne solche Eisenbahn ist die Erschliessung dieses Gebietes undenkbar.

Ich glaube, wir werden noch alles hinkriegen. Die Wasserfrage wird gelöst werden, und was den Bau der Eisenbahn betrifft, das haben wir ja in unseren Händen.

Von Wichtigkeit ist nun, wie man das alles anpackt. Sie Herr Engen, stehen in unmittelbarer Verbindung mit den Mennoniten. Und gerade Sie müssen sich nun auf alle solche siedlungswichtigen Sachen konzentrieren, Sachen, die dazu beitragen, die Mennoniten in zufriedener, froher und hoffnungsvoller Stimmung zu erhalten. Sie müssen ihnen helfen, so schnell wie möglich das genauere Siedlungsgebiet auszusuchen und die ersten Schritte zu unternehmen, sich am neuen Ort wirtschaftlich zu entwickeln.

In allen diesen Dingen, Herr Engen, verlassen wir uns auf Sie. Wir rechnen damit, dass gerade Sie die notwendigen Schritte unternehmen werden.

Dass man in Puerto Casado für die Mennoniten Felder vorbereitet, um Gemüsegärten anzulegen, finde ich überflüssig. Solches können die Leute doch selber machen, wenn sie dort angekommen sind. Und sie können dann auch nach Notwendigkeit dieses Feld erweitern. Es ist nicht unsere Aufgabe, ihnen die Nahrungsmittel zu verschaffen; das sollen sie selbst tun. Wir werden zunächst danach zu sehen haben, dass Nahrungsmittel für sie erreichbar sind. Aber wir müsssen uns in acht nehmen, sie nicht zu verwöhnen. Sie sollen sich nicht von uns abhängig dünken. Wir haben es uns schon viel kosten lassen, damit das Werk anrollen kann. Wir müssen jetzt aber anfangen, unsere Aufgaben auf das Notwendigste zu beschränken. Wir müssen anfangen, die Ausgaben zu bremsen.

Ich habe Briefe gelesen, die Sie Herr Engen, an etliche unserer

Angestellten geschrieben haben, über Dinge, die diese Angestellten nichts angehen. Die sind mit anderen Angelegenheiten bedacht. Herr Engen, Sie sollten das nicht tun. Sie bringen damit nur Unordnung in unser Werk. Jede Sache hat ihren Platz und muss dort angebracht werden, wo sie hingehört. Bitte merken Sie sich das. Ich denke viel an Sie und schätze Ihre Bemühungen. Und Sie wissen auch, dass ich grosses Interesse an der Sache der Chacokolonisation habe, um dadurch den Mennoniten zu helfen. Sonst hätte ich schon längst alles abgeblasen.''

Als dann anfangs des Jahres 1927 eine Gruppe nach der anderen in Puerto Casado eintraf, und die Leute in unangenehm überraschter Weise feststellten, dass mit einem Einzug ins Chacoinnere aufs Siedlungsland in der ersten Jahreshälfte gar nicht zu rechnen sei, wollten die bereits Angekommenen weitere Gruppentransporte stoppen. Sie berieten darüber mit Engen, und dieser gab ein Telegramm auf. Was es im Norden zunächst bewirkte, zeigt ein Auszug aus einem Schreiben von Alfred A.Rogers in Winnipeg, vom 31. Januar 1927, das an J.C. Marsh im Hauptbüro der Siedlungsgesellschaft in den U.S.A. gerichtet war:

> ''Wenn Engen die Fähigkeit hat, eine Rolle zu spielen — und das Telegramm deutet so etwas an — dann sollte man ihm zu verstehen geben, und zwar in einer Sprache, die unmissverständlich ist, dass er in Puerto Casado ist, um sich dort um die Leute zu kümmern und nicht um Sachen, die ihn nichts angehen. Meine Frage ist, ob sein fortgeschrittenes Alter dabei schon irgendwie mitredet? Oder ist es die Einsamkeit und Schweigsamkeit des öden Chaco? Wenn das der Fall ist, dann müssen wir uns einen anderen Vertreter für Puerto Casado suchen, um dort die notwendigen Dinge durchzuführen.''

Derselbe Alfred Rogers, der inzwischen nach Südamerika gereist war, schreibt dann am 11. Juli 1927 aus dem Chaco — aus dem Zelt aus km 216 — an das Hauptbüro der Siedlungsgesellschaft in Philadelphia, U.S.A.:

> Die Landuntersuchungskommission (Landauswahlkomitee) will alles Land in der Umgebung besehen. Das bedeutet dann Schneisen durch Wälder und Büsche zu schlagen und Wege zu schaffen, um weiterzukommen. Herr Engen hat doch schon eine Riesenarbeit verrichtet, durch all die Büsche und Wälder hindurchzufinden und sich Wege zu bahnen, auf denen er im Jahre 1921 die Chacoexpedition führte. Hätte Engen diese Arbeit nicht getan, wäre dieses Kolonisationswerk wohl nie zustande gekommen. Engen hat eine Brücke hergestellt, über die wir jetzt seinen Spuren folgen, ohne etwas dazu getan zu haben. Es ist doch eine gewaltige Entfernung, dieses Gebiet zu erreichen, und diese Entfernung hat das Unternehmen zu Zeiten schon fraglich werden lassen.''

Briefwechsel
Am 15. August 1927 schrieb Rogers aus Asunción an das

Hauptbüro der Siedlungsgesellschaft in den U.S.A.:

> Herr Engen ist jetzt schon gut zwei Sommer im Inneren des Chaco gewesen und hat schwer gearbeitet. Bei dem Alter, das er schon hat, wäre es sicherlich nicht ratsam, dass er noch einen Sommer die Arbeit dort verrichtet; es könnte sich schlecht auf seine Gesundheit auswirken. Engen hat schon eine grosse Arbeit dadurch verrichtet, dass er in das Chacoinnere die Bahn gebrochen und ein gutes Verhältnis mit den Indios geschaffen und aufrechterhalten hat. Auch ist er den Mennoniten behilflich gewesen, ihr Siedlungsgebiet zu finden. Wir sollten ihm wenigstens einmal für drei Monate freigeben, ihn aber für diese Zeit auch bezahlen.''

Engen schreibt am 4. März 1928 aus Pozo Azul an Alfred A. Rogers in Winnipeg, Manitoba:

> ''Ich bin Tag für Tag im Sattel. Meine Mahlzeiten sind miserabel. Doch ich bin gesund und bin auch noch immer überzeugt, dass wir wirklich etwas zustande bringen werden in diesem Chaco. Wir werden die Gegend dicht besiedeln. Es gibt auch viele Schwierigkeiten; ich aber lasse mich nicht von ihnen unterkriegen, wie bunt sie auch aussehen mögen. Ich bin dankbar für die Grüsse vieler alter Bekannter. Ich hege gegen niemanden einen Groll. Warum sollte ich auch? Ich habe genug Anderes zu tun.''

Ebenfalls aus Pozo Azul schreibt Engen an Ältesten Martin C. Friesen, der um diese Zeit schon im Wildnisdorf Osterwick wohnte. Der Brief ist vom 22. Mai 1928 datiert:

> Ich schätze Ihre Anerkennung für das, was ich für die Sache Ihrer Ansiedlung getan habe. Ich habe in meiner Schwachheit wirklich nur wenig für die Sache der Mennoniten getan.
> Ich bedarf aber keines besseren Lohnes, als dass das Werk gelingt! Ich habe oftmals den Eindruck, die Mennoniten wissen nicht gut um mich Bescheid, sie wissen nicht, dass ich nur ein armer Angestellter bin, der in Wirklichkeit nur sehr wenig für die Siedlungssache tun kann.
> Da sind zwei Männer, die sich wirklich für die Sache hergeben, und das sind General McRoberts in New York und Edward B. Robinette in Philadelphia. Deren Anweisungen versuchen wir auszuführen. Und sie haben es sich schon viel Geld kosten lassen, der Einwanderung der Mennoniten in den Chaco Vorschub zu leisten, besonders von der Zeit an, wo A.A. Rogers sich auch dafür eingesetzt hat.
> Es sind grosse Summen Geldes angefordert worden, um alle die auftretenden Unkosten zu bestreiten, und sie sind nicht verweigert worden. Ich sage nochmals: McRoberts und Robinette haben das alles finanziert.
> Ich verstehe Sie sehr gut, dass es Sie traurig stimmt, dass so viele Ihrer Leute einfach aufgeben und dem Werk den Rücken kehren. Auch die Herren McRoberts und Robinette sind darob schwer enttäuscht.
> Ich will Sie nächstens besuchen. Bis dahin alles Gute. Es wird bestimmt noch alles besser werden!''

General McRoberts schickte dann noch einen seiner Verwandten in den Chaco. Es war sein Neffe, Joe McRoberts, der in der Schule durchgefallen war. Er wollte mal sehen, ob er sich bei der kolonisatorischen Eroberung des zentralen Chaco vielleicht nützlich machen könnte. Hier ein Auszug aus einem Brief Joes an seinen Onkel, vom 23. Mai 1928:

"Mit Engen komme ich gut aus (Das war bei den anderen nicht unbedingt immer der Fall–MWF). Aber Engen altert schon. Ein Tagesritt macht ihn schon müde, doch er erholt sich bald wieder. Engen ist ein interessanter Mann. Seine Lebensanschauung ist sehr interessant. Er hat so seine speziellen Ansichten, die so ganz anders sind, als andere Menschen sie haben."

Herr Rodney N. Landreth schreibt am 31. August 1929 an die Herren Norman und Marsh im Hauptbüro der Intercontinental Company in den U.S.A.:

"Herr Engen ist jetzt in Buenos Aires zu einer ärztlichen Untersuchung. Er hatte das Unglück gehabt, im Chaco mit einer Seite auf einen Baumstumpf zu stossen, wobei er sich die Rippen schwer beschädigt hatte. Ich hatte ihn gebeten, sich nach Asunción zu begeben. Der Arzt will aber festgestellt haben, es sei nicht so schlimm. Engen war dann wieder zurück in den Chaco gefahren. Dann hatte er Magenbeschwerden bekommen. Die Ärzte von Asunción haben ihn dann nach Buenos Aires geschickt, wo er sich röntgen lassen sollte. Dr. Kerr von der 'Rockefeller Foundation' hier in Asunción hat ihn untersucht. Er hat nicht geglaubt, dass es etwas Ernstes sei. Sein jetziges Leiden scheint aber nicht von der Rippenverletzung herzurühren.
Ich habe mit Ayala darüber gesprochen, was wir noch mit Engen machen sollen. Ayala und ich denken, wir sollten Engen von seinen Verpflichtungen hier frei machen. Nach unserem Dafürhalten übt er hier einen störenden Einfluss aus. Wir glauben, es könnte jetzt auch schon ein anderer tun, was er tut und auch noch mehr, und zwar solches, was Engen nicht kann und auch nicht tun will, nämlich Berichte schreiben und die Buchführung betreiben.
Ich selbst bin sehr gut mit ihm ausgekommen, ausser ein- oder zweimal während meines ersten Chacobesuches. Das aber hatte keine weiteren Folgen, war bald wieder vergessen. Engen war mir sehr zugetan. Wir haben ihn auch immer wieder für die Ausführung wichtiger Angelegenheiten zu Rate gezogen. Soviel ich weiss, war er auch immer ganz bei der Sache, und ich weiss auch nicht, ob man einmal seine Vorschläge, seine Pläne übersehen hat. Wenn er jetzt nicht damit zufrieden ist, wie manche Dinge während meines Hierseins behandelt und gehandhabt worden sind, dann weiss ich nicht, was er damit meint.
Ayala gab mir zu verstehen, dass Engens Bemerkungen über mich nicht unbedingt sehr schmeichelhaft gewesen seien. Er hat wohl nach dem Norden über Angelegenheiten hier berichtet, was er nicht hätte tun sollen, und was er auch nicht zugegeben hat. Das ist nicht gut von ihm. In geschäftlichen Dingen versucht er jede Verantwortung zu umgehen. Wenn wir zusammen auf einer Stelle arbeiten, kommen wir sehr gut miteinander aus. Es tut mir leid, dass ich auch noch anderes von ihm schreiben muss."

Herr Rodney N. Landreth schreibt dann weiter am 8. September 1928 aus Buenos Aires an General McRoberts und an Edward B. Robinette in den U.S.A.:

Ich weiss nicht, ob Engens Gesundheit es ihm erlauben wird, noch wieder zurück in den Chaco zu gehen. Der Arzt, der ihn hier untersucht hat, sagte mir, wir sollten nicht gleichgültig darüber sein, wenn er wieder zurück in den Chaco will, denn eine Operation wegen Magengeschwüren sei für einen Mann seines Alters besonders ernst."

Am 16. November 1928 schrieb Engen aus Buenos Aires an Ältesten Martin C. Friesen, in der Wildnissiedlung 'Menno', dass er, wenn es möglich sei, am 22. November nach Paraguay abfahren wolle. Er sei unter ärztlicher Behandlung gewesen und es gehe ihm jetzt wieder gut, wofür er sehr dankbar sei. Wahrscheinlich ist er aber nicht nach Paraguay gefahren, sondern nach den U.S.A., denn am 19. Januar schrieb er wieder an Ältesten Friesen, und zwar aus New York:

Ich wünsche Ihnen und allen, die mit Ihnen in der Siedlungsleitung stehen, Gottes Schutz und Führung in der Entwicklung der neuen Heime in einem neuen Land, die Sie in der Hoffnung des Gedeihens und im Glauben begonnen haben. Ich habe vor, das Siedlungsgebiet im April und Mai mit einer Delegation von Duchoborzen zu besuchen, und ich werde Ihre Mitarbeit brauchen, um in meiner Arbeit erfolgreich zu sein. Ich sehne mich nach dem Chaco. Ich glaube, ich könnte Ihnen eine Hilfe unter Ihren Leuten sein, und ich rechne damit, dass ich das Vergnügen haben werde, dort bei Ihnen zu wohnen. Meine Gesundheit bessert sich, und die Kräfte nehmen mit jedem Tag zu. Ich sehe der Genesung entgegen."

Dann, Ende Mai 1929 ist Engen wieder in Asunción. Er schreibt am 28. Mai an General McRoberts in New York aus seinem Quartier im "Gran Hotel del Paraguay":

Herr J.J. Priesz verhandelt jetzt in wichtigen Angelegenheiten des mennonitischen Waisenamtes mit der Regierung hier. Herr Priesz ist der Berater der Mennoniten in Rechtsangelegenheiten, und das ist er schon seit 25 Jahren. Er hat sich auch in Kanada immer wieder für sie eingesetzt, z.B. bei der kanadischen Regierung in Ottawa und auch anderswo. Was immer er ausrichtet, das, glauben sie, ist gut. Er hat einen so grossen Einfluss auf sie, wie kein anderer.

Der Krebs verursacht mir viel Schmerzen. Ich bin aber besser bei Kräften als zu der Zeit, als ich New York verliess. Ich bin nicht sehr stark. Hier habe ich einen paraguayischen Pfleger, der für mich sorgt.

Im Mai oder Juni wollen noch wieder Duchoborzen nach Paraguay kommen. Könnten Sie, General, vielleicht auch herkommen, um hier mit den Leuten zu verhandeln?"

Aus der Sache der Duchoborzen, zum zweiten Male nach Paraguay zu kommen, ist nichts geworden. Soviel bekannt ist, lag es aber nicht an Paraguay und auch nicht an der Siedlungsgesellschaft, dass aus ihrer Paraguaywanderung nichts wurde, sondern es waren ihre eigenen internen Angelegenheiten, die sie daran hinderten, überhaupt in Verhandlungen zu kommen. Es ist nicht denkbar, dass Engen, wären die Delegierten der Duchoborzen wieder gekommen, nochmals mit ihnen in den Chaco gereist wäre, obwohl er das vorhatte. Er war in Wirklichkeit schon zu krank dazu. Die Angestellten der Siedlungsgesellschaft, deren Schutzbefohlener er war, wollten ihn dann auch schon gar nicht von Asunción weiterreisen lassen. Engen machte sich dann aber mit seinem Pfleger, den die Siedlungsgesellschaft für ihn angestellt hatte, auf den Weg nach Puerto Casado, und das merkten die Angestellten der Siedlungsgesellschaft erst, als er schon auf und davon war. In Puerto Casado verschlimmerte sich sein Zustand dann rasch, und er starb dann auch bald. Herr Rodney N. Landreth schreibt am 13. September 1929 aus den U.S.A. an Dr. Eusebio Ayala in Asunción:

> "Wir bekunden unsere Mittrauer über den Tod Engens. Übrigens kam die Todesnachricht nicht unerwartet.
>
> Gut, dass er nicht noch lange im Bett hat zubringen müssen. Sicherlich hat man sein Möglichstes getan, um Engen das Leiden zu erleichtern.
>
> Engen hat viele Notizen gemacht, die für unser Unternehmen von grossem Wert sein müssten. Ich hoffe, wir erhalten das noch alles. Er hat vollständige Tagebuchnotizen gemacht. Er wollte selbst noch einmal einen geschichtlichen Bericht schreiben, ist aber nicht dazu gekommen. Ich hoffe, Sie können Engens schriftliche Nachlassenschaften in Sicherheit bringen, damit wir dann nachher noch etwas damit unternehmen können."

Zeitungsberichte

In der "Steinbach Post" vom 20. November 1929 war in einem Bericht eines Mennosiedlers zu lesen:

> "Herr Fred Engen ist hier in Puerto Casado gestorben. Er ist wohl der Gründer unserer Kolonie hier im Chaco. Auch ist er hier immer tätig gewesen. Auch unter den Indianern hier hat er sich Freunde gemacht, die ihn fast alle kennen und viel Gutes von ihm zu sagen wissen."

In der Asuncióner Tageszeitung "El Liberal", vom 26. August 1929, erschien folgende Abhandlung:

> "Ein Pionier in der Entwicklung des Chaco
> Herr Fred Engen, eine romantische Figur, ein grosser Freund Paraguays, der die mennonitische Niederlassung im Chaco veranlasste, ist in Puerto Casado gestorben.
>
> In Puerto Casado starb in diesen Tagen Herr Fred Engen, eine der sympathischsten Persönlichkeiten, die nach Paraguay gekommen sind, und einer der grössten Freunde, die unser Land je gehabt hat. Es ist interessant, etwas über ihn zu erfahren, über diesen Chacopionier, der sein Leben für die wirtschaftliche Entwicklung des Chaco aufgeopfert hat. Sein Beispiel als moderner Wildniseroberer ist vorbildlich.

In seinen jüngeren Jahren widmete er sich der Kolonisation in den ausgedehnten kanadischen Prärien. Er wurde reich, aber infolge seiner Menschenfreundlichkeit und der Grosszügigkeit seines Geistes verlor er seinen Reichtum. In solchen Verhältnissen wurde er von mennonitischen Bischöfen in Kanada ersucht, für ihr Volk ein passendes Land zu suchen, wo sie sich niederlassen und in Ruhe und Frieden leben könnten.

Der Präsident eines der grössten Bankgeschäfte New Yorks und eine hervorragende Persönlichkeit in finanziellen Kreisen der U.S.A., wurde von führenden mennonitischen Männern gebeten, sich am Auffinden eines Ortes in der Welt zu beteiligen, wo diese Mennoniten ihre Tradition erhalten könnten, wo wirtschaftliche Möglichkeiten vorhanden wären, und wo ein gutes Klima herrsche. Dieser Präsident, ein McRoberts, der die Verdienste und Erfahrungen Fred Engens kannte, besprach sich mit diesem. Engen fuhr nach Südamerika und schaute nach solch einem Ort aus. Er kam dabei zu folgendem Entschluss: In dem Gebiet zwischen den Ausläufern der Anden und dem Paraguayfluss müsse eine Gegend vorhanden sein, die mit aussergewöhnlichen Möglichkeiten für Ackerbau ausgestattet sein müsse und wo noch kaum eine Besiedlung vorhanden sein könne.

So kam Engens Mission nach Südamerika zustande. Er fuhr zunächst nach Bolivien und wollte von dort aus in den Chaco vordringen, was ihm aber nicht gelang. Er kam dann über Santa Cruz und den oberen Paraguay nach Puerto Pinasco, immer davon beseelt und die Leute ausfragend, wie man ins Innere der Chacowildnis gelangen könnte. Von Puerto Pinasco fuhr er dann eine Strecke mit der Eisenbahn, und dann folgte er entschlossen den wilden Pfaden, geführt von Indios, immer weiter in den Westen hinein, bis er die grossen Palmenniederungen und die von Algarrobenbüschen bestandenen Lichtungen hinter sich hatte. Er war nun in ein leicht gewelltes Gebiet mit ausgedehnten Weideflächen vorgedrungen, in eine Gegend, die ausgezeichnetes Ackerland aufwies. Mit diesen Ergebnissen und mancherlei Erlebnissen kehrte er dann wieder zum Rio Paraguay zurück.

Um diese Zeit — Juli 1920 — begab sich General McRoberts nach Südamerika. Mit ihm zusammen reiste auch Dr. Manuel Gondra, der gerade von den U.S.A. nach Hause reiste, um das Amt des Staatspräsidenten anzutreten. Bei ihren Unterhaltungen während der Ozeanreise lernte McRoberts Herrn Gondra kennen und schätzen, und wegen der sympathischen Persönlichkeit des Dr. Gondra fing McRoberts an, sich für Paraguay zu interessieren. General McRoberts schaute damals auch nach einem Platz für die Mennoniten aus. Die Mennoniten hatten seine Mitarbeit gewonnen. Als McRoberts jetzt in Buenos Aires war, erhielt er ein Telegramm von Herrn Engen aus Asunción mit folgendem Inhalt: 'Ich habe ein Paradies gefunden. Komm hierher'.[7]

McRoberts fuhr nach Asunción und wurde dort vom Präsidenten Gondra empfangen. Es wurde dann die Bewilligungsgrundlage für das Siedlungsprojekt der Mennoniten ausgearbeitet und aufgestellt. Jetzt mussten auch noch die Mennoniten überzeugt werden, dass das Chacoland auch wirklich das Land ihrer Verheissung sei. Die Mennoniten schickten eine Delegation in den Chaco, die von Engen geführt wurde. Trotz all der Mühsale, die mit dem Vordringen in die unwegsame Wildnis verbunden waren, waren die Mennoniten von diesem

Land so gut beeindruckt, dass sie sofort mit Vorbereitungen für die Einwanderung anfingen.

Herr Engen hat die Mennoniten bei ihrem Einzug in die Chacowildnis dann ständig begleitet. Es fing in Puerto Casado an; dann gings weiter bis Pozo Azul und dann dorthin, wo das von der Casadogesellschaft gekaufte Land lag. Engen mühte sich ab wie ein Peon und war in grosszügiger Weise immer dienstbereit in der Zusammenarbeit mit den mennonitischen Siedlern. Zu gleicher Zeit war er auch ständig darauf bedacht, die Indianer zu gewinnen. Keiner hat sich jemals unter den Toba, den Lengua und den Sanapaná so beliebt gemacht wie Fred Engen. Die Indios nannten ihn den Cacique Si-si. Diesen Namen erhielt er, weil er auf alle ihre Wünsche und Fragen, wie immer sie auch zustande kamen und gestellt wurden, schon gleich mit einem Si-si antwortete, auch wenn er ihre Fragen oder Wünsche zunächst noch gar nicht verstand, sie dann noch erst einmal erraten mussten, weil er die Sprache der Indios nicht verstand. Und er erriet ihre Wünsche dann dadurch, dass er ihnen Yerba, Tabak, Galletas oder Kleidungsstoffe oder irgend etwas anderes darbot.

Einer unserer Landsleute, der einmal zusammen mit Engen nach dem Fortín Toledo fuhr, berichtet, dass immer wieder Indios aus den Büschen am Wege gekommen und auf den Camión zugeeilt seien. Laufend und rufend kamen sie hinterher. Sie wussten ja, dass ihr Engen dabei war, ihr grosser Freund. Denn es gab zu der Zeit nur einen Camión im Chaco, und das war Engens Camión. Engen beschäftigte sich auch mit dem Vorzeichnen der Wege, dem Schlagen der Buschschneisen, damit man immer tiefer in die grosse, unbekannte Wildnis vorstossen konnte. Alle diese Arbeiten, die oftmals weit entfernt vom Lager ausgeführt werden mussten — und das nahm manchmal nicht nur Wochen, sondern Monate in Anspruch — verrichtete er mit den Indios. Er lebte mit ihnen, er wohnte bei ihnen, und das alles in vollkommener Freundschaft und in einer herzlichen Vertraulichkeit. Nicht ein einziges Mal ist es für Engen unter den Indianern gefährlich geworden.

So wurde Fred Engen denjenigen ein leuchtendes Beispiel zum Guten, die die Indios wie Tiere zu behandeln pflegten. Engen war begeistert für den Chaco. Das bewies er auch damit, dass er sich die meiste Zeit dort aufhielt, sofern ihm das möglich war. Er wohnte dann in einem Zelt und lebte in sehr bescheidenen Verhältnissen. Wo immer dann Engen sonst auch war, in den reichen Städten seiner Heimat, in verschwenderischen Hotels oder Klubs, er war dort niemals zu Hause. Der Chaco war seine eigentliche Heimat. Dorthin zog es ihn, dort wollte er sein.

Engen starb am vergangenen Donnerstag, am 22. August, um 4.00 Uhr nachmittags, in seinem Zimmer im Hotel von Puerto Casado. Noch einmal wieder hatte er seine Liebe zum Chaco bewiesen und damit gezeigt, welche gewaltige Anziehungskraft der Chaco auf ihn ausübte.

Vor etwa einem Jahr erkrankte er ernstlich. Er war damals im Chaco. Dann begab er sich nach Buenos Aires und unterwarf sich dort einer schweren Operation. Er hatte ein Krebsleiden. Die Operation verschaffte ihm einstweilen Erleichterung. Er begab sich dann nach den U.S.A., wo er in der berühmten medizinischen Klinik der Gebrüder Mayo in Rochester in Behandlung ging. Die berühmten Chirurgen jener Anstalt stellten dann fest, dass ihm nicht mehr zu helfen sei, die

Krankheit sei zu weit fortgeschritten. Sie gaben ihm noch etliche Monate bis zu seinem Ende.

So wusste Herr Engen um sein Schicksal. Aber nicht, dass er sich jetzt zur Ruhe setzte und bei seinen vielen Freunden in Nordamerika blieb und sich dort von allen denkbaren Annehmlichkeiten umgeben liess, nein, so wollte er sein Ende nicht abwarten. Er wollte wieder zurück nach Paraguay, er wollte sein Leben im Chaco beschliessen. Der Chaco — nicht Asunción — war das Endziel seiner Reise nach Paraguay. Aber weil ihn die Krankheit schwer mitnahm, blieb er etliche Wochen in Asunción. Der Chaco aber zog ihn an. Er erholte sich soviel, dass er sich wieder etwas bewegen konnte, und dann fuhr er weiter nach Puerto Casado. Dort ist er dann gestorben. In den Chaco konnte er schon nicht, wie es sein sehnlicher, sein letzter Wunsch war. Aber er starb umgeben von seinen Freunden, den Mennoniten, die gekommen waren, noch einmal zu hören, was er ihnen zu sagen hätte, und ihn mit einem ''Mit Gott'' zu grüssen. Er starb nicht unter Unbekannten und Gleichgültigen. Herr José Casado und Herr Carlos Casado und alle Angestellten der Casadogesellschaft dort umgaben sein Krankenbett und mühten sich um ihn, sein Leiden zu lindern.

Herr Fred Engen hielt nichts davon, sich öffentlich zur Schau zu stellen; und so hat er jahrelang in Paraguay gelebt, und nur wenige haben ihn kennengelernt. Wer dann mit ihm eine Begegnung hatte, ihn sonst nicht kannte, aber sein freundliches Gesicht und sein schlohweisses Haar sah, der fragte zunächst, ob er ein Pastor einer Gemeinschaft aus dem Norden sei. Paraguay hat einen grosszügigen Freund verloren, einen grossen Geist und ein menschenfreundliches Herz, das sich in uneigennütziger, selbstloser Weise dem Fortschritt unseres Landes gewidmet hatte.''

Aus dem Büro der Corporación Paraguaya in Asunción wurde am 28. August 1929 ein Brief an das Hauptbüro in Philadelphia, U.S.A., geschrieben, dem wir folgenden Auszug über Engens Tod entnehmen:

''Herr Eusebio Riveros, Engens Pfleger, ist aus Puerto Casado zurückgekehrt, wo er bei Engen war, bis er starb. So haben wir jetzt nähere Informationen über Engen erhalten, der am 22. August um 4.00 Uhr nachmittags im Hotel von Puerto Casado gestorben ist. Wir erhielten die Todesnachricht von Puerto Casado telegraphisch und schickten sie sofort weiter an Sie. Riveros berichtet, dass Engen etliche Tage vor seinem Sterben mit einmal anfing, rasch an Kräften zu verlieren. Sein Zustand verschlechterte sich schon seit dem Monat Mai, als er hier in Asunción ankam. Er hielt sich die meiste Zeit im Bett auf. Der Magenkrebs quälte ihn beständig. Er war zuletzt noch an der rechten Seite gelähmt und konnte Arm und Bein dieser Seite nicht bewegen. Er starb sehr ruhig und leicht.

Herr Riveros war die einzige Person an seinem Sterbebett. Engens Grab ist nun in der Reihe der mennonitischen Gräber auf dem Friedhof von Puerto Casado. Freitag, den 23. August, um 10 Uhr morgens, fand die Beerdigung statt. Vier Mennoniten waren zugegen: der Bischof M. Friesen, J. Doerksen, D. K. Fehr und I. K. Fehr. Sie waren gekommen, Engen zu besuchen, der aber gerade gestorben war, als sie ankamen. Sie nahmen an seiner Beerdigung teil. Bischof Friesen sprach noch an seinem Grabe. Die Asuncióner Tageszeitung ''El Liberal'' meldete Engens Tod und brachte eine längere Abhandlung über seine Bedeutung und sein Schaffen in bezug auf die mennonitische Kolonisation im paraguayischen Chaco. Auch Zeitungen in Buenos Aires brachten Abhandlungen über Engen. Wir werden eine entsprechende Gedenktafel über seinem Grabe anbringen.''

Engens Tagebücher

Engen hatte Freunde in Argentinien, nämlich die Brüder Karl und Federico Hettman. Karl hatte im Jahre 1921 an der mennonitischen Chacoexpedition teilgenommen, war um 1930 aber auch schon nicht mehr unter den Lebenden. Nachdem Federico dann vom Tode Engens erfahren hatte, schrieb er am 22. Januar 1930 an einige der Amerikaner, die es mit der Siedlungsgesellschaft zu tun hatten, adressiert an Rodney N. Landreth Stroud & Co., Philadelphia, U.S.A. unter anderem folgendes:

> ''Wie Ihnen bekannt ist, hat mein schon verstorbener Bruder in den ersten Jahren der Chacountersuchung mit Engen zusammen gearbeitet. Beide führten Tagebücher über die Einzelheiten der Chacoexpedition, und Engen schrieb so manches dazu, wie sich das Chacokolonisationsprojekt entwickelte. Viele dieser Tagebuchnotizen wurden im Schatten eines Baumes in der Wildnis, oder wo immer Engen sich auf der Reise befand, gemacht. Die meisten dieser Büchlein habe ich hier in Buenos Aires bei mir.
> Diese Tagebuchnotizen übergab Engen mir, weil er wusste, dass ich ein besonderes Interesse an der Sache hätte, da mein Bruder so enge mit ihm zusammen gearbeitet und ich dabei immer mitgedacht hatte. Engens Tagebuchnotizen sind schwer zu lesen. Es sind etwa 40 (vierzig) Büchlein. Meine Frau will versuchen, sie abzuschreiben — mit Schreibmaschine — und sie zeitlich zu ordnen. Ich werde Ihnen dann eine Kopie zustellen. Die Schriften werden für das Geschichtsarchiv Ihrer Gesellschaft von Wert sein. Es ist ein interessantes Material über das Geschehen im paraguayischen Chaco. Das werden mehrere hundert Seiten in Schreibmaschinenschrift sein.
> Engen hat mich bevollmächtigt, nach seinem Tode seine Sachen zu übernehmen. Herr J. J. Priesz ist von Engen beauftragt, nach seinem Tode mir alle seine Sachen zuzustellen. Sicherlich bedeutet Engens Tod einen grossen Verlust für Sie. Wenn man ihn noch etliche Jahre hätte behalten können, wäre es bestimmt von grossem Nutzen gewesen für die Siedlungsgesellschaft in der Arbeit mit den mennonitischen Siedlern. Er war erfahren im Umgang mit diesen Leuten. Ich selbst vermisse ihn wie ein Sohn seinen Vater.''

Bald meldete sich Engens Frau, Laura Engen, aus Kalifornien, U.S.A. Es folgen hier Auszüge aus einem Schreiben des Herrn Federico Hettman an Frau Engen, wohnhaft in East San Gabriel, Kalifornien. Den 6. März 1930:

> ''Ich habe Ihr Telegramm erhalten, welches lautet: 'Ich verbiete,

Fred Engens Tagebücher zu kopieren. Ich möchte, dass Sie mir die sofort zuschicken.'''

Dann schreibt Hettmann weiter:

''Es war Engens ausdrücklicher Wunsch, dass ich seine Tagebücher behalten sollte. Er hat uns mehrere Male in unserem Heim besucht und meine Frau gebeten, die Tagebücher zeitlich zu ordnen und mit der Schreibmaschine auszuschreiben, damit sie später der Geschichte dieser Mennoniten in ihrem Kampf bei der Bezwingung der Chacowildnis dienlich sein könnten. Vielleicht denken Sie, Ihr Mann habe in seinen Tagebüchern familiäre Angelegenheiten festgehalten. Ich kann Ihnen versichern, Ihr Name kommt da nicht einmal vor. Ich wusste überhaupt nicht, dass Fred verheiratet war, bis ich es eines Tages merkte, als wir schon lange bekannt waren. Wieviel Geld Engen hinterlassen hat, weiss ich nicht, und das ist auch nicht meine Sache, das werden andere besorgen.''

Frau Engen schreibt dann am 26. Februar 1930 an H. G. Norman, den Vizepräsidenten von Stroud & Co. in Philadelphia, U.S.A.:

''Ich verstehe nicht, warum Herr Hettman mir Engens Tagebücher nicht zuschicken will. Es war doch meines Mannes Wunsch, dass ich die Tagebücher nach seinem Tode erhalten sollte.''

Weiter schreibt Frau Engen am 9. August 1931 an Herrn Maurice Fisher, Stroud & Co., Philadelphia, U.S.A.:

Ich möchte alle Sachen haben, die meinem Manne gehörten. Sie bedeuten für mich sehr viel. Ich habe schon mit Ihrem Herrn Norman wegen der Tagebücher meines Mannes und auch wegen der Reise-unkosten, die er in Südamerika gehabt hat, korrespondiert. Es war immer die Absicht meines Mannes, dass die Tagebücher an seine Familie gehen sollten. Nachdem er nun gestorben ist, werden sie von Herrn Hettman in Buenos Aires behalten. Ich habe sie bis heute noch nicht erhalten. Ich bin darüber tief betrübt, denn meines Mannes Reisen und Erfahrungen im fernen Süden bedeuten für seine Familie weit mehr als für irgend andere Menschen. Wenn Sie etwas dafür tun können, dass ich die Tagebücher bekomme, so tun Sie es bitte, ich werde es Ihnen ewig danken!''

Engens Charakter und seine Leistung

John E. Bender schreibt in einer Broschüre in Schreib-maschinenschrift mit dem Titel: *Paraguay — Portrait of a Nation* — 1945, Part II, Menno Colony, auf Seite 37, unter der Überschrift:

'Fred Engen, der vergessene Held der Chacokolonisation'
''Heute hört man kaum noch seinen Namen. Auf Kilometer 145, der letzten Station der Casadoeisenbahn vom Fluss in den Chaco, von wo dann noch ein schlechter Landweg bis zu den Kolonien führt, steht ein Schild mit der Aufschrift ''Fred Engen''. Diese Station ist also zu Ehren Fred Engens nach ihm benannt. Wenn noch einmal ein Denkmal errichtet werden sollte, dieses Werk der ersten Ansiedlung in Erin-nerung zu bringen, dann müsste es zu Ehren Fred Engens errichtet

werden, der den Weg für die Siedler in die Wildnis gebahnt hat. Dieser tapfere Norweger war der Kolumbus der Kolonien, mutig vordringend in ein Land, welches in seiner Staatenzugehörigkeit umstritten war, und wo sich bis dahin kaum ein Weisser hineinwagte. Engen liess die Waffen zu Hause, knüpfte einen Freundschaftsbund mit den Wilden, die hier hausten, und erforschte ihr Gebiet. Er hat die letzten Jahre seines Lebens dieser Sache der Chacokolonisation gewidmet, ja geopfert, bis er im August 1929 in diesem Gebiet starb, in dem paraguayischen Chaco, dessen Zukunft zu gestalten er sich selbst hingab.''

Engen war beliebt unter den mennonitischen Chacosiedlern. Auch die Casados hatten ihn gern. Engen war Angestellter der amerikanischen Siedlungsgesellschaft und wurde auch von ihr finanziell unterhalten. Auch die verantwortlichen Männer und Mitglieder dieser Gesellschaft hatten Engen gern und anerkannten in vollem Masse seine Bedeutung für die kolonisatorische Erschliessung des zentralen Chaco. Ohne ihn wäre es überhaupt nicht denkbar gewesen, denn er war darin ein Bahnbrecher. Seine Chefs hatten aber auch ab und zu mal so einige Scherereien mit ihm, z.B., dass er zu viel für die Indianer ausgab, was die Siedlungsgesellschaft bezahlen musste, und was dann oftmals in bedeutendem Masse den Haushaltsplan, das Budget, überzog.

Als dann im März 1927 Pozo Azul als erstes Siedlerlager und zugleich als Stützpunkt für den Einzug in die Wildnis der Buschöde angelegt wurde, schlug auch Engen hier bald sein Zelt auf. Er musste öfters nach Puerto Casado reisen, aber die meiste Zeit verbrachte er im Inneren des Chaco unter den Mennoniten, die allmählich in die unbekannte Wildnis vorstiessen und hier auf die Vermessung ihres Siedlungslandes warteten. Als dann immer mehr Siedlerlager am Wege in die Wildnis entstanden, wohnte er ab und zu auch in anderen Lagern, mehr aber in Pozo Azul. Von hier aus fuhr er öfters mit dem ihm zur Verfügung stehenden Camión in die anderen Lager, um überall nach dem Rechten zu sehen und beraten und planen zu helfen.

Die Untersuchung der Wildnis nach beiden Seiten des Weges und tiefer in den Westen machte er zu Pferd. Tagelang sass er dann oftmals im Sattel, vom frühen Morgen bis zur Tagesneige. Dabei waren ihm die Indianer ständig behilflich. Das gegenseitige Vertrauen war ausgezeichnet. Dass Engen die Erforschung der Wildnis des Zentralen Chaco ernst nahm, merkten seine Vorgesetzten schon bald am Anfang des kühnen Unternehmens. Im Dezember 1926, als noch keine mennonitischen Siedler da waren, Engen sich aber wiederholt in die Wildnis begab, um sich mit ihr vertraut zu machen, heisst es in einem Schreiben des Herrn Marsh, der ebenfalls mit Vorbereitungen in Paraguay für die Mennoniten beschäftigt war: ''Engen ist imstande, sich zu überarbeiten, sich überanzustrengen, und wir sollten ihm einiges Schwierige abnehmen.''

Von den mennonitischen Chacosiedlerpilgern waren diejenigen Engens besonders geachtete Freunde, die dann noch im Jahre 1927 vom Siedlerlager Puerto Casado aus in die rauhe Wildnis vorstiessen und die sechs Lager am Wege weit in den wilden Westen, bis km 216, anlegten. Sie taten es ungeachtet aller Schwierigkeiten, Strapazen und Entbehrungen. Aber Engens Gunst waren diese sich sicher, denn das war ja der Weg, den er für sie unter noch grösseren Mühen gebahnt hatte. Diejenigen aber, die in Puerto Casado verharrten und sich scheuten und fürchteten, mit ihren Familien den Wildnisweg entlang zu ziehen, diese durften sich keiner besonderen Gunst bei Herrn Engen erfreuen, es sei denn es waren solche, die dort noch bleiben mussten.

Wenn Engen dann nach Puerto Casado kam, was ja öfters geschah, dann kamen die Drückeberger zu ihm, um ihn darüber auszufragen, wie es im Inneren des Chaco aussehe. Sie wollten sich dann der Dinge viel bei ihm erfragen. Und dass keiner besser Bescheid wusste als er, das wussten die Leute auch. So war er einmal wieder in Puerto Casado und schritt eine der Zeltdorfstrassen der Mennoniten entlang, als er von so einem Drückeberger angehalten wurde, der ihn fragte, wie es im Chaco mit dem Grundwasser aussehe und ob man überhaupt schon einige Fortschritte gemacht habe. Da hat Engen den Mann geradeswegs angeschaut und erwidert: ''Why don't you go into the Chaco and look for yourself, how things go ahead?!'' (Warum gehen Sie nicht selbst in den Chaco und schauen nach, wie es dort aussieht?) Engen sprach's, wandte sich ab und schritt wieder seines Weges. Der Fragesteller schaute ihm noch mit offenem Munde und grossen Augen nach, wagte aber keine weitere Frage mehr zu stellen.[7]

Wenn ihm etwas in die Quere kam, war er kurz angebunden. Auch konnte er dann erbärmlich schelten und schimpfen. Dann ging sein aufbrausender Charakter mit seiner sonst so gütigen Menschenfreundlichkeit für ein Weilchen durch. Aber das waren ja nur Worte, nicht Taten. Bei den Mennoniten respektierte er auch eben die Taten; denn auf die Taten kam es an. Engen nahm das Wildnisleben so, wie es sich eben gab. Er hatte oft karge Mahlzeiten, wenn es überhaupt Mahlzeiten waren. Im Lager von Pozo Azul versuchte er dann doch vorbereitete Mahlzeiten einzunehmen. Er hatte dort die meiste Zeit einen Negerkoch bei sich, der ihm das Essen bereitete. Doch war es oftmals sehr eintönig. Und in seinen Briefen an seine Vorgesetzten bettelt er sie dann und wann an, sie sollten ihm mal dies oder das schicken, er hungere schon, weil er keine Abwechslung habe.

Als er dann mal wieder eine kleine Sendung Eingemachtes (Konservenbüchsen) erhielt, gingen an einem Abend zwei mennonitische Männer, Bewohner des Siedlerlagers von Pozo Azul, zu Engen, sprachen sich mit ihm über Verschiedenes aus dem Wildnisleben aus und legten ihm zuletzt noch die Frage vor, ob er vielleicht willens wäre, ihnen einige Büchsen mit Eingemachtem (es war Sauerkraut) zu verkaufen, ihre Frauen seien kränklich und hätten ein Riesenverlangen nach Abwechslung. Da brauste er auf und schalt sie. Was sie sich denn dächten, dass er mit seinem Wenigen noch einen Kaufladen eröffnen solle.

Die zunächst ob seiner Heftigkeit etwas verblüfften Männer entschuldigten sich dann und erklärten ihm, es sei nur eine Frage gewesen und es sei schon gut. Während sie ihm eine gute Nacht wünschten und davonschritten rief er ihnen noch nach, sie sollten am nächsten Morgen früh an einer bestimmten Ecke des Gemeindespeichers nachschauen. Der Gemeindespeicher war ein Schuppen zur Unterbringung des Frachtgutes und anderer Dinge. Er wurde zumeist ''Mehlhaus'' genannt, weil man dort auch das Mehl verstaute. Die Männer taten am nächsten Morgen in aller Frühe, was Engen ihnen gesagt hatte, und wirklich, sie fanden wertvolle Abwechslung für den Küchentisch ihrer kränklichen Frauen. Eine Rechnung, um es zu bezahlen, gab es nicht. Die Konserven waren einmal bezahlt worden.[8]

Rasch verbreitete sich in jenen Augusttagen 1929 durch die 14 Dörfer der jungen Wildnissiedlung die Trauerbotschaft vom Tode Engens, dieses für die kolonisatorische Erschliessung des zentralen Chaco so bedeutungsvollen Mannes, der immer so schlicht in seiner Erscheinung und so menschenfreundlich in seiner Begegnung gewesen war. Zeitungen Asuncións rühmten seine Taten als Heldentaten für die Erschliessung des paraguayischen Chaco. Die mennonitischen Wildnissiedler, zu denen er treu gestanden und für die er alles aufgegeben hatte, und unter denen er nur noch sterben und begraben sein wollte, die trauerten um einen echten Freund. Und insgeheim flüsterten sich die nun geradezu verwaisten Indianer des zentralen Chaco zu: ''Mista Engken'' (wie sie ihn allgemein nannten) ''unser grosser Freund und unser guter Cacique Si-si wird nicht mehr zu uns kommen.''

Fussnoten zu Kapitel XVI
Fred Engen, der Chacopionier

1. a) Die Asunciónr Tageszeitung ''El Liberal'' vom 26. August 1929 brachte es so, dass Engen von seinen mennonitischen Freunden umgeben gestorben sei, und er hätte ihnen noch einen letzten Rat erteilt und sie ihm ein ''Mit Gott'' gesagt. Es kann schon sein, dass Engen durch seinen Pfleger noch das eine und andere für seine mennonitischen Freunde bestellt hat. In der Zeitung steht wörtlich so: ''No pudo llegar (Engen) hasta el corazon del Chaco, como era su postrer deseo, pero murió rodeado de sus amigos, los mennonitas, que pudieron oir sus ultimos consejos y darle el adios''.

b) Nach einem Bericht aus dem Büro der Corporación Paraguaya in Asunción, vom

28. August, an das Hauptbüro in USA heisst es unter anderem: "Mennonites had come to Puerto Casado to visit him, but arrived after his death. Ribero was the only person present."

2. Engens Vorschlag an McRoberts war, 3 Millionen Acker oder mehr im Chaco von der Casadogesellschaft zu kaufen und für die Kolonisation bereitzuhalten. (Schreiben Engens an McRoberts: "The Paraguayan Chaco Mennonite Development Society — 1921")

   Dr. Walter Quiring in *Russlanddeutsche suchen eine Heimat*, Seite 40: "Engen schwärmte für einen Staat aller Wehrlosen."

3. Brief des J. C. Marsh vom 28. September 1927 an E. B. Robinette, Philadelphia, USA.

4. Idem

5. John E. Bender: *Portrait of Paraguay* — Part II, Colony Menno, Seite 35 (Eine Broschüre in Maschinenschrift)

6. Vortrag, gebracht von Herrn Fred Engen am 25. November 1925 vor einer Gruppe chacointeressierter Mennoniten, in Winnipeg, Manitoba, aufgezeichnet vom Ältesten Martin C. Friesen.

7. Nach einem persönlichen Bericht von Peter M. Reimer, der es miterlebt hat.

8. Nach einem persönlichen Bericht von Cornelius Toews, einem der beiden Männer.

KAPITEL 17

Die Russländer kommen

. . . Volksdeutsches Wiedersehen nach bald 60 Jahren, viele
tausende Kilometer von der gemeinsamen russischen Heimat
entfernt. Dass diese Siedler (die Mennoleute) in Kanada auf ihren
Farmen einsamer gelebt haben als die Russlanddeutschen, merkt
der aufmerksame Beobachter sofort auch an der Sprache; sie
sprechen das westpreusssische Plattdeutsch noch genau so, wie es in
den Chortitzer Kolonien vor 50 bis 60 Jahren gesprochen worden ist
. . .

Dr. W. Quiring — in Russlanddeutsche suchen eine Heimat

Vision und Bemühungen der Intercontinental Company
Fred Engen schrieb am 29. Juni 1921 an McRoberts:

''Unsere Mennonitensiedlungen werden wir westlich von Kilometer 160 anlegen; dort ist Raum, noch mehr Siedlungen anzulegen. Die
Siedler werden in dieser Gegend ihre täglichen Aufgaben ungehindert
verrichten können. Östlich von Kilometer 160 ist es nicht so gut, aber
nach Westen hin ist eine siedlungsgeeignete Gegend. Man wird Ver-
wandte und Freunde aus allen Richtungen der Erde einladen, sich hier
heimisch zu machen und teilzunehmen an den Segnungen dieses
Menno-Landes.''

Bei der Chacokolonisation rechneten die Gründer der Kolonie
Menno nicht nur mit Mennoniten konservativen Schlages, d.h. Mennoniten ihrer Sorte. Sie rechneten damit, dass später auch andere
kommen würden. Jedoch für ihre eigene Siedlung wollten sie nur
solche, die zu ihnen passten. Die ersten Siedler, die 1926/27 in sieben
Gruppen nach Paraguay kamen, rechneten damit, dass eine zweite
Welle folgen würde, und zwar auch aus Leuten von den Ihren, die
noch im Norden zurückgeblieben waren. Diese kamen aber nicht in
den Chaco, sondern wanderten überhaupt erst 1948 aus und gründeten dann in Ostparaguay die Kolonien Bergthal und Sommerfeld. In
den Chaco kamen aus Kanada in den 1930er Jahren nur noch vier oder
fünf Familien.

Die Mennosiedler wussten aber, dass die amerikanische

Siedlungsgesellschaft im Sinne hatte, auch Mennoniten anderer Mentalität und Ausrichtung im Chacogebiet anzusiedeln. Ja, nicht nur das, sondern sie versuchte auch nichtmennonitische Siedlergruppen einzuschleusen und in dem 100–Legua–Gebiet anzusiedeln. Denn wozu sonst, sagte sich die Siedlungsgesellschaft, hätte sie soviel Land von der Casadogesellschaft gekauft. Es sollte der Kolonisation dienen.

Noch ehe die Mennosiedler nach Paraguay kamen und hier ansiedelten (aber erst nach der Erkundigungsreise der mennonitischen Chacoexpedition mit Engen) hatte man davon gesprochen, auch Russlandmennoniten in den Chaco zu bringen. Auf jeden Fall waren das nur Überlegungen der Amerikaner gewesen, die den Chaco in grossem Umfange besiedeln wollten. Auch andere Siedler als Mennoniten wollte man hierherbringen, z.B. die Duchoborzen. Die Siedlungsgesellschaft trat daher in Verhandlungen mit den kanadischen Duchoborzen (russisch: ''Geisteskämpfer''), einer spiritualistischen Sekte, die um die Jahrhundertwende aus Russland nach Kanada gekommen war. Diese schickten dann 1926 auch noch eine Delegation in den paraguayischen Chaco, ebenfalls unter der Führung von Fred Engen. Es war in der angenehmen Jahreszeit und infolge reichlicher Niederschläge prangte die unberührte Chacolandschaft in einem herrlichen Grün. Die Delegation war sehr gut beeindruckt und befürwortete eine Ansiedlung in dieser ''herrlichen Wildnis'', wie sie sie nannten. Ihr Bericht war überaus optimistisch.[1] Die Duchoborzenansiedlung ist aber nicht zustande gekommen, wahrscheinlich wegen zu grosser Schwierigkeiten in ihrer eigenen Führungsmitte.

Wo immer die Amerikaner der Siedlungsgesellschaft eine Wanderungstendenz witterten, da meldeten sie sich und boten den paraguayischen Chaco, wo so unendlich viel Siedlungsraum war, zur Gründung einer neuen Heimat an; denn es war in der Zeit nach Beendigung des 1. Weltkrieges, der viele Menschen heimatlos gemacht hatte. Wenn man 30 Legua an die kanadischen Mennoniten verkaufte, behielt man immer noch 70 Legua für weitere Kolonisationsprojekte. Man wusste, dass in Russland, von wo schon viele um diese Zeit nach Kanada gekommen waren, noch viele der Mennoniten und auch andere Deutsche in Bedrängnis und Unsicherheit lebten. Auch mit Japanern stand man zwecks Ansiedlung im Chaco in Verbindung. Das Kolonisierungsprojekt des Chaco versprach also ein blühendes Geschäft zu werden.

Die Gründung der Kolonie Menno war dann das Erstunternehmen des grossen Siedlungsprogrammes geworden, das anfänglich einen goldenen Gewinn zu versprechen schien. Von dem Gelingen dieses Unternehmens, das sich als Anfangs- und Einführungsprojekt zu präsentieren hatte, hing dann der weitere Entwicklungsgang des grossangeschnittenen Chacosiedlungswerkes ab. Angesichts solcher Grossplanungen liessen es sich die Amerikaner auch etwas kosten, die kleine Erstansiedlung zustande und auf eine präsentable Grundlage zu bringen. Sie zahlten einen hohen Preis, machten sich enorme Unkosten, die zu jenem Zeitpunkt, geschäftlich gesehen, gar nicht zu rechtfertigen waren. Würde diese erste Ansiedlung aber erfolgreich ausfallen, so erhoffte man sich vielfachen Gewinn daraus.

Nun aber wollte es das Schicksal zum Leidwesen der Siedlungsgesellschaft (und der Siedler sicherlich auch), dass statt einer weiteren Zuwanderung von Altbergthaler Ackerbaupionieren eine Rückwanderung einsetzte und so jetzt für weitere Auswanderungslustige anstelle eines ''grünen Lichts'' ein ''rotes Licht'' aufleuchtete, welches dann auch von den konservativen Gruppen in Kanada als andauerndes Stoppzeichen verstanden wurde und stehen blieb. Die Rückkehrer hatten bewirkt, dass die Leute nun weiter nicht den Mut aufbrachten, ihren Glaubensgenossen in die Chacowildnis zu folgen. Im Jahre 1930 machten sich nur noch einige Familien auf und schlossen sich der Mennosiedlung an. [2]

Man kann und darf es aber nicht allein den Rückwanderern zuschieben, dass die Einwanderung in den Chaco zum Stillstand kam. Man muss auch in Erwägung ziehen, dass die Provinzialregierungen Kanadas jetzt eine andere, den Mennoniten gegenüber günstigere Haltung einnahmen und man somit schon aus diesem Grunde in bezug auf Auswanderung eine andere Stellungnahme offenbarte. Die kanadische Regierung wollte die tüchtigen mennonitischen Bauern in Wirklichkeit gar nicht loswerden. Im Gegenteil, man wollte sie gerne behalten und war schon besorgt darum, dass so viele das Land verlassen hatten. Das alles und selbstredend auch die trüben Gerüchte über die Chacowildnis trugen dazu bei, dass selbst die konservativen Mennoniten nichts mehr von einer Wanderung oder Umsiedlung nach dem Chaco wissen wollten, sondern viel lieber dort blieben, wo sie waren.

Die Amerikaner, die sich ein einträgliches Kolonisationsprojekt grossen Stils zurechtgelegt hatten, verfolgten den Lauf dieses Geschehens mit sichtlichem Missbehagen. Hatten sie doch schon mehr als eine Million Dollar in das Projekt gesteckt, Ausgaben, die einen vervielfachten Gewinn einbringen sollten. Das Erstunternehmen sah nicht schlecht aus und versprach ein Erfolg zu werden. Aber es füllte nur einen kleinen Raum im Rahmen des vorgesehenen Kolonisationswerkes aus. Manche Unkosten, die sich die Gesellschaft gemacht hatte, hatte sie im Blick auf das umfassende Gesamtkolonisationsprojekt, wie es auf dem Papier stand, bestritten. Dass jene Männer der Siedlungsgesellschaft sich dann nicht immer der ''fairsten''

Ausdrücke bedienten, wenn sie die nun schiefgehende Angelegenheit der Chacokolonisation in ihren Berichten schilderten, ist begreiflich.

Kanadische Pioniere halten durch

Dass dann aber trotzdem immer noch 240 Familien dem einmal gefassten Entschluss, den Chaco zu kolonisieren, treu blieben und ungeachtet aller schweren Begegnungen und unter grossen Opfern und Entbehrungen, ja trotz unsagbarer Widerwärtigkeiten nicht aufgaben, schrieben die Amerikaner diesem schlichten, aber so tapferen Volk hoch an und bestaunten den Mut, die Beherztheit und die Ausdauer ihrer Schutzbefohlenen. Und sie stellten fest, dass diese die Geschichte ihrer Vorfahren als berühmte Siedlerpioniere von neuem bestätigten. Sie fragten sich dann, wo in aller Welt wohl noch ein solches Volk zu finden gewesen wäre, das sich in einer so schwierigen, entbehrungs- und notvollen Lage einer solchen Neuansiedlung freiwillig zur Verfügung gestellt und solche Ausdauer an den Tag gelegt haben würde. Und sie, die Amerikaner, schlussfolgerten, da wäre nicht noch ein Volk solcher Art zu finden gewesen.

Andererseits aber erlebten sie auch manche Enttäuschung mit diesem sonst so biederen Bauernvolk und mussten dann einsehen, dass es auch nur erdgebundene Menschen waren, die manchmal durch ihr Verhalten das immerhin schon schwere Siedlungsunternehmen noch schwerer machten. Die Amerikaner aber sagten sich dann, die positiven Seiten dieser mutigen Siedlerpilger überragten doch weit die negativen Seiten. Daher blieben auch die ansonsten eher geschäftsorientierten Amerikaner standhaft und hielten dem Werk, das schon zusehends ein Fiasko für ihren Geldbeutel zu werden drohte, die Treue. Mehrere dieser amerikanischen Herren, die zwar wohl vom Geldgewinn ins Werk getrieben worden waren, aber einen grossen Teil dieser nervenaufreibenden Wildnisbezwingung mitgemacht und am eigenen Leibe verspürt hatten, hatten enge Freundschaft mit den Siedler- und Wildnispilgern geschlossen und sagten ihnen, Geld stände schliesslich erst an zweiter Stelle. Und sie vertrauten ihnen an, sie stünden dafür, das Siedlervolk aus dem Chaco herauszuholen, wenn es sich erweisen sollte, dass es unmöglich wäre, hier zu leben.

So wurden diese kanadischen Mennoniten zu Wildnisbezwingern, zu Pionieren, oder, wie Zeitschriften jener Tage es zum Ausdruck brachten, zu "Helden" der wirtschaftlichen Erschliessung einer bis dahin von Menschenhand unberührten, unwirtlichen, geradezu kulturfeindlichen Wildnis im zentralen Chaco von Paraguay. Hätte man sie darum befragt, wie sie selber ihre Sache sähen, so hätten sie in ihrem Plattdeutsch nur schlicht geantwortet: "nuscht too puchi" (nichts zu prahlen).

Die Russlandmennoniten

Im Jahre 1930, im dritten Jahr der jungen Kolonie Menno, kamen dann Russlandmennoniten und siedelten in der Nachbarschaft ihrer Glaubensbrüder aus Kanada an. Sie gründeten die Kolonie "Fernheim". Dieses kam zustande trotz aller bösen Gerüchte, die die verrufene "grüne Hölle", besonders in den letzten Jahren, über sich hatte ergehen lassen müssen. Die kanadischen Mennoniten, die sich in der Buschwildnis heimisch gemacht hatten, sprachen und schrieben nicht unbedingt von einer "grünen", als vielmehr von einer "dürren" Hölle oder auch von einer "grünen Wildnis", je nachdem, ob sie von einer lange andauernden Trocken– oder einer Regenperiode ausgingen. Sie fingen aber doch an zu behaupten, dass auch Menschen der weissen Rasse hier ihr Leben erträglich gestalten könnten, nicht nur Indianer.

Die neuen Siedler, die über Deutschland aus Russland kamen, waren dort fluchtartig aus ihren Dörfern aufgebrochen und in grossen Scharen nach Moskau gezogen, um sich Visen, d.h. Ausreiseerlaubnisse zu erwirken; denn in geregelter Weise aus Russland herauszukommen, wie es in der ersten Hälfte der 1920er Jahre noch so halbwegs möglich gewesen war, wurde zum Ende jenes Jahrzehnts immer schwieriger und zuletzt unmöglich. So sammelten sich im Jahre 1929 bei der Kremlstadt mehr als 10 000 Menschen an. Es waren russlanddeutsche Kolonisten, Mennoniten, Lutheraner und Katholiken. Diese fluchtartige Bestürmung der Hauptstadt des sowjetischen Russlands in jenem Tagen hat eine tragische Berühmtheit unter der Bezeichnung "Vor den Toren Moskaus" erlangt. Etwas über 5000 von den mehr als 10 000 Flüchtlingen kamen dann über die Grenze nach Deutschland. Die anderen wurden gewaltsam in Eisenbahnwagen gesteckt und zurückgeschickt. Viele dieser armen, schwer geprüften Menschen wurden nicht nach Hause, d.h. zurück in ihre Dörfer geschickt, sondern nach Sibirien, in die Verbannung, wo dann viele elend ums Leben gekommen sind.

Deutschland war zu jener Zeit nicht in der Lage, die Flüchtlinge im Lande zu behalten. Es hatte deren Einzug ins Deutsche Reich nur unter der Bedingung einer möglichst schnellen Überführung in ein anderes Land zugesagt. Hilfsorganisationen, die die deutsche Regierung gebeten hatten, diese Flüchtlinge aufzunehmen, damit sie nicht von Moskau in die Knechtschaft der Sowjets zurückgeschickt würden, waren nun verpflichtet, einen dauernden Verbleib für die Heimatlosen zu finden. Mennonitische, lutherische und katholische Hilfswerke und die deutsche Regierung nahmen sich dieser Heimatlosen an und suchten eine neue Heimat für sie. Deutsche, holländische und nordamerikanische Mennoniten kamen für die mennonitischen Flüchtlinge auf und die katholischen und lutherischen Hilfswerke für die Angehörigen ihrer Konfessionen.

Die mennonitischen Flüchtlinge hatten ihr Augenmerk auf Kanada gerichtet, das für sie auf ihrer Flucht aus ''Ägypten'' ein ''Kanaan'' war, wo schon so viele vor ihnen aus der südrussischen Heimat Unterkunft gefunden hatten. Kanada aber schloss um diese Zeit seine Türen für Einwanderer. Es kamen dann noch Brasilien und Paraguay in Frage. Diese Länder erboten sich, die Flüchtlinge aufzunehmen. Viele der mennonitischen Flüchtlinge entschieden sich dann für Paraguay, manche zogen Brasilien vor. Die Entscheidung für Brasilien oder Paraguay wurde völlig von der Lage der Auswanderer bestimmt. In Wirklichkeit hatten alle Kanada im Auge. Aber es ging nicht. Nur ein kleiner Teil, der seine Verwandten schon in Kanada hatte, wurde dort aufgenommen. Dazu schreibt Professor Benjamin H. Unruh in ''Fügung und Führung im mennonitischen Hilfsdienst — 1920 bis 1933'': [3]

> ''Wenn Kanada vorläufig keine Einwanderer mehr aufnehmen könne, so sei noch eine Tür nach Paraguay offen.
> Dass man den Emigranten Brasilien empfehlen könne, in dem sich gleich 1000 bis 3000 Personen niederlassen könnten.
> Dass uns Brasilien nicht so ohne weiteres zusage.
> Die Eid- und Wehrfrage sei für die Mennoniten eine brennende Gewissensfrage und bisher bestehe keinerlei Gewissheit, ob die brasilianische Regierung hierin zu Konzessionen bereit sei. (S.31)
> Als Bender und ich Anfang Februar 1930 in den verschiedenen Lagern die Möglichkeit der Siedlung in Paraguay bekanntgaben, entstanden einige Verwirrungen. Die Personen, die sich bereits für Brasilien gemeldet hatten, wollten sich nun für Paraguay entscheiden, da ihnen die Bedingungen hier günstiger erschienen. Neben den religiösen und nationalen Konzessionen, die Paraguay machte, gab es noch eine Zusage: die Leute durften ihre kranken und versehrten Familienmitglieder mitnehmen. Auf unsere Vorhaltungen hin, dass die deutsche Regierung bereits alle Massnahmen getroffen hätte, um die Transporte nach Brasilien durchzuführen, waren sie schliesslich vernünftig genug, uns keine Unannehmlichkeiten zu machen. (S.36)''

Die Entscheidung für Paraguay

Das Mennonitische Zentralkomitee (MCC — Mennonite Central Committee) in Nordamerika hatte diesen Russlandmennoniten Berichte über den paraguayischen Chaco vorgelegt, wo in jüngster Zeit eine Mennonitensiedlung entstanden war. Die Berichte kamen von Vertretern der Altmennoniten (Mennonite Church) aus Nordamerika, die die junge Wildnissiedlung im Februar 1929 selbst besucht hatten. Sie hatten diesen Besuch im Auftrage ihrer Gemeinschaft gemacht, die durch die Verbreitung erschreckender Nachrichten über die angeblich verlorene, von Hungersnot und Seuchen heimgesuchte Wildnissiedlung dazu veranlasst worden war. Die Männer aber hatten das Gegenteil gefunden, nämlich eine aufblühende Siedlung, mutige Menschen in emsiger Arbeit und im ganzen genommen alles andere, als die nordamerikanischen Zeitschriften bis dahin berichtet hatten. Ein weiterer authentischer Bericht, den das MCC in Händen hatte, stammte vom amerikanischen Konsul in Asunción, der die Ansiedlung auch selbst besucht hatte. Ein dritter Bericht, der erwähnt wird — der Verfasser ist nicht genannt — kam wahrscheinlich von einem Angestellten der amerikanischen Siedlungsgesellschaft, der also selbst mit dieser jungen Wildnissiedlung beschäftigt gewesen war. Aus einem zusammengefassten Bericht über Paraguay als Siedlungsland, den Professor Harold S. Bender anlässlich der Mennonitischen Welthilfskonferenz in Danzig, im Jahre 1930, gab, bringen wir folgenden Auszug: [4]

"Aus Mangel an Menschen bleibt das Land Paraguay landwirtschaftlich sehr rückständig. Ein anderer Grund für diese Rückständigkeit besteht darin, dass Paraguay abseits der grossen Verkehrswege der grossen Welt liegt.

Im oberen Chaco besteht der Boden aus alluvialen Sedimenten, einem sandigen Lehmboden mit sehr dicker kulturfähiger Bodenschicht, die nicht schwer zu bearbeiten ist. Obwohl neben dem Ackerbau die Viehzucht und Waldindustrie wichtig sind, wird in der Zukunft wohl der Ackerbau die Hauptbeschäftigung der Kolonisten sein. Es steht schon fest, dass das Hauptprodukt im Chaco Baumwolle sein wird. Der Boden und das Klima sind der Baumwolle ausserordentlich günstig, so dass man mit dem doppelten Ertrag pro Hektar wie in den Baumwollzentren der Vereinigten Staaten rechnen kann und dazu von erstklassiger Qualität. Ein weiterer Vorteil besteht darin, dass man die Pflanze nur alle zehn Jahre zu erneuern braucht, statt alle drei bis vier Jahre, wie in den U.S.A. Die Baumwolle hat sehr guten Absatz. Neben Baumwolle gedeihen sehr gut Mais, Reis, Zuckerrohr, Hülsenfrüchte, Knollengewächse, alle subtropischen Früchte, wie Orangen, Zitronen, Ananas usw. Ein anderes Hauptprodukt wird das aus der Erdnuss gewonnene Erdnussöl sein. Es ist natürlich unmöglich, hier sämtliche landwirtschaftlichen Möglichkeiten dieses heute beinahe unerprobten Landes aufzuzählen. Ich kann nur sagen, dass die Erträge, die schon geerntet worden sind, ausserordentlich reich waren, und dass Sachverständige dem Land eine sehr verheissungsvolle Zukunft versprechen. Das Land ist teilweise mit Holz bedeckt und leicht rodbar. Die Wälder sind ausgeprägt offen mit viel offenem Land, das meistens aus herrlichen Wiesen besteht, und das man Kamp nennt.

Das Klima ist sehr ähnlich dem Klima der südlichen Vereinigten Staaten und, obwohl subtropisch, sehr gesund, sehr zuträglich, besonders für Lungenkrankheiten, Asthma und Rheumatismus. Die tropischen Krankheiten kommen sehr selten vor, und die Krankheiten der gemässigten Zonen sind hier viel schwächer. Die gesundheitlichen Vorhältnisse in Paraguay sind ungefähr die besten von ganz Südamerika.

Die Jahresdurchschnittstemperatur ist 22 Grad Celsius, die Höchsttemperatur 42 Grad, die Nächte sind aber meistens sehr kühl. Man rechnet mit einigen leichten Frösten im Winter. Die Regenmenge ist durchschnittlich 1000 mm und verteilt sich hauptsächlich auf die Monate März bis Oktober, obwohl kein Monat ohne Regen bleibt.

Aus dieser kurzen Beschreibung des paraguayischen Chaco kann man leicht ersehen, dass in wirtschaftlicher Hinsicht eine Ansiedlung hier durchaus berechtigt ist. Es bleibt aber zu klären, warum und wie die Mennoniten Nordamerikas dazu gekommen sind, eine Ansiedlung eines Teils der Flüchtlinge in diesem weltentlegenen, unentwickelten paraguayischen Chaco zu schaffen. Wir sind auf den paraguayischen Chaco aufmerksam gemacht worden durch die Ansiedlung, die in den Jahren 1926 bis 1928 dort von kanadischen Mennoniten aus Manitoba gemacht wurde, und die sich heute, nach anfänglichen Schwierigkeiten, in sehr gutem Gedeihen befindet.

Um den Flüchtlingen in der Not der Heimatlosigkeit zu helfen, setzte das MCC eine Studienkommission heraus und hier einiges von ihren Ergebnissen: 'Kanada hat eine strenge medizinische Untersuchung, so können viele Flüchtlinge nicht nach Kanada. Die Flüchtlinge wollen nicht gern nach Brasilien: a) weil dort allgemeine Wehrdienstpflicht besteht, b) weil das zu besiedelnde Land bergig und mit dichtem Wald bedeckt ist. Wenn die Flüchtlinge nicht nach Kanada können und nach Brasilien nicht wollen, können die Mennoniten Nordamerikas auch damit dienen, sie anderswo anzusiedeln, wo sie frei von Gewissenszwang und Militärdienstpflicht ihr Glaubensleben weiterleben könnten und wo sie eine gesicherte wirtschaftliche Zukunft hätten. Im paraguayischen Chaco (wo schon eine Mennonitensiedlung ist) könnten wir diese Flüchtlinge ansiedeln und obige Bedingungen erfüllen.'

Auf obige Empfehlung hin wurde beschlossen, Flüchtlinge im paraguayischen Chaco anzusiedeln. Es könnte so aussehen, als ob dieser Beschluss unvorbereitet und übereilt gefasst worden sei, weil die ganze Untersuchung usw. in weniger als sechs Wochen gemacht wurde. Das war aber nicht der Fall. Wir waren im Besitz von drei absolut zuverlässigen Berichten über die Verhältnisse im Chaco und besonders in der neuen Mennonitenkolonie, die jetzt etwa zwei Jahre alt ist. Der erste Bericht kam von einem Ältesten der Altmennoniten, T. K. Hershey, einem Missionar in Argentinien, im Februar 1929 nach dem Chaco gesandt, die Verhältnisse dort zu untersuchen und über die Mennonitensiedlungen zu berichten. Der zweite Bericht war ein amtlicher Bericht des amerikanischen Konsuls in Asunción. Der dritte Bericht kam von einem Herrn, der über ein Jahr im Chaco gewohnt hatte.

Aufgrund dieser Berichte waren wir einmütig zu der Überzeugung gekommen, dass ausser Kanada der paraguayische Chaco das allergünstigste Ansiedlungsland für die Mennoniten darstelle, und zwar aufgrund eines Gesetzes der paraguayischen Regierung, vom Juli 1921 (eine ausserordentlich günstige Konzession — für ewige Zeiten völlige Religions-, Wehr-, Sprach- und Schulfreiheit und Freiheit der Selbstverwaltung — 10 Jahre Steuer- und Zollfreiheit — keiner braucht bei der Einwanderung wegen körperlicher oder geistiger Mängel zurückzubleiben). Die Bedeutung der Vergünstigungen kann nicht überschätzt werden. Kein anderes Land der Welt gestattet eine solche bedingungslose Einwanderung. Und endlich noch: Dort gibt es eine unermessliche Aufnahmefähigkeit, wo wir notfalls auch Zehntausende unterbringen könnten.

Nun, in diesem paraguayischen Chaco könnten wir leicht sämtliche Mennoniten der Welt unterbringen. Warum nicht dort anfangen, wo man (mit Einwanderung, wenn nötig) weitermachen kann? Uns schwebte ein zukünftiger Mennonitenstaat vor, wo, wenn möglich, sämtliche russländischen Mennoniten in unbeschränkter Freiheit ihr Leben und ihre Kultur neu gründen und weiterentwickeln könnten. Ein weiterer, besonderer Vorteil des paraguayischen Chaco in kultureller Beziehung ist, dass heute dort gar keine Kultur existiert. Also keine Gefahr, dass die Mennoniten mit ihrer deutschen Kultur untergehen werden.

Es ist von Anfang an meine Politik gewesen, keine Flüchtlinge nach Paraguay zu nehmen, die nach Kanada gehen könnten oder noch können. Ich habe auch durch die Paraguaybewegung auf keinen Fall Konkurrenz mit Brasilien gemacht oder machen wollen. Dass nicht alle Flüchtlinge nach Brasilien gegangen sind, ist so, weil die brasilianische Regierung nicht bereit war, unseren Mennoniten die gewünschte Militärdienstfreiheit zu gewähren. Die Auswanderung nach Paraguay ist von Anfang an eine freiwillige gewesen. Ich habe niemand für Paraguay angenommen, der nicht völlig überzeugt war, dass dieses Land seine zukünftige Heimat sein sollte. Von Überredung war keine Rede. Ich habe sogar ausdrücklich vor unkluger Begeisterung und überspannter Hoffnung gewarnt, und es ist mir eine grosse Freude gewesen, dass unsere Mittel gerade noch reichten, um sämtliche Flüchtlinge nach Paraguay zu nehmen, die dorthin gehen wollten.

Die ganze Sache ist für uns alle — Mennoniten in Nordamerika, MCC, für mich und für die ausfahrenden Flüchtlinge — eine Glaubenssache gewesen. In der Überzeugung, Gottes Willen zu tun, im Vertrauen auf seinen gnädigen Beistand und auf die Führung seines guten heiligen Geistes. Es gibt in der ganzen Bewegung so viele Beweise der göttlichen Fürsorge, dass wir gar nicht daran zweifeln können, dass unser Herr es gewollt und gefügt hat, dass diese 1500 unserer Flüchtlinge ihre neue Heimat in Paraguay finden sollten. Ihm sei Lob und Dank dafür! In dieser Überzeugung wollen wir unsere Verantwortung für das Gedeihen der neuen Kolonie weiter tragen und auf seinen gnädigen Segen vertrauen.''

Diese von Bender erwähnten Berichte waren also nicht vom Hörensagen entstanden, sie waren aber etwas zu einseitig gegeben worden. Man hatte die Dinge zu rosig hingestellt. Das war der Grund dafür, dass es dann nachher manche Enttäuschungen gab, weil man mehr das Gute in der Vorstellung hatte, nun aber auch das Schwere und Schwierige so richtig zu spüren bekam. Dazu nehmen die beiden Forscher, Oskar Schmieder und Herbert Wilhelmy, in ihrem Buch: ''Deutsche Ackerbausiedlungen im südamerikanischen Grasland — Pampa und Gran Chaco ''folgendermassen Stellung:[5]

''Diese bestechende Schilderung des paraguayischen Chaco von Professor H. S. Bender zeugt von einer wenig guten Landeskenntnis oder von einem unverzeihlichen Optimismus der Studienkommission, denn die Siedler sind in ihren Hoffnungen gründlich enttäuscht worden. Die alte und immer wieder gescheiterte Idee vom irdischen Gottesstaat gab also den eigentlichen Anlass (nicht allein die ''aussichtsreichen'' wirtschaftlichen Möglichkeiten) für ein Experiment, das zwar geeignet ist, die Grenzen der Besiedlungsfähigkeit des Gran Chaco zu erweisen, das aber viele fleissige Menschen in tiefes Elend stürzte. Denn darüber besteht kein Zweifel: **die Mennoniten gehören zu den hervorragendsten Volksgruppen**. Darum wäre ihnen ein besseres Los zu gönnen, als ihre Kraft im Chaco zu vergeuden.''

Dass sich fast zwei Drittel der mennonitischen Flüchtlinge, die in Deutschland waren, für Paraguay entschieden, lag zu einem grossen Teil auch darin begründet, dass Paraguay so grosszügige Freiheiten gewährte, welche in der brasilianischen Einwandererwerbung nicht vorgesehen waren. So ein Freibrief, wie ihn die kanadischen Mennoniten in Paraguay erhalten hatten, zog auch die russländischen Mennoniten an, deren Tradition auch zu einem guten Teil durch die freibriefliche Zeit in Russland geprägt worden war. Auch sollte das Chacoland eben sein, das in Brasilien aber bergig. Sie aber waren an ein ebenes Gelände gewöhnt.

Die Kolonie Fernheim

Es entschieden sich dann etwa 900 Mennoniten für Brasilien und etwa 1500 für Paraguay. Das war 1929/30. Im Jahre 1932 kamen dann noch Mennoniten in den Chaco, die aus Russland über den Amur nach China geflüchtet waren. So kamen insgesamt etwa 2000 Russlandmennoniten in den paraguayischen Chaco. Davon waren 9 Familien, die aus Polen dazugekommen waren.[6] Diese hatten sich zuerst in Brasilien niedergelassen, sich dann aber doch für Paraguay entschieden. Sie schlossen sich den Gründern der Kolonie Fernheim an und gründeten hier das Dorf Rosenfeld. Sie waren nicht Flüchtlinge, sondern einfach Auswanderer aus freier Entscheidung.[7] Fünf Familien von diesen Mennoniten aus Polen und etliche andere mit ihnen verliessen 1937 Fernheim und gründeten das Dorf Neu-Moelln im Gebiet der Kolonie Menno.

Die Begegnung der russländischen mit den kanadischen Mennoniten

Der Transport der mennonitischen Flüchtlinge von Deutschland nach Paraguay und bis km 145, dem Ende der Casadoeisenbahn, wurde von der deutschen Regierung ermöglicht. Die Ausrüstung lag in den Händen verschiedener mennonitischer Hilfswerke. Den Landkauf im Chaco vermittelte das MCC. Die Beförderung der anreisenden Gruppen von km 145 bis zum Bestimmungsort der zu entstehenden Siedlung hatten sich die Siedler der Kolonie Menno übernommen. Das MCC bezahlte ihnen etwas dafür; denn viele von den Mennosiedlern waren verarmt, waren mittellos, und so bedeutete dies für sie eine kleine Geldeinnahme. So kam es dann zu der ersten Begegnung zwischen kanadischen und russländischen Mennoniten im paraguayischen Chaco.

Die kanadischen Mennoniten hatten so ihre eigenen Vorstellungen von den "Russländern", Vorstellungen, die nicht unbedingt alle den Tatsachen entsprachen. Und daraus ergibt sich dann das Problem der Vorurteile. Davon waren diese Leute den Russländern gegenüber nicht wenig angefüllt. Und das war eigentlich keine neue Angelegenheit, sondern rührte noch aus der gemeinsamen Zeit in Russland her und war in den 1870er Jahren aus Russland nach Manitoba mitgenommen worden. Das eine und andere ist sogar schriftlich festgelegt worden, als der Leiter der Auswanderung die Umsiedlung aus Russland nach Manitoba, um 1875, beschrieb. Die Vorurteile, mit richtigen Urteilen vermischt, wurden so von Geschlecht zu Geschlecht weitergegeben. Die Folge davon war eine fast unüberwindbare Kluft zwischen den Gruppen in geistiger und geistlicher Beziehung. Besonders die Verschiedenheit in der schulischen und in der gemeindebezogenen Tradition spielte dabei eine nicht kleine Rolle. Die Mennoleute fühlten sich wegen der Art ihrer Einschätzung durch diese Russländer von ihren eigenen traditionellen Massstäben her dazu veranlasst, einen sorgfältigen, ja geradezu ängstlich behüteten Abstand vor ihnen zu wahren.

Geschichtliche Hintergründe

Diese Voreingenommenheit gegen die Russländer hatte einen zum grossen Teil sehr verschwommenen geschichtlichen Hintergrund. Die Vorfahren der kanadischen Mennoniten hatten sich schon in Russland nach und nach gänzlich abgesondert und sich in Eigenheiten eingekapselt, ohne solches zunächst überhaupt beabsichtigt oder erkannt zu haben. Es fing mit räumlich bedingten Faktoren an. Da die Siedlung dieser Leute, einer Tochtersiedlung der Chortitzer Ansiedlung, in grosser Entfernung von der Mutterkolonie angelegt worden war, war sie vom ersten Tage an in gemeindlicher, wirtschaftlicher und sozialer Beziehung selbständig. Weil nun geistig anregende Verbindungen fast völlig ausblieben, kam die Tochterkolonie mit den geistigen und geistlichen Entwicklungen in der Mutterkolonie nicht mit, sondern blieb natürlicherweise zurück und wollte schliesslich bewusst zurückbleiben. Das führte dann notwendigerweise zum Verbleiben in diesem Rahmen des selbstzufriedenen eigenen Denkens bzw. Dünkels. So lebten sie sich in Russland in der Zeit von 1836 bis 1874 mit den anderen Mennoniten schliesslich ganz auseinander. Ganz von selbst bildete sich dabei sowohl in der Form des Gemeindelebens als auch in der schulischen Führung ein fast krampfhaftes Bestreben, in dem Zustand zu beharren, wie er um 1830 in der Mutterkolonie gewesen war.

In der Mutterkolonie jedoch fing man bald mit einer Ausbesserung des Schulwesens an. Manches wurde von Grund und Boden aus umgestaltet. Man ging von einem formerstarrten Unterricht über auf eine lebendige Lehrmethode. Nicht so aber die etwa 200 Kilometer entfernte Tochterkolonie Bergthal. Sie wollte damit nichts zu schaffen haben. Alles Geistige und Geistliche sollte bleiben, wie es "immer" gewesen war.

Man könnte sagen, dass drei Faktoren mitgesprochen haben, dass die Bergthaler ihre Siedlung in Russland aufgaben und nach Manitoba übersiedelten. Einmal waren es die Massnahmen der zaristischen Regierung, die eine Abänderung der freibrieflichen Rechte der Mennoniten in Russland mit sich brachten. Zum anderen war es die Lage der jungen Anwohner, deren schon viele waren, und die keine Möglichkeit hatten , zu eigenem Boden zu kommen. Man hatte zwar schon eine Landkaufkasse gegründet, fand aber nicht ein entsprechendes Landstück. Und drittens schliesslich, kann man sagen, ging es auch darum, dem Einfluss ihrer fortschrittlichen Brüder zu entgehen, der von allen Seiten auf sie eindrang und ihre traditionellen streng gehüteten altmennonitischen Rahmen zu sprengen drohte.

So wählten sie Manitoba als Zufluchtsort, wo noch keine Mennoniten wohnten und wo es ihnen möglich sein würde, einen grossen Siedlungsraum für die Zukunft ihrer Gemeinschaft sicherzustellen. Zwei ihrer Wünsche wurden dann mit der Auswanderung nach Manitoba ausgiebig erfüllt: Die Erlangung des Freispruches vom Wehrdienst und die Einräumung eines weiten Gebietes für geschlossene Siedlungen, wo jede Familie zu einem ihr entsprechenden Landstück kommen konnte. Die Einschränkung oder das Fernhalten des Einflusses von aussen auf ihr geistiges und geistliches Leben gelang ihnen in Manitoba jedoch noch weniger als in Russland.

Bald hatten sie Mennoniten zu Nachbarn, die nicht so eingeengt lebten wie sie und die auf eine Belebung des Schulunterrichts bedacht waren. Sie kamen jetzt in so enge Berührung mit anderen, dass, obwohl sie sich äusserlich in einem gewissen Sinne behaupteten, nach und nach doch Breschen in ihrem traditionellen Mauergebilde entstanden. Dabei erlebten sie, was sie in Russland nicht erlebt hatten, nämlich, dass sich unter ihnen selbst Reformbewegungen durchsetzten und Spaltungen verursachten. Der Bergthaler Gemeindeälteste, der in den 1870er Jahren die Auswanderung von Russland nach Manitoba geleitet hatte, verfasste eine Schrift über diese Auswanderung. Darin legte er seinen Finger auch immer wieder auf das Verhältnis zu anderen Gemeinden, sowohl in Manitoba als auch vorher in Russland, und beklagte in scharfer Beurteilung, um nicht zu sagen Verurteilung, die Verweltlichung des Schulwesens, wohlgemerkt vom Standpunkt seiner sehr eingeschränkten Einstellung aus.

Zur Zeit der Auswanderungsbewegung in den 1920er Jahren war die Bergthaler Gemeinde aus Russland im neuen Heimatort in Kanada schon in vier verschiedene, selbständige Lokalgruppen oder Lokalgemeinden aufgeteilt: zwei im südlichen Manitoba (Ost- und Westreservat) und zwei in Saskatchewan (in den Gegenden um Herbert und Rosthern). Aus drei dieser vier Gemeinden brachen etwa 270 Familien auf und zogen nach Paraguay. Ihre Farmen wurden von den neu hereingekommenen Russlandmennoniten übernommen. In viele Heime zogen Russländerfamilien ein, ehe sie von den Paraguaywanderern verlassen wurden. So wohnten sie manchmal noch monatelang zusammen. Dabei wurden zwischen manchen auch dauernde Freundschaftsbande geschlossen, die nachher noch jahrelang in brieflicher Verbindung aufrechterhalten wurden. Aus dieser Begegnung blieben angenehme und unangenehme Erinnerungen zurück. Zwei Jünglinge der nach Paraguay Auswandernden heirateten noch vor dem Auszug Russländer Mädchen, und diese zogen mit ihnen, ihre ganze Verwandtschaft in Manitoba zurücklassend.

Unter den Paraguaywanderern, die die Mennosiedlung anlegten, waren etwa 80 Personen, die noch in den 1870er Jahren aus Russland nach Manitoba gekommen waren. Etwa 30 von ihnen waren damals im Alter von 10 bis 25 Jahren gewesen, die anderen 50 unter 10 Jahren. Diejenigen, die damals Russland verlassen hatten, hatten ihrer Meinung nach genügend warnende Zeichen am politischen Horizont gesehen, die es als dringend ratsam erscheinen liessen, den Wanderstab zu ergreifen und eine neue Heimat zu suchen. Die Zurückbleibenden jedoch sahen in dieser grossen Auswanderung ein Weglaufen oder ein Ausweichen vor der Wirklichkeit, der man sich als Christ eher zu stellen habe, um sein Zeugnis vor der Welt abzulegen. Die Auswanderer aber beurteilten die Zurückbleibenden als solche, die nur nicht gewillt seien, das ''Ungemach'' des Volkes Gottes auf sich zu nehmen. Denn Auswandern bedeutete für sie nicht, den leichteren Weg gewählt zu haben, sondern eher den schwereren. Im Zurückbleiben sahen sie den Verfall des mennonitischen Glaubens.

Und wirklich kam dann ein sehr schweres Gericht über Russland. Dass diese Glaubensgenossen, die nach diesem Gericht Russland verlassen hatten, aus einer grossen Trübsal kamen, war wohl jedem klar. Auch glaubte man, dass sie gedemütigt aus dem allen hervorgegangen sein müssten. Dass aber die Mennosiedler selbst vielleicht ein bisschen stolz darauf waren, dass ihre Väter damals Russland beizeiten verlassen hatten, als hätten sie eine Vorahnung von der herannahenden Trübsalzeit gehabt, das merkten sie vielleicht etwas weniger. Man hält sich ja so leicht für den Besseren, wenn es einem besser ergangen ist als dem Nächsten.

Dieser Gedanke, dass man beizeiten fliehen müsse, bevor ein Gericht oder ein Verfall des Glaubens hereinbricht, war auch den Paraguaywanderern der 1920er Jahre nicht ganz fremd. Es war nach dem ersten Weltkrieg, und man sprach davon, dass diesem Krieg demnächst ein weiterer grosser Krieg folgen würde. Das schlussfolgerten sie aus all den politischen Verzahnungen und Wirren, die der Krieg heraufbeschworen hatte. Und wirklich, es nahm nicht lange, und der zweite grosse Krieg brach über einen grossen Teil der Welt herein. Sie hatten darin recht gehabt. Aber dass sie auch in der Chacowildnis, in ihrem Zufluchtsparadies, so bald einen Krieg erleben würden, das hatten sie einfach nicht gemeint.

Ein weiteres, dass sie in Kanada heraufkommen sahen, wie sie meinten, war der Verfall des mennonitischen Glaubens. Diese Prophezeiung oder Ahnung hat sich aber nicht erfüllt. Solche Prophezeiung bauten sie wohl auf aus der Sicht oder Schau ihrer traditionell ausgerichteten Auffassung. Andere Mennoniten wieder kamen nach Kanada, um gerade hier ihres Glaubens leben zu dürfen. So geschah es, dass in den 1920er Jahren mehr Mennoniten nach Kanada kamen als Kanada verliessen. Auf diesem Boden gegenteiliger Einsichten und Ansichten begegneten sich die nach Kanada kommenden und die nach Paraguay ausziehenden Mennoniten.

Nur erst etliche Jahre waren die kanadischen Mennoniten im Chaco, und schon kamen auch die Russlandmennoniten hierher. Man sah es so an, dass sie den Klauen des Kommunismus entronnen seien und also aus schwerer Verfolgung kämen und hiess sie aus diesem Grunde und wohl auch als Mitgenossen in der Bezwingung des Chaco willkommen. In einem Brief von Franz R. Funk vom 26. April 1930, der am 25. Juni 1930 in der "Steinbach Post" erschien, stand zu lesen:[8]

> "Diese Russländer werden wohl schon viel Schweres hinter sich haben und werden wohl dankbar sein, der Sowjethölle glücklich entronnen zu sein. Ihnen steht aber auch hier im Chaco noch Schweres bevor, nämlich eine wilde Gegend urbar zu machen."

Wie immer sich die kanadischen Chacosiedler die Russländer vorstellten, eines war klar: Sie bildeten eine zusätzliche Siedlermasse, ein Plus im Ringen um die Kultivierung des zentralen Chaco. Die Russlandmennoniten würden zwar ihre eigene Siedlung anlegen. Die zwei Kolonien würden somit funktionell voneinander unabhängig sein. Gleichzeitig aber würden sie miteinander die Stosskraft zur wirtschaftlichen Erschliessung des weltfernen Chacogebietes verdoppeln.

Und schliesslich, sagten sich die Mennosiedler, was sollten oder könnten diese Russländer ihrer Gemeinschaft und ihrer Schulsache schaden, wussten sie selbst doch gut, was sie zu tun und zu lassen hatten. Und die Russländer sollten und würden für sich sorgen. Sie wollten ja im Grunde auch nur das, was die Mennoleute wollten, nämlich in einer geschlossenen Siedlung die Grosszügigkeit des paraguayischen Freibriefes an das mennonitische Volk geniessen und eine selbstverwaltete Siedlung in ungestörter Glaubensgemeinschaft aufbauen und pflegen. Wertvoll für beide wäre es sicherlich gewesen, wenn vom ersten Tage an ein geistig und geistlich reger Austausch stattgefunden hätte. Was die landwirtschaftliche Seite anging, schrieb damals, als bekannt wurde, dass Russlandmennoniten im Chaco angesiedelt werden sollten, einer der Mennosiedler: ''Die Mennosiedler wünschen sich sehr die Russländer her; denn man sagt, sie verstehen etwas vom Weizenbau.''[9]

Der Transport in den Chaco

Die erst Gruppe der russländischen Mennoniten kam am 18. April 1930 in Pueto Casado an. Es war an einem Karfreitag. Eigentlich hätte sie am nächsten Tag bis km 145 weiterreisen sollen. Die Mennoleute aber hatten es abgelehnt, sich über die Osterfeiertage auf den Weg zu begeben. So wurde die Gruppe bis zum 23. April am Hafen zurückgehalten und in den Baracken untergebracht, die 1927/28 den kanadischen Mennoniten nach ihrer Ankunft als Unterkunft gedient hatten. Weil diese Verzögerung der Weiterbeförderung nicht mit eingeplant gewesen war, musste nun noch für eine Extraverpflegung am ungewollten Aufenthaltsort gesorgt werden. Von den Mennoleuten war es eine Überbetonung der Sonntags- oder Festtagsheiligung, die sie daran hinderte, die Gruppe gleich von km 145 abzuholen. Am 23. April, kurz vor Abend, kam die Gruppe dann bei km 145 an. Auch die Mennoleute mit ihren Fuhrwerken trafen um diese Zeit dort ein. Mit 108 ochsenbespannten Wagen kamen sie, die 61 Familien und deren Frachtgut abzuholen. Viele waren am zweiten Feiertag, also am Ostermontag, von zu Hause losgefahren. Über diese Begegnung und Begrüssung der Kanadier und Russländer auf km 145 schreibt Walter Quiring:[10]

"Gegen Abend erreicht die Russländergruppe km 145; der Zug hält vor einem kleinen Balkenschuppen, dem ''Bahnhof''; ein anderes, grösseres Wellblechhaus ist im Bau. Nicht weit von ihm entfernt halten Fuhrwerke, deren fremdartige[11] Kasten (von den Kolonisten Aufsätze genannt) auffallen. Neben den Wagen stehen in Gruppen die Fuhrleute, die Kanadadeutschen aus Menno. Aber wie sehen die aus in ihren zerrissenen und von der weiten Ochsenfahrt mitgenommenen Kleidern! Die meisten gehen barfuss oder in Holzpantoffeln, tragen breiträndige Strohhüte und dunkle Schutzbrillen wegen kranker Augen.

Volksdeutsches Wiedersehen nach bald sechzig Jahren, viele tausend Kilometer von der gemeinsamen russischen Grenze entfernt! Dass diese Siedler in Kanada auf ihren Farmen einsamer gelebt haben als die Russlanddeutschen, merkt der aufmerksame Beobachter sofort auch an der Sprache; sie sprechen das westpreussische Plattdeutsch noch genau so, wie es in den Chortitzer Kolonien vor 50–60 Jahren gesprochen worden ist. Die Russlanddeutschen dagegen, von denen viele ursprünglich auch aus den genannten Kolonien kamen, haben ihre Mundart zum allergrössten Teil zugunsten der Molotschnaer Mundart aufgegeben.''

Einer aus der Gruppe, der Russländer David Hein, schrieb in sein Tagebuch:

> ''Und nun standen wir vor den kanadischen Mennoniten, die schon drei Jahre den Chaco mit all seinen Entbehrungen genossen hatten. Manchem von uns mag wohl in den Sinn gekommen sein: was die sind, sollst du werden. Als wir mit den kanadischen Fuhrleuten ins Gespräch kamen, wollte jemand wissen, was wohl das Wort Chaco bedeute, und wir bekamen die Antwort: ''Daut Woat Chaco bediet Hall, jreeni Hall''. Wir waren also, ohne es zu wissen, in die Hölle gekommen. Ein anderer Fuhrmann wusste aber eine mildere Auslegung des Namens Chaco, nämlich 'Treibjagdfeld der Indianer'.''

Heinrich B. Friesen, auch einer aus der ersten Gruppe, schreibt über die erste Begegnung mit den kanadischen Mennoniten, den Mennosiedlern, die gekommen sind, sie von km 145 abzuholen:[12]

> ''Bald knüpfen sich Gespräche an. Unter ihnen sind Pessimisten und Optimisten, gerade so, wie man es haben will. Unter unseren Leuten sind solche, die tief davon überzeugt sind, dass dieses der Weg von Gott ist, während andere glauben, es sind nur Menschen, die uns hierher abgeschoben haben, um uns ''los'' zu sein. In diesem Sinne ist auch die Stimmung, sind die Gespräche. Doch hier ist wenig Zeit; die Fuhrleute wollen noch vor der Hitze ein Stückchen fahren. Was nun unterwegs gesprochen wird, kann man sich ungefähr denken. Meist war die Stimmung aber gedrückt.''

Nicolai Siemens, auch einer der Russländer, aber von der 3. Gruppe, schreibt über die Fahrt in die Wildnis:[13]

> ''Die Brüder der Mennosiedlung begrüssten uns. Nachdem die Sachen aus dem Zug ausgeladen waren, hiessen sie uns auf ihren Fuhrwerken Platz nehmen. Doch über die Gefährte konnten wir uns schon beruhigen, denn es waren nicht jene hohen Karren (wie man sie in Puerto Casado gesehen hatte), sondern Wagen mit vier Rädern, ähnlich, wie wir sie aus Deutschland mitbrachten. Manche hatten noch ein Schattendach, das vor der Sonne und vor Regen schützte.
> Was das Geschirr betraf, so gingen diese Ochsen nicht im Hörner-joch, sondern zogen ihre Last in gemütlichen Sielen mit gepolstertem Koller (Kummet), Ledersträngen und breiten Rückenriemen. Man hatte die Tiere gar aufgezäumt und lenkte sie mittels einer Kreuzleine. Gar stolz sahen sie aus mit ihren langen, breiten Hörnern. Und hatten wir uns hier kleine kirgisische Rinder oder etwa solche Büffel-Öchslein, wie die bulgarischen Obsthändler aus dem Krimergebirge sie vorspannten,

vorgestellt, so waren wir angenehm überrascht, wie gross und stark diese Ochsen waren. Allein von den Fuhrleuten wurden wir gewarnt, nicht zu nahe an die Füsse und Hörner zu gehen, denn meist kennt der hiesige Ochse nicht die Zutraulichkeit seines Wirtes.

Ich erinnere mich noch, dass in meinem Transport (es war die dritte Gruppe) unter 65 ochsenbespannten Wagen ausnahmsweise ein Wagen mit Maultieren bespannt war, auf dem ich mit meiner Familie reiste. Mein Fuhrmann erklärte mir, dass diese Tiere ungemein zäh und im Futter anspruchslos seien, doch es seien diese Mischlinge listig und man traue ihren Hufen nicht zuviel.

Eine solche Fahrt mit Ochsen — auch die Maultiere schickten sich willig in das gemütliche Ochsentempo — dauerte dann vier Tage. Doch wer das Glück hatte, einen redseligen Fuhrmann zu haben, der konnte eine Menge Fragen wirtschaftlicher Art lösen, bevor er den Siedlungsplatz erreichte. Diese Fragen waren dann folgender Art: Wann beginnt die Pflanzzeit? Wächst auch Gemüse? Wie baut man Häuser? Gibt es auch Wild? Und welches? Über Glucken und Hühnerzucht wollten die Frauen Aufschluss haben, und tausend andere Dinge, die uns in diesem fremden Lande interessierten. Unsere zukünftigen Nachbarn wollten manches über unsere Flucht und die gegenwärtige Weltlage erfahren, denn damals kannte man hier noch kein Radio. So knüpften sich manche Freundschaften, die noch heute, nach 25 Jahren, bestehen.''

Einzelbegegnungen zwischen diesen Russlandmennoniten und den kanadischen Chacomennoniten hatten schon vor dieser Begeg-nung und Begrüssung auf km 145 stattgefunden, und zwar in Asun-ción. Als während des Aufenthalts der ersten Russländergruppe im Hafen von Asunción 40 Männern erlaubt wurde, den Dampfer zu verlassen, um die Stadt zu besehen, trafen sie dort einen kanadischen Mennoniten an:

"Zu unserem nicht geringen Erstaunen treffen wir hier einen "Mennisten". Wer ist es? Woher kommt er? Es ist ein Dick (soll wohl "Dueck" heissen, MWF), einer von den kanadischen Mennoniten.[14] Es gehe nicht, im Chaco zu leben, erklärt er uns. Sie seien angeführt worden usw. Oh, da werden die Gesichter recht ernst! Aber jetzt ist nicht viel Zeit zum Nachdenken.''[15]

Auch befanden sich um jene Zeit Mennoleute auf der Reise:

"In Asunción ist ein neuer Fahrgast zu uns gestiegen. Es ist gar ein Mennonit aus dem Chaco, der in der Hauptstadt seine Augen kuriert hat. Wiebe ist sein Name,[16] und er ist ein Grossohn des Ohm Gerhard Wiebe, der in den 1870er Jahren aus Russland als Delegierter nach Kanada reiste und dann dort Mitgründer der ersten Mennonitenkolo-nien in der wilden Prärie wurde. Mutter Natur hat diesen jungen Mann ausgestattet mit einer Erzählergabe. Hatte er Gelegenheit gehabt, in Asunción seine Sprachorgane zu schonen — denn wohl kaum konnte er Spanisch — hier auf dem Deck der "Apipe" war es mit seiner Ruhe für einige Tage dahin. Denn er wurde von uns Neugierigen förmlich umlagert bei Tag und bei Nacht.

Unser Freund ist schon insoweit "akklimatisiert", dass er aus einem faustgrossen Flaschenkürbisgefäss (Mate), in welches ein trockenes Kraut (Yerba) mit kochendem Wasser bebrüht ist, durch ein Silberrohr (Bombilla) diese grüne, gallenbittere, kochendheisse Brühe langsam einsaugt. Es soll gut sein für den Magen, belehrt er uns. Kunstgerecht spuckt er ab und zu aus und rührt fachmännisch mit dem Rohr den Brei um. Und nebenbei beantwortet er unermüdlich unsere tausend Fragen.[17]

Walter Quiring hat noch mehr über die erste Begegnung auf km 145 zu sagen.[18]

"Bald sind Menschen und Gepäck verladen, immer zwei Familien auf einen Wagen; jede Familie hat für die Wagenfahrt, die 5 Tage dauern soll, Erdnüsse, Bohnen, Reis, Galletas, und gekochtes Fleisch erhalten.

Einer der Fuhrleute aus Menno, ein Junge, weigert sich, die ihm zugewiesene Familie zu übernehmen. 'Aber warum denn?' fragt man ihn, 'Es sind doch deutsche Mennoniten!' — 'Das schon, aber mein Vater sagte, ich solle ihm keinen Schnurrbartmenschen auf den Hof bringen.' Und nur mit Mühe ist der Junge zu überreden, die Leute mitzunehmen; schweren Herzens entschliesst er sich, den bärtigen "Ohmke" (statt "Herr"; für Frauen "Mumtje"; bei den Russländern immer "Onkel" und "Tante"), auf den Wagen steigen zu lassen. Was wohl der Vater dazu sagen wird?

Die Russländer sehen mit Staunen, dass ihre Fuhrleute, ohne auf die Schlangengefahr zu achten, barfuss durch das hohe Bittergras auf die Ochsensuche gehen. Oft müssen sie lange suchen. Aber trotzdem es schon so spät ist, haben es die Siedler mit dem Einspannen nicht eilig. Dieses für deutsche Kolonisten ungewohnte Verhalten wundert die Einwanderer, aber die Kanadadeutschen lächeln: 'Bei der Chacohitze werdet ihr auch noch langsamer werden, wenn ihr nicht zugrunde gehen wollt'."

Gegenseitige Eindrücke und Urteile

Die Mennoleute, die sich schon so viel über die Russländer erzählt und sich Vorstellungen von ihnen gemacht hatten, bekamen jetzt Gelegenheit, sie aus der Nähe zu beobachten und sie zu bewirten. Und das taten sie dann auch. Als die 108 Fuhrleute die erste Gruppe der Russländer, die 61 Familien mit ihrem Gepäck, auf dem "Trebol" genannten Kamp (damals "Korporationskamp") abgeladen hatten und wieder heimgekehrt waren, gab es reichhaltigen Gesprächsstoff und auch wohl fast so viel Fragen über die Russländer, wie die Russländer Fragen über den Chaco hatten.

Weil sie am Wochenende in der Siedlung ankamen, behielt die eine und andere Mennofamilie die von km 145 mitgebrachte Russländerfamilie über Sonntag bei sich. Das gab Gelegenheit, sich mit ihnen noch mehr zu unterhalten, vor allem ihnen mit kräftigen Mahlzeiten zu dienen und sie noch vor dem Absetzen auf dem wilden Siedlungsplatz etwas ausruhen zu lassen. Einige kamen dann noch am Sonntagabend mit ihren Reisebefohlenen bis zum russländischen

Siedlerlager, andere aber erst am Montag. Der Aufenthalt war also nicht allein der Sonntagsheiligung wegen eingelegt worden, wie im Mennoblatt von April 1940 zu lesen ist:

> "Der Morgen des ersten Sonntags ist angebrochen. Die Familienhäupter, die in der Nacht angekommen sind, sind neugierig, das Land zu besehen. G. G. Hiebert ordnet es so, dass doch der Gottesdienst heute nicht ausfallen soll, aber er wird erst am Nachmittag stattfinden, vielleicht sind dann noch einige Siedler gekommen. Die kanadischen Brüder aber halten sich fast ausnahmslos strikt an der Sonntagsheiligung. Erst ganz gegen Abend kommen noch einige Fuhren aus den nächsten Dörfern. Am Montag kommen dann alle Fuhren an."

Nicht alle Mennoleute kamen sofort mit den Russländern in Berührung, aber in Gesprächen über sie waren sie bald alle verwickelt. Manche Urteile und Persönlichkeitsbewertungen über die neuen Nachbarn wurden ausgesprochen. Wofür die Russländer Mennoniten auch immer sich selbst halten mochten, bei den Mennoleuten wurden sie jetzt einer Zensur unterzogen, die sie mit ihrer, den Mennoleuten überlegenen, Geistesbildung nicht auszuschalten vermochten.

Auch unter den Mennoleuten waren manche, die die Fähigkeit hatten, sachliche Beurteilungen aus ihren Beobachtungen in der Begegnung mit den Russländern zu machen. Auch wusste der eine und andere unter ihnen, was der Leiter der Auswanderungsbewegung der 1870er Jahre, der Älteste Gerhard Wiebe, über die "verweltlichten" Mennoniten Russlands, welche eine höhere Bildung anstrebten, niedergeschrieben hatte, nämlich, dass sie diejenigen, die nicht so geschult waren, für rückständig hielten. Wenn nun daran hier und da vielleicht auch etwas Wahres war, im allgemeinen jedoch war es wohl etwas zu einseitig gesehen.[19]

Natürlich merkten es diese etwas voreingenommenen Altbergthaler Mennoniten auch bald, dass diese Russlandmennoniten gar nicht alle über einen Kamm zu scheren seien. Genauso fanden es umgekehrt auch die Russländer bei den Mennoleuten. Wenn die Mennoleute auch nicht eine höhere Schulbildung hatten (obwohl etliche darunter waren, die sie hatten), sondern viele von ihnen sogar eine nur sehr beschränkte Elementarbildung, so waren sie doch gar verschieden und gar nicht alle geistesstumpf.

Ebenso aber, wie die Russländer dann in dem einen und anderen dieser konservativen Mennoniten im Umgang mit ihnen eine geistige Beschränktheit entsprechend ihren Vorstellungen bestätigt fanden, wurde auch den Mennoleuten das eine und andere vonseiten der Russländer, von denen sie sich die Vorstellung des Sichüberhebens gemacht hatten, bestätigt. Und unter den Berichten, die die Fuhrleute dann zu Hause zu geben hatten, war z.B. auch dieses: Als sie einmal wieder an einem Futterplatz anhielten, um zu rasten und die Ochsen weiden zu lassen, hörten sie, wie derjenige unter den Russländern, der bis dahin ihr Gruppenführer gewesen war, zu den Seinen sagte: "Hier wollen wir noch nicht rasten, wir wollen noch weiter fahren, und dann machen wir Rast." Es war ihm anscheinend ganz selbstverständlich, dass die Fuhrleute das auch wollten, was sie wollten. Die Mennoleute machten sich aber nichts daraus. Sie wussten, dass die Stelle als Futterplatz sehr geeignet war, und hier wurde ausgespannt. Für die Mennoleute war solches dann eine Bestätigung dessen, wie ihnen die besser geschulten Russländer in ihrer Vorstellung vorschwebten.

Wie immer die Berichte aber auch waren: gut, weniger gut und mitunter auch schlecht — sie lieferten den jetzt schon seit mehreren Jahren tatsächlich so weltabgesonderten kanadischen Mennoniten einen lebhaften Gesprächsstoff. "Die Russländer sind gekommen", war in einem Zeitschriftenbericht jener Tage zu lesen.[20] "Ich selbst habe noch keinen gesehen und folgedessen auch noch nicht mit ihnen gesprochen, aber die Urteile einiger der unseren, die etliche Tage mit ihnen zusammen gewesen sind, wollen sagen, dass es den Russländern kaum anzumerken ist, dass sie aus grossem Elend kommen." Wie dann auch die Wirklichkeit der Begegnung dieser zwei mennonitischen Volksgruppen war, die sich über eine lange Zeit und über einer weiten räumlichen Trennung auseinandergelebt hatten, eines stand fest: Die Mennoleute waren nicht mehr allein in diesem weltverlorenen, zivilisationsvergessenen, zentralen paraguayischen Chaco. Die Russlandmennoniten standen jetzt unmittelbar an ihrer Seite.

So kam die zweite Ansiedlung im zentralen Chaco zustande. Was die russländischen und die kanadischen Mennoniten trotz ihrer Verschiedenheit dann doch ohne Unterschied gemeinsam hatten, das waren ihr Fleiss, ihre Schaffensfreudigkeit und ihre Tüchtigkeit, einen Hof zu schaffen, einfache, aber angenehme Wohngebäude aufzuführen, den Ackerbau anzupacken und mit Wenigem etwas anzufangen zu wissen. Es wurde auf beiden Siedlungen schwer gearbeitet. Doch wiewohl sie im Grunde eines gleichen Glaubens waren, so waren sie doch ungleich in ihren geistigen Betätigungen. Nun waren in Menno selbst auch nicht alle gleich, doch im allgemeinen neigten sie zu einer Haltung, die die Russländer für eine geistige Stumpfheit hielten. Nicht alle zwar, aber viele von ihnen, dachten weiter, als die Russländer in flüchtiger Begegnung feststellten. Sie äusserten sich aber im allgemeinen sehr zurückhaltend. Die Russländer dagegen — und das ergab sich ganz natürlich aus einer geistigen Überlegenheit heraus — waren im allgemeinen viel offener und beredter. Die Mennoleute glaubten zwar bald festzustellen, dass sie besser reden als ein Versprechen einlösen könnten. Die Russländer wieder fanden die Mennoleute sehr langsam im Denken und von träger geistiger Reaktion. Daraus ergab sich die Witzelei: "Wenn die Mennoleute sich an einem Tag einen Witz erzählen, so lachen sie erst am andern Tag darüber."

Was die Russländer andererseits aber sehr positiv bei den Mennoleuten bewerteten, das war die Zuverlässigkeit ihrer Aussagen. Wenn sie etwas aussagten, dann verhielt sich das auch so. Sie fanden sie aufrichtig. Das war so im allgemeinen. Im einzelnen war es nicht immer so. Den Mennoleuten dagegen fiel die Handelsbeschwingtheit der Russländer auf. Sie sagten dazu im Plattdeutschen: "Dee Russlända vestohnen to 'juden'". Damit bezog man sich auf ihr Herunterhandeln der Preise, wenn sie eine Sache bei den Mennoleuten kaufen wollten. Wenn die Sache auch schon billig war, es musste heruntergehandelt werden. Aber darin waren die Russländer auch nicht alle gleich.

Wenn es weiter heisst, die Mennoleute seien weniger gesprächig gewesen als die Russländer, so stimmt dieses wenigstens insoweit, als die Mennoleute zurückhaltend im Umgang mit den Russländern waren, denn diese hielten sich halt für gebildeter und daher auch fähiger, einen anderen zu überreden oder zum Schweigen zu bringen. Und dann war ja Vorsicht geboten. Sonst aber, unter sich, waren die Mennoleute im allgemeinen gesprächig, wenn auch in verschiedenem Masse. Das hätten die Russländer sich nur anhören sollen, was die Mennoleute alles an den Tag zu bringen wussten, wenn die Russländer nicht dabei waren. Sie hätten dann nicht mehr so ohne weiteres beteuert, dass die "Kanadier" wortkarg seien. Die Russländer, die dann nach und nach zu "Fernheimern" wurden, lernten die Mennoleute als solche kennen, die in der Regel Strohhüte trugen. Sie selbst dagegen trugen lieber Schildmützen. Die Mennoleute erhielten dann bei den Russländer den Spitznamen "Strohhüte" und die Fernheimer bei den Mennoleuten den Namen "Schildmützen". Doch war solches mehr unter den Jugendlichen als unter den Erwachsenen gebräuchlich.

Die Verschiedenheit der Ausrüstung

Die kanadischen Mennoniten hatten ihre Farmen und Landgeräte teils für Bargeld verkauft und teils hatten sie es in Tausch gegeben für Land im Chaco. Manches aber von ihren Hausgeräten und anderen Sachen verpackten sie in Kisten und nahmen es als Frachtgut mit, jedoch in sehr verschiedenem Masse, die einen mehr, die anderen weniger. Im grossen und ganzen aber war es nur in beschränktem Masse möglich gewesen. Im Blick auf ihren finanziellen Status könnte man sagen, dass etwa drei Fünftel von ihnen gut mit Geldmitteln versehen waren. Etwa ein Fünftel hatte etwas Geld und das letzte Fünftel so gut wie kein Geld gehabt. Dieses letzte Fünftel der etwa 270

Familien war arm nach Paraguay gekommen und hatte vom ersten Tage an unterstützt werden müssen. Etwas Frachtgut hatten alle mitgehabt, aber manche viel weniger als andere.

Die kanadischen Einwanderer hatten aber keinerlei Sachen für gemeinschaftliche Einrichtungen, wie Sägemühlen, Ölpressen und dergleichen mit sich geführt. Die russländischen Mennoniten dagegen, die als Flüchtlinge kamen und in Russland alles zurückgelassen hatten, wurden in Deutschland mit vielem Haus- und Ackergerät versorgt und obendrein auch mit Maschinen für Gemeinschaftsbetriebe, wie einem Sägewerk, Ölpresse und anderem mehr. So waren die Mennoleute im privaten Bereich gar verschieden ausgerüstet, die Russländer dagegen mehr gleichmässig. Weiter waren die Russländer darin im Vorteil, dass sie sofort die gemeinschaftlichen Einrichtungen einsetztn konnten. Das war ein grosses Plus für den Beginn der Fernheimer Ansiedlung.

Im Menno hatte man auch das eine und andere, aber mehr im Kleinen und in privater Aufmachung. In Menno entwickelte sich daher der Sinn für gemeinsames Vorgehen in wirtschaftlichen und geschäftlichen Angelegenheiten erst nach und nach, und das wurde dann leider noch durch die organisatorischen Schwierigkeiten in der Siedlungsverwaltung aufgehalten. So hatte Fernheim von Anfang an einen Vorsprung im Blick auf soziale und wirtschaftliche Einrichtungen. Die maschinellen Einrichtungen wurden dann auch von den Mennobauern ausgenutzt, besonders die Ölpresse. Doch der Weg war weit, und man suchte nach einer Lösung, selbst eine zu besitzen. Und man fand diese Lösung.

Bericht einer Fernheimer Kommission über die Menno Kolonie

Im März 1931 machte sich eine von der Fernheimer Siedlung zusammengestellte Kommission nach Menno auf, um sich zum Nutzen der zweiten neuen Ansiedlung persönlich von dem wirtschaftlichen Fortschritt ihrer Nachbarsiedlung eine richtige Vorstellung zu machen. Man wollte feststellen, welche Kulturen hier am besten gediehen, welche Zweige der Landwirtschaft anzulegen seien und ob überhaupt Hoffnung vorhanden wäre, im Chaco voranzukommen. Wir lassen hier Auszüge aus dem nachher von der Kommission gegebenen Bericht folgen:

"**Schöntal**: Wir haben den 40-tägigen Mais gesehen. Ist nichts Besonderes. Heisst nur so. Nicht dass er in 40 Tagen reift. Von einem ordentlichen Maisertrag, wie wir ihn in der Ukraine kennen, hat man hier wohl keinen Begriff. Sudangras wird mit der Hand ausgestreut und eingeegt; hoch gewachsen. Kafirstroh wird in Garben gebunden, in Hocken gestellt, zu Ochsenfutter verwendet im Winter. Mandiokastengel werden vor dem Frost in Schutz gebracht, in Löcher gestellt und mit Heu bedeckt. Zum Pflanzen zerkleinert man die Stengel in etwa 20 cm kurze Stücke und legt sie handbreit tief je zwei Stücke in Kreuzform aufeinander. Schlingpflanzen eignen sich sehr gut als Schattenspender bei den Gebäuden. Der Schulunterricht soll in allen Dörfern 6 Monate im Jahr dauern und das Lehrergehalt ist 700 Pesos. Man kann ja überall lernen, entweder wie es sein sollte oder wie es nicht sein sollte.

Osterwick: Kleine Handmühle zum Mahlen des Kafirs zu Mehl und der Erdnüsse zu Butter; kann man mit Kuhbutter nicht verwechseln, ist aber nicht zu verachten. Eine Putzmühle in der Grösse einer Fuchtel sollten wir uns auch machen, wie man sie in Osterwick hat. Elefantengras sät man zuerst (den Samen) und dann verpflanzt man die Stengel, legt sie in Furchen und pflügt sie unter.

Reinland: Beachtenswert schien uns ein Dreschkasten zum Ausdreschen des Kafirs und der Bohnen. Der Bau ist sehr einfach mit Handbetrieb. Genauere Beschreibung ist zu haben. Praktisch sind auch die Bohnensetzer, wodurch man viel Zeit spart. Einfach und gut ist auch die Zuckerrohrpresse. Da ein Herr Sawatzky daselbst eine Drehbank hat, könnte man sich daselbst die Walzen abdrehen lassen und selber bauen. Maulbeerbäume wachsen in 3 Jahren bis zu 3 m hoch.

Bergfeld: Ein Dorf ohne Wasser auf den Höfen. Ein Bauer hatte 2 Bienenstöcke mit schwarzen Bienen, doch Honig in diesem Jahr nicht erhalten.

Weidenfeld: Von den Kartoffelsorten sollen die weissen am wenigsten süss sein. Eine Zierde für den Hof und Garten sind die Pyramiden: 4 m hoher eingegrabenen Pfahl mit Ranken (die uns bekannten Lappenranken). Haben uns auch den Kafir–Mahlstuhl mit Motorbetrieb besehen. Ganze Einrichtung: 8000 Pesos. Ausreichend für eine ganze Siedlung. Baumwolle muss gepflückt werden, wenn die Kapseln braun geworden. Die in der Sonne gebleichte Baumwolle, nach dem Pflücken draussen auf eine Plattform ausgebreitet, wird dann in Säcke getreten, die man ausspannt in Holzkasten von 38×65 cm. Der Kasten muss Verschlussklammern und Gelenke haben, um auseinanderzuklappen, nachdem der voll Baumwolle getreten ist.

Die stärkeren Bauern hatten ihr Land bereits zubereitet und wollten nach dem ersten guten Regen die Hälfte besäen. Gemüsearten müssen zum Schutz vor Raupen mit schwacher Tabakslauge gespritzt werden. In den kanadischen Dörfern ist der Boden noch sandiger als bei uns, daher hat man auf Stellen den Hof mit Bermudagras bepflanzt, gibt angenehmes Aussehen; zu empfehlen!

Laubenheim: Herr Johann Toews war so freundlich, uns seinen Baumzieher bei der Arbeit zu zeigen. Da sahen wir zu unserer Freude, wie selbst 2 starke Bäume mit den Wurzeln zusammen von 2 Indianern in etwa 5 Minuten hingestreckt wurden.

Waldheim: Freundliche Aufnahme bei Herrn David Peters. In diesem Dorf wurden 3 Jahrgänge Menno–Blatt im voraus bezahlt, während andererorts wenig Interesse bewiesen wurde, als habe man zum Lesen nicht Zeit. Bei H. Toews fiel besonders die Schattenallee von Paraisobäumen auf. Man hofft, sie als Nutzholz zu ziehen. (In diesem Dorf erhielten sie manche Anregung über Obstbäume und anderes, MWF). Ziegel sind gebrannt worden, doch ist die ganze Einrichtung noch im Anfangsstadium, aber dennoch beachtenswert. Unsere Aufgabe wird es sein, vom Guten zum Besseren zu schreiten. Es wird auch behauptet, dass Dachstübchen kühl sind.''

Zum Baumwollanbau schreibt Walter Quiring in "Deutsche erschliessen den Chaco", auf Seite 83:

"Baumwolle, dieses wichtigste und vorerst einzige Ausfuhr- und Absatzerzeugnis des Chaco, hat sich auf der Ansiedlung Fernheim nur schwer durchzusetzen vermocht, während die Siedler in Menno die Wichtigkeit der Baumwolle als Ausfuhrartikel schon im ersten Jahr richtig erkannten und die Anbaufläche von Jahr zu Jahr vergrösserten."

Zum Schluss dieses Kapitels noch einige Bemerkungen des Professors Hans Krieg, der die Chacokolonien zu Anfang der 1930er Jahre besuchte. Zitat nach seinem Buch: "Zwischen Anden und Atlantik", Seite 221 ff:

"Die "Russländer" fand ich wesentlich lebhafter und aufgeschlossener als die Kanada-Leute. Ihr Typus wirkte häufig stark ostisch. Die "Kanadier" dagegen, in ihrem nordischen Typ viel reiner, waren mit wenigen Ausnahmen von strenger, unduldsamer Orthodoxie geblieben. Ihre alten Führer beklagten sich bei mir z.B. darüber, dass die Jugend beginne, andere als kirchliche Lieder zu singen — und sogar zweistimmig! Das könne doch zu nichts Gutem führen."

Fussnoten zu Kapitel XVII
Die Russländer kommen

1. Juni und Juli 1926 war eine Delegation von Duchoborzen im paraguayischen Chaco, auch unter der Leitung von Fred Engen. Es waren fünf Männer.
2. Die 2 Familien waren: Jakob D. Dueck aus der Chortitzer Gemeinde des Ostreservats und Abram J. Dyck aus der Sommerfelder Gemeinde des Westreservats (Manitoba). Zu diesen zwei Familien gesellten sich noch zwei ältere Fräulein, Maria und Justina Dyck. Im ganzen waren es 21 Personen. A. J. Dyck siedelte im Dorf Chortitz an und J. D. Dueck in Bergfeld.

   1935 nach Beendigung des Chacokrieges, kam noch einmal eine kleine Gruppe: Die zwei Familien Jakob K. Hiebert und Abram S. Giesbrecht, zwei ältere Junggesellen: Gerhard und David K. Hiebert und zwei ältere Witwen: die von Johann Hiebert und die von Cornelius T. Friesen.
3. "Fügung und Führung im mennonitischen Hilfswerk — 1920–1933", B. H. Unruh. Herausgegeben vom Mennonitischen Geschichtsverein e.V. Weierhof (Pfalz) Karlsruhe 1966 — Verlag und Druck: H. Schneider
4. "Mennonitische Welthilfskonferenz vom 31. August bis zum 3. September 1930 in Danzig" Im Auftrage der Konferenz herausgegeben von D. Christian Neff, Verlag H. Schneider, Karlsruhe, aus diesem Buch der Bericht von Professor Harold S. Bender, Goshen, Indiana, USA,: "Die Einwanderung nach Paraguay".
5. Oskar Schmieder/Herbert Wilhelmy: "Deutsche Ackerbausiedlungen im südamerikanischen Grasland — Pampa und Gran Chaco", Kiel, im Frühjahr 1938 (Deutsches Museum für Länderkunde — Wissenschaftliche Veröffentlichungen — Neue Folge 6.
6. Ältester Martin C. Friesen, Osterwick, Kolonie Menno, antwortet Herrn Fritz Kliewer in Polen, der um einen Bericht über den Chaco und über die junge Wildnissiedlung bittet. Der Brief ist am 29. August 1929 geschrieben und enthält unter anderem dieses:
   "Wir haben mit unseren Brüdern, die mit uns zusammen aus Kanada hierher

kamen, schon trübe Erfahrungen gemacht, weil es vielen hier so schlecht gefiel. Es war ihnen zu heiss; denn wir befinden uns hier in einer tropischen Zone, und sie hatten auch nicht Hoffnung, ihr Leben hier machen zu können, und aus dem Grunde sind viele nach Kanada zurückgekehrt. Darum achten wir es nicht für gut, dass Sie mit Ihrer Gemeinde hierher kommen, ohne es vorher selbst untersucht zu haben von dazu bevollmächtigten Personen. Das Land, welches die Kolonie besitzt, werden wir wohl für unsere Brüder in Kanada und für unsere Nachkommen behalten. Hier ist aber noch viel Land zu kaufen, und ich glaube, bestimmt für billigere Preise als wir selbst bezahlt haben.''

7. Walter Quiring: *Russlanddeutsche suchen eine Heimat*, Seite 143:

    ''Eine kleine Einwanderungsgruppe von 57 Personen, die auf der Ansiedlung Fernheim das Dorf Rosenfeld gründete, kam aus Polen . . Schon lange war auf den eng gewordenen Ansiedlungen für die heranwachsende Jugend kein Platz mehr gewesen, und schon vor dem Kriege waren immer wieder Familien, einzeln und auch in Gruppen, in die Vereinigten Staaten und nach Südrussland ausgewandert . . . 1928 erfuhren die Kolonisten in Polen über Kanada von der Entstehung einer deutschen Ansiedlung im paraguayischen Chaco und von den weitgehenden Vorrechten . . . Sie fuhren bis Brasilien, setzten sich von hier aus mit den Mennoleuten in Verbindung und untersuchten die Verhältnisse dort selbst, ehe sie mit ihren Familien hinzogen . . .''

8. *Die Post*, Steinbach Manitoba, 25. Juni 1930: Brief von Franz R. Funk aus dem Chaco, geschrieben am 26. April 1930

9. *Die Post*, Steinbach, Manitoba, den 2. April 1930

10. Walter Quiring: *Russlanddeutsche suchen eine Heimat*, Seite 141

11. Den Russländern waren solche nordamerikanischen Wagen nicht bekannt deren Kasten (Box) an den Seiten senkrecht abfielen; die Seiten der europäischen Wagenkasten neigten schräg nach innen, muldenförmig. Solche waren den Russländern auch von Deutschland mitgegeben. Nicolai Siemens schreibt im Mennoblat von Juni 1955 in: Errinnerungen an die Reise (1930) in den Chaco:

    ''In Pto. Casado gesehen: Karren, die zwei bis drei Meter hohe Räder hatten. An einer Deichsel wurden an einem Hörnerjoch zwei Ochsen mit Lederriemen an den Hörnern gefesselt, so dass die bedauernswerten Tiere sich nach keiner Seite mit dem Kopf bewegen konnten. Ein weiteres Paar zog in ähnlichem Joch an einer Kette vorn und noch weiter ein drittes Gespann oder auch noch ein viertes. Für die Buschwege mochten die hohen Karren zweckmässig sein, da die hohen Stümpfe nicht hindern. Die Last, bzw. die behauenen Quebrachostämme werden nicht oben in den Kasten gelegt, sondern sind mittels Ketten an der hohen Achse befestigt und hängen so, dass sie balancieren. Nun ja, alles fanden wir in Südamerika zunächst umgekehrt. Die Mondsichel stand verkehrt, der Südwind blies kalt, der Nordwind heiss, sogar Weihnachten sollte im Hochsommer gefeiert werden. Kopfschüttelnd standen wir da.''

12. Mennoblatt, April 1940

13. Mennoblatt, Juni 1955

14. In Asunción wohnten zu der Zeit (1930) 2 Familien dieser kanadadeutschen Mennoniten: 1. Abram S. Dueck (der wird wohl gemeint sein unter dem Namen ''Dick'') mit Frau und Kindern. Er ist dort 1936 im Alter von 50 Jahren gestorben. Die Frau mit etlichen Söhnen ging nach Kanada zurück. 2 Söhne (Abram und Diedrich U. Dueck) und eine Tochter (Agatha — wurde die Frau von Abram F. Wiebe) kamen dann in den Chaco. 2. Johann W. Kauenhowen mit Frau und Kindern. Der Mann starb ebenfalls in Asunción, noch 1934. Ein Sohn ging nach Kanada, und die Witwe mit 3 Kindern kam 1935 in den Chaco. Zwei Familien, Peter T. H. Wiebe und Jakob N. Wiebe, wohnten um diese Zeit in Villarica, kamen aber noch vor Ausbruch des Chacokrieges in den Chaco nach Menno.

15. Mennoblatt, April 1940

16. Es war ein Peter P. Wiebe (aus Strassberg, Menno), der um jene Zeit seiner kranken Augen wegen nach Asunción fuhr. Dass er ein Grosssohn des Ältesten Gerhard Wiebe war, stimmt. Es stimmt aber nicht dass Gerhard Wiebe ein Delegierter nach Kanada war, das war ein Heinrich Wiebe, ein Bruder von Gerhard Wiebe. Gerhard Wiebe war Ältester und leitete die Auswanderung von Russland nach Manitoba (1874-76), nachdem die Delegation 1873 in Manitoba gewesen war.

17. Mennoblatt, Juli 1940

18. Dr. Walter Quiring: *Russlanddeutsche suchen eine Heimat*, Seite 142f

19. Das Buch: *Ursachen und Geschichte der Auswanderung der Mennoniten aus Russland nach Amerika* wurde von Gerhard Wiebe, dem Ältesten der Bergthaler Gemeinde in Russland und Leiter der Auswanderung in den 1870er Jahren geschrieben. Er ist im Dorfe Chortitz, in der Ostreserve, Südmanitoba im Jahre 1900 gestorben. Das Buch wurde im Jahre 1900 in Winnipeg gedruckt. Es ist für uns heute ein wertvolles historisches Dokument. Es gewährt einen Einblick in Geschehnisse jener Zeit in Russland vor und um 1870 und in die erste Zeit in Manitoba vor 1900.

Nun ist aber sein Beobachtungsstand, von dem aus er das gemeindliche und soziale Geschehen in einem gewissen Rahmen seiner Zeit in Russland wie auch in Manitoba hier und dort analysiert, beurteilt und auch verurteilt, zu niedrig und erlaubt somit nicht ein immer sachliches Überblicken und Erfassen der Wirklichkeit. Gewisse Einstellungen in der eigenen (Bergthaler) Gemeinschaft hätte er sicherlich kritischer behandeln sollen und andere Gemeinschaften weniger kritisch, um somit einen mehr objektiveren Ausgleich zustande zu bringen. Das alles aber vermindert nicht den historischen Wert dieser Schrift, vielmehr liegt darin noch die Bedeutung des geschichtlichen Wertes, weil er alles so gegeben hat, wie er es empfand und wie es viele seiner Schutzbefohlenen der Bergthaler Gemeinschaft auch so empfanden.

Es kann schon sein, dass wir heute nicht alle mitdenken können, es öffnet sich uns aber eine Tür, die uns den Weg freigibt, uns einzuarbeiten in das Wesen der geistigen und geistlichen bzw. schulischen und gemeindlichen Einschränkung, die geradezu auf ein Mindestmass von geistesbezogener Beweglichkeit gestellt ist. Und von diesem Beobachtungsstand, von dieser Warte aus, ergehen die Vermahnungen und Warnungen vor dem Geist höherer Schulbildung und geistlicher Regsamkeit, alles Angelegenheiten, wie es aus der Niederschrift hervorgeht, die ein Fallen aus der Demut bewirken.

So schält sich eine bestimmte ''Demutslehre'' heraus, die in gewisser Beziehung auf geistige und geistliche Betätigung oder Nichtbetätigung ausgedeutet wird, und ein Sichnichtbeteiligen fordert in allem, was mit systematischer Verstandesbildung zu tun hat und was über die Grenzen, die man im Althergebrachten für die äusserlichen, gottesdienstbezogenen Gebräuche auf allen Linien des Gemeindelebens festgelegt hat, hinausgeht. Von diesem Standpunkt aus hat man zu verstehen, warum man selbst den Dorfschulunterricht, also den Elementarunterricht, auf möglichst niedriger Stufe herunterhielt: damit das Kind, der junge Mensch, besser vor den Versuchungen zu höherer Bildung bewahrt bliebe und damit auch mehr bewahrt vor dem Geist des Hochmuts.

Von da aus hat man auch ihr sehr ernst betontes Mahnwort zu verstehen: Was die Schule ist, wird die Kirche. Nun aber bedachte man nicht, dass sich gerade auch in ihrer eigenen Gemeinschaft diese ''Schulwahrheit'' so machtvoll negativ erwies; die Vernachlässigung — denn anders kann man es wohl nicht nennen — des schulischen Unterrichts führte dann auch — ohne es zu wollen — natürlicherweise zu einem trägen Zustand des geistlichen Lebens bzw. des Gemeindelebens.

Man verwendete aber den warnenden Ausspruch: ''Was die Schule ist, wird die Kirche'', nur auf die Schulen derjenigen, die höhere Schulbildung anstrebten. So bestand eine Tradition der Demut, die sich über lange Zeit aus einer bestimmten geistigen und geistlichen Haltung herausgebildet hatte. Und von da aus haben wir auch die "Demutslehre" zu verstehen, die sich wie ein Faden durch das Buch hinzieht.

Das Buch ist von vielen als ein besonderes Kleinod der Gemeinde angesehen worden, hochgehalten als ein Warnungszeichen gemeindlicher und schulischer Betätigung. Es ist geschrieben im Sinne einer Überlieferung der Russland-Bergthaler, im Althergebrachten, in der "rechten Demut" zu bleiben. Und das bedeutete — nach ihrer Auslegung — den Verstand so wenig wie möglich mit systematischen Bildungsstoffen zu behelligen, sondern ihn der naturbedingten Entwicklung zu überlassen, höchstens aus Erfahrungen zu lernen.

Von solcher Gesinnungformierung heraus kann man sich auch nur vorstellen, warum sie ihre Schulen auf ein so niedriges Niveau des Unterrichts stellten, und weil es nicht lebendiger Unterricht war, sank das Niveau natürlich immer tiefer.

Ein Student des Bethel College aus dem ersten Jahrzehnt dieses Jahrhunderts schrieb über das Buch von Gerhard Wiebe: "Als ein Muster spezifisch mennonitischer Publikation gab mir Professor Wedel ein Buch von dem Ältesten Wiebe aus der Bergthaler Gemeinde zu lesen. Es enthält die Auswanderungsgeschichte dieser Gemeinde aus Russland nach Amerika. Kennzeichnend ist die grosse Ängstlichkeit des Verfassers gegenüber allem Neuen, besonders auch gegen alle Bildungsbestrebungen."

Als der Verfasser im Jahre 1971 durch Nordamerika reiste, kam er auch bis Newton, Kansas. Das Bethel College, von dem er schon als Volksschuljunge im Buch seines Urgrossvaters, Gerhard Wiebe, gelesen hatte, wollte er unbedingt besuchen. Es geschah dann auch. Während seines Aufenthalts in den USA hörte er recht kritische Bemerkungen über das Bethel College, es war irgendwie nicht "liberal" genug, wenigstens nach der Meinung des betreffenden Kritikers. Was mir dabei wichtig war, war das, was mein Urgrossvater darüber geschrieben hat, der nur einen steilen Weg abwärts in der betreffenden mennonitischen Bildungsanstalt sah, ein Erstarren des Geistlichen. Und jetzt, nach 70 Jahren, schien das Geistliche auch noch immer flüssig zu sein; denn aus der Meinung des betreffenden Kritikers war herauszuhören, das Geistliche werde zu stark betont.

Ältester Wiebe stellte das Bethel College als eine sehr fragliche Weisheitsschule hin. Es heisst dort (in dem Buch) u.a.: "Die meisten haben sich wohl weggewendet von dem einfältigen Bethlehem und sind übergesiedelt nach Bethel College . . . Die Weisen suchten Jesus zuerst in der grossen Königsstadt, aber der Stern führte sie nach Bethlehem . . . Es bekehrten sich auch in der Königsstadt welche. So hofft der Schreiber, dass der Herr auch die Seinigen in dem Bethel College haben wird . . . Ich fürchte, es wird wohl den meisten in dem Bethel College so gehen, sie werden nur Schriftgelehrte sein, ohne den Geist des Herrn."

Nun sage ich nicht, dass das Buch nicht manchen gute Gedanken hat. Sicher, manches Gute ist darin gegeben. Manche Beurteilung, die gemacht worden ist in diesem Buch, ist sicherlich richtig, aber oftmals ist sie zu einseitig gemacht, und mitunter sind die Beurteilungen auch einfach falsch, nicht absichtlich falsch, nein, aber gegeben aus einer nicht klaren Sicht, eine Sicht, behindert durch eine gewisse Demutslehre, die mit Demut kaum etwas zu tun hat. Es ist dieses Buch für uns heute aber ein wertvolles historisches Dokument. Nicht nur, um es zu lesen, sondern vielmehr es zu studieren und sozialpsychologisch zu analysieren.

20. *Die Post*, Steinbach, Manitoba, den 2. Juli 1930. Ein Brief, geschrieben von Franz R. Funk am 3. Mai 1930

KAPITEL 18

Der dornenvolle Weg der Siedlungsverwaltung

Es wurde noch wieder mit dem Lehrdienst (Gemeindevorstand) die Änderung des Fürsorgekomitees behandelt — und weil die Komiteemitglieder der Saskatchewan Gruppe und die der Westreserve Gruppe dagegen waren, konnte ein Beschluss, die Änderung vorzunehmen, nicht gefasst werden. Und der Lehrdienst verliess die Sitzung mit der Bemerkung, dass man trotzdem mehr Mitglieder wählen werde.

Fürsorgekomitee–Portokoll — Juni 1932

Der mangelhafte Verwaltungsapparat

Der Entwicklungsgang der Siedlungsverwaltung in der Anfangszeit glich in auffallender Weise der Chaconatur und dem Eroberungszug der Siedler in dieses Gebiet. Es war ein Weg voller Stacheln und Dornen, hemmendem Gestrüpp, zäher Widerwärtigkeiten und mannigfaltiger Rückschläge. Vielleicht waren mangelhafte Erfahrung im säkularen Verwaltungswesen und eine zu grosse Vertrauensseligkeit zueinander die Ursachen dafür, dass die Struktur der ersten gesetzlich verankerten Siedlungsverwaltung eine Form erhielt, die sich in der Praxis nicht bewährte. Nur die geduldige und massvolle, dabei aber beharrliche und zielbewusste Wirksamkeit weiser Männer führte nach sieben Jahren Siedlungserfahrung endlich zu einer neuen Verwaltungsform, die mehr dem Wohl und den Bedürfnissen der Mehrheit der Siedler Rechnung trug als die vorige. Diese neue Verwaltungsform besteht bis auf den heutigen Tag.

Die verliehene Selbstverwaltung

Über die von der paraguayischen Regierung den Mennoniten gewährten Sonderrechte äusserte sich die nordamerikanische Zeitung "The Literary Digest" im Juli 1927 wie folgt:

"Eine ungewöhnliche Konzession ist einer Gruppe kanadischer Mennoniten von der paraguayischen Regierung gemacht worden, eine

Konzession, wie sie wohl sonst wo nicht in der Welt zu bekommen wäre, wie jemand sagte, nämlich Freispruch vom Militärdienst, das Recht, ihre eigenen Schulen zu haben und in ihrer eigenen Sprache zu unterrichten, den Eidschwur abzulehnen und eine absolut selbstgeleitete Kontrolle über ihre Siedlung zu haben.''

Tatsächlich war den Chacosiedlern eine ungewöhnliche Konzession, ein sehr weitgehendes Zugeständnis in der Hinsicht gemacht worden, dass sich die Siedler in jeder Beziehung ganz und gar selbst verwalten, d.h. also nach allen Seiten hin selbst regieren durften. Das war von der paraguayischen Regierung ein sehr vertrauensvolles Zugeständnis an die Chacosiedler. Es war aber auch eine enorme Zumutung an ihr eigenes Können. Hatten sie doch bis dahin noch niemals eine so umfassende Selbstlenkung und Selbstüberwachung geübt. Auf dieser Linie der sozialen und wirtschaftlichen Selbstverwaltung waren sie also absolut unerfahren. Womit sie vertraut waren, das war die Leitung einer traditionell verwurzelten religiösen Gemeinschaft mit Einbeziehung der schulischen Belange ihrer von den Gemeinden geführten Privatschulen.

In Wirklichkeit war bei ihnen die Einrichtung einer autonomen wirtschaftlichen Verwaltung nur von zweitrangiger Bedeutung. Nach ihren traditionell-konservativen Überlegungen nahmen Gemeinde und Schulwesen auf jeden Fall den ersten Platz ein und seien darum vor allem zu berücksichtigen. Ich fragte einmal eine der führenden Persönlichkeiten der Auswanderung aus Kanada und der Ansiedlung hier im Chaco, wie man sich die Organisation der Selbstverwaltung bei der Ansiedlung gedacht habe. Die Antwort war, darüber hätten sie sich überhaupt keine Gedanken gemacht, sondern sie hätten sich gesagt, das würde sich schon auf der Ansiedlung nach den Notwendigkeiten von selbst ergeben. Das biblische Wort: ''Trachtet am ersten nach dem Reiche Gottes und nach seiner Gerechtigkeit, so wird euch solches (das wirtschaftlich Notwendige) alles zufallen'' (Matth. 6,33), nahmen sie irgendwie sehr buchstäblich und machten sich daher über eine geplante wirtschaftliche und administrative Organisation in gewisser Beziehung zu wenig Gedanken. Sie hatten also keine konkrete Vorstellung darüber und keinen grundlegenden Plan dafür, wie eine so umfassende Autonomie zu handhaben und zu bewältigen wäre. Wahrscheinlich wäre ihnen das Verwaltungsmalheur, das sie dann bald erlebten, nicht passiert, hätten sie die organisatorischen Massnahmen und Voraussetzungen, die für eine gute Abwicklung der wirtschaftlichen und verwaltungstechnischen Angelegenheiten notwendig sind, nicht so zweitrangig bedacht.

Gegen viele Schwierigkeiten und Strapazen, die ihnen in der Wildnisbezwingung entgegentraten, hätten keine Verhütungs- oder Vorbeugungsmöglichkeiten bestanden. Sie kamen einfach darum über sie, weil sie in diese unwirtliche und unwegsame Wildnis vorstiessen. Anders aber lag es mit der Verwaltungsangelegenheit, die in eine beklagenswerte Zerklüftung, statt in eine Siedlungsharmonie auslief und zu einer zähen Auseinandersetzung zwischen den Gruppen führte. Das alles kam infolge zu mangelhafter Organisation der selbstgeleiteten Siedlungsverwaltung als Trübsal über die junge Urwaldsiedlung. In diese Lage war man geraten, weil man dieser Sache, die sonst vom Staat übernommen und erledigt wird, nicht genug Beachtung geschenkt hatte. Der Skandal hätte vermieden werden können. Dass er aber nicht vermieden wurde, lag in der Unerfahrenheit der Siedler in einer so weitgehenden Autonomie und zum Teil auch in ihrer allzu unbekümmerten Einstellung zum Wesen einer nahezu vollständigen Selbstverwaltung. Das sahen sie dann auch bald ein, und es war dazu auch noch nicht ganz zu spät, wenn auch reichlich verspätet. Durch Erfahrung wurde man jetzt klug, die Siedlung aber hatte schwer darunter gelitten.

Die Selbstverwaltung in wirtschaftlich-sozialer Beziehung war in Gesetz Nr. 514 ebenso gut mit eingeplant wie die Selbstverwaltung in Gemeinde und Schule. Dass den Siedlern Gemeinde und Schule obenan lagen, war an sich auch nichts Verwerfliches. Im Gesetz Nr. 514 steht dieser Punkt an erster Stelle und ist in Artikel Eins verankert und ausführlich dargelegt. Was die wirtschaftliche Verwaltung angeht, steht dagegen erst im 6. Artikel und ist in einer Weise dargelegt, dass diese Sache, d.h. der Aufbau und Ausbau des Verwaltungsrahmens der Kolonie noch durch weitere Kontaktaufnahmen mit regierungsbehördlichen Abteilungen erfolgen solle.

Als es dann im Juni 1928 soweit war, die gesetzlichen Befugnisse und die obrigkeitliche Anerkennung der Siedlungsverwaltung zu klären und festzulegen, einigte man sich auf den Namen "Fürsorgekomitee" für die Verwaltungsorganisation der Kolonie. Obwohl diese Siedlungsverwaltung auf einer ganz neuen Grundlage aufgebaut werden musste und einen ganz neuen Rahmen in ihrer praktischen Handhabung erhielt, so war sie eigentlich doch eine Fortsetzung dessen, was man in Kanada als Auswanderungskomitee organisiert hatte, eines Auswanderungskomitees, das in einer dreiteiligen Zusammensetzung eine einheitliche Ausführung der Auswanderung leitete. Dieses Auswanderungskomitee hatte dort auch schon den Namen "Fürsorgekomitee" erhalten, einen Namen, den man aus der Geschichte der deutschen Kolonisation in Russland genommen hatte. Das Fürsorgekomitee in Russland war aber keine mennonitische Organisation gewesen, wiewohl es auch den mennonitischen Kolonien gedient hatte.

Auch die Mennoniten in Russland hatten eine kommunale

Selbstverwaltung die den russischen Behörden unterstellt war. Die russische Regierung hatte ein Extraorgan, eine Extrabehörde, ins Leben gerufen, diese Selbstverwaltung zu überwachen. Sie war nicht nur zur Überwachung der mennonitischen Siedlungen, sondern der ausländischen Siedlungen überhaupt bestimmt gewesen und war schon im Jahre 1763 gegründet worden, als es noch keine Mennoniten in Russland gab. Sie war damals unter dem Namen "Pflegschaftskanzlei" ins Leben gerufen worden und war für alle ausländischen Kolonisten gedacht gewesen. Im Jahre 1818 hatte dieses obrigkeitliche Verwaltungsbüro für die Oberaufsicht der ausländischen Kolonisten im südlichen Russland den Namen "Fürsorgekomitee" erhalten. Es wurde im Jahre 1871 aufgelöst, als die Mennonitensiedlungen den lokalen und provinzialen Autoritäten direkt unterstellt wurden.[1]

Das Auswanderungskomitee

Im Jahre 1921, bald nach der Rückkehr der Delegation aus Paraguay, wurde von den Paraguayinteressierten in Manitoba ein Auswanderungskomitee ins Leben gerufen. Es sollte in erster Linie die Auswanderungsbewegung fördern. Mitglieder dieses Komitees waren: Gerhard K. Doerksen, Abram F. Hiebert, Jakob Doerksen (ein Mitglied der Chacoexpedition) und Peter F. Krahn aus der Chortitzer Gemeinde des Ostreservats, weiter aus der Sommerfelder Gruppe des Westreservats Bernhard Toews und Isaak Funk, (beide ebenfalls Mitglieder der Chacoexpedition). Die Aufgabe dieses Komitees im weiteren Sinne war es, alle mit der Auswanderung zusammenhängenden Fragen zu untersuchen, darüber zu beraten und Lösungen dafür zu finden. Eine nicht kleine unter diesen Auswanderungsfragen war die Veräusserung ihres Besitztums, wie des Landes, der Farmeinrichtungen und alles beweglichen Vermögens.[2]

Das Fürsorgekomitee

Dieses Komitee der ersten Ansätze wurde dann im November 1922 durch ein mehr formelles Komitee abgelöst, ein Komitee, das von allen drei Gruppen ins Leben gerufen wurde. Dieses Komitee erhielt den Namen "Fürsorgekomitee". Sowohl der Name als auch das, was er seinerzeit beinhaltet hatte, schwebte ihnen noch aus der Geschichte der Mennoniten Russlands vor, wiewohl es dort keine mennonitische Organisation gewesen war, sondern eine staatliche Behörde. Die Mitglieder dieses kanadischen Fürsorgekomitees waren: aus der Chortitzer Gemeinde Martin C. Friesen und Abraham A. Braun, aus der Sommerfelder Gruppe Heinrich Unrau und Heinrich J. Friesen und aus der Bergthaler Gemeinde von Saskatchewan Peter Peters und Peter I. Dyck. Dieses Komitee wurde offiziell bestätigt und befasste sich dann mit Verhandlungen zur Übersiedlung von Kanada nach Paraguay.

Die Gleichsetzung in der Mitgliedschaft der drei verschiedenen Lokalgemeinden der Altbergthaler hatte keine kompetenzbestimmende Bedeutung, weil die Vertreter keine Entscheidungsgewalt, sondern nur Beratungs- und Ausführungsfunktionen hatten. Die Chortitzer Gruppe war die weitaus grösste Gruppe in der Auswanderungsbewegung. Sie machte etwa vier Fünftel aus, bildete damit die stärkste Gruppe in dem Unternehmen und folgerichtig auch die führende. Es ist nicht denkbar, dass die Paraguaywanderung mit der darauffolgenden Chacokolonisation zustande gekommen wäre, wenn diese Gemeinde sich nicht oder auch nur in dem Masse wie die anderen Gemeinden beteiligt hätte. Die Siedlungsgesellschaft liess sich auf das Umsiedlungsgeschäft nur ein, weil eine bestimmte Quantität von Landumsatz getätigt werden konnte. Und dies wurde möglich durch die Auswanderungsentscheidung so vieler Chortitzer.

Die Zahl der Mitglieder im Fürsorgekomitee hatte damals aber nichts mit der Grösse der Gruppen zu tun, denn diese sechs Männer waren nur die Vermittler zwischen der Gesamtheit der Auswanderer und der Siedlungsgesellschaft. Die drei Gruppen bildeten in diesem Komitee eine Auswanderungseinheit. Die zu bewältigenden Arbeiten für die Auswanderung waren bei den drei Gruppen lange nicht gleich. Das aber lag nicht auf den Schultern der zwei Vertreter der bertreffenden Gruppe im Fürsorgekomitee, sondern auf der ganzen Gruppe selbst. So hatte die Chortitzer Gruppe für sich allein einen viel grösseren Auswanderungsrat als die anderen Gruppen. Bei Verhandlungen aber mit der Intercontinental Company waren die zwei Mitglieder des Fürsorgekomitees zuständig. In Kanada selbst war diese dreigegliederte Organisation nicht zu vermeiden, weil es eben drei verschiedene Gruppen an weit auseinanderliegenden Orten waren, die sich für die Auswanderung aufmachten. Jede Gruppe musste ihre lokalen Angelegenheiten selbst regeln. Die endgültige Bewältigung der Auswanderung aber schafften sie gemeinsam.

Man versuchte dann aber noch während der Zeit der Auswanderungsvorbereitungen eine gemeindliche Verschmelzung der drei verschiedenen Lokalgruppen herbeizuführen, um so die Ansiedlung vom ersten Tage an in einem Guss zu vollziehen, als seien es niemals drei verschiedene Lokalgruppen gewesen. Denn man wollte in keinem Fall drei verschiedene Kolonien gründen, sondern eine geschlossene Siedlung bilden. Und um stark zu sein in den zu bewältigenden Schwierigkeiten, die die Wildnissiedlung mit sich bringen würde, war eine reibungslose gemeindliche Einheit doch auch lebenswichtig. Die Verschmelzung der Gruppen kam aber nicht zustande. Man hatte sich schon viel weiter auseinandergelebt, als man selbst wahrhaben wollte. Was die eine Gruppe für sehr wichtig hielt, hielt eine andere Gruppe als zweitrangig und liess sich auf solche

Gemeinderegelungsvorschläge gar nicht ein. Die andere Gruppe wieder wollte davon nicht lassen.

Für den Aufbruch spielten solche zwischengemeindlichen Auseinandersetzungen und Meinungsverschiedenheiten keine hemmende Rolle. Alles ging so seinen Weg, wie es zur Ausführung der grossangelegten Umsiedlung vorgezeichnet worden war. In Paraguay aber mündete die Dreiteiligkeit nicht in eine harmonische Siedlungseinheit, sondern verhärtete sich eher noch zum Unsegen der immerhin schon schweren Wildnissiedlung sowohl in gemeindebezogener als auch in wirtschaftlich–sozialer Hinsicht in eine verhängnisvolle Zerklüftung. Als Auswanderungsorganisation aber hat dieses kanadische Fürsorgekomitee seine Sache erstklassig bewältigt und das in sehr enger Verbindung mit der Intercontinental Company, der mitverantwortlichen Siedlungsgesellschaft.

Das Fürsorgekomitee in der neuen Heimat

Das Schema für eine mennonitische Verwaltungsorganisation in Paraguay war aufgrund einer Vorlage, die in groben Zügen von etlichen verantwortlichen Mennoniten gegeben worden war, von Rechtsanwälten in Asunción bearbeitet worden. Am 19. Juni 1928 wurde dann das Verwaltungsstatut im Amtsbüro des Friedensrichters in Puerto Casado dem vollversammelten mennonitischen Gremium der Verwaltungsinstitution vorgelegt. Es bestand darin eine Dreigruppenvertretung aus folgenden Personen: aus der Chortitzer/ Ostreserver Gruppe Martin C. Friesen und Abraham A. Braun, aus der Sommerfelder/Westreserver Gruppe Isaak K. Fehr und Bernhard F. Penner und aus der Bergthaler Gruppe von Saskatchewan Peter Peters und Cornelius H. Wiebe. Nachdem dieser Gründungsakt vollzogen war, wurde dann am 13. Juli 1928 das Statut des Fürsorgekomitees als Grundlage einer bürgerlich–gesellschaftlichen Verwaltungsinstitution im Rahmen der staatlichen Gesetzgebung und der gesetzlichen Anerkennung festgelegt. Der Vorsitzende dieses Verwaltungsgremiums war Isaak K. Fehr. Das war der Posten, den wir heute mit ''Oberschulze'' bezeichnen. Das Fürsorgekomitee gestaltete sich nun wie folgt:

A. Die Befugnisse
- Im Gebiet des paraguayischen Chaco zu kolonisieren,
- Materielle und moralische Unterstützung zu vermitteln, wo solche nötig sind, sei es Erleichterungen für die Einrichtung und Entwicklung der Siedlung zu schaffen oder Kreditoperationen in Form von Darlehen zur Förderung der Siedlung zu vermitteln,
- Unbewegliche und bewegliche Besitztümer, sowie jede Art von Gütern zu erwerben oder auch zu veräussern,
- Handelsgeschäfte zu unternehmen, im Lande wie auch im Auslande, sofern sie der Entwicklung der Ansiedlung dienlich sind,

- Verschiedene Geschäftsarten auszuführen, Vertretungen im Lande und auch im Auslande zu übernehmen,
- Hypothekenverträge und andere Arten von Garantien abzuschliessen,
- Alle durch die Gesetze erlaubten Befugnisse auszuüben, wie sie einer juristischen Person verliehen sind,
- Im allgemeinen alle Handlungen auszuführen, die nützlich sind und die dazu dienen, die in Paraguay ansässigen mennonitischen Siedler zu schützen und zu unterstützen.

B. Die Leitung
- Nicht geschäftliche Interessen oder Gewinnabsichten für sich selbst zu verfolgen,
- Die Dienste, die den Siedlern geleistet werden, sollen kostenlos sein, d.h. Dienste, die für die Gemeinschaft getan werden,
- Wenn dem Fürsorgekomitee durch die Förderung von Privatinteressen Unkosten verursacht werden, müssen sie bezahlt werden.
- Gewinne durch solche Privatdienste sollen in der geeignetsten Art und Weise für den allgemeinen Nutzen der Siedler verwendet werden.
- Das Komitee wird sechs Mitglieder haben. Diese Zahl darf aber auf Grund eines Mehrheitsbeschlusses der Mitglieder erhöht werden.
- Das Siedlungsunternehmen ist ein Dreigruppenunternehmen, und so werden für jede Gruppe zwei Vertreter stehen.
- Jede Gruppe stellt selbst aus ihrer Mitte die Mitglieder für das Fürsorgekomitee: zwei aus der Ostreserver Gruppe, zwei aus der Westreserver Gruppe und zwei aus der Saskatchewaner Gruppe.
- Wenn eines dieser Mitglieder stirbt oder austritt oder zu lange abwesend ist oder auch durch Mehrheitsbeschluss der Mitglieder ausgeschlossen wird, so muss es von der betreffenden Gruppe wieder ersetzt werden. Die Mehrheit der Mitglieder dieser Gruppe muss dann das neue Mitglied erwählen.
- Kein Mitglied hat irgendwie einen Anspruch oder Anteil an Besitztümern der Gesellschaft, ebensowenig seine Nachkommen.
- Das Fürsorgekomitee wird von einem Sekretär vertreten.
- Diesen Sekretär ernennen die Mitglieder selbst aus ihrem Mitgliedskreis. Er bleibt im Amt, bis die Mitglieder einen anderen ernennen.
- Der Sekretär ruft die Mitglieder zu Sitzungen zusammen. Mit vier Mitgliedern darf er eine Sitzung abhalten.
- Der Sekretär hat folgende Befugnisse:
  1. Die Gesellschaft vor den Behörden der Obrigkeit und anderen Dritten zu vertreten,
  2. Die Korrespondenz zu führen,
  3. Die Buchführung zu tätigen und sie von Zeit zu Zeit auf einer Sitzung den Mitgliedern vorzulegen,
  4. Alle Arten von Geldgeschäften zu erledigen,
  5. Im allgemeinen alle Handlungen, die für einen Geschäftsführer oder Verwalter oder Generalbeauftragten zuständig sind, auszuführen.
- Dokumente, die einer besonderen Ermächtigung bedürfen, müssen von der Mehrheit der Mitglieder unterzeichnet werden.
- Das Vermögen dieser Zivilgesellschaft ''Fürsorgekomitee'' besteht

aus etwas über 50 000 Hektar Land im paraguayischen Chaco, das schon bezahlt ist und gelegentlich von der Corporación Paraguaya an das Fürsorgekomitee übereignet werden wird.

Das waren die Satzungen des Fürsorgekomitees, des Organs der kommunalen Selbstverwaltung der jungen Wildnissiedlung, einer Institution, die mit der Betreuung der Kolonie als fürsorglicher, leitender und sie allseitig vertretender Vorstand beauftragt und damit für das Gedeihen der Ansiedlung verantwortlich war.

Bei der Ausarbeitung des Statuts für diese Organisation waren die Vertreter der grossen Chortitzer Gruppe nicht mit dabei gewesen. Sie waren beide Prediger (der eine auch noch Gemeindeleiter) und daher in ihrer Gruppe bzw. Gemeinde sehr beschäftigt. Man hatte sie aber immer noch nicht von den Umsiedlungsfunktionen freigemacht, mit denen sie seit Beginn der Auswanderungsbewegung in Kanada sehr enge verbunden und vertraut waren und weshalb sie darum überall zupacken mussten. So überliessen sie es den anderen Gruppenvertretern, das Schema der Kolonieverwaltung auszuarbeiten und vorlagereif zu machen.

Dass es in gewisser Beziehung ein dreiteiliger Verwaltungsapparat sein würde, war vom ersten Tage an klar. Jede der drei Gruppen würde unter ihrer Benennung ihr Landbesitzrecht gesondert erhalten, also als Ostreserver, als Westreserver und als Saskatchewaner Gruppe. Und jede gruppenbedingte Landtitelzelle würde ihren Vertreter in der Siedlungsverwaltung haben. Es sollte also zwar nur **eine** Kolonie sein, die aber aus drei verschiedenen Gruppen mit eigenen Landtiteln zusammengesetzt war.

Es war wohl ein etwas verzwicktes System, das man sich da ausgeklügelt hatte, das aber als Verwaltungsinstitution auch trotz seiner dreiteiligen Ausrichtung immer noch hätte funktionieren können. Aber die Vertreterverteilung der Gruppen hätte dann im Verhältnis zu ihrer Bürgerzahl geschehen sein müssen. Hier aber hatte die Sache ihren Haken. Etliche Jahre später versuchte die Chortitzer Gemeinde dann auch, eine mehr der Gruppengrösse angepasste Komiteemitgliederzahl zu erreichen. Der Versuch wurde aber im Fürsorgekomitee mit einer Zweidrittelmehrheit niedergestimmt, und so war man wieder dort, wo man angefangen hatte.

Die beiden Vertreter der Chortitzer Gruppe, welche bei der Ankunft in Paraguay 70% aller Einwanderer und dann aber bald 80% der Siedler ausmachte, weil eine Anzahl aus der Westreserver Gruppe sich ihnen anschloss, erkannten den Haken an jenem 19. Juni in Puerto Casado auf der Sitzung, wo die Organisation des Fürsorgekomitees begutachtet wurde und sprachen sich auch offen darüber aus, dass eine solche beschränkte Vertreterzahl eine ungleichmässige Funktionsbeteiligung bedeute und ihnen darum nicht richtig zu sein scheine. Die anderen vier Mitglieder liessen sich aber nicht auf eine Verhandlung ein, sondern hielten an dem einmal aufgestellten Schema fest. Als die zwei Chortitzer Vertreter dann merkten, dass in sanftem Beharren hier nichts zu erreichen sein würde, liessen sie um des guten Friedens willen ihren Korrektionsgedanken fallen. Später aber haben sie dann vor der Bruderschaft ihrer Gemeinde bekannt, dass sie mit dem sanften Nachgeben einen schweren Fehler gemacht hätten. Sie hätten es damals gleich der Bruderschaft vorlegen sollen, um dazu Stellung nehmen zu können und die Verwaltungssache in eine annehmbarere Form zu bringen. Die beiden Vertreter hatten es aber einfach angenommen und unterschrieben, wiewohl innerlich gegen ihren Willen. Es hätte, wenn sie die Sache vor die Gemeinde gebracht hätten, wohl noch einen Krawall gegeben, aber später doch sehr viel weniger Schwierigkeiten und Komplikationen, als es dann wirklich gab.

Und schliesslich wollte man ja auch einander Vertrauen entgegenbringen und damit rechnen, dass alles gut gehen würde. Das war zumindest auch ein Gedanke der beiden Chortitzer Vertreter an jenem 19. Juni in Puerto Casado gewesen. Aber sie wurden in ihrem Vertrauen bald enttäuscht. Was man einfach nicht wahrhaben wollte und eigentlich auch kaum für möglich gehalten hatte, trat bald an den Tag. Das im Statut begründete Recht, mit zwei Dritteln Stimmenmehrheit im Fürsorgekomitee Beschlüsse zu fassen und Vorschläge abzulehnen, wurde auch dort angewandt, wo die grosse Mehrheit der Siedler etwas durchgeführt haben wollte, das aber nicht im Interesse oder wenigstens nicht in der Notwendigkeit der zwei kleinerern Gruppen lag. Sie waren eben mit zwei Dritteln der Stimmen in der Verwaltung vertreten, obwohl sie kaum 20% der Siedlermasse ausmachten. Auf solcher Grundlage konnte man vom Fürsorgekomitee, das ja die eigentliche Kolonieverwaltung war, auch keine Förderung einer sonst als notwendig gehaltenen Sache erwarten. Für das Gros der Siedler blieben darum manche Sachen unerledigt.

Warum denn schlugen die zwei kleinen Gruppen solchen fragwürdigen Weg ein? Man hatte doch die beste Absicht mit der Einrichtung der Selbstverwaltung, die in so grosszügiger Weise von der paraguayischen Regierung gestattet und im Gesetz Nr. 514 verankert worden war. Man wollte doch die Entwicklung der Siedlung. Ja, das war schon alles so. Aber die beiden kleineren Gruppen waren relativ zu ihrer Mitgliederzahl wirtschaftlich stärker als die grosse Chortitzer Gruppe. Wenn die Chortitzer Vertreter sich daher für dringend notwendige Massnahmen zum Wohl ihrer Bürger einsetzten, lehnten die Vertreter der zwei kleineren Gruppen solche Vorschläge im Sinne eines für alle Siedler gleichermassen verbindlichen Beschlusses ab, wenn ihnen diese Massnahmen für die

Mitglieder ihrer Gruppen als nicht notwendig erschienen. Dafür nutzten sie als Minorität ihr gesetzlich gesichertes Recht ohne Bedenken aus.

Die grosse Chortitzer Gruppe hatte viele arme Leute unter sich und hatte daher viel mehr und viel grössere Verpflichtungen als Gemeinschaft. Es bedurfte daher viel grösserer Einsätze, ihren Bevölkerungsanteil der Siedlung allein schon zu erhalten und noch mehr, ihn zu entwickeln. Es war kein Wunder, wenn die kleinen Gruppen, die von der Unterstützung der anderen nicht abhängig waren, sich vor einer erdrückenden, wirtschaftlich schwerfälligen Übermacht zu schützen suchten.

In Wirklichkeit aber war es eine unweise Handlung, nicht nur in sozialem Sinne, sondern auch in der Verletzung staatlicher paraguayischer Gesetze über Mehrheitsbestimmungen. Daher konnten sich die vier Vertreter der kleinen Gruppen auch nicht behaupten, als schliesslich die zwei Vertreter der grossen Gruppe, die jetzt schon nicht nur 80%, sondern 90% der Siedler hinter sich hatte, beim Staatsoberhaupt vorsprachen und um Unterstützung baten, dem Verwaltungsapparat der Siedlung eine Grundlage zu verschaffen, die auf das allgemeine Wohl der Siedler zugeschnitten sei. Die Angelegenheit warf einen dunklen Schatten auf die junge Ansiedlung und vermehrte anfänglich noch die Siedlungsschwierigkeiten, deren man doch schon übergenug hatte.

Wenn man auch in Betracht zieht, dass für die kleinen Gruppen gewisse Gründe vorhanden waren, sich der grossen Gruppe gegenüber in solche Schutzstellung zu vergraben, so ist es doch andererseits nicht zu verstehen, dass man sich unterwand, die Bestimmungsvollmacht, wiewohl gesetzlich abgesichert, über die grosse Gruppe in so eigenwilliger Weise zu gebrauchen.

Die ungleiche Vertretung

Etwa zwei Drittel der 1928 ansiedelnden Westreserver hatten das Ringen um den Minoritätsbestand nicht mitgemacht. Sie hatten sich noch 1927 in den Siedlerlagern für einen Anschluss an die grosse Gruppe der Chortitzer Gemeinde entschieden und waren mit diesen einfach zu einer Gruppe verschmolzen. Das war ein überaus vorbildliches Verhalten gewesen. Selbstverständlich hatte dieser Schritt heftigen Unwillen bei den anderen Westreservern, die lieber einen Zaun errichten wollten, ausgelöst. Diese wollten lieber ihre Eigenständigkeit behaupten und sich als Gruppe erhalten, was sie dann auch taten, und zwar Hand in Hand mit den Saskatchewanern. Und das alles ging vor sich im Namen und im Rahmen des gesamten Kolonisationsunternehmens.

Die aus dem gesamten Westreserver Gruppengebilde austretenden 27 Familien waren auch nicht arme Leute gewesen, die zu den

Chortitzern deshalb übergegangen waren, weil dort eine Armenkasse geführt wurde und man mittellose Leute unterstützte. Die meisten jener 27 Familien waren bemittelte Leute und manche von ihnen sogar gut bemittelte, um nicht zu sagen wohlhabende. Sie hielten auch nicht unter sich zusammen, als die 11 Dörfer der Ostreserver Gruppe angelegt wurden, sondern verteilten sich auf 7 dieser 11 Dörfer. Sie identifizierten sich einfach mit den Chortitzern. Die Verpflichtungen der Chortitzer innerhalb ihrer Gruppe machten sie auch zu ihren Verpflichtungen, und die Gutbemittelten unter ihnen gaben Anleihen an die Unterstützungskasse der Gemeinde. Sie beteiligten sich an allem, als ob sie immer zu der Gruppe gehört hätten. Auch ihr gesamtes Landeigentum schlossen sie in das Gebiet der Ostreserver ein.

Von den 53 Westreserver Familien, die 1927 nach Paraguay einwanderten, waren so viele nach Kanada zurückgekehrt, dass 1928, nach dem Abgang der 27 Familien zu den Chortitzern, nur noch 13 Familien geblieben waren, die die Westreserver Gruppe bei der Ansiedlung bildeten. Sie legten die zwei Dörfer Laubenheim und Waldheim an. Unter diesen 13 Familien waren dann auch bald etwa die Hälfte, die mit der so kühnen Behauptung in der Minderheit nicht mehr mitgingen. Ähnlich so erging es der Saskatchewaner Gruppe, wo auch bald ein Teil nicht mehr mitmachte. So kam es, dass bald eine Gesamtsiedlermasse von etwa 90% auf eine Reform der Verwaltungsinstitution drängte.

Die Chortitzer Gruppe wählte zwei neue Mitglieder in das Fürsorgekomitee, um ihre beiden Komiteemänner, die zu gleicher Zeit auch Angestellte in der Gemeinde waren, zu entlasten. Anstelle von Martin C. Friesen und Abraham A. Braun wurden jetzt Jacob A. Braun und Johann R. Doerksen eingesetzt. Braun kam ursprünglich aus der Westreserver Gruppe. Diese beiden neuen Mitglieder im Fürsorgekomitee wurden aber statutengemäss nicht anerkannt. So waren sie in gesetzlichem Sinne eigentlich nur Vertreter der früheren beiden Vertreter der Ostreserver Gruppe. Sie nahmen an den Sitzungen des Fürsorgekomitees teil, und es konnten auch Beschlüsse gefasst werden, wo es in gleicher Weise die drei Gruppen betraf, d.h., wenn sie an einer Sache in gleicher Weise beteiligt waren.

Die grosse Chortitzer Gruppe aber bedurfte grösserer und intensiverer Einsätze und musste auch Kreditgeschäfte vermitteln, die für diese Gruppe lebensnotwendig waren. Das Fürsorgekomitee als solches hatte auch alle notwendigen Befugnisse, auf solcher Linie vorzugehen und Wege der Siedlungshilfe zu suchen und zu schaffen. Die Bemühungen der Chortitzer scheiterten dann aber an den vier Gegenstimmen der Vertreter der beiden kleinen Gruppen, die solcher mehr intensivierten Massnahmen nicht bedurften. Das massgebliche

Organ der Chortitzer Gruppe, welches dann immer wieder mit der Bitte um Abänderung der Verwaltungsbarrieren an die vier Mitglieder der kleinen Gruppen des Fürsorgekomitees herantrat, war die Gemeindeleitung der Predigerschaft, die dann die wirtschaftlichen Berater an ihrer Seite hatten. In den Protokollen des Fürsogekomitees wird das Verwaltungsproblem zum erstenmal in einem solchen vom 18. Januar 1930 erwähnt:

> "Eine Zusammenkunft ist vom Schreiber (das war der Vorsitzende, heute Oberschulze genannt–MWF) einberufen worden, um auszufinden, ob es notwendig sei, eine Fürsorgekomiteewahl abzuhalten. Es wurde vorgeschlagen, dass wir es so halten, wie das Statut des Fürsorgekomitees lautet."

Weil nun die Gruppe der Ostreserver ein viel grösseres Aufgabengebiet war, musste in diesem Siedlungsgebiet auch reger gearbeitet werden. Besonders waren es die mittellosen Siedler, die des Einsatzes und der helfenden Vermittlung der Verwaltung bedurften. So beschloss diese grosse Gruppe eines Tages, einen Kredit zur Beschaffung von Rindvieh zu beantragen. Die Vertreter der Ostreserver legten die Frage ordnungsgemäss auf einer Sitzung dem Fürsorgekomitee vor. Die anderen vier Vertreter waren aber leider nicht dafür, und damit war die Sache dort erledigt. Das Problem aber blieb, und es musste unbedingt etwas getan werden. Wenn die kleinen Gruppen diesen Kredit auch nicht brauchten, für die grosse Gruppe war er lebens- und entwicklungsnotwendig.

So waren die Siedler der grossen Gruppe mit über 80% Beteiligung an dem Siedlungsgeschehen mit einer an und für sich gut konstruierten Verwaltung, Entwicklungseinsätze zu machen, wirklich gezwungen, auf ein Aushilfskomitee zurückzugreifen, das man 1927 in Puerto Casado ins Leben gerufen hatte. Es war das sogenannte "Transportkomitee", das damals die Aufgabe gehabt hatte, die Siedlerlager mit Mehl zu versorgen und vor allem auch die Verantwortung dafür getragen hatte, den Einzug der Siedler in die Wildnis bis hin zum Siedlungskomplex zu organisieren, zu überwachen und zu fördern. Dieses Komitee, das schon zum alten Eisen gelegt worden war, war nur ein innergemeindlicher Verband gewesen. Nun wurde es wieder eingesetzt, um zu schaffen, was wirklich notwendig, ja unerlässlich war, und was im Rahmen des Fürsorgekomitees anscheinend nicht erreicht werden konnte. Es war kein illegales Unternehmen, hatte aber auch keine Gesetzeskraft, d.h. keine staatlich gedeckte Vollmacht. Aber es versuchte dann, das Allernotwendigste für die Ostreserver Gruppe zu erledigen. Überdies gab man es nicht auf, eine Reform des Fürsorgekomitees, d.h. eine Veränderung des Verwaltungssystems, herbeizuführen.

Das Beispiel der Fernheimer

Inzwischen kamen die Russlandmennoniten und gründeten die Kolonie Fernheim angrenzend an die Mennosiedlung. Diese Siedler gingen sofort ans Werk der gemeinschaftlichen Einrichtungen. Ihr Verwaltungsapparat wurde von der Mehrheit des Siedlervolkes ins Leben gerufen und getragen. Das war es auch, was eine starke Mehrheit der Mennosiedler wollte, was aber an dem absonderlichen Aufbau ihrer Verwaltung scheiterte.

Im Januar 1932 stellte der Gemeindevorstand der Ostreserver eine Sitzung mit dem Fürsorgekomitee an, um die quälende Frage, ob sich nicht doch endlich etwas machen liesse, zu behandeln. Denn das Volk drängte auf Massnahmen, einen gangbaren, wirksamen Weg anzubahnen und einzuschlagen, um die Mängel in der Verwaltung zu beheben. Die Sitzung fand am 28. Januar statt. In dem Gemeinderat waren jetzt auch schon Angestellte aus der Westreserver Gruppe und diese, sowie auch einige andere aus der Westreserver Gruppe machten im Festhalten an der lahmen Funktion des Fürsorgekomitees nicht mehr mit, sondern schlossen sich ganz und gar der grossen, ausschlaggebenden Gruppe an, die entschieden, aber in sehr sachlicher Form auf Abänderung der Missstände drängte. Aber auch auf dieser Sitzung erreichte man weiter nichts, als dass es zu einer Auseinandersetzung kam. Die Chortitzer Gruppe versuchte die Saskatchewaner Vertreter davon zurückzuhalten, sich an den Abstimmungen zu beteiligen, da sie überhaupt nicht zur Gemeinde der grossen Gruppe gehörten. Die Sache aber, die gerade die grosse Gruppe anging, brachten sie dann durch ihre Stimmenabgabe, wenn auch auf der Grundlage des Statuts des Fürsorgekomitees, zum Scheitern, indem sie eine ''überwältigende'' Mehrheit zuwege brachten. Es liess sich aber nichts machen. Die Saskatchewaner Vertreter hielten sich an das, was mit der paraguayischen Regierung abgemacht worden war. Das aber bedeutete, dass sie als Vertreter einer Gruppe, die nur 10% des gesamten Siedlungskontingents ausmachte, mit 33% Stimmrecht auf Beschlüsse einwirken konnten. Der Gemeinderat gab dann zu verstehen, man wolle dann, weil nichts zu erreichen sei, mit den Siedlern darüber beraten und mit ihnen planen, was zu machen sei und welchen Weg man zu gehen haben werde.

Reformversuche

Der Gemeinderat veranstaltete dann auch sogenannte ''Bruderschaften'', am 16. Februar 1932 in Osterwick und am 17. Februar in Weidenfeld. Die Versammlungen forderten, eine der Grösse der Ostreserver Gruppe entsprechende Vermehrung der Verwaltungsvertreter zustande zu bringen. Es wurde auch der Vorschlag gemacht, überhaupt eine neue Verwaltung zu gründen. Dazu wurde vorgeschlagen, den Vorsitzenden des Fürsorgekomitees, der jetzt von der Mehrheit seiner Mitglieder eingesetzt wurde, künftig von der ganzen Gemeinde wählen zu lassen und ihn Vorsteher zu nennen.

Der Gemeindevorstand versuchte auch danach immer wieder, eine Wandlung der miserablen Verwaltungslage herbeizuführen. Wie jedoch eine Niederschrift vom 3. November 1932 zeigt, wurde bis dahin absolut nichts erreicht:

> "Einige Hauptstücke, die auf einer Sitzung, wo etliche vom Lehrdienst zugegen waren, den Bergthalern und Westreservern erklärt und angeboten wurden:
> 1. Das Statut des Fürsorgekomitees zu reformieren. — Wurde nicht angenommen.
> 2. Eine neue Verwaltung zu gründen, der das Fürsorgekomitee als verantwortliches Organ für den gesamten Landbesitz unterstellt werden soll. — Fand keine Beachtung.
> 3. Wurde vorgeschlagen, noch einmal eine Bruderversammlung anzustellen, wo dann auch die Westreserver alle zugegen wären, um noch einmal über die Sache zu beraten. — Wurde nicht für gut gehalten."

Man war darum jetzt so weit, mit seinen Verwaltungsproblemen zum Staatspräsidenten zu gehen. Weil die Verwaltung in ihrer jetzigen Form nun einmal bei der Regierung gesetzlich anerkannt worden war und das Statut eben der kleinen Gruppe die Machtfülle über die grosse Gruppe einräumte, wusste man keinen anderen Ausweg, als mit der Verwaltungsfrage zum Präsidenten zu gehen. Das war Dr. Eusebio Ayala, den die Mennoniten als sehr einsichtsvollen Mann kannten, und der auch einer der stärksten Befürworter der mennonitischen Chacokolonisation vom ersten Tage an gewesen war. Man hoffte, von ihm Unterstützung zu erlangen. Da Paraguay jetzt aber in einen Krieg mit Bolivien verwickelt war, wollte man jetzt nicht mit solchen Problemen zum Staatsoberhaupt gehen, sondern damit bis zum Kriegsende warten.

Inzwischen versuchte die grosse Chortitzer Gruppe eine Interimlösung für sich zu finden. Zwei Vertreter hatte ja auch diese Gruppe im Fürsorgekomitee, vom ersten Tage des Bestehens dieser Kolonieverwaltung an. Gesetzlich waren nicht mehr erlaubt. Als es sich nun herausstellte, dass daran auch nichts geändert werden konnte, stellte man ein provisorisches Verwaltungskomitee für diese grosse Gruppe heraus. Es waren dies die Siedler Jakob A. Braun, Jakob T. Dueck, Wilhelm D. Giesbrecht und Johann A. Schroeder. Das war im Jahre 1932. Denn es mussten schliesslich verschiedene Angelegenheiten in der jungen Siedlung geregelt werden.

Mitte 1934 stellte Jakob A. Braun, ein Vertreter der Ostreserver Gruppe, in Asunción fest, dass man dort jetzt mit dem Verwaltungsproblem ankommen könne. Der Krieg war zwar noch nicht beendigt, sein Ausgang aber schon abzusehen, und der lag sehr günstig für Paraguay. Am 3. September 1934 nahmen etliche Prediger der Chortitzer Gemeinde und drei Siedlungsvertreter der Ostreserver an einer Sitzung des Fürsorgekomitees teil. Die Ostreserver Vertretung machte hier die Vertreter der kleinen Gruppen damit bekannt, dass man jetzt mit der Verwaltungsangelegenheit nach Asunción zu gehen gedenke.

Vorsprache in Asunción

Jakob A. Braun, als Vertreter der Ostreserver, hatte in Asunción schon eine Verbindung mit einem deutschsprechenden Rechtsanwalt, Dr. Siegfrido V. Gross Brown, aufgenommen. An ihn richteten die Ostreserver etwa sechs Wochen vor ihrem Vorsprechen in Asunción ein Schreiben. In diesem Schreiben heisst es, man könne, was die Angelegenheit mit dem Fürsorgekomitee betreffe, noch von keinem Erfolg berichten. Die vier Mitglieder der zwei kleinen Gruppen würden sich nicht dem Gemeindebeschluss fügen, nach welchem das Komitee aufgebessert werden solle, indem man Vertreter nach Bedarf einsetze, und dass der Generalbeauftragte (der mit ''Vorsteher'' zu benennen sei) von der ganzen Kolonie gewählt werden solle. Man sei noch keinen Schritt weiter gekommen.

Im September 1934 wurden dann drei Männer der Chortitzer Gruppe nach Asunción gesandt, um dort mit der Angelegenheit des Fürsorgekomitees vorstellig zu werden. Diese drei Männer waren Jakob A. Braun, Peter T. Klassen und Abraham A. Braun. Sie sprachen am 27. September beim Präsidenten vor. Zuerst gaben sie Erklärungen vor dem Herrn Präsidenten zu ihrer Verwaltungslage, und danach sprachen sie ihre Wünsche aus, indem sie den Herrn Präsidenten um Vermittlung in ihren Verwaltungsschwierigkeiten baten. In der schriftlichen Fassung ihrer Eingabe wird einleitend ausgeführt, dass das Fürsorgekomitee das Verwaltungsorgan für die Siedler sei. Es bestehe laut Statut aus 6 Mitgliedern: 2 für jede Gruppe oder — nach kanadischer Bezeichnung — ''Reservat'' nämlich 2 für die Saskatchewaner Gruppe, 2 für die Westreserver Gruppe und 2 für die Ostreserver Gruppe. Weiter heisst es wörtlich:

> ''Es hat sich die Einrichtung der Verwaltung nach mehrjähriger Erfahrung als mangelhaft und verfehlt erwiesen, und zwar aus dem Grunde, weil die Mitglieder des Fürsorgekomitees nicht gleichmässig auf die Siedlung verteilt sind. Die zwei erstgenannten Gruppen mit einer Bevölkerung von etwa 300 Personen und einer Landfläche von etwas über 13 500 ha haben vier Vertreter, während unsere ''Reserve'', bzw. Gruppe, mit etwa 1200 Personen und 42 000 ha Land nur zwei Vertreter hat.
>
> Nicht immer sind die Interessen der verschiedenen Gruppen die gleichen. Wegen seiner Lage, seiner Bevölkerung, der Art und Grösse der Pflanzungen, bedarf unsere Gruppe zuweilen gewisser Mass-

nahmen, die nicht den Bedürfnissen der anderen entsprechen. Um diese Mängel zu beseitigen und mit dem Wunsche, eine gute Verwaltung mit einer Vertreterschaft, die der Bedeutung unserer Gruppe angepasst ist, zu schaffen, haben wir den Vertretern der Saskatchewaner Gruppe und der Westreserver Gruppe vorgeschlagen, entweder:

1. Unserer Gruppe mehr Vertreter im Fürsorgekomitee zuzulassen und eine Generalverwaltung einzurichten, wo dann der Generalverwalter oder Vorsteher von der ganzen Kolonie gewählt werden muss, oder:

2. Auflösung des Fürsorgekomitees und Einrichtung einer neuen Verwaltung.

Beide Vorschläge sind abgelehnt worden.''

Weiter versicherten sie dem Herrn Präsidenten, dass die gegenwärtige Lage unhaltbar sei, und dass das Volk den innigen Wunsch hege, eine Abänderung der Verwaltungsorganisation zu erlangen. Man sei bereit, alles Mögliche zu tun, um seine Rechte zu wahren. Man teilte dem Präsidenten auch mit, dass auch aus den beiden kleinen Gruppen eine Anzahl Siedler auf der Seite der Ostreserver Gruppe stünden und eine Änderung der Verwaltungsform herbeiwünschten. Die Audienz schloss mit folgender Bemerkung von seiten der mennonitischen Besucher:

''Da Sie sich, Herr Präsident, insbesondere für die mennonitische Kolonisation eingesetzt und sich unseren Wünschen gegenüber immer offen erwiesen haben, bitten wir Sie, Herr Präsident, inbrünstig um Vermittlung in dieser unserer Sache, damit eine Lösung gefunden werden könnte.''

Bald nach dem oben erwähnten Besuch reisten auch von den zwei kleinen Gruppen Vertreter nach Asunción, um beim Staatspräsidenten vorstellig zu werden. In einem Memorandum dieser zwei Gruppen, vom 30. Oktober 1934, über diese Begegnung heisst es:

''Der Präsident erklärte die Beschwerden der Ostreserver, die schriftlich vorlägen: Aufteilung des Fürsorgekomitees, damit die Ostreserver ihre eigene Verwaltung bekämen. Als Ostreserver hätten sie fünf Vertreter verlangt. Die Westreserver und Saskatchewaner aber hätten dies verweigert. Es gäbe so viele Angelegenheiten in der Ostreserver Gruppe, die das Fürsorgekomitee nicht interessierten. In anderen Worten: Das Fürsorgekomitee würde ihre lokalen Interessen nicht wahrnehmen, und sie könnten wirtschaftlich viel besser vorankommen, wenn sie ihre eigene Verwaltung hätten.

Der Präsident teilte dann weiter mit, er bedaure es, dass die Mennoniten sich uneinig seien. Das sei schädlich und nachteilig für sie. Man habe schon genug Zwistigkeit im Lande. Die Mennoniten stünden als ein Beispiel von Einigkeit und Stärke da. Das (paraguayische) Volk habe den Eindruck, die Mennoniten seien von grosser Einigkeit und betrachteten sie als Vorbild. Der Präsident betonte wiederholt, wir (als Mennoniten) sollten doch zusammenhalten; denn wenn das (paraguayische) Volk es merke, dass wir nicht einig seien, könnte das von grossem Nachteil für die Mennoniten sein.

Der Präsident riet uns dringend, die Sache mit Dr. Gross Brown zu besprechen. Der Präsident sagte, er wolle Dr. Gross Brown beauftragen, nach der Kolonie zu reisen, um die Angelegenheit zu regeln. Er sagte, Dr. Gross Brown zeige grosses Interesse und Verständnis für die Mennoniten. Er sei ein Rechtsgelehrter und wisse die Sachen zu beurteilen.

Der Präsident sprach sich dahin aus, dass eine Lösung gefunden werden möge und wir wieder zusammenarbeiten könnten. Wir sprachen unser Bedauern darüber aus, dass diese Streitsache überhaupt hierher gebracht worden sei.

Der Präsident erklärte weiter, dass eine Aufteilung der Kolonie viel Unannehmlichkeiten verursachen würde. Es müssten andere Körperschaften inkorporiert werden, denen ihr betreffendes Eigentum übertragen werden müsste. Die Kirchengemeinde sei keine juristische Person. In anderen Worten: Die Gemeinde müsste erst inkorporiert werden. Eine Gruppe von Personen kann nach dem Gesetz nicht Grundeigentum besitzen, ohne vorher bei der Regierung inkorporiert zu sein.

Der Präsident sagte, er wolle sich nicht in Privatsachen einmischen. Er könne nur die Rolle eines Vermittlers übernehmen, und dazu sei er bereit, wenn es gewünscht werde.

Der Präsident sagte zum Schluss noch, er habe die Beschwerdeführer gefragt, was für Beschuldigungen sie gegen das Fürsorgekomitee hätten. Darauf hätten jene geantwortet, Beschuldigungen hätten sie keine, z.B. der Unterschlagung oder der Korruption.''

Die Audienz dauerte 25 Minuten.

So unangenehm die Angelegenheit auch war, die Ostreserver Gruppe war entschlossen, so oder anders eine Veränderung herbeizuführen. Der erste Schritt sollte sein, zu versuchen, das Fürsorgekomitee zu behalten, aber eine Reform seiner Struktur durchzuführen. Wenn das aber nicht möglich wäre, dann müsste eine neue Verwaltung ins Leben gerufen werden. Auf einer Zusammenkunft der Siedler am 18. Februar 1935 wurde beschlossen, die Satzungen des Fürsorgekomitees wie folgt abzuändern: 1. dass die Mitglieder von der Gemeinde gewählt würden und nicht von der Mehrheit der Mitglieder des Fürsorgekomitees und 2. dass der Vorsteher von den Bürgern gewählt werden sollte und nicht von den Mitgliedern des Fürsorgekomitees. Mit diesen Beschlüssen traten die Ostreserver dann wieder vor das Fürsorgekomitee. Was dabei herauskam, ersieht man aus dem Protokoll des Fürsorgekomitees vom 11. März 1935:

''Erstens wollten J. A. Braun und die anderen von den Ostreservern mal wieder die Zustimmung haben, das Statut des Fürsorgekomitees zu ändern:
a) dass die Mitglieder des Fürsorgekomitees von der Gemeinde gewählt werden,
b) dass ein Generalverwalter von der Kolonie gewählt werden sollte,
c) dass das Fürsorgekomitee von der Gemeinde abhängig sein sollte.
Durch Verlesen des Statuts wurde versucht, den Ostreservern zu

beweisen, dass a) und c) darinnen vollständig gedeckt sind. Aber einen Generalvertreter einzusetzen, wurde nicht zugestimmt."

Die Ostreserver schickten dann wieder zwei Männer nach Asunción, nämlich den Ältesten Martin C. Friesen und Jakob A. Braun, um sich weiter mit dem Herrn Präsidenten darüber zu beraten, welche Wege man zur Regelung der Angelegenheit mit dem Fürsorgekomitee einschlagen solle. Sie fuhren am 18. März von zu Hause los. In Asunción erschienen sie am 2. April vor dem Herrn Präsidenten, Dr. Eusebio Ayala. Dr. Siegfrido V. Gross Brown begleitete sie. Auch Herr Johann Priesz gesellte sich zu dieser Gruppe, aber er stand nicht auf der Seite der Ostreserver, sondern unterstützte die kleinen Gruppen. Am 9. April kehrten die Männer zurück. Dem Memorandum über diesen Besuch beim Präsidenten entnehmen wir:

"Der Präsident empfing uns im Palast und wir hatten mit ihm eine Aussprache, die etwas über eine Stunde dauerte. Dr. Gross Brown machte die Einleitung. Das Thema der Aussprache war die Verwaltung der Kolonie Menno. Herr Jakob A. Braun legte das Bittgesuch zur Änderung des Statuts für das Fürsorgekomitee vor. Der Herr Präsident, sowie auch Dr. Gross Brown, lasen die Schrift und machten dann einige Bemerkungen dazu. Der Präsident merkte sich die Zahl der Unterschriften und fragte nach der anderen Seite. Dabei erwähnte er, die andere Seite habe Protest eingelegt. Wir überreichten dem Präsidenten dann einen Entwurf für eine Verwaltungsorganisation, worinnen unter anderem eine Sicherstellung wegen Verpfändung und Verkauf des Landes durch Mitglieder des Fürsorgekomitees gewünscht wird. Der Herr Präsident erwiderte darauf, dass so ein Gesetz in Paraguay nicht bestünde. Er lehnte es auch ab, so ein Gesetz zu dekretieren.

Unter anderem sagte der Präsident auch, es sei besser, sich zu teilen als in steter Uneinigkeit zu leben. Er empfahl, zwei Komitees einzurichten und versicherte, dass sie alle Angelegenheiten der beiden Komitees — jedoch unter verschiedenen Namen — so annehmen würden, wie sie es bis jetzt mit dem einen getan hätten. 'Jedoch scheint es mir so', bemerkte der Präsident, 'dass es nicht Ihr Wunsch ist, sich zu teilen'. Er gab dann folgenden Vorschlag: die Ostreserver Gruppe sollte künftig vier Mitglieder im Fürsorgekomitee haben, und ein Generalverwalter sollte von den Kolonisten gewählt oder vom Fürsorgekomitee ernannt werden. Wir fragten, ob eine Klausel dafür an das Statut des Fürsorgekomitees angehängt werden könnte, was der Präsident bejahte. Eine weitere Frage war, was zu tun sei, wenn das Fürsorgekomitee nach seinem Vorschlage nicht auf friedlichem Wege eingerichtet werden könne. 'Dann teilen', erwiderte der Präsident. Zuletzt fragten wir dann, ob es möglich sei zu teilen, wenn vier Mitglieder dagegen seien. Er sagte ja, aber das Volk müsse dann eine Bittschrift einreichen.

Der Präsident sprach auch seine Besorgnisse über unsere Meinungsverschiedenheit aus und sagte, er wolle alles Mögliche zu tun versuchen, um diese Meinungsverschiedenheit beilegen zu helfen. Auch sagte er, er hoffe, wir würden nicht gerichtlich vorgehen, und führte weiter aus, er rechne damit, wir blieben mit der Angelegenheit unter uns. Oder — fügte er fragend hinzu — ob wir im Ernstfalle doch noch gerichtlich vorgehen würden. Wir antworteten, nein, das würden wir nicht.

Es wurde bemerkt, dass das Fürsorgekomitee zum Schutze einer Minderheit eingerichtet worden sei. Und der Präsident ergänzte, nach solcher Form herrsche die Minderheit über eine Mehrheit. Die Mehrheit aber müsse regieren. Man einigte sich dann, die Vorschläge dem Volke vorzulegen und danach mit dem Ergebnis wieder beim Präsidenten vorstellig zu werden.

Nachdem die Herren Friesen, Braun und Priesz dem Herrn Präsidenten ihre Anliegen und ihre Vorschläge dargelegt hatten und jede Partei die Reformvorschläge der anderen zurückwies, empfahl der Präsident, um die Einheit der Kolonie zu wahren, Massnahmen, die er für eine Lösung der augenblicklichen Meinungsverschiedenheiten für günstig hielt. Diese würden nach seiner Meinung eine bessere Verwaltung der Kolonie ermöglichen, vorausgesetzt, dass alle Gruppen in gegenseitigem Vertrauen mitarbeiteten. Die Empfehlungen des Präsidenten waren:

1. Paragraph 5 des Statuts des Fürsorgekomitees solle lauten: 'Die Mitgliederzahl der Organisation ist acht, vier von ihnen aus der Gruppe der Ostreserver und je zwei aus der Westreserver und der Saskatchewaner Gruppe.
2. Die Mitglieder des Fürsorgekomitees müssten sich verpflichten, diejenigen Personen als Mitglieder zu ernennen, die die betreffenden Gruppen gewählt hätten.
3. Die drei Siedlungsgruppen verpflichten sich, einen Generalverwalter zu ernennen, der von der ganzen Kolonie oder vom Fürsorgekomitee gewählt sein würde.
4. Der Grundbesitz verbleibt wie früher dem Fürsorgekomitee. Aber da die Ostreserver ihre Vertretung vermehrt haben, ist es unmöglich, dass das Fürsorgekomitee ohne den Willen dieser Gruppe über deren Grundstücke verfügen kann.''

Nach der Rückkehr aus Asunción fuhren die beiden Beauftragten der Ostreserver Gruppe, die in Asunción eine Aussprache mit dem Staatspräsidenten gehabt hatten, zu einer Sitzung des Fürsorgekomitees, lasen dort die Empfehlungen des Präsidenten vor und unterhielten sich mit den vier Vertretern der zwei kleinen Gruppen des Fürsorgekomitees. Aber eine Antwort auf die Frage, was sie zu den Empfehlungen zu sagen hätten, erhielten sie von diesen nicht. Es dauerte dann nach der Sitzung noch einige Zeit, bis die Antwort kam. Sie lautete:

"Auf die Vorschläge des Präsidenten der Republik von Paraguay vom 2. April 1935 haben wir als Westreserver Gruppe und als Saskatchewaner Gruppe dem Vorschlag zugestimmt, dass die Ostreserver Gruppe vier Mitglieder anstatt zwei im Fürsorgekomitee haben kann, aber ohne Generalverwalter.''

Die Mitteilung trägt keine Unterschrift.

Einige Tage später — am 21. Mai — fand dann wieder eine Siedlerversammlung der Ostreserver Gruppe statt, und es wurden folgende Beschlüsse gefasst:

"1. Eine Verwaltung für die Ostreserver Gruppe einzurichten und sie mit dem Namen "Chortitzer Komitee" zu benennen.
2. Falls es sich als notwendig erweisen wird, solle ein anderer Name für die Kolonie angenommen werden.
3. Ein Vorsteher soll gewählt werden.
4. Eine Bittschrift an den Staatspräsidenten zu richten und ihn um Rat zu bitten.
5. Für die Deckung der Reisekosten eine Kollekte zu heben."

Gründung einer neuen Verwaltung: das Chortitzer Komitee

Bei sich rechnete man schon damit, dass es zur Gründung einer neuen Verwaltung kommen würde, weil die Empfehlungen des Staatspräsidenten vom Fürsorgekomitee praktisch nicht angenommen worden waren. Aber, um dem Herrn Präsidenten zu zeigen, dass die Empfehlungen vom weitaus grössten Teil der Siedler akzeptiert worden seien, stellte man nachstehendes Schriftstück auf und liess es von den Siedlern unterschrieben:

"Wir, als Bürger der Kolonie Menno und Mitglieder der Ostreserver Gruppe wünschen das Statut des Fürsorgekomitees zu reformieren, und zwar wie folgt:
1. Dass die Mitglieder des Fürsorgekomitees nach Bedürfnissen von den Bürgern der Kolonie gewählt werden sollen,
2. Dass ein Generalvorsteher von den Bürgern der Kolonie gewählt werden soll,
3. Dass das Fürsorgekomitee von der Kolonie abhängig sein soll.
Bestätigt mit eigenhändiger Unterschrift: . . . "

Die gleiche Fassung dieses Reformwunsches wurde auch für Mitglieder der Westreserver Gruppe und der Saskatchewaner Gruppe aufgestellt. Von den 20% der Siedler dieser beiden kleinen Gruppen unterschrieben dann auch etwa die Hälfte, so dass von den beiden kleinen Gruppen noch etwa 10% der Siedler verblieben, die das Statut des Fürsorgekomitees so behalten wollte, wie es einmal aufgesetzt und registriert worden war. Zusammen mit der Ostreserver Gruppe, die etwa 80% der ganzen Kolonie ausmachte, unterschrieben also etwa 90% der Bürger der Kolonie Menno und sprachen damit den Wunsch aus, dass eine Veränderung in der Verwaltungsform herbeigeführt werden sollte.

Im Juni 1935 stellte der Gemeindevorstand eine Wahl für Mitglieder der neu zu gründenden Verwaltung an, die auf gesetzliche Anerkennung wartete, und die dann den Namen "Chortitzer Komitee" tragen sollte. Man wählte 5 Ratsmitglieder und einen Vorsteher. Zum Vorsteher wurde Jakob A. Braun erwählt und als Verwaltungsmitglieder Jakob T. Dueck, Heinrich F. Harder, Peter T. Klassen, Jakob H. Hiebert und Jakob W. Kauenhowen. Diese 6 Personen bildeten das sogenannte Direktorium. Dann wurden noch aus fast allen Dörfern etliche Männer ernannt — insgesamt 33 Personen — die als Gesellschafter eingetragen wurden und das gesetzmässige Rückgrat der neuen Kolonieverwaltung bildeten.

Im Juli 1935 begaben sich dann wieder zwei Vertreter der Ostreserver Gruppe, und zwar der Gemeindeälteste Martin C. Friesen und der Verwaltungsvertreter Jakob A. Braun, nach Asunción und sprachen dort wieder beim Staatspräsidenten vor. Sie hatten in ihrer Angelegenheit einen hervorragenden Unterstützer und Leiter in dem Rechtsanwalt Dr. Siegfrido V. Gross Brown, mit dem sie alles in deutscher Sprache abmachen konnten und der auch die Übersetzung ins Spanische machte, wie sie immer wieder notwendig waren. Mit Dr. Eusebio Ayala konnten sie sich auch in englischer Sprache unterhalten. Die beiden Ostreserver Vertreter legten dem Staatspräsidenten dann ein Schriftstück folgenden Inhalts vor:

> Die Veränderungen des Statuts des Fürsorgekomitees, wie sie von Ihnen, Herr Präsident, am 2. April vorgeschlagen wurden, konnten nicht verwirklicht werden, weil die Gruppen der Westreserver und Saskatchewaner den Punkt, der die Wahl eines Vorstehers durch allgemeine Volksabstimmung vorsieht, nicht angenommen haben. Angesichts dieser Tatsache und beseelt von dem innigsten Wunsche, eine Beilegung dieses Zwistes baldmöglichst zu erreichen, wenden wir uns wieder an Sie, Herr Präsident, da Ihnen unser Wunsch bekannt ist und Sie unserem Anliegen stets bereitwilligst entgegengenommen haben.
> So bitten wir jetzt um Unterstützung zur Gründung einer neuen Gesellschaft, und zwar unter dem Namen "Chortitzer Komitee", und das für unsere Gruppe, wie sie im Statut des Fürsorgekomitees genannt ist. Sie soll die Verwaltungs- und Handelsorganisation für unsere Gruppe und gleichzeitig auch dazu befähigt sein, das Land zu übereignen. Diese Gesellschaft soll aus 5 Mitgliedern und einem Vorsteher bestehen. Doch kann die Zahl der Mitglieder den jeweiligen Verhältnissen angepasst werden. Die Mitglieder sollen nach einer dreijährigen Dienstperiode und der Vorsteher nach einer einjährigen Dienstperiode umgewählt werden. Die Wahl der Mitglieder aber soll so eingerichtet werden, dass sie nicht für alle gleichzeitig geschieht.''

Es ist nichts darüber zu finden, welche Reaktion obiges auslöste — aber es ist bekannt, dass die obige Eingabe Beachtung und Anerkennung fand, nur ging die Sache langsam.

Wieder zurückgekehrt, wurde anhand des Statuts des Fürsorgekomitees ein Entwurf für eine neuzugründende Verwaltungsgesellschaft angefertigt. Man hielt sich zum Teil an das Statut des Fürsorgekomitees, änderte ab, liess einiges ganz aus und fügte Neues hinzu. Man versuchte, brieflich mit Asunción in Verbindung zu bleiben, was aber nicht so richtig gelang. So fuhren dann im Januar 1936 wieder zwei Vertreter der Ostreserver Gruppe nach Asunción, die Sache zu fördern. Es waren Jakob A. Braun und Peter T. Klassen. In dem Memorandum über die Vorsprache beim Staatspräsidenten heisst es unter anderem:

> "Wir berührten dann unser Bittgesuch vom Juli 1935, worinnen wir den Herrn Präsidenten um Rat und Hilfe zur Gründung einer Gesellschaft unter dem Namen "Chortitzer Komitee" gebeten hatten und worauf er uns damals einen Vorschlag gemacht hatte, den wir unseren Bürgern auch vorgelegt hätten. Dann hätten wir uns geeinigt, demgemäss eine Gesellschaft zu gründen. Wir hätten dann im August 1935 ein Schreiben an Dr. Gross Brown gerichtet und ihn gebeten, ein Statut dafür auszuarbeiten und uns eine Übersetzung in deutscher Sprache zuzusenden. Da aber eine Antwort ausgeblieben sei, bäten wir nun den Präsidenten um Rat und Hilfe, wie die Sache voranzutreiben sei. Der Präsident erwiderte, er sei mit Arbeit überlastet und könne nicht sagen, wann er soweit sein werde, unsere Arbeit anzupacken. Aber — sagte er — Dr. Gross Brown wisse gut Bescheid, befände sich jetzt aber in Buenos Aires. So müsse man warten, bis der zurückgekehrt sei."

Nachdem dann unter Mitwirkung des Staatspräsidenten und des Rechtsanwalts Dr. Gross Brown eine Fassung des Statuts zur Gründung einer neuen Verwaltungsgesellschaft entworfen worden war, wurde sie auf einer Koloniesitzung gründlich geprüft und behandelt. So entstand wieder für eine bürgerliche Gesellschaft ein Verwaltungsorgan, jetzt aber mit einer grösseren Anzahl gesetzesbefugter Persönlichkeiten. Man fing mit 33 Personen an, plus die 6 Mitglieder des Direktoriums. Alle mussten sie das Statut unterschreiben. Um das möglich zu machen, kam der Friedensrichter aus Puerto Casado bis zur Estancia Pozo Azul, wo er sich mit den Gründern der neuen Verwaltung traf und sie vor ihm unterschrieben. Denn es war einfacher, den Herrn Friedensrichter bis Pozo Azul kommen zu lassen, als alle diese Personen nach Puerto Casado zu bringen.

Das war im Juli 1936. Ein Aufatmen ging durch die Reihen der Siedler. Die Verwaltungsbetätigungen regten sich zu neuem Leben. Die Vertreter der grossen Gruppe, die die eigentliche Siedlermasse ausmachte, durften jetzt in obrigkeitlich anerkanntem Rahmen alles Notwendige für die junge Siedlung unternehmen. Es ging nur langsam, aber es ging voran. Im April war schon ein sogenannter "Kolonieladen" eröffnet worden. Man hatte damit im Dorfe Reinland angefangen, wo man sich ein Gebäude von Wilhelm F. Krahn gepachtet hatte, das als Laden eingerichtet war. Man hatte ihm seine Waren abgekauft und angefangen, Waren aus Asunción einzuführen.

Das Statut der neuen Verwaltung sah etwa so aus:

"STATUT

für eine Organisation, die übereinstimmend mit den Gesetzen 514 und 914 und unter der Garantie und dem Schutz der Konstitution und der Gesetze der Republik Paraguay für eine bürgerliche Gesellschaft der

Mennoniten, die zur Gemeinschaft der "Chortitzer der Ostreserve" in der Kolonie Menno, im paraguayischen Chaco, gehört und die unter dem Namen "Chortitzer Komitee" ihre Einrichtungen nach folgenden Grundsätzen und Bedingungen gestalten will:

1. Die Niederlassung der Gesellschaft ist die Ostreserver Gruppe der Kolonie Menno im paraguayischen Chaco, innerhalb der Gerichtsbarkeit von Puerto Casado.
2. Die Gesellschaft wird mit folgenden Absichten und Befugnissen eingerichtet:
   a) Kolonisierung paraguayischen Bodens im Chaco,
   b) Moralische und materielle Hilfe für die Kolonisierung zu beschaffen, Unterstützungen, die für die Etablierung und die Entwicklung der Kolonie notwendig oder günstig sein könnten, zu gewähren oder zu verschaffen,
   c) Kreditoperationen zu bewältigen, Darlehen für die Etablierung und Entwicklung der Kolonie, indem den Siedlern damit geholfen wird, entgegenzunehmen oder zu bewilligen,
   d) Bewegliche und unbewegliche Güter und Vermögen verschiedener Art in der Republik und auch ausserhalb zu erwerben und zu veräussern,
   e) Alle handelsbezogenen Aktivitäten im Lande wie auch ausserhalb der Republik, wie sie für die Entwicklung der Kolonie nötig sind, auszuüben,
   f) Fabrikmarken, Handels- und Tiermarken zu besitzen und zu registrieren,
   g) Vertretungen, Kommissionen und Konsignationen auszuüben, Agenturen und Vertretungen in und ausserhalb der Republik zu gründen,
   h) Pfandkontrakte, Hypotheken und andere Formen von Garantien zu tätigen,
   i) Alle Ermächtigungen, die durch die Gesetze und besonders durch den "Codigo Civil" (Zivilgesetzbuch) an die juristischen Personen bewilligt sind, auszuüben,
   j) Im allgemeinen: alle Aktivitäten, die notwendig und nützlich oder passend sind für Begünstigungen, Hilfen oder für den Schutz der Mennonitenkolonisten, die sich in Paraguay niederlassen, zu verwirklichen.
3. Das Vermögen dieser Verwaltungsgesellschaft besteht aus 400 000 paraguayischen Pesos, 1500 argentinischen Pesos und 42 306 Hektar land, das gegenwärtig noch auf den Namen des "Fürsorgekomitees" eingetragen ist, welches dieses Landgut gelegentlich auf den Namen des "Chortitzer Komitees" übertragen wird.
4. Neue Mitglieder können durch Beschluss der Mehrheit der Gesellschafter aufgenommen werden. Die "Gesellschafter", (die 33 ausser dem Direktorium) müssen immer zu der erwähnten Gemeinschaft der "Chortitzer" gehören.
5. Im Falle des Todes, des freiwilligen Austritts, verlängerter Abwesenheit oder des Ausscheidens eines der Mitglieder durch Ausschluss auf Beschluss der Mehrheit des Chortitzer Komitees, wird dieses ausscheidende Mitglied durch einen anderen Mennoniten, der zu dieser Gemeinschaft gehört und durch die Mehrheit der Mitglieder dieser Gesellschaft gewählt ist, ersetzt.

6. Im Falle des Todes, des freiwilligen Austritts, längerer Abwesenheit oder des Ausscheidens durch Ausschluss auf Mehrheitsbeschluss eines der Mitglieder dieser Gesellschaft, wird dieses Mitglied oder seine Nachkommen kein Recht haben, als Mitglied des Chortitzer Komitees einen Teil des Vermögens der Gesellschaft zu beanspruchen.

7. Die Gesellschaft wird durch ein Direktorium von fünf oder mehr Mitgliedern verwaltet. Die Direktoriumsmitglieder werden durch einfache Stimmenmehrheit der Generalversammlung der Gesellschaft gewählt. Die Mitglieder im Direktorium bleiben zwei Jahre im Amt. Ihre Diensttermine werden dann weiterhin aber verschoben, damit nicht alle zu gleicher Zeit neu eingesetzt werden können.

8. Die Gesellschaft wird durch einen General–Administrator vertreten. Dieser General–Administrator wird jährlich von der Generalversammlung neu eingesetzt. Der General–Administrator wird folgende Befugnisse haben:

a) Die Korrespondenz zu führen,

b) Die Konten der Gesellschaft zu eröffnen und sie von Zeit zu Zeit dem Direktorium zur Begutachtung vorzulegen,

c) Schecks, Wechsel, und andere Wertpapiere im Namen der Gesellschaft auszustellen und einzukassieren,

d) Zahlungen verschiedener Art entgegenzunehmen und zu tätigen,

e) Die Mitglieder der Gesellschaft jährlich zu einer Generalversammlung einzuladen,

f) Überhaupt alle Aktivitäten, die zu der Kompetenz eines Direktors, Administrators oder General-Bevollmächtigten gehören, auszuüben,

g) Diejenigen Aktivitäten, die nach dem Gesetz eine besondere Vollmacht erfordern, werden durch den General–Administrator und durch die Mehrheit des Direktoriums ausgeführt.''

Auflösung des Fürsorgekomitees

Das Fürsorgekomitee blieb dann dem Namen nach noch bestehen, funktionell aber war es lahmgelegt — und in Wirklichkeit hatte es überhaupt nicht funktioniert, denn es sollte ja die Entwicklung der Siedlung fördern, und das war nicht geschehen. Es war jetzt nur noch eine Frage der Zeit, wann es ganz aufgelöst würde. Es war jetzt noch eine inhaltlose Organisation, eine Organisation, die einen Namen hatte — und weiter auch nichts. Nach einer Reihe von Jahren (in den 1950er Jahren) wurde es offiziell aufgelöst und alle drei Landtitel auf das Chortitzer Komitee übertragen.

Es ist dieses ein unrühmliches Blatt in der Geschichte der Kolonie Menno, Es hat aber — Gott sei dank! — eine völlige Aussöhnung aller Beteiligten stattgefunden, und keiner hat den Verwaltungszwist ungeregelt mit ins Grab genommen.

Fussnoten zu Kapitel XVIII
Der dornenvolle Weg der Siedlungsverwaltung

1. Nach Mitteilungen des Ält. Martin C. Friesen. Er und Abraham A. Braun vertraten die grosse Chortitzer bzw. Ostreserver Gruppe im Fürsorgekomitee. Diese Gruppe bildete etwa 70% der gesamten Chacosiedlermasse. Diese Gruppe erhielt aber nur ein Drittel des Stimmrechtes des dreiteiligen Verwaltungssystems, wohingegen die Sommerfelder (Westreservat) Gruppe und die Saskatchewaner (Altbergthaler) Gruppe, die zusammen kaum 20% der Gesamtgruppe ausmachten, auch je ein Drittel Stimmrecht erhielten.

Das solche proportionell sehr ungleiche Verteilung des siedlungsverwaltlichen Stimmrechtes sich für die Dauer nicht gut auswirken würde, ahnten die beiden Ostreserver Vertreter schon sofort und erhoben Einspruch gegen solche Struktur. Das war am 19. Juni 1928 im Büro des Friedensrichters (Juez de Paz) in Puerto Casado, wo die sechs mennonitischen Mitglieder der neu zu gründenden Verwaltung der angehenden Wildnissiedlung versammelt waren, um vor dem Herrn Richter im Beisein einiger Zeugen, das Statut zu begutachten und zu unterzeichnen.

Als die Ostreserver Vertreter ihre Bedenken über solche ungleiche Stimmrechtsverteilung äusserten, merkten sie sofort, dass bestimmte Überlegungen vorangegangen seien, und ihre Vorschläge, diesen Punkt entsprechend abzuändern, wurde brüsk abgelehnt. Friesen und Braun sagten sich, sie wollten doch nicht gleich am Anfang der sowieso schwierigen Wildnisansiedlung Streit auf den Tisch bringen, und schwiegen dann weiter über diese Unannehmlichkeit.

Als dann aber nach kurzer Zeit der Ansiedlung sich das ungleiche Stimmrechtsverhältnis zum Nachteil der Siedlung, bzw. zum Nachteil der grossen Ostreserver Gruppe auswirkte und die Verbesserungsvorschläge fruchtlos blieben, gestanden Friesen und Braun auf eine Brüderversammlung, dass sie einen verhängnisvollen Fehler begangen hätten, indem sie das Statut am 19. Juli 1928 in Pto. Casado unterschrieben, und nicht sofort eine konkrete Änderung beantragt hätten. Sie hätten aber wollen Streit vorbeugen, denn sie hatten gemerkt, dass es ein energisches Durchstehen erfordert hätte — jetzt aber war der Streit viel tiefgreifender als er damals gewesen sein würde; man hätte dann das ''Unwesen'' im Keime erstickt, jetzt musste man mitten hindurch.

2. Dr. Walter Quiring: *Russlanddeutsche suchen eine Heimat* Seite 62

3. Nach einer Mitteilung des Heinrich A. Braun, einer aus der Westreserver Gruppe, der sich aber noch im Siedlerlager in Puerto Casado entschied, sich der Ostreserver Gruppe der Chortitzer Gemeinde, der grössten und führenden Gruppe anzuschliessen. Mit ihm waren noch weitere 26 Familien aus der Westreserver Gruppe, die sich noch in Pto. Casado dafür entschieden, mit der Chortitzer Gruppe eins zu werden, in ihr aufzugehen. Sie erhöhten damit das prozentuelle Verhältnis der Ostreserve Gruppe auf gut 80% im Anteilhaben im dreiteiligen Verwaltungssystem. Für die am Eigenwesen der gruppenbezogenen Herkunft war solches Abgehen der 27 Familien ein Ärgerniss, das ihren ''geringen'' Einfluss dann noch mehr schmälerte, was man alsdann mit einem ungleichen Stimmrechtsverhältnis, wie es im Verwaltungsstatut festgelegt wurden, auszugleichen suchte.

Hinweis zu

Fürsorgekomitee oder auch **Verwaltung der Mennonitenkolonien in Russland** siehe
C. H. Smith — *Die Geschichte der Mennoniten Europas* S.279 ff
D. H. Epp — *Die Chortitzer Mennoniten* — Die weltlichen Vorstände und die Gerichtsbarkeit — S.75
Mennonit. Lexikon — Bd. III — S.573

Mennonite Encyclopedia — Unter Stichwort: Fürsorge Komitee — Bd. II — S. 426   und
Government of Mennonites in Russia — Bd. II — S.556

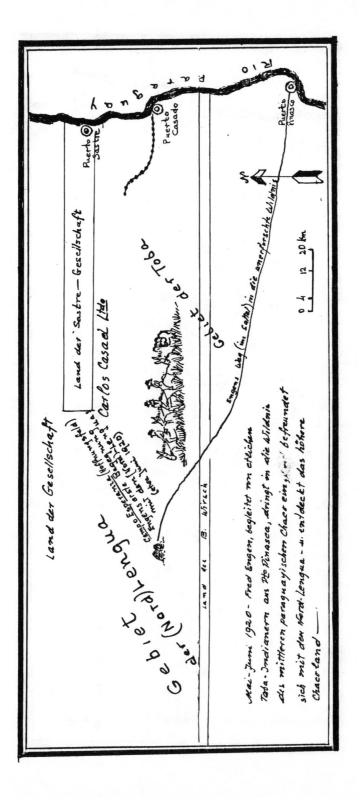

Land der Gesellschaft

Land der Sastre—Gesellschaft

Carlos Casado Ltda

Gebiet der Toba

Land des B. Wirsch

Gebiet der (Nord) Lengua

Puerto Sastre

Puerto Casado

Puerto Pinasco

Engens Weg (im Sattel) in die unerforschte Wildnis

0 4 12 20 km

Campos Experimente (Hoffnungsfeld(a)
Experimente Beginn (1924-1926)
ein mit später Jahre)

Mai–Juni 1920 – Fred Engen, begleitet von etlichen
Toba-Indianern aus Pto Pinasco, dringt in die Wildnis
des mittleren paraguayischen Chaco ein – befreundet
sich mit den Nord-Lengua – u. entdeckt das höhere
Chacoland ——

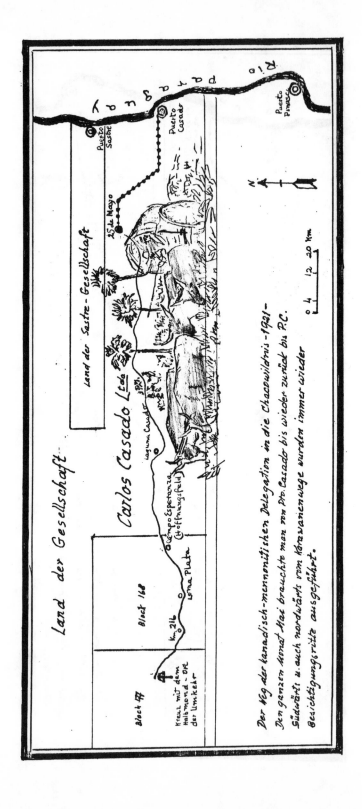

land der Gesellschaft·

Carlos Casado Ltda

land der Sastre - Gesellschaft

Block 77

Block 160

km. 216

Loma Plata

Campo Esperanza
(Hoffnungsfeld)

Laguna Cuaste

25 de Mayo

Puerto Sastre

Puerto Casado

Puerto Pinasco

Rio Paraguay

Kreuz mit dem
Halbmond – Ort
der Umkehr

N

0 4   12   20 Km

Der Weg der kanadisch-mennonitischen Delegation in die Chacowildnis -1921-
Den ganzen Monat Mai brauchte man von Pto. Casado bis wieder zurück bis P.C.
Südwärts u. auch nordwärts vom Karawanenwege wurden immer wieder
Besichtigungsritte ausgeführt.

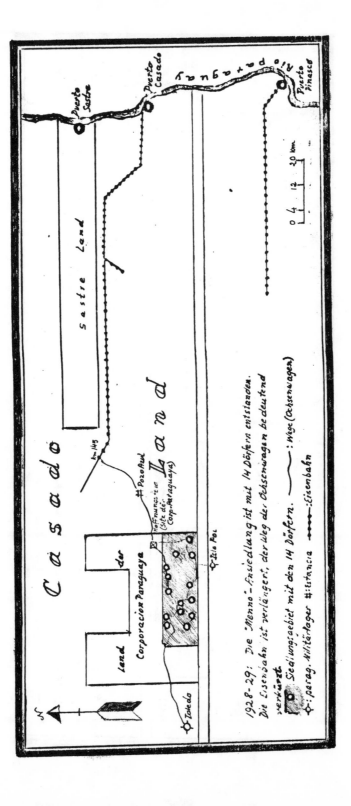

1928-29: Die Menno-Ansiedlung ist mit 14 Dörfern entstanden.
Die Eisenbahn ist verlängert, der Weg der Ochsenwagen bedeutend
verkürzt.

Siedlungsgebiet mit den 14 Dörfern.   ———— : Wege (Ochsenwagen)

○ : parag. Militärlager #: Estancia ——— : Eisenbahn

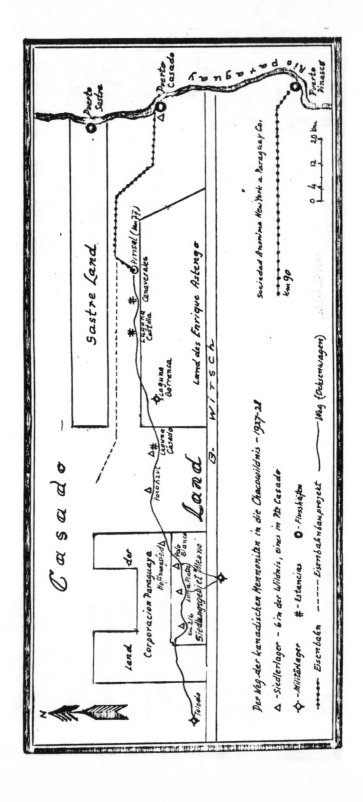

Der Weg der kanadischen Mennoniten in die Chacowildnis – 1927-28

△ = Siedlerlager – 6 in der Wildnis, eines in Pto Casado
= Militärlager   # = Estancias   ○ = Flusshäfen
····· Eisenbahn   ----- Eisenbahnbauprojekt   —— Weg (Ochsenwagen)

Index
Sachregister

502

Fehlerberichtigungen:

Man lese:
- auf Seite 6 (Mitte) Die Methode war erfolgreich - anstatt was ...
- auf Seite 20 (fast oben) Joh.Wiebe und G.Wiebe waren Vettern - anstatt Vetter.
  und Kolonie - anstatt Konlonie
- auf Seite 21 (fast unten) ...in Erinnerung hatte - anstatt Erinnierung
- auf Seite 47 night soll nicht sein.
- auf Seite 98 (Mitte) McR - Casado - FE - CH - ME ... CH ist da ausgelassen;
  Bedeutung: Carlos Hettman.
- auf Seite 120 im drittletzten Absatz - folgen anstatt fogen.
- auf Seite 122 (fast oben) Landessprache anstatt Landesspracht.
- auf Seite 123 (fast unten) sind nebensächlich - anstatt sich ...
- auf Seite 142 (unten) ...Dorfstrass 12 Höfe - anstatt 11 Höfe.
- auf Seite 155 ...dämmerte wieder Hoffnung - anstatt dämmerten
- auf Seite 159 Der Abschnitt "Die öffentliche Presse äussert sich"ist vom Verfasser, und nicht Auszug aus einem andern Schriftstück.
- auf Seite 161 ...noch wieder nicht zustande - anstatt zustanden
- auf Seite 163 Die Auswanderer der Westreserve - anstatt Westreservats. So auch
  auf anderen Seiten, wo dieses Wort vorkommt.
- auf Seite 187 ...ihre Zelte - anstatt ihre Zelt
- auf Seite 193 ...schon im Bewegungsbereich - anstatt in Bewegungsreich ...
- auf Seite 194 ...nicht in Rechnung genommen - anstatt nicht-Rechnung
- auf Seite 195 ...Gegend in der Ostreserve - anstatt in dem Ostreservat und
  unten ...unlobliche - anstatt unlöblich
- auf Seite 203 (unten) ... und dem entsprechend - anstatt dementsprechen
- auf Seite 210 (etwa Mitte) Merkwürdig war es, dass unter den Einwanderern dann
  solche waren, die mit verschiedenen Einrichtungen rechneten, die...
  den und rechneten sind ausgelassen worden.
- auf Seite 226 (Mitte) reichlich ausgenutzt - anstatt ausgentuzt
- auf Seite 228 (unten) Widerwärtigkeiten - anstatt Widerwärtigkeinten
- auf Seite 260 (Mitte)der oberen Hälfte) der sich furchtlos - anstatt sie ...
- auf Seite 326 mit Anhänger - anstatt Angänger
- Seiten 342-343 Von Seite 342 (Mitte) wo es anfängt mit "Herr Landreth versuchte...
  bis auf die nächste Seite, wo der Absatz schliesst mit "Das sahen
  auch die verantwortlichen Herren (nicht Herrn) der Siedlungsgesellschaft - sind Worte des Verfassers und nicht Auszüge aus anderen
  Schriften.
- auf Seite 375 (etwa Mitte) einem Neffen von General McRoberts - anstatt Sohn
- auf Seite 398 (unten) The Company - anstatt Comany
- auf Seite 404 stationierte Militär - anstatt sationierte
- auf Seite 422 (13. Zeile von unten: ...zuerst - anstatt zuert
- auf Seite 424 (im drittletzten Absatz Mitte) Wir werden auf etwa Kilometer 200 -
  anstatt ...werden auf etwa 200
- auf Seite 430 (fast unten) der für mich sorgt - anstatt sogt
Bilder zwischen den Seiten 232 - 233;
  Das untere Bild auf der 2.Bildseite: Zelt im Hüttendorf - anstatt
  Hütterdorf
Bilder zwischen den Seiten 417 - 418:
  Erste und zweite Bildseite: Beide Bilder stellen denselben Bau dar,
  Bau des Warenhauses in Pozo Azul, Februar-März 1927
  Lies den Abschnitt unter Die erste Gruppe lässt sich bei Pozo Azul
  nieder (Seite 217 - 220)

Man wird noch hie und da auf kleine Fehler stossen, die hier nicht erwähnt sind.
Auch wird man merken, dass manchmal ein Wort falsch getrennt ist.